教育部人文社会科学百所重点研究基地
内蒙古大学蒙古学研究中心学术著作系列
TOMUS 23

国家社科基金成果文库

SELECTED WORKS OF THE CHINA
NATIONAL FUND FOR SOCIAL SCIENCES

内蒙古通史 第二卷

辽西夏金时期的内蒙古地区（一）

总 主 编　郝维民　齐木德道尔吉
本卷主编　任爱君

人民出版社

选题策划:陈寒节
编辑统筹:侯俊智
责任编辑:陈寒节
装帧设计:肖　辉
责任校对:吴海平

图书在版编目(CIP)数据

内蒙古通史.第二卷/任爱君 主编.
　-北京:人民出版社,2011.12
ISBN 978 - 7 - 01 - 009413 - 7

Ⅰ.①内…　Ⅱ.①任…　Ⅲ.①内蒙古-地方史-辽宋金元时代　Ⅳ.①K292.6

中国版本图书馆 CIP 数据核字(2010)第 214157 号

内蒙古通史(第二卷)
NEIMENGGU TONGSHI DIERJUAN
辽西夏金时期的内蒙古地区
主编　任爱君

人民出版社 出版发行
(100706　北京市东城区隆福寺街99号)

北京中科印刷有限公司印刷　新华书店经销

2011 年 12 月第 1 版　2012 年 10 月北京第 2 次印刷
开本:710 毫米×1000 毫米 1/16　插页:7
印张:64　字数:1012 千字

ISBN 978 - 7 - 01 - 009413 - 7　定价:180.00 元(共二册)

邮购地址 100706　北京市东城区隆福寺街 99 号
人民东方图书销售中心　电话 (010)65250042　65289539

《国家社科基金成果文库》
出版说明

国家社科基金研究项目优秀成果代表国家社科研究的最高水平。为集中展示这些优秀成果，全国哲学社会科学规划领导小组决定编辑出版《国家社科基金成果文库》。《文库》将按照"高质量的成果、高水平的编辑、高标准的印刷"和"统一标识、统一版式、统一封面设计"的总体要求陆续出版。

全国哲学社会科学规划领导小组办公室
2005 年 6 月

契丹故地风光·辽祖陵（今巴林左旗哈达英格苏木石房子村）

契丹故地风光·甸子草原（赤峰市松山区境内）

辽祖州城遗址俯瞰（巴林左旗石房子村西祖州遗址）

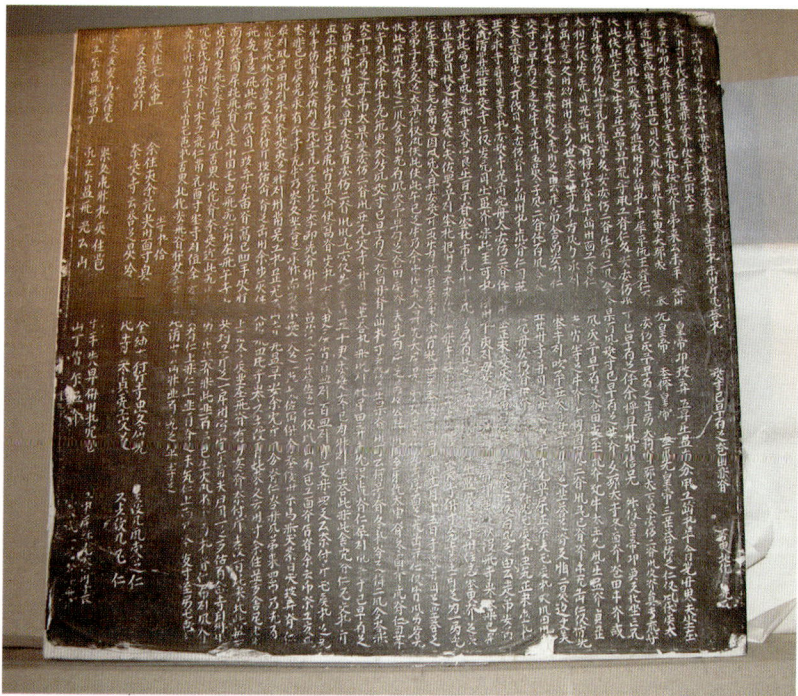

契丹大字墓志（现存巴林左旗辽上京博物馆）

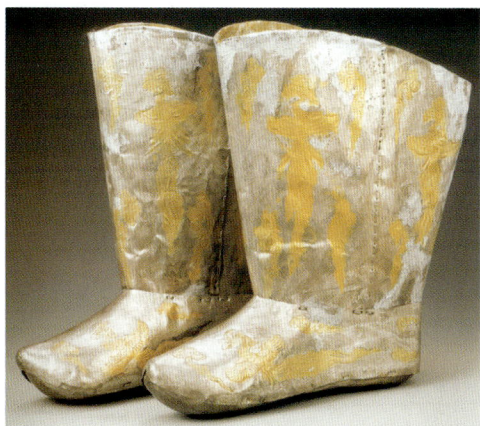

辽金花银靴（选自《契丹王朝——内蒙古辽代文物精华》）

辽朝金带（选自《契丹王朝——内蒙古辽代文物精华》）

金花银靴图案（选自《契丹王朝——内蒙古辽代文物精华》）

辽鎏金银钗（选自《契丹王朝——内蒙古辽代文物精华》）

西乌珠尔古代蒙兀室韦独木棺（选自《草原文化——游牧民族的广阔舞台》）

辽代玉佩（选自《契丹王朝——内蒙古辽代文物精华》）

辽刻花绿釉鸡冠壶（选自《契丹王朝——内蒙古辽代文物精华》）

辽白瓷阿难像（选自《契丹王朝——内蒙古辽代文物精华》）

辽白瓷迦叶像（选自《契丹王朝——内蒙古辽代文物精华》）

辽琥珀佩饰（选自《契丹王朝——内蒙古辽代文物精华》）

辽静安寺碑（现存宁城县辽中京博物馆）

辽代石刻遗存（巴林左旗真寂寺）

房山金陵遗址

金代蒲峪路遗址

银川西夏王陵遗址

金代玉饰

西夏陶塑迦陵频伽（选自《宁夏文物精华展》）

西夏文残卷

题 记

一、本卷主旨

本卷主要叙述 10 世纪初期至 13 世纪 30 年代，内蒙古地区历史的基本发展状况。

内蒙古地区，在公元 10 世纪初期至 13 世纪 30 年代（其间约 340 年）的发展历程中，书写了中国古代历史发展的新篇章并开创了古代游牧民族历史发展的新阶段，即基本结束了以前相对单一的农耕民族与游牧民族之间政治上强烈对抗的历史格局，呈现出南、北方两种文化之间同时共存、相互兼容的基本形态以及相互濡染与共同再造的历史氛围；基本上结束了北方游牧民族此起彼伏、前赴后继的历史发展状态，展现出具有浓厚民族文化养育的草原历史发展的新格局。辽、金、元一体化的发展历程，将北方游牧民族的传统文化与中原农耕传统文化进一步融合，奠定了古代中国文化发展的基本区划，开启了古代中国政治体制沿革的新阶段。首先，确立了古代北方地区政治重心的历史地位；其次，奠定了以省县制度取代州郡制度的基本国体的发展方向。契丹辽朝打破了古代农耕文化与游牧文化分野的地理界标，将传统的行国体制与中原地区的城国体制结合在一起，使秦汉长城从此成为契丹辽朝境内一道独特的历史人文景观，并为金、元两代的历史发展起到了前期的奠基作用。

研究契丹辽朝、女真金朝以及党项西夏时期的古代内蒙古地区的历史发展状况，不仅将极大地增加人们关于古代历史发展线索与基本状况的认识程度，也将会提高人们关于古代北方游牧民族历史文化作用的理性认知水平；不仅可以增强内蒙古地区各族人民的乡土自豪感，也会引导全国各族人民共同认识与理解"多民族大家庭"："你中有我，我中有你，谁也离不开谁"历史凝聚力形成的重要线索，从而为了解内蒙古、开发内蒙古与建设内蒙古作出应有的历史贡献。

二、本卷编著者介绍

任爱君　内蒙古赤峰市人，1962 年生。赤峰学院历史文化学院院长，教授，历史学博士。1984 年内蒙古大学历史系毕业；2005 年 6 月获内蒙古大学蒙古学学院专门史博士研究生学位。曾任昭乌达蒙古族师范专科学校北方民族文化研究所副所长。主要研究方向是中国古代北方民族史暨契丹辽史。

独立完成内蒙古自治区哲学社会科学规划项目《契丹史实揭要》、《现象与阐释——契丹辽朝建立前后一些尚未揭露的隐秘情节》，主持国家社会科学基金项目《契丹及契丹人》、内蒙古自治区哲学社会科学研究基地重大系列项目《契丹考古学文化编年》、《契丹部族通史》等。著有《辽代的契丹本土风貌》、《契丹帝国》、《赤峰岩画》等，合著《蒙古史纲要》、《内蒙古通史纲要》、《辽金史辞典》等。发表学术论文 80 余篇。获省部级优秀科研成果奖 5 项。是内蒙古自治区高等教育"111 工程"第二层次人选、内蒙古自治区"321"工程第二层次人选、内蒙古自治区哲学社会科学研究基地——红山文化暨契丹辽文化研究基地首席专家、国家级特色专业建设点负责人。

本卷主编；撰写；

第一编　史料及研究概况　第一章　史料概况　第二章　研究概况

第二编　概述　第三章　10 世纪初内蒙古地区的契丹政权　第四章耶律德光时期及辽朝政权的建立　第五章　辽朝世宗穆宗时期的内蒙古地区第六章　契丹辽朝中期的内蒙古地区　第七章　契丹辽朝中晚期的封建统治局面　第八章　辽朝、西夏时期的内蒙古西部地区　第九章　12 世纪初期女真政权向内蒙古地区的发展　第十一章　金朝中期的内蒙古地区　第十二

章　金朝晚期的内蒙古地区

第三编　专题　第十三章　10世纪之前的契丹发展史　第十四章　辽金时期的政治体制和统治方略　第十五章　辽金时期的社会发展现象　第十六章　地区经济文化交流与对外联系　第十七章　契丹辽朝史料整理与研究　第十八章　契丹辽文化研究的历史定位与评价问题

第四编　人物　第十九章　辽代历史人物

梁文美　内蒙古大学经济管理学院党总支书记、常务副院长，历史学硕士。1984年毕业于内蒙古大学历史系。2004年在职攻读专门史博士学位研究生。研究方向内蒙古地区史。

本卷撰写：

第二编　概述　第十章　金朝初期在内蒙古地区的统治政策

第四编　人物　第二十章　金代历史人物

郝维民

2009年12月

目 录

一 册

二　册

第三编　专　题

A General History of Inner Mongolia

Volume II
The Inner Mongolian Region
During the Liao, Western
Xia and Jin Dynasties

CONTENTS

PART I

PART II

Division III   Subject Studies

Chapter XX: Jin Dynasty Figures ······························ （968）

1. Historical Figures Who Campaignes for Inner Mongolian Region

(English Translation by Tergel, Nasan Bayar and Baohua, Revision by Irene Bain)

第一编

史料及研究概况

第　一　章

史　料　概　况

第一节　文献资料的基本情况

一、"正史"资料的相关记载

关于辽、西夏、金时期的内蒙古地区的基本发展状况，可资借鉴的正史系统的历史资料主要有两大类：第一类源自北方民族系统的自身记录，即元朝在充分参考辽、金两代实录等史料系统基础上修订于至正四年（1344 年）的《辽史》116 卷、《金史》135 卷；另一类正史资料出自中原史料系统，即成书于开宝七年（974 年）的《旧五代史》150 卷、成书于皇祐五年（1053 年）的《新五代史》75 卷、成书于至正五年（1345 年）的《宋史》496 卷。其他可供参考的历史资料还有：成书于北齐武平四年（573 年）的《魏书》130 卷，成书于贞观十年（636 年）的《周书》50 卷、《北齐书》50 卷、《隋书》85 卷以及成书于显庆四年（659 年）的《北史》100 卷，成书于开运二年（945 年）的《旧唐书》200 卷，修定于嘉祐五年（1060 年）的《新唐书》225 卷，明朝成书的《元史》210 卷。这些，都在相应的"纪、传"等部分，直接涉及契丹或者契丹人的历史纪事，尤其是新、旧两个版本的五代史对契丹政权（即辽朝初期）的历史记录、对内蒙古地域或地名的记录尤详。

10—12 世纪初的辽朝时期，已经有了契丹人自己的史学著述。辽太宗会同四年（941年），敕有司编《始祖奇首可汗事迹》。奇首是传说中的契丹始祖，此书记载的大概就是契丹部落初起阶段的历史状况，今已佚。圣宗统和九年（991年），室昉等修《统和实录》20卷，书名虽以圣宗统和年号为名，但记录的内容却是自太祖至景宗前后五朝的历史实况，今已佚。兴宗重熙年间（1032—1055年），耶律古欲等编《遥辇至重熙以来事迹》20卷，记录自遥辇氏汗国时代至辽兴宗朝的历史事迹，由于当时书名未定，故又称为《辽国上世事迹及诸帝实录》或《先朝事迹》，今已佚。萧韩家奴等撰《礼书》3卷，记录辽朝礼仪内容及其行礼状况等，今已佚。道宗大康年间（1075—1084年），耶律孟简撰《三人行事》，主要记述辽朝功臣耶律曷鲁、耶律屋质、耶律休哥的历史功绩，今已佚。耶律俨著《礼志》（卷数不清），已佚。又有佚名《辽朝杂礼》，散佚于明清时期。天祚乾统三年（1103年），耶律俨等纂《皇朝实录》70卷，收录自太祖以下八朝帝王、诸臣业绩，元朝时又称为耶律俨《志》或辽朝"旧史"，是金、元两朝编修《辽史》的主要参考书目，今已佚。此外，成书于道宗末年（1085—1101年）的王鼎《焚椒录》，记录了当时发生的宫闱事变，是辽朝诸多著述中罕见的存留，成为研究契丹辽朝历史和文学的重要资料，也是研究今内蒙古巴林草原对外交通和历史状况的重要资料。辽朝灭亡后，契丹人的历史活动主要见于《金史》《元史》的零散记载。

关于金朝与女真人的历史记录，除了上述《金史》与其他正史资料以外，还有迄今遗留下来的著名的《九金人集》，以诗歌或奏论的形式，体现或概括当时内蒙古地区的自然环境、风土民情以及地理沿革、交通设施等。而党项西夏人的历史记载，也主要地包括在以上正史系统的记录范围之内。

二、其他类史书的记载

辽金时期的历史资料除正史系统外，还可见于其他史料系统中，主要有：成书于乾德元年（963年）的《五代会要》30卷；成书于北宋元丰七年（1084年）的《资治通鉴》294卷；成书于元丰四年（1081年）前后的《隆平集》20卷；成书于北宋仁宗朝（1023—1063年）的《武经总要》40卷；成书于宋太宗朝（976—997年）的《太平寰宇记》200卷；成书于宋神宗朝（1068—1085年）的《契丹官仪》1卷；成书于北宋末年的《燕北杂录》（仅存辑抄本）5 卷；成书于元丰六年（1083 年）的《华戎鲁卫信录》229 卷，今已佚；成书于南宋初期的《松漠纪闻》2 卷、《南唐书》18卷、《江南野史》10 卷；成书于淳熙十年（1183 年）前后的《续资治通鉴长编》520 卷、《三朝北盟会编》250 卷、《东都事略》130 卷、《太平治迹统类》30 卷；成书于宋高宗朝（1127—1162 年）的《宋朝事实》20 卷；成书于宋末元初的《契丹国志》27 卷、《大金国志》40 卷；成书于金章宗明昌六年（1195 年）的《大金集礼》40 卷；成书于元朝大德十一年（1307年）的《文献通考》348 卷；成书于元末明初的《说郛》120 卷（即宛委山堂本）；明朝成书的《宋史纪事本末》26 卷；刊于嘉庆年间（1796—1820年）的《宋会要辑稿》366 卷；成书于乾隆八年（1743 年）的《辽史拾遗》24 卷、乾隆五十九年（1794 年）的《辽史拾遗补》5 卷、光绪年间（1875—1908 年）的《辽史纪事本末》40 卷、清朝末年的《西夏书事》《西夏志略》《金文最》等，这些都直接记录了契丹（或女真）史事、辽（或金）朝状况和行程路线等，是迄今研究当时内蒙古生态环境、地理沿革、古代交通的重要参考资料。

此外，可资借鉴的还有：贞元十七年（801 年）成书的《通典》200卷；建隆二年（961 年）成书的《唐会要》100 卷；景德二年（1005 年）奉敕撰写的《册府元龟》1 000 卷；南宋成书的《建炎以来系年要录》200卷以及《通志》《宋文鉴》《遗山集》《中州集》和后世成书的《元文类》《钦定三朝国语解》《西夏书事》《渤海国记长编》《西夏纪事本末》《燕北录》（今存辑本）《虏廷杂记》（已佚）、《上契丹事》奉使见闻录七种，《奏契丹阿保机薨逝状》（或《陈德威出使契丹见闻记》）《陷虏记》《使契丹进元宗蜡丸书》和宋人文集、笔记、杂抄，如苏辙《栾城集》、苏颂《苏魏公集》、王铚《默记》、欧阳修《归田录》、范镇《东斋纪事》等。

13 世纪以后，契丹、女真及党项人在"正史"的记载中逐渐消失，但在正史以外的其他史书中，仍然有着持续的追记。如刘祁《归潜志》、元好问《中州集》《壬辰杂编》《野史》、杨循吉《金小史》、李有棠《金史纪事本末》、庄仲方《金文雅》等。

现代文献资料的整理主要有：冯家昇《辽史证误三种》，罗继祖《辽史校勘记》，陈汉章《辽史索引》，李慎儒《辽史地理志考》，丁谦《辽史各外国地理考证》，谭其骧《辽史地理志补正》《辽史订补三种》，金毓黻《辽海丛书》，李文田《长白丛书》，陈述《全辽文》，向南《辽代石刻文编》《续编》，蒋祖怡《全辽诗话》，盖之庸《内蒙古辽代石刻文研究》等。同时，文物考古资料的整理，如陈明达《应县木塔》，内蒙古昭乌达盟文物工作站《辽代壁画选》，内蒙古博物馆等《契丹女尸》，北京图书馆金石组《房山石经题记汇编》，清格尔泰等《契丹小字研究》，山西省古建筑保护研究所《佛宫寺释迦塔和崇福寺辽金壁画》，内蒙古巴林左旗政协《大辽韩知古家族》，河北省文物考古研究所《宣化辽墓壁画》，内蒙古文化厅等《契丹王朝》，内蒙古哲里木盟博物馆、库伦旗文物工作站《库伦辽代壁画墓》，孙建华等《陈国公主墓》，朱天舒《辽代金银器》，邵国田《敖汉文物精华》，唐彩兰《辽上京文物撷英》，孙建华《内蒙古辽代壁画》等。

三、国外史学著述的相关史料

（高丽）郑麟趾《高丽史》137 卷，成书于明朝景泰二年（1451 年）。仿照中国修史体例，有纪、志、表、传诸目。由于契丹与高丽的近邻关系，高丽王朝于 11 世纪初沦为契丹的属国，直到辽朝灭亡。此书的纪、志、传记载了与契丹相关的历史资料，实为研究契丹辽史不可忽略的参考书目。

（高丽）金富轼《三国史记》50 卷，成书于高丽仁宗二十三年（1145 年），记录的是高丽以前新罗、高句丽、百济的历史，故名《三国史记》。自高句丽小兽林王时期开始，陆续记录了一些契丹人的资料，作为域外记载，益显珍贵。

（高丽）卢思慎《东文选》130 卷，成书于明朝成化年间（1465—1487 年）。收录朝鲜半岛三国时代迄于高丽王朝（即 7—16 世纪初），千年积累的诗文、词赋、书疏、诏命、制诰等，其中也有涉及契丹辽朝的记载。

（波斯）拉施特（1247—1318 年）《史集》（余大钧等译本），成书于 14 世纪初期。拉施特是古波斯人，乃蒙古伊利汗国的贵臣，曾担任宰相职务，合赞汗（1295—1304 年）在位时，于 1300 年左右奉命修撰一部详细记述蒙古人历史的史书，直到完者都汗（1304—1316 年）在位的 1307 年，才基本完成此书的修撰工作，进呈于完者都汗披览，奉诏将此书题献于合赞汗，并定名为《合赞汗御修史》。同时，又奉命续写一部以伊斯兰世界各民族历史为主的史书以及一部以世界各国地理情况为主的史书，在 1311 年底前完成全部工作，然后将三部史书合称为《史集》。《史集》共包括三部分（又称三编）内容，即第一部蒙古史、第二部以记录亚欧各国为主的世界史及五民族世系谱、第三部为记述世界各地区的地理志。大约在拉施特死后不久，《史集》就已开始散佚，现今所见国内出版的余大钧等译本，乃是根据俄国学者的集校成果整理转译，只是拉施特全书第一部分的孑遗。

（伊朗）志费尼（1226—1283 年）《世界征服者史》（何高济译本），成书于 13 世纪。志费尼是古波斯人，家族世代担任塞勒术克朝和花剌子模朝的撒希伯底万（即财政大臣）职务。志费尼亲自见闻与经历了蒙古骑兵征伐西亚地区的历史过程，其本人也在为蒙古征服者服务的过程中，担任了乌浒水以西诸省长官阿儿浑的秘书，曾有幸数次随阿儿浑至哈喇和林朝觐，其中，祝贺蒙哥汗即位之行，因故居留哈喇和林达 18 个月，亲自闻见了许多真实的历史资料。也正是此次之行，他萌发了撰写一部记述蒙古征服者的史书的想法，从那时开始直到其去世，始终都在构思和著述这部卷帙浩繁的历史著作。这是一部典型的私人著述，由于无法知道的原因，在撰写此书后半部分的时候，志费尼莫名其妙地停止续写的笔触，因此，这是一部并未完成也未能续写的历史著述，现今所见国内出版的何高济译本，乃是据较完整的波伊勒英译本的转译，即此书的前半部分。

（阿拉伯）伊本·阿西尔（1160—1233 年）（Izz al-din Abu-l-Hasau Ali ibn Muhammeb ibn al-Arhiri，1161—1234 年）《全史》（Chro-nicon quod-perfectissimun insoribitur），成书于 13 世纪初期。伊本·阿西尔是古代阿拉伯人，著名历史撰述人，原出生于河中，后移居摩苏尔，遂为摩苏尔人。其代表作即《全史》（或直译为《编年史全集》《历史大全》），根据整理、编述前人遗留下来的历史著述，又结合自身获得的见闻资料，主要记载了起自远古洪荒迄于 1231 年为止的阿拉伯世界的基本情况，其中记录了与作者生活时代比较贴近的西辽王朝的相关资料，是值得借鉴和参考的重要书目。

20 世纪国外学界的史料整理主要有：［日］若诚久治郎《辽史索引》，田村实造等《庆陵——东蒙古辽代帝王陵及其壁画》、《庆陵壁画》，岛田正郎《祖洲城——辽代古城址的考古学历史发掘调查报告》，村田治郎《大同大华严寺》，小山富士夫《世界陶瓷全集》第 10 卷（宋辽篇）；［英］玉耳

《契丹及其通往那里的路——中世纪中国见闻汇编》（今译本《东域纪程录丛》，张绪山译，云南人民出版社 2002 年版），等等。

第二节 考古学资料

一、契丹辽朝的考古学资料

《辽史》向以简陋著称，片言只语，往往失序，仅靠支离破碎的记录研究契丹辽朝初期的史实，无疑属纸上谈兵。因此有关契丹辽朝的碑铭资料，自清代以来就成为人们研究和了解契丹史实的主要依据。

20 世纪初，随着文献资料整理方面的进展，因巴林草原瓦林莽哈山谷盗墓事件引发的"世界考古发现"——辽朝皇族陵园遗址①，使考古学在契丹辽史研究中起到日益明显的作用。20 世纪三四十年代，日本学者相继对赤峰境内辽代文化遗址的调查和发掘，使庆陵、上京和祖州城的基本面貌揭露出来②，世界对契丹辽文化有了比较完整的认识，尤其是庆陵的发现，不仅使人们目睹了契丹文字的风韵，庆陵壁画也予学界以振聋发聩的醒示；上京城、中京城和祖州城的披露，亦使人们惊叹辽代高超的建筑技术和别具一格的建筑特点。

20 世纪后半期，契丹考古的一系列重大发现，令人目不暇给，不断刷新学界的既有认识程度。20 世纪 50 年代初，赤峰县大营子辽朝驸马赠卫国王墓的发现，是辽朝初期萧氏家族墓地之一，出土的墓志、壁画和陪葬品等都是研究契丹辽朝物质文化的典型资料。60 年代，阿鲁科尔沁旗水泉沟发现契丹贵族墓，内置石质椁室和棺床、彩绘壁画以及精美的实物资料；辽宁义县清河门契丹贵族墓，也相当重要；北京赵德钧夫人种氏墓志铭，反映了汉族官僚在契丹辽朝的特殊地位；辽宁鞍山辽代画像石墓则反映了辽东地区

---

① 参见［日］岛田好：《辽陵发现始末记》，《黑白半月刊》第 3 卷 1935 年版。

② 参见［日］田村实造等：《庆陵——东蒙古辽代帝王陵及其壁画》，京都大学文学部，1953 年版；《庆陵的壁画》，日本同朋舍，1977 年版；［日］岛田正郎：《祖州城》，中泽印刷株式会社，1956 年版。

文化发展的具体状况。70 年代，哲里木盟库伦旗辽代墓葬，内有美轮美奂的壁画、绢画等，尤其外戚家族墓葬群的发现，以文字和实物资料同时展示了辽朝的文化成果；辽宁北票莲花山、北镇龙岗相继发现的皇族墓群，揭开了契丹皇室神秘的面纱；河北宣化下八里辽金时代张氏家族墓群，是汉族官僚贵族具体生活状况的历史实证。80 年代发现的哲里木盟奈曼旗陈国公主墓、乌兰察布盟察哈尔右翼前旗豪欠营"契丹女尸"墓，不仅提供了契丹人髡发的实证，也提供了辽代丝织、冶铁方面的实物资料。90 年代发现的耶律羽之家族墓群、韩匡嗣家族墓群、庆陵东陵区殉葬墓群（即皇太叔祖和鲁斡、秦国王阿琏墓）、哲里木盟扎鲁特旗哲北农场契丹皇族墓群（内出圣宗淑仪耿氏及其子、孙墓志铭）等，已经将契丹辽史研究直接导向深入发展的趋势。

21 世纪初，赤峰市元宝山区契丹皇室墓群及义州头下城址、辽宁阜新关山萧氏家族墓群、通辽吐尔基山辽墓的相继发现，都具有重要的研究意义和参考价值。而考古学意义的遗址分期问题也基本解决，如扎鲁特旗封山屯辽墓、巴林右旗塔布敖包石砌墓、阿鲁科尔沁旗宝山辽墓等，基本属于契丹建国前后的中小型墓葬，中后期遗址的区分也更加明显，为契丹辽史研究提供了必要的参考资料。

目前，考古工作者已经发现近千块辽代碑刻，分别用汉字或契丹文字书写；调查、考证了大批州县城址与古建筑遗迹，极大地丰富和补充了文献资料的不足。像天津蓟县独乐寺、辽宁义县奉国寺、山西大同华严寺及应县木塔、巴林右旗庆州白塔等典型的辽代建筑群落，都相继汇集专家学者对其结构特点、建筑方法、艺术水准等方面进行认真分析与科学评估，使辽代建筑艺术作为古代建筑史中的一环，成为民族建筑史上的奇葩，饮誉于世界民族建筑之林；而房山石经、应县木塔契丹藏、丰润天宫寺经藏、庆州白塔与朝阳北塔佛教文物的发现，使辽代宗教文化成果的基本面貌，渐露端倪；上京城、中京城及祖州城、庆州城、怀州城等大批辽代城址的调查和发掘，使辽代城镇布局、建筑特点、城市风貌等都有了比较具象的展现。总之，大批的考古新发现，为学界提供了更加丰富而崭新的第一手研究资料；以丰富的物质资料和充分的文字资料、逼真的形象资料，为解开契丹辽史存在的诸多谜团提供了必要的条件和史料积累。因此，探询契丹辽文化的历史发展线索与具体轨迹的资料条件，目前已经成熟。

二、女真金朝的考古学资料

关于女真金朝的考古资料，很早就引起研究女真金史学者的注意，清末学者张金吾先生搜集遗余编纂一部《金文最》，收集大量金代遗文碑刻，成为迄今研究女真金朝历史不可或缺的学科工具书之一。20世纪30年代，日本学者鸟居龙藏将长期调查材料以《满蒙古迹考》为名，予以发表（中译本：陈念本译，上海商务印书馆1933年版）；鸟山喜一《北满的两大古都遗址——东京城和白城》（京都帝国大学满蒙文化研究会1935年版），都将当时遗留下来的女真金朝历史文化遗迹加以介绍与考据；苏联学者奥克拉德尼科夫所著《苏联考古文选》与《滨海遥远的过去》，也分别由林沄、莫润先等翻译出版（文物出版社1980年版、商务印书馆1982年版）；沙弗库诺夫著《东北亚考古资料译文集（俄罗斯专号）》（林沄译，北方文物杂志社编1996年版）等，向国内学界系统介绍苏联远东地区女真金朝考古发掘的主要收获；1983年山西省古建筑保护研究所《岩山寺金代壁画》与《佛宫寺释迦塔和崇福寺辽金壁画》，均由文物出版社出版，向学界系列展示山西省境内遗留的辽金历史文化遗存；1989年，黑龙江省阿城县"金源故地"齐国王墓葬以及北京房山金朝陵园的发现，成为女真金朝考古的标志性成果；同年，童玮著《赵城金藏与〈中华大藏经〉》由中华书局出版，陈相伟等校注《金碑汇释》由吉林文史出版社出版；1990年，张金吾《金文最》由中华书局出版；1998年，赵评春等《金代服饰——金齐国王墓出土服饰研究》由文物出版社出版；1999年，山西省考古研究所《平阳金墓砖雕》由山西人民出版社出版，等等。

女真金朝的考古学资料以墓葬资料为主，而金代墓葬研究又以火葬墓为突出，如景爱《辽金时代的火葬墓》，认为其主要分布于今北京市、黑龙江省、河北省、吉林省、辽宁省、内蒙古自治区与山西省以及今俄罗斯境内的犹太自治州、哈巴罗夫边区等地。其火葬墓又分为土坑墓和砖室墓两种，多数都有葬具，根据葬具不同又分为石棺、木棺、瓮棺三种类型。石棺火葬墓有比较流行的由整体石块凿成的棺体与棺盖，也有新出现的由多块石板组合成的石棺椁，构造比较复杂，反映出金代石棺制作技术的进步，并且金代石棺中安置木制骨灰匣现象盛行。金代火葬墓也根据不同地区而流行不同葬具，譬如俄罗斯犹太自治州与黑龙江中兴、永生、奥里米地区比较流行木棺葬，方式多为连同棺木一起焚毁，且墓坑附近有停放尸体木案的明显痕迹；金代的瓮棺葬已非实用器具，而是出现专门盛装骨灰的瓮棺；金代的火葬墓以单人葬为主，也包括一些夫妻合葬与家族丛葬现象，并且均为二次葬①。

金代石刻资料，20 世纪三四十年代相继发现的黑龙江省阿什河流域墓碑残件、吉林省前郭县石碑崴子发现的大金得胜陀颂碑、大顶山石碑岭发现的完颜娄室墓志铭、完颜希尹神道碑、完颜忠神道碑、崇义军节度使墓志铭，20 世纪 80 年代以来相继发现的曹道士碑、宝严大师塔铭、上京释迦院尼临坛首座宣徽大师法性葬记、吴舜辟墓志铭、佑先院藏经千人邑碑记、通慧圆明大师塔铭、刘元德墓志铭、博州防御使墓志铭、万部华严经塔碑铭、乌古论窝论墓志铭、乌古论元忠墓志铭、鲁国大长公主墓志铭、窝鲁欢墓志铭、房山石楼村金代墓碑、蒲察胡沙墓志铭、故建威都尉夫人王氏墓志铭以及蒙古国境内发现的九峰石壁石刻等。

还有曾经广泛分布于金朝统治区域之内的大量壁画墓资料，它们已经真实地体现出金朝时期各地各民族丰富多彩的生活方式与生活习惯。

这些都为研究金朝历史、文化、经济生产、社会生活等提供了大量的实物研究与参考资料。

三、党项西夏的考古学资料

西夏是中国古代以党项羌族为主体建立的民族政权，它存在于公元 11 世纪中期至 13 世纪初期，前后延续近 200 年，先后与辽朝、北宋以及金朝、南宋、蒙古汗国同时并立共存，共同构成了当时中国古代政治割据、分立的基本局面。但是，关于党项羌族及其建立的西夏政权的历史记载极少，虽然西夏政权也撰写过自己的史书，却没有一部能够存留下来。因此，凡是涉及党项羌族及西夏政权的一切考古资料，都已经成为目前深入研究西夏史的重要参考资料。

---

① 景爱：《辽金时代的火葬墓》，《东北考古与历史》第 1 辑，文物出版社 1982 年版，第 104—115 页。

　　自清朝中叶开始，学界已经比较注意西夏史的研究并不断钩稽各种资料。20世纪初期，先是俄国陆军军官科兹洛夫（1908—1909年）深入内蒙古地区额济纳河流域探险考察，结果在黑水城遗址发掘出大量古代民族文字文献资料，成为当时轰动国际社会的重大考古发现，经过专家学者的鉴别：这些民族文字文献资料大多数都属于已经失传的党项西夏文字文献资料；继之，英国探险家斯坦因接踵而至，对黑水城遗址存留的历史文化遗物大肆掠夺。科兹洛夫及斯坦因探险的重要意义在于：首先发现了已经灭绝的西夏文字以及与西夏文字形成完整对译状态的《蕃汉合时掌中珠》，即西夏文字与汉字对译的古代字书；其次是发现了大量的西夏历史制度、法律条文等文献资料；最后是发现诸多直接反映西夏各族社会人口现实生活状态的诗歌、文集残卷等，由此揭开了西夏学国际化发展的序幕。

　　20世纪后期，首先对宁夏银川西贺兰山区西夏皇陵进行发掘[①]，考证出帝陵9座、陪葬墓254座，出土建筑构件、残碑石刻与鎏金铜牛等，尤其是2000—2002年对西夏王陵3号墓的清理，出土建筑瓦当、板瓦和筒瓦等14万件，各种建筑艺术品如迦陵频伽（妙音鸟）等200余件。敦煌及榆林等地发现西夏时期佛教洞窟百余座，尔后又在甘肃省武威县境内发现一批西夏文献文物[②]，这是继黑水城大发现后的又一次重大考古发现。1983—1984年，再次对内蒙古黑水城遗址进行发掘，出土重要文献3 000余份[③]；同时，在宁夏境内又发现并发掘西夏瓷窑遗址[④]和大批佛教文物资料[⑤]。不久，在黑水城遗址附近的绿城遗址也发现大批西夏文物。关于党项西夏考古学研究的力作也相继出版，如罗福颐、李范文辑释《西夏官印汇考》（宁夏人民出

---

　　① 参见宁夏回族自治区博物馆：《西夏八号陵发掘简报》、《西夏陵区108号墓发掘简报》，《文物》1978年第8期，第60—76页。

　　② 甘肃省博物馆：《甘肃武威发现一批西夏遗物》，《考古》1974年第3期，第200—207页。

　　③ 内蒙古考古研究所、阿拉善盟文物工作站：《内蒙古黑城考古发掘纪要》，《文物》1987年第7期，第1—23页。

　　④ 中国社会科学院考古研究所内蒙古工作队：《宁夏灵武县瓷窑堡瓷窑址调查》，《考古》1986年第1期，第51—55页；《宁夏灵武县瓷窑堡瓷窑址发掘简报》，《考古》1987年第10期，第905—913页；中国社会科学院考古研究所内蒙古工作队编（马文宽执笔）：《宁夏灵武窑》，紫禁城出版社1988年版；中国社会科学院考古研究所内蒙古工作队：《宁夏灵武县回民巷瓷窑址调查》，《考古》1991年第3期，第224—226页。

　　⑤ 雷润泽：《宁夏宏佛塔发现大批珍贵文物》，《中国文物报》1990年9月6日第1版。

版社 1982 年版)，宁夏博物馆发掘整理、李范文编释《西夏陵墓出土残碑粹编》(文物出版社 1984 年版)，陈炳应《西夏文物研究》(宁夏人民出版社 1985 年版)，史金波、白滨、吴峰云编著《西夏文物》(文物出版社 1987 年版)，骨勒茂才著、黄震华等整理《蕃汉合时掌中珠》(宁夏人民出版社 1989 年版)，李逸友《黑城出土文书(汉文文书卷)》(科学出版社 1991 年版)，韩小忙《西夏王陵》(甘肃文化出版社 1995 年版)、《西夏美术史》(文物出版社 2001 年版) 等。西夏墓葬也有陆续发现，如大宋定难军管内都指挥使康公墓志铭①、宁夏石壩发现墨书银器②、武威墓葬③，还有石嘴山西夏城址④等，极大地丰富了西夏史研究的资料储备。

　　迄今为止，先后发现的西夏文文献资料已经多达数百种、近万卷，仅俄国收藏的西夏文文献资料就在 15 万面以上。西夏文文献资料内容广泛，主要有佛经写卷、世俗文书以及字书、韵书、类书、文学著作和各种法典等，比较重要的著作有《文海宝韵》、《音同》、《五音切韵》、《蕃汉合时韵》、《蕃汉合时掌中珠》、《新法》、《三才杂字》以及《天盛律令残卷》等，其中佛教经卷就达 5 000 余种，被称为西夏大藏经，许多已经被翻译成汉文予以出版。

---

　　①　戴应新：《有关党项夏州政权的真实记录——记〈古大宋国定难军管内都指挥使康公墓志铭〉》，《宁夏社会科学》1999 年第 2 期，第 68—70 页。

　　②　宁夏回族自治区博物馆：《宁夏回族自治区文物考古工作的主要收获》，《文物》1978 年第 8 期，第 59 页。

　　③　宁笃学等：《甘肃武威西郊林场西夏墓清理简报》，《考古与文物》1980 年第 3 期，第 64—66 页；宁笃学：《武威西郊发现西夏墓》，《考古与文物》1984 年第 4 期，第 42—45 页。

　　④　宁夏回族自治区展览馆：《宁夏石嘴山市西夏城址试掘》，《考古》1981 年第 1 期，第 91—92 页。

第　二　章

研　究　概　况

　　学界或者认为清代厉鹗的《辽史拾遗》是契丹辽史研究的开山之作，但就实际状况而言，厉鹗的著作还仅是史料搜集和整理的一部分，谈不上真正的研究；真正地采用科学的研究方法和历史观对契丹辽史进行全面研究，主要是从 20 世纪初期阶段开始的。尤其是"契丹国书"即契丹文字的发现，使关于契丹人的历史考察和研究，开始成为学界探讨的热门话题，研究领域在不断地扩大。

第一节　国内学界的研究概况

一、契丹辽史研究概况

（一）契丹辽朝初期的政治制度与历史现象研究

　　最早注意"四楼"现象的是陈述先生《阿保机营建四楼说证误》（《辅仁学志》1947 年第 15 卷 1—2 期），认为契丹四楼纯属于虚乌有，当时仅有"西楼"而"西楼"又是"昔剌"的异译，即"耶律"的不同音译，后人遂又臆造出南、东、北三"楼"并衍化为"四楼"说。王树民先生在《略论契丹建国初期营建的四楼》（《文史》第 16 辑 1982 年版）中，反驳陈先生观点，认为"四楼"是阿保机营造的重要设施，与后来的"五京"一样是镇守各个方面的统治中心。其后，任爱君也对此提出新的看法，认为

"四楼"不仅有具体的地域，也和契丹人的习俗相关，是辽太祖早期的斡鲁朵；它在辽太祖"化家为国"的历史过程以及"岁岁作楼居"的习俗发展中都可得到证明①。这些观点，代表了目前的研究状况。

关于辽太祖"化家为国"的问题，许多论述都不够详细。赵振海在《辽太祖阿保机"以家代国"的斗争》（《华中师范学院学报》1985年第3期）、田禾在《阿保机"变家为国"的历史考察》（《学术研究丛刊》1992年第4期）中，引用史籍的相关记载，阐述了阿保机"化家为国"的历史过程，沿袭了学界的基本观点，认识角度也不够宽广。任爱君在《阿保机时期契丹国家的历史特点》（《昭乌达蒙族师专学报》1991年第1期）一文中，分析了契丹族俗对国家体制的影响，指出建国前后"因俗而治"政策的历史影响，认为"化家为国"即是顺应族俗的结果；后又发表《神速姑暨原始宗教对契丹建国的影响》（《北方文物》2002年第3期）、《从舍利到帝王——关于辽太祖"化家为国"的历史背景与时代内涵》（《社会科学辑刊》2004年第2期），阐释了宗教在契丹建国过程中的功能、阿保机创建政权的具体策略，也分析了"化家为国"的历史内容及其意义。同时，关于五代史料记载的"盐池宴"问题，萧爱民在《耶律阿保机"盐池宴"考辨》（《北方文物》2003年第4期）中，分析了历史内容，指出事件的发生地即今乌珠穆沁旗境内。任爱君在《契丹"盐池宴""诸弟之乱"与夷离堇任期问题》（《史学集刊》2007年第6期）中，系统地阐释了造成"盐池宴"与"诸弟之乱"历史记载存在差异的基本原因，认为盐池地应在阿保机汉城附近，即后汉滑盐县；同时分析了记载中涉及的部落首领任期问题，认为这是关于迭剌部夷离堇的选举而非契丹可汗选举问题。总之，关于辽太祖"化家为国"的历史过程，到目前为止，研究力度还很不够。

---

① 参见任爱君：《契丹四楼及其名号考述》，《昭乌达蒙族师专学报》1989年第3期，第49—57页；任爱君：《阿保机时代之契丹四楼考辨》，《昭乌达蒙族师专学报》1990年第1期，第1—9页；任爱君：《契丹四楼源流说》，《历史研究》1996年第6期，第35—49页；任爱君：《回鹘楼居与契丹四楼之关系研究》，《西北民族研究》1997年第2期，第138—162页；任爱君：《敦煌遗书"楼上"一词释义》，《敦煌研究》1999年第1期，第90—95页；任爱君：《说契丹岁岁作楼居》，《赤峰·1998·中国北方古代文化第二届国际学术研讨会论文集·北方民族文化新论》，哈尔滨出版社2001年版，第251—262页。

斡鲁朵习俗和宫帐制度，也是目前契丹辽史研究的焦点所在，众说纷纭，焦点在于斡鲁朵户及其州县性质与斡鲁朵的驻在地等。关于斡鲁朵户及所属州县问题，杨若薇、李锡厚认为斡鲁朵户和斡鲁朵所属州县户不同，但二人的观点也稍有歧异①，并由此引发"头下户"的探讨②。关于斡鲁朵官制与驻在地的探讨，杨若薇、武玉环等承认晚期斡鲁朵的地点是固定的，但又不能指出确切位置③。关于斡鲁朵的源流，苏赫先生《说北方民族的斡鲁朵习俗》（赤峰·1998·中国古代北方文化第二届国际学术研讨会交流论文），认为斡鲁朵是北方民族历史的共有现象，与匈奴时期的"瓯脱"习俗相同，"瓯脱"即斡鲁朵的最早记载。费国庆《辽朝斡鲁朵探索》（《历史学》1979 年第 3 期），认为斡鲁朵形态是契丹君主强权政治的基础。罗继祖《耶律阿保机的"腹心部"》（《辽金史论集》第 1 辑，天津人民出版社 1987 年版），指出了太祖斡鲁朵的私有性情。王民信《契丹外戚集团的形成》（《契丹史论丛》，台北，学海出版社 1973 年版），则系统论述了地位特殊的"国舅帐"问题。杨若薇《辽代斡鲁朵所在地探讨——兼谈所谓"横帐"》（《北京大学学报》1985 年第 5 期）、《释"辽内四部族"》（《民族研究》1987 年第 2 期），则系统分析了"横帐""皇族帐"与"二国舅帐"的具体形态及其主要构成。陈述先生较早注意到契丹人的宫帐问题④，李则芬《辽国的宫卫》（《宋辽金元历史论文集》，台北，黎明文化事业公司 1991 年版）以及任爱君《契丹国家的房帐宫卫制度》（《昭乌达蒙族师专学报》1996 年

---

① 杨若薇：《契丹王朝政治军事制度研究》，中国社会科学出版社 1991 年版，第 42—48 页；李锡厚：《辽代诸宫卫各色人户的身份》，《北京师范学院学报》1985 年第 4 期；《辽朝隶宫州县的汉族地主》《揖芬集——纪念张政烺先生论文集》，中国社会科学出版社 2002 年版，第 207—215 页。

② 陈述：《头下考》，《历史语言研究所集刊》第 8 本第 3 分，1939 年 10 月；《头下释义》，《东北集刊》1941 年 6 月第 1 期；费国庆：《辽代的头下州军》，《曲阜师范学院学报》1963 年第 1 期；冯永谦：《辽代头下州探索》，《北方文物》1986 年第 4 期；李锡厚：《头下与辽金"二税户"》，《文史》1994 年第 38 辑；《关于头下研究的两个问题》，《中国史研究》2001 年第 2 期；刘浦江：《辽朝的头下制度与头下州军》，《中国史研究》2000 年第 3 期。

③ 杨若薇：《辽朝斡鲁朵官制探讨》，《中国史研究》1986 年第 4 期；《辽代斡鲁朵所在地探讨——兼谈所谓"横帐"》，《北京大学学报》1985 年第 5 期；武玉环：《辽代斡鲁朵探析》，《历史研究》2000 年第 2 期。

④ 陈述：《契丹史论证稿》，系统论述契丹帐制的文章，见其遗作《契丹舍利横帐考释》，《燕京学报》新第 8 期，2000 年 5 月。

第 3 期）等，也都对此进行探讨。刘浦江《辽朝"横帐"考——兼论契丹部族制度》（《北大史学》第 8 辑，2001 年版）则认为契丹社会组织事实上分为部族和宫帐两部分，横帐即宫帐，它是独立于部落组织外的头下世袭帐分。王善军《辽朝横帐新考》（《历史研究》2003 年第 2 期）、《论辽朝的皇族》（《民族研究》2003 年第 5 期），认为横帐即"御营"，它是皇族按东西方向设置的帐篷；契丹皇族，本来包括两院与三父房，后来两院部从中脱离出来、自称部落，故横帐仅指三父房，以后太祖系统后裔渐多号称大横帐，"大"不是序数而是指尊贵。向南《辽代萧氏后族及其居地考》（《社会科学辑刊》2003 年第 2 期），分析后族的历史形态，考证了后族的分布地域。以上问题，争议的焦点主要集中在"横帐"，这是辽朝的重要制度，直接涉及辽朝的一些重大事件与现象的阐释，但因史料残缺，至目前为止学界的认识仍很模糊。

关于政治体制的研究，基本是与皇位继承、体制建设和官制研究联系在一起。如李锡厚《论辽朝的政治体制》（《历史研究》1988 年第 3 期），任爱君《阿保机时期契丹国家的历史特点——契丹族俗对其国家体制的影响之一》（《昭乌达蒙族师专学报》1991 年第 1 期）、《辽朝国家体制研究——契丹族俗对其国家体制的影响之二》（《昭乌达蒙族师专学报》1991 年第 2 期），漆侠《从对〈辽史〉列传的分析看辽国家体制》（《历史研究》1994 年第 1 期），王雪梅《辽金政治制度的比较》（《吉林师范学院学报》1995 年第 2 期）等，都从宏观角度分析了契丹辽朝的体制建设，存在的歧异是辽朝的社会形态问题（即究竟属于封建制还是奴隶制）。关于世选习惯的研究，陈述先生《契丹世选考》（《历史语言研究所集刊》第 8 本第 2 分，1939 年版）、《论契丹之选汗大会与帝位继承》（《史学集刊》1947 年第 5 期），论述了契丹人的世选传统及其成因。姚从吾《说辽朝契丹人的世选制度》（《台湾大学文史哲学报》1954 年第 6 期）、《辽朝契丹族的捺钵文化与军事组织、世选习惯、两元政治及游牧社会中的礼俗生活》（《中山学术文化集刊》1968 年第 1 期），对契丹世选传统作了详细分析与阐释。王德忠《辽朝世选制度的贵族政治特色及其影响》（《东北师大学报》2003 年第 6 期），认为世选习惯体现着鲜明的贵族政治特色。关于契丹人的皇位继承，张去非《关于契丹汗位的承袭制度》（《历史教学》1964 年第 8 期），漆侠

《契丹辽朝建国初期的皇位继承问题》（《河北师院学报》1989 年第 3 期），蔡美彪《论辽朝的天下兵马大元帅与皇位继承》（《中国民族史研究》第 4 辑，改革出版社 1992 年版），李桂芝《契丹贵族大会钩沉》（《历史研究》1999 年第 6 期）等。世选习惯是契丹人的一种约定俗成的社会组织习惯，属于生活习俗范畴，但逐渐具备了政治体制的因素；学界侧重于其对体制建设的影响，但也揭示了它的民俗内涵。同时，杨茂盛《试论契丹的宗族——家族斗争及其世选制》，将契丹辽朝初期频繁发生的政治事件，与契丹社会存在的世选习惯联系起来，既揭示了契丹社会存在的一般现象，也分析了世选传统行将消逝的历史表现。唐统天《契丹疑案——谁是杀害于越释鲁的真凶》（《辽金契丹女真史研究》1985 年第 1 期），以疑史和辨史的态度，探讨契丹辽朝初期的历史，认为于越释鲁的死因值得怀疑，已经触及契丹辽朝初期史实的深层次。李锡厚《契丹立国前"争夺夷离堇"问题商榷》（《宋辽金史论丛》第 2 辑，中华书局 1991 年版），王善军《世选制度与契丹的家族势力》（《社会科学战线》2004 年第 1 期）等，也都是启人心智、具有水准的研究力作。李汉阳《辽太祖诸弟之乱考》（《史学会刊》第 16 期，台湾师范大学 1976 年版），探讨诸弟之乱发生的原因、背景、经过和意义。王民信《辽太祖诸弟叛逆探源》（《辽金史论集》第 5 辑，文津出版社 1991 年版），探讨"诸弟之乱"的原因及社会背景。杨志玖《阿保机即位考辨》（《历史语言研究所集刊》第 17 本，1948 年版），孟广耀《耶律阿保机建国称帝年代考论》（《内蒙古大学学报》1981 年第 1 期）以及即实与邱久荣的系列争辩论文，专门探讨了契丹国号问题[①]。关于捺钵文化的研究，傅乐焕《辽代四时捺钵考五篇》及《广平淀续考》（1942—1945 年），至今仍具有独到的史学价值。姚从吾《契丹人的捺钵生活与若干特殊习俗》，李锡厚《辽中期以后的捺钵及其与斡鲁朵、中京的关系》（《中国历史博物馆馆刊》总第 15、16 期合刊，1991 年版）等也极具影响。黄凤岐《契

[①]　即实：《契丹国号解》，《社会科学辑刊》1983 年第 2 期；《契丹币铭与国号》，《中国钱币》1987 年第 4 期；《并非答疑》，《辽金契丹女真史研究》1985 年第 1 期。邱久荣：《〈契丹国号解〉质疑》，《中央民族学院学报》1983 年第 4 期。齐晓光：《"镔铁"——契丹与辽王朝》，《内蒙古文物考古》1997 年第 1 期。

丹捺钵文化探论》（《社会科学辑刊》2000 年第 4 期），从文化角度论述契丹捺钵习惯的作用和影响。白俊瑞、李波《析契丹语的"捺钵"》（《内蒙古大学学报》1998 年第 4 期），从语言学的角度探讨捺钵习惯的起源和社会功用。与此相关，谭其骧《辽后期迁都中京考实》（《中华文史论丛》1980年第 2 辑），直接引发辽中京研究的论辩，林荣贵《辽后期迁都中京说驳议——与谭其骧教授商榷》（《中华文史论丛》1983 年第 1 辑），葛剑雄《也谈辽后期迁都中京问题——读林荣贵同志〈辽后期迁都中京说驳议〉》（《中华文史论丛》1983 年第 1 辑）等，开拓了辽朝京城研究的新领域。

（二）契丹辽朝初期历史研究

契丹辽朝初期的历史研究，主要集中在部族、姓氏（或氏族）和国家形态等几个方面。关于契丹初期的国家发展形态，蔡美彪《契丹的部落组织和国家的产生》（《历史研究》1964 年第 5、6 期合刊），认为契丹社会发展经历了由部落到国家的发展、演变过程，是部落组织的不断更新而形成国家体制。赵卫邦《契丹国家的形成》（《四川大学学报》1958 年第 2 期），认为契丹经历了从部落到国家的发展，但在遥辇氏统治时期就已具备国家雏形。唐统天《契丹涅里国家政权的建立》（《社会科学动态》[沈阳] 1982年第 20 期），则将契丹国家起源引入 8 世纪中期；田广林《契丹国家产生的上限及其早期发展形态》（《内蒙古社会科学》1999 年第 2 期），也力主此说。任爱君则系统论述了契丹族俗对国家体制的影响（前揭《昭乌达蒙族师专学报》1991 年第 1、2 期）。关于部族研究，冯家升《契丹名号考释》（《燕京学报》第 13 期，1933 年 6 月版）、《太阳契丹考释》（《史学年报》第 1 卷第 3 期，1931 年 8 月版），认为契丹源于宇文鲜卑，并对其名号起源传说作了分析。王民信《契丹民族溯源》（《新时代》1971 年第 11 卷第 6、7 期）、《遥辇阻午可汗二十部考》（《契丹史论丛》台北 1973 年版），认为契丹族源近于匈奴。孙进己《东北民族源流》（黑龙江人民出版社 1987 年版），认为契丹本出宇文鲜卑，属东部鲜卑的后代。景爱《契丹的起源与族属》（《史学月刊》1984 年第 2 期），认为宇文鲜卑即匈奴与鲜卑的混合体。张正明《契丹族》（《历史教学》1982 年第 4 期）和嵇训杰《关于契丹族名称、部落组织和源流的若干问题》（《中国史研究》1985 年第 2 期），都主张契丹源于鲜卑，但具体源于鲜卑的哪一支则各有不同。陈可畏《论契丹的族源、早期的社会形态与文化》（《辽金史论集》第 7 辑，中州古籍出版社 1996 年版）、田广林《契丹源于杂胡，其主体族源为乌桓说》（《昭乌达蒙族师专学报》1999 年第 5 期），则认为契丹起源于乌桓。冯季昌、白广瑞《契丹族源新考》（《辽金史论集》第 7 辑，1996 年版），则偶同于陈述先生观点①，即契丹形成于同周围部落的不断融合。李桂芝《关于契丹古八部之我见》（《中央民族学院学报》1992 年第 1 期）、《契丹大贺氏遥辇氏联盟的部落组织——〈辽史·营卫志〉考辨》（《王钟翰先生八十寿辰纪念文集》，辽宁大学出版社 1993 年版），具体分析了契丹部落组织结构、特点和发展、变化过程。张博泉《"契丹"、"辽"名称探源》（《黑龙江民族丛刊》1999年第 4 期），分析了称号本身显示的民族民俗学及文化内涵。王德忠《辽朝部族组织的历史演变及其社会职能》（《东北师大学报》2001 年第 6 期），对学界观点作出综合分析后，强调了部族组织的社会职能及其作用。

关于契丹人人类学、人群种属成分的研究，朱泓《契丹族的人种类型及相关问题》（《内蒙古大学学报》1991 年第 2 期）、《内蒙古宁城山嘴子辽墓契丹族颅骨的人类学特征》（《人类学报》1991 年第 11 期）、《人种学上的匈奴、鲜卑和契丹》（《北方文物》1994 年第 2 期），认为契丹族与汉代鲜卑族的基本体质特征存在着某种接近的倾向。林雪川《宁城县山嘴子辽墓契丹族头像的复原》（《内蒙古文物考古》1992 年第 1、2 期合刊）、时墨庄《三号墓契丹人骨的测定》、邵福根《契丹女尸体质形态的研究》（俱载《契丹女尸》，内蒙古人民出版社 1985 年版），都认为契丹人形体特征与蒙古利亚人种接近，但究竟与哪一区域或与哪一时期的人种更为接近，则相互间又有不同看法。

关于契丹姓氏研究，前揭、陈述先生的著作已有论述。王民信《契丹古八部与大贺遥辇迭剌的关系——附耶律述律二姓试释》（《史学会刊》，台北 1972 年版）、蔡美彪《试说辽耶律萧氏之由来》（《历史研究》1993 年第5 期）、都兴智《契丹人的姓氏和名称》（《辽宁师范大学学报》1990 年第 5期）、《辽代契丹人姓氏及其相关问题考探》（《社会科学辑刊》2000 年第 5期）、高路加《契丹姓氏耶律音义新探》（《内蒙古大学学报》1988 年第 4

---

① 陈述：《契丹史论证稿》，北平研究院史学研究所印行 1948 年版，第 1—10 页。

期）、即实《契丹耶律姓新探》（《社会科学辑刊》1998 年第 4 期）等，都分别从不同角度作出考察与论述。

（三）契丹族源神话、婚姻习俗及语言文字的研究

关于契丹族源神话，冯家升先生《契丹祀天之俗与其宗教神话风俗之关系》（《史学年报》第 1 卷第 4 期，1932 年 6 月版），论述"青牛白马传说"和"三主传说"，虽引用史料有些纰漏，但筚路蓝缕之功不可泯灭。徐世勷《契丹先世的神话及其发生之时代》（《华北日报》史学周刊第 46 期，1935 年 8 月 1 日），认为青牛白马传说体现了契丹部落起源的基本情况。赵光远《试论契丹族的青牛白马传说》（《北方文物》1987 年第 2 期），认为传说的产生时间在唐朝以前。刘浦江《契丹族的历史记忆——以"青牛白马说"为中心》（《漆侠先生纪念文集》，河北大学出版社 2002 年，第 157—171 页），总结了前人成果，并从史料分析入手，肯定了传说的来源及研究价值。任爱君《契丹族源诸说新析》（《蒙古史研究》第 7 辑，内蒙古大学出版社 2003 年版，第 1—9 页），介绍了研究情况，并对传说本身进行分析，认为其形成时间是辽朝中期；并引证宋朝人的记录及其历史态度以及北宋流传的"阴山七骑"传说与名人诗、画等证据，认为"青牛白马传说"属于后世伪冒、"阴山七骑"才是契丹族源传说的真正底本。舒焚《契丹族始祖奇首可汗》（《辽金契丹女真史研究》1986 年第 1 期），认为奇首生活在 4 世纪前后。李德山《奇首可汗小考》（《博物馆研究》1989 年第 3 期），基本支持舒焚的观点。杨富学《契丹族源传说源于回鹘论》（《新疆文物》1998 年第 3 期）、《契丹族源传说借自回鹘论》（《历史研究》2002 年第 2 期），认为契丹族源传说中涉及的潢水和徒河的契丹语意义，濡染了回鹘"九河"传说的历史意味，是学习回鹘人传说的一个样本。王小甫《契丹建国与回鹘文化》（《中国社会科学》2004 年第 4 期），认为契丹建国是接受回鹘文化影响的结果，契丹社会盛传的"青牛白马传说"是受摩尼教影响的结果，"传说"形成的时间当在辽太祖时期；"奇首"和"木叶山"传说也都同样如此。

关于契丹人的婚姻习俗，陶希圣《十一至十四世纪的婚姻制度（上下）》（《食货》台北 1935 年 1 卷第 12 期、2 卷第 3 期），具体分析了辽、金、元时期各种婚姻现象。朱子方《从出土墓志看辽代社会》（《社会科学辑刊》1979 年第 2 期），认为辽朝的婚俗存在着等级严密、不拘行辈的异姓

婚特点，还残存媵制的习惯，是脱胎于母系氏族制的族外婚。向南、杨若薇《论契丹族的婚姻制度》（《历史研究》1980 年第 5 期），列举了契丹人不论辈分的氏族外婚制、部落内婚制的特点，并指出具体存在的群婚制残留。孙进己《契丹的胞族外婚制》（《民族研究》1983 年第 1 期），认为部落组织中的"石烈"即社会的"胞族"，契丹人盛行胞族外婚制。席岫峰《关于契丹婚姻制度的商榷》（《历史研究》1993 年第 2 期）、程妮娜《契丹婚制婚俗探析》（《社会科学战线》1992 年第 1 期）、孟古托力《契丹族婚姻探讨》（《北方文物》1994 年第 1 期），从契丹人的习俗研究入手，分析婚制婚俗的特点。田广林《论契丹社会的等级婚姻》（《内蒙古社会科学》1999 年第 5 期），从社会阶层的划分，探讨其婚姻习惯。王民信《辽朝皇室的婚姻研究》（《政治大学边政研究所年报》台北 1979 年第 10 期）、蜀泰《辽末婚姻政策与辽末政治》，对契丹政治与婚姻关系进行研究。有些学者还涉及契丹女性的社会地位、命妇制度和生育习俗、女教之道等。

　　契丹文字研究，虽然自明清时期就已经开始收集和探索，但其真正起步则始于 20 世纪 30 年代庆陵考古大发现，金毓黻先生将庆陵契丹文哀册拓本结集刊行（即《辽陵石刻集录》，1935 年），是对契丹文字科学研究的发端。契丹文研究的长足发展，是 20 世纪 70 年代的事情。当时国内部分学者自愿组织起来进行文字的研究，他们是：内蒙古大学清格尔泰、陈乃雄教授，中国社会科学院刘凤翥、于宝麟研究员，内蒙古社会科学院邢复礼研究员，并以契丹文字研究小组名义发表《关于契丹小字研究》（《内蒙古大学学报》1977 年第 4 期），继之又发表《契丹小字解读新探》（《考古学报》1978 年第 3 期），并出版《契丹小字研究》（中国社会科学出版社 1985 年版）。此后，有即实《谜林问径——契丹小字解读新程》（辽宁民族出版社 1996 年版），清格尔泰《契丹小字释读问题》（日本东京帝国大学 2002 年版）。刘凤翥先生的契丹大字研究成绩突出，已相继发表十数篇论义。聂鸿音《契丹大字解读浅议》（《民族语文》1999 年第 4 期），对学界的研究方式与方法，提出建设性意见，即推导大字字形应以当时流行的俗体字为依据、推导字音应区分契丹人汉字音读和训读的声韵。于宝林《契丹民族语言的考察——以语词考为中心》（《契丹古代史稿》，黄山书社 1998 年版），辑录契丹语词凡 375 条，具体分析其语义、语法特点，总结出契丹语言的四个特征,即无送气音(或不分清浊)、无舌面音、无卷舌音、存在 [n]、[1] 不分现象。聂鸿音《辽代诗文用韵考》(《满语研究》1999 年第 2 期),归纳出土碑铭的文体押韵系统,指出辽代口语中的韵母和中古汉语有三处不同,即部分中古双元音有单元音化趋势、中古三个塞音韵尾已经失落、中古三个鼻音韵尾已重新组合为-n 和-g,这些现象应该在构拟契丹语音时加以注意。聂氏《〈夷坚志〉契丹诵诗新证》(《满语研究》2001 年第 2 期),研究了契丹人口语的基本特征。齐木德道尔吉先生《从原蒙古语到契丹语》(《中央民族大学学报》2002 年第 3 期),系统研究了原蒙古语和契丹语的语法现象、特点、相近关系与区别,论述当时阿尔泰语族部分语言的发展特点。孙伯君《辽金官制与契丹语》(《民族研究》2004 年第 1 期),综述了辽金时期一些共同的民族语官号,分析语言特点,诠释官职称号的含义。刘浦江《从〈辽史·国语解〉到〈钦定辽三史国语解〉——契丹语言资料的源流》(余太山主编《欧亚学刊》,中华书局 2004 年版,第 145—164 页),综述北宋以来的契丹语言书目,考订亡佚年代,介绍今本《辽史》"国语解"的内容、确定纂集的时间及其随意性、无条理性和部分条目选择不当的缺陷;认为三史改译在前而"国语解"编纂于后,是用 18 世纪的满洲语改译 10—12 世纪的契丹语,荒唐过甚。

(四)其他方面的研究

关于契丹等北方民族语言尊称和官职、仪制方面的研究,目前依然比较薄弱,且已公开发表的成果数目有限,其分布也相当零散。刘凤翥《辽太祖尊号谥号考辨》(《社会科学辑刊》1979 年第 1 期),通过对辽太祖生前和死后称号的分析,探讨其建国的历史背景、社会面貌,清源正本,驳误纠谬。唐统天《契丹于越考——兼与岛田正郎及威特夫先生商榷》(《东北地方史研究》1988 年第 1 期),对海外学者的解释提出不同意见;又《辽金时代的小底官》(《辽金契丹女真史研究》1987 年第 2 期),对辽金时期服役于宫廷及官府的使役人员进行分析,并指出其构成的主要成分和来源、地位等。高申东《契丹夷离堇考》(《昭乌达蒙族师专学报》1987 年第 2 期),从契丹语源及民族关系的分析入手,指出此官职在部族社会中的职能和作用。何天明就契丹尊官"于越",发表了自己的看法(内蒙古大学第三届蒙古学国际学术研讨会交流论文《契丹大于越考》,2004 年 8 月)。关树东《辽朝御帐官考》(《民族研究》1997 年第 2 期），对御帐官职的设置和机构职能进行分析。朱子方《辽宋提辖官比较研究》（《社会科学辑刊》1999 年第 2 期），对宫卫制度中提辖官的品级和职能进行研究。赵永春《辽朝的"银牌天使"》（《历史教学》1982 年第 1 期），向南《辽朝衙前考》（《辽金契丹女真史研究》1990 年第 1 期），费国庆《辽朝郎君考》（《上海教育学院学报》1991 年第 1 期），李桂芝《契丹郎君考》（《民大史学》第 1 辑，中央民族大学出版社 1997 年版），占·达木林斯荣《漆水郡》（《松州学刊》1989 年第 5 期），陈得芝《辽代的西北路招讨司》（南京大学《元史及北方民族史研究集刊》第 2 期，1978 年版），陈述《契丹舍利横帐考释》（《燕京学报》新第 8 期，2000 年版）、又《曳落河考释及其相关诸问题》（《中央研究院历史语言研究所集刊》第 7 本第 4 分，1938 年版）；蔡美彪《曳剌之由来及其演变》（中国民族史学会《中国民族史研究》，中国社会科学出版社 1987 年）等。

契丹人的宗教信仰，不仅复杂而且资料凌乱，在不同的历史时期契丹人的崇拜对象也有所不同。关于自然崇拜，目前研究还不够深入。较早从事这方面研究的应是乾隆皇帝，他在检查四库馆臣的编撰状况时，针对人们怀疑契丹"三主传说"的真伪，他认为古代"因神设教"乃属正常，不可轻易否其有[1]。冯家升先生则认为契丹人的三主传说，颇类中原的古史传说（前揭《契丹祀天之俗与其宗教神话风俗之关系》）。王曾瑜《宋辽金代的天地山川鬼神等崇拜》（《云南社会科学》1997 年第 1 期），分析与列举契丹人自然崇拜的具体内容，作出符合民族民俗学的解释。王承礼《契丹祀黑山的考察》（《社会科学战线》1990 年第 2 期），探讨契丹人崇山拜山的社会心理，利用当代民俗资料，相互参验，寻找历史文化积淀。张国庆《辽代契丹人祭木叶山考探》（《辽宁大学学报》1992 年第 2 期）及《辽代契丹贵族的天灵信仰与祭天习俗》（《北方文物》1988 年第 4 期）、田广林《契丹自然崇拜礼俗研究》（《昭乌达蒙族师专学报》1996 年第 3 期）等，将探讨方向逐渐深入，研究的范围也涉及宗庙制度、礼俗生活、祈禳方式、丧葬习惯、造像和节日活动等。姜念思、冯永谦《辽代永州调查记》（《文物》1982 年第 7 期），根

---

[1] 刘浦江：《契丹族的历史记忆——以"青牛白马说"为中心》，《漆侠先生纪念文集》，河北大学出版社 2002 年 10 月版，第 157—171 页。

据地表文物情况判断，今内蒙古赤峰市翁牛特旗大兴镇古城遗址，即辽朝永州；此观点影响学界 20 余年。赵评春《辽代木叶山考》(《北方文物》1987年第 1 期)、李键才《木叶山考》(《博物馆研究》1988 年第 2 期)、王民信《辽木叶山考》(《淡江史学》台北 1999 年第 10 期)，都对木叶山位置进行蠡测。张柏忠《辽代的西辽河水道与木叶山、永、龙化、降圣州考》(《历史地理》第 12 辑，上海人民出版社 1995 年版)，认为水道变迁导致认识错误，否定永州、木叶山在大兴镇附近的观点。王守春《辽代辽泽、潢水、木叶山与永州——兼谈〈水经·大辽水注〉》(《历史地理》第 17 辑，2001 年版)，对辽代几个相互关联的地理名词作系统论述和考察。前揭任爱君《契丹族源诸说新析》，利用文献资料和新发现的考古资料等，以武安州境内黄柏岭为坐标，反驳永州、木叶山在今两河交汇处的说法。关于辽朝的佛、道二教的研究，资料零散，主要仍是日本学者鸟居龙藏等 20 世纪 30 年代的研究状况，虽然近年有房山石刻与应县木塔"契丹藏"的发现，但研究状况并不全面。此外，札奇斯钦《契丹人及其城市》(《中亚杂志》台北 1981 年第 25 期)，也引起契丹城镇制度研究的不断升温。

总之，契丹辽朝的历史研究，目前争议较多、疑难较多之处，即其初期的史实。这是因为，此期内一些制度、事件、人物、现象的索解，一直存在不同的看法和疑问，如果无法弄清和揭示初期的发展面貌，就会影响整体认识的正确性，并导致研究视野的模糊与进展的停滞，降低研究活动的持续性和学术水准。

二、西夏史研究状况

国内西夏史研究，始于清朝中晚期部分学者搜集与整理西夏史资料；20世纪初期，由于黑水城党项西夏历史文献的大发现，使西夏史研究成为深受学界重视的热门话题，王国维、罗福颐、罗福成、陈寅恪、王静如等国内学者，相继对西夏文字、西夏历史以及西夏文化、社会现象等作出颇具实力的学术研究，兹介绍如下：

（一）文献资料整理

清朝中晚期周春、吴广成、张鉴等人相继完成《西夏书》《西夏书事》《西夏纪事本末》等西夏文献史料的编撰工作。此后，相当长的时间内，国内学界致力于党项西夏史料的收集与整理工作，1914 年，罗福苌著《西夏国书略说》；次年，罗福成编撰《西夏国书类编》。这是国内学者最早进行的西夏文字译释与研究及其综介。20 世纪 30 年代，有北平国立图书馆《苏俄研究院亚洲博物馆藏西夏文书籍目录》（《国立北平图书馆馆刊》第 4 卷第 3 号，1930 年版），著名学者王静如又连续发表《西夏研究》1—3 辑，20 世纪 90 年代，又出版长达 500 余万字的《党项与西夏资料汇编》与《西夏纪》等。20 世纪 90 年代，中俄两国达成共同整理出版俄藏黑水城文献的协议，目前已经由上海古籍出版社出版 10 余卷世俗文献与佛教文献资料。同时，收藏在大英博物馆的西夏文献资料，国内学界也陆续拷贝并相继出版《类林研究》《圣立义海研究》《贞观玉镜将研究》等，《文海研究》《同音研究》《蕃汉合时掌中珠》与《夏汉字典》等西夏文字资料也相继出版。

（二）史料考证与社会史研究

20 世纪初期兴起的西夏史研究，因资料限制还仅集中于历史事实、出土文书的考订与研究，如陈寅恪《西夏文佛母孔雀明王经考释序》（《中央研究院历史语言研究所集刊》第 2 本第 4 分）、《斯坦因 Khara Khoto 所获西夏文大般若经考》（《陈寅恪史学论文选集》，上海古籍出版社 1992 年版）等。至 20 世纪后半期，虽然从事西夏史研究的学者已经囊括中、俄、英、日、美、法、韩、匈牙利等各国学者，但真正对西夏史研究起到巨大推动作用的还是国内学界，吴天墀等在广泛搜集各种史料的基础上相继出版《西夏史稿》《西夏简史》等具有标志性意义的学术著作。

（三）政治法律与经济地理研究

20 世纪 30 年代，陈寅恪《灵州宁夏榆林三城译名考》（《中央研究院历史语言研究所集刊》第 1 本第 2 分，1930 年版），对西夏古地理进行研究；刘菊湘《兴庆府的规模与"人"形布局》（《宁夏社会科学》1997 年第 5 期），认为兴庆府的规模符合西夏国情，其形制反映出城市内部的结构设计与高台寺、贺兰山离宫无关。1997 年天津古籍出版社出版的《辽金西夏史研究》刊载多篇西夏史研究论文，对于宋、夏战争展开相对宽泛的研讨，并在分析双方条件与具体实力的基础上，对宋夏间的百年纠葛进行阐释。杜建录《西夏的内宿制度》（《固原师专学报》1997 年第 4 期），利用新公布的《天盛律令》资料，研究和分析了西夏内宿机构的设立、人员配置、当值待命与工匠用具的管理办法等；韩小忙《从〈天盛改旧新定律令〉看西夏妇女的法律地位》（《宁夏大学学报》1997 年第 3 期），分析了西夏妇女的法律地位、人身权利的基本保障、婚姻习惯以及自由奔放的情感世界等。胡若飞《有关西夏军制几种人的范围考察》（《宁夏大学学报》1997 年第 2 期），讨论了西夏军制中具有军籍、官品、庶人身份的三种人员的范围，认为西夏选任军职的基本程序是以册纳军籍为前提。此外，语言文字、书籍印刷、宗教文化等也属于西夏史研究的主要领域之一。

三、金朝史研究状况

金史研究也是从史料整理开始，如吴廷燮《历代方镇年表》之《金方镇年表》，朱希祖《伪楚录辑补自序》《伪齐录校证自序》（《中央大学文艺丛刊》第 2 卷第 1 期，1935 年 6 月版），陈述《金史氏族表初稿（上下）》（《中央研究院历史语言研究所集刊》第 5 本第 3、4 分，1935 年 12 月版）、冯家升《〈辽史〉与〈金史〉、〈新、旧五代史〉互证举例》（《史学年报》第 2 卷第 1 期，1934 年 9 月版）、陈乐素《三朝北盟会编考》（《中央研究院历史语言研究所集刊》第 6 本第 2、3 分，1936 年 7 月版）等，足可视为传统朴学与近代史学研究方法相结合的典范事例。20 世纪初期，国内学界关于金史研究主要侧重边疆史地与民族谱系的考证，例如王国维《金界壕考》（《燕京学报》第 1 期，1927 年 6 月），朱希祖《金源姓氏考》（《中山大学文史研究所月刊》第 2 卷第 3、4 期，1934 年 1 月）、陈述《契丹女真汉姓考》（《东北集刊》第 2 期，1941 年 10 月）等。关于女真文字研究，应该说19 世纪30 年代刘师陆撰写的《女真字碑考、女真字碑续考》（《燕京大学考古学社社刊》第 5 期，1936 年 12 月）属开山之作，进入 20 世纪之后，罗福成、王静如、罗福颐、金毓黻等人分别对传世女真字碑及文献资料予以著录、考释与拟定字音等，都堪称当时的研究力作。而金毓黻撰著的《东北通史》（重庆五十年代出版社 1943 年版）与《宋辽金史》（上海商务印书馆1946 年版），明确提出三史并重、三史互证的治学思想。

20 世纪后半期是国内学界研究金史的鼎盛时期，主要著作有张博泉《金代经济史略》（辽宁人民出版社 1981 年版）与《金史简编》（辽宁人民出版社 1984 年版）、《金史论稿（1—2）》（分别为吉林文史出版社，1986、

1997 年版），漆侠、乔幼梅《辽夏金经济史》（河北大学出版社 1994 年版），宋德金《金代的社会生活》（陕西人民出版社 1988 年版），王可宾《女真国俗》（吉林大学出版社 1988 年版），李埏、林文勋《宋金楮币史系年》（云南民族出版社 1996 年版），王曾瑜《金朝军制》（河北大学出版社 1996 年版），王慎荣、赵鸣岐《东夏史》（天津古籍出版社 1990 年版），金光平、金启综《女真语言文字研究》（文物出版社 1980 年版），金启综《女真文辞典》（文物出版社 1984 年版）等。

（一）关于金朝社会性质研究

关于女真社会性质学界分歧较大，多数认为女真建立金朝前后处于奴隶制社会阶段，在海陵王时期逐渐形成封建化过程，如张博泉《金史简编》等；但也有人认为女真建国后并未经历奴隶制而直接过渡到封建社会，如华山等《略论女真氏族制度的解体和国家的形成》（《文史哲》1956 年第 6 期），而张广志《女真与奴隶制》（《青海师范大学学报》1985 年第 1 期），则认为金朝的社会性质与金朝女真人的社会性质存在着本质的不同，应该加以区分对待；另一种观点认为金朝女真社会没有明显发生封建化的证据，如王曾瑜《宋朝的奴婢、人力、女使和金朝奴隶制》（《文史》第 29 辑），便认为主奴矛盾始终存在并构成金朝女真社会的主要矛盾。由此而引发的金朝"二税户"与"驱口"问题研究，罗继祖认为二税户包括头下与寺院两种，"分其税一半输官一半输寺"。陈述等人则认为不能将头下户与二税户截然分开。张博泉《金代"驱"的身份与地位辨析》（《晋阳学刊》1988 年第 2 期），主张驱口不是奴隶、地位高于农奴；而贾敬颜《金代的"驱"及其相关的几种人户》（《社会科学辑刊》1987 年第 5 期）、王曾瑜《金朝户口分类制度和阶级结构》（《中国史研究》1995 年第 2 期）、李锡厚《论驱口》（《中国史研究》1995 年第 2 期），则基本认定"驱口"就是事实存在的奴隶。

（二）政治体制与军事制度研究

张博泉教授主要对金代女真人盛行的猛安谋克制度进行研究（前揭《金史论稿》第 1 卷），程尼娜《金初勃极烈制度研究》（《金史论稿》第 2 卷）则对女真社会盛行的原始军事民主制度作了探讨，并分析了金朝初期政治制度的基本沿革状况；谭其骧《金代路制考》（《中国历史地理论丛》第 1 辑）、程尼娜《试论金初路制》（《社会科学战线》1989 年第 1 期）等，具体分析金朝初期万户府路、兵马都总管府路与军帅司路之间所存在的社会属性的区别。李涵《金初汉地枢密院试析》（《辽金史论集》第 4 辑）、李锡厚《金朝实行南、北面官制度说质疑》（《社会科学战线》1989 年第 2 期），分析了金朝沿袭辽朝旧制的可能性，由于金初并未形成中央集权政治局面，所以也无法全面采取辽朝旧制。王曾瑜《金朝军制》（河北大学出版社 1996 年版），则对金朝军事体制、管理机构、组成方式、签募制度等进行系统、翔实的探讨，往往利用辽金史互证功能，弥补史料缺陷，达到发现问题并解决问题的基本目的。同时，傅百臣《金代法制研究》、都兴智《金代的科举制度》、刘庆《金代赎身制度研究》（均见《金史论稿》第 2 卷）以及赵东晖《金代科举年表考订》（《北方文物》1989 年第 2 期）等，都分别对金朝法律制度进行研究。

（三）社会生活与文化研究

关于金朝的户口管理制度，高树林《金代户口问题初探》（《中国史研究》1982 年第 2 期），张博泉、武玉环《金代的人口与户籍》（《学习与探索》1989 年第 2 期），都共同认为金代的户口与辽北宋时期相比有着明显的增加；但王育民《金朝户口问题析疑》（《中国史研究》1990 年第 4 期）、刘浦江《金代户口研究》（《中国史研究》1994 年第 2 期）等则认为金朝户口负增长与零增长的年份多于正常增长年份。与金朝土地分配以及赋役制度密切相关的通检推排问题，前人多持否定态度，赵光远《金代的通检推排》（《学习与思考》1982 年第 4 期）则肯定其积极作用与改革精神，刘浦江《金代通检推排探微》（《中国史研究》1995 年第 4 期），也肯定了通检推排的历史作用及其存在的许多弊端。张博泉《金代的货币制研究》，探讨了金代货币的具体种类及其在中国金融货币史上的重要地位。

宋德金《金代的社会生活》比较全面细致地描摹了金朝社会各个层面的具体景象。宋德金《正统观与金代文化》（《历史研究》1990 年第 1 期）、张博泉《论金代文化的发展及其历史地位》（《社会科学战线》1987 年第 1 期），认为金代文化发展的历史特点，即中原文化北移，并以中原文化为核心发展了各民族文化。值得注意的是，关于金代文学、院本与诸宫调的研究已取得较大突破，例如周惠泉对于金代文学研究的不断深入，并出现一批学术专著，如周惠泉《宋代文学史》（人民文学出版社 1996 年版）、《金代文学论》（东北师范大学出版社 1997 年版），詹杭伦《金代文学思想史》（成都科技大学出版社 1990 年版），张晶《辽金诗史》（东北师范大学出版社 1994 年版），孙逊《董西厢和王西厢》（上海古籍出版社 1987 年版）。此外还有大批研究女真文字与宗教的文章，兹不赘述。

（四）民族与民族关系

孙进己等《女真史》（吉林文史出版社 1987 年版），叙述了从肃慎到明代女真的历史发展过程。台湾赵振绩《女真族系源流考异》（《历史研究》1995 年第 5 期），认为女真源于东胡系统，即北魏之奴真。蒋秀松《女真与靺鞨》（《民族研究》1992 年第 3 期），认为女真部落起源于渤海统治下的靺鞨。关于金宋关系研究，邓广铭、王曾瑜、赵永春等多有学术专著问世。

关于人物研讨，主要集中在金太祖、完颜亮、金世宗等著名历史人物，尤其是关于海陵王完颜亮的研究，可谓毁誉参半。其他关于历史地理等方面的研讨，也是目前金史研究的重要方面。

第二节　国外学界的研究概况

一、契丹辽史研究现状

（一）日本学界的研究状况

其一，日本学界对于契丹辽史的研究，主要开始于 20 世纪初期，应当说，日本学者对于契丹辽史的密切注意是随着当时特定的历史政治形势一同进行的，因此，在日本学界形成的比较有影响的观点或学说，就是由岛田正郎、藤枝晃、田村实造、江上波夫等人提出的"征服王朝论"观点①。自从魏特夫等提出"征服王朝说"后，田村实造等便系统地将其介绍给日本学界，田村氏发表的《中国征服王朝研究（1—3）》，由京都大学东洋史研究

---

① 参见［日］村上正二：《征服王朝论》，方广昌译；［日］森安孝夫：《从渤海到契丹——征服王朝的成立》，海兰译，《民族译丛》1982 年第 4 期；孙进己：《关于"征服王朝论"》，《辽金契丹女真史研究》1982 年第 8 期；景爱：《"征服王朝"论的产生和传播》，《辽金史论集》第 4 辑，书目文献出版社 1989 年版，第 61—66 页。

会及同朋舍分别于 1964 年、1971 年、1985 年予以出版；田村氏接受魏特夫的提法，认为在北亚，"向来这一系列的征服王朝被考虑视为中国史的一环，或者掌握和中国史形成别个历史世界的北亚史之一环；是否应该由包含中国史和北亚史高层次的考察，是为东洋史家重要且趣味深刻的课题"；并自称以"合并中国史和北亚史"立场为前提，"考察由征服王朝形成的场合的北亚世界"。认为北亚民族可区分为游牧民族型和征服王朝型，而征服王朝的特征即是二元体制的特点，但考虑中国的征服王朝，也决不能将五胡十六国和北魏简单地视为和平渗透，它们事实上构成征服王朝"前史"。江上波夫《骑马民族国家》（日本中央公论社昭和四十二年［1967 年］版），则将征服王朝定义为"骑马民族国家"，认为北魏是最早出现的征服王朝。此外，爱宕松男《契丹古代史研究》（京都大学东洋史研究会，昭和三十四年［1959 年］版），则主要是从历史实际出发来研究契丹历史的学术著作，认为耶律与萧两姓存在着汉字与契丹字写法的差异（耶律又改姓刘，金、元两代又分别称为移剌、石抹），其实两姓起源分别来自"马"和"牝牛"，其对应关系即建国前称耶律（马 iala-t）——立国时称耶律（刘 Ya-lu）——辽亡后称移剌（ia-luga）；审密（牝牛 Sar-mut）——萧（审密 shen-mi）——石抹（shih-mo）；而契丹八部构造，乃是作为兄弟氏族复合体的基本形式；同时探讨了契丹族源及其北朝、唐代的历史发展，认为遥辇氏时代已经具备统一的意识。岛田正郎《辽代社会史研究》（严南堂书店昭和五十三年［1978 年］版），分别论述了契丹部族、遥辇帐、皇族帐、国舅帐、斡鲁朵、著帐户的构成及渊源，指出了遥辇帐具有的部族制以外的性质，是氏族制向封建制转移的表现；此书的新意在于"经济篇"中的"村落形态——以巴林右翼旗境内的调查为例"，以亲身参与的祖州城发掘和人文遗迹的踏查资料，撰写了辽代人文地理与村落形态，并列举村落遗址 10 余处。岛田氏还著有《辽代社会与文化》（日本弘文堂昭和三十一年［1956 年］版）、《祖州城》（长野中泽印刷株式会社昭和三十一年［1956 年］版）、《契丹国——游牧民族契丹的王朝》（日本东方书店 1993 年版），《辽史》（日本明德出版社昭和五十年［1975 年］版）、《辽朝史研究》（东京创文社昭和五十四年［1979 年］版）、《辽制研究》（长野中泽印刷株式会社昭和二十九年［1954 年］版）、《辽朝官制研究》（东京创文社昭和五十三年［1978 年］版）等。田村实造、小林行雄《庆陵——东蒙古辽代帝王陵及其壁画》（京都大学文学部座右宝刊行会昭和二十八年［1953 年］版），田村实造《庆陵壁画》（京都同朋舍昭和五十二年［1977 年］版），村田治郎《大同大华严寺》（日本彰国社昭和十八年［1943 年］版），若诚久治郎《辽史索引》（京都东方文化学院昭和十二年［1937 年］版）等，均为研究契丹辽史的重要参考和工具书目。

其二，契丹四楼在日本学界的研究成果中也有论及，但因资料残缺，往往视为荒诞，如田村实造《辽初历史释疑三题——迭剌部、汉城、西楼》（《东洋史研究》3 卷 2 号，1937 年），北川房次郎《辽代祖州——论西楼说的根据》（《收书月报》81 号，1942 年）、《辽代西楼和北蕃地理志》（同前，85 号，1943 年）、《西楼续记》（同前，88 号，1943 年），村田治郎《西楼小记》（《收书月报》82、83 号，1942 年）、《西楼再记》（同前，88 号，1943 年），平岛贵义《关于辽初历史的几个问题（之二）——太祖的四楼》（《东洋史学》3 号，1951 年）等，均限于史料的搜集和初步分析，只注重西楼与祖州关系的研究，对四楼之说，半信半疑。"化家为国"问题，小川裕人《有关辽朝君主权力确立过程的考察（1—4）》（《东洋史研究》3 卷 5、6 号，4 卷 1、2 号，1938 年）、《关于遥辇氏传说形成过程的考察》（《满蒙史论丛》第 3 辑，日满文化协会刊 1940 年版），蒲田大作《关于契丹古传说的解释》（《民族学研究》43 卷 3 号，1942 年），秋贞实造《契丹开国传说的确立及八部组织》（《东洋史研究》2 卷 2 号，1936 年），田村实造《唐代契丹族研究——开国传说的形成与八部组织》（日满文化协会刊《满蒙史论丛》第 1 辑，1938 年）等。日本学界将辽太祖时期的一些史实视为荒诞，像辽太祖的禅让、遥辇九帐与世里氏世袭夷离堇等都被疑为"粉饰"，故关于太祖"化家为国"的记载也被认为值得商榷。

其三，日本学界对斡鲁朵和宫帐的研究，白鸟库吉《东胡民族考》（第十三）征引突厥碑文资料，对斡鲁朵的语义及其内部组织作了分析，并认为抹里、弥里等都是表示聚落的语言。津田左右吉《辽朝制度的两重体系》附论部分"关于行宫"，认为斡鲁朵户及其州县户意义均等，只是后者归提辖司管辖；至于群牧组织斡鲁朵的同名现象，也只是与抹里同名而已。箭内亘《元朝斡耳朵考》，认为辽朝斡鲁朵所属州县户不同于采邑，与斡鲁朵户也有本质区别。高井康典行《辽朝斡鲁朵存在的形态》（《内陆亚细亚史研究》14 号，1999 年），在较为全面地掌握中日两国学界动态基础上，比较各家观点，运用史料分析方法，对斡鲁朵的所属户及卓放作出综合论述。关于头下州制度，岛田正郎《关于辽朝头下军州的几点臆测》（《历史学研究》70 号，1939 年），高桥学而《辽朝以从嫁户为主的头下州城》（《古文化谈丛》42 号，1999 年）等，分别对头下州的拥有权、人口构成、管理方式等进行探索。帐制问题，岛田正郎《关于辽朝的皇族帐》（《历史学研究》91 号，1941 年）、《辽朝御帐官考》（《法律论丛》38 卷 4 号，1964 年），桥口兼夫《关于辽朝的国舅帐（上下）》（《史学杂志》50 编 2、3 号，1939 年），武田和哉《辽朝萧氏与国舅族的形成》（《立命馆文学》537 号，1994 年）等，都从史料分析入手，对皇族和贵族帐制分别予以探讨，但均注重职官而缺乏实际的源流探索。关于世选制度和捺钵习俗，仅见田村实造《从辽代帝后陵看契丹人生活的一个侧面》（《史林》25 卷 3 号，1940 年；27 卷 1 号，1942 年），池内宏《辽代春水考》（《东洋学报》6 卷 2 号，1916 年）等，有所论述。

其四，关于契丹辽朝初期的发展，藤枝晃《征服王朝》（大阪秋田屋 1948 年版），爱宕松南《亚细亚征服王朝》（东京河出书房 1969 年版），江上波夫《骑马民族国家》（平凡社，1986 年版），田村实造《中国征服王朝研究（1—3）》（见前揭），都试图以"征服王朝"理论，解释中国古代北方民族历史发展和变迁。桥本增吉《关于〈旧五代史·契丹传〉》（《东洋史研究》2 卷 1 号，1936 年版），分析资料来源与存在问题，试图求解契丹史存在的诸问题，并注意到契丹史料系统的区别、联系和利用。爱宕松男《辽王朝的建立及其国家结构》（《东洋史学论集》3 卷，东京三一书房 1990 年版），为其前述著作的连续研究，对契丹国家政权构成及其形态作出阶段性描述，并已注意到中国学界的基本动态。关于部族组织，岛田正郎《关于辽朝的部族制度》（《历史学研究》98 号，1942 年版），爱宕松男《契丹部族制的静态结构》（《东洋史学论集》3 卷，东京三一书房 1990 年版），在前人研究基础上，对辽初契丹部族状况作出重新审视。

其五，关于契丹族源、姓氏和婚姻，爱宕松男《契丹氏族制度的起源与图腾崇拜》（《史林》38 卷 6 号，1955 年），对"青牛白马传说"进行民俗学分析，认为青牛、白马实际代表两个古老氏族并成为图腾。小川裕人《有关世里没里之谜》（《东洋史研究》2 卷 3 号，1937 年版），认为名称本身既有潢河之名、也有皇族姓氏的内涵，但因史料匮乏致使成为千古疑难。岛田正郎《论辽代契丹人的婚姻状况》（《史学杂志》53 编 9 号，1942 年版）、《再谈契丹族的婚姻》（《法律论丛》29 卷 2、3 号，1955 年版）、《三论契丹族的婚姻》（《综合法学》总 55 号，1963 年版），对契丹各种婚姻状况进行分析，罗列既有的婚姻现象并确认其社会发展阶段。宇野申浩《辽朝皇族通婚关系中所见交换婚》（《史滴》17 号，1995 年版），对皇族与后族的通婚现象作出分析，认为古老的婚姻形态仍在契丹社会有着残存和影响。

关于契丹语言文字研究，日本学界起步较早，但因方法不当而走了弯路，以致失去领先地位。早期从事契丹文字研究者，主要为白鸟库吉、西田龙雄、山路广明及岛田正郎等人，由于所采用方法属于猜测形式，因而往往南辕北辙，得不到具体的验证；后来，长田夏树、丰田五郎等与中国学界相呼应，在契丹文字研究领域取得很大进展，兹不赘述。关于民族语言的尊称和官号，岛田正郎《辽朝林牙、翰林考》（《法律论丛》36 卷 5 号，1963 年版）、《辽朝于越考》（《法律论丛》40 卷 2、3 号，1966 年版）、《辽朝惕隐（宗正）考》（《法律论丛》40 卷 4、5、6 号合刊，1968 年版），冈崎精郎《评〈辽朝惕隐（宗正）考〉》（《法制史研究》20 号，1971 年版）等，都在学界产生很大影响。宗教方面，鸟居龙藏《论满洲辽墓与景教的关系》（《史学杂志》47 编 6 号，1936 年版），认为契丹社会存在着浓厚的景教（基督教聂斯脱里教派）影响，岛田正郎《契丹的祭祀》（《民族学研究》14 卷 2 号，1949 年版）、《契丹的清被法》（《史学杂志》59 编 5 号，1950 年版）、《契丹的再生礼》（《和田博士还历纪念·东洋三史论丛》，东京讲谈社 1951 年版）、《咒术在辽代社会中的作用》（《东方学》第 4 辑，1952 年版）、《辽代巫的地位》（《史学杂志》65 编 11 号，1956 年版）、《契丹放偷考》（《社会经济史学》13 卷 3 号，1943 年版）、《契丹的萨满》（《民族学研究大会志》7 号，1952 年版）等，已经触及契丹社会存在的许多自然崇拜现象和风俗文化事象，具有极大的参考价值。蒲田大作《契丹古传说的一种解释——萨满教研究的一个环节》（《民族学研究》49 卷 3 号，1982

年版），松永有见《宋辽时代的密教》（《密教研究》38 号，1930 年版），同样利用契丹辽朝的考古及调查资料，分析了辽朝佛教信仰中存在的密宗崇拜现象，这在当时的学界是发人深省的。胁谷归谦《辽代的密教》（《无尽灯》，1912 年版），也同样揭示了契丹辽朝初期存在的密宗崇拜现象。辽朝佛教的迅速发展，多属于契丹辽朝中晚期的事情，所以，研究范围、内容等也都非常广泛。

关于契丹历史文化及其遗迹研究，鸟居龙藏《从考古学上看契丹文化》（《东方学报》第 6 册，东京 1936 年版），20 世纪 30 年代前后，鸟居氏三次亲赴契丹辽朝故地，即中京、上京和庆州、庆陵等处进行考古调查，本文即鸟居氏根据调查结果所作的总结，并对契丹辽文化的发展面貌作出整体评价。岛田正郎《辽祖州城调查》（《考古学杂志》34 卷 2 号，1944 年版），乃作者亲自参加祖州城发掘与调查的考古学报告，介绍了祖州城发掘经过以及出土文物情况和祖州附近的地貌地况、契丹聚落遗存等。《辽代的中京城址》（《考古学杂志》41 卷 2 号，1956 年版），介绍了中京城的调查经过，以及对中京遗址所作的部分考古剖析状况；《木叶山考》（《北方圈》5 号，1944 年版），是对契丹人崇拜的神山位置的考察，对永州、木叶山及潢水分别作出基本分析和推测。田村实造《辽代城市的特征》（东洋史研究会《羽田博士颂寿纪念·东洋史论丛》，京都 1950 年版），平岛贵义《有关辽初州城的研究》（《史学杂志》60 编 12 号，1951 年版），都是建立在考古学基础上的分析与鉴别，指出契丹城市建筑的基本特点即一般呈日字形的内外城结构特征。松井等《契丹可敦城考》（《满鲜地理历史研究报告》第 1 册，1915 年版），认为契丹可敦城有三，最知名者即镇州城，并罗列和指出三城及其附近水系的具体位置，镇州古回鹘城即今 Orkhon 河边的 Kara-Balgasun；镇州古可敦城即《辽史》"皮被河城"所记之"河董城"，其地即今 Orkhon 河流域的 Ughei Nro 湖西侧契丹古城；回鹘可敦城即《辽史》"河董城"条所记"可敦城"，位于今额济纳河边；另外一座可敦城，即《辽史》"云内州"条所记"可敦城"，又名"曷董馆"，此名始见唐代，在丰州境内。此外，辽代之胪驹河即今 Kernlen，辽朝又称"滑水"；而"皮被河城"条之胪驹河则为 Orkhon，它漉河即 Tula，皮被河即 Tamir，它们汇合后流入 Baikal 湖。和田清《论丰州天德军的位置》（《史林》16 卷 2 号，1931 年版），高桥学而《中国东北地方的辽代州县城——以平面结构、规模为中心》（《冈崎敬先生退官纪念论集：东亚的考古历史》上册，1987 年版）等，也都分别列举了辽朝边防州城以及地方中小城镇的建筑特点。

（二）韩国等的研究状况

韩国的契丹辽史研究，著作方面有金在满《契丹民族发展史研究》（读书新闻社 1975 年版）、《契丹高丽关系史》（国学资料院 1999 年版），论述了契丹与高丽的历史发展状况及双边关系的构成与演变；金渭显《辽金史研究》（裕丰出版社 1985 年版），对辽朝与金朝的历史问题以及民族关系、周边联系等分别进行研讨。论文方面主要有李在成《契丹古八部联盟的形成与解体》（《东国史学》，1993 年第 27 期）、《契丹十部联盟形成的真相》（《金甲周教授花甲纪念史学论丛》，1994 年版）对契丹部族初期的历史发展状态进行研究，《"契丹部"的形成与"碑丽"》（《东国史学》，1992 年第 26 期），根据古高丽碑铭对契丹部族的形成与发展作出探讨；崔益柱《辽建国以前的统治体制——以 8 世纪中叶至 9 世纪末为中心》（《金海宗博士华甲纪念论丛》，1979 年版）、《辽初统治势力的特点》（《大丘史学》第 19 辑，1981 年版）对契丹辽朝建立前后的基本发展状态作出观察与蠡测，《关于辽朝的权力结构与帝位继承——以统治势力皇族帐与国舅帐为中心》（《东洋史学研究》第 5 辑，1971 年版）则对帐制问题作出研究；金在满《关于契丹始祖开国传说的背景及部族动态（上下）》（《大东文化研究》10、11 号，1976 年版）、《契丹始祖传说与西喇沐沦河、老哈河及木叶山》（宋德金主编《辽金西夏史研究》，天津古籍出版社 1997 年版）、《捺剌泊考——契丹的山后经略中心》（《国际东方学者会议纪要》第 4 册，东京，1959 年版）等，分别对契丹始祖奇首以及木叶山等作出研究。此外，崔益柱《关于辽代耶律氏和萧氏的考察》（《震檀学报》49 号，1980 年版），也对契丹姓氏起源作出探讨；金在满《契丹丝考——东西间接交易与直接交易的形态》（《历史教育》第 7、8 辑，1963—1964 年版）、李龙范《丽丹贸易考》（《东国史学》，1956 年第 3 期）、辛兑铉《契丹文字考》（《思潮》1 卷 2 号，1958 年版），则对丹丽贸易、契丹文字进行研讨。还有，（蒙古）林钦《关于蒙古的石碑和岩画》（《蒙古科学院语言文学学院蒙古文字研究所所刊》16 卷 1 分册，1968 年版）。关于俄文方面的资料，因故未能尽力查阅，暂缺。

（三）欧美各国的研究

著作方面有卡尔·A. 魏特夫、冯家升《中国社会史：辽（907—1125）》（Karl A. Wittfogel《History of Chinese Society，Liao（907—1125）》，纽约，麦克米伦出版公司1949年版），对辽朝社会作出全方位的整体描述，将研究对象纳入广阔的历史空间背景之下，"致力于讨论辽之经济、文化、政治和军事制度，其统治下的各民族（主要为汉族）以及从事游牧的建国者契丹人的情形"，这不仅是因为"对辽世界之社会和文化之成长感到兴趣"，还因为"Khitay"（契丹）和它的各种不同拼法至今仍是中国的代名词；"中国最后四个征服王朝的联系，很耐人寻味"，"他们的注意力集中于从辽朝开始而极盛于清的一连串征服，直接或间接地，辽的征服中国提供了日后发生在中亚和中国本土之征服的一个模式"。即将契丹辽史研究纳入北方—中国—世界这样愈益广阔的领域内进行思考和论断（或者是验证）。那么，魏特夫所说的"一个模式"是什么？魏特夫认为：中国王朝可分两种模式，即典型的中国王朝，如秦汉隋唐，还包括分裂期的三国、晋、南朝等；征服王朝如辽（契丹）、金（女真）、元（蒙古）、清（满洲），这是某一民族征服另一民族居住地一部或全部所建立的王朝，它也包括渗透王朝，如五胡十六国、北朝等，这是诸王朝创始者在华北半和平的渗透而建立的王朝。其实这是采用器物类型学的划分方法，框定人类社会的发展形态，但这种倡议或假说，竟然影响历史研究长达几十年，成为后世日本学界"征服王朝说"或"骑马民族论"的直接来源。

路昆德《游牧帝国：中亚史》（宾夕法尼亚大学1979年版），从中央亚细亚游牧人社会的视角，将契丹等中国古代北方民族的历史发展纳入"中亚"系统进行思考，从轮廓上比较切近地描摹了契丹辽朝的历史状态，弥补了资料不足的缺陷。（德国）傅海波、（英国）崔瑞德主编的《剑桥中国辽西夏金元史》（Alien Regimesand Border States，剑桥大学出版社1994年版；史卫民等译，中国社会科学出版社1998年版），则是"剑桥中国史"的第六卷，全书分九章，《导言》由两位主编撰写，是全书的总纲，强调"构成本卷论题的四个政权，通常受到传统的中国历史学界的消极对待，它们都被视为中国历史大转弯处的阻碍。每一个政权都由一个非汉族人的统治集团所建立，在保持自身文化特性的同时，它们都统治着一个包括众多汉族人在内的多民族的国家，并且控制了曾由汉族人长期统治的广大地区。这每一个政权都向中国文化的整体性、根深蒂固的中国文化至上观及其国际秩序观提出了挑战"。并在总结前人成果的基础上，修正了一些过时的观念和认识，提出了几个鲜明的命题，如"边界"："金和蒙古的帝国外界已不同于中国世界的传统边界，也不同于辽金与宋之间的边界，而是一个扩大的中国世界"的边界；"这条边界是通过契丹人对今蒙古、辽宁、吉林和黑龙江等地的占领，并以唐代中国的模式为基础在这里立国，确立边疆体系后形成的。所有这些民族都不是作为新来者或与中国体系无关的完全的局外人而强盛起来的，他们很久以来就已经是中国体系中的一部分"。又如"外族人"："无论如何，把这些由北人建立的国家视为与定居汉人的稳定的帝国完全不同的游牧帝国是错误的"。在"外臣与太上皇"和"多国制"题目下，认为在辽朝时期"一个政治上举足轻重的新的中心在北方逐渐形成，它在对待边界居民的方式上沿用了唐宋的先例"，"从此开始了中国政治中心向东北的转移"，"中国的统一，只能肇始于北方的观念，到 13 世纪时，几乎成为一种成规"。关于"天下"这一术语，"它在蒙古人那里有了更为广泛和全局的意义，实际上是把所有已知世界都当作了他们未来世界帝国的组成部分"①。第一章《辽》则由崔瑞德与克劳斯—彼得·蒂兹合写。该书奉为圭臬的参考书目，就是魏特夫等著《中国社会史：辽》，故两者间的区别，只是在提法上将"征服王朝"修正为"政府的模式"而已。但此书论述角度、积累问题的办法和解决疑难的思维方式等都有独到之处，不愧"第三只眼看中国历史"的评价②。亨利·霍伊尔·霍渥斯《中国的北疆》（《皇家亚洲社会史集刊》，1983 年第 13 期）第五章"契丹人"、傅海波《满洲森林中的民族：契丹与女真》（《剑桥早期内亚史》，剑桥大学出版社 1990 年版）、门格斯《通古斯与辽》（德国《东方学术论丛》1969 年第 38 卷第 1期）等，都分别对契丹辽朝进行论述。詹尼弗·霍姆格伦《耶律、遥辇与

---

① ［德］傅海波、［英］崔瑞德主编：《剑桥中国辽西夏金元史·导言》，史卫民等译，中国社会科学出版社 1998 年版，第 1—9 页。

② 刘浦江：《第三只眼看中国历史——评〈剑桥中国辽西夏金元史〉》，《中国文化》2002 年第 1期。

大贺：早期契丹部主的世袭特权观念》（《远东历史论集》，1986 年第 34 期）、《辽朝（907—1125）契丹统治下的婚姻、亲族和继承》（《通报》，1986 年第 72 卷）、张啉德《辽朝公主的婚仪：吉林辽代墓葬的壁画》（《亚洲艺术》，1983 年第 44 期）、罗依果《论契丹氏族名称耶律——移刺》（《远东历史论集》，1974 年第 9 期）、冯家升、卡尔·A. 魏特夫《辽代宗教》（《宗教评论》，1948 年第 5 期）等，分别对契丹部族组织、婚姻形态、姓氏起源以及宗教信仰进行研究。还有陈余丽《辽以来中国的异民族征服史》（乔治敦大学博士学位论文，1951 年）、傅海波《论辽朝语言关系》（《中亚研究》，1969 年第 3 期）等。闵宣化《蒙古巴林左旗的辽帝国古城》（《通报》，1922 年第 21 卷）、《饶乐水考》（《通报》，1933 年第 30 卷）、《辽陵和金陵》（《通报》第 30 卷）、《辽庆陵考》（《通报》第 30 卷），主要从考古资料出发重新审视辽朝历史。还有（比）凯尔温《道宗皇帝陵——一个使人感兴趣的发现》（《北京天主教会公报》第十年 138 号，1923 年）。

二、西夏史研究现状

国外学界关于党项西夏史的研究，主要集中在俄国、英国以及日本学界，尤其是关于西夏文字文献资料的研究，几乎成为国外西夏史研究的主流。20 世纪初期，由于黑水城西夏文文献资料的大发现，引起俄、英学界与收藏界的注意，大批西夏文文献资料相继被收入俄罗斯圣彼得堡和艾尔米塔什博物馆以及大英博物馆等，由于考古资料提供的特殊便利条件，苏联学者率先进行西夏文文献资料整理工作，涌现出聂历山、克恰诺夫等一批西夏文献研究专家，1963 年克恰诺夫《西夏文写本和刊本目录》，第一次将苏联国内收藏的黑水城西夏文献资料 400 余种 8 000 多编号予以编排、登记与公布；1993 年，艾尔米塔什博物馆出版英文版《丝路上消失的王国——西夏黑水城的佛教艺术》（1996 年，台北出版中文版）。20 世纪 90 年代以来，中国与俄罗斯达成学术合作协议，由上海古籍出版社不定期整理出版黑水城西夏文献，迄今为止已经出版 10 余册。

日本学界的西夏史研究，自 20 世纪 20 年代开始，石滨纯太郎《西夏文遗文杂录》（《北亚细亚研究》1926 年第 3 期），首先向日本学界系统介绍西夏史研究的基本书目与遗文情况；接着又发表《西夏语译大藏经考》

（《龙谷大学论丛》1929 年）、《西夏国名补证》（《龙谷大学论丛》1933年）、《西夏语译大方广佛华严经入不可思议解脱境会普贤行愿品等》，分别对西夏语言以及历史文化现象进行论证；后来又发表《西夏语译吕惠卿孝经传》（《文化》，1956 年第 20 卷第 6 期），对于西夏文字保留和记录下来的北宋吕惠卿《孝经传》原文进行研究，并试图恢复汉字原文。20 世纪 50—60 年代，西田龙雄介绍了日本国内收藏的西夏文献资料情况，并对西夏语言文字进行研究；1981—1983 年连续发表《西夏语韵图〈五音切韵〉研究》（上、中、下）、《关于西夏的"黑头"与"赤面"》（《东方学会报》1989年），分别对西夏字书与历史传说作出细致探讨。冈琦精郎《关于西夏的民族信仰》（《古代学》1956 年），对西夏境内民族信仰方式、不同种类等进行研讨；《西夏李元昊和秃发令》（《东方学》1959 年），分析了李元昊政权的封建性质及其秃发令颁布的历史背景与原因等；岛田正郎则比较系统地研究了西夏法典，即连续发表于《法律论丛》1997—2001 年的《西夏法典初探》（1—11）。同时，日本学界对于西夏文字也展开比较广泛的探讨。

三、金朝史研究状况

国外研究金朝历史，当首推日本与俄国。日本关于金朝历史文化研究，起步于 20 世纪初期，而鼎盛于 20 世纪 30—40 年代及其以后。日本学界关于金朝历史的研究态度，也依然受到所谓"征服王朝论"的影响，甚至著名学者如三上次男也曾经深受"征服王朝论"的熏陶，譬如他的著名著作：《征服王朝——金朝与汉》（近藤出版社 1974 年版），就是如此。

（一）综合研究状况

日本学界研究金朝历史最有影响力的人物，首推三上次男先生。他所发表的代表性著作有：《金代女真研究》（满日文化协会，1937 年版），分析金朝女真人的社会结构、政治地位以及经济、文化、生活方式等，揭示金朝女真人社会群体的基本发展面貌。《金史研究（第 1 卷·金代女真社会研究）》（东京：中央公论美术出版社 1972 年版）、《金史研究（第 2 卷·金代政治制度研究）》（东京：中央公论美术出版社 1970 年版）、《金史研究（第 3 卷·金代政治与社会研究）》（东京：中央公论美术出版社 1973 年版），这是三上次男先生穷其毕生精力的研究力作，主要依据金朝的历史记载资料，分门别类地深入研究金代女真社会、政治制度以及政治与社会之根本关系等，既是对金朝历史的专门性研究，也是对金朝历史的社会研究。不仅揭示出许多金朝历史的客观现象，也完整地解释了金朝历史发展中出现的一些实际问题。此外，他还曾出版《金朝前期对汉人的统治政策》（东亚研究所资料室第 44 号 C，1943 年版），专门研究了金朝初期对北方汉族人口的统治形态及其基本政策等。

外山军治《金朝史研究》（京都大学，1946 年版），也是日本学界比较有影响的研究力作之一，系统地阐释了金朝的政治结构、社会结构与民族成分、经济生产生活方式等。以西田龙雄、山路广明、水野弘元等人为主，率先致力女真文字研究，尤其是西田龙雄所发表的《女真馆译语之研究——女真语和女真文字》（京都：松香堂，1970 年版），系统地介绍了女真语及其文字的具体遗存情况，并以《女真馆译语》等文献资料作为研究女真文字的主要参考手段与研究方法，既促进了中、日两国学术界的相互沟通与交流，也极大地推动了中、日两国女真文字研究的继续发展。

此外，俄、英、法、德等国的部分学者，也向本国学界系统介绍中国古代女真人及金朝政权，俄国学界也对女真文字进行专门研究。但总的来说，这些国家的学者更主要的是采取从世界历史的角度进行研究的基本态度，宏观性研究成果多于客观实际的微观研究，因此，他们在更接近于专门性研究的工作上力度不大，而在俄国远东地区不断发现的女真史考古资料，则对女真社会与金朝史研究起到巨大的弥补与推进作用。

（二）政治经济制度研究

涉及金朝政治经济制度的研究，主要有池内宏《金建国前完颜氏君长的称号——〈金史·世纪〉研究部证》（《东洋学报》第 20 卷 1 号，1932 年 7 月）。主要根据《金史·世纪》的记载，分析了女真人建国前期部落首领称号的演变及其对金朝政权初期的历史影响。小川裕人《关于生女真勃兴过程的研究》（《满蒙史论丛》1 辑，日满文化协会刊，1938 年 3 月），对于女真建国的历史基础及其历史背景作出具体分析与推测，并试图寻找内在原因、审视古代北方民族历史文化发展的历史趋势。三上次男《金代中期的猛安谋克户》（上、下）（《史学杂志》48 编第 9、10 号，1937 年 9—10 月），分析金朝中期女真人户的社会组织形态、具体功用、分布范围、具体演变及其历史影响等。三宅浩史《金代官僚制度研究》（《龙谷大学大学院文学研究课纪要》第 23 集，2001 年），对于金朝官制体系进行整体研究，并分析金代女真习俗对于政治体制的影响。此外，小川裕人《关于金代的物力钱》（《东洋史研究》第 5 卷 6 号、6 卷 1、3 号，1940 年 12 月、1941 年 2、5 月）、爱宕松男《辽金时代的赋税》（《历史教育》第 17 卷 6 号，1969 年 10 月）等，都对金朝时期的赋役、杂税等进行研究。关于金朝时期的民族、社会与民族关系等，也是日本学界进行认真研究的历史对象之一。

（三）教育与宗教

三上次男《论东京城的萨满教》（《石棺墓》第 3 卷 11 号，1934 年 11 月），对金朝东京地区考古发现所见到的女真原始宗教信仰遗物进行研究与阐释；塚本善隆《金刻大藏经的发现及其刊行》（《日本佛教研究会年报》1 号，1936 年），对近代佛教大藏经的发现与整理作出详细介绍与研究，并对金朝时期的木刻印刷技术作出具体的研究。松信尔《金代道学的展开》（《东洋文化》309 号，1995 年），分析了金代社会文化以及教育内容的深刻转变，认为原本起源于两宋之际的心性之学，在金朝中晚期已经成为金朝历史文化发展的重要特色之一；两宋道学对于金朝社会的影响及其生根发芽的历史过程，都有着与其发展形态相适应的社会土壤为支撑。

（四）考古与文物研究

国外学界涉及金朝时期的考古与文物研究，主要集中在俄国。20 世纪 70—90 年代，俄国学者相继刊布了一批关于女真人及金朝时期的考古资料，如麦德维杰夫《女真墓地的发掘》（莫斯科：《1970 年考古新发现》，1971 年版），系统介绍了当时苏联远东地区发现的女真墓地及其研究状况。瓦西里耶夫《卢丹尼科夫丘岗的墓地》（莫斯科：《1971 年考古新发现》，1972 年版）、奥克拉德尼科夫《远东滨海区女真国家的石碑》（《远东滨海区和阿穆尔流域早期史》，符拉迪沃斯托克，1973 年版）及《博朗湖畔的古代墓地——阿穆尔河下游女真文化遗存》（《苏联科学院西伯利亚总分院通报》第 3 辑，1976 年 11 月）、拉里切夫《乌苏里斯克、远东滨海区金帝国王公的石碑》等，都对苏联远东地区发现的女真墓地以及金朝时期的碑刻作了系统介绍与研究。2002 年，又在今蒙古人民共和国境内发现金朝宰相完颜襄征讨塔塔尔诸部时留下的九峰石刻——汉、女真两种文体的刻石题记。

第二编

概　　述

第 三 章

10世纪初内蒙古地区的契丹政权

第一节　迭剌部的迅速发展与遥辇氏世选传统的破坏

一、契丹部落组织的社会变革

契丹，源于古老的东胡族系，为东部鲜卑宇文部的后裔，最早与库莫奚部以"世同部落"的方式生活在一起，公元4世纪末期，由于遭到来自漠南草原拓跋鲜卑集团的攻击，契丹遂与库莫奚部落分离，并逐渐发展成为一支相对独立的部落组织形态；到5世纪初期的时候，契丹部落已经先后同拓跋鲜卑建立的北魏王朝、柔然人建立的柔然汗国以及东北地区的高句丽政权等，都建立起比较密切的政治、经济、文化联系，部落社会得到迅速发展，已经成为东北地区不容忽视的重要部落集团之一。直到公元6世纪中期之后，由于突厥汗国的崛起和北方草原地区政治局面的不断发展，契丹部落又先后沦为突厥汗国与隋朝政权的附庸，但其部落组织结构已经发生很大的历史变化，已经形成一个相对统一的部落联盟的组织形态，标志着契丹部落的历史发展也逐渐登上北方草原的政治舞台。到7世纪初期，契丹部落已经成为唐朝政权羁縻统治下的属部，接受唐朝的调遣，部落组织和氏族组织也逐渐融入唐朝设立的州县制度的基本内容，为契丹社会封建化过程奠定前期基础；至8世纪前期，契丹部落在中原地区先进的封建制度文化的直接影响下，社会内部原有的部落组织形态发生了重大的结构性转变，作为契丹部落世代统治家族的大贺氏及其所领有的纥便部，开始逐渐脱离出契丹本土部落社会之外、向南内迁进入唐朝的幽州境内，纥便部落转化成唐朝直辖的入内"侨置蕃州"，大贺氏部落贵族阶层开始逐渐转化和融入唐朝社会内部的封建地主阶级集团，2003 年在陕西省西安市附近发现的"契丹王墓"①，就比较形象地证明了这一点。而与大贺氏家族发生整体变化的同时，契丹本土部落也重新确立了遥辇氏家族的世袭统治地位，并将部落社会的具体发展纳入一个新的历史阶段。

根据《新唐书》、《旧唐书》以及其他历史资料的记载，遥辇氏时期与大贺氏时期在统治方式上的明显差异，就是遥辇氏统治时期确立了部落社会更具备政权因素的组织结构，标志着契丹部落社会的历史发展，已经从相对简单的联盟组织阶段向着政权组织的方式积极过渡，并创建了一个更加具有政权意识的遥辇氏汗国的基本组织形态。

公元 8 世纪前期，遥辇氏汗国政权的建立，是在契丹社会内部发生严重混乱的表象下出现的，这就是史书中记载的"可突于之乱"。其实，"可突于之乱"也正是契丹社会内部分化与唐朝、契丹矛盾交织的基本结果。所谓"可突于之乱"，事实上是在大贺氏家族及其领有的纥便部落已经进入中原之后，本土部落组织之内重新进行权力分配与政治重构的基本过程，它牵涉着一个是否全盘"汉化"的基本问题。像前述陕西省西安市附近发现的"契丹王墓"就是一个例证，其墓主人的契丹名为过折，过折就是在唐朝幽州军事力量支持下最终平定"可突于之乱"的契丹部落首领之一，所以被唐朝赐姓李，故又名李过折，他是唐朝试图完全控制契丹部落的功臣之一。李过折平息可突于集团之后，便被唐朝认定为新的契丹王，事实上取代了与唐朝关系密切的大贺氏家族，但李过折不久就被可突于的"余党"（即支持者）所袭杀，拥立迪辇阻里为新可汗。于是，契丹部落彻底摆脱唐朝的控制，转而依附后突厥及回鹘汗国。所谓"迪辇阻里"，就是《辽史》里记载的遥辇氏阻午可汗。"迪辇"也正是史料记载中所习见的"遥辇氏"的最早记载；"阻里"也是关于"阻午可汗"的不同译写。因此，遥辇氏汗国统治形式的确立，事实上是契丹社会在继承传统统治方式基础上的新发展，原来

---

① 葛承雍：《对西安市东郊唐墓出土契丹王墓志的解读》，《考古》2003 年第 9 期，第 76—81 页。

大贺氏时期已经确立的汗位家族世袭制度，仍然被遥辇氏完整地继承下来，只不过是遥辇氏政权的建立者们，已经学会采用明确的法律程序将汗位继承的家族世袭制度牢固地确立下来。同时，作为一种社会权力的平均分享，遥辇氏政权的创立者们还把部落社会的各级职务与各种特权等，也都统统划分或确定为由其他各个家族世代承袭或享有的基本权利，这就是研究契丹辽朝历史中所经常接触到的"世选"制度的原型或其本源所在。所谓契丹人的"世选"制度，实际就是确立了部落社会一切职务与权力的平均分配方式，它们都分别由不同的家族来世代承袭，属于部落社会贵族阶层分别享有的不同权利，并在这种世袭制度的前提下，将契丹社会各种具体的官位分配到地位不等的贵族之家，每个官位都从拥有"世选"权利的家族的全体成员中选举产生，这是一种已经远远超越了一般部落社会"规例"范畴的"原则"的确立，故被称为"世选制度"或"世选习惯"。只不过，这种"世选制度"所适用的"家族"的具体范围，不是指那些尚未出现或刚刚出现的个体家庭，而是指那些在当时的契丹部落社会中原本就已存在的氏族形式的大家族（或原始大家庭）形态。但是，还应当承认契丹人所确立的"世选"制度，其实已经代表着契丹社会组织程序走向世袭制度的一种重要的表现形式，体现着私有制因素已经成为制约一切社会生活或社会活动与发展的主要观念与主要的社会规约，并从此决定着或引导着契丹部落社会发展的基本方向。

因此，遥辇氏汗国时期确立起来的各种部落职务一切"世选"的基本制度，其实就是在家族世袭前提下所推行的社会权力的重新分配，它标志着契丹部落社会的一切公共权力，从此已经全部都打上了阶级的烙印，公共权力开始演变为私有制形态下家族"私有财产"的基本内容和社会地位无限延伸的直接表现方式，譬如世选可汗职务的遥辇氏家族可以拥有部落社会至高无上的行政权力，而世选部落社会夷离堇职务的世里氏（即辽朝耶律氏）家族则可以拥有部落社会最高的军事权力，而其他那些如世选契丹部落南、北府宰相职务的家族则可以拥有部落社会最高的重要的执行权，其他世选诸部或诸氏族夷离堇职务的家族则可以拥有一定范围的地方管理权，等等。这些，都无疑说明了一种相当严密的社会组织形态与行之有效的管理机制已经形成，它不仅由此确立了森严的等级观念和上下有序的统治秩序，而且也使契丹部落社会的具体发展已经完全摆脱了那种相对简单的部落联盟组织形式，开始朝向一种更为高级的社会组织程序迈进。

但是，于此应该特别指出的是，遥辇氏汗国时期的统治体制或组织程序，其实更主要地显示着一种行政权力与军事权力分离的统治方式，而能够实行这样的一种权力分立的统治原则，起码标志着契丹汗国的统治秩序吸收或存在着一种比较特殊的管理传统或组织习惯，这也是研究契丹部落发展史所不能够忽略的重要现象之一。

到了公元9世纪的时候，契丹社会的具体发展过程中，已经客观地存在着一种目的在于惩治罪犯的法律——"籍没之法"和关押、管理罪犯的专门机构——瓦里，即确立罪犯转化为奴隶的法律规定与基本程序。这一切都说明私有制原则已经成为制约人们生活与生产活动的主要保障和法律依据，遥辇汗国的统治体制也已经完全具备了"国家"的概念要求及其基本职能。对此，《辽史》也称：

> 自其上世，缘情制宜，隐然有尚质之风。遥辇胡剌可汗制祭山仪，苏可汗制瑟瑟仪，阻午可汗制柴册、再生仪。其情朴，其用俭。敬天恤灾，施惠本孝，出于惃忱，殆有得于胶瑟聚讼之表者[1]。

这些记载，代表了契丹社会早期政权发展历程的一般景象，也阐明了遥辇氏汗国时期制度建设的基本规模，等等。但是，毋庸置疑，同样是由于私有制观念的无限膨胀和私有制度的迅速发展，也决定了自9世纪末开始至10世纪初发展到极致的契丹社会所必将再次发生与经历的深刻的变革过程。

二、遥辇氏世选传统的破坏

遥辇氏世选制度的确立，实际是培育契丹部落的贵族阶层的温床。公元9世纪末期，契丹部落社会的两极分化已经非常严重，那些世代承袭部落社会统治权力的贵族之家，已经呈现出与普通部民完全不同的社会面貌，拥有较高社会地位的部落贵族阶层被称为"阿钵"。这些"阿钵"们还拥有自己

---

① 《辽史》卷49《礼志一·序》，中华书局1974年版，第833页。

的亲兵组织——挞马，而"阿钵"的子弟们则拥有"舍利"（又译写为"沙里"）的美誉，并且只有这些拥有"舍利"称号的人，才能成为未来部落社会的领导者（这也是由于世选制度的原因）。而那些普通的部民或者失势了的贵族之家，也可以在一夜之间沦落入社会最底层，譬如契丹专制政权建立之前部落社会已经存在的管理罪奴的机构——瓦里，史称：

> 瓦里，官府名，宫帐、部族皆设之。凡宗室、外戚、大臣犯罪者，家属没入于此①。

又据记载，

> 籍没之法，始自太祖为挞马狘沙里时，奉痕德堇可汗命，按于越释鲁遇害事，以其首恶家属没入瓦里②。

因此，随着部落贵族阶层的形成和私有观念的日益膨胀，"富有"已经成为品评人物的主要依据和受到社会普遍尊敬的主要原因，而"贫穷"则受到部落社会的普遍嗤鄙，并最终转化为贵族之家奴役的主要对象；在此基础上，勇敢和强悍已经成为能够分享社会荣誉和财富的具体象征，例如：辽太祖的二伯父岩木，

> 身长八尺，多力，能裂麑皮。语音如钟，弥里本岭去家数里，尝登岭呼其从，家人悉闻之。③

因其如此强悍，所以能够三次出任迭剌部的夷离堇职务。像岩木这样，就使得那些原本由世选家族全体成员平等拥有的部落权利，越来越集中到某些杰出人物的垄断之下，使得部落社会的一切权力都同私有观念结成密切的伙

---

① 《辽史》卷 116《国语解》，中华书局 1974 年版，第 1544 页。
② 《辽史》卷 61《刑法志上》，中华书局 1974 年版，第 936 页。
③ 《辽史》卷 64《皇子表·玄祖四子》，中华书局 1974 年版，第 963—964 页。

伴，并推动着私有制形态的继续发展。

契丹部落社会的世选权利的高度集中，或者说某些"英雄人物"对于家族内部公共权力的日益垄断，比较突出地表现在耶律阿保机家族所享有的世选迭剌部夷离堇的记载中。根据记载，自阿保机的曾祖和祖辈们开始，迭剌部夷离堇的世选形式已经存在着一人数任的状况，例如：辽太祖的曾伯祖耶律牙新担任迭剌部夷离堇职务时，曾经使迭剌部发展壮大，史称：

> ［牙新］有德行。分五石烈为七，六爪为十一①。

牙新，即辽太祖曾祖萨剌德之长兄；石烈，本契丹语，汉语意为"州县之县"，"分五石烈为七"即将五个县增加或改编为七个县；爪，本契丹语，汉语意为"百千之百"，"分六爪为十一"即将六个百户组织增加或改编为十一个百户组织，这无疑是迭剌部取得决定性发展的重要历史时期。但到辽太祖的曾祖萨剌德（又名勤德，追谥为懿祖皇帝）继承其兄长职位的时候，由于其兄弟三人对于世里氏家族所作出的巨大贡献，使得整个家族共同拥有的世选权力开始被萨剌德个人所垄断，史称萨剌德之子帖剌曾经九任迭剌部夷离堇的职务，其实这件事情已经被近年发现的耶律羽之墓志铭所证实，先后九次担任迭剌部夷离堇职务者正是萨剌德本人②。而萨剌德的次子帖剌，也曾经先后两次担任过迭剌部夷离堇的职务；萨剌德三子匀德实即辽太祖之祖父（追谥为玄祖皇帝），也曾出任和垄断过迭剌部夷离堇的职务；匀德实次子岩木，也曾经三次担任迭剌部夷离堇的职务；匀德实三子释鲁更是迭剌部夷离堇职务的最大垄断者之一。像这种大家族内部的公共权力在少部分家庭成员手中日益集中的现象，既表明了当时氏族大家族内部权力分配不平等现象的存在，也说明了相对原始的氏族大家族形态开始逐渐被个体家庭势力所冲破；既说明了当时那种原始大家族内部公共权力的垄断现象日渐平常，也说明了家族内部公共权力的分配已经受非正常因素的严重制约，像阿保机的曾祖萨剌德、祖父匀德实和伯父释鲁三代人，对于部落权力的不断垄断与

---

① 《辽史》卷64《皇子表》，中华书局1974年版，第962页。
② 盖之庸：《内蒙古辽代石刻文研究》，内蒙古大学出版社2002年版，第2页。

日益集中，都说明一种有别于遥辇氏统治时期的新的统治体系已经呼之欲出了。

　　根据历史资料的记载，辽太祖的祖父匀德实与伯父释鲁，都先后死于家族内部的叛乱之中，如玄祖匀德实之死，据《辽史》记载：

　　　　玄祖为狠［或作"狼"——笔者］德所害，后嫠居，恐不免，命四子往依邻家耶律台押，乃获安。太祖生，后以骨相异常，惧有阴图害者，鞠之别帐①。
　　　　耶律狼德等既害玄祖，暴横益肆。［本部夷离堇］蒲古只以计诱其党，悉诛夷之②。

由此可知，辽玄祖匀德实被害之年与辽太祖始生之年十分相近。据《辽史》，太祖生于唐僖宗咸通十三年，即公元 872 年；是知辽玄祖至迟遇害于872 年；又据下文记载，且知狼德之乱去太祖出生之际不会太远；而且史料中既称狼德等为"部人"，则说明耶律狼德亦为迭剌部贵族成员之一，即迭剌部世里氏家族的重要历史人物之一。那么，所谓"耶律狼德之乱"或"玄祖被害事件"，其实都涵盖着这样一个主题，即爆发于家族内部激烈的权力争夺！又如太祖伯父耶律释鲁之死，据《辽史》记载：

　　　　遥辇痕德堇可汗以蒲古只等三族害于越释鲁，籍没家属入瓦里③。
　　　　［滑哥］与剋萧台哂等共害其父［释鲁］，归咎台哂，滑哥获免④。
　　　　［萧塔剌葛］太祖时，坐叔祖台哂谋杀于越释鲁，没入弘义宫⑤。

益知，所谓"于越释鲁被害事件"，其实也是一次由世里氏家族内部掀起的争权夺利的斗争；在这次斗争中，契丹贵族集团的重要人物不仅悉数登场，

---

①　《辽史》卷 71《后妃传·玄祖简献皇后萧氏》，中华书局 1974 年版，第 1198—1199 页。
②　《辽史》卷 75《耶律铎臻传》，中华书局 1974 年版，第 1239 页。
③　《辽史》卷 31《营卫志上》，中华书局 1974 年版，第 371 页。
④　《辽史》卷 112《逆臣上·耶律滑哥》，中华书局 1974 年版，第 1503 页。
⑤　《辽史》卷 90《萧塔剌葛传》，中华书局 1974 年版，第 1358 页。

而且注意戒备，相互提防，使贵族擅政局面不断加强。史称：

> 曷鲁事太祖弥谨。会滑哥弑其父释鲁，太祖顾曷鲁曰："滑哥弑父，料我必不能容，将反噬我。今彼归罪台哂为解，我姑与之。是贼吾不忘也！"自是，曷鲁常佩刀从太祖，以备不虞①。

这段史料理解起来比较艰涩，但有一点可以明白，即平叛之际，当时的辽太祖耶律阿保机已经与谋害于越释鲁的首恶耶律滑哥之间，达成了某种程度上的暂时妥协；故《辽史》留下了关于"于越率懒之子化哥屡蓄奸谋……并其子戮之，分其财以给卫士"的记载②，其中的"率懒、化哥"其实都是耶律滑哥名与字的不同译写（滑哥小字斯懒），故此条史料所指确属耶律滑哥无疑。

综上所述，可以看出，所谓匀德实之死与释鲁之死，其实都是由于迭剌部统治家族内部矛盾所致，这种矛盾就是基于公共权力分配不均而引发的直接权力争夺。而辽太祖的堂叔耶律辖底的个人经历，则可以为家族内部权力争夺和遥辇氏时代世选制度的破坏，作出一个十分明确的解答。根据《辽史》记载：

> 遥辇痕德董可汗时，异母兄罨古只为迭剌部夷离董。故事，为夷离董者，得行再生礼。罨古只方就帐易服，辖底遂取红袍、貂蝉冠，乘白马而出。乃令党人大呼曰："夷离董出矣！"众皆罗拜，因行柴册礼，自立为夷离董③。

耶律辖底就是这样明火执仗地夺取了庶兄罨古只在部落选举中获得的夷离董职务，这表明起码从 9 世纪中期以来，契丹部落社会的发展进程，由于个体家庭势力的出现，彻底地破坏了原有的统治秩序，既有的世选形式也逐渐成

---

① 《辽史》卷 73《耶律曷鲁传》，中华书局 1974 年版，第 1219 页。
② 《辽史》卷 1《太祖纪上》，中华书局 1974 年版，第 9 页。
③ 《辽史》卷 112《逆臣上·耶律辖底》，中华书局 1974 年版，第 1498 页。

为个体家庭势力垄断部落权力的主要工具，标志着遥辇氏时代氏族大家族为基础的世选制度，开始越来越多地遭到了来自个体家庭势力的人为的破坏。而世选制度的被破坏，则标志着遥辇氏时代原有的统治秩序已经出现了无法纠治和弥补的紊乱现象，秩序的紊乱预示着既有统治形式必将发生一次翻天覆地的历史变化。

三、迭剌部的迅速发展

迭剌部，就是耶律阿保机家族所在的部落，只不过这个部落在契丹部落组织中享有家族统治的特权，它是遥辇氏家族统治地位确立后，树立起来的拥有选举本部夷离堇和大迭烈府夷离堇职务的世里氏家族领有的部落组织，它脱离于契丹部落组织的管理程序之外，是世里氏家族的私有财产。

迭剌部是遥辇氏汗国重新整顿契丹部落组织时产生的新部落，因而，关于这个部落的历史，最早也只能上溯到8世纪中期，据《辽史》记载：

> 其先曰益古，凡六营。阻午可汗时，与弟撒里本［分］领之，曰迭剌部①。

是知，迭剌部的编建，是在遥辇氏刚刚确立统治地位时期的事情。而益古这个人，似乎就是辽朝耶律氏之始祖雅里（又名涅里）。因此，当阻午可汗领有的"遥辇氏契丹八部"重新组建之际，迭剌部已经从其母体部落中脱离出来，并与遥辇部（即《辽史》所称"九可汗宫分"或"遥辇九营"者）一样，都是以"别出"的资格而独立于契丹社会的部落组织程序之外，是不受部落组织管理程序制约的家族私有财产。从《辽史》的相关记载来看，耶律雅里（即涅里）在辅佐遥辇氏阻午可汗的过程中，也已经有意识地加强了自身的部落实力。例如《辽史》所称"遥辇氏二十部"的构成，即契丹八部再加上"耶律七部"和"审密五部"。那么，"耶律七部"和"审密五部"又是怎么来的呢？《辽史》的记录是：

---

① 《辽史》卷33《营卫志下·部族下》，中华书局1974年版，第384页。

涅里相阻午可汗，分三耶律为七，二审密为五，并前八部为二十部。三耶律：一曰大贺，二曰遥辇，三曰世里，即皇族也。二审密：一曰乙室已，二曰拔里，即国舅也。

而"三耶律为七"的具体划分，则是：

大贺、遥辇析为六，而世里合为一，兹所以迭剌部终遥辇之世，强不可制云①。

根据这些史料的记载，可以描摹出遥辇氏时期契丹部落组织结构的基本形态，即遥辇氏时代曾经将契丹部落组织结构由八个部落扩展到二十个部落，不仅将从前已经确定为"别出"的部落也计算在其内，而且还重新划分了那些已经拥有"别出"资格的一些部落组织，当然是在削减已经"失势的"贵族集团势力的前提下进行的，大贺氏就是这个时期的牺牲品。但是，在重新划分与编组契丹社会部落组织结构的过程中，遥辇氏家族与大贺氏家族所拥有的部落实力被共同析分为六支新的部落，而只有世里氏家族所拥有的部落实力没有受到丝毫触动、并始终保持了其所以能够约束契丹部落社会的强大实力。这些，实际上都是契丹部落社会基本发展状况的历史折射，也是能够透视9世纪时期契丹部落社会发展状况的基本史实资料的唯一体现，它说明从8世纪中期开始，契丹世里氏家族的特殊地位已经在部落社会中得到牢固的确立。

在辽朝保存和记录下来的那些历史资料中，也总是运用这样的一种方式来陈述契丹人的历史发展线索，即以主要描写世里氏家族（即辽朝皇族）变化与发展线索的方式，来具体地揭示契丹部落社会的历史发展进程，用世里氏家族（即皇族）的发展史米涵盖全体契丹人（即部落社会）的发展历史，从而突出地或比较强烈地表现出整个契丹部落社会发展的具体现状：即强大的迭剌部已经成为代表契丹部落发展的完全性标志。据《辽史》记载，耶律阿保机乃迭剌部霞濑益石烈耶律弥里人，其中"霞濑益"即"袅罗个

---

① 《辽史》卷32《营卫志中》，中华书局1974年版，第380—381页。

没里"或"西拉沐沦"的对译，也就是"世里氏（耶律）"姓氏的来源；而"石烈"乃契丹语"县"之义，"弥里"为契丹语"乡"的意思。据中原史料记载：

> 契丹本姓大贺氏，后分八族，一曰利皆邸，二曰乙失活邸，三曰实活邸，四曰纳尾邸，五曰频没邸，六曰内会鸡邸，七曰集解邸，八曰奚嗢邸。管县四十一，县有令。八族之长，皆号大人，称刺史，常推一人为王，建旗鼓以尊之①。

同样，前引《辽史》资料也证明契丹部落社会确实存在类似州县制度的组织形态，而几乎所有中原史料都一致认定契丹部落社会已经划分为四十一个县；如果这种来自中原史料系统的记载不误，则遥辇氏时代契丹八部组织（再加上遥辇与迭剌二部，计十部）中每部（部之首领称刺史）划分县的数目应该保持在 4 个左右，但是，《辽史》中的一条史料起码说明当时的迭剌部已拥有 7 个县，如史称辽太祖之曾伯祖耶律牙新为迭剌部所作出的巨大贡献，就是：

> 分五石烈为七，六爪为十一。

耶律牙新，应该是生活在 9 世纪中前期的历史人物；其中，所谓"五石烈"即辽朝的五院部，"六爪"即辽朝的六院部；"石烈"即县，"爪"即百数，乃百户组织；州县制度与百户组织紧密结合，是契丹部落组织形态发展的又一重要特点；辽朝初期又将"县"及"百户"组织统统并称为"院"，说明这本来就是两个平行并列的部落组织单位，名称的不一致似乎显示出部落社会存在的组织结构的某种差异，诸如严格的氏族编制与并非严格的氏族编制、蕃汉民族成分差异等，都有可能是造成契丹部落组织内部，虽然某些单元组织的结构明显不同而行政地位级别则一致同等的基本原因。

---

① 《资治通鉴》卷 266《后梁纪一》，太祖开平元年；胡注引《考异》据苏逢吉：《汉高祖实录》，中华书局 1974 年版、中华书局 1956 年版，第 8677 页。

这些，既说明盛唐文化对于契丹部落社会的具体影响程度，也表明当时迭剌部势力所以强大的部分原因，说明契丹社会的部落组织形态已经同简单的游牧部落组织形式之间存在着天壤之别了，而组织程度的日益紧密与集中则是当时契丹部落社会所具备的基本特征。

起码从 9 世纪中期以来，契丹社会历史发展中所出现的每一件标志性的历史事件，都无不同迭剌部或者世里氏家族存在着千丝万缕的联系。蔡美彪先生曾经在其名作《契丹的部落组织和国家的产生》一文中，将 9 世纪末至 10 世纪初契丹社会的历史发展线索，归纳概括为三次夷离堇职位争夺的历史事件，即：

第一次：契丹鲜质可汗时期，唐朝咸通十三年（872 年）左右发生的夷离堇匀德实被害、部人耶律狼德夺取部落领导权的历史事件；

第二次：契丹痕德堇可汗时期，唐朝天复元年（901 年）发生的耶律鼋古只当选为迭剌部夷离堇，却被同父异母弟耶律辖底夺走的历史事件；

第三次：耶律阿保机出任契丹可汗时期，即公元 911—915 年，辽太祖与所谓"诸弟"集团发生的权力争夺事件。

其实，这三次历史事件，严格地说都是在世里氏家族内部耶律阿保机这一系统中展开，譬如玄祖匀德实，即耶律阿保机的祖父；而鼋古只及辖底兄弟，乃为辽太祖耶律阿保机的堂叔辈；至于所谓"诸弟"集团则都主要地是由阿保机诸位亲弟构成。所以，这三次重要的历史事件，都是发生在世里氏家族内部的直接的权力争夺，它说明世里氏家族及其领有的迭剌部已经成为代表契丹部落社会发展的主要的力量集团。因此，当辽太祖于公元 914 年平定"诸弟之乱"、处决叛乱首谋耶律辖底之际，

> 将刑，太祖谓曰："叔父罪当死，朕不敢赦。事有便国者，宜悉言之。"［耶律］辖底曰："迭剌部人众势强，故多为乱，宜分为二，以弱其势。"①

耶律辖底一语道出"诸弟之乱"所以爆发的根本原因，这也是契丹部落所

---

① 《辽史》卷 112《逆臣上·耶律辖底》，中华书局 1974 年版，第 1499 页。

以始终围绕着世里氏家族不断发生内乱的根本原因。无独有偶，918 年 7 月，当辽太祖著名的佐命功臣之首——耶律曷鲁病殁之前，也仍建议辽太祖说：

> 陛下圣德宽仁，群生咸遂，帝业隆兴。臣既蒙宠遇，虽瞑目无憾。惟析迭剌部议未决，愿亟行之①。

在耶律曷鲁看来影响辽太祖长治久安的主要因素，就在于迭剌部势力的过于强大、为皇族内部争权夺利的斗争提供力量的准备，因此，析分迭剌部的动议已不能再迁延拖迟！所以，辽太祖在接受了来自正、反两方面的具体建议后，遂于天赞元年（922 年）十月，毅然将迭剌部按照"五石烈"和"六爪"的组织程序划分为五院、六院两个基本部落，同时将契丹皇族成员完全从迭剌部中分离出来组建了契丹族社会中的"大横帐"（即后来辽朝的直系皇室成员——四帐皇族）。这样，进一步缩小了迭剌部贵族"世选"契丹可汗的适用范围，奠定了以阿保机家庭为核心的契丹政治统治形式。

第二节　10 世纪初的内蒙古及其
周围地区的基本情况

一、10 世纪初期今内蒙古地区的基本状况

10 世纪初期，在今内蒙古地区分布的游牧部落，不仅数量众多，而且成分也比较复杂。在这些数目众多的游牧部落集团中，既有世代生活于此、活动区域相对稳定的部落集团，也有唐朝中、晚期以来迁徙至此的新的游牧部落集团。它们或者来自西北阿尔泰山的草原地带，或者来源于东北大兴安岭东端的草原地带，或者生居于当时河西走廊与祁连山附近，或者生居于当时的阴山南北，从而构成当时一幅蔚为壮观的多民族杂居分布、共同生存的历史画卷。

---

① 《辽史》卷 73《耶律曷鲁传》，中华书局 1974 年版，第 1222 页。

在今内蒙古西部鄂尔多斯市以及阿拉善盟、巴彦淖尔盟一带，自唐朝中、晚期以来就已经分布着一些数目众多而又相对零散的游牧部落集团，它们都与唐朝保持着相对密切的政治、经济联系，并在很大程度上仍然延续着自己固有的部落组织形式和经济生产、生活方式。其中，比较著名的部落有吐谷浑部落和党项羌部落以及部分沙陀突厥等诸多成分比较复杂的游牧部落。

吐谷浑部落，原本是由东部鲜卑慕容部分化出来的游牧部落，在公元4世纪初期的时候，才在首领吐谷浑的率领下从辽河下游向西迁徙至今内蒙古阴山以南，短暂停留之后，又从阴山以南向西迁徙到今青海湖周围，并与生活在那里的古羌族部落杂居，形成特点明显的吐谷浑部落集团，并在4世纪末至5世纪初，建立了比较强大的吐谷浑政权。唐朝初期的时候，吐谷浑部落接受唐朝的羁縻统治。663年，吐谷浑政权被兴起于青藏高原的吐蕃政权所灭亡，其残余部众遂散处于灵州（今宁夏灵武县）一带。到8世纪的时候，吐谷浑部落中的大部分都已经内迁到今内蒙古西部的河套地区和陕西省的北部一带，并与生活在那里的汉族、党项羌以及突厥、回鹘等各族人口形成多民族交错杂居的状态。到10世纪初期，吐谷浑部落的分布，已经遍布阴山以南、雁门关以北的辽阔地域。同时，此时的部分吐谷浑部落已经学会了农业生产，逐渐与汉族的生产生活方式趋同，而且已经习惯了中原地区的封建统治形态，他们逐渐进入雁门关以南、河东地区的西北部，并同世代生活在那里的农耕民族逐渐融合在一起。因此，唐朝末年及五代时期的历史记载中，经常出现的关于"生、熟"吐谷浑或吐浑的记录，就是当时吐谷浑部落与中原农耕民族联系与融合的历史实证。所谓"生、熟吐浑"部落，实际是以其从事的经济生产方式来决定，"生吐浑"即仍然保留着游牧生产习惯的漠南吐谷浑部落，"熟吐浑"即那些已经入居雁门关以南逐渐熟悉农业生产、接受汉族封建统治形式的部分吐谷浑部落。但是，无论"生、熟吐浑"部落，从10世纪中期开始，他们都在历史的记载中逐渐消失，这是因为他们已经先后融入到北方地区的汉族社会（河东）与契丹族的社会（漠南）人口之中。

党项羌，本是古代羌族系统中的一支，公元2—6世纪的时候，他们曾经与分布在河西及其以南地带的鲜卑等诸多部落融合，逐渐形成一支比较强大的党项羌部落集团，最早作为吐谷浑政权的属部，与吐谷浑部落保持比较密切的联系。唐朝初期，党项羌也随吐谷浑政权一起依附唐朝，接受唐朝的羁縻统治。到7世纪后期的时候，由于受到吐蕃政权的不断扩张的影响，党项部落在得到唐朝政府允许的前提下，开始迁入今宁夏境内及甘肃省东部、陕西省北部的部分地区。其中，居住在夏州（今鄂尔多斯市乌审旗白城子西）附近的党项羌部落逐渐强大，史称"平夏部"。平夏部的主要活动范围，就在今内蒙古西南部的鄂尔多斯市境内，而内蒙古西部的河套地区也基本成为党项羌的主要生产生活基地。到了唐朝末年，平夏部的首领拓跋思恭，因为帮助唐朝镇压黄巢起义有功，被册封为夏国公、权知定难军节度使，治所就在夏州，并被唐朝赐姓李，从此奠定了党项羌在夏州及其周围地区继续发展的历史基础。

此外，在突厥汗国及回鹘汗国相继灭亡之后，突厥人及回鹘人虽然都先后展开了大规模的西迁，但是，在南、北方民族的相互迁徙、运动过程中，也有大批的突厥和回鹘人口在阴山南北的草原地区留居下来，并在相当长的历史时间内，保持了自己的民族生活方式和部落组织形态，逐渐与生活在那里的其他民族人口混合在一起，从而结成一些大小不一的"杂蕃"部落组织形态，成为当时北方草原地区一支不可忽视的力量。他们在中原史料中被称为"小蕃"或"杂蕃"，在《辽史》中也把它们称为"蕃部"或径称"突厥"、"回鹘"、"沙陀"、"小蕃"之名，他们基本集中分布在今内蒙古西部的河套地区以及河西走廊和漠北的部分地区。

在今内蒙古中南部地区则主要分布着一些吐谷浑、沙陀突厥和室韦部落。例如：在今山西省北部地区就集中分布着一些吐谷浑部落（即熟吐浑），同样，在山西省北部和内蒙古中南部地区，还分布着一些"九府突厥"、夹山党项和吐谷浑部落。室韦人的一些部落，此时也已经进入漠南地区，在中原史料记载中出现的所谓"阴山达怛"或者"阴山室韦"的记载，就是室韦人部落势力已经进入漠南地区的见证；而所谓"山后逸利、越利"诸部族的记载，则标志着一些室韦部落已经进入到燕山山脉以西、太行山脉以北，即今山西省东北部及河北省西北部、内蒙古南部地区。同时，今内蒙古锡林郭勒盟东南部，已经成为所谓"黑车子室韦"的驻牧场所。在今赤峰市克什克腾旗及锡林郭勒盟东部的部分地区则生活着自唐朝以来就闻名中原的白霫部落集团，它们本属于突厥民族系统，但长期与古代东胡民族系统杂居，逐渐形成一支与东胡民族系统十分接近的古代游牧民族部落，并在以后的历史发展过程中先后与奚族、契丹族和蒙古族融合在一起。

在今内蒙古东部的赤峰市和通辽市、乌兰浩特市、呼伦贝尔市境内以及锡林郭勒盟东部的西乌珠穆沁旗、东乌珠穆沁旗，则主要生存着契丹、奚、室韦以及部分突厥、回鹘和渤海、汉族等人口。在今赤峰市及通辽市境内和辽宁省西北部地区，主要居住着契丹和奚族部落集团。

奚族，最早出现于 4 世纪末期，始称库莫奚。至隋朝时，已经拥有 5 个部落并建立起牢固的联盟组织，成为当时东北地区势力较为强大的游牧部落集团，遂自称为"奚"。10 世纪初期，奚族主要居住在今赤峰市南部老哈河流域为中心的喀喇沁旗、宁城县、林西县、克什克腾旗境内及河北省平泉县、围场县、承德地区。奚族是契丹的近邻，所以，契丹社会的具体发展都会受到来自奚族的影响，或者也能够直接影响到奚族社会的具体变动。当 9 世纪末期，契丹部落迅速崛起之际，奚族已经逐渐成为受契丹部落奴役的主要对象。因此，10 世纪初期，曾经有部分奚族的部落贵族相继掀起反抗契丹奴役的斗争，最终以形成"西部奚"集团为标志，取得了一定程度的胜利。所谓"西部奚"集团，其实就是在直接反抗契丹部落奴役的战争中，从奚族本土部落中脱离出来的部落成员，他们为了躲避契丹的打击而迁居到燕山西段的山地丛林地带，并先后依附于中原地区的幽州和后唐等割据政权，始终坚持反抗契丹贵族统治的斗争，甚至在一定程度上已经发展成为契丹"流亡"贵族与奚族联合的政治结合体。直到 936 年，辽太宗耶律德光扶植后晋政权、灭亡后唐政权，进而完全获得"燕云十六州"地区之后，"西部奚"集团才最终瓦解，其原有的部落人口也被辽太宗迁回契丹本土安置，重新成为契丹政权直接统治下的属部。

此外，白霫、渤海、汉族和回鹘等各族人口，在 10 世纪初期的内蒙古东部地区，也都有着比较广泛的分布，由于过于零散，所以，在此就不一一列举了。

在今内蒙古东部地区分布的室韦部落集团，主要有居住在今克鲁伦河流域中下游地区的敌烈部，因其共有八个部落组织，所以，《辽史》称之为"八部敌烈"或"八石烈敌烈"；在敌烈部以东，今呼伦贝尔市额尔古纳河流域及呼伦湖、贝尔湖流域，生活着乌古部；而在敌烈、乌古部的西南，今赤峰市北部和锡林郭勒盟东、北部一带，靠近大兴安岭北缘及内蒙古高原东南缘地区，则生活着大、小黄室韦（又总称黄皮室韦）和臭泊室韦、黑车子室韦部落；在燕山西段，今河北省与内蒙古交界处的多伦县和张北县、正蓝旗一带，还居住着两支分别以逸利、越利命名的室韦部落。这些室韦部落集团，在历史上又分别被突厥人称之为"达怛（即鞑靼）"、契丹人称之为"阻卜"，而在当今学界又往往被称之为"原蒙古人"。为了便于理解，笔者谨采用目前学界比较通用的名称"室韦—达怛人"，进而对这些比较重要的民族部落的来龙去脉作些简单的介绍。

二、室韦—达怛人的形成

室韦—达怛人是室韦人进入蒙古草原腹地之后，与生存和遗留在当地的突厥系统诸族人口充分融合后，所形成的新的民族共同体的代称；这是以室韦人为主体的前后发展序列的具象的表现过程，即由室韦人向室韦—达怛人转变，再由室韦—达怛人向蒙古人演变的过渡环节。因此，关于室韦—达怛人的形成，事实上就包括了这样的两项基本内容：一是室韦人的基本状况，二是室韦人与突厥系诸族人口融合的过程。那么，室韦人的基本状况及其经济生活方式等如何？根据《新唐书》等历史资料的记载：室韦

> 率乘牛车，蘧蒢为室，度水则束薪为桴，或以皮为舟。马皆草鞯、绳羁靮。所居或皮蒙室，或屈木以蘧蒢覆，徙则载而行。其畜无羊少马，有牛不用，有巨豕食之，韦其皮为服若席。……分部凡二十馀：曰岭西部、山北部、黄头部，强部也；大如者部、小如者部、婆萌部、讷北部、骆丹部，……最西有乌素固部，与回纥接，当俱伦泊之西南；自泊而东有移塞没部；稍东有塞曷支部，最强部也，居嘬河之阴，亦曰燕支河；益东有和解部、乌罗护部、那礼部、岭西部；直北曰讷比支部，北有大山，山外曰大室韦，濒于室建河，……河南有蒙瓦部，其北落坦部；……其北有东室韦，盖乌丸东南鄙馀人也①。

---

① 《新唐书》卷219《北狄传·室韦》，中华书局1975年版，第6176—6177页。

这种伴随地理条件变迁而呈现出的部落之间生活方式的具体差异，不仅标志着一定时期内部落社会经济结构发生具体变化，也促使不同的部落之间走向不同的发展道路。欧阳修在《新唐书》中所记载的"室韦二十部"，也正是唐朝中期室韦部落发展的具体景象。当时，"室韦二十部"的具体分布范围是：北越今俄罗斯境内外兴安岭山脉，南抵松嫩平原地带，东近日本海，西及今蒙古人民共和国境内的克鲁伦河下游地区。但是，当9世纪中期，回鹘汗国统治秩序的土崩瓦解，使得大批的回鹘、突厥人呈现出大规模西迁的历史趋势，这就为室韦部落的发展提供了更为广阔的发展空间。其实，早在七八世纪的时候，就已经有一批室韦部落西迁蒙古草原地区，并同生活在那里的突厥、回鹘部落形成比较密切的经济、文化联系；从9世纪末期开始，室韦人再次掀起西迁的浪潮，大批的室韦部落不断地向克鲁伦河上游、土拉河流域、色楞格河流域以及杭爱山地区等蒙古草原地带，大规模地渗透与迁居，并且与仍然羁留在漠北草原地带的众多突厥系部族融汇、整合为一体，从而形成特征明显的室韦—达怛人，开始了部族力量发展的新时代。

根据唐朝晚期以来具体的史料记载以及对于这些史料进行分析的结果，在短短的仅有半个世纪左右的历史时间内，长期居住于兴安岭东端南北地区的室韦人，已经如潮水一般地涌入了大漠南北的草原地带，其速率之快与人口之多，都是十分令人惊异的！事实上，当公元842年辖戛斯人突袭回鹘汗国之前，还从来没有哪一支民族力量或部落集团敢于问津回鹘人的领地，室韦人也更不具备这种敢于同回鹘汗国抗衡的实力，那么，室韦人究竟是怎样占据了漠北草原的呢？

其实，当辖戛斯人采用突袭的手段灭亡回鹘汗国之后，回鹘汗国的主干力量已经分散为数支，它们或者举部西移、远走西域中亚地区，或者南下河西走廊地带、控制河西走廊与新疆南部地区，或者南入云朔边地、企图获得唐朝政权的帮助。结果，进入云、朔边郡地区的回鹘汗国残余力量，首先遭到来自唐朝政府方面的灭顶之灾，唐朝企图借此重塑自己对北方草原地区的政治权威，不仅消灭了进入云朔地区的汗国残余，又进一步地剿除了回鹘汗国原来安置于草原地区的一切政治力量，例如分别驻守于契丹、奚、室韦部落集团的回鹘官吏与部众等；唐朝政府的这些政治、军事行动，不仅解除了回鹘汗国对于草原诸部的政治羁绊，也完全清除了回鹘汗国遗留在大漠草原地带的政治残余；同时，已经衰落的唐朝政权企图利用拉拢辖戛斯人的归附，来完成自己对于北方草原地区的完全控制。但是，辖戛斯人并没有"看重于"唐朝对自己的青睐，他们在完成了对回鹘汗庭的摧毁与掳掠之后，整军而还，重新退回到自己世代居住的叶尼塞河流域。这样，在回鹘汗国的主体政治力量完全退出漠北草原地带之后，辖戛斯人也莫名其妙地退回到了自己的故地，从而呈现出大漠草原地带陷入"政治真空"的奇异景象！所以，此时势力还不够强大的室韦人，便不失时机地进入到了蒙古草原的腹心地带，并同生活在那里的古突厥系统的诸多部族人口逐渐融合为一体，从而形成了一支全新的部落实体。所以，目前学界为了区别这支部落实体，并根据其与以前之室韦部落的具体差异以及其与后来出现的蒙古部落事实上存在的差异等，姑且将它们称为"室韦—达怛人"①。

室韦—达怛人的经济构成，与隋唐时期局限于大兴安岭东端森林草原地带的状况相比，已经有了较多的不同。首先，渔猎经济成分明显地退居到次要地位；其次，那种"多猪牛而无羊"的基本经济构成，已经彻底被打破，羊、马逐渐占据社会经济构成的主导地位，使室韦人原有的那种特定的区域经济类型完全被一种典型的游牧经济生活方式所覆盖。这种典型的游牧经济形态，简而言之，就是：

> 从黑海延伸至蒙古的欧亚大陆草原。这是最著名的游牧地带，游牧族群历史上建立了非常强大的政治组织。畜群包括马、绵羊、山羊、牛和双峰骆驼，运输工具是双轮轻便马车，牧民用毛毡制作圆顶帐篷，特别强调骑马和射箭②。

公元10世纪前后，在室韦—达怛人形成之际，草原地区各种政治力量，

---

① 亦邻真：《古代北方民族与蒙古族的起源》，《内蒙古大学学报》1989年第2期，第1—16页；伊克昭盟蒙古民族通史编委会：《蒙古民族通史》第1卷，内蒙古大学出版社2002年版；《高校文科博士文库》载张久和：《原蒙古人的历史——室韦—达怛研究》，高等教育出版社1998年版，第121—125页。

② 郑君雷：《关于游牧性质遗存的判定标准及相关问题——以夏至战国时期北方长城地带为中心》，《边疆考古研究》2003年第2期。

开始呈现出不断地向漠南地区集中的基本特点。譬如吐谷浑部落已遍布阴山以南、雁门以北的辽阔地域，而党项羌也已经深入到今内蒙古西部鄂尔多斯市及河套地区所处的阴山西段地区，沙陀突厥则依托阴山以南及河东地区的地理与资源优势建立太原割据政权，并在今阴山以南至山西省北部地区集中分布着一些吐谷浑、突厥和党项、室韦部落。自 9 世纪末期开始，契丹部落集团迅速崛起，其军政势力已经发展至锡林郭勒草原及云朔地区，并从 10 世纪初期开始，建立了一个幅员辽阔的草原帝国，整个漠南、漠北地区都已经成为这个草原帝国版图的一部分。在其维持了长达二百余年的成功统治的过程中，契丹辽文化的具体发展对于北方游牧文化的延展与扩充，都产生了巨大的历史作用与影响。

三、幽州地区的历史独特性

唐朝中晚期的幽州地区，在契丹部落走向独立发展的同时，生活于此的众多游牧民族人口逐渐与汉族等融合、发展，造成了一个以前从没有过的独特的文化景象，即游牧文化的各种因素在这里植根发芽并催生出了一派"胡风胡雨"的新天地，"胡族"的生活气息浓烈地散布开来，形成了与中原地区迥然不同的社会生活面貌。

当时，幽州（即后来燕云地区）与中原主要的区别，首先就是生活于此的各族人口形成了共同的"重然诺，尚气力"的风尚，为"天下精兵"之所出；其次就是这里已经掺染了太多游牧民族的生活习惯，甚至包含了语言习惯的掺染；其三，对于客观事物正确与否的判断形式，幽州地区也形成了与中原地区迥然有别的世界观，譬如，对待"安史之乱"的态度，幽州地区则呈现出对于安禄山、史思明诸人的敬仰与崇奉。这些，在相关历史资料的记载中都可以找到完整的历史答案。

"安史之乱"之后，河北及幽州地区已经陷入藩镇割据的局面，而唐王朝能否中兴的关键问题，就在于如何处理这些割据力量的存在。到唐穆宗时期（821—824 年），历史的发展曾经给予李唐王朝一次绝好的机会，当时幽州藩帅刘总"奉表归土"，即将幽州交还朝廷。于是，唐穆宗选派门第、官称俱高的张弘靖为幽州节度使，前往接收幽州地区。此时，幽州脱离唐朝统治、与中原隔绝已达半个世纪之久，史称：弘靖始入幽州，即因其养尊处优的"中原名士"作派，首先引起幽州人士的视觉诧异，据《旧唐书》记载：

> 弘靖之入幽州也，蓟人无老幼男女，皆夹道而观焉。河朔军帅冒寒
> 暑，多与士卒同，无张盖安舆之别。弘靖久富贵，又不知风土；入燕之
> 时，肩舆于三军之中，蓟人颇骇之①。

其风土人情有别于中原的状况，于此可见一斑。其次弘靖入燕引发了幽州人
士的观念诧异，据《旧唐书》记载：

> 弘靖以禄山、思明之乱，始自幽州，欲于事初尽革其俗，乃发禄山
> 墓，毁其棺柩，人尤失望②。

这是来自于观念系统的不相吻合的表现。其实，弘靖入燕所呈现的中原地区
与幽州情况不能完全符合的基本特点，已经表明中原封建体制不再适应幽州
地区的具体情况；弘靖入燕之后，又因随行官吏"文法细密"或凌辱本地
吏卒而激起蓟人哗变，将弘靖等驱逐幽州境外，而幽州再也没有回到唐朝的
控制之下③。故唐文宗朝（827—840 年），幽州发生兵变之时，宰臣牛僧孺
劝说文宗皇帝云：

> 陛下以范阳得失系国家休戚耶？且自安、史之后，范阳非国家所
> 有。前时，刘总向化，以土地归阙，朝廷约用钱八十万贯，而未尝得范
> 阳尺布斗粟上供天府，则今日志诚之得，犹前日载义之得也。陛下但因
> 而抚之，亦事之宜也。且范阳国家所赖者，以其北捍突厥，不令南寇；
> 今若假志诚节钺，惜其土地，必自为力。则爪牙之用，固不计于逆顺。
> 臣故曰："不足烦圣虑"④。

---

① 《旧唐书》卷 129《张延赏传·附子弘靖传》，中华书局 1975 年版，第 3611 页。
② 《旧唐书》卷 129《张延赏传·附子弘靖传》，中华书局 1975 年版，第 3611 页。
③ 《旧唐书》卷 129《张延赏传·附子弘靖传》，中华书局 1975 年版，第 3612 页。
④ 《旧唐书》卷 180《杨志诚传》，中华书局 1975 年版，第 4675—4676 页。

范阳，即幽州治所；文宗听完牛僧孺的劝慰后，也高兴地说："如卿之言，吾浩然矣。"说明安史之乱以后，幽州藩镇已经呈现出与中原日渐突出的差别。这种差别，代表着一个怎样的环境呢？据《旧唐书》的概括，即：

> 彼幽州者，列九围之一，地方千里而遥，其民刚强，厥田沃壤，远则慕田光、荆卿之义，近则染禄山、思明之风。二百余年，自相崇树；虽朝廷有时命帅，而土人多务逐君；习苦忘非，尾大不掉，非一朝一夕之故也①。

所谓"远慕之义"，就是发自内心的模仿与崇尚；"近染之风"，则是由于某种原因学来或变化来的风俗习惯，是因外力作用而发生的变化；所谓"习苦忘非，尾大不掉"云云，即幽州地区已形成以游牧经济方式为主的生活习尚，成为与中原农业社会判然有别的游牧经济、文化的集散地。从牛僧孺所说"且范阳国家所赖者，以其北捍突厥，不令南寇。"即充当唐朝抗击北方的主要防线。世代生活于幽州的北方民族人口，事实上充当着幽州藩镇的主要军事来源，史称安禄山"养同罗、降奚、契丹曳落河八千人为假子，教家奴善弓矢者数百"，作为反叛唐朝的主要军事储备，此后，历任幽州藩帅也都继承了蓄养游牧民族骑兵的传统，使幽州人口在社会经济、文化和军事战争中都发挥出重要的历史作用。这也造就了中国古代历史发展的一个奇妙的现象，即自汉唐以来世代服属中原政权管辖的幽州地区，却在8世纪中叶至14世纪中叶彻底脱离中原政权的管辖，成为北方地区的游牧民族割据政权的经济、文化中心，造成这种现象的历史基础，应该就是唐朝时期羁縻统治政策发展的直接结果。

936年，契丹统治者连同幽州和云州地区一起纳入自己的统治版图，从而造就了10世纪初期以来，契丹政权与中原政权之间不可调解的矛盾，这就是北宋政权同契丹辽朝政权对幽州的争夺和南宋政权同女真金朝政权对黄河流域及燕山地带的争夺。据说北宋太祖时期，鉴于北宋政权的刚刚建立，曾经打算用和平买卖的方式，从契丹人手中收回幽州地区的所有权，但这个

---

① 《旧唐书》卷180《史臣赞》，中华书局1975年版，第4683页。

愿望并没有实现。北宋太宗时期则采取武力夺取的方式，三次发动北伐战争，结果都以失败告终，不仅收回幽州的希望已破灭，而且朝廷内部还出现了一种直通晚唐时期的政治见解，即北宋名臣赵普"教训"宋太宗的那一番话语：

> 陛下计不出此，乃信邪谄之徒，谓契丹主少事多，所以用武，以中陛下之意。陛下乐祸求功，以为万全，臣窃以为不可。……就其得少之中，犹难入手；况是失多之外，别有关心。……伏愿陛下审其虚实，究其妄谬，正奸臣误国之罪，罢将士伐燕之师①。
>
> 奸人但说契丹时逢暗主，地有灾星，以此为词，曲中圣旨。殊不知蕃戎上下，幽州俱置生涯，土宿照临，外处不可征讨②。

赵普的态度是彻底否定宋太宗北伐，言外之意：那些道听途说的情报皆不准确，真实状况是契丹上下在幽州置办房屋产业，各个社会阶层都与幽州建立密切联系，使契丹本土与幽州地区连成一片，土著者与新居者形成相互照拂的密切关系，没有可以让人利用的缝隙，甚至还说出幽州已经非中原所有的观点。赵普的话语，理解起来可能有些生涩，尤其"幽州俱置生涯"云云，乃是指"蕃戎上下"即契丹社会各阶层都在幽州设置了自己的"生业"；易言之，就是人的生存属性决定了幽州地区同契丹人的密切联系；而"土宿照临"云云，"土"指的是土著、土著居民，原本就生活在这里的社会各阶层；"宿"即宿住于此，住居这里的居民，他们只是暂居或迁居于此的居民，喻指契丹统治者与幽州社会各阶层的密切联系，故土著者即幽州地区原有的各族人口，迁居者即契丹占领者或本土部落各阶层与幽州地区有密切联系的那些人，指的就是幽州与契丹本土的重新融合。弄明白了这一点，也就比较容易理解为什么北宋时期以来幽州脱离中原政权体系？或者说北宋为何没有能够收回幽州的统治权？同时，对于赵普的观点作出补充的是大臣王禹偁，他在端拱二年（989 年）的奏章里说：

---

① 《宋史》卷 256《赵普传》，中华书局 1975 年版，第 8935 页；《续资治通鉴长编》卷 27。

② 《续资治通鉴长编》卷 28，赵普手疏谏言，雍熙三年五月条。

　　　　顷岁吊伐燕蓟，盖以本是汉疆，晋朝以来方入北境，既四海一统诚
宜取之。而边民蚩蚩，不知圣意，皆为贪其土地，致北敌南牧。陛下宜
下哀痛之诏告谕边民①。

即往年征伐契丹燕蓟地区，是因为那里原本就是中原政权的边疆之地，现
在，大宋已经统一中原，理应收回对幽州管理权；但是，边民愚昧不知道圣
主的打算，却认为这是贪心夺取契丹人的土地，结果导致了契丹人的侵扰，
破坏了平静的生活；建议朝廷应该颁布一道诏书，让那些边野愚民体会出圣
主哀痛疆域失守、生灵涂炭的心情。这个奏议，有两点值得注意，第一，它
将幽州同中原政权的脱离，确定在后晋时期，遮掩了此前幽州已经脱离唐朝
政权的事实；第二，所谓边民，即指北宋政权与契丹辽朝交界处的居民，也
就是北宋河北道的北部居民；这些居民认为燕蓟地区根本就不是北宋的领
土，征伐燕蓟乃是对契丹土地的"贪取"。其实，王氏的奏议，意在劝喻宋
太宗放弃征讨幽州的想法，承认既成的事实。

　　因此，幽州地区已经成为10—12世纪，北宋与契丹辽朝对峙的焦点所
在，幽州的归属也已经成为决定历史发展趋向的关键。自8世纪中期以来，
幽州成为横亘在游牧文化世界与农耕文化世界之间独具特色的"过渡地
带"，起到了兼收并蓄、相互吸纳的发展作用，并自契丹辽朝始连续发挥经
济、政治、文化中心的作用与影响；故幽州地区的历史发展过程，某种程度
上也是中国古代北方民族历史文化发展的见证，是南、北方民族文化碰撞、
交流与融合的典型区域之一。

第三节　耶律阿保机君主专制政权的建立

一、耶律阿保机的崛起

　　耶律阿保机，名億，小字啜里只，本契丹迭剌部霞濑益石烈耶律弥里
人，乃世里氏（即耶律氏）家族的贵族子弟，出生于唐朝咸通十三年（872

---

　　① 《续资治通鉴长编》卷30，端拱二年正月王禹偁奏议。

年）。就在阿保机出生之前，他的家庭遭到了一次毁灭性的打击，史称：

> 玄祖简献皇后萧氏……玄祖为狼德所害，后孀居，恐不免，命四子
> 往依邻家耶律台押，乃获安。太祖生，后以骨相异常，惧有阴图害者，
> 鞠之别帐①。

玄祖，即辽太祖的祖父匀德实；简献皇后，即辽太祖的祖母；狼德，乃契丹
世里氏家族内部位居显要的贵族人物之一，由于世里氏家族内部对于公共权
力的激烈争夺，耶律狼德遂发动了直接袭击辽玄祖匀德实的武装行动，杀死
匀德实，并夺取了部落社会的领导权。辽玄祖被害事件，对于当时的耶律阿
保机一家产生重要影响，其祖母萧氏不得不携带四子与家人等暂时离开自己
的牧地，来到突吕不部人耶律台押家躲避狼德同党的仇杀。由于家族斗争的
失利以及由此而引起的社会骚乱，是导致简献皇后在辽玄祖死后，仍然日夜
恐惧和担心的主要原因，而辽太祖的降生则更加重了简献皇后的心理负担。
因此，辽太祖耶律阿保机的童年时代，可以说是在战争与恐慌之中度过的。
关于辽太祖的父亲、德祖撒剌的情况，《辽史》中没有任何记载。也许正是
因为少年时期这种恶劣的生活环境，所以才造就了耶律阿保机刚勇沉雄、果
毅智敏的性格，及其长大成人之后，由于智勇兼备、多力善射，因此得到当
时操持契丹汗国军政大权的伯父释鲁的信任，并被委任为"挞马狘沙里"
即伯父释鲁的个人近卫军，还先后多次参与了征服室韦、越兀、乌古和奚族
的战争，因勇敢善战以及战功卓著，故被部民称之为"阿主沙里"；"沙里"
乃契丹贵族子弟特有称号"舍利"的异译，"阿主"乃契丹语中的敬语，有
"崇高"或"大"的含意，《辽史》里记载说："阿主，父祖称。"就是表明
这个称号的无比尊崇之意，表明耶律阿保机当时已是所有舍利阶层（即贵
族子弟集团）的核心或首脑性人物；"挞马狘"，乃契丹部落军事首脑的亲
卫军组织，它应当是后来契丹辽朝政权时期的"舍利军"的前身或雏形。
由于阿保机担任了契丹军事首脑的亲卫军首领，所以，也就为他后来担任契
丹军事首脑提供了更加有利的优越条件。

---

① 《辽史》卷 71 《后妃传·玄祖简献皇后萧氏》，中华书局 1974 年版，第 1198 页。

　　唐朝天复元年（901 年），契丹社会又发生了一次大规模的内部骚乱，时任契丹汗国大于越职务的耶律释鲁，在骚乱中被杀害。这次骚乱，是由世里氏家族成员与其他贵族家庭相勾结而掀起的争权夺利的斗争，骚乱来势凶猛，使得整个世里氏家族都受到程度不同的猛烈冲击，连当时担任迭剌部夷离堇（契丹官称，即部落首领或军事首领称号）的耶律辖底，也匆忙乔装打扮，离家出走，逃到渤海国，以躲避可能遭致的杀身之祸。世里氏家族的权力体系，几乎完全瘫痪。此时，只有担任挞马狨沙里职务的耶律阿保机，成为拯救世里氏家族的真正的"英雄"，他利用自己手中掌握的军事权力，并在契丹汗国痕德堇可汗的支持下，向骚乱的发动者们发起了迅猛的反击，一举消灭了骚乱的首谋，使制造和参与骚乱的那些契丹贵族家庭，溃不成军，土崩瓦解。同时，阿保机也采取了比较明智的反击手段和政治措施，在严厉惩治骚乱主犯——将其家属"没入瓦里"（即判为奴婢）的同时，并未过分追究那些从犯的法律责任，暂时维护了部落社会的稳定局面。因此，阿保机也在痕德堇可汗同年允准的迭剌部夷离堇选举中，获得了迭剌部夷离堇职务及由此带来的崇高地位，成为世里氏家族暨迭剌部的新首领；同年十月，阿保机又荣任契丹大迭烈府夷离堇，即其伯父释鲁曾经担任的契丹部落最高军事首长的职务，使耶律阿保机凭借手中掌握的巨大权力，也从此走向契丹社会政治舞台的最前列。

　　[902 年 7 月，阿保机] 以兵四十万伐河东代北，攻下九郡，获生口九万五千，驼、马、牛、羊不可胜纪。九月，城龙化州于潢河之南，始建开教寺。
　　明年 [903 年] 春，伐女直，下之，获其户三百。九月，复攻下河东怀远等军。冬十月，引军略至蓟北，俘获以还。……遂拜太祖于越、总知军国事①。

仅仅经过两年多的时间，耶律阿保机就从一个契丹大首领手下的具体执事人员，一跃而上升为一位荣宠已极的契丹大首领，成为"总知契丹军国事"，

————————
① 《辽史》卷 1 《太祖纪上》，中华书局 1974 年版，第 2 页。

即完全把持了契丹部落社会领导权的重要历史人物。透过历史记载的表象，我们看到了一些什么呢？应当说看到遥辇氏汗国的统治秩序已经走到了其历史发展的尽头，以世里氏家族为主的契丹军事贵族阶层已经不再满足于原有的地位和荣誉，他们已经毫不掩饰地将权力攫夺的对象指向了契丹汗位的宝座！短短的几年内，阿保机所获得的巨大成功，诚然有其个人能力的具体因素的作用，但更多的则是他继承了家族前辈们已经取得的巨大成功，从而在契丹专制主义政权的建设过程中走完了历史性的最后一步。

阿保机在担任迭刺部和大迭烈府夷离堇的六年时间内，先后征讨周围部落和地区，不仅开拓了契丹疆土范围，也拥有了大量的战俘和移民，进一步地提高和壮大了世里氏家族的社会地位和社会权力。史称，901 年，征讨室韦、乌古和奚族，就"俘获甚众"，把这些战俘统统带回契丹本土进行安置，主要是在贵族阶层中实行按照功劳大小进行分配的赏赐形式。902 年，又在大举进攻河东代北地区的过程中，俘获 95 000 人以及大量的驼马牛羊等畜产，这些接近 10 万人的战俘和大量的畜群，统统被迁徙到契丹本土进行安置，然后，阿保机利用自己已经获得的人口，在潢河（即枭罗箇没里）南岸修建了自己的第一座投下（投下，或作头下。即契丹贵族私有的人口及土地）州城——龙化州，并在龙化州建立了一座佛教寺庙——开教寺，说明战争的俘虏已经包含了当时社会的各个阶层。903 年，又通过战争手段俘获大量的女直和汉族人口，并将自其父亲以来所俘获的奚族人口重新组编为迭刺迭达部即"奚迭刺部"——迭刺部的奚部，即世里氏家族所拥有的奚族人组成的部落。也就是在这一年，阿保机又被痕德堇可汗任命为于越，成为"总知军国事"的社会地位崇高的军政首脑，甚至连契丹可汗也要从此受到他的具体辖制。这是由于遥辇氏汗国时期实行的部落职务世选前提下的军、政权力分离的直接结果。因此，耶律阿保机的部落职务的不断提升及其个人势力的迅速崛起，是与其家族势力的不断增长密切相关的，也是同契丹社会历史发展所出现的时代机遇密切相关的。同时可以说，耶律阿保机的迅速崛起，既是个人努力的结果，也是历史趋势发展的必然结局。

904 年，耶律阿保机率领契丹军队征服黑车子室韦部落之际，受到来自幽州藩镇的直接军事干涉，阿保机利用自己的机智和策略，一举覆灭幽州援助黑车子室韦的军队，乘势迫降黑车子部落。905 年，割据太原地区的沙陀军事贵族李克用，主动与耶律阿保机缔结盟约，双方会见于云州城（即今山西省大同市）东，交换衣服、马匹等，二人相约为兄弟，饮酒相欢，订立了共同进攻幽州与汴梁朱温割据集团的军事联盟。从此，耶律阿保机一下子从一个边疆部落的小小酋领跃升为名噪中原地区的"契丹王"。这个巨大的历史转变，应该说一切都是由历史发展的具体实际所决定的。

二、确立家族统治的开端

耶律阿保机部落职务的迅速提升，不仅赋予了他地位崇高的军事统帅权和指挥权，也同时赋予他极其崇高的部落行政权；而此时，这种具体呈现在阿保机家族内部的军、政权力的过分集中，则标志着遥辇氏汗国政治的统治已经走到了历史的尽头。

904 年，阿保机扩建了自己的第一座投下州城——龙化州，这是私有性质极为明显的贵族投下州。"投下"，乃唐朝以来北方游牧民族地区形成的习惯用语，意即"头领之下"，故又名"头下"或"头项"，而"头"即"头""首"之义，是指部落首领或部落贵族；所谓"投下州"，即部落贵族拥有的私人名义之下的家庭私有财产。龙化州，就是阿保机个人所拥有的家庭私有财产之一。同年，阿保机又成功地击破和瓦解了黑车子室韦诸部与幽州藩镇刘仁恭集团的隶属关系，大败黑车子室韦部落，消灭了刘仁恭派遣出来的幽州援军，使契丹军事力量迅速进入今内蒙古高原地区东部的锡林郭勒草原地区。905 年，阿保机对锡林郭勒草原地带的经营，已经引起太原军阀李克用的重视，他派遣使臣康令德来到阿保机的军营中，通好约和，于是，耶律阿保机与李克用会见于云州城下，共同订立了共击幽州与中原地区的盟约，史称"云州之盟"。阿保机同李克用定盟，使其在战争中俘获更多的幽州人口，并全部迁徙到契丹本土进行安置，进一步发展壮大了部落贵族与有功将士的私属人口，推动了契丹本土农工商经济的迅速发展。同时，具体的历史资料的记载，也已经表明此时的契丹部落，在耶律阿保机的率领下逐渐走出原来的驻牧范围，进而展开了大规模的征服北方草原及其周围地区的活动。伴随着一系列军事行动的胜利，耶律阿保机及其所率领的契丹部落的社会影响，也在不断地提升。906 年，割据中原的朱温集团就慕名而来，派遣使臣，携带厚礼，渡越茫茫大海，来到契丹本土，向耶律阿保机表示

"结好通和"的美意；这一切，都表明耶律阿保机已经从一个部落首领上升到可以同军阀割据的霸主们分庭抗礼的程度了。

906年年底，遥辇氏家族的最后一位可汗——痕德堇可汗，在世里氏家族日益高涨的发展趋势下，被迫让出了契丹可汗的职务。史料记载，在痕德堇可汗与耶律阿保机之间契丹可汗权力的移交，其实是以类似中原地区"禅让"方式进行的，耶律阿保机通过遥辇氏家族的"禅让"顺利地成为了新的契丹可汗；这不仅改变了既有的契丹可汗世选家族的成规，也基本形成了契丹汗国政权内部军、政权力的有效集中，它标志着契丹部落的社会发展，从此已经进入了一个全新的历史时代①。

907年正月庚寅日，耶律阿保机在名为"如迁王集会埚"的地方，设立了祭天坛，燔柴告天，宣布正式即契丹可汗位，

> 尊母萧氏为皇太后，立皇后萧氏。北宰相萧辖刺、南宰相耶律欧里思率群臣上尊号曰天皇帝，后曰地皇后。

并将自己的家族变成继遥辇氏前任九可汗营帐之后的第十帐②。这里所说的每位可汗的"营帐"，其实就是以每位可汗的直系亲属等为主组成的斡鲁朵机构。耶律阿保机宣布以自己的家族组成第十个契丹可汗的"营帐"（即斡鲁朵），既继承了契丹社会原有的可汗部落"别出"（即独立于部落组织之外的私属）的传统规例，也表明了契丹可汗世选家族变换之后的具体心态，即耶律阿保机家族信心十足地对外承认了自己垄断部落权力的既成事实，而遥辇氏家族则只能去默默地吞咽自己"力量不如人"的苦果。同年二月，阿保机以契丹可汗的身份，将自己原来担任的大迭烈府夷离堇的崇高地位和

---

①　关于遥辇氏家族的最后一位可汗痕德堇的记载，《辽史》称，906年12月痕德堇可汗亡殂，耶律阿保机奉遗命即可汗位。但是，又明确承认阿保机是通过"禅让"形式成为契丹可汗的。而中原史料如《册府元龟》等则明确记载，后梁时期，阿保机与妻子及先可汗一起遣使入贡的记录，似乎表明阿保机成为契丹可汗之后，痕德堇可汗仍然生存在部落之中。因此，关于痕德堇可汗的记载，《辽史》可能存在着修史时期的人为隐讳，而中原史料的记录也须作出确切的史料考证。

②　《辽史》卷1《太祖纪上》，中华书局1974年版，第3页。

职务，转授给了从弟迭栗底，即其堂叔耶律辖底之子耶律迭里特①；同时，又亲自率领契丹军队再次征讨黑车子室韦部落，并完全征服了黑车子室韦集团所拥有的八个部落组织，标志着黑车子室韦从此成为契丹政权统治下的一部分。

907 年，这一年也是中原地区发生变故最多的时期。割据黄河中下游地区的大军阀朱温，在 907 年 4 月，指使同党弑杀了唐朝的最后一位皇帝——唐废帝，自立为帝，改国号为梁，建立了新的割据政权，史称后梁。中原地区的历史发展，也随着后梁政权的建立而进入到"五代"时期、长达半个世纪的混乱局面中。同时，割据幽州地区的刘仁恭集团也发生了剧烈的变乱，刘仁恭次子刘守光发动兵变，囚禁其父刘仁恭，自称幽州卢龙军节度使，控制了幽州藩镇的领导权，于是，守光之兄、平州刺史刘守奇等遂率领部属举城投降契丹政权，并依赖耶律阿保机提供的军事力量，盘踞平卢城，与刘守光集团抗衡，使耶律阿保机不费吹灰之力就获得和控制了梦寐以求的平卢城（即今山海关附近），夺取了契丹军队出入幽州地区的重要门户。

908 年正月，太原军阀李克用病殁，其子李存勖继任河东节度使，耶律阿保机遣使悼念和慰问，借机稳固了与太原割据政权的盟约联系。是年 8 月，割据幽州地区的刘守光集团也主动派遣使者进献"合欢瓜"，试图与耶律阿保机控制的契丹政权实现"通和"的目的②；说明耶律阿保机所控制的契丹政权已经对中原割据局面产生越来越重要的历史作用。

就在 908 年正月，耶律阿保机任命次弟剌葛（小字撒剌）为惕隐官，管理契丹世里氏家族的内部事务，即当时契丹汗国的第十个"营帐"的具体事务，这是事关耶律阿保机能否全部控制契丹部落社会的根本所在，因此，人员的选择当然十分重要。同时，耶律阿保机又在大部落西楼之地，修建明王楼。所谓"大部落"，即契丹社会对阿保机家族所领有的迭剌部的尊称。这些具体情况说明：第一，耶律阿保机成为契丹可汗之后，家族管理和迭剌部建设等都已经成为政权建设的主要内容，这是由契丹社会私有制的盛行所决定的基本发展趋势；第二，既然已经在西楼地修建了明王楼，那么，

---

① 《辽史》卷1《太祖纪上》，中华书局1974年版，第3页。
② 《辽史》卷1《太祖纪上》，中华书局1974年版，第3页。

对于契丹政权初期建设十分重要的"契丹四楼",此时也已经完备。史称:

> 辽有四楼,在上京者曰西楼;木叶山曰南楼;龙化州曰东楼;唐州
> 曰北楼。岁时游猎,常在四楼间①。

契丹四楼,是契丹辽朝政权从汗国时代向封建专制时代转变的过渡时刻的核心内容,它为契丹辽朝政权的形成起到了巨大的历史作用。而契丹四楼事实上构成辽太祖早期时代的四个斡鲁朵,是阿保机及其直系亲属集团直接拥有的私有财产;这在私有制盛行的契丹部落社会,既是可能的基本状况,也是可行的基本事实,耶律阿保机就是通过获得绝对多数的牧场、土地和人口以及社会财富的前提下,才将契丹政权的体制建设纳入到专制、集权的封建轨道,这就是中原史料所以盛传耶律阿保机的建国方式乃"化家为国"的主要原因②。因此,契丹四楼的确立,可以视为耶律阿保机时期家族统治秩序的主要成果之一。

909 年 3 月,幽州管内沧州节度使刘守文,又因不满其弟刘守光的政治统治,而率领自己的部属发动武装倒戈,并间道遣使投降契丹政权,最终在耶律阿保机所派出的契丹军队的援助下,大败刘守光军队于沧州城下的北淖口,刘守文及其部属也全部投降契丹政权,而契丹军队也乘势控制了燕山以北的广大地区。同年 4 月,耶律阿保机在炭山之北,修筑了著名的羊城,作为同中原地区进行商业活动的主要场所,这就是契丹辽朝历史上著名的"炭山汉城",它成为耶律阿保机建立君主专制政权过程中一个非常重要的基地。炭山,即在今河北省境内大马群山北段、丰宁县境内之巴彦图固尔山和东猴顶山一带;而羊城或炭山汉城,即今河北省沽源县九连城古城。这一年,活动在外高加索地区叶尼塞河流域的嗢娘改部族,也派遣使者与契丹政权建立起"通贡"联系,契丹部落社会从此走上了蓬勃发展的道路。因此,耶律阿保机命大臣韩知古立碑于龙化州以纪功德。

到 911 年,耶律阿保机经过不断地东征西讨,已经开创了一个东至黄

①　《辽史》卷116《国语解》,中华书局1974年版,第1535页。

②　任爱君:《契丹四楼源流说》,《历史研究》1996年第6期,第35—49页。

海，南至古北口和山海关，西入锡林郭勒草原，北逾大兴安岭地带的幅员辽阔的势力范围，初步奠定了契丹辽朝政权的基本雏形。

三、"化家为国"：确立君主专制体系

辽朝史料记载，耶律阿保机夺取契丹可汗职位后，不仅依照传统的惯例宣布族属为"第十帐"建立了自己的"宫分"，同时也明确了"宫分"所囊括的地域范围，即"又于木叶山置楼，谓之南楼；大部落东一千里，谓之东楼；大部落西三百里置楼，谓之北楼；大部落之内置楼谓之西楼"，史称"契丹四楼"①。其东楼在龙化州地界，南楼在永州木叶山地界，北楼似在庆州永安山地界，西楼即在皇都地界。《辽史》记载：太祖"岁时游猎，常在四楼间。"②"契丹四楼"之地，不仅是契丹辽朝时期的心腹地域，而且也是阿保机所以能够建立君主专制政权的主要基础，后来，这些地区都成为契丹辽朝地方机构中重要的州军，因此，在南宋末年至元朝初期成书的《契丹国志》中，就把辽太祖建立君主专制政权的历史过程，形象地称之为"化家为国"（有些史书也称为"变家卫国"），利用"家"与"国"的辩证联系，来切实地指称当时契丹社会转型的历史过程，形象地道出了契丹社会发展的历史真谛。根据史料的记载，可以将辽太祖"化家为国"的主要内容，概括为以下几个方面：

第一，将原有的世选制度演变为专制统治的基础。契丹社会的世选制度，是建立在氏族大家族基础上的世袭统治方式，它规定世选家族的权力不允许其他家族的介入和干预，但是，到了公元 10 世纪初期，阿保机想要建立梦寐以求的君主专制统治，就势须打破这种严密的传统约束。因此，《辽史》记载说：907 年辽太祖耶律阿保机以和平转让的"禅让"形式获得契丹可汗的职位，似乎表明契丹社会奉行已久的遥辇氏家族世选契丹可汗的特权，就这样平易地转移到耶律阿保机家族的手中。这是不符合常理的，也是悖逆了雅里和阻午可汗初衷的叛逆行为。因此，阿保机成为契丹可汗的那一

---

① 《契丹国志》卷1《太祖大圣大明神烈天皇帝》，贾敬颜、林荣贵点校，上海古籍出版社1985年版，第5页；《辽史》卷37《地理志一》，中华书局1974年版，第442—447页。
② 《辽史》卷116《国语解·西楼》，中华书局1974年版，第1535页。

天，也就是契丹可汗世选传统被破坏的开端。可汗世选的传统可以被破坏，也就标志着一切世选的习惯都已经遭到了人为的无情的毁坏，像《辽史》里记载的那样：耶律辖底对世选迭剌部夷离堇传统的公然抗拒和大胆蔑视，说明原有的世选秩序已经难以维持下去了。那么，耶律阿保机建立君主专制的过程，是否也是在首先否定世选秩序的前提下进行的呢？回答是肯定的！阿保机之所以能够成为契丹可汗，就是在否定遥辇氏家族世选特权的基础上实现的，而且，史料的记载也充分表明，契丹君主专制政权就是在打破原有世选秩序前提下建立起来的。如：910年7月，阿保机任命萧敌鲁为北府宰相并赋予其家族世选此官职的权力，故《辽史》记载说："后族为相自此始。"① 辽太祖神册六年（921年），任命皇弟苏为南府宰相时，《辽史》记载说："南府宰相，自诸弟构乱，府之名族多罹其祸，故其位久虚，以锄得部辖得里、只里古摄之。府中数请择任宗室，上以旧制不可辄变，请不已，乃告于宗庙而后授之。宗室为南府宰相自此始。"② 这里就说得十分明白，所谓"旧制"即是指遥辇氏以来确立的部落职务的世选制度，辽太祖在貌似恭敬的前提下，将契丹南府宰相的世选权力收归自己家族所有，无疑是又一次地否定了原有的世选秩序。据《萧塔列葛传》记载，"八世祖只鲁，遥辇氏时尝为虞人。唐安禄山来攻，只鲁战于黑山之阳，败之。以功为北府宰相，世预其选。"③ 只鲁及其家族，无疑是《辽史》中记录的较早获得世选契丹北府宰相特权的贵族家族之一，他们是遥辇氏时代世选秩序的基本构成；因此，耶律阿保机时期对于南北府宰相等世选权力的调整，无疑是在打破原有秩序的基础上的重新确立，这应该是辽太祖"化家为国"的主要步骤之一。

第二，把契丹可汗的称号改为皇帝，这也是一个相当艰难的历史过程。在阿保机担任契丹可汗的第五个年头，其家族内部已经沉寂了几年的权力纷争，又重新爆发。从911年至913年，以诸弟为首的贵族集团，掀起了一次又一次的"反叛"，《辽史》中称之为"诸弟之乱"。"诸弟之乱"是耶律阿保机初期统治集团内部爆发的争权夺利的斗争。史称，911年辽太祖次弟剌

---

① 《辽史》卷1《太祖纪上》，中华书局1974年版，第4页；同书卷73《萧敌鲁传》，第1223页。
② 《辽史》卷2《太祖纪下》，中华书局1974年版，第16页。
③ 《辽史》卷85，中华书局1974年版，第1318页。

葛等人图谋反叛，因被揭发而未遂，阿保机原谅了他们的过错，而叛乱的首犯刺葛也因此获得迭剌部夷离堇的职务。912 年，阿保机亲征漠北草原，刺葛等人再次谋反，并设计埋伏于阿保机返程的必经之路，同样由于事泄而未能得逞，阿保机再次原谅了他们的过错。913 年 3 月，三弟迭剌哥想得到奚王的职位，于是，假借朝觐的名义，率领千余名骑兵直冲辽太祖营盘，打算求取不得即兵戎相见，结果被辽太祖识破，迭剌哥等被拘禁，其部下军兵等被收编，分配到辽太祖的军队中。刺葛等人于是发动武装叛乱，烧毁辽太祖的行宫、夺取行宫中的可汗仪仗，准备自立。辽太祖遂决定采取武装平叛的策略，消息被辽太祖的母亲秘密告知刺葛等人，战事持续半年之久，使契丹部落经受了一次严重的内乱。但在平叛结束后，辽太祖的几位弟弟，仍然得到了宽恕，而其他参与叛乱的贵族家庭则遭到毁灭性的打击。"诸弟之乱"客观上肃清了辽太祖建立君主专制政权的主要阻力和障碍。916 年，阿保机在龙化州宣布将可汗称号改为皇帝。918 年，又在大部落西楼之地建立皇都（今巴林左旗林东镇南古城遗址）。这一切标志着契丹政权开始逾越"行国政治"的藩篱，走上中央集权的君主专制的轨道。

第三，确立"蕃汉分治"的统治政策，建立了一个多民族的区域统一的封建政权。其实，在辽太祖耶律阿保机统治时期，当时的许多地方州军建设都是更多地作为私人拥有的"投下州军"类型来加以管理，虽然如此，但是阿保机作为当时统治阶层中的最大利益的拥有者，毫无疑义地拥有数目众多的各族人口和大批的投下军州地区，因此，对于这些辽阔区域和人口的管理就不能不作出更为妥善的安排与安置，对于契丹等游牧民族人口采取惯有的游牧业生产经营方式和组织管理形式，而对于汉族等不习惯游牧业生产的农耕人口，也采取他们熟悉的惯有的农业生产经营方式和组织管理形式，这也是契丹草原所以出现数目众多的投下州城的直接动因。所以，《辽史》记载说：辽太祖东征西讨，俘获日众，于是，韩延徽"乃请树城郭，分市里，以居汉人之降者。又为定配偶，教垦艺，以生养之。以故逃亡者少"[1]。这样的管理方式，随着以后契丹国家职能的日益完善，也被延续和保留下来，因此，《辽史》记载："至于太宗，兼制中国，官分南、北，以国制治

---

① 《辽史》卷 74《韩延徽传》，中华书局 1974 年版，第 1231 页。

契丹，以汉制待汉人。……辽国官制，分北、南院。北面治宫帐、部族、属国之政，南面治汉人州县、租赋、军马之事。因俗而治，得其宜矣。"① 其中，所谓"国制"云云，乃契丹等游牧民族习惯的社会组织管理形式，"汉制"指中原封建制度的组织管理方式，这是完全依照游牧和农耕这样两大经济类型作出的各自依照其故有经济生活习惯进行管理的统治方式，史称"蕃汉分治"或"因俗而治"。其实，"因俗而治"等也是对于辽太祖时期管理方式的延续和利用，并以此为基础，发展成为契丹辽朝时期封建统治的精髓所在，从而成为中国古代历史发展中的一代名典。

第四节　沙陀与契丹在内蒙古地区的争夺

一、沙陀人进入并控制内蒙古中部地区

唐朝在今内蒙古中南部地区曾经建立稳固的统治机构，但是，到了唐朝晚期阶段，随着中央政府统治能力的松懈和大量游牧民族人口的纷纷内迁，使漠南地区已经成为游牧民族人口相对集中的聚居地，其中，尤以吐谷浑人和沙陀人的部落实力最为强大，它们曾经相继成为漠南地区的"主人"。唐朝末年，沙陀人成为漠南草原地区的真正统治者。据《旧五代史》记载：

太祖武皇帝，讳克用，本性朱耶氏，其先陇右金城人也。始祖拔野，唐贞观中为墨离军士，从太宗讨高丽、薛延陀有功，为金方道副都护，因家于瓜州。太宗……分同罗、仆骨之人，置沙陀都督府。盖北庭有碛曰沙陀，故因以为名焉。……［贞元中］为吐蕃所陷，乃举其族七千帐徙于甘州。……［祖执宜］收合余众，至于灵州，德宗命为阴山府都督。……列考讳国昌，本名赤心，唐朔州刺史。咸通中［讨庞勋起义有功］……赐姓李氏，名国昌，仍系郑王房。……［太祖武皇帝］生于神武川之新城②。

---

① 《辽史》卷45《百官志一·序》，中华书局1974年版，第685页。
② 《旧五代史》卷25《唐书一·武皇帝纪上》，中华书局1976年版，第331—332页。

这是五代时期关于沙陀人来历的基本记载，通过这些描述并综合现已取得的研究成果，可以将沙陀人历史状况，简介如下：

沙陀，又名沙陀突厥，本为突厥别部。唐朝初年，分布在今新疆准噶尔盆地东南、天山东部巴里坤湖一带，其地有大碛名沙陀，故自号为沙陀或沙陀突厥。唐高宗朝伴随着对突厥汗国的征服，也曾于沙陀突厥部落分置金满、沙陀两个羁縻州，隶属北庭都护府，对其实行部落羁縻统治。后来，沙陀突厥部落因为受到当时比较强大的吐蕃政权的对古西域地区的不断侵逼，遂举部东迁甘州（今甘肃省张掖）地区，试图回避吐蕃政权的打击，结果仍然受到吐蕃势力的不断干扰，因此，在首领朱邪尽忠在位时，遂率领部落主动依附唐朝，以摆脱吐蕃政权的控制，唐朝政府对其依然采取羁縻统治的方式实行管理，将之安置在盐州（今陕西省定边县）、设立阴山都督府，隶属灵州道管辖；以后，又鉴于唐朝与回鹘汗国、吐蕃政权以及地方分裂势力对抗形势的加强，沙陀突厥部落遂成为唐朝地方军事力量中不可忽视的主要构成，故9世纪中期，沙陀突厥部落又被唐朝地方政府东迁至河东地区，安置在古定襄川（即今山西省马河流域）一带，成为帮助唐朝河东军帅抗击北方回鹘政权的重要力量之一。于是，沙陀突厥人又更名为"阴山沙陀"或"陉北沙陀"。到唐懿宗时（859—872年在位），沙陀部首领朱耶赤心，又因为帮助唐朝政府围剿庞勋起义有功，而被授予云州大同军节度使，并赐姓李，名国昌。李国昌率领的沙陀骑兵，从此成为衰弱的唐王朝的主要军事臂助，沙陀人也因此成为雄视漠南地区的主要游牧部落集团。李国昌此后也因军功的不断累积而被唐朝政府升迁为鄜延节度使、振武节度使（今内蒙古和林格尔县），俨然成为北方地区的一方藩帅，阴山以南地区也从此成为沙陀部落的主要聚居地，沙陀突厥人也与生活在漠南地区的其他部落集团或民族人口逐渐混合在一起，形成了拥有九个部落的强大游牧集团，史称为"九府突厥"或"九府沙陀"，不仅使沙陀突厥的部落实力有了很大的发展，而且也把漠南地区的历史命运完全纳入到沙陀突厥人的政治掌控之中，由此揭开了唐朝末年中国北方地区政治力量迅速发展的历史序幕。

到9世纪晚期，沙陀突厥部落已经为争夺漠南地区统治权，而与当时唯一可以与之抗衡的吐谷浑部落集团掀起连绵不断的军事战争，由此导演出沙陀、吐谷浑和唐朝三种政治势力之间的不断角逐。虽然，因为唐朝与吐谷浑的联合，使得沙陀突厥人仍蛰伏在唐朝河东节度使的控制之下；但是，公元876 年（唐僖宗乾符三年），沙陀首领李国昌之子李克用曾经率领部落骑兵，一举袭破唐朝北方重镇云州城（今山西大同市），既揭示了沙陀人企图采取强硬手段实现有效控制漠南地区和征服吐谷浑部落的雄心，也表示出沙陀人与唐朝政权直接抗衡的信心。但是，李克用的举动也很快遭到唐朝政府和吐谷浑等其他部族军队的联合攻击。史称：唐僖宗广明元年（880 年）六月，唐朝政府与吐谷浑联军对沙陀部落发动了猛烈的攻击，

> 元帅李涿讨国昌父子…… ［大败之，国昌父子遂］率其族奔于鞑靼部①。

"奔"即逃亡，鞑靼部即当时活动于阴山以北的室韦—达怛人部落集团。沙陀突厥不仅丢失了到手的云州城，甚至丧失了已经获得的陉北地区（今山西北部、雁门关以北）的控制权，大部分的部落人口也被唐朝所征服。但是，李国昌父子逃入阴山以北的鞑靼部落"避难"，也说明此时的沙陀部落已经同阴山鞑靼部落集团建立起良好的互助关系，而李克用也因此与漠北鞑靼部落建立起牢固的部落领属关系，成为其后来争霸中原的主要军事源泉。李克用父子与唐朝政府之间形成的紧张关系，也由于历史的机遇而再次得到完全的化解。这是因为：同年十二月，黄巢起义军进攻唐朝天险潼关，使京师长安城陷入混乱之中，唐僖宗一面慌忙准备南逃，一面诏令各地节度使率军"靖难"。河东节度使遂匆忙派遣大将陈景思与沙陀首领李友金率沙陀骑兵五千人入援。李友金，即李国昌同族兄弟，为李克用同族叔父，是当时已经完全依附唐朝河东节度使的沙陀首领之一。至僖宗广明二年（881 年），黄巢起义军已经攻陷长安城，并在城内建立起"大齐"农民政权，唐朝凤翔、陇右节度使郑畋等率领的军队，也被黄巢起义军迅速击溃。中和元年（881 年），唐朝政府不得不宣布李国昌父子"无罪"，并征调沙陀骑兵火速入援，以解京师燃眉之急。于是，李克用奉诏后，立即调集沙陀与鞑靼骑兵万余人，自雁门关南下，屯兵河东境内，准备入援。中和二年（882 年），

---

① 《旧五代史》卷 25 《唐书一·武皇帝纪上》，中华书局 1976 年版，第 334 页。

唐朝军队已经包围黄巢起义军于长安城，并急召李克用父子率沙陀骑兵火速入援。李克用奉诏，率军星夜南下。是年 9 月，黄巢大将朱温举部降唐，使整个战局发生重大转变，唐僖宗遂赐朱温名为朱全忠，封授为河中行营副招讨使，成为镇压黄巢起义军的得力干将。同年 12 月，李克用率领的 4 万沙陀、鞑靼骑兵，也开至长安城下；唐朝军队于是转入对黄巢起义军的全面围攻阶段。中和三年（883 年）四月，李克用等人击败黄巢起义军主力于长安附近的梁田陂，收复长安城，迫使黄巢余部向南退却，唐朝遂晋封李克用为河东节度使，使沙陀贵族不仅获得了梦寐以求的边地云州，也还获得了北方重镇太原城，从此奠定了沙陀突厥人的政治发展的历史基础，也奠定了沙陀突厥人在中国古代北方历史发展中的独特地位和历史影响。

沙陀人属于古突厥人的遗族。而古突厥人的遗族，其实主要包括了历史上的突厥人和回鹘人的部落残余力量以及这些部落残余同其他民族人口融合之后所形成的新的部落集团，诸如历史上的"杂蕃"和"小蕃"部落，就是如此。沙陀人也同样如此，只不过它们拥有自己的部落组织和名称，而作为沙陀人"同类"的游牧部落则还有很多，除了五代时期的史料中比较常见的"沙陀突厥"和"突厥"、"回鹘"之外，还有当时比较常见的"小蕃"、"安庆"、"九府"等具体的部落名号，这些都说明当时阴山以南为核心的漠南地区，已经聚集起了一大批游牧部落集团，而漠南地区则成为沙陀部落的主要聚居地。

从 883 年李克用被唐朝封授为河东节度使开始，沙陀人的政治眼光已经从漠南地区完全移开，从此更专注于黄河中下游地区的"中原逐鹿"的政治兴趣！历史，就在这个时候，不无偏爱地为契丹人称雄北方草原地区提供了一个独一无二的历史机遇。

二、漠南地区与"山后八州"的历史地位

五代时期的漠南地区，主要指太行山北端恒山以北、燕山山脉以西以北，包括了阴山山脉的南北地带，即唐朝设置的胜州（今内蒙古自治区东胜市）、云内州（今内蒙古自治区土默特左旗）、天德军（今内蒙古自治区乌拉特前旗）、振武军（今内蒙古自治区和林格尔县西）以及云州（今山西省大同市）、应州（今山西省应县）、寰州（今山西省马邑县）、朔州

（今山西省朔县）、蔚州（今山西省蔚县）、新州（今河北省涿鹿市）、武州（今河北省宣化市）、妫州（今河北省怀来县）等著名的"山后八州"之地。所谓"山后八州"，其实就是指位于燕山以西、太行山以北至蒙古高原南缘之间的广阔区域，这里是塞外草原与中原地区交通的要冲，也是当时北方游牧文化与中原农耕文化的重要荟萃地之一，具有相当重要的地理位置和极为关键的军事作用。因此，唐朝末年以来，漠南地区便与"山后八州"紧密地联系在一起，并对中国古代历史的发展发挥了重要的历史作用。

9世纪末，随着沙陀李克用集团确立了以河东为根本、与中原军阀朱温军事集团相抗衡的政治局面后，原本驻牧于古"松漠"（即今内蒙古自治区赤峰市大部及锡林郭勒盟正蓝旗与通辽市开鲁县、扎鲁特旗和河北省围场县、平泉县的部分地区）地区的契丹族，也逐渐强大起来。史称：唐朝天复二年（902年），契丹大迭烈府夷离堇耶律阿保机进攻代北地区，俘获人口15 000人、驼马牛羊畜产无数。次年，进攻燕山以北的黑车子室韦等部落。天复四年，又击败幽州藩帅刘仁恭于桃山，再次大举征伐黑车子室韦诸部，契丹军事势力逐渐进入今锡林郭勒草原地带，契丹人的政治触角也开始深入漠南地区。史称：904年9月，

> 讨黑车子室韦，唐卢龙军节度使刘仁恭发兵数万，遣养子赵霸来拒。霸至武州，太祖谍知之，伏劲兵桃山下。遣室韦人牟里诈称其酋长所遣，约霸兵会平原。既至，四面伏发，擒霸，歼其众，乘胜大破室韦①。

905年，契丹阿保机再次征讨黑车子室韦部落，幽州藩镇也只能坐视其势力的不断发展。契丹人政治、军事势力的不断增长，与已经控制漠南地区的沙陀李克用集团势必会产生矛盾和冲突，尤其是阿保机对代北地区的军事进攻，已经牵制了李克用集团无法全力进行中原逐鹿的政治构想和军事部署。因此，905年，李克用便派遣使节准备与契丹阿保机通和，并亲自率领

---

① 《辽史》卷1《太祖纪上》，中华书局1974年版，第2页。

军队与契丹阿保机相见，饮酒于云州城东，歃血为盟，相约为兄弟，共同订立了相互配合进攻幽州的盟约，企图暂时摆脱契丹军事力量对代北、漠南地区的军事滋扰。于是，耶律阿保机乘势与幽州刘仁恭集团展开争夺山后奚族与室韦部落的战争。所谓山后奚族与室韦部落的聚居区，也正是所谓"山后八州"之一的妫州地区及其附近地带；也正是因为契丹军事力量与幽州藩镇之间展开的对"山后八州"东部地带的激烈争夺，也刺激着契丹军队不断向幽州藩镇发动连绵的军事进攻，既攻破幽州郡县、俘掠其人口，也逐渐实现对燕山以北奚、霫、室韦诸部的征服。这大概正是李克用积极"引导"契丹阿保机不断进攻幽州藩镇的客观结果。但是，更加深刻的历史结果却是：随着幽州藩镇的不断残破和"山后八州"东部地带的基本征服，契丹人的军事谋略也迅速指向对"山后八州"西部以及漠南地区的继续征服，这也是历史上所存留下来的"李克用三大遗恨"之一，即告诫后人勿忘湔雪契丹之耻的真正原因。

907年，朱温建立后梁政权，耶律阿保机也宣布即位为契丹可汗，客观地说，这两个人崇高政治地位的获得，都是直接来源于对于既有政权的政治篡夺。朱温由此获得了对黄河中下游地区的政治统属权，耶律阿保机也获得了对契丹部落的最高领导权，并已经基本控制了今内蒙古高原东南部的锡林郭勒草原地带。两者之间还由此建立起政权间的密切往来关系，相互间形成了共同进攻河东李氏集团的军事默契，导致已经割据河东地区的李克用集团（或沙陀政治集团）从此陷入南北夹击、空前危难的历史状态之中。908年，李克用在无法开释的军政忧患中忧愤成疾，郁闷而殁。史称：李克用弥留之际，仍留三项"遗恨"告诫其子李存勖，务必平雪：即一要消灭背恩弃义的刘仁恭集团；二要讨伐违弃盟誓的契丹阿保机；三要消灭死敌朱温，以恢复唐朝皇室的统治。所以，李存勖继立为晋王之后，便矢志为父复仇雪恨。

911年，阿保机已经完全控制了除契丹本土之外的今内蒙古赤峰市南部、河北省东部及燕山以北的大片地区，开始全力经营漠南和幽州以及辽东以南以东的广大地区。但是，公元913年，契丹本土部落内部发生大规模内乱，致使阿保机在相当长的一段历史时间内，已经无力兼顾漠南、幽州和辽东周围地区。而晋王李存勖则在此时乘机全力夺取了幽州之地，一举消灭了刘仁恭割据集团，不仅壮大了河东政治集团的军政实力，也由此造就了沙陀政治集团与契丹阿保机政权之间军事冲突范围的不断扩大。

916 年 8 月，阿保机大举征讨漠南地区的突厥、吐浑、党项、小蕃诸部，攻克朔州，俘获沙陀大将、振武军节度使李嗣本，又相继攻克蔚、新、武、妫、儒诸州，从而使阴山以南、河曲以东之地，即今内蒙古巴彦淖尔市以东及乌兰察布市中北部的大部分地区尽为契丹所有。917 年，河东沙陀集团之新州裨将卢文进刺杀节度使李存矩后，又率领新州军民举城投降契丹。于是，阿保机乘机经略"山后八州"之地，并彻底击败河东沙陀政权名将周德威于新州城下，并聚集大军围困幽州城达三个月之久。从此，契丹军队控制了居庸关南北地带，其游弈兵马也开始纵掠于燕、赵地区，标志着燕云地区又开始成为契丹军队致力争夺的主要目标之一。

"山后八州"，又名"山后八军"，是唐朝中期以来集中安置游牧民族人口的主要场所，也是幽州和太原藩镇的主要军事依赖和支柱，向来是兵家必争之地。因此，阿保机基本完成对漠南地区的征服之后，"山后八州"遂成为契丹与沙陀政权争夺的新焦点。918 年，阿保机经略西南诸部，进攻云州、云内、天德等城。921 年，新州防御使王郁再次举城投降契丹，并引导阿保机趁势攻克古北口和居庸关，分兵掳掠幽州属郡。同时，阿保机还率领契丹骑军积极援助反叛河东政权的镇州藩帅，并与后唐军队之间爆发了一场著名的"望都之战"。923 年，阿保机指挥契丹军队攻克平州城，完全夺取古北口，对幽州地区形成了东、西两面夹击的态势，也由此完全奠定了契丹政权在漠南地区的统治地位。

924 年，阿保机亲自率领契丹起兵征讨漠北诸部，深入至古回鹘城（今蒙古国境内之哈喇八喇哈逊）一带，于是，命人取金河之水、凿乌山之石，辇运至本土的潢河、木叶山，"以示山川朝海宗岳之意"[1]，通过这一举动，向活动在大漠南北的游牧部落宣示了契丹政权的宗主身份和统治地位。

阿保机的晚年，已经完全打破了那种"四时游猎，往来于四楼之间"的传统政治格局，武州境内的"室韦北陉"（又称凉陉或陉头），也已成为其夏季避暑的主要地点之一。以后，辽太宗耶律德光时期，则将"凉陉"、"百湖"（又名"九十九泉"，今内蒙古乌兰察布草原灰腾梁）和靠近云州

---

[1]　《辽史》卷 2《太祖纪下》，中华书局 1974 年版，第 20 页。

的"黑榆林捺剌泊"等地，都作为当时契丹统治者夏季避暑和冬季就暖的主要场所。这些避暑或驻冬的场所，同时也是契丹军队的聚集地，往往也被视为契丹政权从事重大军事行动的直接策源地。因此，契丹统治者避暑或驻冬场所的西移，不仅标志着这些地点已经成为契丹政权经略中原的重要策源地，也标志着今内蒙古地区已经成为契丹辽朝政权的统治中心。

三、耶律阿保机创造的"神权"统治

耶律阿保机创建契丹专制政权的基本途径，也同样没能摆脱原始宗教迷信观念的基本影响，而且还将这些在当时部落社会影响深远的宗教手段，同样运用到契丹政权的创建过程中来，并产生深远的历史影响。

仅就目前所知，神速姑是辽太祖前期创业活动中，部落社会声名煊赫的大巫。他利用原始信仰的神权力量，为辽太祖的建国活动，出力多多，然而，建功既伟，破坏也巨。他又是带头谋乱的祸首之一，即挑唆"诸弟之乱"爆发的主谋。这样重要的一位历史人物，在《辽史》中既不见于功臣的记录，也不见于逆臣、叛臣的记载。所能见到的资料，也十分零散，成为辽朝初期史实记载中很难索解的一位重要历史人物。史称：

> 神速姑，宗室人名，能知蛇语①。
>
> 龙锡金佩，太祖从兄铎骨札以本帐下蛇鸣，命知蛇语者神速姑解之，知蛇谓穴旁树中有金，往取之，果得金，以为带，名龙锡金②。
>
> 刺葛遣其党寅底石引兵径趋行宫，……其党神速姑复劫西楼，焚明王楼③。

这些支离破碎的记载，大多都能从史实中得到印证。从神速姑与龙锡金佩之间的相互关联，不难看出这是一场利用宗教信仰观念导演出来的"骗人的闹剧"。从这些，可以了解到：神速姑与辽太祖为同部同族和同姓氏的人，即

---

① 《辽史》卷116《国语解》，中华书局1974年版，第1537页。
② 《辽史》卷116《国语解》，中华书局1974年版，第1548页。
③ 《辽史》卷1《太祖纪上》，中华书局1974年版，第6—7页。

"宗室"之人，两者之间的亲族关系也不会相去太远。而"龙锡金佩"的发生地点，就在辽太祖从兄铎骨札的"帐下"，即铎骨札的家中。即云"从兄"，说明铎骨札与辽太祖亲族关系较近，应该属于同祖范围的堂（或从）兄弟关系。那么，所谓"龙锡金佩"（即金带）的发生地点，实际就在世里氏家族的内部；而铎骨札与神速姑二人，就是这场天降"神异"的始作俑者，是帮助辽太祖谋求或夺取契丹汗位的积极参与者和实行者。然而，像神速姑那样居然能够听懂蛇的语言，肯定是当时为数不多的能够"通天彻地"的"神奇"人物，即《辽史》中习见的"巫"、"大巫"，甚至是"神巫"。

神速姑等人在阿保机建立政权过程中的作用，在 907 年正月阿保机即位之前与人的对话中，可以得到体现：

> 会遥辇痕德堇可汗殁，群臣奉遗命请立太祖。……太祖曰："遗命固然，汝焉知天道？"曷鲁曰："闻于越之生也，神光属天，异香盈幄，梦受神诲，龙锡金佩。天道无私，必应有德。我国削弱，崎岖于邻部日久，以故生圣人以兴起之。可汗知天意，故有是命。且遥辇九营棋布，非无可立者；小大臣民属心于越，天也。昔者于越伯父释鲁尝曰：'吾犹蛇，儿犹龙也。'天时人事，几不可失。"太祖犹未许。是夜，独召曷鲁责曰："众以遗命迫我。汝不明吾心，而亦俛随耶？"曷鲁曰："在昔夷离堇雅里虽推戴者众，辞之，而立阻午为可汗。相传十余世。君臣之分乱，纪纲之统隳。委质他国，若缀斿然。羽檄蜂午，民疲奔命。兴王之运，实在今日。应天顺人，以答顾命，不可失也。"太祖乃许。明日，即皇帝位，命曷鲁总军国事。[1]

阿保机的追随者们，以遥辇氏不能胜任可汗事和"天命以去"为借口，大肆制造舆论，为阿保机夺取契丹政权服务。从曷鲁的叙述，完全可以看出神速姑等人从中所起的铺垫作用；还可以了解到这样的历史现象，即神速姑等人制造的神学舆论，所以能够获得部落民众的信任，说明当时社会对原始宗教信仰的崇拜程度已达到极度迷信的状态，正因如此，才给神速姑和阿保机等

---

① 《辽史》卷 73 《耶律曷鲁传》，中华书局 1974 年版，第 1220—1221 页。

人提供了可乘之机。耶律阿保机利用巫觋阶层的帮助，在天授神权的幌子下，夺取了契丹汗位。他一方面利用宗教手段晓谕部民，以消弭部众的逆反心理，凭神事的力量达到人事的目的；另一方面运用人事的手段弥缝已经到手的汗权，"始置腹心部，选诸部豪健二千余充之"①，所谓"辽太祖有帝王之度者三，代遥辇氏，尊九帐于御营之上，一也"②，也是这样的斗争手段之一。

当阿保机完成了契丹汗权的转移后，大家族内部小家庭间的争夺又重新泛滥，诸弟因世选问题与阿保机发生冲突，以致形成公开的争夺，甚至连阿保机的母亲宣简皇太后萧氏、妹妹余卢睹姑③、养子涅离衮等人也都参与进来。而"附逆大臣"的数目之多也十分惊人，连极具号召力和影响力的宗教大巫神速姑也参与进来④。此次事件，使契丹社会遭受沉重的劫难，史称，"民间昔有万马，今皆徒步，有国以来所未尝有"⑤，"时民更兵焚剽，日以抚敝"⑥；众多的贵族之家遭到诛戮，神速姑也从此杳无声息。但那份原始宗教信仰的"神力"，却从此附着于至高无上的汗权之上，并使汗权放射出更加夺目的神光。

史称，耶律阿保机在平叛过程中，多次利用宗教的手段，大造舆论，并亲自巡视祖先奇首的遗迹，"徘徊顾瞻而兴叹"。嗣后，祠木叶山，建开皇殿，又因"君基太一神数见，诏图其像"⑦。残酷的战争之后，福神竟然降临人间。这个消息，昭告于社会的直接结果，等于宣示阿保机是"天命攸归"的真主。但是，宗教的神奇，有时也正在于它能将人为的谎言化作引导众人的出色的工具。916年，阿保机再次举行隆重的柴册大礼时，又重演了907年的故技：

神册元年春二月丙戌朔，上在龙化州，迭烈部夷离堇耶律曷鲁等率

①　《辽史》卷73《耶律曷鲁传》，中华书局1974年版，第1221页。
②　《辽史》卷45《百官志一·北面诸帐官》，中华书局1974年版，第711页。
③　关于余卢睹姑的考证，任爱君：《契丹史实揭要》，哈尔滨出版社2001年版，第147—148页。
④　《辽史》卷1《太祖纪上》，中华书局1974年版，第6—9页。
⑤　《辽史》卷1《太祖纪上》，中华书局1974年版，第10页。
⑥　《辽史》卷73《耶律曷鲁传》，中华书局1974年版，第1221页。
⑦　《辽史》卷1《太祖纪上》，中华书局1974年版，第10页。君基太一，本天体星宿，总名为太一，其数有五，君基为其一。君基太一神，传说五福神之一，尤为契丹人所崇敬。

百僚请上尊号，三表乃允。丙申，群臣及诸属国筑坛州东。上尊号曰大圣大明天皇帝，后曰应天大明地皇后。大赦，建元神册。初，阙地为坛，得金铃，因名其地曰金铃冈；坛侧满林曰册圣林。①

史料的意义就在于：掘出的金铃，是巫觋至上的法器，这种法器的出现，标志着阿保机获得了与天地沟通的工具。所谓“神册”，是神授国柄，是人力无法抗拒的；而“大圣大明天”和“应天大明地”的尊号，则体现出秉天命而立的神事功能，张扬着原始宗教色彩的熏染，演绎着汗权与神权的媾合。此后，契丹政权便与神权紧密结合，使政权与神权的并轨发展在阿保机时期已成为现实。

阿保机的晚年，已将自己打扮成一尊神，一尊部落社会的大神，成为部民心目中至为崇高的主宰。凡是有关宗教信仰的至上权威，阿保机也绝不再假手他人，而是经常要亲自操刀。神册五年五月，“有龙见于拽剌山阳水上，上射获之，藏其骨于内府”②；至此，已经是一位上可屠龙、下可拯救生民的神人。天赞三年六月，阿保机又说出了一番半神半人的“乩语”：

诏曰：“上天降监，惠及烝民。圣主明王，万载一遇。朕既上承天命，下统群生，每有征行，皆奉天意。是以机谋在己，取舍如神。国令即行，人情大附。舛讹归正，遐迩无怨。可谓大含溟海，安纳泰山矣！自我国之经营，为群方之父母。宪章斯在，胤嗣何忧？升降有期，去来在我。良筹圣会，自有契于天人；众国群王，岂可化其凡骨？三年之后，岁在丙戌，时值初秋，必有归处。然未终两事，岂负亲戚？日月非遥，戒严是速。”闻诏者皆惊惧，莫识其意。③

能够秉有“升降有期，去来在我”之神气者，不是神人又是什么？这种类似于“半仙之体”的伪装，不是大巫又能是什么？阿保机的这番道白，实

---

① 《辽史》卷1《太祖纪上》，中华书局1974年版，第10页。
② 《辽史》卷2《太祖纪下》，中华书局1974年版，第16页。
③ 《辽史》卷2《太祖纪下》，中华书局1974年版，第19页。

际是对契丹社会巫者形象的逼真模仿。所谓神异之人，必有神异之事。耶律阿保机就是如此，他来去皆有神异，活着的时候，让整个部落社会天翻地覆；死去的时候，使整个部落社会笼罩着愁云惨雾。阿保机死后，葬于祖山，内置两明、二仪、黑龙、清秘诸殿，奉安阿保机遗物、遗像以及其祖宗遗像等各种祭祀设施与建筑等，如：

> （祖）山有太祖天皇帝庙，御靴尚存。
> 太祖陵凿山为殿，曰明殿。殿南岭有膳堂，以备时祭。门曰黑龙。东偏有圣踪殿，立碑述太祖游猎之事。殿东有楼，立碑以纪太祖创业之功。①

又据《新五代史》记载：

> 明殿，若中国陵寝下宫之制，其国君死，葬，则于其墓侧起屋，谓之明殿，置官属职司，岁时奉表起居如事生，置明殿学士一人掌答书诏。每国有大庆吊，学士以先君之命为书以赐国君，其书常曰报儿皇帝云。②

所谓"明殿"之事，太宗时期极为崇信，说明原始宗教信仰的影响，在国家大事中也依然重要。巫者，已经成为不可或缺的工具，像太祖陵"明殿"中所设立的"明殿学士"，其实就发挥着完整的巫者的职能和作用。

第五节　中原人口北徙及阿保机的民族统治政策

一、中原人口的向北迁徙

中原人口的向北迁徙，早在唐玄宗时期就已经存在。唐朝玄宗时期推行

---

① 《辽史》卷37《地理志一·祖州》，中华书局1974年版，第442—443页。
② 《新五代史》卷72《四夷附录第一·契丹》，中华书局1974年版，第898页。

的公主下嫁制度规定，凡公主下嫁契丹等民族地区时，都要为被册封的"公主"建立相应的府署机构，因此，公主下嫁所携带的大量中原地区人口，就作为"公主府"机构的主要构成之一，存留于契丹部落社会人口之中，并在相对漫长的生活过程中，逐渐融入契丹部落组织之内（首先是成为契丹汗族家庭的主要构成），使得游牧人群与农耕人群之间呈现出一种较为正常与稳定的逆向融合关系。所谓逆向融合，主要是指有别于古代历史常见的北方游牧人口大举南下或入侵中原所造成的那种顺向融合方式，这种中原人口向北迁徙的转移方式是与顺向融合截然不同的逆向流动形式，它是古代南北方民族融合过程中一种相当重要的表现方式。虽然，自唐玄宗以来公主下嫁携带而来的农耕人口不可能改造既有的社会组织形式与社会生活方式等等，但是，自耶律阿保机以来大量俘掠中原人口进入契丹本土安置则已经改变了契丹社会，是无可置疑的。同时，唐朝中期以来，与契丹战争的不断爆发，既使唐朝俘虏了大量的契丹人口，也使得契丹部落程度不同地俘获了部分中原人口。这些数目微小的中原人口的输入，对契丹社会的具体发展已经开始产生越来越重要的影响。因此，对于中原人口输入契丹本土不能不作出符合实际的调查与探索。

根据史书记载，中原人口大量地主动迁徙到契丹腹地，是从"安史之乱"爆发之后逐渐开始的。当时，中原地区人口向北迁徙的范围，还仅限于幽州、云州等邻近古代"松漠"地区的边疆州县地带，并且是以主动迁徙为主要形式。因为，"安史之乱"不仅造成了唐朝燕云地区统治结构的深刻变动（即藩镇割据状态），也构成了社会生活中极大的不稳定性因素（即割据战争），尤其是幽州藩镇势力的发展，不仅造成唐朝政治统一局面的瓦解，同时也作为当时能够与契丹等北方民族直接抗衡的主要军事集团，而将封建战争的主要负担都统统转嫁到幽州境内所有社会人口的正常负担之上，剥削力度的加强、兵役负担的加重等等，都已经严重地破坏了正常的社会生活秩序。幽州藩镇虽然继承了唐朝的羁縻统治方式，但是也同时丧失了对营州及辽河流域的完整控制能力，反而使得营州等大片唐朝疆土陷入契丹势力的直接控制之下，大量农耕人口开始成为契丹汗国的属民。据《新五代史》记载，当10世纪前后的时候，平州地区也已经陷入契丹势力的完全控制之中。而五代之际，军阀混战，日趋激烈，哀鸿遍野，民不聊生。因此，大批的幽州人口为了躲避战祸和逃脱难以承受的社会负担，铤而走险，纷纷逃亡至契丹腹地，据《旧五代史》记载：

> 刘守光末年苛惨，军士亡叛皆入契丹①。

契丹统治者对于这些逃亡而至的农耕人口，并非一律采取"以奴婢畜之"的统治态度，而是采取了使农耕人口得以集中安置、保持原有生活方式的管理形式。因此，当耶律阿保机夺取契丹汗位、创建专制政权之时，在他的周围就已经聚集起了一批比较著名的汉族臣僚，他们为阿保机政权的建立出谋划策，并在妥善安顿汉族人口、稳定游牧民族统治秩序等方面不遗余力，作出了积极的历史贡献。这些，说明当时汉族人口与契丹社会的接触已非"朝夕"所致，而是形成了比较深厚、密切的社会合作关系。

耶律阿保机在建立契丹汗国政权的时候（即907—915年），就已经开始向中原地区发动更大规模的军事进攻，并且在战争过程中仍然注重人口资源的积极掠夺。913年，太原政权夺取幽州之后，耶律阿保机便率领契丹军队大肆掳掠幽州属郡，据《旧五代史》记载，太原政权的大将周德威镇守幽州时，

> 燕之军民多为寇所掠，既尽得燕中人士，教之文法，由是渐盛。

这里所说的"寇"，即指虏寇，指契丹；说契丹人在幽州地区地主阶级知识分子的帮助下，逐渐确立法律条令，因此形成了一个比较强大的游牧民族政权。这是将契丹政权的强盛与幽燕地区民众的归附紧密地联系在一起，说明农耕人口大量地进入契丹本土更加促进了契丹政权的强盛。

耶律阿保机建立封建专制政权之后，除了继续保持大规模的掠夺人口资源之外，那种自8世纪中期以来幽州人口主动内迁契丹本土的事实，仍然以超越以往的规模不断地发展。从晋王（即后唐庄宗）李存勖统治时期开始，在幽州及山后八州地区就先后发生了几次大规模的中原人口北迁契丹本土的

① 《旧五代史》卷137《外国列传第一》，中华书局1976年版，第1828页。

历史事件。譬如：第一次，917年后唐新州爆发兵变，大将卢文进率领新州兵民数万口投降契丹，被耶律阿保机安置在平州（今河北昌黎）一带。于是，卢文进引导契丹军队大举进攻幽州属郡，攻破城池，尽掠人民、资财而归。第二次，921年后唐新州军将王郁以新州城池、百姓、军马等悉数投降契丹，携其众数万口迁入契丹本土，被耶律阿保机安置在潢水以南、龙化州地带，并认王郁作为阿保机的养子，使其跻身于契丹贵族之列。王郁遂引导契丹军队越过幽州而攻击定州（今河北省定县）地区，并对沿途居民人口、畜产及财富等进行大肆掠夺，全部转运回契丹本土进行安置。

在耶律阿保机统治时期，对中原与周边地区发动战争的主要特点，就是对人口和资源的掠夺。史称：阿保机

> 得燕人所教，乃为城郭宫室之制于漠北，距幽州三千里，名其邑曰西楼邑，屋门皆东向，如车帐之法。城南别作一城，以实汉人，名曰汉城[1]。

这座城池，既是契丹辽朝始终未变的都城，也是当时契丹草原广泛修筑的数百座城池的统一样板，契丹人的城市都设有汉城，是安置汉族等农耕人口的比较集中的场所，说明契丹辽朝政权内部所控制的汉族人口数目，不仅数量庞大，而且还在不断地呈几何级数增长着。耶律阿保机时期契丹本土起码已经修建起二三十座这样的汉城，若每座汉城所容纳的农耕人口以数千计，则此时所拥有的农耕人口数目已经有十数万之多！这和阿保机时期执行的战争指导原则是密不可分的。直到阿保机的晚年，契丹统治者才基本改变对中原战争的基本态度和指导思想，

> 深著阘地之志，欲收兵大举。

使战争的目的不再仅仅停留于简单的人口和资源的掠夺，而是转向了对土地和城池的永久占有。但是，阿保机时期对中原地区发动的战争，由于种种原

---

[1]　《旧五代史》卷137《外国列传第一》，中华书局1976年版，第1830页。

因而未能实现其扩张土地的基本志向①。

同时，根据《辽史》的记载，辽太祖时期的许多州县，都是当时掳掠中原人口、迁徙到契丹腹地而形成的侨置州县。当时，数目庞大的契丹贵族投下州的存在，也都是主要以掳掠而来的中原人口所构成，这既是契丹政权内部私有制度盛行的表现，也是阿保机时期中原人口大规模向北迁徙的直接证明。应当说，这是 10 世纪前后历史发展所存在的一种突出现象，这是前所未有的民族融合过程中出现的一个大批中原人口向北迁徙的新状况。

二、民族统治政策的形成

耶律阿保机时期鉴于当时契丹社会的基本状况，制定了一套适应当时统治形态的基本政策；这个基本的统治政策，后来被契丹辽朝的历代统治者奉为"祖制"而完全承袭下来，这就是辽朝历史上著名的"因俗而治"的民族政策。

契丹政权"因俗而治"政策的形成，有其必然的社会基础和具体条件。这个政策的形成与当时的历史背景等密切相关，它的形成是逐渐适应社会基本状况的统治体系的建立过程。根据《辽史》记载，当契丹遥辇氏汗国时期，契丹社会的部落统治秩序就已经形成了可汗家族拥有的部落与阿保机家族拥有的迭剌部不在部落统治秩序之列的明确规定，那么，这两个部落在当时汗国内部处于一种怎样的地位呢？《辽史》将这两个部落的特殊地位称为是部落统治秩序的"别出"，即不受汗国内部统治机构的具体干预，它们只是从属于遥辇氏家族和世里氏家族（阿保机所在的耶律家族）的私有财产，同时也是契丹社会拥有一定政治权力或军事权力的贵族统治局面的标志；即遥辇氏家族所拥有的部落组织被称为可汗的"宫分"，即斡鲁朵，是直接归属可汗家族所拥有的私有财产。世里氏家族所拥有的部落组织被称为"大部落"，即迭剌部，虽然没有"宫分"的称号，但却享有在部落组织内部"别出"的特殊地位。这种在部落组织程序内直接形成的"别出"制度，其实就是辽朝时期所存在的部落或家族"升帐"制度的直接始源。因此，无论是遥辇氏所直接领有的"宫分"，还是阿保机家族直接率领的大部落的"别

---

① 《旧五代史》卷 137《外国列传第一》，中华书局 1976 年版，第 1831 页。

出",其社会属性是一致的,即它们既是两大贵族家族所直接拥有的私有财产,也是两大贵族家族对整个契丹部落社会实行阶级统治的必要基础。这是因为私有制原则,此时已经成为指导契丹部落社会向前发展的唯一指导原则。

因此,907年,当耶律阿保机从遥辇氏家族手中直接夺取了契丹汗位之后,阿保机并没有全部废除遥辇氏汗国时期的一切政治、经济统治制度,而是在遥辇氏汗国原有的统治基础上采取了适度的调整与补充。首先,他将原有的汗权(行政权)与军权(夷离堇制度)分离的统治体系,相应地改变为政权与军权的紧密结合,从而进一步地提高了契丹社会的君主统治权力。然后,又将原有的以遥辇氏为核心的贵族家族所分享的部落职务的"世选"制度(即实行家族世袭原则基础上的、部落职务在某个固定家族内部选举产生的形式),重新调整为以迭剌部的耶律氏家族(即新的汗族,辽朝皇族)和"右大部"的述律氏家族(包括契丹部落之内的国舅家族,即辽朝后族)等来全面地控制契丹部落内的主要统治机构,即由他们来"世选"和享有汗国内部最为主要的南、北府宰相的世袭权利。其后是依照契丹社会的故有习惯,也建立了自己的"宫分"(即斡鲁朵)。这样,既确立了部落社会的统治基础,也树立了新任契丹大汗的绝对权威与显赫地位。同时,阿保机还将原有的遥辇氏先后九位可汗的"宫分"(斡鲁朵),也一一予以保留,名义上保存了遥辇氏家族曾经作为契丹可汗的荣耀与体面,并为之建立了相应的官府管理机构。这些,其实就是契丹辽朝政权所以实行"因俗而治"统治政策的历史出发点。

耶律阿保机所建立的契丹封建君主专制政权,严格地说,它并不是一个在完全打破了旧世界的基础上而建立起来的新世界,它是一个通过相对平稳的政权转移方式而建立起来的新政权;而且,这个新政权还几乎完整地保留了旧政权时期原有的一切体制、方式与基本内容。也就是说,契丹辽朝政权是在遥辇氏汗国政权的基础上发展起来的新的政治体制,契丹辽朝政权可以说是唐朝时期建立的遥辇氏汗国政权的历史延续。所以说,契丹辽朝所推行的"因俗而治"政策的历史出发点,其实就体现在耶律阿保机时期所采取的保留遥辇氏汗国九可汗遗产(即宫分)及其对汗国固有统治方式的继承等一系列统治措施之中,因为《辽史》已经明确地记录了这个问题。

据《辽史》记载,辽太祖耶律阿保机通过平稳的政权转移方式就任可

汗职位后，在平稳的历史表象背后其实蕴蓄着并不平稳的发展现象。史称，耶律阿保机就任契丹可汗之后，

> 属籍比局萌觊觎，而遥辇故族尤觖望①。
> 时制度未讲，国用未充，扈从未备，而诸弟剌葛等往往觊非望②。

这里所说的"属籍"，即指耶律阿保机家族，也就是他本人出身的迭剌部；"比局"，就是指前后相继的状态、是一个又一个相继而来的具体情景；觊觎，就是窥视，形容要达到某种企图；"觖望"，就是怨望或者非常怨恨的心理；"制度未讲"的"讲"，就是明确地颁示、公之于众；"国用未充"，这是和"制度未讲"密切相关的具体事项，在制度没有建立或形成的前提之下，国家的储备当然没有办法解决；"扈从未备"，即没有建立一支可以依赖的军事宿卫力量；并且在这种纷乱的情况下，家族内部的争权夺利已经初露端倪！

因此，阿保机在支持者的拥护下，首先选择契丹诸部的雄强勇健之士两千余人，作为自己的警卫力量，也是统治部落社会的常备军组织，定名为"腹心部"，然后宣布：

> 皇族承遥辇氏九帐为第十帐③。

这里所谓的"遥辇九帐"，即其九位可汗的宫分（斡鲁朵组织）；而以"皇族"建立的"第十帐"，就是与腹心部一起共同构成的阿保机的"宫分"组织，即著名的"算斡鲁朵"；"皇族"，即指阿保机家族所在的迭剌部。阿保机将自己的斡鲁朵定名为第十帐，既是对于遥辇氏汗国等前朝统治者的尊敬，也是在无法排解的严重社会问题面前采取的因势利导的化解方式，从而暂时缓和遥辇氏家族与阿保机家族之间的剧烈冲突与矛盾。那么，阿保机家

---

① 《辽史》卷73《耶律海里传》，中华书局1974年版，第1226—1227页。
② 《辽史》卷73《耶律曷鲁传》，中华书局1974年版，第1221页。
③ 《辽史》卷1《太祖纪上》，中华书局1974年版，第3页。

族与契丹其他部落或贵族家庭之间的具体矛盾，又是如何解决的呢？

《辽史》记载，所谓"辽内四部族"，即指遥辇九帐族（九可汗的宫分）、辽朝的皇族（后来确定为阿保机祖父系统的皇族成员）和国舅部（也称帐）、国舅别部。这个"内四部族"，实际就是遥辇氏汗国时期存在的部落组织之内"别出"制度的延续，也由此使我们懂得了契丹社会"部落别出"的真正内涵。"别出"就是《辽史》记载的部族"升帐"制度，所谓"升帐"制度实际是赋予该部族的贵族统治家族享有相当于可汗"宫分"的特权，部落成为统治家族的私有财产，辽朝称"投下（头下或头项）"。国舅部社会地位的飙升，与阿保机政权的建立密不可分。应当说，这些政策的实行，都带有力图排解社会主要矛盾的"权宜"色彩，但是，这些具体手段不仅排解了主要矛盾，也同时稳定了契丹政权的统治秩序，成为当时行之有效的统治手段，因而被后代延续下来，奉为一代"大法"或"祖宗制度"。但是，阿保机时期的"权宜"政策，其内容还不止于此，据《辽史》记载：

> 辽太祖有帝王之度者三：代遥辇氏，尊九帐于御营之上，一也；灭渤海国，存其族帐，亚于遥辇，二也；并奚王之众，抚其帐部，拟于国族，三也。有英雄之智者三：任国舅以耦皇族，崇乙室以抗奚王，列二院以制遥辇是已[①]。

这里说的辽太祖耶律阿保机拥有的"帝王之度"和"英雄之智"，究其内容的具体体现，其实都是说的辽太祖为稳定统治秩序所采取的"权宜"政策，这些权宜政策其实就构成了"因俗而治"的历史出发点。

当阿保机政权趋于稳定之后，亟需解决的主要社会问题已经转化为大量存在的汉族等农耕人口的安置和部落人口的管理问题。《辽史》记载，耶律阿保机统治时期，主要责成汉人韩延徽、韩知古负责国家体制以及汉族等农耕人口的管理，康默记主要负责游牧人口的刑法事务。

---

① 《辽史》卷45《百官志一》，中华书局1974年版，第711页。

　　一切番汉相涉事，属（康）默记折衷之……时诸部新附，文法未备，默记推析律意，论决重轻，不差毫厘。罹禁网者，人人自以为不怨①。

　　攻党项、室韦，服诸部落，（韩）延徽之筹居多。乃请树城郭，分市里，以居汉人之降者。又为定配偶，教垦艺，以生养之。以故逃亡者少②。

　　（韩知古）总知汉儿司事，兼主诸国礼仪。时仪法疏阔，知古援据故典，参酌国俗，与汉仪杂就之，使国人易知而行③。

其实这里所描述的就是契丹国家体制建设的具体过程，但是，对于汉族等其他农耕人口的安置和管理方式，已经显示出了具体入微的"因俗而治"的政策统治形式。926 年，耶律阿保机一举灭亡渤海政权，不仅拥有全部渤海领土，而且将大批渤海国民众迁徙契丹本土安置，农耕人口数量剧增，全部按照"汉法"（中原制度，即封建统治方式）进行统治。应当说，这些构成了契丹政权推行"因俗而治"民族统治政策的主要基础。

三、耶律阿保机时期在内蒙古地区的统治

　　耶律阿保机时期在内蒙古地区的统治，形式上沿袭了唐朝时期对内蒙古地区民族部落的统治方式，但在契丹本土范围之内则开始兴建城池。902 年，阿保机在契丹汗庭附近修建了第一座城市，后来被命名为龙化州；龙化州内修建了著名的佛教寺院开教寺和大广寺；904 年，又增筑龙化州的东城，说明龙化州城实际上是一座拥有东、西两城的草原新城。907 年，耶律阿保机就任契丹可汗，在契丹本土设立了四个直接归可汗拥有的"楼居"，并分别以东、西、南、北四方予以命名，史称"契丹四楼"。"契丹四楼"构成了当时契丹政权的统治心脏。908 年，阿保机在四楼之一的西楼地（即今巴林左旗林东镇一带），修建明王楼和龙眉宫，开始有意加强西楼地带的

---

　　① 《辽史》卷74《康默记传》，中华书局1974年版，第1230页。
　　② 《辽史》卷74《韩延徽传》，中华书局1974年版，第1231页。
　　③ 《辽史》卷74《韩知古传》，中华书局1974年版，第1233页。

城镇建设。同年，在今辽东半岛修建了镇东长城，以控制辽东半岛的出海口。909 年，在今河北省沽源县境内大马群山以北修建了著名的炭山汉城，史称羊城。912 年，又在西楼地修建天雄寺，"以示天助雄武"之意①。914年，又在西楼地明王楼的基础上修建开皇殿。916 年正月，在龙化州正式宣布即皇帝位，年号神册，国名契丹。是年，攻取中原地区的山后八州，于是

> 遂改武州为归化州，妫州为可汗州，置西南面招讨司，选有功者领之②。

西南面招讨司，遂成为契丹政权管理和经略今内蒙古中西部地区的主要机构。918 年，在西楼地修建皇都（即上京城，今巴林左旗林东镇南古城遗址），百日而完工，内有孔庙、佛寺、道观和官属衙门、街路坊巷等，标志着契丹政权的统治中心已经从龙化州转移到了西楼地。

919 年，契丹政权修筑辽阳故城，名为东平郡，置防御使进行管理。920 年 10 月，攻占天德城，置应天军。921 年，大举进攻幽州，分兵夺取檀、顺、安远、三河、良乡、望都、潞、满城、遂城等十余座城池，"俘其民徙内地"，即迁入契丹本土安置，并徙檀、顺二州人口于东平郡、沈州安置③。总之，耶律阿保机所建立的契丹政权，通过大规模地掠夺中原人口，在契丹本土建立起一座座州城，这些州城主要分为两部分类型，即国家拥有的州县和贵族拥有的投下州组织。据《辽史·地理志》记载，契丹上京临潢府所辖十县之中，就有临潢、长泰、定霸、保和、潞县、宣化六县人口，统统由幽州与渤海人口构成，其他四县则是后来以渤海等民户陆续增置。像祖州、怀州、永州、仪坤州、降圣州等一些原本属于阿保机家族领地，也在阿保机统治时期迁徙和安置了大量的渤海、汉族人口。同时，在阿保机统治时期内，契丹贵族集团也在拥护阿保机建立专制政权的时候，纷纷将自己所享有的战争俘掠人口，各自组织建立起相应规模的州县或城池来予以安置和

---

① 《辽史》卷 1《太祖纪上》，中华书局 1974 年版，第 6 页。
② 《辽史》卷 1《太祖纪上》，中华书局 1974 年版，第 11 页。
③ 《辽史》卷 2《太祖纪下》，中华书局 1974 年版，第 17 页。

管理，这样的州县或城池就是契丹辽朝时期普遍存在的"投下州"。投下，是当时对于部落首领或部落贵族的统一称号，有时也写作"头项"或"头下"，即贵族名义下的私有人口（元朝时期，蒙古语称为"怯怜口"，辽朝时汉语译为"驱口"，元朝因之）。如契丹南大王府在阿保机封赐的渤海领地所建立的凤州、在封赏的奚族领地建立的遂州、在今医巫闾山附近以战争俘掠的汉人建立的顺州；还有，遥辇氏贵族僧隐的封地，以后也利用战争俘掠的私有人口建立了丰州；北大王府领地内利用战争俘掠的汉族人口建立的乌州；皇族罗古王在医巫闾山附近的领地建立的闾州、普古王领地建立的松山州等。这些投下州的基本构成和契丹政权或阿保机家族拥有的私地（即《辽史》记载的"隶宫州县"）一样，都是由战争俘掠人口为主要构成；这些战争俘掠而来的汉、渤海等各族人口，形式上存在着隶属契丹国家州县与私人领地（包括隶属宫分与投下两部分）的直接区别，但是，我们并不能够由此就判定：那些隶属国家州县的俘掠人口，在"因俗而治"前提下就一定属于封建统治方式，而那些隶属私人州县的战争俘掠人口则一定是处于相当落后的奴隶制统治状态之下。这样判断当时契丹社会的历史发展过程，显然并不科学。私有制的盛行，确属辽太祖时期及其以后很长一段历史时间内的普遍现象，但是，私有制的盛行不仅是奴隶制社会的主要原则，它同时也是封建社会的普遍现象或主要法则。同时，于此尚应提出的是：契丹本土地区纷纷涌现出来的草原新城，最初应该是以其强烈的私有性质为主要特征，国家拥有也不过是皇族私有迅速膨胀的直接结果；草原新城的普遍存在，事实上也正是"因俗而治"统治政策的鲜明体现。

因此，可以肯定地说，辽太祖时期在今内蒙古地区的统治，实际上依然是在"因俗而治"方针指导下的封建集权的统治方式。

辽太祖时期，在今内蒙古地区所建立的较大城市，主要有：皇都，辽太宗更名为上京，即今巴林左旗林东镇南古城遗址；龙化州，今通辽市开鲁县境内八仙筒一带；惠州，今宁城县与建平县交界处；杏埚新城，后更名新州，圣宗改名武安州，今敖汉旗七家子古城；霸州，兴宗更名为兴中府，今辽宁省朝阳市；应天军，后更名丰州天德军，今呼和浩特市东白塔古城遗址；代北云朔招讨司，后更名云内州，今呼和浩特市托克托县古城；西南面招讨司，后更名天德军，今内蒙古和林格尔古城。

　　这些城市，不仅是各族归附人口的主要集中地，同时也是契丹政权分别镇守各个地区的屯兵之地。像代北云朔招讨司、西南面招讨司等各大城市的长官，都要选择那些为阿保机政权作出显赫贡献的人来担任，这都是一些绝不轻授予人的要职，所以，它们也同皇都一样，是镇守今内蒙古地区的统治中心或主要枢纽所在。

第 四 章

耶律德光时期及辽朝政权的建立

第一节　"扶余之变"与耶律德光的帝位继承

一、耶律阿保机的妻子儿女们

根据《辽史》记载，耶律阿保机（872—926 年），共有四子一女，即嫡妻述律平（应天皇后）生育三子一女：长子耶律倍、次子耶律德光、三子耶律李胡和女儿耶律奥姑；侧妃萧氏生育一子：耶律牙里果。耶律阿保机的妻子儿女们，都在契丹辽朝前期的历史发展中发挥出重要的历史作用。

根据史书记载，契丹贵族耶律阿保机与回鹘贵族之女述律平的成婚时间，大约在唐昭宗光化二年（899 年）以前，因为他们的长子耶律倍就出生于光化二年。这次联姻，既是对以往世里氏家族实行族外婚姻习俗的继承，又是以婚约的形式将部落社会内部两大最具潜力的家族势力紧密地结合在一起；婚姻的目的，不仅仅在于人口生产的传宗接代，更重要的是还具有更加深刻的政治结盟的社会效果。

述律平的家族，是个已经数代生活于契丹部落社会的回鹘贵族世家，在契丹部落社会中发展成为一支势力强大的家族集团，并世代享受和承袭着遥辇氏汗国时代"参与谋议"的尊贵职务，契丹语称之为"阿扎割只"。述律平的父亲婆姑梅里，就曾经担任过遥辇氏汗国的阿扎割只职务。"婆姑"是其父亲的回鹘语名字，"梅里"则是由回鹘汗国时期以来形成的贵族官号，有时也写作"梅录"，在契丹社会中依然保留着回鹘语的尊称则主要是标志着其贵族的身份与地位。述律平的母亲，乃是耶律阿保机父亲撒剌的之同胞姊妹耶律氏，即阿保机的嫡亲姑母；虽然当耶律氏下嫁于回鹘贵族婆姑梅里的时候，已经不是她的初婚，而是寡妇再嫁，但它依然起到了联结两个贵族家族的历史作用。因此，当述律平嫁给耶律阿保机的时候，这种在契丹部落社会内部由回鹘贵族世家同世里氏家族之间构成的婚约关系，已经是很早以前就确立的事情了。

述律平的母亲，初嫁于契丹部落的审密氏（即辽朝国舅部之萧氏家族），与其前夫至少生育一子，这就是辽太祖阿保机创立契丹贵族专制政权时，立下显著功劳而被阿保机誉为"二十一功臣"前列、比喻为"手"的萧敌鲁。萧敌鲁的家族，在遥辇氏汗国时期就是一个世代承袭着决狱官职务的契丹显贵之家。据《辽史》记载，自阿保机五代祖耶律耨里思时期开始，世里氏家族就已经与这个萧姓的契丹显贵家族确立了世代联姻的特殊关系，不仅耨里思本人娶了这个家庭的女儿为妻，他的儿子撒剌德也娶了这个家族的女儿为妻，并且告诫家人说："同姓可结交，异姓可结婚。"① 由此确定了两大家族的世代通婚关系。大约自辽太祖阿保机的祖父耶律匀德实在世时开始，世里氏家族就采取了与回鹘述律氏贵族家庭之间的联姻关系。因此，由于萧敌鲁的母亲耶律氏也是阿保机的姑母，所以，萧敌鲁自幼便与阿保机保持着密切的私人关系，两人形影不离，长成之后又成为阿保机身边得心应手的重要辅佐人物和军事将领。当阿保机的姑母耶律氏再嫁于回鹘贵族婆姑梅里之后，又与婆姑梅里生育了述律平及其弟萧阿骨只，他们也都同样成为阿保机身边不可须臾或缺的得力助手。

阿保机的妻子述律平，出生于唐僖宗乾符六年（879 年），与耶律阿保机二人之间属于姑舅表亲关系，大约在唐昭宗光化元年（898 年）与耶律阿保机结为夫妻，光化二年生育了他们的长子图欲。当述律平嫁给耶律阿保机的时候，同时还依照契丹部落社会的传统习惯，带来了一些作为陪嫁的"媵臣户"，即随嫁而来的陪嫁人口，他们就生活在辽朝时期著名的仪坤州，"仪坤州"也就是述律平母家所奉送的"媵臣地（辽代称为媵臣州）"；这

---

① 《辽史》卷 72《后妃传》，中华书局 1974 年版，第 1198 页。

是从其母家所拥有的私有人口和领地中析分出来、作为陪嫁之资而奉送给述律平与阿保机二人所共同拥有的家庭财产。

阿保机的长子耶律倍，出生于899年，在辽太祖神册元年（916年）正月被册立为皇太子，从此开始参与辽太祖创建专制政权的建国过程。史书记载，耶律倍，本名图欲，自幼聪敏好学，博览书史，广为搜罗中原及高丽奇书，尝筑书楼于医巫闾山与辽阳府，擅长诗赋绘画，精通音律，喜欢结交汉族儒士，是契丹社会中比较早地接受和热衷中原文化的贵族子弟，具有较高的汉族文化修养。辽太祖改称皇帝称号之后，曾想利用古代神圣人物作为自己称帝的神学依据或主要模仿，因此，曾经利用闲暇询问大臣等："受命之君，当事天敬神。有大功者，朕欲祀之，何先？"当时侍臣等建议辽太祖应祭祀佛祖神像，只有耶律倍以佛教本非中国宗教为名，建议太祖首先祭祀儒学鼻祖孔丘，并被辽太祖所接受，说明契丹社会早期中原文化的提倡，与耶律倍的大力宣介确实有着密切的联系。以后，太祖征伐乌古、党项部落时，耶律倍曾经以先锋身份参与征伐事务，并经略幽州地区。天赞三年（924年），辽太祖亲自率领军队征伐漠北及金山地区时，命令耶律倍以太子身份与母亲应天皇后述律平留守契丹腹地。当辽太祖完成西征后，耶律倍又为辽太祖献计征伐渤海国。926年，辽太祖亲征渤海国，一举消灭存在二百余年的渤海政权，耶律倍谏阻辽太祖不能再像以前那样采取攻占城市即俘掠人口的战争方式，基本保存了渤海国民的原有分布状态。因此，渤海国灭亡后，即在其废墟上建立东丹国作为契丹政权的附庸，辽太祖册封耶律倍为人皇王，统治东丹国，规定每年向契丹政权贡奉布15万端、马千匹，使得战争获利有益于国家而不再惠施私人。也由此引起契丹贵族阶层的不满。

次子耶律德光，本名耀骨之（或称"尧骨"），生于唐昭宗天复二年（902年），辽太祖天赞元年（922年）被册立为天下兵马大元帅，与父亲辽太祖一起经略幽州地区，并率领军队攻灭奚族首领胡逊组织的反叛势力；又率领军队打败后唐名将符存审等，由是而以"元帅太子"之名，称雄于契丹及后唐政权。天赞三年（924年），从辽太祖西征，立功至伟；五年（926年），又统领西楼军马，从太祖征伐渤海，建立东丹国后，乃随太祖还国。

三子耶律李胡，一名洪古，本名奚隐，生于太祖任契丹可汗的第六年（912年），自幼勇悍多力，备受父母喜爱。在辽太祖时期，因为年幼，未能参与军国政事。辽太祖的女儿奥姑及庶子牙里果,其生卒年及事迹等均不详。

但是,从《辽史》的相关记载来看,似乎辽太祖在世时,已经确定了嫡出三子之间的帝位继承关系。据说,辽太祖曾经在一个非常寒冷的冬天,让三个儿子分别到野地里去拾柴,自己与述律皇后观察他们的具体行为,并根据其行为对他们的将来作出判断。结果,次子德光很快就回来了,他不分干湿、不加选择地弄回了足量的木柴;长子倍第二个归来,不仅木柴足量,而且全部拣选那些能够直接引火的干柴,捆扎齐整而归;唯独幼子李胡,本来捡到的柴火就少,又都丢弃在了路上,归家之后,已经空无一物,袖手站在庭中。看到这种景象之后,辽太祖对应天皇后说:"老大是个办事齐整而心思巧密的人,老二是个追求结果而不计较过程的人,小儿子是无论如何都不能与两个哥哥相提并论的,他与哥哥们相比,不足之处太多了!"应当说,这次鉴别三子行为、处事的活动中,已经明显具有选择身后继承人的意图。所以,当阿保机作出对三子李胡带有否定态度的判断结果时,立即遭到妻子述律平的强烈反对,也终因母亲对李胡的格外喜爱,而使李胡也获得了与二位兄长同样的继承资格。

二、关于"扶余之变"

所谓"扶余之变",是现今所见《辽史》记载的一桩缺头少尾的历史奇案,并且在现今传世的契丹辽朝历史资料中已经全部丢失了有关此次奇案的详细记载,只是在《辽史·太祖纪》的篇末评语中还保留着一句颇显突兀的评述。虽然已故辽金史专家陈述教授曾经在其名著《契丹政治史稿》中予以简单论述,但是仍然不能够称之为完整的介绍,陈先生论述的注意点也仅仅是放在了事变的结果,即耶律倍丢掉皇位、耶律德光成为皇帝而李胡成为了皇位继承人;而没有关于事变原因、过程等方面的具体探索。那么,"扶余之变"的原因和过程如何?这也是迄今学界很少有人作出说明的历史疑案。

关于"扶余之变"的历史记录,目前也仅见于元朝修订的《辽史·太祖纪》篇末附录的"赞"语中,原文为:

　　　　剌葛、安端之乱，太祖既贷其死而复用之，非人君之度乎？旧史扶
余之变，亦异矣夫！①

　　这里所评述的历史内容，其实包含着两个部分，第一部分就是指辽太祖对于
发动叛乱的诸弟剌葛、安端等人，既宽免了刑罚，又启用为国家大臣，这是
那种真正具有"人君"气度者才能付诸实施的事情。第二部分就是说"旧
史"里记载的"扶余之变"，其实也是一件令人非常惊异的事情呀！这里所
说的"旧史"，乃指辽朝耶律俨编修的辽朝历史实录或金朝陈大任编撰的
《辽史》而言，但关键是"旧史"里所记载的"扶余之变"是什么？元朝
修史时却没有保留下完整的记载。根据今本《辽史》的记载来分析，所谓
"扶余"，乃是指渤海国的扶余城，即契丹辽朝早期的龙州、中后期的黄龙
府，即今吉林省农安县。926 年，辽太祖灭亡渤海国之后，班师而还时，途
经此地，染疾不起，而病殁于这里。于是，其妻应天皇后述律平（即应天
皇太后）遂称制摄政，掌管了当时契丹朝廷的军政大权，并先后诛杀了阿
保机诸弟南府宰相苏、东丹国左大相寅底石以及太子倍的拥护者南院夷离堇
耶律迭里、郎君耶律匹鲁等人，彻底颠覆了太祖生前制定的太子继位的定
制，等等。因此，关于"扶余之变"的具体内容，根据现有辽朝史料的记
载，起码包括了如下的一些基本事实：

　　第一，大规模诛杀勋臣贵戚集团，目的是为了根除耶律倍能够继承契丹
皇位的任何影响。据《耶律安抟传》记载，太祖崩，应天皇后想要立次子
德光为继承人时，南院夷离堇耶律迭里等人则公开倡议帝位继承应当从嫡长
子开始，并态度鲜明地拥护耶律倍继承皇位。结果，耶律迭里等人的表现触
怒了应天皇太后，被判定为结党营私而被捕入狱。迭里等人在严刑拷打之
下，仍不改变自己的主张，故被应天皇太后处死，连家属也被籍没为官府的
奴婢。此事，据《人祖纪下》记载，天显元年（926 年）七月，人祖崩；
十一月，杀南院夷离堇耶律迭里、郎君耶律匹鲁等；又据《皇子表》记载，
太祖四弟寅底石奉命出任东丹国左大相，以辅佐东丹王耶律倍，赴任途中，
太祖崩逝，应天皇后遂派遣司徒划沙追杀寅底石等于途中，这在《耶律刘

---

　　① 《辽史》卷 2《太祖纪下》，中华书局 1974 年版，第 24 页。

哥传》中也可以获得间接的证明。

第二，据《契丹国志》《资治通鉴》等史书记载，应天皇后摄政，欲以次子德光继承帝位，遂大杀反对派，尝语于贵戚、大臣妻子曰：“你们经常说与先帝关系密切，现在我已经寡居，应该让你们的丈夫也去陪伴先帝于地下。”于是大杀群臣于阿保机墓前。后值汉臣赵思温，应天皇后也让他去陪伴先帝，赵坚决不去，皇后责问，赵曰：“亲密无过于皇后，你应当先去！”应天皇后听到赵思温的话语之后，哭泣着对大臣们说：“现在我的孩子们还很幼小，国家又处于混乱时刻，我不能前去陪伴先帝。”说完这番话之后，即抽出随身佩带的佩刀，将自己右手的手腕处砍断，把自己的右手放入太祖墓中，作为自身的替代品。这件事情，在《辽史》的记载中可以得到印证，如《地理志一》“上京条”记载：“是岁太祖崩，应天皇后于义节寺断腕，置太祖陵。即寺建断腕楼，树碑焉。”这就是应天皇后自断手腕的故事，它说明当时关于帝位继承问题的争议和斗争都非常激烈。

第三，据《资治通鉴》等记载，天显二年（927 年）十一月，应天皇后命令自己的两个儿子耶律倍和耶律德光，分别骑马立于部落贵族和番汉群臣的面前，然后，让贵族、大臣们任意去选择牵执二人的马缰。牵马缰，即契丹人表示甘愿拥护或服侍“主人”的表现，这里具有选举契丹人皇帝的政治意义。结果，贵戚、群臣都主动地去牵执耶律德光的马缰，表示自己甘愿为耶律德光的“奴仆”。于是，耶律德光便顺乎情理地继承了太祖留下的皇位。此事，《辽史》中关于耶律德光继承皇位的典礼场面、持续时间、具体内容以及耶律倍的表现等，也均有比较详细的记载：

> 明年秋，治祖陵毕。冬十一月壬戌，人皇王倍率群臣请于后曰：“皇子大元帅勋望，中外攸属，宜承大统。”后从之。是日即皇帝位。癸亥，谒太祖庙。丙寅，行柴册礼。戊辰，还都。壬申，御宣政殿，群臣上尊号曰嗣圣皇帝。大赦。有司请改元，不许。十二月庚辰，尊皇太后为太皇太后，皇后为应天皇太后，立妃萧氏为皇后。礼毕，阅近侍班局。辛巳，诸道将帅辞归镇。①

---

① 《辽史》卷 3《太宗纪上》，中华书局 1974 年版，第 28 页。

在这里记载的主要内容有：（1）安葬太祖与选举新皇帝是连续进行的两件大事；（2）参加者包括了所有的契丹贵戚、大臣及将领们，事毕之后，他们才能各归本镇继续理事；（3）耶律倍不得不作出拥护的假象，率领群臣要求拥立弟弟为新皇帝；（4）典礼比较繁缛，具体事目主要由推举仪式、拜谒太祖庙、行柴册礼和接受群臣奉上的尊号等几项仪式构成，然后，再举行为祖母、母亲和妻子册立尊号、封赏群臣的仪式，最后，通过"阅近侍班局"的方式，即巡视自己的斡鲁朵组织，象征着一个新皇帝（更多的是契丹大汗）威权的正式确立。这些，都是按照契丹故俗的既有习惯进行的。

所以，所谓"扶余之变"的主要内容，事实上包括了应天皇后称制、诛杀异己分子、剥夺耶律倍的继承权和举行耶律德光即位仪式、树立新皇帝的威权等几项重要的活动。这是应天皇后凭借个人政治影响实施控制并经契丹贵族集团内部激烈搏杀的直接结果，它剥夺了耶律倍的帝位继承权，但仍然按照契丹人传统的习惯（或形式）表示出来，说明契丹政权当时仍然奉行"契丹本位"政策，并在心理与传统等几个方面同时拒绝着中原封建文化的影响；但是，也应该看到：以耶律倍为代表的部分契丹贵族，事实上已经开始了契丹封建化的具体实践或探索的历史过程。

"扶余之变"是一次地地道道的宫廷政变，政变的内容或性质反映出契丹贵族集团在政治体制建设方面存在的巨大争议与斗争，以耶律倍为首的接受中原文化影响较深的部分贵族集团，还没有成为能够领导契丹社会发展的绝对的政治力量，因此，在帝位继承中惨遭失败；而以应天皇后述律平为首的坚持"契丹本位"政策的契丹贵族集团的绝大部分，则仍然是当时契丹政权内部的绝对的政治领导阶层，他们废除了耶律倍应该得到的继承权利，选定耶律德光为实现自己政治企图的主要代言人，也是经过一番深思熟虑的；这是一种民族心理的具体表现，是在即将来临的更大规模的民族融合趋势面前的恐惧与自我保护心理所使然。

三、应天皇后与耶律倍的矛盾和冲突

应天皇后述律平与人皇王耶律倍是母子关系，这是一种任何人都难以打破的牢固信任关系。但是，在契丹辽朝政权初期的发展史上，却恰恰是这层牢不可破的关系网呈现出较大的裂痕，并从而造成家庭内部严重的矛盾积聚

与政治分裂，进而影响到了契丹辽朝近半个世纪之久的发展历程，并对后世留下了巨大的政治影响。那么，应天皇太后与长子耶律倍之间究竟发生了什么呢？易言之，他们母子之间的矛盾与冲突究竟是怎样形成的呢？要回答这个问题，还应该回到前面的论述中去寻找线索。

根据《辽史》记载，耶律倍应该是耶律阿保机亲自选定的皇位继承人，或者说是第一顺序的皇位继承人。史称，辽太祖阿保机与应天皇后述律平在一个寒冷的冬日，共同对三个儿子进行了能力测试与检验，具体方法是：让三个儿子分别去野外捡拾以供取暖用的烧柴，然后通过对每个人花费时间、烧柴数量与质量等定性判断，来测试或断定三个儿子将来的能力和治国技巧；应该说，这种判断具有明显先验论的色彩，但它也完全符合当时契丹等游牧民族所处的社会发展水平和社会生活传统，也是长辈根据自己以往的生活经验或体验的积累来验证子女是否拥有正常的生活训练与基本技能的积累，这是一种不折不扣的经验主义的翻版，也同样适用于人物品鉴等各种生活领域。然而，检测的结果是：

> 太宗不择而取，最先至；人皇王取其干者束而归，后至；李胡取少而弃多，既至，袖手而立。太祖曰："长巧而次成，少不及矣。"而母笃爱李胡。[1]

这次检测发生的具体时间，应该在辽太祖天赞元年（922 年）左右，此时幼子李胡年方十岁。本来辽太祖阿保机将幼子李胡标定在合格线以下，但因应天皇后喜爱幼子所以也给予李胡合格的评定。值得注意的是，当辽太祖病殁之后，三个儿子的人生命运，也同样是因为应天皇太后的缘故而发生重大转变，即最终因为应天皇后的基本态度，而决定了三个儿子以后不同的历史命运。耶律德光和李胡被确定为先后相继的皇位继承人，这是自辽太祖阿保机死后即被验证了的历史事实。但阿保机夫妇在那个严寒的冬日里对三个儿子作出品鉴的时候，似乎并未对长子耶律倍提出不同意见。这些事实说明，应天皇后与长子耶律倍之间已经存在着很深的政治裂痕。

---

[1]　《辽史》卷 72《章肃皇帝李胡传》，中华书局 1974 年版，第 1213 页。

　　同时，据《辽史》记载，太祖病殁后的契丹社会，尤其是在贵族阶层中普遍存在着这样的一种心态，即"嗣圣之立，尚以为非"，都对应天皇太后剥夺耶律倍的继承权存在着普遍的质疑，即"人皇王在，何故立嗣圣？"①这种观念与疑问持续存在了数十年，并在许多贵族人物传记的记载中，也都将应天皇太后与人皇王的矛盾，聚焦到契丹社会政治体制发展的时代内涵中，如南院夷离堇耶律迭里因为坚持帝位继承"宜先嫡长"，而遭到应天皇太后的杀戮，家眷被"籍没"为奴，其子安抟以"著帐子弟"（即官奴婢）身份担任太宗宫帐宿卫，及拥立世宗即位之后，迭里家眷才被平反；是时，"太后［责］问安抟曰：吾与汝有何隙？安抟以父死为对，太后默然"②。又如外戚萧翰，也是辽世宗夺取帝位的支持者，"太后［责］问翰曰：汝何怨而叛？对曰：臣母无罪，太后杀之，以此不能无憾。"翰，即辽太祖功臣萧敌鲁之子，敌鲁病殁于918年，故应天太后大杀功臣、贵戚时，萧翰母也在当时被杀害③。又，太祖弟寅底石之子刘哥，也是辽世宗夺取帝位的支持者，"太后［责］问刘哥曰：汝何怨而叛？对曰：臣父无罪，太后杀之，以此怨耳！"这是应天皇太后为了消除长子耶律倍的支持者而遣人杀害寅底石的明证④。这些，都明确说明了人皇王耶律倍的皇位继承权，当时的确是遭到了他的母亲应天皇太后的强权否定与剥夺。

　　那么，应天皇后与皇太子耶律倍之间关系的恶化，应该在太祖天赞年间（922—926年）中寻找答案。

　　据《辽史》记载，耶律倍，契丹名图欲，生于899年，太祖神册元年（916年），立为皇太子，时年18岁；从此，随从太祖四出征伐乌古、党项部落及幽州等地，并经常担任契丹军队先锋都统的职务，成为辽太祖建立契丹专制政权的得力助手。919年，太祖远征乌古部落，耶律倍为先锋，征服乌古各部；920年，耶律倍率领迭剌部军兵经略燕云地带，攻占天德城，迁其民于阴山以南安置；921年，太祖率领契丹军队攻入居庸关，耶律倍等则

　　①　《辽史》卷77《耶律屋质传》，中华书局1974年版，第1256页。
　　②　《辽史》卷77《耶律安抟传》，中华书局1974年版，第1260—1261页。
　　③　《辽史》卷113《逆臣中·萧翰》，中华书局1974年版，第1506页。
　　④　《辽史》卷113《逆臣中·刘哥》，中华书局1974年版，第1508页。

率领迭剌部军突破古北口，"分兵略檀、顺、安远、三河、良乡、望都、潞、满城、遂城等十余城，俘其民徙内地"；接着，又与新州降将王郁一起经略定州地区，攻占涿州城，与后唐政权军队会战于望都，迁徙檀、顺二州之民于东平、沈州安置；922 年，又率军攻占蓟州城，与后唐军队会战于镇州城下；是年 10 月，太祖析分迭剌部为南、北两院部，一部分经略山西北部，一部分与国舅部联合进攻幽燕地区；同时，册立次子德光（契丹名尧骨，时年 21 岁）为天下兵马大元帅，统领太祖大帐亲军从征；自此开始，德光率领的大帐亲军成为经略燕云地区、讨伐周围各部的主要力量。924 年，辽太祖大举征伐漠南、漠北诸部时，诏令：皇太子监国并与皇后共同留守，大元帅德光从征。耶律倍逐渐从契丹军事集团的核心中淡出，开始逐渐接手管理本土部民的行政事务①。那么，耶律倍与应天皇太后之间矛盾的发生，也就应该自天赞元年（922 年）以后寻找答案。

史称，人皇王耶律倍"幼聪敏好学，外宽内挚"②。所谓"聪敏好学"无非是指其好尚或沾染中原汉文化的个人追求与基本水准，而"外宽"则是指其性格表现的外在行为，大约是沾染了儒家的"柔和"色彩，"内挚"则说明其具有并不外露的苛急心态，即临政处事之际的果断、严酷之风；这样的一种性格，已经绝非游牧民族普遍具有的那种相对简单的"多力、英武、豪爽"的性情可比，尤其是外在的文化表现形式就当时的契丹人看来完全属于一种"柔弱、怯懦"的汉族心态。从历史资料的种种描述来看，应天皇太后对于汉族及汉族文化等并没有任何好感，譬如她经常说的一句话："自古但闻汉和蕃，不闻蕃和汉"。辽太祖生前也曾与人这样说道："我能汉言，然绝口不道于部人，惧其笑我怯懦也。"③ 这些都表明辽太祖时期的契丹社会对于中原文化并没有采取基本的认同态度，甚至那些接近或喜欢汉文化的契丹人都遭受到当时社会的普遍歧视。而耶律倍恰恰是一位非常喜欢汉族文化，喜欢读书、写字、绘画的契丹学者型人物，这在全民文化水平普遍低下的契丹社会内部，无疑处于一种缺少赞同的尴尬境地。辽太祖朝，

---

① 《辽史》卷 2 《太祖纪下》，中华书局 1974 年版，第 17～24 页。
② 《辽史》卷 72 《宗室传·义宗倍》，中华书局 1974 年版，第 1209 页。
③ 《新五代史》卷 72 《四裔附录第一·契丹》，中华书局 1974 年版，第 890 页。

包括太宗朝时期发动的征伐战争，都程度不同地以俘掠为战争的主要目标，大量中原移民的存在，就是这种俘掠手段的主要说明；但是，在耶律倍所亲自主持的一系列的争战过程中，所获得的战争俘虏却不是很多，而且，当契丹军队大举征伐渤海国的时候，史称：

> 上欲括户口，倍谏曰："今始得地而料民，民必不安。若乘破竹之势，径造忽汗城，克之必矣。"太祖从之①。

于是，灭渤海而建东丹国，仍然保留了渤海国既有的社会组织形态与完整的生活聚落形态不变，也就是说这次战争并没有大规模地迁徙战争所俘掠的社会人口；相反地，辽太祖宣布建立东丹国，并以耶律倍为人皇王，来主持东丹国的军政事务，同时规定东丹国作为大契丹国的附庸，每年要向大契丹国"岁贡布十五万端，马千匹"②。这大约是契丹政权以来，战役规模最大、效果最好而掳掠人口数量又最少的一次军事行动。可以说：是耶律倍的努力，试图以封建化的方式将战争利益转化为国家利益，扭转了自太祖即位以来契丹社会私有制度普遍盛行的局面，抑制了部分贵族集团过于膨胀的私欲；但这些调整或转变也是耶律倍个人同大多数的契丹贵族家庭"结怨"的根源，而崇尚汉文化也正是他与母亲之间关系破裂的主要原因所在。

第二节　辽太宗朝前期的政治特点

一、兄弟阋墙的政治危机

辽太宗即位以后，在应天皇太后的支持和纵容下，仍然继续采取排挤与打击人皇王集团的政治措施，使契丹统治集团内部的矛盾达到了一种空前激化的程度。

辽太祖病殁后，人皇王耶律倍系统遭到来自应天皇太后政治集团的残酷

---

① 《辽史》卷72《宗室传·义宗倍》，中华书局1974年版，第1210页。
② 《辽史》卷72《宗室传·义宗倍》，中华书局1974年版，第1210页。

打击，因此，人皇王系统的政治失败也是非常沉重的，史称：

> 倍知皇太后意欲立德光，乃谓公卿曰："大元帅功德及人神，中外
> 攸属，宜主社稷。"乃与群臣请于太后而让位焉。于是大元帅即皇
> 帝位①。

这段话里所包含的内容已经过修史者的删订与压缩，其实，这只是一种暴风
骤雨式的政治斗争之后的具体结果。当耶律倍的拥护者大量地被屠杀之后，
为了保全他人也是为了自保，在迫不得已的情况下，耶律倍才对自己及周围
的人作出了这样一个痛苦的抉择，这决不是一个"甜蜜的"决定，而是一
个泣血的心路历程的昭示，是个永远难以忘记的痛苦的失败过程！这已经完
全是一种彻头彻尾的政治投降！是人皇王耶律倍及其支持者们在无力反抗的
状况下，拱手让出了皇位继承权，并已经在形式上表现出对于新君俯首帖耳
的拥护态度。但是，事情并没有到此而结束。当耶律倍还没有从失败的阴影
中走出，就又遇上了新皇帝即位后的猜疑，兄弟之间政治上的裂隙正在不断
地扩大。此时，似乎所有的烦恼，全部缠绕到了耶律倍的身上。史称：

> 太宗既立，见疑，以东平为南京，徙倍居之，尽迁其民。又置卫士
> 阴伺动静②。

但这些因为猜嫌而制定的防范措施，并不是一下子就统统制定出来的，而是
还要经过一个逐渐的发展过程。

天显二年（927年）十一月，举行了太宗耶律德光的即位大典之后，原
本所有赴会的各路大臣、将帅们，都在十二月辛巳日这一天，纷纷辞朝归
镇，离开皇都，回到了自己的官署或任所；熙熙攘攘之际，只有耶律倍一
人，仍然被孤零零地留在了皇都（后改称上京），受到了朝廷的"格外注
意"，不允许回到自己的治所，其实就是受到了软禁。到天显三年九月的时

---

① 《辽史》卷72《宗室传·义宗倍》，中华书局1974年版，第1210页。
② 《辽史》卷72《宗室传·义宗倍》，中华书局1974年版，第1210页。

候，辽太宗还曾两次临幸人皇王在皇都的府第，借机进行观察；在这一年十二月份的时候，又发生了人皇王臣子背叛他的历史事件。原人皇王臣子、东丹国左次相耶律羽之，在事先并未经过人皇王允准的情况下，就主动地向太宗皇帝奉献表章，建议朝廷全部迁徙东丹国的民户，以充实东平郡的人口，并将东丹国也从天福城（今黑龙江宁安东京城）迁徙到东平郡（今辽宁辽阳）；结果耶律羽之的奏章得到了辽太宗赏识，并被太宗欣然采纳，于是，诏令东丹国迁治东平郡，其国民无力自迁者，允许契丹富民予以接济并隶属之，同时，宣布升东平郡为南京，将东丹国即安置于此①。这条诏令实际赋予了契丹官僚贵族集团可以大量占有东丹国即原来渤海国人口的特权，既由此凝结了新政权内部契丹贵族集团的统治意志，也达到了削弱人皇王的基本目的。因此，所谓东丹国的迁徙，只不过是一种表面的形式，而蕴蓄于其中的削藩才是真正的目的；这既是一次对东丹国的强行掠夺，也是一次对东丹国直接采取的削藩策略。从此，人皇王耶律倍才被放还安置于南京城内的东丹国，但到天显四年三月的时候，人皇王又奉诏入朝，来到皇都，此次入朝主要是陪同太宗皇帝至祖陵举行拜陵仪和瑟瑟礼，又伴随太宗射猎于皇都附近之山岭，一同避暑于凉陉（即今河北省沽源县境内之大马群山北端）；同年八月，太宗临幸人皇王帐幕，然后，又一同来到南京城（即今辽阳）巡视，并再次临幸了人皇王的宫殿，大宴群臣于南京城内；十二月，人皇王又随从太宗皇帝再次回到皇都城（即今内蒙古自治区赤峰市巴林左旗林东镇南古城遗址）；次年二月，辽太宗诏令重新修缮南京城，并同人皇王一起朝见皇太后于其行宫之中，皇太后于是让兄弟二人在她面前各自书写字画，以供家人观赏；然后，兄弟二人又一同来到南京城，召集蕃、汉群臣共同会议军国要事；三月己巳，辽太宗等人又临幸皇叔安端的营帐；辛未，人皇王向太宗皇帝敬献渤海国民生产出的白纻布；乙亥日，朝廷举行了颇为隆重的册立皇弟李朝为寿昌皇太弟、天下兵马大元帅的加封仪式，赋予了李胡皇位继承人的资格；然后，大宴人皇王僚属于行宫之便殿；庚寅日，太宗又诏令人皇王先期奔赴祖陵，拜谒太祖神庙；四月丙辰日，辽太宗与人皇王等会集于祖陵，举行了隆重的祭拜仪式，礼毕之后，人皇王遂向太宗辞别

---

① 《辽史》卷3《太宗纪上》，中华书局1974年版，第30页。

归国。应当说：在所有已经发生的一切活动中，尤以李胡的册立仪式给予人皇王以极大的内心伤害，标志着人皇王帝位继承资格的彻底丧失。因此，当九月己卯日，辽太宗派遣舍利普宁前往南京城"抚慰人皇王"，并设置人皇王"仪卫"的时候，无疑是真正地激起了人皇王的"叛逆"决心。因为，太宗的抚慰和置仪卫，表面看来是兄弟至诚的表现，似乎是在认真地安排人皇王的生活起居等，其实，这就是前引史料中所说的"又置卫士阴伺动静"，起码在人皇王自己的内心感受上，它已经标志着兄弟之间政治矛盾的急速升级。

因此，来自于母亲方面的压力和兄弟方面的猜嫌，最终迫使人皇王耶律倍义无反顾地与后唐政权建立起秘密的联系，并在天显五年（930 年）十一月的时候，趁出海渔猎之际，率领少数亲信随行人员毅然渡海叛逃，直接奔赴后唐政权的登州沿海登岸，并亲自上书后唐明宗皇帝，表示了投诚后唐政权的迫切心愿，随后，便受到了后唐政权的隆重欢迎，赏官赐宅，予以优遇，并赐姓李，名赞华；从此，开始了人皇王耶律倍寄居后唐都城洛阳长达六年的流亡生涯。

史称，耶律倍泛海入唐之前，曾亲自作诗一首，表达自己所以入唐或逃亡的根本原因，然后，将诗文书写于木板之上，植立在大海边的沙滩地，以奉赠于辽太宗及自己的家人、部属等，其诗曰：

> 小山压大山，大山全无力。羞见故乡人，从此投外国[1]。

也就是说，家庭内部中的猜嫌与无奈和政治斗争中的无力，致使人皇王怀着一种极端复杂的心情，离开了自己的国土和家人！至此，耶律倍与应天皇太后以及太宗皇帝、皇太弟诸集团之间的矛盾和斗争，暂时以人皇王个人的退避和忍让告一段落。但事情并没有结束，耶律倍及其支持者们，在以后契丹社会历史的继续发展中，仍然为契丹社会的政治发展投下了一道巨大的阴影。所以，辽世宗即位之后，马上就给人皇王追赠新的谥号：让国皇帝。言外之意，契丹的帝位之争和人皇王的入唐，都本源于人皇王自身的避让与谦让。

---

[1] 《辽史》卷 72《宗室传·义宗倍》，中华书局 1974 年版，第 1210 页。

二、凭借神权力量　加强皇权统治

辽太宗即位之后，继承了太祖朝政治体制发展的余绪，但是，因为应天皇太后对于朝廷事务的过分干涉，致使契丹政权仍然踯躅于"行国政治"的基本框架之内。辽太宗的即位以及册立皇弟李胡为寿昌皇太弟和天下兵马大元帅等，可以视为应天皇太后"临朝称制"阶段的"历史杰作"，这无疑是对太祖时期已经确立的皇太子继承制度的肆意摧毁与改变，体现着契丹政权体制建设步伐的明显回退。同时，辽太宗即位以后，所表现出来的那种频繁拜谒太祖陵、庙、行宫以及广泛建立太祖与应天皇太后纪念碑的具体行动等，这些所显示出来的那些历史信息，则无不昭示着太宗本身对于应天皇太后"临朝称制"的政治恐慌以及对太祖时期已经形成的"君权神授"观念的极度尊崇与继续深化。

辽太宗即位伊始，一方面战战兢兢地奉侍着拥有绝对政治权威的母后，另一方面也欣然接受了群臣尊奉的尊号"嗣圣皇帝"，继续着太祖朝已经开始的神化君权的历史步伐。

《辽史》记载，应天皇太后述律平，是一位性格"简重果断"的契丹贵族女性人物，由于独特的性格特征也赋予了她颇有雄图大略的过人胆识和政治远见，所以，她在辅佐辽太祖创立契丹君主专制政权的过程中，就已发挥出能够独当一面的杰出作用，为辽太祖的东征西战提供必要的后勤供应与后方保障。因此，当辽太祖即位为契丹皇帝之后，述律平也史无前例地创建了归属于她本人的斡鲁朵组织，史称：

> 仪坤州，启圣军，节度。本契丹右大部地，应天皇后建州。回鹘糯思居之，至四世孙容我梅里，生应天皇后述律氏，适太祖。太祖开拓四方，平渤海，后有力焉。俘掠有伎艺者多归帐下，谓之属珊。以所生之地置州。州建启圣院，中有仪宁殿，太祖天皇帝、应天地皇后银像在焉。隶长宁宫①。

---

① 《辽史》卷37《地理志一·仪坤州》，中华书局1974年版，第446页。

这段史料提供了以下几点：第一，应天皇后将太祖时期俘虏而来的各族人口中的"有伎艺者"譬如音声人和手工业者等，统统聚集到自己帐下，称之为"属珊"，建立了自己的头下州；第二，应天皇后拥有的"属珊"之中，也组建了属于应天皇后自己的军队，即"皇后述律氏居守之际，摘蕃汉精锐为属珊军"；第三，属珊与属珊军是应天皇后斡鲁朵的主要构成。所谓"启圣军"或"启圣院"之"启圣"，乃天启圣人之意，是指应天皇后的诞生地而言，其中的"军"号既是指属珊军也是指仪坤州的军号；"院"乃"宫院"之"院"，在辽朝还有"部、府"的意义，例如五院六院部与王子院等，这里乃是具有"宫院"的意义，故其中有仪宁殿，这是应天皇后斡鲁朵的主殿，供奉的银像就是斡鲁朵的主人；第四，应天皇后的头下州或斡鲁朵的卓帐地，并非太祖四方征战的夺取，而是来自皇后母家的襄助（即作为陪嫁的媵地）。由此而言，应天宫皇太后政治权力的膨胀，不仅来源于其母后的身份与地位，还有着强大的母族家族势力支持的因素。

所谓应天皇后"简重果断"的性格特征，除了表明其具有临机处事的精明与果敢之风以外，应当还包含了其本人性格刚烈的一面。据《资治通鉴》记载，"扶余之变"中应天皇后大肆诛戮群臣，

> 述律太后左右有桀黠者，后辄谓曰："为我达语于先帝！"至墓所则杀之，前后所杀以百数。最后，平州人赵思温当往，思温不行，后曰："汝事先帝尝亲近，何为不行？"对曰："亲近莫如后，后行，臣则继之。"后曰："吾非不欲从先帝于地下也，顾嗣子幼弱，国家无主，不得往耳。"乃断一腕，令置墓中。思温亦得免[①]。

这里的记载或者存在渲染的成分，但是，太后断腕却是不争的事实！据《辽史》记载，上京临潢府汉城西南孔子庙之东有义节寺（或作节义寺），寺内有断腕楼；断腕楼的由来，乃是"太祖崩，应天皇后于义节寺断腕，

---

① 《资治通鉴》卷275《后唐纪四》，明宗天成二年，契丹改元天显条，中华书局1956年版，第9001页。

置太祖陵。即寺建断腕楼，树碑焉"。① 这真是性情如火！如此的举动，不能不使人以"刚烈"二字来形容之。那么，以如此之性格来驾驭新建之朝廷，起码就具有了一种空前的震撼与威慑；这一点，从刚刚即位的耶律德光身上也充分体现出来。据《资治通鉴》记载：

> 天皇王性孝谨，母病不食亦不食，侍于母前应对或不称旨，母扬眉视之，辄惧而趋避，非复召不敢见也。②

而《新五代史》也记载："德光事其母甚谨，常侍立其侧，国事必告而后行。"③ 这种沉重的政治压力，其实还伴随着更为神秘的宗教的重压。史称，耶律德光安葬阿保机后，又建"明殿"，作为继续奉侍阿保机的主要场所。

> 明殿，若中国陵寝下官之制，其国君死，葬，即于其墓侧起屋，谓之明殿，置官属职司，岁时奉表起居如事生，置明殿学士一人掌答书诏，每国有大庆吊，学士以先君之命为书以赐国君，其书常曰报儿皇帝云④。

即使在阿保机死后，耶律德光也仍然要像阿保机活着时那样来奉侍他，这是由契丹社会普遍盛行的宗教信仰心理以及阿保机时期极力对自己的神化所造成的直接结果。但是，耶律德光也从中获得了许多的政治领悟。

据《辽史》记载，太宗即位之后，有关其个人的"神话"也应运而生。如《辽史》记载：

> 唐天复二年生，神光异常，猎者获白鹿、白鹰，人以为瑞⑤。

---

① 《辽史》卷37《地理志一·上京临潢府》，中华书局1974年版，第440页。
② 《资治通鉴》卷274《后唐纪三》，明宗天成元年九月条，中华书局1974年版，第8993页。
③ 《新五代史》卷72《四裔附录第一·契丹》，中华书局1974年版，第892页。
④ 《新五代史》卷72《四裔附录第一·契丹》，中华书局1974年版，第898页。
⑤ 《辽史》卷3《太宗纪上》，中华书局1974年版，第27页。

但此事，据《地理志》记载，则更为详细，如降圣州：

> 太祖春月行帐多驻此。应天皇后梦神人金冠素服，执兵仗，貌甚丰美，异兽十二随之。中有黑兔跃入后怀，因而有娠，遂生太宗。时黑云覆帐，火光照室，有声如雷，诸部异之。穆宗建州。四面各三十里，禁樵采放牧①。

这则"神话"的出现，无非是为耶律德光继承"国家大统"制造舆论，其始作俑者就是辽太宗的母亲应天皇太后述律平及其追随者，故太宗尊号为"嗣圣皇帝"，所谓"嗣圣"者，即能够继承圣人（太祖大圣皇帝）业绩者也，同样是以圣人的资格来继承先圣的事业之意思；毫无疑问，这个神话直接来源于应天皇太后述律平的编造。

因此，辽太宗即位之后，先是修建太祖陵庙，置明殿以供请示和拜谒，作天膳堂以供岁时祭祀，将辽太祖直接作为神人来奉侍，目的无非在于加强耶律氏家族的永久统治权。同时，作为对于母亲的回报，辽太宗于天显三年（928 年）八月庚辰，

> 诏建应天皇太后诞圣碑于仪坤州②。

使应天皇太后无疑也具有了同辽太祖一样的"天赋神权"的基本特征。同年九月，又制定：

> 皇太后生日为永宁节③。

天显五年（930 年）八月丁酉，

---

① 《辽史》卷37《地理志一·降圣州》，中华书局1974年版，第447页。
② 《辽史》卷3《太宗纪上》，中华书局1974年版，第29页。
③ 《辽史》卷3《太宗纪上》，中华书局1974年版，第29页。

> 以大圣皇帝、皇后宴寝之所号日月宫，因建日月碑①。

将母亲的地位推崇到了无以复加的程度。但辽太宗仍然没有忘记颂扬太祖创建国家的丰功伟绩，天显五年（930 年）十月癸卯

> 建太祖圣功碑于如迁正集会埚②。

这里记载的"如迁正集会埚"，即龙化州之地，是 907 年辽太祖宣布即契丹可汗位并隆重举行即位典礼的场所；在这里树立一座颂扬辽太祖功德的丰碑，无疑是最佳的选择。然后，辽太宗又诏令大臣、学士等编写《始祖奇首可汗事迹》，隆重弘扬契丹人及其皇室家族的高贵身份和崇高地位。

其实，归根结底，耶律德光所采取的这一系列措施，目的都是为了弘扬耶律氏家族统治的"天赋神权"的基本特征，借以巩固刚刚继承下来的契丹政权的平稳发展。这些，说明当辽太宗即位之后，仍然延续了太祖时期极力神化皇权的基本途径与基本方法。

三、民族本位政策的形成

关于太祖时期对于中原地区的基本方针，概括地说，可以归纳为掠夺战争。这一点，在当时的历史记录中留下了明显的证据。史称，辽太祖时期，

> 吴主李升献猛火油，以水沃之愈炽。太祖选三万骑以攻幽州。后曰："岂有试油而攻人国者？"指帐前树曰："无皮可以生乎？"太祖曰："不可。"后曰："幽州之有土有民，亦犹是耳。吾以三千骑掠其四野，不过数年，因而归我矣，何必为此？万一不胜，为中国笑，吾部落不亦解体乎！"③

---

① 《辽史》卷 3《太宗纪上》，中华书局 1974 年版，第 32 页。
② 《辽史》卷 32《太宗纪上》，中华书局 1974 年版，第 32 页。
③ 《辽史》卷 71《后妃传·太祖淳钦皇后述律氏》，中华书局 1974 年版，第 1200 页。

这段史料，可以提供给后人的认识，主要有以下几点：第一，辽太祖集中大军攻伐幽州，遭到应天皇太后的反对，她主张采取小规模不断掠夺的战争形式；第二，大规模的攻伐战争具有明显的占领企图，而小规模的掠夺战争只能是为了满足目前利益的战争方式；第三，辽太祖时期修筑的大批草原城市，就是更多地依赖掠夺战争的直接结果。同时，在中原地区留下来的相同时期的历史记录中，也充分表明了应天皇太后述律氏的战争观点及其态度，以及对于辽太祖时期战略实施干预的程度，史称：

> 庄宗讨张文礼，围镇州。定州王处直惧镇且亡，晋兵必并击己，遣其子郁说契丹，使入塞以牵晋兵。郁谓阿保机曰："臣父处直使布愚款曰：故赵王王镕，王赵六世，镇州金城汤池，金帛山积，燕姬赵女，罗绮盈廷。张文礼得之而为晋所攻，惧死不暇，故皆留以待皇帝。"阿保机大喜。其妻述律不肯，曰："我有羊马之富，西楼足以娱乐，今舍此而远赴人之急，我闻晋兵强天下，且战有胜败，后悔何追？"阿保机跃然曰："张文礼有金玉百万，留待皇后，可共取之。"于是空国入寇①。

这些记载，充分说明应天皇后的战争观念及其态度，代表了太祖时期对中原战争的主要形式和基本内容。那么，应天皇太后"临朝称制"阶段以及太宗在位时期，她的观点是否仍然主宰着契丹政权与中原地区战争策略的基本方向呢？回答是肯定的。

928 年 3 月，定州王都遭到后唐政权的进攻，于是，王都以献纳定州为条件，乞求契丹政权的援助。辽太宗遂派出大将铁刺（即秃馁）率兵援助；4 月，铁刺与后唐军队会战定州城下，不胜，退保定州城，并请求增加军队援助。辽太宗又派遣惕隐涅里衮、都统查刺率军增援，后唐政权采取"围点打援"的战略，一举歼灭涅里衮等率领的生力军，转而回攻定州城，尽俘铁刺等契丹兵将，全部占领定州，取得了中原与契丹交战以来的决定性胜利；史称"契丹从此不敢窥边"。

其实，定州之战的历史意义，不仅奠定了接近十年的边疆稳定状况，重

---

① 《新五代史》卷 72《四裔附录第一》，中华书局 1974 年版，第 888 页。

要的是在这种双方相安无事的稳定状况的背后，还隐含着契丹政权内部的主观态度的决定性因素。史称，定州之战的失利，使辽太宗不得不公开承认了自己的"错误"："上以出师非时，甚悔之。"① 辽太宗"悔"从何来？大约就来自于应天皇太后的教诲吧！而史料中也记载，辽太宗欲亲自讨伐后唐以复仇，契丹大臣皆曰："未可轻举"②；这些大臣已经是清一色的应天皇太后派系的成员，他们的意见也正是应天皇太后本人的意见；他们反对与后唐直接争夺地域的战争，而辽太宗的争夺又失利了，面对这样的局面能不表示"愧悔"以谢群臣吗？

那么，应天皇太后等人所主张的战争形式如何呢？这就是掠夺战争。定州之战以后，契丹政权对外发动的战争并没有停止，只不过是战争的内容就是掠夺而已。如：天显三年（928 年）五月，"命林牙突吕不讨乌古部"，"九月己卯，突吕不遣人献讨乌古俘。癸未，诏分赐群臣"③；十二月，诏令迁徙东丹国民于东平郡安置，同时允许契丹富民对那些贫穷不能自迁的渤海人口予以接济，并由此作为契丹富民的属民，即允许契丹贵族公开掠夺渤海人口；天显四年六月，"突吕不献乌古俘"，诏分赐将士；天显五年（930年）二月，"以先所俘渤海户赐李胡"④，等等。天显十一年（936 年）以前，辽太宗时期的对外战争仍然延续了太祖时期的掠夺方式，并且将战争所获的人口与财物等在贵族首领中实行不平均的分配，过分地彰显着契丹社会突出的私有特征。这些说明，应天皇太后为首的契丹老臣集团，并不看重契丹政权的如何发展，他们所看重的就是保持原有统治方式，维护既得利益阶层的根本权力，注重本身而不及其他，只要保持契丹部落本身对于周围地区的绝对优势就可以了，这是一种明显的"民族本位政策"，应天皇太后所力图保持的就是这样一种维护契丹人对于周边其他民族的剥削和压迫。

因此，在天显年间（926—937 年）这个历史时期内，辽太宗本人主要趋奉着母亲应天皇太后的意志，同时，遣使后唐政权并致书人皇王耶律倍，

---

① 《辽史》卷 3《太宗纪上》，中华书局 1974 年版，第 29 页。
② 《辽史》卷 3《太宗纪上》，中华书局 1974 年版，第 29 页。
③ 《辽史》卷 3《太宗纪上》，中华书局 1974 年版，第 29 页。
④ 《辽史》卷 3《太宗纪上》，中华书局 1974 年版，第 31 页。

主动消弭兄弟之间的裂隙，努力排除当时存在的一切矛盾。

第三节　辽太宗朝政治分治局面的形成

一、辽太宗朝施政方针的基本转换

辽太祖创立的契丹专制政权，虽然已经修筑了数目众多的城市，用以安置汉族等农耕人口，使农业经济逐渐立足于契丹本土之中，但是，契丹政权的体制建设却依然没有完全脱离"行国政治"的基本框架及其束缚。综观太祖朝时期，那种随事置官、因俗而治的特征依然十分明显，还没有形成或者建立起一套完整、系统、有效的政治统治体系。辽太宗即位后，仍然继承了太祖朝政治发展的余绪，尤其是应天皇太后对于契丹政权体制建设方面的过多干预，使得契丹君主专制政权几乎在天显年间（926—937 年）没有取得明显的进步，其统治体系仍然维持着原来行朝政治的基本特色。但是，辽太宗朝初期的具体行政措施中，毕竟也显露出了一些明显不同于太祖朝时期的政治新气象，例如天显六年（931 年）四月，太宗宣布"置中台省于南京"，标志着东丹国等藩封势力正在被逐渐地削除；同年九月，又"诏修京城"，对已有的皇都进行全面的扩建和重新改造①，标志着契丹君主专制政权已经开始进行部分有序的调整和维修。此时，契丹君主专制政权已经先后与后唐及江南吴越、东南高丽等周边政权建立起密切的经济贸易联系，经贸往来，关系不断，也程度不同地带动双方之间政治、文化领域的相互交流。同时，继续坚持军事征服策略，北服乌古诸部，西征党项、吐谷浑诸蕃，使契丹军政势力深入至今高加索地区的辖戛斯和阿尔泰山以西的阿萨兰回鹘等地；对于中原地区的军政策略，基本采取了主动罢战息兵的方针，积极恢复燕云地区的农、牧业生产，使契丹政权呈现出了繁荣、稳定的发展局面。

虽然，辽太宗天显三年采取的经营定州军事战略失败后，不得不接受来自于应天皇太后为首的契丹"老臣"集团的"教诲"，不得不将对外战争的

---

① 《辽史》卷 3《太宗纪上》，中华书局 1974 年版，第 32 页。

主要形式重新转换为掠夺战争的固有方式，但是，辽太宗朝积极地谋划与争夺幽燕地区、积极扩充国家版图的雄心并未因此而止息。

天显九年（934 年）四月，随着后唐政权内部宫廷政变的发生，已经留居于洛阳城内五六年之久的人皇王耶律倍（改名李赞华），此时也主动传书于契丹国内，并建议辽太宗趁机整军南伐①，完成太祖时期占领中原的政治构想；太宗闻讯之后，立即于当年九月，调集起各地契丹军队向后唐控制的山西北部发动进攻；同年十二月，辽太宗亲自率领契丹军队驻跸于百湖（今内蒙古自治区乌兰察布市之灰腾梁，又名九十九泉）地区，继续征调各地骑兵，准备利用冬末春初之际大举南伐中原。次年（935 年）正月，因为皇后萧氏产后病殁和大臣谋叛事件②，契丹贵族之间又谣言四起，纷纷建言太宗不宜南伐，应天皇太后也更是旗帜鲜明地阻止辽太宗的南伐行动。太宗被迫取消南伐的军事行动，一方面颁布诏令宣告国舅部落获得"升帐"的资格、成为与皇族部落地位基本平等的新的特权集团，并追谥已逝的皇后为"彰德皇后"、坟墓曰"奉陵"，给足了以应天皇太后为首的契丹后族的面子与荣耀；可以说是以褒崇后族的态度，换取了统治集团内部的暂时安定。另一方面辽太宗仍然派出少数的亲信将领积极地"捉生于敌境"，窥伺动静，以敏锐的政治嗅觉，积极侦伺后唐政局的发展情况。

天显十一年（936 年）四月，幽州降户向朝廷报告后唐政局状况；七月，

> 唐河东节度使石敬瑭为其主所讨，遣赵莹因西南路招讨卢不姑求救，上白太后曰："李从珂弑君自立，神人共怒，宜行天讨。"时赵德钧亦遣使至，河东复遣桑维翰来告急，遂许兴师③。

这段史料记述的"遂许兴师"的人，正是应天皇太后；史料中的"西南路

---

①《辽史》卷 3《太宗纪上》，中华书局 1974 年版，第 36 页。

②《辽史》卷 3《太宗纪上》，天显十年二月辛巳，"宰相涅里衮谋南奔，事觉，执之"。中华书局 1974 年版，第 36 页。

③《辽史》卷 3《太宗纪上》，中华书局 1974 年版，第 38 页。

招讨卢不姑",即《辽史》有传的耶律鲁不古,"卢不姑"与"鲁不古"乃同名异译,用字不同而已;据其本传记载:

> 耶律鲁不古,字信宁,太祖从侄也。……为西南边大详稳,从伐党项有功。会河东节度使石敬瑭为其主所讨,遣人求援,鲁不古导送于朝,如其请。帝亲率师往援①。

鲁不古传记资料,印证了石敬瑭派遣使节求救的事实。但是,辽太宗发兵的具体过程,却正如前面史料显示的那样,并非一帆风顺,而是经历了一段曲折的过程;这一点,在现有史料记录中有着明确的证据,如《新五代史》记载:

> 德光事其母甚谨,常侍立其侧,国事必告而后行。石敬瑭反,唐遣张敬达等讨之。敬瑭遣使求救于德光。德光白其母曰:"吾尝梦石郎召我,而使者果至,岂非天耶!"母召胡巫问吉凶,巫言吉,乃许②。

这里说经过应天皇太后"允许",辽太宗才能发兵援助石敬瑭,但由契丹巫觋阶层占卜吉凶的叙述则略显简单;此事,《契丹国志》中则有详细记录:

> 《纪异录》曰:契丹主德光尝昼寝,梦一神人,花冠,美姿容,韬鞲甚盛,忽自天而下,衣白衣,佩金带,执骨朵,有异兽十二随其后,内一黑兔入德光怀而失之。神人语德光曰:"石郎使人唤汝,汝须去。"觉,告其母,忽之不以为异。后复梦,即前神人也,衣冠仪貌,宛然如故,曰:"石郎已使人来唤汝。"即觉而惊,复以告母,母曰:"可命筮之。"乃召胡巫筮,言:"太祖从西楼来,言中国将立天王,要你为助,你须去。"未浃旬,唐石敬瑭反于河东,……许割燕云,求兵为援。契

---

① 《辽史》卷76《耶律鲁不古传》,中华书局1974年版,第1246—1247页。
② 《新五代史》卷72《四裔附录第一》,中华书局1974年版,第892页。

丹帝曰："我非为石郎兴师，乃奉天地敕使也。"……后至幽州城中，见大悲菩萨佛像，惊告其母曰："此即向来梦中神人！冠冕如故，但颜色不同耳。"因立祠木叶山，名菩萨堂①。

这则记事，虽然出自五代宋初的笔记杂谈，但其历史真实性则不容否定。耶律德光反复请求皇太后允准帮助石敬瑭灭亡后唐的事实，在《辽史》及新、旧五代史的记载中都过于简略，但可以同《纪异录》的记载相互印证和补充。《纪异录》叙述耶律德光的请求方式，不是直接"请示"而是借助"天神"的力量，来达到自己的目的。其中有两点值得注意：第一，德光梦里与神相会，反复数次才被皇太后允准，并召巫觋之人来占卜吉凶。第二，德光梦里的神仙幻境，竟然与前面引述的应天皇太后制造的太宗降生神话，不约而同；这是巧合，还是以其人之道还治其人之身？颇堪玩味。

总之，太宗采用接近"神话"的方式，达到发兵中原的目的，并且始终声称这是遵奉"天地敕令"的结果，将自己的意志伪装成天地神祇的安排，利用千回百转的政治手段达到经略中原的基本目标。这既是当时君命不能畅达的直接表现，也是契丹经营中原战略一直受到元老旧臣反对的直接体现。究其原因，就在于应天皇太后对国家政治权力的实际控制能力。

二、获得燕云十六州　容纳中原封建体制

历史的发展往往存在着一些无法解释的历史现象，就像辽太宗时期的契丹政权那样，由于应天皇太后述律平的"临朝称制"，不仅使次子耶律德光顺利地成为辽太祖的正式继承人，以"神圣皇帝的神圣继承者"（嗣圣皇帝）的身份，成为契丹部落社会至高无上的统治者；也使这个年仅 26 岁的年轻皇帝，从此置于应天皇太后的全面监护与掌控之中，契丹政权的任何事务都必须得到应天皇太后的允准才能实行；而以应天皇太后为首的契丹元老旧臣们则已经仅仅满足于过去那种掠夺的战争形式，他们沉湎于攻城略地后那种面对种种巨大利益的恣意享用之中，而基本丧失了那种原本具有的积极

---

① 叶隆礼：《契丹国志》卷 2《太宗皇帝》，贾敬颜、林荣贵点校，上海古籍出版社 1985 年版，第 13 页。

进取态度。在这些重重的政治干扰与阻力之下，也已经几乎隔断了这位年轻皇帝的任何作为与创建功业的种种想法及其途径。但是，历史就在此时此际开了一个巨大的玩笑，936 年，年仅 35 岁的耶律德光居然凭借着临时一念的"懵人神话"，达到了自己经营中原的基本目的，并在当年就顺利地帮助石敬瑭取代后唐建立后晋政权，同时，以"大国之君"的尊严，与石敬瑭相见于太原城北，册立石敬瑭为"大晋皇帝"，并对石敬瑭完整地道出自己所以助其灭唐的基本原则和政治立场，史称：

> 上从容语之曰："吾三千里举兵而来，一战而胜，殆天意也。观汝雄伟弘大，宜受兹南土，世为我藩辅。"[1]

凭着自己的劳顿达到后晋成为契丹藩辅的目的，这既是天意也符合人愿！接着，辽太宗又指挥契丹骑兵，全歼围攻石敬瑭的后唐军队主力于太原城南，并迫降来援唐军的幽州节度使赵德钧部于潞州郊外，轻易地便获得了梦寐以求的幽州城；于是，与后晋石敬瑭政权相约为父子之国，石敬瑭为"儿皇帝""父事"契丹政权，每年还要向契丹政权缴纳岁贡银、绢计 30 万两（匹），并割让燕云十六州之地予契丹，作为太宗出兵相助的报答。

所谓"燕云十六州"，即指当时分别隶属幽州节度使与云州节度使的十六个行政州军，即幽州（今北京市）、蓟州（今天津市蓟县）、瀛州（今河北省河间县）、莫州（今河北省任丘县）、涿州（今河北省涿州市）、檀州（今北京市密云县）、顺州（今北京市顺义县）、妫州（今河北省怀来县）、儒州（今北京市延庆县）、新州（今河北省涿鹿县）、武州（今河北省张家口市宣化）、云州（今山西省大同市）、应州（今山西省应县）、朔州（今山西省朔州市）、寰州（今山西省朔县马邑）、蔚州（今河北省蔚县），其范围包括了今北京、天津及河北、山西两省的部分地区。此外，在此之前，契丹政权已经完全夺取了唐末东北地区的营（今辽宁省朝阳市）、平（今河北省卢龙县）二州之地以及唐朝政权设置于漠南地区的丰州、天德军等数座州军城池，使得东起今北京白沟河西至太行山北端今恒山山脉以北地区，统

---

[1] 《辽史》卷 3 《太宗纪上》，中华书局 1974 年版，第 39 页。

统纳入契丹政权的版图之内。

938 年，后晋政权派遣冯道、刘煦、赵莹等人分别为太宗、应天太后的册礼使与奉献户口图籍使，以幽、蓟、瀛、莫、涿、檀、顺、妫、儒、新、武、云、应、朔、寰、蔚等十六州土地、人口、图籍并其原有一切军政管理组织系统等丝毫不变地献给了契丹政权。因此，辽太宗就如何管理中原土地和汉族人口等问题，也迅速果断地作出决定，即宣布更名皇都为上京临潢府，升幽州为南京幽都府，更名原南京东平郡为东京辽阳府，并重新改定原来燕云十六州中部分州县的名称，如新州更名为奉圣州、武州更名为归化州等；宣布在燕云十六州地区保留一切原有的社会组织、制度不变，继续沿用中原固有的管理组织方式，等等；明确规定了燕云十六州地区采取与契丹等游牧民族不同的管理方式，实行不同区域内的民族分别管理政策（即分治政策的具体体现），将辽太祖时期确定的"因俗而治"政策的统治特点，演绎至契丹政治体制建设的极致，发挥了特殊的历史作用，从而确定了契丹辽朝政权体制建设的基本框架和主要特征。

燕云十六州的归属，不仅使契丹版图内从此拥有大片的农耕区域，也在契丹政治体制中融入了相对完整的中原封建政治制度的基本内容，而且，也同时影响着契丹部落社会政治体制建设的继续发展。据《辽史》记载，燕云十六州之地割属契丹政权后，太宗于会同元年（938 年）十一月宣布：

> 升北、南二院及乙室夷离董为王，以主簿为令，令为刺史，刺史为节度使，二部梯里己为司徒，达刺干为副使，麻都不为县令，县达拉干为马步。置宣徽、阁门使，控鹤、客省、御史大夫、中丞、侍御、判官、文班牙署、诸宫院世烛，马群、遥辇世烛。南北府、国舅帐郎君官为敞史，诸部宰相、节度使帐为司空，二室韦罔林为仆射，鹰坊、监冶等局官长为详稳[1]。

这段记录，可以视为辽太宗全面实行契丹官制改革的正式诏令，它包括了两

---

[1] 《辽史》卷 4《太宗纪下》，中华书局 1974 年版，第 45 页。其实，这已经是一件残缺不全的官号改制令，残破的原因恐怕还是后人修史所致。

方面的基本内容，即普遍确立的中原封建体制和部分实行改造的契丹固有官员制度。其中，将原有的契丹语官吏称号，部分地改变为汉语官号，标志着中原封建体制不仅在契丹政权内部被容纳，而且还在以一种崭新面目时时刻刻地濡染和影响着契丹体制建设的继续发展。

三、"政治分治"局面的形成

927 年 11 月壬戌日，年仅 26 岁的耶律德光在母亲应天皇后的辅佐下登上契丹皇位，是为辽太宗，并依照契丹传统习俗举行了盛大的即位典礼——柴册仪，地点就在太祖陵园；辽太宗被契丹群臣尊奉为"嗣圣皇帝"，他又尊奉母亲为"应天皇太后"；十二月丁未，年轻的太宗皇帝诏令于遥辇氏九帐中，选择优秀子弟委任官职。似乎契丹国家的一切事务都在新君即位后，在应天皇太后的具体安排和意料之中顺利地进行。

但是，辽太宗即位之后，并没有像应天皇太后所期望的那样成为一位甘于接受"母教治国"的新皇帝，相反地，太宗也在不断地尝试在母亲权力控制的缝隙中一露头角、展示自己的治国能力。应当说，以应天皇太后为首的契丹老臣集团们主要实行的政策，就是"契丹本位政策"，对外满足于掠夺战争的巨大收获，对内则注重于契丹社会自身的安定与繁荣。因此，太祖时期制定的"因俗而治"的统治形式，主要是针对契丹与奚族以及皇族与后族、遥辇氏之间的政治关系；至于已经融入契丹社会的汉族、渤海等民族人口，还仅是微不足道的、势力寡弱的政治力量，对于已经建立的契丹专制政权还无法发挥举足轻重的作用；因此，契丹老臣集团也正是满足于这样的一种历史现实，他们安于现状而不思进取。

虽然，人皇王耶律倍因为学习和推崇中原政治礼仪的基本精神，而引起母亲应天皇太后"惧其效汉人而怯懦"，并因此遭到以母亲为首的老臣集团的反对，彻底否定了人皇王作为太祖第一继承人的基本资格，导致人皇王背井离乡、流落后唐政权；但是，作为应天皇太后等老臣集团基本肯定的辽太宗耶律德光，也并没有像应天皇太后等所期望的那样完全拒绝汉文化，而是在即位之后，也像他的长兄耶律倍那样成为了一位积极模仿和推行"汉法"的践行者，这也是应天皇太后等所始料不及的历史事实。

928 年 3 月，后唐定州义武军节度使王都投降契丹，招致了后唐军队的严厉讨伐，王都请求契丹援助，应天皇太后等虽然不同意经略定州地区，但太宗皇帝则坚持援助定州的方针，命令管理奚族军事事务的秃里官耶律铁剌（中原史料称其官号，译为"秃馁"）率军救援，先胜后败，最终退守定州城内；于是，太宗又派惕隐涅里衮、都统查剌率军救援，结果，又被后唐军队歼灭，定州陷落，铁剌战死，涅里衮、查剌等大批将士被俘，后唐对涅里衮等赐名授官、纳入侍卫，统称"银鞍契丹直"，却将铁剌等处死，借此分化瓦解契丹政权。定州失利，太宗"以出师非时，甚悔之"，可以肯定的是，太宗"悔罪"不是对国人而是对母亲的忏悔。于是，建立应天皇太后诞圣碑于仪坤州，宣布皇太后生日为永宁节，说明定州战争的影响使应天皇太后的权威不断加强。直到天显七年（932 年）十二月，太宗命令"以叛人泥里衮家口分赐群臣"①。这个"泥里衮"正是那个在 928 年被后唐政权所俘虏的"惕隐涅里衮"；四五年之后，才开始追究涅里衮等人定州失利的具体责任，应当是与辽太宗朝政治形势的发展密切相关，说明当时前后政治局面所存在的真实反差。

928 年年底，辽太宗将渤海国迁徙到东平郡，升东平郡为南京（今辽宁省辽阳市），对东丹国采取严厉的削藩政策，则得到母亲应天皇太后的支持；930 年，册立皇弟李胡为寿昌皇太弟、兼天下兵马大元帅，确立李胡为自己的皇位继承人，也是由应天皇太后授意实行的；于是，人皇王耶律倍泛海归降后唐政权，但辽太宗仍然委命人皇王妃萧氏统领渤海国僚属。此间，契丹政权对周围党项、室韦部落进行大规模的征伐，而与中原割据政权则基本息战罢兵，维持和平。

936 年，后唐太原节度使石敬瑭谋叛，派遣赵莹向契丹西南面招讨使请求援助，并允诺事成之后，割让燕云十六州予契丹，另岁贡银绢 30 万两、匹，辽太宗闻讯即准备起兵，重新经略中原；但此事，又遭到应天皇太后为首的老臣集团的坚决否定。于是，太宗以两番梦见神人传语为借口，打动应天皇太后，并在太后建议下一起召集巫师解答梦境，然后决定是否出兵应援。结果，巫师认为：这是辽太祖本人专门从西楼那里来，让太宗去救助石敬瑭，这是以太祖的身份专门下达的"上天的旨意"。因此，辽太宗耶律德

---

① 《辽史》卷 3 《太宗纪上》，中华书局 1974 年版，第 34 页。

光便以"天意"为名，召集兵马，大举应援，一举消灭后唐主力于太原城下，又趁势迫降幽州军队于潞州郊外，首先夺取梦寐以求的幽州城，并以"上国"皇帝身份册立石敬瑭为大晋皇帝、与契丹结为父子之国，使五代后晋政权成为接受契丹调遣的附庸。938 年，后晋正式将十六州之地完全割让契丹政权，并遣使以中原礼节遵奉耶律德光为"睿文神武法天启运明德章信至道广敬昭孝嗣圣皇帝"，耶律德光于是改年号为会同元年、国号为大辽，宣布以皇都为上京临潢府，升幽州为南京幽都府，改原南京东平郡为东京辽阳府，并重新确立契丹辽朝官制，废除部分契丹语官号，参考或采用中原官称，同时规定契丹君臣的朝拜礼仪等等。可以说，契丹政权的这次历史性变革，与耶律德光援晋灭唐战争的全面胜利有着不可分割的密切联系；巨大的成功和丰厚的利益，使得应天皇太后再也不能像呵护小孩子那样过分地干涉朝廷的行事，辽太宗具有了比以前明显增大的权力优势。援助后晋战争的成功，使燕云十六州地区即今燕山以南、太行山以北恒山周围地带完整纳入契丹版图，彻底地改变了契丹政权的基本面貌，从而使得契丹政治体制建设呈现出明显不同于辽太祖时期的新内容，这就是曾经深受人皇王耶律倍喜爱与崇尚的中原"汉法"即封建体制。

但是，必须了解契丹政治体制建设曲折与复杂的演变、发展过程，也必须看到辽太宗时期"契丹本位"政策的顽固存在，这也正是当时历史发展的基本特点。譬如，史料记载："诏契丹人授汉官者从汉仪，听与汉人婚姻。"[1] 这里所说的"契丹人授汉官者"，即直接担任中原官职的契丹人官吏，或者直接行用中原封建制度对农耕人口进行管理的契丹人等，允许他们采用中原礼仪参与朝廷参拜，并允许其与汉族通婚；但此诏令的言外之意，就是没有担任中原体制官吏或直接管理汉族人口的契丹人等，则只能使用契丹礼仪参拜，并不允许他们与汉族通婚。这就是说，耶律德光虽然将国号由契丹改称"大辽"，把原来以族名行用的国号更改为一个意义更为宽泛、也能容纳更多民族的新国号，但是，在国家政治体制建设方面并没有形成一个能够同时适应多民族的统一政权的新秩序。所谓"汉仪"与"契丹仪"的同时行用，标志着契丹政治体制建设形成中原制度与契丹制度兼而有之的

---

① 《辽史》卷 4《太宗纪下》，中华书局 1974 年版，第 49 页。

"新秩序"，这个"新秩序"其实就是农耕体制与游牧体制同时并存，也就是中原封建制度与草原行朝政治同时并存的复杂局面。这也说明辽太宗后期的政治体制建设的基本特点，就是采用中原封建模式与契丹传统管理办法同时并行、南北两套政治体系兼而有之的独特的政治统治方式。那么，这种统治方式是如何形成，或者说当时为什么没有形成一个南北民族完全整合、统一的政治结构呢？这些，归根结底，还要追溯到应天皇太后的身上。

据《辽史》《仪卫志》记载："辽国自太宗入晋之后，皇帝与南班汉官用汉服，太后与北班契丹臣僚用国服。"① 这里"太宗入晋"应是指"立晋"而言，因为，太宗入晋之后，再没有机会与太后同朝临政，就病死途中；说明辽朝官吏分为南、北两班，应该是在契丹政权获得燕云十六州后即实行的官制改革。此事，据《百官志》记载："太祖神册六年，诏正班爵。至于太宗，兼制中国，官分南北，以国制治契丹，以汉制待汉人。"又谓："初，太祖分迭剌夷离堇为北、南二大王，谓之北、南院。宰相、枢密、宣徽、林牙，下至郎君、护卫，皆分北、南，其实所治皆北面之事。"② 也就是说，在契丹人的传统管理体制中"官分南北"本有渊源，因此，辽朝职官制度的南、北划分也与契丹人的固有传统相关；但是，辽朝的南北面官制度确切地说，它肇始于太祖朝对传统的沿袭，成型于太宗朝燕云十六州的完全归属。而上引史料中说："皇帝与南班汉官用汉服，太后与北班契丹臣僚用国服。"既是一种政治体制的象征，也同时是一种政治权力的区分。辽太宗借用"天神的旨意"不仅达到用兵中原的基本目的，还将幽州大悲菩萨佛像迁移木叶山"奉为家神"，即以太祖为象征的祖先神和以大悲菩萨佛像为象征的契丹天神的完整结合，既明确了契丹天神的存在及其表现方式，也同时把与契丹天神直接沟通的权利紧紧地掌握在自己手里。其实，仔细玩味这段历史事实，完全可以体会到这正是辽太宗利用"神的旨意"达到约束与遏制应天皇太后为首的契丹老臣集团的一个政治手段。因此，用兵中原的巨大成功，使辽太宗获得契丹社会的普遍拥戴；而能够与天神直接沟通的能力，无疑又使辽太宗获得了契丹社会的普遍崇敬。这些，也正是辽太宗能够

---

① 《辽史》卷55《仪卫志一》，中华书局1974年版，第900页。
② 《辽史》卷45《百官志一·序》，中华书局1974年版，第685—686页。

在朝堂之上与母亲平分秋色的主要依恃和力量来源。这就是为什么会在会同年间形成太宗率领汉官集团，而应天皇太后仅仅率领契丹臣僚集团的基本缘故。

辽太宗用兵中原的巨大成功，并没有因此改变应天皇太后坚持民族本位政策的基本立场，她只是承认了太宗及其大臣集团经营中原的既得成果，但她也丝毫没有表现出欲染指这些成果的兴趣，应天皇太后还是比较顽固地坚持着她的"契丹本位"的基本态度。所以，契丹部落及其管理方式等是否改革，还仍然要取决于应天皇太后的态度能否转变；历史给出的具体答案，就是应天皇太后对于太宗等夺取与获得的汉地、汉制与汉人等，没有任何的政治兴趣。

这样，就完全可以明白：辽太宗与应天皇太后所分别代表的中原政治体制和契丹政治体制实施"分治"的开始阶段，正是燕云十六州完全归属契丹政权的那一历史时刻；这种分别代表中原与契丹政治文化的历史现象，标志着契丹辽朝政治"分治"形式的基本确立，这也就奠定了以后契丹辽朝始终兼有南、北两套行政体制的基本框架。

第四节　耶律德光时期内蒙古地区军政实力的发展

一、辽朝的"上京道"

辽太宗即位之后的天显年间（926—937 年），在今内蒙古地区的统治方式，完全沿用与继承了太祖时期的基本形态，即沿用中原地区故有的羁縻州组织形式，直到会同元年（938 年），随着燕云十六州的完全归属，契丹辽朝在今内蒙古地区的统治形式，也发生了很大的改变。辽太宗时期已经基本明确今内蒙古地区就是契丹辽朝统治的核心地域。938 年，辽太宗将幽州城更名为南京幽都府，升原来契丹皇都城为上京临潢府，改原南京城为东京辽阳府；于是，契丹辽朝地方行政区划就形成以三京三府为核心的地方行政组织结构，这就是上京道、东京道和南京道的基本组织形态。

辽朝的上京道，基本囊括了今内蒙古赤峰市北部西拉木伦河南北两岸的翁牛特旗、林西县、克什克腾旗、巴林左旗、巴林右旗及阿鲁科尔沁旗以及今锡林郭勒盟东南部正镶白旗、正蓝旗、太仆寺旗、多伦县及东北部的阿巴哈纳尔旗、西乌珠穆沁旗、东乌珠穆沁旗以及今通辽市扎鲁特旗、开鲁县等地，并由此向东直到泰州城（今黑龙江省泰来县塔子城遗址），而其政治势力及其影响已经远远超越了这个基本区域，西至阿尔泰山、北至杭爱山附近、东到克鲁伦河以北及贝加尔湖流域，基本都在辽朝政治影响的完全覆盖之下。辽朝的上京道，事实上已经成为契丹辽朝统治的基础与核心所在，是三京道之中的重中之重。在上京道的基本管辖范围之内，除了新建的州县之外，还存在着一些势力较大的民族部落，例如：今内蒙古锡林郭勒草原及赤峰市克什克腾旗北部存在着一个相对自治的黑车子部落集团（后被辽朝组建为黑车子大王府），在今内蒙古呼伦贝尔草原还存在着两支势力比较强大的室韦—鞑靼部落集团即乌古、敌烈部落（后被辽朝设立乌古敌烈统军司），在今内蒙古西部阴山山脉西部还存在着一支夹山党项部落以及吐谷浑部落、阴山北部存在着阴山室韦，等等。因此，上京道实际成为契丹辽朝政权统治的心脏地带，是契丹辽朝名副其实的统治腹地。那么，辽太宗时期对上京道的统治措施究竟如何？

根据《辽史》记载，会同元年（938年）宣布升南、北二院部及乙室部夷离堇为大王，置大王府，其实，这不仅是一次有意识的契丹官制改革，同时，也是一次有意识实行的契丹部落驻防区域（即驻牧地）的调整。史称：

> 五院部……曰迭剌部。传至太祖，以夷离堇即位。天赞元年，以强大难制，析五石烈为五院，六爪为六院，各置夷离堇。会同元年，更夷离堇为大王。部隶北府，以镇南境。大王及都监春夏居五院部之侧，秋冬居羊门甸。
>
> 六院部。隶北府，以镇南境。其大王及都监春夏居泰德泉之北，秋冬居独卢金。
>
> 乙室部……会同二年［二年乃元年之误］，更夷离堇为大王。隶南府，其大王及都监镇驻西南之境，司徒居鸳鸯泊，闸撒狨居车轴山①。

---

① 《辽史》卷33《营卫志下·部族下》，中华书局1974年版，第384—385页。

这里记载的五院部、六院部及乙室部的驻牧范围，均以镇防南境为主要责任，如五院部驻防于南京幽都府北部，即今锡林郭勒草原及河北省北部一带；六院部则驻防于今赤峰市西部及古北口外、今河北省承德地区。这样的一种驻防形式，绝不是辽太祖阿保机时期所能够落实的，只能是在契丹辽朝完全获得燕云十六州地区之后，才能采取的有效布防局面；同时，《辽史》中也留下了一些调整部落驻防区域的历史记载，如会同二年十月：

> 上以乌古部水草肥美，诏北、南院徙三石烈户居之①。

此事，据《食货志》记载：

> 以乌古之地水草丰美，命瓯昆石烈居之，益以海勒水之善地为农田。三年，诏以谐里河、胪朐河近地，赐南院欧董突吕、乙斯勃、北院温纳河剌三石烈人，以事耕种②。

其中，"瓯昆"与"欧董突吕"乃同名异译，"乙斯勃"又译为"乙习本"，均属南院部；"温纳河剌"又译为"斡纳阿剌"，属北院部。看来，原本作为契丹人"大部落"的迭剌部在析分为北、南院部之后，仍然都是契丹诸部中势力比较强大的部落，因此，在经过部落整体驻防区域的调整之后，同时，又能够在部落整体结构之内实行更加微观的以基本组织结构单元形态（石烈）为主的仔细调整，从而达成契丹主体民族对于重要区域的全面控制局面。由此看来，辽太宗重新整顿部落驻防区域的时候，北、南两院部的主要力量就基本环卫于契丹腹地的周围地区。只不过因为《辽史》记录的过于简略，才导致现在不得不采取分析、推论的验证方式，也才能够了解这些契丹部落的具体分布形势。既然像北、南院这些大部落集团的主要分布地域已经明确，那些较小的部落又是如何分布的呢？

根据《辽史》"纪"、"传"及"营卫志"等资料的记载，可以得知：

---

① 《辽史》卷4《太宗纪下》，中华书局1974年版，第46页。
② 《辽史》卷59《食货志上》，中华书局1974年版，第924页。

辽太祖时期，凡是部落首领皆一律称为夷离堇，辽太宗会同元年，在改变大部落首领称号之时，也同时宣布其他部落首领改夷离堇之名为节度使或令稳。官号改革的目的，就在于将部落管理体制纳入国家行政管理体系之中，因此，在国家统治基础上实行的部落驻防区域的重新调整，就具有非常重要的历史意义。据《辽史》记载：契丹八部之中的涅剌部，也已成为戍守黑山以北地带的主要部落集团。此时，甚至连同这些契丹本部的属部，如品部的属部品达鲁虢部，已经成为一支独立的部落组织，而位列"太祖二十部"之中，从而成为"戍守黑山以北"（今内蒙古东、西乌珠穆沁旗一带）的主要军事力量；除此之外，乌隗部、突吕不部、突举部及突吕不室韦、涅剌室韦等部，则分别驻防于今呼伦贝尔草原东南部至松花江流域和嫩江流域；曾经作为迭剌部属部的迭剌迭达部奚族人口，则驻防于契丹黑山以北今内蒙古东、西乌珠穆沁旗境内，居民则留守于黑山以南的辽朝庆州地区（今内蒙古赤峰市巴林右旗北部索博力嘎苏木附近）；而原来乙室部的属部乙室奥隗部（即九百奚营）以及楮特部的属部楮特奥隗部等，则驻防于东京辽阳府（今辽宁省辽阳市）附近并东至女真部落附近，一直达到今吉林省中南部一带。

契丹部族力量的分布，是出于统治需要的基本结果。而当时契丹统治者对于渤海、汉族等农耕人口的具体安置，则仍然沿用了太祖时期设置州县、修筑州城的安置管理方式，不仅使草原城池数量不断增加，也使得诸多的河谷、山地被开垦为农田。这些，不仅丰富了契丹社会的基本经济内容，也同时极大地提高了契丹辽朝社会经济总值的增长。辽朝上京道地区，在太宗朝时期已经存在的州县主要有：

上京临潢府（今赤峰市巴林左旗林东镇南古城）。太祖神册三年（918年），于此修筑皇都城，太宗会同元年（938年），更名为上京临潢府；领临潢、长泰二县为倚郭，又有潞县，以俘略幽州潞县民户侨置于此。

祖州天成军节度（今赤峰市巴林左旗哈达英格古城）。本太祖西楼之地，天显二年（927年），葬太祖于此，以其本辽朝皇族世代所居，故名祖州，领长霸、咸宁二县，又有越王城，即于越王城，本太祖伯父释鲁所建。

泰州德昌军节度（今黑龙江省泰来县塔子城古城）。本契丹二十部族放牧之地，与室韦靺鞨部相邻，领县一：乐康。

乌州静安军刺史（今通辽市科尔沁左翼中旗保康镇南乌斯图古城）。本古东胡族系乌丸部之地，辽朝北大王拨剌占为牧地，为皇室成员的头下州，领县一：爱民。

慈州（今地不详）。本辽太宗始建，以皇子只撒古亡并葬于此地，遂于只撒古坟西建置州城，后废入永州境内。

龙化州兴国军节度（今地不详）。唐天复二年（902 年），辽太祖以迭剌部夷离堇身份，城龙化州于潢河之南；唐天祐元年（904 年），增修龙化州东城；四年（907 年），辽太祖于此受命为契丹可汗，十三年，又于此即位为大圣大明天皇帝；领县一：龙化。

饶州匡义军节度（今赤峰市林西县西拉木伦南岸樱桃沟古城）。本于奚族界内设置的唐朝饶乐都督府故地，后属契丹松漠都督府辖境，辽太祖时，修葺故城，遂于此地置饶州，安置渤海民户，始设县一：长乐，太宗时又增置二县：临河、安民。

仪坤州启胜军节度（今地不详）。辽太祖应天皇后诞生地，以渤海等俘户置此，因建州城，为应天皇后头下州，领县一：广义。

丰州（今赤峰市翁牛特旗乌丹镇）。本辽泽大部落之地，太祖时，遥辇氏嘲古可汗宫帐驻牧于此，辽圣宗时，建为丰州，为遥辇氏头下州。

松山州（今赤峰市巴林右旗白音查干苏木布敦花古城）。本辽泽大部落之地，即契丹楮特部（乌马山奚锄勃德部）头下州。

豫州（位置不详）。本辽朝横帐陈王牧地，太祖时，于此建州，为陈王头下州，南至上京城三百里。

宁州（其地应在辽朝庆州城周围地区）。本勒得山之地，后来辽朝庆州境内有此山，为辽朝横帐部落之投下州，位于豫州城东八十里，西南距上京城三百五十里。

现已查明，辽太祖次弟剌葛后人的封地，即今赤峰市元宝山区小五家满族乡塔山古城（义州城）附近；三弟迭剌后人的封地，即今赤峰市喀喇沁旗马鞍山乡松岭一带，同时，辽太祖家族，尤其是它的诸位弟弟等人的封地，不仅拥有这些宜农宜牧场所，还在燕山及兴安岭北部都拥有自己的牧场，这在《耶律琮神道碑》的记载中可以得到清楚的体现。

辽太宗朝对于周边民族地区的统治，仍然沿用了唐朝时期创立的羁縻制

度，例如会同二年（939 年）五月，

> 回鹘单于使人乞授官，诏第加刺史、县令①。

这不仅是一种政治统治方略的实施，同时所附加的基本条件就是以"贡、纳"为内容的经济成分的具体体现；总之，在耶律德光统治时期，今内蒙古地区已然成为契丹辽朝的统治重心，已经成为契丹辽朝控扼中原、统治周围草原民族部落的主要基础；这里不仅为契丹辽朝提供争霸四方的基本能量，也是使契丹辽朝所以能够雄视中原的力量源泉所在，同时，也再一次证明了内蒙古草原正是古代北方游牧民族部落发展壮大的摇篮。

二、奚族大王府与乌马山奚

辽太宗时期，在辽朝的东京道与上京道之间，还夹峙、存在着一个比较特殊的民族政治实体（或者说是一种民族政权的组织结构），即奚族大王府直接辖治的奚族部落的分布区域，即今内蒙古赤峰市宁城县、辽宁省建平、建昌、绥中、凌源县以及锦州市西部及河北省东部平泉、青龙、隆化等部分地区，这是辽朝中晚期奚族部落分布的主要区域，辽朝初期奚族的分布地域可能还要大于此区域。说奚族部落的分布区域比较特殊，是因为当时奚族部落事实上还保留着比较独立的部落行政管理方式，奚族至少还是一个可以与统治民族契丹族保持相对平等地位的民族个体。这是因为，辽太祖时期对于奚族部落的征伐并未达到征服的目的，而是建立起一种比较平等的联盟关系；这在《辽史》的记载中，即可得到体现，如：

> 及太祖为迭剌部夷离堇，讨奚部，其长尤里逼险而垒，攻莫能下，命曷鲁尝持一节往谕之。既入，为所执。乃说奚曰："契丹与奚言语相通，实一国也。我夷离堇于奚岂有鞍辀之心哉？汉人杀我祖奚首，夷离堇怨次骨，日夜思报汉人。顾力单弱，使我求援于奚，传矢以示信耳。夷离堇受命于天，抚下以德，故能有此众也。今奚杀我，违天背德，不

① 《辽史》卷4《太宗纪下》，中华书局1974 年版，第46 页。

祥莫大焉。且兵连祸结，当自此始，岂尔国之利乎！"尤里感其言，乃降①。

关于辽太祖讨伐奚族的记载，《辽史·太祖纪》有：

> 唐天复元年，岁辛酉，痕德堇可汗立，以太祖为本部夷离堇，专征讨，连破室韦、于厥及奚帅辖剌哥。
>
> 明年（即906年，引者）二月，复击刘仁恭。还，袭山北奚，破之。……十一月，遣偏师讨奚、霫诸部及东北女直之未附者，悉破降之②。

这就是辽太祖未出任契丹可汗之前，所有关于讨伐奚族部落的记录。从前引耶律曷鲁说降奚部长尤里的史料记载来看，这是耶律阿保机出任迭剌部夷离堇时期即唐天复元年发生的部落纠纷，并且是通过和平协商方法，最终达成部落之间的协同或联盟而不是彻底的征服。906年，阿保机所征讨的"山北奚"，并非指奚族主体部落而是历史上著名的西部奚。906年11月讨伐奚、霫诸部，虽然针对的是奚族主体部落，但并非阿保机自己亲临而是遣将出征，故称"偏师"。因此，曷鲁说降奚族只能是在唐天复元年十月之前，奚部长尤里即奚帅辖剌哥，而曷鲁对奚帅辖剌哥（尤里）的说降，其实就是一次道地的部落联合的形成，只不过《辽史》的记载在这里使用了"曲笔"。

据《辽史》记载："奚王府六部五帐分"，

> 其先曰时瑟，事东遥里十帐部主哲里。后逐哲里，自立为奚王。卒，弟吐勒斯立。遥辇鲜质可汗讨之，俘其拒敌者七百户，抚其降者。以时瑟邻睦之故，止俘部曲之半，余悉留焉。奚势由是衰矣。初为五

---

① 《辽史》卷73《耶律曷鲁传》，中华书局1974年版，第1220页。
② 《辽史》卷1《太祖纪上》，中华书局1974年版，第1—2页。

部：曰遥里、曰伯德，曰奥里、曰梅只、曰楚里。太祖尽降之，号五部奚①。

在这里的记载中，奚族部落早在辽太祖之前，就已经受到了契丹部落的打击和挟制；而史料中记录的"东遥里十帐部主"，其实就是指原有的奚王族十位可汗的族帐，即王族部落；只不过他们的统治地位，早已经在契丹遥辇氏鲜质可汗时期，就已被其大臣时瑟所取代；并且，时瑟所树立的奚族统治地位或统治秩序，又受到了遥辇氏鲜质可汗的严重威胁，而当时契丹部落的另一位重要人物即是辽太祖阿保机的父亲——撒剌的，《辽史》记载他所俘虏的大量奚族人口，在阿保机时期就已经全部成为迭剌部的附属人口，阿保机将这些奚族人口组编为"奚迭剌部"（即迭剌部的奚）②；因此，奚族在阿保机父亲的时代，就已经失去了与契丹部落抗衡的基础。虽然，唐朝天复元年（901 年），五部奚仍然给逐渐强大的契丹部落造成极大阻碍，使阿保机不得不派人去"说服"（即达成部落联合或协作），但这也只是奚族与契丹抗衡过程中的最后一次回光返照。

同时，值得注意的是，在关于奚族大王府部落的记载中，《辽史》是将奚族五部落（或六部落）视为一个整体而纳入"太祖二十部"序列之中，似乎奚族部落已经成为契丹部落组织成员之一。这就呈现出问题：即所谓"太祖二十部"之中，契丹人以部计而奚族则以整体计（即奚五部为太祖二十部之一），这是不符合部落统计惯例的，也是与事实违背的！而且，关于辽朝存在的奚族人口，也并非仅有奚族五部落（即奚族本部），还存在着西部奚和乌马山奚——这样两支奚族人口组成的基本力量，它们同样是契丹辽朝的属国与属部。

奚族五部落或奚族本部，即《辽史》中所说的"东部奚"。辽太祖任契丹可汗的第五年（911 年），首先在征讨西部奚及幽州刘守光集团之后，回师途中，又对奚族大王府部落大举用兵。史称：

---

① 《辽史》卷 33《营卫志下·部族下》，中华书局 1974 年版，第 387 页。
② 《辽史》卷 1《太祖纪上》，903 年，"先是德祖俘奚七千户，徙饶乐之清河，至是创为奚迭剌部，分十三县。"即此。中华书局 1974 年版，第 2 页。

是役所向辄下，遂分兵讨东部奚，亦平之。于是尽有奚、霫之地。东际海，南暨白檀，西逾松漠，北抵潢水，凡五部，咸入版籍①。

东际海，即指今渤海；白檀，即指今河北省东部卢龙以东地区；西逾松漠，即指今赤峰市克什克腾旗与锡林郭勒盟交界处附近；潢水，即今赤峰市西拉木伦河。此次对于东部奚发动的征服战争，彻底奠定了五部奚集团对于契丹政权的从属地位。这次战争，不仅将奚族的部落分布区域，大大地向南压缩，而且还是乌马山奚自奚族本体部落分离出来的主要原因；同时，此次战争虽然进一步地压制了奚族部落的发展，加强了契丹对于奚族主体部落的控制程度，但是，奚族主体部落似乎仍然保持着比较高的政治地位与部落自主能力，奚族仍然保持着崇高的"大王府"待遇的政治地位，标志着契丹统治区与奚族区域形成一个统一的政治组合体。

据《辽史·百官志》记载，辽太祖"并奚王之众，抚其帐部，拟于国族"及"崇乙室以抗奚王"② 等，就是其具有"帝王之度"和"英雄之志"的具体表现之一；但这里所说的"并"绝不是合并，而是指部落之间的联合与协作，所谓"崇乙室"的记录就已经表明了阿保机时期部落联合的基本形态。由此看来，辽朝初期的奚王府部落还仍然是一个比较独立的部落个体；同时，《辽史》"属国"中关于"西部奚、东部奚、乌马山奚"的记载③，也表明奚族曾在相当长一段时间内拥有比较独立的部落个体形态。因此，《辽史》关于奚族的记载中，既有太祖时期奚族的不断反抗，也有圣宗时期关于奚族部落最后整合结果的基本记录：

天赞二年，有东扒里厮胡损者，恃险坚壁于箭笴山以拒命，揶揄曰：大军何能为，我当饮堕瑰门下矣！太祖灭之，以奚府给役户，并括诸部隐丁，收合流散，置堕瑰部，因堕瑰门之语为名，遂号六部奚。命勃鲁恩主之，仍号奚王。太宗即位，置宰相、常衮各二员。圣宗合奥

① 《辽史》卷1《太祖纪上》，中华书局1974年版，第4—5页。
② 《辽史》卷45《百官志一·北面诸帐官》，中华书局1974年版，第711页。
③ 《辽史》卷36《兵卫志下·属国军》，中华书局1974年版，第429页。

里、梅只、堕瑰三部为一；特置二剋部以足六部之数。奚王和朔奴讨兀
惹，败绩，籍六部隶北府①。

天赞二年（923 年）所发生的奚族的反抗，其领导者是奚族东扒里厮家族之
人胡损，东扒里厮即前引史料所说的"东遥里"氏家族，这是奚族的前王
族家族；胡损反抗契丹人的据点就是辽朝迁州境内的箭笴山，即今河北省秦
皇岛市山海关附近之黑山山脉，说明胡损发动的反抗不是一次全体奚族部落
共同发动的反抗战争，而是具有明显地域特征和具体家族特征的反抗形式，
所以，很快就被阿保机所镇压，并因此又成立了一支新的奚族部落，即因其
俘获及"奚府给役户"与诸部隐丁等组建"堕瑰部"；其中，"奚府给役
户"，即奚族大王府内部的使役人员，这个奚府应该指的是"东遥里十帐"，
而非时瑟建立的奚王府。"堕瑰部"的组建，标志着阿保机已经能够成功地
干涉奚族内部的管理事务，同时，由此确立的奚王勃鲁恩就带有明显的契丹
部落世选习惯的遗风了，似乎此后的奚王都是由选举产生并经过辽朝皇帝的
允准。总之，阿保机时期与奚族之间形成的联合态势，虽然已经存在种种因
素的干扰，但基本形式并未因此改变，例如：《辽史·百官志一》著录的
"奚王府"，就是太祖太宗时期奚族部落政治地位的具体体现；又，辽朝
"北面部族官"中有大、小部族的区分，其中关于大部族的官制情况为：

　　大部族。某部大王。本名夷离堇。某部左宰相。某部右宰相。某部
太师。某部太保。某部太尉。某部司徒。本名惕隐。某部节度使司。某
部族详稳司。某石烈。某弥里。②

其后，又具列五院、六院及乙室、奚王府四部，以表明大部族之象征，其中
"奚王府"条下又记载：

　　在朝曰奚王府。有二常衮，有二宰相，又有吐里太尉，有奚六部汉

---

① 《辽史》卷33《营卫志下·部族下》，中华书局1974年版，第387页。
② 《辽史》卷46《百官志》，中华书局1974年版，第726页。

军详稳，有奚拽剌详稳，有先离挞览官。[①]

通过上述的记载和描述，可以了解到奚族大王府部落以奚族本体部落身份，在辽朝政治结构中备受尊敬，其中，关于"在朝曰奚王府"的记载，只能使我们理解为："奚族大王府"只是辽朝给予的政治地位，如果对于奚族本部而言"奚王"的称谓可能更高！因为，奚族大王府的官职设置，几乎可以与契丹可汗相比拟！记载中的"吐里太尉"就是五代时期名震中原的"秃馁"——这是奚族的官号而非人名，而名动中原的那位"秃馁"则是辽太宗的族兄弟！这是一位统领兵马的大官。奚族还有自己的汉军队伍，还有族内勇士组成的"硬军"和族内外猛士构成的强大的可汗扈卫集团即"先离挞览"管领的扈卫军。这一切都在表明着契丹辽朝前期政治结构中，奚族大王府部落所拥有的崇高地位，直到辽圣宗时期以后，奚族才完全沦为契丹辽朝统治之下的诸多部落之一。

西部奚的形成，大约在辽太祖出任契丹可汗之前。901年，辽太祖与奚族达成联合之后，并没有放松对奚族部落的监视和控制，并且，在其与契丹遥辇氏贵族集团争权夺利的斗争中，奚族部落也被卷了进来，像五代时期忽然出现在燕山山脉西部山北地带的西部奚集团，就是契丹社会内部汗位争夺的直接结果[②]，它不仅集中了反抗阿保机集团的部分奚族势力，而且也囊括了一部分与阿保机斗争失利的契丹贵族人物，西部奚先后与割据幽州的刘仁恭父子和后晋政权结成牢固的政治依附关系，坚决抵抗以阿保机为首的契丹贵族政权。前引906年，耶律阿保机出击幽州刘仁恭之后，还师途中"袭山北奚，破之"，即指西部奚。说明西部奚集团的形成，起码在耶律阿保机袭击其（906年2月）之前，就已经存在；它印证了耶律阿保机颠覆遥辇氏贵族统治的残酷斗争形式，已经波及和影响到松漠区域内所有部落社会的政治活动之中。911年，"上亲征西部奚"，又"分兵讨东部奚，于是尽有奚、霫之地"[③]。此次征伐，目标首先就锁定在依附于刘守光集团卵翼之下的西部

---

① 《辽史》卷46《百官志二》，中华书局1974年版，第725—726页。

② 《辽史》卷1《太祖纪上》，"诸弟之乱"演变为严酷的战争，就是因为三弟迭剌企图出任奚王而引发。中华书局1974年版，第6页。

③ 《辽史》卷1《太祖纪上》，中华书局1974年版，第4—5页。

奚，但是阿保机仍然没能解决西部奚的根本问题。913 年，晋王李存勖灭亡刘守光集团，并对幽州地区实施全面占领；阿保机也乘机夺取平州地区，占领了山海关这个重要的交通枢纽地带；西部奚于是迅速结好于晋王政权，首领接受晋王赐予的李氏姓名和官称，从此成为依附晋王暨后唐政权的附属部落，并继续坚持与契丹政权的直接对抗。直到 936 年，随着中原后唐政权的垮台以及内部三十余年的人事代谢过程，西部奚集团终于在辽太宗时期，又重新纳入到契丹辽朝的统治秩序之中，成为了契丹辽朝直接统治的诸多属部之一，并与东部奚及乌马山奚一起形成契丹辽朝时期的三大奚族部落。

乌马山奚，《辽史》记载：阿保机出任契丹可汗之第四年（910 年）秋七月"以后兄萧敌鲁为北府宰相"，即以其家族世选契丹北府宰相职务；"冬十月，乌马山奚库支及查剌底、锄勃德等叛，讨平之"①；这里记载的库支、查剌底及锄勃德等是人名，还是部落名，《辽史》本身已经很好地解答了这个问题：太祖初元（即任可汗之纪年，笔者）四年（910 年）八月，

> 乌马山奚库支及查剌底、锄勃德等部叛，讨平之②。

乌马山奚，其实是又一支不同于奚族本部（即东部奚）与西部奚的奚人部落个体，他们已经成为契丹族的属部。《辽史》会同六年（943 年）曾经留下关于锄勃德部的记载，即六年六月"奚锄骨里部进白麂"③，此锄骨里部，即乌马山奚之锄勃德部④，亦即鉏德部；《辽史·百官志》有鉏德部，其中华书局版本卷后《校勘记》曰："按《部族表》会同六年六月，奚锄勃德部进白麂。疑鉏德即锄勃德。"这个推论无疑是正确的，然而，随后附注的结论"亦即伯德部"⑤，就很值得推敲。因为，伯德部乃奚五部之一，而锄勃

---

① 《辽史》卷 1《太祖纪上》，中华书局 1974 年版，第 4 页。

② 《辽史》卷 69《部族表》，中华书局 1974 年版，第 1079 页。

③ 《辽史》卷 4《太宗纪下》，中华书局 1974 年版，第 53 页。

④ 《辽史》卷 69《部族表》，太宗会同六年六月，"奚锄勃德部进白麂"，是知锄骨里部即锄勃德部，乃译音不同。中华书局 1974 年版，第 1085 页。

⑤ 《辽史》卷 46《百官志二·北面属国官》，中华书局 1974 年版，第 764 页；《校勘记·21》，第 769 页。

德部则属乌马山奚诸部之一。关于乌马山奚的其他部落，还有库支部的记载，如：穆宗应历十四年（964 年）十二月，"库古只奏黄室韦掠马牛，叛去；库古只与黄室韦战，败之，降其众，赐诏抚谕"。又，应历十五年四月，"库古只奏室韦酋长寅底吉亡入敌烈"[①] 等等。这里所记载的"库古只"，其实就是前引乌马山奚诸部之一的库支部。锄勃德部，有时也被写作"初鲁得部族"，如 1990 年出土于赤峰市翁牛特旗乌丹镇北朝格温都苏木的《萧孝恭墓志》，题名为"北朝大辽国南宰相府所官（管）初鲁得部族，故本部族节度使"云云[②]，研究者一般均认为：初鲁得部族即"太祖二十部"之楮特部。据《辽史》记载：

> 楮特部。其先曰洼，阻午可汗以其营为部。隶南府，节度使属西北路招讨司，司徒居柏坡山及铧山之侧。石烈二：北石烈，南石烈[③]。

其实，《辽史》关于"太祖二十部"的记载，大多都是一种"托辞"，或者说就是辽太祖本人实行的"托古改制"，把所有新组建的部落统统冠以与契丹传统密切相关的政治色彩；早在辽太祖之前形成的遥辇氏时期的契丹八部或二十部，就已经形成地域色彩浓重的部落组织形态，辽太祖时期的二十部更是如此，部落之间或部落之内的血缘联系已经退缩到次要地位，因此，楮特部的始祖洼，可能就是遥辇氏时期的洼可汗，而楮特部不过是以洼可汗宫帐成分与奚族俘虏共同组建的新部落，这就是《辽史》的记录中，忽而出现"乌马山奚锄勃德部"，又忽而出现"太祖二十部之一的楮特部"的根本原因。萧孝恭生活的时代为辽道宗大康七年（1082 年）之前，说明乌马山奚仍然存在到辽朝末年，但是，它早已经在辽太祖时期就纳入到契丹部落的社会组织程序之中。乌马山奚的原驻牧地，就在萧孝恭家族所在的辽朝松山

---

① 《辽史》卷 69《部族表》，中华书局 1974 年版，第 1087—1089 页；核之于《穆宗纪下》的相关记载，纪中但称人物及其官职，而绝不及部落名，同时人名中又绝不见有"库古只"者，因此，推定其为部落名无疑。

② 盖之庸：《内蒙古辽代石刻文研究·萧孝恭墓志》，内蒙古大学出版社 2002 年版，第 250—251页。

③ 《辽史》卷 33《营卫志下·部族下》，中华书局 1974 年版，第 385—386 页。

州（辽朝有两个松山州，此即北松山州，今赤峰市巴林右旗白音查干苏木布敦花古城遗址）及丰州（今赤峰市翁牛特旗乌丹镇）一带，即潢河中游的南北两岸地区，他们同契丹遥辇氏家族为睦邻关系。

三、"东京道"与"南京道"

辽朝的东京道，即今辽宁省辽阳市为中心，包括今内蒙古通辽市大部及辽宁省全部与吉林省部分地区的直接统治区域，但其政治势力延伸与影响向南则一直达到今朝鲜半岛北部鸭绿江流域，东至今黑龙江省与俄罗斯远东地区。也就是说，在辽朝东京道的辖区内，今内蒙古东部地区仍然占有突出和显要的位置。

在辽朝东京道辖区之内，尤其是辽朝东京道环奚族大王府的周邻地区，分布着辽朝后族的主要封地。例如发现于今赤峰市松山区西部大营子满族乡境内的驸马赠卫国王墓地、今赤峰市宁城县头道营子乡妙香山附近的萧氏家族墓地、今河北省平泉县境内八王沟附近辽朝萧氏家族墓地以及大量分布于辽宁省朝阳、阜新、义县、彰武、法库和内蒙古通辽市奈曼旗、库伦旗境内的辽朝后族头下州遗址与后族墓地等，证明辽朝初期对于奚族大王府部落的基本统治形态，而且辽朝后族集团在辽朝东京道所拥有的政治地位，也是当时皇族等其他家族集团都无法比拟的。

辽太祖天显元年（926年），彻底征服渤海国，将渤海国王室及贵族集团统统迁徙到辽朝腹地进行安置，不仅有效地预防了渤海国的复兴，也进一步充实了辽朝腹地新建的州城，促进了辽朝腹地农业经济的发展与繁荣。926年2月，辽太祖征服渤海国之后，并没有放弃对渤海故地的统治，他更名渤海国为东丹国，册封长子耶律倍为人皇王（阿保机自称天皇王），为东丹国的国主，同时任命三弟迭剌为东丹国左大相，以渤海国老相为东丹国右大相，以渤海国司徒人素贤为左次相，以堂弟耶律羽之为右次相，作为耶律倍统治渤海国故地的主要辅弼成员和最高决策集团，并制定渤海国每年须向契丹国贡献财物的基本数量，即岁贡布十五万端、马千匹[①]。但是，耶律倍在东丹国的统治并没有得到巩固，相反地东丹国的实际权力却莫名其妙地落

---

① 《辽史》卷72《义宗倍传》，中华书局1974年版，第1210页。

入到右次相耶律羽之的手中。这是因为，同年三月，辽太祖先后派遣康默记、韩延徽及皇弟安端率军镇压渤海各地的反抗，辽太祖等遂班师西返，耶律倍亦西返仪坤州。五月，针对渤海故地反抗势力的加强，又派遣大元帅尧骨（即太宗耶律德光）率军镇压，契丹军队数十万人云集渤海故地，征讨各地风起云涌的反抗力量。是年七月庚午，东丹国左大相耶律迭剌病殁。甲戌，太祖病，辛巳，太祖病殁，应天皇后临朝称制，权总一切军国大事。八月末，大元帅尧骨等率军返回，接到太祖讣讯的东丹王也赶到应天皇太后营帐，于是，支持人皇王耶律倍继承天皇王位的契丹大臣耶律迭里等，均遭到应天皇太后集团的无情杀戮，史称，太祖听到三弟耶律迭剌的讣讯后，立即派遣四弟寅底石前往东丹国接替迭剌职务，继续辅佐东丹王，但当太祖病殁后，应天皇太后也立即派遣司徒划沙等追杀寅底石于赴任途中；九月壬寅，太祖同父异母的幼弟南府宰相耶律苏，也突然病殁。这样，辽太祖兄弟六人中，仅剩五弟安端一人，史称：安端"太宗即位有定策功"①，即耶律安端已经成为应天皇太后集团的重要人物！这样，当天显二年（927年）八月，安葬太祖后，大元帅尧骨在母亲应天皇太后支持下，登上契丹天皇王宝座，是为辽太宗耶律德光。太宗即位后，因为担心人皇王不满情绪的爆发，所以，人皇王未能返国而是被留居于皇都城内。天显三年（928年）十二月甲寅，趁人皇王尚留居皇都之际，太宗诏令东丹国右次相耶律羽之，迁徙东丹国政权及其民户，以充实东平郡，升东平郡为南京，实际等于宣布东丹国政权的废除，耶律羽之也因此被擢升为东丹国中台省左相②。天显四年（929年）九月，太宗皇帝临幸南京时，东丹王随行，是年十二月，又伴随太宗回到皇都。天显五年（930年）四月，人皇王始得还国于南京，同年十一月，便发生了人皇王背叛契丹、从海道南投后唐政权的尴尬事件！

因此，辽太宗朝的东京道，不仅承担着管理契丹故地和监视奚族动静的任务，同时还负担着管理渤海人口以及东丹国政权南迁之后、渤海故地的女真部落及高丽政权的渗入引起的行政管理与军事防御事务等，所以，辽朝的东京道就相继设置了几个重要的军事统帅机构，即东京统军司、东京都部署

---

① 《辽史》卷64《皇子表》，中华书局1974年版，第970页。
② 《辽史》卷75《耶律觌烈传附弟羽之》，中华书局1974年版，第1238页。

司、北女直兵马司、南女直汤河司、黄龙府都部署司和东北统军司等；高丽及女真事务，已经成为辽朝东京道的主要事务。

辽朝的南京道，即指以今北京市为中心，包括今河北省东部、北部地区及天津市、山西省北部与内蒙古中南部、西部的部分地区。南京道属于契丹辽朝境内的经济发达区域，因此，辽朝统治者对南京道的重视程度，也绝不亚于他们对本土地区的过分注重。辽朝南京道管理范围之内的内蒙古地区，直到辽兴宗朝才被纳入西京道的管理范围，因此，辽太宗朝时期的南京道，事实上还全部囊括着后来西京道的管理范围。所以，太宗朝对于南京道的统治，还包括着今内蒙古地区的如下区域：

云州大同军节度（今山西省大同市）。938 年，入辽，太宗仍置云州大同军节度，其辖区北部包括今内蒙古凉城县境内，圣宗时，于此置云州宣德县，后升为德州。

丰州天德军节度（今内蒙古呼和浩特市东白塔子古城遗址）。本后唐天德军，辽太祖神册五年（920 年），更名为应天军，后更名为丰州天德军节度，领县二：富民、振武。

代北云朔招讨司（今内蒙古托克托县东北古城遗址）。本唐朝中受降城之地，辽初，改置代北云朔招讨司；后废招讨司，于此置云内州，军事隶属西南面招讨司。

宁边州镇西军刺史（今内蒙古清水河县城湾梁古城遗址）。本唐朝镇戍之一，辽朝升为宁边州镇西军刺史。

东胜州武兴军刺史（今内蒙古托克托县）。辽太宗朝因后晋以代北之地来献，始于此置东胜州，领县二：榆林、河滨。

除此之外，辽朝太宗时期的部落分布形态，也反映出契丹统治者对于今内蒙古中西部地区的注重程度。根据《辽史》记载，起码在太宗朝时期，契丹乙室部的驻防范围，已经确定在今河北省张北县至山西省大同市以北地带。会同五年（942 年）正月，"诏政事令僧隐等以契丹户分屯南边"[1]。这里所说的南边，其实就是指契丹辽朝统治时期设置的西南面招讨司辖区以及西面招讨司的部分辖区。譬如，所谓"辽太祖二十部"之中部分部落的驻

---

[1]　《辽史》卷 4《太宗纪下》，中华书局 1974 年版，第 51 页。

防区域，也在辽太宗时期发生很大改变。品部，在太祖及太宗朝初期，其部落驻守区域已经延伸至今河北省东部地区，但到太宗朝后期，其部落驻防区域已经明显调整至今山西省西北部及内蒙古阴山西部地区，而楮特部驻防于阴山以南地区；而涅剌部的属部乌古涅剌部，作为"太祖二十部"之一，也已成为戍守阴山以南的重要部落集团。这样，就在南京幽都府这个基本农业经济区之内，它的行政区划之内也或多或少地容纳了部分牧业经济区域或部落社会在内。

同时应当指出的是，在辽兴宗划分出西京道的基本区域之前，起码在辽太宗朝，事实上已经存在着像西南面招讨司（即代北云朔招讨司）、西面招讨司和西北路招讨司等一些拥有独立军事管理权的另类管理方式；所以，内蒙古中西部地区事实上已经囊括在西南面及西面招讨司的管理范围之内，而西北路（面）招讨司则主要管理今内蒙古阴山以北至今蒙古人民共和国境内的大片北方地区。

第五节 契丹辽朝与后晋政权的关系演变

一、后晋沦为契丹政权的附庸

契丹政权建立后，其统治的中心区域也逐渐向外扩展。究其原因，东面的渤海国已经被征服，北面的乌古、敌烈及阻卜诸部都已经成为属部，遥远的河西地区及高昌回鹘等也望风归附；这样，契丹政权的军事战略目标，就只剩下了南面的中原割据政权。当时的中原地区，长期战乱局面的持续，已经使其中的任何政权都无暇顾及契丹，而契丹人的不断袭扰更使他们疲惫不堪。辽太宗天显八年（933 年）正月，命皇太弟李胡率兵伐党项，三月丙申，"唐遣使请罢征党项兵，上以战捷及党项已听命报之"[1]。此事，《旧五代史》记载，后唐明宗长兴三年（932 年），"契丹帐族在云州境上及黑榆林南捺剌泊造攻城之具"；明宗接到报告，即分派军队戍守边郡，严密注视契丹动态，直到次年三月始有遣使请求契丹罢征党项的请求。这说明契丹人

---

① 《辽史》卷 3《太宗纪上》，中华书局 1974 年版，第 34—35 页。

在同沙陀人争夺漠南地区的过程中，已经取得决定性的胜利，而且，契丹军队在漠南地区的每一次集结，都使后唐政权惊惧不安，战争的主动权已逐渐转移到了契丹方面。

936 年，后唐皇帝李从珂与河东节度使石敬瑭发生政治冲突，后唐集中军队会攻太原城。石敬瑭遂遣使求救于契丹，并以割让燕云十六州为条件，约定事成之后，每年岁贡银绢 30 万两（匹）。因此，辽太宗亲率契丹骑兵，抵达太原城下，先封石敬瑭为晋王；全歼后唐军队后，又册立石敬瑭为大晋皇帝，并派出契丹军队护送至洛阳，帮助石敬瑭集团完成了与后唐朝廷之间的政权更替。

后晋政权稳固后，将燕云十六州的图籍、人口、军队及社会组织形态等原封不动地移交契丹政权，甚至还将燕云地区部分已经逃逸的州县官吏及军将、僚佐等也都全部捉送遣返契丹；已经约定的岁币，也依年输纳；双方结为父子之国，凡是石敬瑭发给契丹皇帝的书信、表状等都自称"儿皇帝"；连石敬瑭的皇位继承人，也由耶律德光指定其侄石重贵为皇太子。

在 936 年以前，契丹政权所面临的也只是如何在草原地区安置和管理汉族人口的问题；但 936 年后，随着对燕云十六州地区的全部接收，契丹政权所面临的首要问题，就不仅是关于汉族人口的管理和安置，同时还面临着如何治理汉族聚居区域的问题。因此，辽太宗耶律德光将皇都更名为上京临潢府，改南京为东京辽阳府，升幽州为南京幽都府，并对相应的政治体制也作出了调整，使幽州地区成为契丹政权的一个重要行政区域，契丹政治体制增加了新的内容。与此同时，后晋政权在它的都城，树立起为耶律德光歌功颂德的《圣德神功碑》，并选派德高望重的大臣、携带贵重的礼物和繁缛的封建礼仪，来到契丹皇都，为耶律德光及应天皇太后举行隆重的册礼，为太宗母子奉上新的尊号，尊奉耶律德光为"睿文神武法天启运明德章信至道广敬昭孝嗣圣皇帝"，尊奉应天皇太后为"广德至仁昭烈崇简应天皇太后"。据说，这次使用的"册号宝检"，也一直被契丹辽朝的历代皇帝所宝视，一直珍藏在皇家档案库内，直到辽朝灭亡，始毁于兵火。可以说，燕云十六州的归属和中原割据政权的顶礼膜拜，这两方面所取得的巨大成功，具有划时代的历史意义；这是以前任何已知游牧民族政权所无法比拟的巨大成就，它不仅创造了一个同时拥有农耕与游牧两套政治、经济、文化体制的新政权，也开创了北方政治制度主导中原历史发展的新篇章。

　　但是，契丹政权并未因此而满足，辽太宗为了加强契丹政权的体制建设，便毫无休止地向后晋政权咨询和索取各种典制、仪卫的具体内容，甚至还包括各种人才的需求等，其中诸如碑石、乐谱、乐器、乐官、金吾仗勘契官、静鞭官、司天台鸡叫学生、医者等，都是辽朝向后晋索取的主要"物品"之一。随着辽朝与后晋政权交往的加深，契丹辽朝对于后晋政权的控制能力也不断加强，列举如下：

　　第一，耶律德光不仅确认和指定了石敬瑭、石重贵叔侄的中原皇帝身份及其继承关系，而且，还将后晋视为又一个"东丹国"那样的附庸政权，耶律德光可以随心所欲地封授给后晋大臣以任何官职，例如：会同元年（938 年）十二月，"制加晋冯道守太傅，刘昫守太保，余官各有差"①；这些封授，回到后晋政权以后，石敬瑭也不得不履行一个认可的程序。有时，契丹政权甚至以"主人"的身份，公然染指后晋朝廷的政治事务，如 939 年，后晋定州义武军节度使出缺，耶律德光遂指定早已归降契丹政权的原义武军节度使王处直之子王威为义武军节度使，命王威自契丹南还，至后晋定州赴任，并派遣使节通知石敬瑭说："使王威袭职于其父亲原有的土地，就像我们契丹家的法律那样。"石敬瑭闻讯后，赶紧提拔原义武军节度使王处直从孙王庭胤为义武军节度使，并遣人携带重礼贿赂耶律德光左右，回报耶律德光说：王威已经任官辽朝，不宜立即任职后晋，而且，"中原法度，凡将校选拔、任命都必须从刺史、团练使、防御使逐级序迁递升，才能授予节度使的麾节。还是请先将王威暂时派遣这里任用，然后逐渐加以升迁，这样才符合中原的法律"。耶律德光听到王威赴任被后晋拒绝的消息，就立即派遣使节责问石敬瑭说："你从节度使变为天子，也是这样序迁递升的吗?"吓得石敬瑭只好再次遣使携带更多的礼品、卑辞厚礼重新打动耶律德光，才平息了一场来自"上国"的冲天怒气②。

　　第二，契丹使者不仅经常光临后晋京都，需要予以隆重的接待，而且，契丹使节还经常以后晋京城为中顿，由此继续南下，从而与立国江南地区的

---

　　①　《辽史》卷 4《太宗纪下》，中华书局 1974 年版，第 45 页。
　　②　《旧五代史》卷 88《王庭胤传》，中华书局 1976 年版，第 1150 页。

吴越、南唐、闽、楚等割据政权相交通。契丹皇室与各级贵族也纷纷遣人驱赶数以万计的羊马，至后晋政权的任何区域进行商业交易，甚至行经后晋领土直至江南地区与江南割据政权进行交易。这些，都要由后晋政权为契丹来往使节安排和备办沿途供应物品。在这种情况下，江南诸割据政权也往往趁火打劫。941 年，南唐使臣向后晋政权请求"假道"前往契丹，遭到后晋政权的拒绝；于是，自海路屡次遣使至契丹"奉蜡丸书言晋密事"，借此挑拨契丹与后晋关系①。吴越政权也模仿南唐行事。而割据福建地区的闽政权则在事先不与后晋政权商量的情况下，贸然派遣使臣携带大批的贡献礼品与交易物资，直接进入后晋政权境内，大摇大摆地北上，想要与契丹进行交易，结果，遭到后晋政权官吏的拦阻，礼品与物资等全部被没收，使者等也遭到扣押。于是，闽主便派遣使臣由海道乘船进入契丹，向耶律德光报告"奉献礼物"被后晋政权没收的情况，耶律德光立即派人通知石敬瑭：将扣押的礼物迅速转送契丹，闽国使臣一律放还。石敬瑭接此通知后，也只能一一照办。除此之外，更有甚者，契丹还大量派遣"间谍"入晋，侦伺机要、扫听动静，开启了中国古代割据政权间"间谍活跃、特务纵横"的先河。例如：契丹辽朝设立在后晋都城汴梁城中的"回图务"，就是个名为商业机构，实际是契丹间谍机关的联络总站。史称：晋末帝石重贵在位时（944—946 年），契丹与后晋关系恶化，当时汴梁城内

> 有妇人仪状端严，衣服铅粉，不下美人，而无腿足，由带而下，如截而齐，余皆具备。其父载之于独车，自邺（今河北磁县）南游浚都（即汴梁），乞丐于市，日聚千人。至于深坊曲巷，华屋朱门，无所不至。时人嗟异，皆掷（钱）而施之。后京城获北戎（即契丹）间谍，官司案之，乃此妇为奸人（即谍者）之领袖，所听察甚多，遂戮之②。

这则史料说明，契丹人的"奸细"已经达到无孔不入的地步。如此事例，在北宋时期也屡有发现。

---

① 《辽史》卷4《太宗纪下》，会同三年十一月条，中华书局1974年版，第49页。
② 厉鹗：《辽史拾遗》卷3引《玉堂闲话》，四库本。

契丹政权（或契丹统治者）的飞扬跋扈，使后晋君臣感到难以忍受，史称："镇州节度使安重荣执契丹使拽剌，遣轻骑掠幽州南境之民，处于博野。仍贡表及驰书天下，述契丹援天子父事之礼，贪傲无厌，困耗中国。已缮治甲兵，将与决战。"① 石敬瑭接到安重荣的奏报后，也曾经兴起反抗契丹的念头，因为受到腹心大臣桑维翰的劝说，才放弃了反抗的打算，并对桑维翰说过这样的密语："朕比以北面事之，烦懑不快，今省疏奏，释然如醒，朕计已决，卿无忧。"② 石敬瑭集团毕竟已无力再改变这个既定的事实，只好利用牺牲安重荣的办法来继续讨好契丹。因此，石重贵继位后，凭借着晋高祖石敬瑭数年的积累，采纳了大臣景延广的建议，遂对契丹断然采取"称孙不称臣"的方式，目的就是试图摆脱这种"受制于人"的难堪境遇。结果，招致了契丹政权的兵戎相加，使后晋政权最终又覆灭在契丹人的马蹄之下。后晋政权短暂的历史存在，也正应验了这样的一句话，即"成也契丹，败也契丹"！它表明契丹人从来都是将后晋政权作为自己的"属国"来看待的。

二、契丹辽朝与后晋战争的爆发

据《辽史》记载，会同五年（942 年）六月，

> 乙丑，晋主敬瑭殂，子重贵立。戊辰，晋遣使告哀，辍朝七日。庚午，遣使往晋吊祭。……秋七月庚寅，晋遣金吾卫大将军梁言、判四方馆事朱崇节来谢，书称"孙"不称"臣"，遣客省使乔荣让之。景延广答曰："先帝则圣朝所立，今主则我国自册。为邻为孙则可，奉表称臣则不可。"荣还，具奏之，上始有南伐之意。③

事实上，后晋与契丹关系的破裂，只是以"称臣与否"作为导火索。因为，在此之前，后晋已经大规模招降划归契丹管辖的吐谷浑、党项诸部落。辽太

① 《旧五代史》卷 79《晋高祖纪》，中华书局 1976 年版，第 1048 页。
② 《旧五代史》卷 89《桑维翰传》，中华书局 1976 年版，第 1166 页。
③ 《辽史》卷 4《太宗纪下》，中华书局 1974 年版，第 51—52 页。

宗会同五年二月，"遣使使晋索吐谷浑叛者"，八月戊辰又遣使向后晋河东节度使刘知远索要叛臣"乌古指挥使"，十月又出兵讨伐阴山党项部落等，都是与后晋政权的背后运作紧密相连的具体事件。因此，后晋末帝石重贵表示出来的称孙而不称臣的政治态度，实际是渊源有自的具体表现，而绝非是石重贵本人的突然"觉悟"所致，这是后晋政权内部孕育的一种共同心态所产生的具体行动；在后晋政权内部以"臣事契丹"为耻者，也不仅晋高祖及安重荣两人而已，景延广等人支持晋末帝采取的主动提升政治地位的措施，应该是一次有蓄谋有计划的政治行动，目的就在于摆脱契丹附庸的尴尬境地，而契丹与后晋政权关系的破裂以及双方大规模战争的爆发，也就不是当时突发的或偶然性的历史事件。双方的战争，最初也正是围绕着这个具体问题而不断地展开。

但是，后晋政权于942年采取的"称孙不称臣"的态度，虽然激怒了辽太宗耶律德光，当他试图使用武力来惩罚后晋政权的时候，却又像他帮助石敬瑭灭亡后唐政权时一样，再次遇到了来自应天皇太后的阻挠。史称：

> 然契丹亦自厌兵。德光母述律尝谓晋人曰："南朝汉儿争得一向卧邪？自古闻汉来和蕃，不闻蕃去和汉，若汉儿实有回心，则我亦何惜通好！"[1]

关于契丹人"厌战"的历史记录，自太宗朝以来屡有出现，这是契丹人真正地认识到战争对于人类社会和经济生活的巨大破坏了吗？其实不是，这里所说的"厌战"情绪或者社会心理的表现，都紧紧地联系在前述契丹人战争方式的分歧，即：是继续从事对于契丹贵族阶层利益巨大的掠夺战争，还是改弦易辙进行有利于专制政治统治的统一战争，这是个原则问题。也正是因为这个原则问题的具体存在，才导致了契丹辽朝政权政治分治局面的完全形成。契丹人没能在后晋新君即位之初，即942年六月就迅速发动大规模的战争，其中的主要原因，恐怕仍然是由于应天皇太后个人立场的独特作用吧。

---

① 《新五代史》卷72《四夷附录第一》，中华书局1974年版，第896页。

会同六年（943年）十二月，因为上京留守耶律迪辇于上京城捉到后晋间谍，侦讯得知：后晋有图谋辽朝之心；于是，辽太宗来到南京城，召集大臣讨论南伐后晋事宜，决定以赵延寿、赵延昭和耶律安端、耶律解里等分兵从沧、恒、易、定四州分道进军，大举伐晋。会同七年正月，赵延寿率军五万进驻任丘，进攻贝州城；安端率骑军入雁门，攻围忻、代诸州；解里率军进攻博州，经略太行山以东地区。是年十二月，后晋派遣"给事中边光范、前登州刺史郭彦威使于契丹，行至恒州，敌已犯境，不能进，留于公馆数月，不达其命而回"①。辽朝与后晋政权之间战争的序幕正式揭开。

会同七年二月，后晋青州平卢军节度使杨光远起兵叛晋，遣人招引契丹军队自马家口渡黄河；耶律德光随赵延寿中路军进驻元城，并建立牙帐于此，契丹军前锋已经抵近黎阳。于是，晋末帝亲自出征，率主力至澶渊城，与耶律德光相距黄河两岸，又分兵防御马家口渡口，并派遣译语官孟守忠，

> 致书于契丹主，求修旧好。守忠自敌帐回，契丹主复书曰：已成之势，不可改也。②

是时，后晋太原守将击败辽将解里率领的契丹军队于秀谷；二月戊申，后晋军队于马家口渡口击败契丹军，

> 获马八百匹，生擒贼将七十八人，部众五百人，送行在，悉斩之③。

同时，

> 夏州节度使李彝殷合蕃汉之兵四万抵麟州，济河，侵契丹之境，以

----

① 《旧五代史》卷82《晋出帝纪二》，天福八年十二月癸丑，中华书局1976年版，第1084页。
② 《旧五代史》卷82《晋出帝纪二》，开运元年正月己亥，中华书局1976年版，第1086页。
③ 《旧五代史》卷82《晋出帝纪二》，开运元年二月戊申，中华书局1976年版，第1087页。

牵胁之。壬子，以彝殷为契丹西南面招讨使①。

此时，沧、冀诸州也捷报频传，如冀州奏：

> 败贼军于城下，见舁棺者，讯其降者，曰"戚城之战，上将金头王中流矢死，此其梓也"②。

看来，辽晋之战，后晋军队很快就收到了本土之利，基本掌握了战场的主动权。但是，晋出帝石重贵

> 及亲征以来，日于左右召浅蕃军校，奏三弦胡琴，和以羌笛，击节鸣鼓，更舞迭歌，以为娱乐。常谓侍臣曰："此非音乐也"③。

由于后晋政权高层统治者的无能和麻痹，致使战场优势未能够转化成战役的优势，后晋军队只能凭借暂时的优势在局部取得一系列的胜利。三月，耶律德光集中军队合攻晋将高行周于戚城，晋末帝率军救援，双方展开戚城会战，激战三日夜，战况相当惨烈，史称：

> 兵既交，杀伤相半，阵间断箭遗镞，布厚寸余。日暮，德光引去，分其兵为二，一出沧州，一出深州以归④。

此事，《辽史》则称：三月癸酉朔，

> 晋兵驻澶渊，其前军高行周在戚城。乃命延寿、延昭以数万骑出行周右，上以精兵出其左。战至暮，上复以劲骑突其中军，晋军不能战。会有谍者言晋军东面数少，沿河城栅不固，乃急击其东偏，众皆奔溃。

---

①　《旧五代史》卷82《晋出帝纪二》，开运元年二月辛亥，中华书局1976年版，第1087页。
②　《旧五代史》卷82《晋出帝纪二》，开运元年二月，中华书局1976年版，第1087页。
③　《旧五代史》卷82《晋出帝纪二》，开运元年二月，中华书局1976年版，第1087页。
④　《新五代史》卷72《四裔附录第一》，中华书局1974年版，第895页。

纵兵追及，遂大败之。壬午，留赵延昭守贝州，徙所俘户于内地①。

由此看来，戚城会战双方战果相当，但契丹人大约仍习惯于游牧骑兵的野战方式，攻城略地似乎不为所长，同时，炎炎夏季已经临近，这也是北方骑兵所不能习惯的炎热季节，因此，辽太宗匆忙收兵，大约既担心失利带来的不利后果，也有着生活习惯的具体考虑。故从此年四月开始，双方间大规模的战争状态已经基本结束。开运元年（944年）八月辛丑，晋出帝为了加强抵御契丹军队的能力，分派十五位将领分别率领一定数量的军队，分关把守，共同防御契丹军队的再次入侵。十二月，契丹军队再次入侵后晋政权河北地带，战争自此至次年三月、大小战事几乎都相继发生在河北地区，据《辽史》记载：会同八年（945年）正月，再次大举伐晋，相继攻围邢、洺、磁三州及镇州城②，克其属县，并分兵出掠，"千里之内，焚剽殆尽"；但是，由于后晋将领之间的密切协作，使得后晋军队完全掌握了战争的主动权，契丹军队难以前进至黄河北岸。据《旧五代史》记载：开运二年（945年）三月，晋军与契丹骑兵相继拒战于阳城与白团卫村，晋军两战皆捷，契丹损兵折将，尤其是白团卫村之战，耶律德光大败而归，

　　　　是时，契丹主坐车中，及败走，车行十余里，追兵既急，获一橐驰，乘之而走③。

据说，耶律德光当时乘骑一匹白色的骆驼逃回幽州境内，一路颇为狼狈；因此，回到幽州之后，便立即惩罚那些临阵表现不力或负有失败之责的军官和大臣；同时，又结束了此次大规模的战役行动。此后，945年的冬季与946年的春季，辽、晋双方基本没有发动大规模的战事，使剧烈的军事对抗暂时得到了一定程度的缓解，但是双方之间并没有因此达成和议。相反，开运三年（946年）八月以来，后晋政权内部乘机恢复幽州的呼声不断提高，在此前提

---

① 《辽史》卷4《太宗纪下》，中华书局1974年版，第54页。
② 《辽史》卷4《太宗纪下》，中华书局1974年版，第55页。
③ 《旧五代史》卷83《晋出帝纪三》，中华书局1976年版，第1104页。

之下，晋出帝只好任命与皇室戚属关系密切的杜重威为行营招讨使，统帅全部军队北上，收复幽州，结果，被契丹幽州守将击败，导致辽太宗再次征调大军，大举南伐。是年十一月，契丹军队再次进入后晋境内，杜重威慌忙率领晋军南撤，途中，又改变南撤计划，转而西进试图依据镇州城，与契丹军队决战。十二月，契丹骑兵迅速阻断后晋军队西入镇州之路，围困晋军于中渡桥。接战失利，杜重威陷入恐慌之中，很快就向辽太宗投降，数十万晋军全部成为契丹俘虏，后晋政权的军事屏障一下子消失得无影无踪！于是，辽太宗只在派出少量军队的情况下，就轻松地占领了后晋政权的都城——汴梁城。

三、灭亡后晋"混一"中原的政治企图

耶律德光灭亡后晋政权之前，曾经以中原皇帝的崇高地位，诱惑已经归降契丹的后唐大臣赵延寿，因此，在契丹辽朝发动的伐晋战争中，以赵延寿为代表的汉族大臣发挥出巨大的历史作用。史称：会同六年（943年）十二月

> 丁未，如南京，议伐晋。命赵延寿、赵延昭、安端、解里等自沧、恒、易、定分道而进，大军继之。
> 七年春正月甲戌朔，赵延寿、延昭率前锋五万骑次任丘。丙子，安端入雁门，围忻、代。己卯，赵延寿围贝州，其军校邵珂开南门纳辽兵，太守吴峦投井死。己丑，次元城，授延寿魏、博等州节度使，封魏王，率所部屯南乐[①]。

此次战役，辽军兵分两路，赵延寿等率领东路幽州汉军与奚族军队等，由易州、沧州路南下，直奔河间地区，战役方向直逼后晋京城——汴州；辽太宗也率领大帐亲军，随从东路军共同行动；而契丹将领安端、解里等则率领西路契丹军队等，从恒州、定州路直逼太原城下，战役方向在于夺取后晋河东地区，断其后路。这种战术安排，明显具有一举消灭后晋政权的企图，也具

---

① 《辽史》卷4《太宗纪下》，中华书局1974年版，第53页。

有蕃、汉军队相互照应的战略打算。但是，战役发展则往往出人意料，正当东路军会攻博州、迫其守将降服之际，辽太宗又接到后晋平卢军（即青州）节度使杨光远派人送来的降书，表示可以直接引导辽朝军队，从马家口渡过黄河，直扑后晋都城汴州。因此，辽太宗来不及等待会攻太原未下的西路军，遂决定东路军采取孤军深入的方式，直扑马家口附近的黄河渡口，准备越过黄河，直击后晋的汴州大梁城，同时，分兵接应青州（即平卢军所在）杨光远集团，由此可以窥见辽太宗急于灭亡后晋的迫切心情。但是，由于辽朝军队受到晋末帝石重贵亲自率领的大军阻截，和青州围城军队的进攻，导致辽朝的东路军很快陷入两面作战的困境，辽太宗被迫下令辽军后撤。当时，后晋军队的分布状况是：一部分围攻反叛后晋的青州节度使杨光远，部分自澶渊前出于戚城等地，以为大河之防；晋末帝则统帅大军驻守黄河要津——澶渊城。赵延寿建议辽太宗说：

> 晋诸军沿河置栅，皆畏怯不敢战。若率大兵直抵澶渊，据其桥梁，晋必可取。

但辽太宗并没有采取这种冒险的奔袭计划，而是命令诸军就近进攻近在咫尺的戚城守军高行周部：

> 是日，晋兵驻澶渊，其前军高行周在戚城。乃命延寿、延昭以数万骑出行周右，上以精兵出其左。战至暮，上复以劲骑突其中军，晋军不能战。会有谍者言晋军东面数少，沿河城栅不固，乃急击其东偏，众皆奔溃。纵兵追及，遂大败之。壬午，留赵延昭守贝州，徙所俘户于内地①。

但根据新、旧五代史的记载，此次战役是以契丹人的完全失败而告终，并且辽朝还有重要军事将领的阵亡，在太原以及沧州和冀州等地都有规模不等的战场失利，在这种被动局面下辽太宗只好匆匆收兵而归。因此，关于马家口

---

① 《辽史》卷4《太宗纪下》，中华书局1974年版，第54页。

以及戚城之战的结局，应该以新、旧五代史的记载为准。但从此揭开了契丹与后晋交争不一的混乱局面。而赵延寿等人从中确实发挥很大作用。这一点在中原史料中也有具体体现，据司马光《资治通鉴》记载，后晋天福七年（辽会同五年，942 年）

> 帝〔即齐王重贵〕之初即位也，大臣议奉表称臣告哀于契丹，景延广请致书称孙而不称臣。李崧曰："屈身以为社稷，何耻之有！陛下如此，他日必躬擐甲胄，与契丹战，于时悔无益矣。"延广固争，冯道依违其间。帝率从延广议。契丹大怒，遣使来责让，且言："何得不先承禀，遽即帝位？"延广复以不逊语答之。
>
> 契丹卢龙节度使赵延寿欲代晋帝中国，屡说契丹击晋，契丹主颇然之①。

天福八年（辽会同六年，943 年）九月，

> 初，河阳牙将乔荣从赵延寿入契丹，契丹以为回图使，往来贩易于晋，置邸大梁。及契丹与晋有隙，景延广说帝囚荣于狱，悉取邸中之资。凡契丹之人贩易在晋境者，皆杀之，夺其货。大臣皆言契丹有大功，不可负。戊子，释荣，慰赐而归之。
>
> 桑维翰屡请逊辞以谢契丹，每为延广所阻②。
>
> 〔平卢节度使杨〕光远益骄，密告契丹，以晋主负德违盟，境内大饥，公私困竭，乘此际攻之，一举可取；赵延寿亦劝之。契丹主乃集山后及卢龙兵合五万人，使延寿将之，委延寿经略中国，曰："若得之，当立汝为帝。"又常指延寿谓晋人曰："此汝主也。"延寿信之，由是为契丹尽力，画取中国之策③。

---

① 《资治通鉴》卷 283《后晋纪四》，高祖天福七年十二月条，中华书局 1956 年版，第 9242—9243 页。

② 《资治通鉴》卷 283，高祖天福八年九月条，中华书局 1956 年版，第 9253 页。

③ 《资治通鉴》卷 283，高祖天福八年十二月条，中华书局 1956 年版，第 9256 页。

这是中原史料关于赵延寿在辽太宗处理后晋问题中，具体作用与地位的描述。意思是说，辽太宗利用了赵延寿的心理和贪欲；当然，这种描述揭示的是以赵延寿为首的一批投降契丹的中原人。因此，司马光又记载说：齐王开运元年（辽会同七年，944 年）

> 春，正月乙亥，边藩驰告："契丹前锋将赵延寿、赵延照（昭）将兵五万入寇，逼贝州。"先是朝廷以贝州水陆要冲，多聚刍粟，为大军数年之储，以备契丹。军校邵珂，性凶悖，永清节度使王令温黜之。珂怨望，密遣人亡入契丹，言"贝州粟多而兵弱，易取也。"……会契丹入寇，［知州事吴］峦书生，无爪牙，珂自请，愿效死。峦使将兵守南门，峦自守东门。契丹主自攻贝州，……珂引契丹自南门入，峦赴井死。契丹遂陷贝州，所杀且万人①。

看来，即使后晋政权之内，如杨光远、邵珂之流试图投降契丹、出卖后晋，然后从中捞取一定政治资本或经济收入的人物，也大有人在！或者辽太宗在向后晋政权发动战争的初期阶段，并没有势必消灭后晋的政治企图，因此试图鼓励投降辽朝的汉族军队及其将领等，对于后晋政权实施大规模的军事干扰；但是，政局的发展最终使辽、晋双方共同陷入一场生死较量的角逐之中，而且，双方的汉族大臣都从中起到推波助澜的历史作用，例如上述冯道的"依违"态度，事实上等于默认"称孙不称臣"的举措，是一种暗示，更是一种鼓励。史称：

> 帝［晋末帝——笔者］复遣译者孟守忠致书于契丹，求修旧好。契丹主复书曰："已成之势，不可改也。"②

双方的纠葛，已经成为不能化解的矛盾。是年末，契丹军队再次南下，仍以赵延寿为先锋，由恒州路而入。次年（945 年）正月，击败后晋军于邺县漳

---

① 《资治通鉴》卷 283，齐王开运元年正月条，中华书局 1956 年版，第 9260—9261 页。
② 《资治通鉴》卷 283，齐王开运元年正月条，中华书局 1956 年版，第 56 页。

河畔；三月，后晋军队利用大风天气击败契丹军队于白团卫村，辽太宗乘骆驼逃归幽州，"杖战不力者各数百"①；而《资治通鉴》记载此事则曰：

> 契丹主至幽州，散兵稍集；以军失利，杖其酋长各数百，唯赵延寿得免。②

此次战役的失利，导致契丹政权内部异议突起，史称：会同八年（后晋开运二年，945 年）七月，

> 晋遣孟守中奉表请和，仍以前事答之。
>
> 九月壬寅，次赤山，宴从臣，问军国要务，对曰："军国之务，爱民为本。民富则兵足，兵足则国强。"上以为然。③

所谓"前事答之"，即要求后晋改正没有请示便擅自拥立的错误等。契丹群臣的对话，也正可以视为应天皇太后集团的干预。此事，在《资治通鉴》中就可以得到印证：

> ［开运二年六月］契丹连岁入寇，中国疲于奔命，边民涂地；契丹人畜亦多死，国人厌苦之。述律太后谓契丹主曰："使汉人为胡主，可乎？"曰："不可。"太后曰："然则汝何故欲为汉主？"曰："石氏负恩，不可容。"太后曰："汝今虽得汉地，不能居也；万一蹉跌，悔何所及！"又谓其群下曰："汉儿何得一向眠！自古但闻汉和蕃，未闻蕃和汉。汉儿果能回意，我亦何惜与和！"④

契丹统治阶层的最高层又发出弃战求和的声音，故《资治通鉴》续记曰：

---

① 《辽史》卷 4《太宗纪下》，中华书局 1974 年版，第 56 页。
② 《资治通鉴》卷 283，齐王开运二年三月条，中华书局 1956 年版，第 9290 页。
③ 《辽史》卷 4《太宗纪下》，中华书局 1974 年版，第 56 页。
④ 《资治通鉴》卷 284，齐王开运二年六月条，中华书局 1956 年版，第 9293 页。

桑维翰屡劝帝复请和于契丹以纾国患，帝假开封军将张晖供奉官，使奉表称臣诣契丹，卑辞谢过。契丹主曰："使景延广、桑维翰自来，仍割镇、定两道隶我，则可和。"朝廷以契丹语忿，谓其无和意，乃止。及契丹主入大梁，谓李崧等曰："向使晋使再来，则南北不战矣。"

事实表明，以辽太宗为首的主战派在应天皇太后的政治压力之下，也有他们承受压力的具体限度，但当时辽太宗似乎已经打算作出最后的一搏！946年，后晋境内大饥，灾民遍地，盗贼蜂起；是年7月，赵延寿诈降，后晋枢密使李崧、冯玉误信为真，遣人致书于延寿招徕之，于是，赵延寿回书曰：

"久处异域，思归中国。乞发大军应接，拔身南去。"辞旨恳密。朝廷欣然，复遣［赵］行实诣延寿，与为期约。①

其后，契丹又令幽州边将数次诈降，引诱后晋；于是，后晋以杜重威为元帅，领精兵北上幽州，结果中计，数十万大军被围困于恒州滹沱水中度桥附近，史称，

契丹遥以兵环晋营，内外断绝，军中食且尽。杜威与李守贞、宋彦筠谋降契丹，威潜遣腹心诣契丹牙帐，邀求重赏。契丹主绐之曰："赵延寿威望素浅，恐不能帝中国。汝果降者，当以汝为之。"威喜，遂定降计。……契丹主遣赵延寿衣赭袍至晋营慰抚士卒，曰："彼皆汝物也。"杜威以下，皆迎谒于马前。亦以赭袍衣威以示晋军，其实皆戏之耳。以威为太傅，李守贞为司徒。②

此事，据《辽史》记载，

① 《资治通鉴》卷285，齐王开运三年七月条，中华书局1956年版，第9306页。
② 《资治通鉴》卷285，齐王开运三年十二月甲子条，中华书局1956年版，第9318—9319页。

　　　　［会同九年］十二月丙寅，杜重威、李守贞、张彦泽等率所部二十
　　万众来降。上拥数万骑，临大阜，立马以受之。授重威守太傅、邺都留
　　守，守贞天平军节度使，余各领旧职。分降卒之半付重威，半以隶赵
　　延寿①。

于是，契丹军队分兵攻克恒、代、易、定、镇等数州之地，遂任命降将孙方
简为易州义武军节度使、契丹贵族麻答为镇州安国军节度使、客省副使马崇
祚为权知恒州事；翰林承旨、吏部尚书张砺言于契丹主曰：

　　　　"今大辽已得天下，中国将相宜用中国人为之，不宜用北人及左右
　　近习。苟政令乖失，则人心不服，虽得之，犹将失之。"契丹主不从②。

张砺的建议，并未得到辽太宗的认同，因为，在辽太宗看来中原地区既然被
征服，理应接受契丹人的统治！遂率大军自邢、相二州，沿太行山西麓南
下，杜重威等也率领军队随行，直取后晋京城开封府汴梁城；此时，后晋赶
紧派人奉上传国玺，以示投降。史称：

　　　　契丹以所献传国宝追琢非工，又不与前史相应，疑其非真，以诏书
　　诘帝，使献真者③。

此时，辽太宗对于中原地区的基本态度，已经呈现出完全占有的政治立场，
而且对于中原政治局面的基本了解也比较充分；尤其对传国玺的格外关心，
已经呈现出准备将后晋版图纳入契丹领土的雄心壮志。当辽太宗来到汴梁城
郊外的时候，后晋皇帝准备出应，辽太宗以"吾遣奇兵直取人梁，［此］非
受降也"为借口，予以拒绝，并诏令：

---

①　《辽史》卷4《太宗纪下》，中华书局1974年版，第58页。
②　《资治通鉴》卷285，齐王开运三年十二月条，中华书局1956年版，第9319—9320页。
③　《资治通鉴》卷285，齐王开运三年十二月条，中华书局1956年版，第9324页。

晋文武群官，一切如故；朝廷制度，并用汉礼①。

"蕃汉分治"的政治体制已经了然于胸中！辽会同十年（947年）春正月丁未朔，辽太宗进入汴梁城，至皇城明德门时，"下马拜而后入宫。以其枢密副使刘密权开封府事"，傍晚时，辽太宗用契丹军队守卫宫城等，自己则离开宫城，仍回到城外军营中宿住。辛卯日，送后晋皇帝妃嫔宫人及景延广等入契丹本土；癸巳日，辽太宗又率领契丹宿卫军再次进入宫城，用契丹巫觋举行"法事"之后，对后晋大臣们说：

自今不修甲兵，不市战马，轻赋省役，天下太平矣。②

既是表示与后晋大臣的亲密，也是表明自己的政治见解。于是，宣布取消大梁城的"东京"称号，辽太宗自己穿起汉族皇帝的衣冠，采用后晋原有的礼仪制度，朝见群臣，任命李崧为太子太师、充枢密使，冯道为守太傅、于枢密院祗候、以备顾问；同时，遣使各地，晓谕藩镇军帅天下易势之道，征召各地官吏入觐于开封，除泾州彰义军拒不受命和秦、阶、成三州投降蜀国外，其余官吏接到诏令后，"无不奔驰而至"③。契丹辽朝混一中原的政治企图，已经具备一定的条件。947年正月，辽太宗任命前燕京留守刘晞为西京留守、永康王兀欲之弟留珪为义成节度使、兀欲姊婿潘聿撚为横海节度使、赵延寿之子匡赞为护国节度使、汉将张彦超为雄武节度使、史佺为彰义节度使、客省副使刘晏僧为忠武节度使、前护国节度使侯益为凤翔节度使、权知凤翔府事焦继勋为保大节度使；遣契丹将述轧、奚王拽剌、渤海将高模翰戍洛阳。遣将戍守各地，目的在于长期占领，但是，辽太宗广受贡献、括借犒军银和允许契丹军队"打草谷"的行为，体现出契丹贵族掠夺战争的本性，从而激起中原民众反抗情绪；在这种前提下，辽太宗开始考虑是否应该册立

---

① 《资治通鉴》卷285，齐王开运三年十二月条，中华书局1956年版，第9325页。

② 《资治通鉴》卷286《后汉纪一》，高祖天福十二年（947年）正月癸巳条，中华书局1956年版，第9330页。

③ 《资治通鉴》卷286《后汉纪一》，高祖天福十二年正月条，中华书局1956年版，第9338—9339页。

傀儡政权的问题，却遭到蕃、汉大臣的反对，于是，是年二月丁巳朔，

> 契丹主服通天冠、绛纱袍，登正殿，设乐悬、仪卫于庭。百官朝
> 贺，华人皆法服，胡人仍胡服，立于文武班中间。下制称大辽会同十
> 年，大赦。仍云："自今节度使、刺史，毋得置牙兵，市战马。"①

辽太宗对于中原政治局面的熟悉程度，的确可以视为高超！他所创制的这种
三班分立的朝会制度，的确是中国古代封建政治的首创，但它表明辽太宗时
期对于中原封建体制的理解和利用，也还停留在一个相当简单的"照搬照
抄"的原始阶段。

史书记载，赵延寿没能做成中原皇帝，内心认为契丹主"负约"，很不
满意；当张砺接受辽太宗指令为赵延寿加官晋爵时，拟奏为"燕王、中京
留守、大丞相、录尚书事、都督中外诸军事、枢密使如故"，辽太宗遂亲自
涂抹掉"录尚书事、都督中外诸军事"等字样，其余照单颁发；中京，即
后晋镇州城（今河北省正定县）。但不久，刘知远称帝于太原，各地开始接
连出现击杀或驱逐契丹官吏的事件，契丹人统治下的中原政局呈现极大的不
稳定现象；同时，因为中原天气日渐炎热，四月初，辽太宗决定北返本土。
结果，他离开大梁之后，中原地区迅速陷入混乱局面，刚刚获得的中原很快
又丢失了。

---

① 《资治通鉴》卷286《后汉纪一》，高祖天福十二年（947年）二月条，中华书局1956年版，第
9338—9339页。

第　五　章

辽朝世宗穆宗时期的内蒙古地区

第一节　"栾城之变"与"横渡之约"

一、"栾城之变"

941年春季，辽太宗在率领契丹军队离开大梁城之前，复于汴州置宣武军，以契丹后族萧翰为宣武军节度使，负责汴梁城及其周围地区的军事防务；辽太宗亲自率契丹军队主力自黄河南岸白马附近渡河北归，但在北归途中并不约束和禁止契丹兵马的剽掠行为，结果导致了声势更加强大的中原各地民众纷纷反抗契丹官吏和袭击契丹军队的斗争。反抗的浪潮，风起云涌，诛杀与驱逐契丹官吏的事件也随之蜂起，最终迫使像萧翰等这样率领军队的高级将领，也不得不匆忙退出大梁城等一切重要的核心区域，导致契丹军队从中原腹地纷纷北撤，企图重新向接近北方草原地带的镇州地区形成军事聚结，以图再次南下。但是，随着契丹军队的大规模北撤，使得契丹人撤出的河东、河南地区，又很快地被割据太原地区的刘知远后汉政权所占领，刘知远为了招徕人心，也适时地打起了驱逐契丹人的旗号。同年四月丁丑日，当辽太宗率领的军队行进至栾城（今河北栾城境内）的时候，太宗本人因为患病不治而殁。辽太宗的突然死亡，使得十数万契丹远征大军顿时陷于群龙无首的状态，形势万分危急。于是，从行南下的各级契丹贵族开始积极酝酿拥立新主的事宜，以挽救十数万南征大军的命运；而当时已经纳入辽太宗南征序列之中的汉族地主阶级人士，以及由他们所直接率领的汉族军队等，此时也蠢蠢欲动，尤其是汉族地主集团的核心人物赵延寿，也积极图谋成为像石敬瑭第二这样的中原皇帝；因此，在南征大军内部已经出现蕃、汉阵营的明显对立，稍有不慎，就会造成契丹政权历史上罕见的大分裂趋势。史称：

> 赵延寿恨契丹主负约，谓人曰："我不复入龙沙矣。"即日，先引兵入恒〔镇〕州，契丹永康王兀欲及南、北二王，各以所部兵相继而入。延寿欲拒之，恐失大援，乃纳之。
>
> 时契丹诸将已密约奉兀欲为主，兀欲登鼓角楼受叔兄拜，而延寿不之知，自称受皇帝遗诏，权知南朝军国事，仍下教布告诸道，所以供给兀欲与诸将同，兀欲衔之。恒〔镇〕州诸门管钥及仓库出纳，兀欲皆自主之。延寿使人请之，不与。①

南征大军相继汇集到镇州城，但是，也由此揭开了燕王赵延寿与永康王兀欲之间，对于辽太宗病殁后契丹统治集团最高权力的争夺。按照当时契丹部落的汗位继承传统，大汗或皇帝死后暂时出现的权力真空，应该由地位尊贵的人暂时管理，然后，举行最高级别的贵族会议来推选新的汗位或帝位继承人，当然新的继承人要无条件地在汗族或皇族的家庭成员中产生；而辽太宗病殁之后，最有资格来主持继承人选举会议者，无过于权力和地位均极崇高的应天皇太后，最有资格的帝位继承人则是当时拥有天下兵马大元帅职务的耶律李胡。因此，永康王兀欲与燕王赵延寿对于最高权力的争夺，在一定的法律程序而言都属于"非法的违逆行为"，但是，当时特定的历史条件也没有给任何一种"正确的选举方式"留下可能的机会。因为，李胡与应天皇太后都远在契丹本土，无法解决南征大军所面临的危机。因此，这就酿成了契丹辽朝历史上著名的"栾城之变"。

所谓"栾城之变"，事实上包括了三方面的具体内容，即燕王赵延寿试图依据镇州实现"权知南国事"的梦想、永康王兀欲集团平息燕王赵

---

① 《资治通鉴》卷286《后汉纪一》，高祖天福十二年四月丁丑条，中华书局1956年版，第9356—9357页。

延寿集团的分裂企图和永康王兀欲擅自自立的"僭越"行为。据司马光记载：

> 或说赵延寿曰："契丹诸大人数日聚谋，此必有变。今汉兵不下万人，不若先事图之。"延寿犹豫不决。壬午，延寿下令，以来月朔日于待贤馆上事，受文武官贺。其仪：宰相、枢密使拜于阶上，节度使以下拜于阶下。李崧以虏意不同，事理难测，固请赵延寿未行此礼，乃止。①

赵延寿试图割地自治的愿望已经付诸行动！可见，在双方剑拔弩张的争权夺利的斗争中，赵延寿集团起初占了较大的优势。这大约是值得赵延寿骄傲自满的原因之一。同时，正如前面所引赵延寿肯定是把自己的竞争对手锁定在了应天皇太后与李胡的身上，因此，他还心存幻想地期望能够得到部分契丹贵族人物的"援助"和支持，永康王兀欲就是他所企盼的贵族要员之一。所以，临事犹豫和举棋不定、判断失误等，统统成为赵延寿失败的基本原因。史称：

> 五月乙酉朔，永康王兀欲召延寿及张砺、和凝、李崧、冯道与所馆饮酒。兀欲妻素以兄事延寿，兀欲从容谓延寿曰："妹自上国来，宁欲见之乎？"延寿欣然与之俱入。良久，兀欲出，谓砺等曰："燕王谋反，适已锁之矣。"又曰："先帝在汴时，遗我一筹，许我知南朝军国。近者临崩，别无遗诏。而燕王擅自知南朝军国，岂理耶！"下令："延寿亲党，皆释不问。"间一日，兀欲至待贤馆受蕃、汉官谒贺，笑谓张砺等曰："燕王果于此礼上，吾以铁骑围之，诸公亦不免矣。"
>
> 后数日，集蕃、汉之臣于府署，宣契丹主遗制，其略曰："永康王，大圣皇帝之嫡孙，人皇王之长子，太后钟爱，群情允归，可于中京即皇帝位。"于是始举哀成服，既而易吉服见群臣，不复行丧，歌吹之

---

① 《资治通鉴》卷286《后汉纪一》，高祖天福十二年四月辛巳条，中华书局1956年版，第9357页。

声不绝于内。①

从赵延寿等人爽快应约、至馆赴宴的情形来看，赵延寿集团并不清楚永康王已经成为自己竞争对手的事实。那么，赵延寿等人内心认定的那个契丹皇位继承人是谁呢？或者说赵延寿集团认定的"假想敌"又是谁呢？这些，无疑都集中到了应天皇太后和天下兵马大元帅李胡的身上。而赵延寿集团之所以能够作出随军契丹贵族集团可以支持其"专制南国"的判断，也说明了当时统治阶级内部普遍反对李胡母子的共同心态。据《辽史》记载：

> 太宗伐晋还，至栾城崩，诸将欲立世宗，以李胡及寿安王在朝，犹豫未决。时安抟直宿卫，世宗密诏问计。安抟曰："大王聪安宽恕，人皇王之嫡长；先帝虽有寿安，天下属意多在大王。今若不断，后悔无及。"会有自京师来者，安抟诈以李胡死传报军中，皆以为信。……乃整军，召诸将奉世宗即位于太宗枢前。②
>
> 及帝崩于栾城，无遗诏，军中忧惧不知所为。吼诣北院大王耶律洼议曰："天位不可一日旷。若请于太后，则必属李胡。李胡暴戾残忍，讵能子民。必欲厌人望，则当立永康王。"洼然之。会耶律安抟来，意与吼合，遂定议立永康王，是为世宗。③

这就是契丹从军贵族集团擅自拥立辽世宗的具体过程。但世宗的即位则是在契丹贵族集团止息了赵延寿"权知南国"的政治行动之后；其实，也是蕃、汉地主、贵族集团实现政治合流的直接结果。或许"栾城之变"的某些内容已经永远地湮没于历史的尘埃之中，但是，兀欲即位无论如何脱离不开蕃、汉贵族官僚集团集体支持的关系，此举也仍然属于契丹习惯法范畴之内的"非法行为"，它已经构成"栾城之变"的主要历史内容。

---

① 《资治通鉴》卷287《后汉纪二》，高祖天福十二年五月乙酉朔条，中华书局1956年版，第9358—9359页。
② 《辽史》卷77《耶律安抟传》，中华书局1974年版，第1260页。
③ 《辽史》卷77《耶律吼传》，中华书局1974年版，第1258—1259页。

二、横渡之约

《辽史》关于世宗皇帝（即永康王兀欲）即位情形的记载，并未采取那种讳莫如深、语焉不详的处理态度，而是比较忠实地记录了当时事情发生的具体情况。如：

> 大同元年春二月，封永康王。夏四月丁丑，太宗崩于栾城。戊寅，梓宫次镇阳，即皇帝位于枢前。甲申，次定州，命天德、朔古、解里等护梓宫先赴上京。太后闻帝即位，遣太弟李胡率兵拒之。①

说明辽世宗的即位，立刻遭到本土贵族阶层（集团）的反对，被认为是一种"不合法"的僭越行为，所以，应天皇太后即刻派出军队，试图予以"平复"。据《资治通鉴》记载：

> 契丹主兀欲以契丹主德光有子在国，己以兄子袭位，又无述律太后之命，擅自立，内不自安。
>
> 初，契丹主阿保机卒于渤海，述律太后杀酋长及诸将凡数百人。契丹主德光复卒于境外，酋长诸将惧死，乃谋奉契丹主兀欲勒兵北归。契丹主以安国节度使麻答为中京留守，以前武州刺史高奉明为安国节度使。晋文武官及士卒悉留于恒［镇］州，独以翰林学士徐台符、李瀚及后宫、宦者、教坊人自随。［五月］乙巳，发真定。②
>
> 契丹述律太后闻契丹主自立，大怒，发兵拒之。契丹主以伟王为前锋，相遇于石桥。初，晋侍卫马军都指挥使李彦韬从晋主北迁，隶述律太后麾下，太后以为排阵使。彦韬迎降于伟王，太后兵由是大败。③

---

① 《辽史》卷5《世宗纪》，中华书局1974年版，第63页。
② 《资治通鉴》卷287《后汉纪二》，高祖天福十二年（947年），中华书局1956年版，第9364页。
③ 《资治通鉴》卷287《后汉纪二》，高祖天福十二年（947年），中华书局1956年版，第9367页。

其中所说辽太宗"在国之子"，即辽穆宗耶律璟（世宗名阮）；所谓"述律太后杀酋长及诸将数百人"，即前述"扶余之变"；伟王，即辽太祖阿保机幼弟安端；石桥，乃潢水石桥。这里记载的战争结局，是以太后集团瓦解为结束；其实事情远非如此简单。辽世宗集团与应天皇太后集团的对抗，始于五月末至八月初；此事，《辽史》的记载比较详细：

兀欲即位镇州后，随即派出护送太宗灵柩的先锋军北返，在泰德泉遭到李胡军队的拦截，由于辽太宗另一位从征儿子天德的勇猛作战，李胡及其率领的军队被击败；李胡战败后，率领军队退回潢水（今赤峰境内西拉木伦河）流域以北，与前来接应的应天皇太后述律氏会合，并在潢水石桥附近重新构筑防线，阻截辽世宗集团率领的南征军队北归，并将辽世宗支持者的家属全部拘押于军营中，试图通过政治与军事两手准备"平息"兀欲集团的僭越行为。大战一触即发之际，辽初名臣耶律屋质不顾个人安危，往来于双方的军营中，积极建议和筹划双方的罢战议和活动；终于在耶律屋质的努力下，双方对垒的气氛得到缓和，并开始进入比较积极的"议和"过程。据记载：当时，议和的前提是双方"各纾忿恚"，即排除或放弃原来那种愤愤不平的心态。史载：

> 始相见，怨言交让，殊无和意。太后谓屋质曰："汝当为我画之。"屋质进曰："太后与大王若能释怨、臣乃敢进说。"太后曰："汝第言之。"屋质借谒者筹执之，谓太后曰："昔人皇王在，何故立嗣圣?"太后曰："立嗣圣者，太祖遗旨。"又曰："大王何故擅立，不禀尊亲?"帝曰："人皇王当立而不立，所以去之。"屋质正色曰："人皇王舍父母之国而奔唐，子道当如是耶？大王见太后，不少逊谢，惟怨是寻。太后牵于偏爱，讬先帝遗命，妄授神器。如此何敢望和，当速交战!"掷筹而退。太后泣曰："向太祖遭诸弟乱，天下荼毒，疮痍未复，庸可再乎!"乃索筹一。帝曰："父不为而子为，又谁咎也。"亦取筹而执。左右感激，大恸。
>
> 太后复谓屋质曰："议既定，神器竟谁属?"屋质曰："太后若授永康王，顺天合人，复何疑?"李胡厉声曰："我在，兀欲安得立!"屋质曰："礼有世嫡，不传诸弟，昔嗣圣之立，尚以为非，况公暴戾残忍，人多怨讟。万口一辞，愿立永康王，不可夺也。"太后顾李胡曰："汝

亦闻此言乎？汝实自为之！"乃许立永康。①

　　这里描写的是一幅"议和"的场面，由调停人耶律屋质手执一筹，忠告双方须有"释怨"的诚意，尔后，分别向双方提问，对其回答作出公正的评价，指出双方内心隐藏的欺骗心理，得出没有"诚意"的结论，"掷筹而退"表示无法主持没有诚意的议和。结果，调停人表现出的激烈反应，反而促成了双方的"和议"。从"太后泣"的气氛来看，表现了重新议和的场面：太后说战乱不能再发生，于是向调解人要了一只算筹；世宗说父亲未做皇帝由儿子来做，也从调解人那里拿了一只算筹，当事双方各执一筹，表示"理由"平等，已经构成和局，否则就要决出胜负。和局的形成，使契丹社会避免了一场内战，议和现场的"左右"参与人都喜极而泣，说明议和也是民心所向；同时，也承认了辽世宗帝位继承的合法地位。

　　辽世宗与应天皇太后及皇太弟、天下兵马大元帅李胡的议和活动，发生在潢水石桥附近。潢水石桥，是当时契丹境内沟通南北的交通要道，也是当时潢水流域横跨两岸的天然渡口②，故称"横渡"③；此次约和，也被称为"横渡之约"。

　　"横渡之约"的内容及其特点，即在于它所运用的排解纠纷的基本方式，应是直接源于契丹社会日常生活习俗的影响，显示出契丹社会对于某些习惯方式的延续与运用，也标志着相对简单的汗国政治体制一定程度的残留。

三、应天皇太后及李胡的政治结局

　　据《资治通鉴》记载，947 年 3 月，辽太宗曾经坐在大梁城的宫殿内与

───────────

　　①　《辽史》卷77《耶律屋质传》，中华书局1974年版，第1256—1257页。

　　②　案：所谓"潢水石桥"，其实是凭借河道中心突兀而出的巨石，再从南北两侧分别架构而成"桥"，是一处天然渡口。沈括：《熙宁使虏图钞》，贾敬颜：《五代宋金元人边疆行记十三种疏证稿》，中华书局2004年版，第162—163页；韩仁信：《潢水石桥考辨》，《内蒙古文物考古》2002年第1期，第107—114页。

　　③　《辽史》卷5《世宗纪》，中华书局1974年版，第64页；卷71《后妃·太祖淳钦皇后述律氏》，第1200页；卷77《耶律屋质传》，第1255页。

蕃、汉大臣闲话时，表露出自己准备北返契丹腹地探视母亲（即应天皇太后）的想法后，有些大臣就向太宗建议：迎接应天皇太后到大梁城居住。但太宗的回答是："太后族大如古柏根，不可摇动。"意思是说：其一，太后根本没有迁居中原的想法；其二，太后的影响绝不可小视；其三，就是太宗自己也不能丝毫影响太后的意志。表明应天皇太后对于契丹皇权的干涉，仍然起着决定性的作用。"栾城之变"可以视为契丹贵族阶层源于恐惧前提下的反抗，而应天皇太后控制国家权柄之时，所造成的一系列"不当"形式的残杀，也形成一种很深的历史积怨。例如：辽世宗的忠实支持者耶律安抟，其父即因支持人皇王（世宗之父）而被应天皇太后所杀；安端父子则因与贵为皇太弟、天下兵马大元帅的太后爱子李胡不和，转而支持世宗。应天皇太后母亲家族（后族）重要人物萧翰则因母亲无罪而被太后杀死，也以报怨的心理参加世宗集团；刘哥因为父亲寅底石（太祖之弟）被太后所杀，也支持世宗。因此，可以说，辽世宗的即位，实际是应天皇太后专权时期那些已经失势的贵族集团的"复辟行为"。这也就决定了辽世宗朝时期，应天皇太后及其幼子李胡集团政治地位的迅速低落。

司马光《资治通鉴》记载："契丹主幽太后于阿保机墓［所］。"而曾经被耶律德光掳掠北上的后晋官吏胡峤，以自己亲身经历撰写的《陷北记》中则记载，"兀欲囚述律后于扑马山"。按：扑马山，辽朝又称白马山，其地在辽太祖陵附近；也就是说，来自中原地区关于应天皇太后政治归宿的记载，大体一致。那么，《辽史》中又是怎样记载的呢？

> ［七月，世宗］用屋质之谋，各罢兵趋上京。既而闻太后、李胡复有异谋，迁于祖州；诛司徒划设及楚补里。①

即"横渡之约"的达成，使双方在潢河横渡附近，息忿罢兵，重归于好。遂即，双方便一同回到契丹都城上京城。但有人向世宗皇帝"透露"了太后及李胡的"异谋"，于是，世宗皇帝下令拘禁应天皇太后及李胡，并于太祖陵附近关押，禁止其出入；同时，还诛杀太后集团骨干，所谓"司徒划

---

① 《辽史》卷5《世宗纪》，中华书局1974年版，第64页。

设及楚补里"二人，应该为太后及李胡之"家臣"集团的首脑人物。《辽史》部落官制度规定，司徒为理民官，契丹语称之为"梯里己"（即今所谓"体己"之意的本源）；司徒划设及楚补里的被杀，标志着应天皇太后及天下兵马大元帅李胡二人的私有财产，遭到瓦解和破坏。如：

> 八月壬午朔，［世宗］尊母萧氏为皇太后，以太后族剌只撒古鲁为国舅帐，立详稳以总焉。以崇德宫户分赐翼戴功臣，及北院大王洼、南院大王吼各五十，安抟、楚补各百。的鲁、铁剌子孙先以非罪籍没者归之。癸未，始置北院枢密使，以安抟为之。……大赦，改大同元年为天禄元年。追谥皇考曰让国皇帝。以安端主东丹国、封明王，察割为泰宁王，刘哥为惕隐，高勋为南院枢密使。

崇德宫，应即应天皇太后斡鲁朵之名号，以其户口分赐群臣等，标志着应天皇太后私有财产的合法地位，已经遭到契丹皇权的剥夺；这一点，从《辽史》"营卫志"关于"宫卫"制度的描述中，可以找到明确的答案①，这是其一。其二，此条史料再次向我们表明了那些曾经失势的契丹贵族东山再起的历史景象。这不是一次简单的官职调整的过程，而是一次贵族家族间政治易势的具体场面，它显示着应天皇太后集团从契丹政治舞台上被完全排除的具体场面。应该说，应天皇太后集团的彻底失利，是契丹政权内部后权与皇权长期斗争的结果。

关于应天皇太后的最后归宿，《辽史》的记载比较简略：

> 太宗崩，世宗即位于镇阳，太后怒，遣李胡以兵逆击。李胡败，太后亲率师遇于潢河之横渡。赖耶律屋质谏，罢兵。迁太后于祖州。应历三年崩。②

---

① 根据《辽史》卷31《营卫志一·宫卫》记载，应天皇太后斡鲁朵有曾经打破和重组迹象，而人皇王耶律倍及皇太弟李胡也有过自己的斡鲁朵。

② 《辽史》卷71《后妃·应天皇太后述律氏》，中华书局1974年版，第1200页。

也就是说，应天皇太后述律氏，自天禄元年（947 年）七月被拘禁之后，直到应历三年（953 年）病殁为止，期间，并未脱离被始终羁押的境遇，甚至辽穆宗以"反正"的心态重新夺取契丹皇位之后，也没有丝毫释放应天皇太后的想法，这大概是契丹贵族对其贪权欲望的"恐惧"吧！

关于寿昌皇太弟李胡的晚年状况，《辽史》的记载也极其简略，

> 和约既定，趋上京。会有告李胡与太后谋废立者，徙李胡祖州，禁其出入。
>
> 穆宗时，其子喜隐谋反，辞逮李胡，囚之，死狱中。①

从史料的记载来看，似乎在应历三年（953 年）"六月丁卯，应天皇太后崩"之后，李胡被释放或者获得比较优厚的待遇，但到应历十年（960 年）十月

> 丙子，李胡子喜隐谋反，辞连李胡，下狱死。②

但是，李胡的死亡，并不意味着李胡系统的政治势力与政治影响的彻底消退，直到辽景宗时期，喜隐及其诸子又因谋反而被治罪后，李胡系统的政治影响才被消除干净。

第二节 "祥古山之变"与穆宗即位

一、世宗朝的政治局面

辽世宗暂时稳定契丹本土统治局面后，虽然，诏令设立契丹南、北枢密院，分别以耶律安抟与高勋为北、南两院枢密使，标志着自太宗朝以来"蕃、汉分治"（即南北面官）制度的进一步完善以及契丹辽朝政治体制建

---

① 《辽史》卷 72《宗室·李胡》，中华书局 1974 年版，第 1213 页。
② 《辽史》卷 6《穆宗纪上》，中华书局 1974 年版，第 76 页。

设的基本完成。但是，国内外一切矛盾并没有得到有效的解决，反而使契丹辽朝统治集团的政治影响，大大地低于太宗朝统治时期，甚至统治集团内部的矛盾也在不断升级，从而极大地影响了契丹辽朝的政治发展前景。

就国外（即中国古代当时并立的割据政权之间联系）局势而言，辽太宗在位的最后一二个月内，当时割据太原及其周边地区的刘知远集团，已经呈现出尾大不掉之势。据司马光记载：

> [后晋时] 契丹屡深入，[河东节度使刘] 知远初无邀遮、入援之志。及闻契丹入汴，知远分兵守四境以防侵轶。遣客将安阳王峻奉三表诣契丹主：一，贺入汴；二，以太原夷、夏杂居，戍兵所聚，未敢离镇；三，以应有贡物，值契丹将刘九一军自土门西入屯于南川，城中忧惧，俟召还此军，道路始通，可以入贡。契丹主 [即太宗——笔者] 赐诏褒美，及进画，亲加"儿"字于知远姓名之上，仍赐以木拐。胡法，优礼大臣则赐之，如汉赐几杖之比，唯伟王以叔父之尊得之。①

刘知远既不入觐，又花言巧语调离契丹军队的封锁，并始终控制河东地区的军事力量。当辽太宗率领契丹军队北返之际，各地豪强纷纷称雄自治、驱逐契丹军队。当契丹军队由于皇帝新丧、群龙无首而纷纷北撤的时候，刘知远乘机派出军队，四处劝降并收复失地，很快就利用拉拢与打击的策略，迅速占领后晋原有版图的主要部分，称帝于太原。是年七月戊辰，刘知远入洛阳城，"下诏大赦，凡契丹所除节度使，下至将吏，各按职任，不复变更。"于是，杜重威、李守贞等皆奉表归降，遂入大梁城；与契丹驻守各地的后晋军队，也纷纷哗变归降刘知远建立的后汉政权。史称：

> [魏州节度使] 杜重威自以附契丹，负中国，内常疑惧……遣其子宏璲质于麻答以求援。赵延寿有幽州亲兵二千在恒 [镇] 州，指挥使张琏将之，重威请以守魏；麻答遣其将杨衮将契丹千五百人及幽州兵赴之。……麻答遣使督运于洺州，洺州防御使薛怀让闻帝 [即刘知

---

① 《资治通鉴》卷286，后汉高祖天福十二年条，中华书局1956年版，第9335—9336页。

远——笔者] 入大梁，杀其使者，举州降 [后汉]。帝遣郭从义将兵万人会怀让攻刘铎于邢州，不克。铎请兵于麻答，麻答遣其将杨安及前义武节度使李殷将千骑攻怀让于洺州。怀让婴城自守，安等纵兵大掠于邢、洺之境。

  契丹 [麻答] 所留兵 [留于镇州之兵——笔者] 不满二千，……[汉军] 闻帝入大梁，皆有南归之志……会杨衮、杨安等军出，契丹留恒州者才八百人……汉兵夺契丹守门者兵击契丹……诸将继至，烟火四起，鼓噪震地……八月，壬午朔……麻答、刘晞、崔廷勋皆奔定州，与义武节度使邪律忠合。……杨衮至邢州，闻麻答被逐，即日北还，杨安亦遁去；李殷以其众来降。……刘铎闻麻答遁去，举邢州降①。

杜重威以及驻守魏州（又名邺都）的幽州兵等，城破之后，皆被杀。

  [契丹定州节度使] 邪律忠闻邺都既平，常惧华人为变。……忠与麻答等焚掠定州，悉驱其人弃城北去……于是晋末州县陷契丹者，皆复为汉有矣。②

辽太宗时期历经五年征服的后晋版图，又悉数归于后汉，而此时契丹统治集团也已无暇再与后汉进行争夺。

  在契丹国内，统治集团的内部矛盾并未因皇朝改易而完全消失，相反地却形成了一次总爆发。史称：辽世宗任命麻答留守中京之后，

  [麻答] 出入或被黄衣，用乘舆，服御物，曰："兹事汉人以为不可，吾国无忌也。"又以宰相员不足，乃牒冯道判弘文馆，李崧判史馆，和凝判集贤，刘昫判中书，其僭妄如此。③

  ① 《资治通鉴》卷287，后汉高祖天福十二年七、八月条，中华书局1956年版，第9371—9373页。

  ② 《资治通鉴》卷288，后汉高祖乾祐元年（948年），中华书局1956年版，第9389页。

  ③ 《资治通鉴》卷287，后汉高祖天福十二年七月条，中华书局1956年版，第9370页。

如果说麻答自述体现出辽朝初期汗国政治的孑遗，那么，基于此种孑遗之上的具体政治状况，就可以归纳为"骄兵悍将"这四个字。若以麻答自述为非，那么，辽世宗朝初期的政治混乱，于此也可窥见一斑了。而麻答之死，或可以体味出当时统治集团内部剧烈的矛盾与斗争的历史景象。

> 麻答［逃归］至其国，契丹主［世宗］责以失守。麻答不服，曰："因朝廷征汉官致乱耳。"契丹主鸩杀之。①

麻答之死，并不是世宗朝统治集团内部斗争的结束，而是拉开了序幕。麻答，乃辽太祖弟剌葛之子，死于世宗天禄元年，为辽世宗长辈伯叔行。

> ［天禄］二年春正月，天德、萧翰、刘哥、盆都等谋反。诛天德，杖萧翰，迁刘哥于边，罚盆都使辖戛斯国。②

而《辽史》中又记载此事时说：

> 天禄二年，耶律天德、萧翰谋反下狱，惕隐刘哥及其弟盆都结天德等为乱。耶律石剌潜告屋质，屋质遽引入见，白其事。刘哥等不服，事遂寝。未几，刘哥邀驾观樗蒲，捧觞上寿，袖刃而进。帝觉，命执之，亲诘其事。刘哥自誓，帝复不问。屋质奏曰："当使刘哥与石剌对状，不可辄恕。"帝曰："卿为朕鞠之。"屋质率剑士往讯之，天德等伏罪，诛天德，杖翰，迁刘哥，以盆都使辖戛斯国。③

天德，乃辽太宗之子，与辽世宗为平辈兄弟行，开始拥护辽世宗，然而不到半年时间，又成为你死我活的政敌；萧翰，乃契丹后族的著名人物，与辽世宗为长辈舅父行，但又娶世宗之妹为妻（为妹婿行），开始背叛应天皇太后

---

①　《资治通鉴》卷288，后汉高祖乾祐元年三月条，中华书局1956年版，第9389—9390页。
②　《辽史》卷5《世宗纪》，中华书局1974年版，第64页。
③　《辽史》卷77《耶律屋质传》，中华书局1974年版，第1257页。

而支持辽世宗夺取契丹皇位，也在不到半年时间内，转变为辽世宗的政敌；刘哥与盆都，皆为辽太祖弟寅底石之子，与世宗为长辈叔伯行。也就是说，自麻答开始，辽世宗朝的政治斗争，就始终围绕在契丹皇族的核心阶层内展开。这种现象的出现，乃是因为当时仍然盛行的君位推选制度的结果。

> ［天禄］三年春正月，萧翰及公主阿不里谋反，翰伏诛，阿不里瘐死狱中。①

这又是萧翰的第二次谋反，据其本传记载：

> 天禄二年，尚帝妹阿不里。后与天德谋反，下狱。复结惕隐刘哥及其弟盆都乱，耶律石剌告屋质，屋质遽入奏之，翰等不伏。帝不欲发其事，屋质固诤以为不可，乃诏屋质鞫按。翰伏辜，帝竟释之。复与公主以书结明王安端反，屋质得其书以奏，翰伏诛。②

辽世宗朝统治集团核心阶层，为什么会出现频繁的内部反叛事件？这是值得注意与研究的历史内容，它标志着世宗朝政治统治的不稳定性。

二、“祥古山之变”

辽世宗朝频繁而激烈的政治斗争，在公元951年9月，演化为一场惨烈的血流成河的宫廷政变，结束了世宗朝的历史命运。据《辽史》记载：

> 九月庚申朔，自将南伐。壬戌，次归化州祥古山。癸亥，祭让国皇帝于行宫。群臣皆醉，察割反，帝遇弑。③

归化州，治今河北省张家口市宣化；祥古山，在辽朝归化州境内；让国皇

---

① 《辽史》卷5《世宗纪》，中华书局1974年版，第65页。
② 《辽史》卷113《逆臣中·萧翰》，中华书局1974年版，第1506页。
③ 《辽史》卷5《世宗纪》，中华书局1974年版，第66页。

帝，即辽世宗之父、人皇王耶律倍；察割乃辽太祖弟、明王安端之子，与辽世宗为叔伯行，察割为此次叛乱的主谋。此事，据《资治通鉴》记载：

> 九月，北汉主遣招讨使李存环将兵自团柏入寇。契丹欲引兵会之，与酋长议于九十九泉。诸部皆不欲南寇，契丹主强之。癸亥，行至新州之火神淀，燕王述轧及伟王之子太宁王讴僧作乱，弑契丹主而立述轧。①

新州，辽朝更名为奉圣州，治今河北省涿鹿县；九十九泉，即今内蒙古乌兰察布市境内之灰腾梁；述轧，《辽史》无征，从行为记录来看，应即《辽史》记录之主谋、伟王（或明王）安端之子泰宁王察割，但司马光又记载"伟王之子太宁王讴僧"为此次宫廷政变的从犯，如此，司马光的记录存在很大程度的舛乱；又，司马光关于地名和具体位置等记载，也皆与《辽史》不合，譬如火神淀，《通鉴胡注》注引"宋白曰：火神淀在新州西。"则更与《辽史》关于归化州的记载，相差万里；故于此不取《资治通鉴》的记载，不妨根据《辽史》，称之为"祥古山之变"。

关于"祥古山之变"的惨烈程度，据《辽史》记载：

> 世宗怀节皇后萧氏……天禄末，立为皇后。明年秋，生萌古公主。在蓐，察割作乱，弑太后及帝。后乘步辇，直诣察割，请毕收殓。明日遇害②。

怀节皇后，即应天皇太后之弟、辽初著名功臣萧阿古只之女；太后即人皇王妃萧氏，乃辽世宗生母。又据记载，察割之乱，目的在于将当时执政大臣等一网打尽。

---

①　《资治通鉴》卷290《后周纪一》，太祖广顺元年（951年）九月条，中华书局1956年版，第9462—9463页。

②　《辽史》卷71《后妃·世宗怀节皇后萧氏》，中华书局1974年版，第1201页。

　　秋，上祭让国皇帝于行宫，与群臣皆醉，察割弑帝。屋质闻有言
"衣紫者不可失"，乃易衣而出①。

根据如此记载，说明察割发动的宫廷政变，并不是一次突发的政治事件，而
是一次有组织、有预谋以及完整策划的军事行动，而且，事变之初已经有许
多人都知晓将要发生的事情，只是辽世宗等还蒙在鼓中而已。同时，据察割
本传记载：

　　帝伐周，至祥古山，太后与帝祭文献皇帝于行宫，群臣皆醉。察割
归见寿安王，邀与语，王弗从。察割以谋告耶律盆都，盆都从之。是
夕，同率兵入弑太后及帝，因僭位号。百官不从者，执其家属。②

文献皇帝，即人皇王耶律倍；寿安王虽然拒绝了察割的煽惑，但既没有告
密，也没有受到察割集团的监视，说明其中隐含了一些影影绰绰的事情；盆
都，就是那位因为谋反而被罚出使黠戛斯国的人。这些，都再次表明："祥
古山之乱"的确是又一次有蓄谋、有组织的契丹贵族阶层争权夺利的内部
斗争，而且，同样是在契丹辽朝最高统治集团核心成员中发生。其中，有两
个人物值得注意：其一就是辽穆宗耶律璟，当时身为寿安王，虽曰"群臣
皆醉"，而寿安王与察割等人则比较清醒；其二即辽初名臣、时任世宗禁军
详稳的耶律屋质，闻讯之后，孤身逃出行宫，自己没有组织反击，相反，却
命令弟弟耶律冲赶紧寻找寿安王来继承皇位，如：

　　[右皮室详稳耶律屋质] 易衣而出，亟遣人召诸王，及喻禁卫长皮
室等同力讨贼。时寿安王归帐，屋质遣弟冲迎之。王至，尚犹豫。屋质
曰："大王嗣圣子，贼若得之，必不容。群臣将谁事，社稷将谁赖？万
一落贼手，悔将何及？"王始悟。诸将闻屋质出，相继而至。迟明整

①《辽史》卷77《耶律屋质传》，中华书局1974年版，第1257页。
②《辽史》卷112《逆臣上·耶律察割》，中华书局1974年版，第1500页。

兵，出贼不意，围之，遂诛察割。①

没有救援，只是趁火打劫、火中取栗而已。耶律屋质的历史作用，于此可见全貌。尤其值得注意的是：貌似毫无夺权意识的寿安王，其实从中发挥了很"阴险"的历史作用，所以，即位之后，他对于世宗的仇恨，也就立即显现出来。据记载，耶律安抟，

> 穆宗即位，以立世宗之故，不复委用。应历三年，或诬安抟与齐王罨撒葛谋乱，系狱死。②

毋庸置疑，耶律安抟的确是辽世宗夺取契丹皇位的重要功臣，属于辽世宗朝贵族"复辟阶层"的首要人物，因此，"祥古山之变"体现出强烈的辽世宗朝契丹贵族复辟势力再遭打击的政治味道。又如：

> 耶律颓昱，字团宁，孟父楚国王之后。……及穆宗立，以匡赞功，尝许以本部大王。后将葬世宗，颓昱恳言于帝曰："臣蒙先帝厚恩，未能报；幸及大葬，臣请陪位。"帝由是不悦，寝其议。③
>
> 何鲁不，字斜宁，尝与耶律屋质平察割乱。穆宗以其父吼首议立世宗，故不显用。晚年为本族敞史。④

形式上是一种关于皇权世统的地位之争，但确切地说，实际标志着以辽世宗为首的那些曾经"失势"的契丹贵族集团复辟力量的再次崩溃。耶律安抟和耶律颓昱这两个人的遭遇，其实就是辽世宗死后几天内所发生事情的历史实录，既表明了辽穆宗本人很早就满蓄着对世宗朝的深刻怨恨，也表明了这种怨恨所具备的深厚基础；而且，这种怨恨只能用"深入骨髓"来形容才最为恰当。这是为什么？虽然，《辽史》等对此并未留下星点的答案，但

---

① 《辽史》卷77《耶律屋质传》，中华书局1974年版，第1257—1258页。
② 《辽史》卷77《耶律安抟传》，中华书局1974年版，第1261页。
③ 《辽史》卷77《耶律颓昱传》，中华书局1974年版，第1262页。
④ 《辽史》卷77《耶律吼传附子何鲁不》，中华书局1974年版，第1259页。

是，透过现象看本质则无疑是比较确切的历史答案。总之，"祥古山之变"造就了寿安王的一番帝业！

三、穆宗朝的政治状况

"祥古山之变"，完成了寿安王耶律璟全盘取代辽世宗皇权地位的历史转变，但是，转折的具体过程也包含着一些固有的曲折、复杂的历史特点。根据《辽史》记载：

> ［察割与盆都］是夕，同率兵入弑太后及帝，因僭位号。百官不从者，执其家属。至夜……［察割］妻曰："寿安王、屋质在，吾属无噍类……"察割曰："寿安年幼，屋质不过引数奴，诘旦来朝，固不足忧。"其党矧斯报寿安、屋质以兵围于外，察割寻遣人弑皇后于枢前，仓惶出阵。寿安遣人谕曰："汝等既行弑逆，复将若何？"有夷离堇划者委兵归寿安王，余众望之，徐徐而往。察割知其不济，乃系群官家属，执弓矢胁曰："无过杀此曹尔！"叱令速出。时林牙耶律敌猎亦在系中，进曰："不有所废，寿安王何以兴。藉此为辞，犹可以免。"察割曰："诚如公言，谁当使者？"敌猎请与罨撒葛同往说之，察割从其计。寿安王复令敌猎诱察割，裔杀之。诸子皆伏诛。①

此段史料包含以下几部分内容，第一，自察割角度而言，弑逆之后，年轻的寿安王根本未放在相对老练的泰宁王察割眼里。而办事干练的屋质，察割认为已经暂时聚集不起一支强大的力量。群臣集团则是一些望风而动、恃强凌弱的人物。第二，察割得知屋质与寿安王包围自己的时候，首先杀害世宗皇后，然后排阵出战。第三，寿安王并未问罪而是质问察割意欲何为。第四，察割以人质相要挟，使双方陷入对垒的局面。第五，群臣集团多倾向寿安王，察割试图以寿安王拥戴者身份，息事宁人，结果，被寿安王利用而遭到严酷的诛杀。这几点之间，是否存在密切的连接关系？笔者认为，缺损的资

---

① 《辽史》卷112《逆臣上·耶律察割》，中华书局1974年版，第1500—1501页；卷113《耶律敌猎传》，第1509—1510页。

料还很多，史料所显示的具体内容，并未形成一种必然的因果关系，其中存在的疑问也还很多，只是由于史料的缺陷，已经不能够也无法再进行任何的研究与推测。

还有六院大王耶律朗（即前述定州节度使耶律忠），史称：

> 及察割作乱，遣人报朗曰："事成矣！"朗遣详稳萧胡里以所部军往，命曰："当持两端，助其胜者。"①

耶律朗的态度，事实上代表了一批契丹贵族的实际心理。还有，麻答之子耶律海里的经历，足可以证明察割以家属为人质的真实性：

> 察割之乱，其母的鲁与焉。遣人召海里，海里拒之。乱平，的鲁以子故获免。②

那么，由此而言，辽穆宗的即位，形式上与辽世宗的即位方式存在很大的类同性，它说明契丹人盛行的选举式皇位继承方式，已经发展到一个非常危险的顶点。那么，辽穆宗朝的政治生活是否也向世宗朝那样呈现出极大的混乱现象呢？我们不妨对此作番探索。据《辽史》记载，天禄五年（951 年）九月癸亥（初四日），世宗被杀；丁卯（初八日），寿安王耶律璟即皇帝位，是为辽穆宗，宣布改元为应历元年。从世宗皇帝被害到穆宗皇帝即位，其间仅隔三天，因此，穆宗皇帝即位很难说是通过契丹贵族会议"普选"的结果。史称：当年十一月，穆宗皇帝宣布："朝会用嗣圣皇帝故事，用汉礼。"即恢复辽太宗朝的政治制度。

> （应历二年正月）壬戌，太尉忽古质谋逆，伏诛。

太尉忽古质，不知何许人也，但从记录官职来看，应属于契丹贵族社会上层

---

① 《辽史》卷 113《逆臣中·耶律朗》，中华书局 1974 年版，第 1507 页。
② 《辽史》卷 84《耶律海里传》，中华书局 1974 年版，第 1311 页。

人物无疑；谋逆的原因、目的等，《辽史》都没有详细记载，因此，此次叛乱性质等也无从查考。仅此年之内，穆宗朝爆发的叛逆事件，就达三次，其余两次为：

> 六月壬辰，国舅政事令萧眉古得、宣政殿学士李澣等谋南奔，事觉，诏暴其罪。
> 秋七月乙亥，政事令娄国、林牙敌烈、侍中神都、郎君海里等谋乱就执。八月己丑，眉古得、娄国等伏诛，杖李澣而释之①。

政事令，属于契丹辽朝政权的丞相，为正一品大员；国舅，更是契丹贵族集团核心阶层的重要人物；以萧眉古得地位之尊贵，如果没有不可化解的严重矛盾冲突，绝不会联合汉官阶层一起南奔中原地区；南奔事件未了，就又遇到谋乱事件的发生。娄国（中原地区称为留珪），为辽世宗之弟、人皇王之次子；敌烈，六院部贵族，即为辽穆宗诱杀察割之人；对于此次事件的处理结果，是首犯萧眉古得与娄国被杀，其他人则免死论罪。但是，反叛事件并未终止。

> （应历三年）十月己酉，命太师唐骨德治大行皇太后园陵李胡子宛、郎君稣幹、敌烈谋反，事觉，辞逮太平王罨撒葛、林牙华割、郎君新罗等，皆执之。……（四年春正月）己丑，华割、稣幹等伏诛，宛及罨撒葛皆释之。②

李胡的儿子也开始以契丹最高贵族的身份，试图攫取契丹皇权，而且，事情还牵连到辽穆宗的弟弟、辽太宗的儿子太平王罨撒葛等，贵族集团内部的斗争似乎依然如故。

> （应历九年十二月）庚辰，王子敌烈、前宣徽使海思及萧达干等谋

---

① 《辽史》卷6《穆宗纪上》，中华书局1974年版，第70页。
② 《辽史》卷6《穆宗纪上》，中华书局1974年版，第72页。

反，事觉，鞠之。辛巳，祀天地、祖考，告逆党事败。

（应历十年七月）辛酉，政事令耶律寿远、太保楚阿不等谋反，伏诛。……冬十月丙子，李胡子喜隐谋反，辞连李胡，下狱死。十一月，海思狱中上书，陈便宜。

十一年春二月丙寅，释喜隐。①

王子敌烈，即太宗之子、穆宗之弟；政事令耶律寿远、太保楚阿不等应皆是贵族核心人物，还有穆宗叔子喜隐等。这一切，都表明辽穆宗统治时期极其不稳定的政治状况。

第三节　辽世宗、穆宗时期的内蒙古地区

一、太宗末及世宗朝派往"西南边"的地方官吏

辽朝对于中原地区的经营和防御策略，都主要地体现在对于南京幽都府（后更名为析津府）、南北大王府、乙室大王府、云朔招讨司和西南边详稳司等关键机构（或部门）官员的选择与任命方面。史称：辽太宗会同二年（939 年）闰七月

癸未，乙室大王坐赋调不均，以木剑背挞而释之；并罢南、北府民上供，及宰相、节度诸赋役非旧制者。……己丑，以南王府二刺史贪蠹，各杖一百，仍系虞候帐，备射鬼箭，选群臣为民所爱者代之。

四年春正月壬戌，以乙室、品卑、突轨三部鳏寡不能自存者，官为之配。

[五年春正月] 诏政事令僧隐等以契丹户分屯南边。…… [二月壬辰，吐谷浑叛] 遂诏以明王隈恩代于越信恩为西南路招讨使以讨之，且谕明王宜先练习边事，而后之官。②

---

① 《辽史》卷 6 《穆宗纪上》，中华书局 1974 年版，第 76 页。
② 《辽史》卷 4 《太宗纪下》，中华书局 1974 年版，第 46—51 页。

太宗朝时期形成的这些官员任免制度及其标准等，代表了辽朝管理与经营契丹本土周边地带的行政思想与管理方法的基本确立，尤其是事关辽朝西南地区的行政管理措施，已经成为维护与巩固契丹辽朝政权的基本方针，更是契丹辽朝积极予以治理（或管理）的主要目标。在辽太宗朝的晚期阶段，曾经出任"西南边"地区行政或军政首脑的历史人物，如今有迹可查者，除上述明王隈恩（笔者认为即安端）外，还有耶律刘哥：

> 刘哥，字明隐，太祖弟寅底石之子。幼骄狠，好凌侮人，长益凶狡。太宗恶之，使守边徼，累迁西南边大详稳。
>
> 会同十年，叔父安端从帝伐晋，以病先归，与刘哥邻居。世宗立于军中，安端议所往，刘哥首建附世宗之策，以本部兵助之。①

需要予以说明的是，耶律刘哥因为世宗朝时期谋反而被纳入史书中的《逆臣传》，但是，史书记载中关于刘哥"幼骄狠，好凌侮人，长益凶狡"的记载和描述，恰如其分地描摹出一位自幼生于钟鼎玉食之家的贵少面目，在相同身份者面前盛气凌人，遇下则刚决果断，有贵族子弟之门风。所谓"凶狡"，如果转换一下则更是"果决明敏"的同义语。所以，太宗朝对于刘哥的任命，并非太宗"恶之"的结果而是太宗重用的结果，因为，当时的"西南边"地区已经成为事关契丹辽朝能否参与中原事务以及能否长治久安的重要区域，在这个区域之内任官者，不是朝廷心腹之臣，就是皇族核心人物；而且，刘哥官至西南边大详稳，这是契丹辽朝前期一个非常重要的职务。从刘哥事迹的记载来看，他与叔父安端为"邻居"的地方，既不在汴梁城，也不在辽朝京师上京城，而是指在二人官署之所的邸宅为"邻居"。当时，刘哥为西南边大详稳，安端为西南路招讨使（疑为即云朔招讨司之更名）；辽太宗分兵讨伐石重贵时，以赵延寿、赵延昭或高勋、高模翰等为一路，以安端、解里等为另一路，故安端因病归养时，并非回到自己的家族领地，而是回到自己的官署所在地，即云州附近。故而《察割传》有：素闻刘哥与永康王善，"宜往与计"、"安端即与刘哥谋归世宗"的记录。这是

---

① 《辽史》卷113《逆臣中·耶律刘哥》，中华书局1974年版，第1507页。

安端与刘哥，在辽太宗晚年俱曾出任西南边重要官职的历史记录。

此外，据《资治通鉴》记载：

> 初，契丹主［即辽世宗——笔者］北归，横海节度使潘聿撚弃镇随之，契丹主以聿撚为西南路招讨使。及北汉主立，契丹主使聿撚遗刘承钧书；北汉主使承钧复书，称"本朝沦亡，绍袭帝位，欲循晋室故事，求援北朝。"契丹主大喜。①

由此而知，当辽世宗朝初期，皇叔祖安端因功加封明王并主持东丹国事务之后，其原任西南路招讨使之职责，已经转授予潘聿撚承当。潘聿撚者，何许人也？乃人皇王之女婿、辽世宗之姊婿，然而，辽世宗朝不见出任西南边大详稳人选，时耶律刘哥已经升任惕隐，不可能再兼任西南边职务。

世宗朝出任六院部大王者，乃耶律朗，史称：

> 朗，字欧新，……性轻佻，多力，人呼为"虎斯"。天显间以材勇进，每战辄克，由是得名。
>
> 会同九年，太宗入汴，命知澶渊，控扼河渡。天禄元年，燕、赵以南皆应刘知远，朗与汴守萧翰弃城归阙。……［世宗］以朗为六院大王。及察割作乱，遣人报朗曰："事成矣！"朗遣详稳萧胡里以所部军往，命曰："当持两端，助其胜者。"穆宗即位，伏诛，籍其家属。②

虽然，耶律朗本传中并没有叙述他的政绩，但从字里行间来看，他比较善于驾驭自己的部属，只是因为政治立场问题，最终遭到穆宗的清洗。

以上这些，也是目前仅见的关于太宗晚年与世宗朝，具体出任辽朝"西南边"地区各种官职的历史人物，他们都毫无例外地属于当朝皇帝的心腹大臣，或者是关系至密的血缘亲族。因此，从这些官员的社会身份来看，毫无疑义地表明，自太宗时期以来对于"西南边"地区的重视程度。所谓

---

① 《资治通鉴》卷290，后周广顺元年春正月条，中华书局1956年版，第9455页。

② 《辽史》卷113《逆臣中·耶律朗》，中华书局1974年版，第1507页。

"西南边"地区，基本包括了今内蒙古中、西部和阴山以北地带以及今山西省北部、河北省西北部的部分地区。在这个相对广阔的区域内，已经分布着辽朝的五院、六院部落（即南、北大王府部）和乙室部落（即乙室大王府部）以及品、突举诸部落，目的在于控制与戍防，但终辽一代这些部落都生存于这里，与这里的其他民族人口逐渐融合在一起，成为这个区域之内的主要人口构成。所以，自太宗朝晚期开始，因为燕云十六州的归属以及统治集团经营中原战略的形成，辽朝的"西南边"地区已经成为契丹辽朝统治的根本之地。

辽穆宗时期，曾经出任"西南边"地区主要官职者，可以查考的历史人物有：

> 耶律挞烈，字涅鲁衮，［六院部人］……会同间，为边部令稳。应历初，升南院大王，均赋役，劝耕稼，部人化之，户口丰殖。时周人侵汉，以挞烈都统西南道军援之。周已下太原数城，汉人不敢战。及闻挞烈兵至，周主遣郭从义、尚钧等率精骑拒于忻口。挞烈击败之，获其将史彦超，周军遁归，复所陷城邑，汉主诣挞烈谢。……挞烈凡用兵，赏罚信明，得士卒心。河东单弱，不为周、宋所并者，挞烈有力焉。在治所不修边幅，百姓无称，年谷屡稔。时耶律屋质居北院，挞烈居南院，俱有政迹，朝议以为"富民大王"云。①

还有，辽穆宗即位后，

> 谓屋质曰："朕之性命，实出卿手。"命知国事，以逆党财产尽赐之，屋质固辞。应历五年，为北院大王，总山西事。②
> 耶律敌禄，字阳隐，孟父楚国王之后……上［穆宗］以飞狐道狭，诏敌禄广之。明年，将兵援河东，至太原，与汉主会于高平，击周军，

---

① 《辽史》卷77《耶律挞烈传》，中华书局1974年版，第1262—1263页。
② 《辽史》卷77《耶律屋质传》，中华书局1974年版，第1258页。

败之，仍降其众。忻、代二州叛，将兵讨之。会耶律挞烈至，败周师于忻口。①

其实，后段史料中所记载的耶律敌禄（字阳隐），就是司马光《资治通鉴》中记录的那位麻答的部将杨衮；麻答等自中原镇州北撤之后，其部将军兵等被留戍于当时的"西南边"地区，故而耶律敌禄、崔廷勋等人均留戍西南边地带，说明辽朝不仅注重此地的官员素质和任免事宜，而且还驻守着大量的军事力量，使得"西南边"地区成为契丹辽朝进攻中原地区或漠北地区的总根据地。

二、两朝"捺钵地"

契丹政权建立之后，辽太祖"不忘旧俗"，仍然遵照契丹人传统的生活方式确立了契丹皇族的"捺钵"生活方式，只不过辽太祖时期的"捺钵"生活方式，最初主要是在其所创立的"四楼"地域之内进行的，而后来历代皇帝的"捺钵"生活则主要是在契丹辽朝统治的区域之内进行；从辽太宗时期开始，契丹辽朝的"捺钵地"已经主要选择在今内蒙古中西部地区。

所谓"捺钵"，本契丹语的固有名词，译为汉语就是"皇帝的住坐处"。因为，契丹辽朝"捺钵"习惯的主要特点就是具有明显季节性的四时移动，所以，许多史书或者当代的史学著作，又习惯地将其称之为"四时捺钵"或"捺钵制度"。人们之所以将其提高到"制度"的角度来形容或研究，主要是因为契丹辽朝的"捺钵"生活，既具有不可违背的规律性，更具有相对固定化（即制度化）的组织程序，而且，契丹辽朝的"捺钵"生活方式，不仅是契丹皇族对民族生活传统的延续，也是契丹辽朝政治体制的基本特色所在。契丹辽朝的"捺钵"生活，来源于契丹部落自古形成的四时转徙的游牧生活习惯，同时也是这种游牧生活习惯在逐渐强盛的封建社会中高度物化的表现方式。史称，太祖时期，

辽有四楼，在上京者曰西楼；木叶山曰南楼；龙化州曰东楼；唐

---

① 《辽史》卷90《耶律敌禄传》，中华书局1974年版，第1359页。

[或以为"唐"字乃古代"慶"字之误书——笔者] 州曰北楼。［太祖］岁时游猎，常在四楼间。①

"四楼"，是辽太祖时期创立的，而且在辽太祖后期就已经伴随国土面积的开拓逐渐消失其特有的历史作用。"四楼"的具体作用，研究者认为，其实就是辽太祖个人的四大斡鲁朵，它囊括了辽太祖个人名下的牧地、山林以及附着于此的畜群等各类财产。这是辽太祖担任契丹可汗时期的创举，目的在于凝聚个人势力，进而创建封建集权政治；这是在国家组织形式日益明显和逐渐加强的基础上，施行的"各有分地"习惯的法令化与制度化措施，既保护了私有财产的合法地位，同时也确立了最为根本的社会秩序：即人们的一切经济活动都在自己拥有的土地范围内进行，包括贵为契丹可汗的耶律阿保机也必须严格执行这一基本法则。所以，辽太祖创立的"契丹四楼"，事实上就是其个人的四时游牧地。因为，他是契丹可汗，还要随时处理"国家"事务，必须有大臣陪伴，这样他所拥有的土地面积就要远远超过其他贵族之家；而且，阿保机个人的四时游牧，也同时是契丹"国家"权力中心的移动过程，与真正的游牧生活产生比较大的差别，也就有了不同于其他家族或氏族部落的名号；以后，随着封建集权制度的加强，这种个人的绝对作用也更加明显，众多直接从事经济生产的人口不过是为最高统治者的服务，所以，"住坐处"的含义也就更加突出，这是"捺钵"名称及其含义的基本根源②。辽太祖创立的"捺钵"制度，有着特定的组织程序：

[契丹人] 秋冬违寒，春夏避暑，随水草就畋渔，岁以为常。[契丹皇帝] 四时各有行在之所，谓之"捺钵"。……春捺钵……夏捺钵……秋捺钵……冬捺钵……每岁四时，周而复始。皇帝四时巡守，契丹大小内外臣僚并应役次人，及汉人宣徽院所管百司皆从。汉人枢密院、中书省唯摘宰相一员，枢密院都副承旨二员，令史十人，中书令史一人，御史台、大理寺选摘一人扈从。每岁正月上旬，车驾启行。宰相

① 《辽史》卷116《国语解》，中华书局1974年版，第1535页。
② 任爱君：《契丹四楼源流说》，《历史研究》1996年第6期，第35—49页。

以下，还于中京居守，行遣汉人一切公事。除拜官僚，止行堂贴权差，俟会议行在所，取旨、出给诰敕。文官先令、录事以下更不奏稳，听中书铨选；武官须奏闻。

　　五月，纳凉行在所，南北臣僚会议。十月，坐冬行在所，亦如之①。

这是关于契丹辽朝中晚期行营（即捺钵）制度的基本描述，而在契丹辽朝的前期阶段，皇帝的捺钵生活是需要所有朝廷百司必须随从的，因此，捺钵之地事实上构成契丹辽朝政权的临时军政中心。

　　辽太宗会同元年（938年）之后，辽朝的捺钵所就已经向"西南边"地区倾斜。如会同三年（940年）七月，太宗秋捺钵地选择在奉圣州（今河北省涿鹿县）的猾底烈山周围；次年九月又选择秋捺钵地于归化州（今河北省宣化）地区，并坐冬于归化州附近；五年，坐冬于赤城（今河北省北部），这些，都是因为燕云十六州地区的归属，具有明显的经营燕云地区的政治特点。会同六年（943年），辽太宗选择秋捺钵地于奉圣州，坐冬于南京幽都府，目的在于发动征讨后晋的军事行动。以后，直到辽太宗病殁为止，先后选择凉陉（又名室韦北陉，即今河北省北部大马群山北段）为夏捺钵地，渔阳枣林淀、平地松林及捺剌泊黑榆林等地为秋捺钵地，目的在于方便对后晋战争。

　　辽世宗朝时期，多选择九十九泉（即今内蒙古乌兰察布市集宁北之灰腾梁）为秋捺钵地，甚至南进到归化州祥古山附近。辽穆宗朝时期，应历二年（952年）九月，秋捺钵于炭山（今河北省北部大马群山北段），坐冬于上京；三年（953年）三月，春捺钵于应州神德湖，坐冬于奉圣州；自应历七年（957年）开始至应历十九年（969年）遇弑止，穆宗捺钵地的选择更不西去，而是始终固定在潢河（即今内蒙古赤峰市境内西拉木伦河）流域及北至黑山（即今内蒙古赤峰市巴林右旗北部大兴安岭西段）附近。

　　契丹辽朝政权自太宗朝以后，又历经世宗、穆宗两朝的统治。在这两朝的统治时期，可以说，世宗朝政治中心的移动特点，基本延续了辽太宗朝晚期形成的基本特征，即以中原地区为主要战略目标的政治企图，时刻制约着

_____

① 《辽史》卷32《营卫志中·行营》，中华书局1974年版，第373—376页。

契丹辽朝政治、军事中心具体位置的选择及其移动的基本规律，而穆宗朝初期也基本延续了这一基本特点。但自穆宗朝中期开始，契丹辽朝的政治、军事中心则再也没有向"西南边"地区移动。造成这种现象的基本原因，即在于：第一，契丹辽朝与中原割据政权基本构成以北汉政权为前沿的对峙局面，这也是一种暂时性势力均衡的基本结果；第二，穆宗朝中期开始，原来被征服的室韦诸部，除黑车子室韦已经被契丹辽朝彻底征服之外（他们的基本活动区域即在今锡林郭勒草原为中心的广阔区域，但是，太宗朝以来契丹军政中心的不断西移，已经标志着黑车子部落的被完全征服），其他如大、小黄室韦部落和乌古、敌烈部落等势力不断发展，逐渐形成与契丹辽朝的再次对抗的基本局面。这是导致辽穆宗朝政治、军事中心，退归潢河以北、黑山以南的主要原因。

因此，世宗与穆宗两朝捺钵地的选择，代表了契丹辽朝政治、军事中心不断移动的基本特点，这是由当时历史发展的基本环境与具体条件所共同决定的。

三、镇压室韦诸部的反叛

契丹辽朝直接统治之下的北方各族人口，尤其是那些迁徙以居、畜牧为生的游牧民族部落，大部分都是契丹辽朝初期，辽朝凭借着本身强大的军事武装力量对其直接进行征服的结果。这些暂时被征服的游牧民族部落，不得不向契丹辽朝定期交纳一定数量的"贡品（即赋税）"，从而在对契丹辽朝表示臣服之后，才能获得相对平和的生产生活环境。在契丹辽朝的初起阶段，对于被征服地区的各族人口，除了直接采用武力恫吓之外，并没有任何的统治方法和统治技巧可言，因此，建立在这种基础之上的统治形态，在经过了相对漫长的时间转变之后，有必要进行重新调整与改变。

辽穆宗时期（951—969 年在位），一般被公认为是契丹辽朝的统治力量曾一度呈现出极度衰微状况的危险时期，尤其是来自中原后周政权的直接威胁，几乎导致契丹辽朝在燕云十六州地区的统治体系全盘瓦解。而大兴安岭以北草原地区的室韦部落集团，也正在不断发展并试图摆脱契丹辽朝的政治束缚。分别来自南、北两方面的巨大压力，伴随着统治集团内部接连而起、毫无止息的政治阴谋，使得本来就才能平庸的辽穆宗，更显得治国乏术，终日饮酒为乐，沉湎于酒醉的极度麻痹之中，故被时人称为"睡王"。

当时，居住于今大兴安岭西端及其以北草原地区的游牧民族部落，主要是室韦部落集团的黑车子七部和大、小黄室韦部落以及臭泊室韦部落、乌古部落和敌烈八部等。其中，黑车子七部的分布范围，南抵燕山北部，西及今乌兰察布草原东缘，北至大兴安岭以北，东至今巴林草原西部，囊括了今内蒙古锡林郭勒草原及阿巴哈纳尔旗，赤峰市克什克腾旗、林西县和大兴安岭北部东、西乌珠穆沁旗地带；臭泊室韦部落，从《辽史》的相关记载来看，可能属于黑车子室韦中的一支，基本活动在今内蒙古阿巴哈纳尔旗和东、西乌珠穆沁旗境内；大、小黄室韦部落的基本分布范围，大约在今内蒙古东、西乌珠穆沁旗及其以东，东至今兴安盟北部及新巴尔虎左旗，北至今蒙古人民共和国苏赫巴托省、东方省的部分地区；乌古部落主要活动在今内蒙古呼伦贝尔市境内；敌烈八部则活动于今克鲁伦河流域下游及其以东地区。

到辽穆宗朝的中期，这些原本被契丹辽朝所征服的室韦诸部落集团，开始出现明显的"离叛"迹象。964 年 9 月，大、小黄室韦掳掠契丹辽朝设置于北部草原地带群牧组织的马、牛等畜群，不再接受契丹管制，率领部落向北叛走，即《辽史》所记载的应历十四年（964 年）九月"黄室韦叛"。[①]到年底，黄室韦反叛已经发展成为除黑车子室韦部落之外，所有东北地区室韦部落集团共同参加的反抗辽朝的斗争，史称：

> ［应历十四年十二月］乌古叛，掠民财畜。详稳僧隐与战，败绩，僧隐及乙实等死之。
>
> 十五年春正月己卯，以枢密使雅里斯为行军都统，虎军详稳楚思为行军都监，益以突吕不部军三百，合诸部兵讨之。乌古夷离堇子勃勒底独不叛，诏褒之。……［二月，上东幸］是月，乌古杀其长窘离底，余众降，复叛。……［三月］丁丑，大黄室韦酋长寅尼吉叛。癸未，五坊人四十户叛入乌古。……夏四月乙巳，小黄室韦叛，雅里斯、楚思等击之，为室韦所败，遣使诘之。乙卯，以秃里代雅里斯为都统，以女古为监军，率轻骑进讨，仍令挞马寻吉里持诏招谕。五月壬申，寻吉里

---

① 《辽史》卷 7《穆宗纪下》，中华书局 1974 年版，第 82 页。

奏，谕之不从。雅里斯以挞凛、苏二群牧兵追至柴河，与战不利。甲
申，库古只奏室韦长寅尼吉亡入敌烈。……［六月］是月，敌烈来降。
秋七月甲戌，雅里斯奏乌古至河德泺，遣夷离董画里、夷离毕常思击
之。丁丑，乌古掠上京北榆林峪居民，遣林牙萧斡讨之。庚辰，雅里斯
等与乌古战，不利。冬十月丁未，常思与乌古战，败之。［十二月，驻
跸黑山平淀］①

　　黄室韦部落发动的叛乱，直接引发整个东北地区室韦部落集团共同参与的反
抗契丹辽朝的民族斗争，给予契丹辽朝初期的统治秩序以猛烈的冲击。当乌
古部落加入到反叛行列之中的时候，契丹辽朝的统治阶层才感觉到问题的严
重程度，在军事统帅僧隐等人战殁沙场之后，这种问题的严重程度就更加明
显；因此，匆忙之中辽穆宗派出以枢密使雅里斯为统帅的契丹军队，试图镇
压室韦诸部的反抗。但始料不及的是雅里斯等人率领的军队，根本无法平息
这场由室韦诸部共同掀起的全面反抗。虽然，雅里斯等人采取了剿抚并用的
两手策略，并收到了一些部分的成果，譬如乌古夷离董勃勒底之子依附契丹
辽朝、乌古部落杀死首领萃离底等，但是，全面爆发的反叛斗争毕竟是
"冰冻三尺，非一日之寒"，契丹辽朝统治集团如果没有统治策略的根本调
整，这场燎原之火是无法扑灭的！等到乌古部落重新掀起叛乱，甚至引发契
丹辽朝皇室内部各种生产机构人员大量逃亡的时候，辽朝统治集团才发觉统
治策略调整的必要性，于是，任命秃里取代雅里斯的军事统帅地位，又派出
寻吉里等人专门负责招降事务，并派出林牙萧斡率领大军进剿，终于控制住
东北地区的统治局面。从《辽史》的相关记载来看，966 年，辽穆宗几乎终
年都驻跸在黑山平淀，采取靠近前线、就近指挥的平叛策略；调度兵力，集
中打击叛乱首领、大黄室韦酋长寅尼吉部，才逐渐平息了大、小黄室韦发动
的叛乱。

　　应当说，契丹辽朝初期的统治者，以征服者自居，自恃武力强大，以草
原霸主的身份管理和统治被征服地区的民族人口，肆意进行压迫和剥削，甚
至在乌古、敌烈、大小黄室韦难以承受、起而反抗之时，辽朝的平叛军队也

---

① 《辽史》卷 7《穆宗纪下》，中华书局 1974 年版，第 82—83 页。

仍然带有严重的掠夺倾向。所以，首先发动反叛的部落虽然被镇压了，但是却又导致其他部落接着掀起反叛事件。这种连锁式的影响和一系列不稳定因素的出现，一方面使契丹辽朝的统治者陷入深刻的自省之中；另一方面契丹统治者也已经意识到简单的"以暴制暴"的统治方式，已经不是国家理境安民的良策。因此，室韦诸部的反叛，也促使契丹辽朝的统治者不得不去寻求和探索安定边部的新措施与新方略。

第四节　五代后期与辽朝政权的关系

一、辽朝与后汉政权的对峙

947 年 2 月，刘知远称帝于太原，国号汉，史称后汉。后汉政权建立之初，因为辽太宗耶律德光及其率领的南征军队，仍然驻守于开封城等几个比较重要的军事据点，所以，后汉政权只是派遣使者到处联络或者策动那些已经归属契丹的地方藩帅势力，积极进行反抗契丹统治的活动，试图以此增加自己的实力，但收效甚微。后汉政权本身并不具备真正能够与契丹辽朝相抗衡的军事实力，只能局缩于太原地区及其附近，直接统治区域十分狭小，因此，不得不称臣于辽朝，并继续使用后晋高祖的天福年号迷惑契丹，以虚与委蛇的方式获得暂时积聚实力的机会，日夜担心和防御契丹军队的进攻。同年四月，局势的发展忽然呈现出对后汉政权十分有利的局面：耶律德光从大梁城北撤之后，中原地区迅速陷入"政治真空"的局面，各地豪强以及军镇势力等，乘机纷纷而起，形成共同驱逐契丹政治残余的历史局面。在这场如火如荼的反抗契丹统治的历史运动中，各地豪强以及军事首领们或者相互联合，或者据地自肥，称王称霸，而散布各地的后晋官吏阶层则更多地是采取依附太原军镇的方式，既得到乱世局面中身家性命与财产的自保，同时也窥视着局势的进一步发展。在这种局面下，刘知远集团既不失时机地派出大量宣传后汉政权（即太原军镇）"天命攸归"的使者，积极招徕各地或各种势力集团的归附，同时也不失时机地派出自己的军队，对于汾水流域以及黄河流域的一些重要据点或战略要地等，相继实施军事占领，很快控制了中原地区的政治局面。

就在后汉政权忙于经略中原地区的时候，位于江南地区的各个割据政权，也试图组织军事远征，利用此时忽然出现的混乱局面，到中原地区来夺取更多的政治、经济资本，从而扩大自己的统治区域。譬如僻居江南地区的南唐政权，就已经产生了此种想法，史称：

> 唐主闻契丹主德光卒，萧翰弃大梁去，下诏曰："乃眷中原，本朝故地。"以左右卫圣统军、忠武节度使李金全为北面行营招讨使，议经略北方。闻帝［即刘知远——笔者］已入大梁，遂不敢出兵①。

其实，辽太宗给当时的"五代十国"诸割据政权造成了两大意外，第一个意外就是占领大梁城之后，不久又从大梁城中撤出；第二个意外，就是辽太宗本人的意外死亡。这两个意外，又造成了当时中原地区极度混乱的历史状况。南唐国主便不失时机地组织军队试图占领关中地区，重新恢复唐朝固有的统治区域。虽然，由于刘知远迅速进入洛阳和大梁城，而使南唐恢复中原的希望彻底破灭。但是，南唐政权毕竟从中获得很大收益，使江北及淮河流域大批州县成为南唐的属地。所以，在中原混乱中收益的江南政权，事实上采用了"远交近攻"的方略，不远千里，积极与辽朝建立密切联系，鼓动或煽惑契丹人加紧进攻中原，达到"火中取栗"的目的。据《辽史》记载：

> ［天禄二年］夏四月庚辰朔，南唐遣李朗、王祚来慰且贺，兼奉蜡丸书，议攻汉。
> ［天禄四年］三月戊戌朔，南唐遣赵延嗣、张福等来贺南征捷。
> ［天禄五年］六月辛卯朔，刘崇为周所攻，遣使称侄，乞援，且求封册。即遣燕王牒蜡、枢密使高勋册为大汉神武皇帝，南唐遣蒋洪来，乞举兵应援。②

以上即《辽史》记载的世宗朝时期南唐与辽朝联系的具体内容，由此不难

看出，南唐政权所采取的幸灾乐祸、挑唆契丹进攻中原的基本立场。穆宗朝时期，也同样如此，

> ［应历元年］冬十一月，汉、周、南唐各遣使来吊。①
> ［应历二年］春正月戊午朔，南唐遣使奉蜡丸书，及进犀兕甲万属。……三月癸亥，南唐遣使奉蜡丸书。丁卯，复遣使来贡。……五月壬午，南唐遣使来贡。
> ［应历三年］三月庚辰朔，南唐遣使来贡，因附书于汉，诏达之。
> ［应历五年十月］庚寅，南唐遣使来贡。
> ［应历七年］二月辛酉，南唐遣使奉蜡丸书。……［六月］南唐遣使来贡②。

直到 960 年北宋建立之前，南唐遣使契丹辽朝，自海路而至，由今辽东半岛登陆。辽朝为之设置专门迎接江南使节的驿站。自今大连湾逶迤而至今巴林左旗辽上京城遗址，路途近千里，而南唐使节可谓不绝于途，其目的昭然若揭。但契丹辽朝也需要这样的支持者，只不过双方都不肯被利用而已。

据司马光《资治通鉴》记载，后汉消灭试图拥邺都自重的杜重威集团后，引起另一位藩镇巨帅李守贞的不安。

> 始，守贞闻杜重威死而惧，阴有异志。……遣人间道赍蜡丸结契丹，屡为边吏所获。

因为，辽世宗无法腾出手来从事新的征服活动，也由于契丹人普遍厌战以及李守贞的种种努力都被后汉截获等原因，李守贞并未得到契丹政权的积极支持；但是，契丹政权试图征服中原地区的军事战略，并未由此停顿。

---

① 此次遣使，目的仍然为进攻中原事，不过临时改为吊仪。陆游：《南唐书·释道高丽契丹传》，四库本。
② 《辽史》卷6《穆宗纪上》，中华书局1974年版，第69—74页。

　　[天禄三年] 秋九月辛丑朔，召群臣议南伐。冬十月，遣诸将率兵攻下贝州高老镇，徇地邺都、南宫、堂阳，杀深州刺史史万山，俘获甚众。①

此事，中原史料记载如下：

　　[十月] 契丹寇河北，所过杀掠；节度使、刺史各婴城自守。游骑至贝州及邺都之北境，帝 [即隐帝刘承祐——笔者] 忧之。己丑，遣枢密使郭威督诸将御之，以宣徽使王峻监其军。②

此次军事进攻，实际属于一次重大骚扰活动，或者是一次军事掠夺行为。但辽朝与后汉之间的战争并未停止。后汉隐帝乾祐三年（辽天禄四年，950年）四月，

　　朝廷以契丹近入寇，横行河北，诸藩镇各自守，无捍御之者，议以郭威镇邺都，使督诸将以备契丹。……壬午，制以威为邺都留守、天雄节度使、枢密使如故。仍诏河北，兵甲钱谷，但见郭威文书立皆禀应。……威至邺都，以河北困弊，戒边将谨守疆场，严守备，无得出侵掠；契丹入寇，则坚壁清野以待之③。

说明此时的后汉政权，已经无力再与契丹辽朝相抗衡。据《辽史》记载：

　　[天禄四年] 冬十月，自将南伐，攻下安平、内丘、束鹿等城，大获而还。④

　　① 《辽史》卷5《世宗纪》，中华书局1974年版，第65页。
　　② 《资治通鉴》卷288，后汉隐帝乾祐二年十月条，中华书局1956年版，第9415—9416页。
　　③ 《资治通鉴》卷289，后汉隐帝乾祐三年四月壬午条，中华书局1956年版，第9422—9423页。
　　④ 《辽史》卷5《世宗纪》，中华书局1974年版，第65页。

此事，《旧五代史》记载：

> 冬十月庚午朔，契丹入寇……契丹陷贝州高老镇，南至邺都北境，又西北至南宫、堂阳，杀掠吏民。数州之地，大被其苦，藩郡守将，闭关自固①。

据司马光记载：

> 十一月，诏侍卫步军都指挥使、宁江节度使王殷将兵屯澶州以备契丹。……镇州、邢州奏："契丹主将数万骑入寇，攻内丘，五日不克，死伤甚众。有戍兵五百叛应契丹，引契丹入城，屠之，又陷饶阳。"②

辽世宗天禄五年春正月癸亥朔，后汉政权被权臣郭威取代，改国号曰周，史称后周。而后汉宗室大臣、河东节度使刘崇，得知郭威取代后汉之后，拒不接受后周指令，仍称汉，自立为汉帝，史称北汉。从此，契丹辽朝与中原地区的关系，就进入了短暂的后周阶段。

二、世宗朝扶植北汉政策的确立

公元 951 年正月，中原政局突发变数，后汉大臣郭威奉命北征，军行至陈桥驿时，发生兵变，哗变的士兵将一件皇帝服用的黄袍披在郭威身上，拥立郭威为新皇帝，然后集中兵力南入汴梁城（即大梁），直接取代了后汉政权。郭威宣布改国号为周，年号广顺，史称后周政权。

其实，后周政权的建立，也并非一件偶然或突发的历史事件。根据史书记载，后汉乾祐三年（950 年）十一月，因为隐帝刘承祐与权臣史弘肇之间矛盾的激化，隐帝采取突然袭击的方式，捕杀史弘肇，其家族之中无论大小少长皆杀之，造成著名的屠戮功臣惨案。此时，史弘肇的部将、已经官至枢密使、邺都留守、天雄军节度使，可以称制调发河北兵甲钱谷的郭威，闻讯

---

① 《旧五代史》卷 102《汉书四·隐帝纪中》，中华书局 1976 年版，第 1530 页。
② 《资治通鉴》卷 289，后汉隐帝乾祐三年十一月条，中华书局 1956 年版，第 9428—9445 页。

之后，害怕祸及于己，遂调动大军迅速南下，"举兵入汴"，以"清君侧"的名义，捕杀诛害史弘肇家族的朝臣，打击后汉隐帝的羽翼，逼杀隐帝，另立幼主；宣布由皇太后主政，以郭威为都督中外诸军事，主持朝廷事务。这样，郭威以大军压顶的威势，完全控制了后汉政权的朝政。这是一次史书上没有注明兵变名义的兵变。此后，郭威事实上已经成为后汉政权的"国主"。

史弘肇的被杀和郭威的逼宫，使得原本就很不牢固的后汉政权的统治摇摇欲坠，后汉统治集团内部也迅速分崩离析。河东节度使、后汉族属刘崇拒不接受朝命，并且打出为汉隐帝复仇的旗帜，公开向郭威宣战；各地军镇势力也蠢蠢欲动。在这种紧迫的局势之下，951 年正月，郭威宣布废除幼帝，以"禅让"的形式，建立后周政权。于是，刘崇称帝于太原，国号仍为汉，史称北汉，由此中原割据状态呈现出后周与北汉并存的局面。虽然，后周自建立之日起，就试图与契丹实现和平局面，但并未成功。史称：

> [广顺元年正月癸酉] 遣千牛卫将军朱宪充入契丹使。先是，去年契丹永康王兀欲寇邢、赵，陷内丘。及回，兀欲遣使与汉隐帝书，案通鉴云：契丹之攻内丘也，死伤颇多，又值月食，军中多妖异，契丹主惧不敢深入，引兵还，遣使请和于汉。使至境上，会朝廷有萧墙之变 [即史弘肇被杀——笔者]，帝至京师，回至澶州，遇蕃使至，遂与入朝。至是，遣朱宪伴送来使归蕃，兼致书叙革命 [即后周代立——笔者] 之由，仍以金酒器一副、玉带一遗兀欲。①

《资治通鉴》的记载，与上述资料注引文字相同②，说明辽世宗遣使约和，可能确有其事。但是，契丹人主动议和的目的为何？笔者认为，此时，辽朝统治集团已经完全放弃了太宗时期统一中原的政治企图，而是将契丹与中原的关系重新定位到辽朝与后晋高祖时期的那种宗盟（或称宗属国）关系。因此，辽世宗遣使致书于汉隐帝，其中便详细开列着议和的条件。虽然使者

---

① 《旧五代史》卷110《周书一·太祖纪一》，中华书局 1976 年版，第 1570 页。
② 《资治通鉴》卷 290，后周太祖广顺元年正月条，中华书局 1956 年版，第 9452—9453 页。

始至，朝廷尚未及议论此事，便发生了后周取代后汉的"革命"事件，但是后周政权却不失时机地提出议和的条件，并积极地予以施行。史称：

> ［天禄五年春正月癸亥朔］汉郭威弑其主自立，国号周，遣朱宪来告。即遣使致良马。汉刘崇自立于太原。二月，周遣姚汉英、华昭胤来，以书辞抗礼，留汉英等。①

应当说，双方的议和活动是在紧锣密鼓地进行中，而议和的条件于此也可见一斑。上述史料中说，因为后周的第二次遣使，采取了与辽朝平等的"抗礼"地位，结果惹恼了辽世宗，下令扣留使者、中止了与后周的议和活动。此事，据中原史料记载：

> ［广顺元年二月］丁未，左千牛将军朱宪使契丹回。契丹主兀欲遣使人来献良马一驷，贺登极。……丁巳，以尚书左丞田敏充契丹国信使。……［四月］丁巳，尚书左丞田敏使契丹回。契丹主兀欲遣使薅姑报命，并献碧玉金涂银裹鞍勒一副，弓矢、器仗、貂裘等，土产马三十四，土产汉马十四。……［五月］己巳，遣右金吾卫将军姚汉英、遣右神武将军华光裔使于契丹。②

两者之间关于使者往还的记载，整整相差三个月左右。而《资治通鉴》关于此事的记载，或可以成为判断以上两者记述真假的有力参考：

> ［广顺元年正月］及北汉主立，契丹主使［辽朝西南路招讨使藩］聿撚遗刘承钧书；北汉主使承钧复书，称："本朝沦亡，绍袭帝位，欲循晋室故事，求援北朝。"契丹主大喜。……二月，契丹主遣其臣衺骨支与朱宪偕来，贺即位。丁巳，遣尚书左丞田敏使契丹。北汉主遣通事舍人李譬使于契丹，乞兵为援。……［三月］北汉李譬至契丹，契丹

---

① 《辽史》卷5《世宗纪》，中华书局1974年版，第65—66页。
② 《旧五代史》卷111《周书二·太祖纪二》，中华书局1976年版，第1588页。

主使拽剌梅里报之。……［夏四月］契丹主遣使如北汉，告以周使田敏来，约岁输钱十万缗。北汉主使郑珙以厚赂谢契丹，自称"侄皇帝致书于叔天授皇帝"，请行册礼。……五月己巳，遣左金吾卫将军姚汉英等使于契丹，契丹留之①。

由此而言，《辽史》记事有所舛乱，五月发生的扣留姚汉英等事，误植二月记事之中；同时，通过《资治通鉴》的记录，可以了解到起源于后汉末年的议和活动，居然演变为后周与北汉的竞争，辽世宗将议和的条件稳稳地控制在"称臣纳贡"的限度内，因此，北汉使节郑珙的到来，标志着辽朝扶植北汉政策的基本确立。据《资治通鉴考异》引《晋阳见闻录》记载：

> 郑珙既达虏庭，虏君恩礼周厚，虏俗以酒池肉林为名，虽不饮酒如韦曜辈者，亦加灌注，纵成疾，无复信之。珙魁岸善饮，罹无量之逼，宴罢，载归，一夕腐胁于穹庐之毡堵间，舆尸而复命。②

应当说，北汉使臣郑珙的死亡，是一次盛情之下的意外和失误，并未影响到契丹与北汉关系的继续发展。因此，

> ［六月辛卯朔］契丹遣燕王述轧等册命北汉主为大汉神武皇帝，妃为皇后。……秋七月，北汉主遣翰林学士博兴卫融等诣契丹谢册礼，且请兵。……九月，北汉主遣招讨使李存环将兵自团柏入寇。契丹欲引兵会之，与酋长议于九十九泉。③

至此，北汉与辽朝宗盟关系的建立，标志着刚刚建立的后周政权从此陷入了分别与北汉、辽朝作战的困难境地。

---

① 《资治通鉴》卷290，后周太祖广顺元年正月至五月记事，中华书局1956年版，第9455—9461页。

② 《资治通鉴》卷290，后周太祖广顺元年五月辛未条，中华书局1956年版，第9460—9461页。

③ 《资治通鉴》卷290，后周太祖广顺元年六月至九月记事，中华书局1956年版，第9462—9465页。

三、穆宗朝与后周政权的联系

辽穆宗即位后，正值中原后周政权的建立初期，所以，当时伴随着割据太原地区北汉政权的归附，辽朝政权与后周政权之间展开一场旷日持久的反复较量与争夺。史称：辽世宗天禄五年九月，大会臣僚于九十九泉，主要讨论配合太原北汉集团进攻后周政权的问题，虽然会议发生分歧，但辽世宗依然决定出兵南伐，以策应北汉政权对后周发动的进攻。但当南征大军行至归化州境内时，统治集团内部爆发了相当惨烈的宫廷政变，辽世宗被杀，辽穆宗即位，形成一次辽朝内部政权统治方式的调整。

辽穆宗即位之后，仍然延续了世宗生前确定的"扶植北汉，打击后周"的战略决策，史称：后周广顺元年（辽应历元年，951年）十月，

> 契丹遣彰国节度使萧禹厥将奚、契丹五万会北汉兵入寇；北汉主自将兵二万自阴地关寇晋州，丁未，军于城北，三面置寨，昼夜攻之，游兵至绛州。……〔十一月〕帝以北汉、契丹之兵犹在晋州，甲子，以王峻为行营都部署，将兵救之，诏诸军皆受峻节度，听以便宜从事，得自选择将吏。……〔十二月庚子〕王峻至绛州；乙巳，引兵趋晋州。晋州南有蒙阬，最为险要，峻忧北汉兵据之，是日，闻前锋已度蒙阬，喜曰："吾事济矣!"……北汉主攻晋州，久不克。会大雪，民相聚保山寨，野无所掠，军乏食。契丹思归，闻王峻至蒙阬，烧营夜遁。……契丹比至晋阳，士马什丧三四；萧禹厥耻无功，钉大酋长一人于市，旬余而斩之。北汉主始息意于进取。北汉土瘠民贫，内供军国，外奉契丹，赋繁役重，民不聊生，逃入周境者甚众。

此次战争，由于契丹军队与北汉军队配合失误，契丹军队提前撤出战场，导致北汉军队受到重创，所谓"北汉主始息意于进取"，即指北汉军队受到重创而言；但契丹军队也对于战事失利作出相应的惩罚。此次战争的爆发，据司马光记载，乃是因为后周藩镇巨帅慕容彦超南连唐、北约北汉、契丹试图颠覆周室而引发，北汉失利之后，慕容彦超也被后周消灭。

辽穆宗应历二年（952年）九月，

契丹将高模翰以苇筏渡胡卢河入寇，至冀州，成德节度使何福进遣龙捷都指挥使刘诚诲等屯贝州以拒之。契丹闻之，遽引兵北渡；所掠冀州丁壮数百人，望见官军，争鼓噪，欲攻契丹，官军不敢应，契丹尽杀之。……［冬十月］契丹瀛、莫、幽州大水，流民入塞居河北者数十万口，契丹州县亦不之禁。诏所在赈、给存处之，中国民先为所掠，得归者什五六。①

契丹军队处于明显优势地位，但战争则更多地表现为军事掠夺的性质。后周太祖广顺三年（953 年）正月，

契丹寇定州，围义丰军，定和都指挥使杨弘裕夜袭其营，大获，契丹遁去。又寇镇州，本道兵击走之。②

据《辽史》记载，穆宗应历四年（954 年）

二月丙午朔，周攻汉，命政事令耶律敌禄援之。……夏五月乙亥，忻、代二州叛汉，遣南院大王挞烈助敌禄讨之。丁酉，挞烈败周将符彦卿于忻口。六月癸亥，挞烈献所获。……九月丙申，汉为周人所侵，遣使来告。冬十一月，彰国军节度使萧敌烈、太保许从赟奏忻、代二州捷。③

而此事，据《资治通鉴》记载：后周太祖显德元年（954 年），

北汉主闻太祖宴驾，甚喜，谋大举入寇，遣使请兵于契丹。二月，契丹遣其武定节度使、政事令杨衮将万余骑如晋阳。北汉主自将兵三

① 《资治通鉴》卷291，后周太祖广顺元年十月至十二月，广顺二年九月、十月条，中华书局1956年版，第9465—9472、9482—9486页。

② 《资治通鉴》卷291，后周太祖广顺三年正月条，中华书局1956年版，第9489页。

③ 《辽史》卷6《穆宗纪上》，中华书局1974年版，第72页。

万，以义成节度使白从晖为行军都部署，武宁节度使张元徽为前锋都指挥使，与契丹自团柏南趣潞州。……［三月，北汉主］过潞州不攻，引兵而南，是夕，军于高平之南。癸巳，前锋与北汉军遇，击之，北汉兵却；……北汉主以中军陈于巴公原，张元徽军其东，杨衮军其西，众颇严整①。

这就是著名的"高平战役"，后周以少击多，扭转不利战局，取得了决定性的胜利。此后，

> 北汉主收散卒，缮甲兵，完城堑以备周。杨衮将其众北屯代州，北汉主遣王得中送衮，因求救于契丹，契丹主遣得中还报，许发兵救晋阳。……［四月］癸酉，北汉忻州监军李勍杀刺史赵皋及契丹通事杨耨姑，举城降；以勍为忻州刺史。②
> ［五月］丙子，帝至晋阳城下，旗帜环城四十里。杨衮疑北汉代州防御使郑处谦贰于周，召与计事，欲图之；处谦知之，不往。衮使胡骑数十守其城门，处谦杀之，因闭门拒衮；衮奔归契丹。契丹主怒其无功，囚之。处谦举城来降。丁丑，置静塞军于代州，以郑处谦为节度使。……契丹数千骑屯忻、代之间，为北汉之援，庚辰，遣符彦卿等将步骑万余击之；彦卿入忻州，契丹退保忻口。……代州将桑珪、解文遇杀郑处谦，诬奏云潜通契丹。符彦卿奏请益兵，癸巳，遣李筠、张永德将兵三千赴之。契丹游骑时至忻州城下，丙申，彦卿与诸将陈以待之。史彦超将二十［"十"乃"千"之误——笔者］骑为前锋，遇契丹，与战，李筠引兵继之，杀契丹二千人。彦超恃勇轻进，去大军浸远，众寡不敌，为契丹所杀，筠仅以身免，周兵死伤甚众。彦卿退保忻州，寻引兵还晋阳。③

①　《资治通鉴》卷291，后周显德元年正月至三月记事，中华书局1956年版，第9501—9508页。
②　《资治通鉴》卷291，中华书局1956年版，第9508—9513页。
③　《资治通鉴》卷292，后周显德元年五月丙子条，中华书局1956年版，第9514—9515页。

双方对峙到六月，始各自罢兵；至十一月，契丹军队帮助北汉政权在已经丢失的忻州、代州方向，又取得一系列的胜利，挫折了后周的锐气。契丹军队无疑已经成为后周进攻晋阳（即今太原）的主要对手。在中原割据的历史氛围中，契丹人又"横生枝节"并进而牢牢地控制住了当时军事兼并战争的主要发展方向。

后周在与契丹骑兵长期作战的过程中，开始思考战略防御问题，史称：后周显德二年（辽应历五年，955 年）春正月，

> 契丹自晋、汉以来屡寇河北，轻骑深入，无藩篱之限，郊野之民每困杀掠。言事者称深、冀之间有胡卢河，横亘数百里，可浚之以限其奔突；是月，诏忠武节度使王彦超、彰信节度使韩通将兵夫浚胡卢河，筑城于李晏口，留兵戍之。帝召德州刺史张藏英，问以备边之策，藏英具陈地形要害，请列置戍兵，募边人骁勇者，厚其禀给，自请将之，随便宜讨击；帝皆从之，以藏英为沿边巡检招收都指挥使。藏英到官数月，募得千余人。王彦超等行视役者，尝为契丹所围；藏英引所募兵驰击，大破之。自是契丹不敢涉胡卢河，河南之民始得休息。……三月辛未，以李晏口为静安军。[①]

955 年，北汉主承祐病殁，新主承钧即位，致力安集境内百姓，很少主动出击，形成相对安定的环境。后周政权转而对付割据江淮流域、并咄咄逼人的南唐政权，陷入旷日持久的反复争夺中。958 年 4 月，契丹趁后周北边空虚之际，由南京留守萧思温督率大军进攻后周沿边州县，掳掠人畜财产而还。于是，后周命令成德节度使郭崇率军报复，攻克辽朝束城县；双方遂又展开激战。959 年 3 月，后周世宗皇帝下诏亲征契丹，由沧州道入，直取幽州；后周军队连下瓦桥、益津、淤口三关及瀛、莫二州。于是，

> 契丹主遣使者日驰七百里诣晋阳，命北汉主发兵挠周边。[②]

---

① 《资治通鉴》卷 292，后周显德二年春正月条，中华书局 1956 年版，第 9523—9524 页。
② 《资治通鉴》卷 294，后周显德六年五月条，中华书局 1956 年版，第 9597 页。

此次北伐，由于后周军事将领的干扰以及周世宗遽染沉疴而中途作罢，标志着后周与辽朝的军事对抗已经进入到一个新的历史阶段，在契丹政权扶植下的北汉傀儡政权，已经成为契丹辽朝的"累赘"，并且在契丹辽朝与中原割据政权的激烈对抗中，北汉小朝廷已经发挥不出多大的历史作用了。

第　六　章

契丹辽朝中期的内蒙古地区

第一节　“黑山之变”与景宗朝的基本状况

一、黑山之变与景宗即位

辽穆宗朝频繁的政治斗争以及中原后周与北宋政权的相继崛起和东北地区室韦诸部连续掀起的反叛斗争等，都使曾经强大的契丹辽朝政权显示出一定的“疲态”状态。譬如司马光《资治通鉴》记载，契丹辽朝与北汉订立夹击后周政权的盟约后，辽世宗遇弑身亡，辽太宗之长子、寿安王耶律璟（小字述律）在契丹群臣拥护下，消灭乱党，即位为皇帝，但

> 契丹主年少，好游戏，不亲国事；每夜酣饮，达旦乃寐，日中方起，国人谓之睡王。①

于是，研究者认为才能平庸的辽穆宗时代，标志着契丹辽朝初期政治、军事实力的回落。其实，就辽太祖时期创立的契丹统治体系而言，在辽太宗时期已经显示出无法回避的弊端，只是由于燕云十六州的割入所造成的空前繁

---

① 《资治通鉴》卷290，后周广顺元年九月条，中华书局1956年版，第9463页。

荣，才暂时遮掩了统治体系上的某些缺憾。但是，以应天皇太后为首的契丹老臣集团，在太宗朝时期凭借实力，又创造出了蕃、汉分别基础上的政治分治原则，已经将契丹辽朝政权拖入一种微妙的地步。辽太宗之后，尤其是辽世宗时期封建统治体系的逐渐加强，使得一切矛盾以及一切难于符合现实发展的弊端等都暴露无遗，而世宗朝的匆匆结束，无疑将一切矛盾与弊端等积聚到穆宗朝。这是穆宗朝契丹辽朝政权所以显示出疲态的根本原因。

但是，不可回避的是：这些自太宗朝以来便已经形成的矛盾与弊端，就是政治表现上的君位无序继承方式与国家统一后亟须进行的政策调整，等等；尤其是契丹君位无序继承方式的无限蔓延，从而导致统治集团内部不断爆发各种以"谋反"为显著特征的政治事件，凡是参与"谋反"事件的主谋或主犯都无一例外的是辽朝皇族的重要人物。同时，由于辽穆宗朝的政治生活增加了一项排挤或排除世宗系统的新内容，使得那些曾经声势显赫的家族，不得不在政治高压面前保持了近二十年的"政治缄默状态"；那种已经失势的落寞心理，也使他们努力幻想恢复原有辉煌的场景。如辽世宗朝功臣、南院大王耶律吼之子耶律何鲁不，便已承受着"政治失势"的痛苦。

> 尝与耶律屋质平察割乱，穆宗以其父吼首议立世宗，故不显用。晚年为本族敞史。及景宗即位，以平察割功，授昭德军节度使，为北院大王。[1]

又有耶律贤适，本世宗朝北院大王、大于越耶律鲁不古之子，在穆宗朝的政治际遇，也同样不佳。

> 耶律贤适，字阿古真，［世宗朝］于越鲁不古之子。嗜学有大志，滑稽玩世，人莫之知。惟于越屋质器之，尝谓人曰："是人当国，天下幸甚。"应历中，朝臣多以言获谴，贤适乐于静退，游猎自娱，与亲朋言不及时事。会讨乌古还，擢右皮室详稳。景宗在藩邸，尝与韩匡嗣、女里等游，言或刺讥，贤适劝以宜早疏绝，由是穆宗终不见疑，贤适之

---

① 《辽史》卷77，《耶律吼传附子何鲁不传》，中华书局1974年版，第1259页。

力也。①

还有一位历史人物，他的身世与辽世宗集团极有渊源，

> 女里，字涅烈衮。逸其氏族，补积庆宫人。应历初，为习马小
> 底……累迁马群侍中。时景宗在藩邸，以女里出自本宫。待遇殊厚，女
> 里亦倾心结纳。及穆宗遇弑，女里奔赴景宗。是夜，集禁兵五百以卫。
> 既即位，以翼戴功，加政事令、契丹行宫都部署，赏赍甚渥，寻加守
> 太尉。②

以上三人的事迹以及他们在穆宗朝时期的政治生活、人生经历等，足可以为
辽穆宗朝时期的政治状况，作出一个贴切的注释，即那些已经失势的贵族集
团仍然在耐心地等待着"复辟机遇"的到来。
　　史称，辽穆宗末年，好酒贪杯，日甚一日，而且还经常在酩酊大醉的状
态下，动辄击杀身边的侍卫或者那些贴身服侍人员，大约是为了制造穆宗遇
弑的悲凉气氛，辽朝史官不厌其烦地罗列了穆宗晚年动辄杀人的记录，甚至
还记载了穆宗醒酒之后下令为那些冤死之人昭雪和抚恤其家属等等；但是，
再圆滑的设局也终有人为的破绽！辽穆宗之死，与当时统治集团内部激烈的
皇位争夺存在着密切联系！据《辽史》记载：

> ［应历］十九年春正月己卯朔，宴官中，不受贺。己丑，立春，被
> 酒，……自立春饮至月终，不听政。……［二月］己巳，如怀州，猎
> 获熊，欢饮方醉，驰还行宫。是夜，近侍小哥、盥人花哥、庖人辛古等
> 六人反，帝遇弑，年二十九。③

这就是公元 969 年，在契丹辽朝历史上爆发的著名的"黑山之变"。其实，

---

① 《辽史》卷79《耶律贤适传》，中华书局1974年版，第1272页。
② 《辽史》卷79《女里传》，中华书局1974年版，第1273页。
③ 《辽史》卷7《穆宗纪下》，中华书局1974年版，第87页。

这段史料中的记载，还不是穆宗皇帝"酒徒"面目的全部，只是记录其遇弑之前的一些具体事情。一个连国家大事都可以抛弃，不予理睬，眼中只有酒水的人，又怎能够做一位合格的皇帝！这是辽朝史官的具体濡染。可以说，辽穆宗的死亡，辽景宗难辞其咎！

《辽史》记载：

> 景宗孝成康靖皇帝，讳贤，字贤宁，小字明扆。世宗皇帝第二子，母曰怀节皇后萧氏。察割之乱，帝甫四岁。穆宗即位，养永兴宫。既长，穆宗酗酒怠政。帝一日与韩匡嗣语及时事，耶律贤适止之。帝悟，不复言。应历十九年春二月戊辰，入见，穆宗曰："吾儿已成人，可付以政。"己巳，穆宗遇弑，帝率飞龙使女里、侍中萧思温、南院枢密使高勋率甲骑千人驰赴。黎明，至行在，哭之恸。群臣劝进，遂即皇帝位于柩前。①

穆宗朝末年所发生的"黑山之变"，最大的受益者就是这位世宗皇帝次子耶律贤，但是，耶律贤的后人们却将他继承皇位的历史场面，渲染得有些酷似辽世宗夺取辽太宗之后继承权的味道；而飞龙使乃契丹辽朝禁卫军系统的首脑人物，侍中与南院枢密使等更是朝官系统的主要成员，他们奔驰了一夜来赴难、奔丧，那么，他们当时在哪里，又从哪里得到信息？据萧思温本传记载：

> 十九年，春蒐，上射熊而中，思温与夷离毕牙里斯等进酒上寿，帝醉还宫。是夜，为庖人斯奴古等所弑。思温与南院枢密使高勋、飞龙使女里等立景宗。②

看来，还是萧思温、高勋等人本传的记载比较真实一些。同时，值得注意的是：辽穆宗在"祥古山之变"之后，时隔三天，宣布即位为新皇帝，其中保留了三天的时间，作为充分酝酿与推举的"过场"；而"黑山之变"的黎明，辽景宗就在支持者的拥护下，匆忙宣布即皇帝位，连一天的酝酿、推举

---

① 《辽史》卷8《景宗纪上》，中华书局1974年版，第89页。
② 《辽史》卷78《萧思温传》，中华书局1974年版，第1267页。

的时间都没有空出，说明契丹人选举新君的传统，至此已名存实亡。

二、景宗朝抚绥皇族的政策

辽景宗幼年时期的遭遇，比较凄惨。根据中原史料记载：

> 初，兀欲与妻同日遇害，明记年九（"九"为"四"之误——笔
> 者）岁，有以毡束之藏于积薪中，由是得免。①

察割之乱使得辽世宗全家遭到屠害，史称世宗及母妻丧命，仅余年龄尚幼的
诸子及女，而景宗所以幸免于难，也有赖家人的保护。此事，据《辽史》：

> ［景宗］小字明扆。世宗皇帝第二子，母曰怀节皇后萧氏。察割之
> 乱，帝甫四岁，穆宗即位，养永兴宫。②

按：世宗遇害之际，辽景宗当时年仅四岁，比较符合历史事实。当时，世宗
系统受到严重的打击，而辽穆宗时期，又采取厉行排挤或者扫除世宗朝政治
体系及其影响的政策。这就使得已经沦为遗孤的辽景宗，也连同其保傅等一
起寄养于永兴宫中。永兴宫，是辽太宗宫卫的名称，属于辽穆宗家庭财产之
一。寄养于永兴宫，说明世宗宫卫组织已经受到限制或遭到破坏，即使年幼
的景宗也落到时刻被监视的地步。景宗年长之后，仅获得了曾经属于"人
皇王行宫"的卓放地——奉圣州望云川。因此，居藩时期的辽景宗，始终
与耶律贤适、萧思温、韩匡嗣、女里等一些政治失意人物保持密切来往，就
不难理解其中的具体含义，那就是不忘旧仇、积极收拢世宗的旧部属，例如
女里等人就是世宗的宫卫户。所以，辽穆宗遇弑之后，辽景宗能够顺利继承
皇位，也与这些人的积极帮助密不可分③。

---

① 《续资治通鉴长编》卷10，宋太祖开宝二年。
② 《辽史》卷8《景宗纪上》，中华书局1974年版，第89页。
③ 《辽史》卷79本传，中华书局1974年版，第1272—1274页；韩匡嗣事迹，《辽史》卷74《韩知古传附匡嗣传》，第1234页；萧思温事迹，《辽史》卷78本传，第1267—1268页。

据《辽史》记载：女里，本积庆宫（即世宗宫卫）人，应历（穆宗年号）初，被调任为群牧系统的习马小底，后来累积迁官至马群侍中，即负责群牧事务的主要官员；

> 时景宗在藩邸，以女里出自本宫，待遇殊厚，女里亦倾心结纳。

其中，所谓"习马小底""马群侍中"，乃辽朝群牧之官，均属国家"坊场牧厩"系列。女里以积庆宫人的身份，在穆宗时转变为国家群牧机构的执事人员。说明辽世宗的斡鲁朵，在辽穆宗朝曾经被分散或施以打击。故景宗居藩时期积极地联合父亲昔日的旧部属，目的就在于企图复辟，达到东山再起。但根据历史资料的记载，辽景宗居藩时于望云县望云川之地所建邸舍，在辽穆宗朝已发展成为一座繁华的城邑，因此，景宗即位之后，便建号为"御庄"①；这是辽景宗继承父祖产业的开始。虽然如此，但在当时的契丹贵族社会中，像辽景宗这样的"产业"的景象，依然比较寒酸；因为，与当时帝后阶层拥有的诸斡鲁朵，动辄拥有三五座州城的数目相比，差距还是十分明显的；甚至同那些比较典型的贵族之家相比，辽景宗所拥有的产业规模，也依然十分弱小。

史称，辽景宗即位后，一方面致力于契丹政权的内部稳定，另一方面也致力于父祖以来斡鲁朵规模的恢复和重建。《辽史》记载：景宗初践祚，

> 多疑诸王或萌非望，阴以贤适为腹心。②

保宁三年（971 年）

> 以潜邸给使者为挞马部，置官掌之。③

---

① 《辽史》卷 41《地理志五·奉圣州》，中华书局 1974 年版，第 510 页。
② 《辽史》卷 79《耶律贤适传》，中华书局 1974 年版，第 1272—1273 页。
③ 《辽史》卷 8《景宗纪上》，中华书局 1974 年版，第 91 页。

据《辽史·国语解》记载："挞马，扈从之官"[1]。因此，辽景宗以自己居藩时期的家人及部曲集团组成的护卫组织，标志着其斡鲁朵机构组建的基本完毕。辽景宗的挞马部，其实就是类似于辽太祖腹心部军政合一的组织形式，它不介入契丹辽朝直接管理的部族结构体系之中，而是属于辽景宗本人宫卫的重要组成，从其成员均来自景宗"御庄"的记载，就可以明确了解这种组织结构所具有的私有化成分。辽景宗的斡鲁朵，契丹语称之为"监母斡鲁朵"，汉语称之为"彰愍宫"，契丹语的"监母"一词，译为汉语就是"遗留"的意思；宫名"彰愍"，彰即昭、显之义，是清楚表露者；愍即怜悯、怜恤之义，即需要"昭显、怜恤"者，大约是说明人皇王及世宗时期整个家族的艰难历程以及"黑山之变"以后忽然远离苦难、再柄国祚的欣慰之态，这不是一种遗留之余、蒙天垂恤的庆幸之感吗？所以，契丹语取"监母"（遗留）为号，而汉语则以"彰愍"（昭显、怜悯）为名，已经完全道出了此时此际辽景宗及其统治集团的心态。其全部成员的主要来历，除景宗本人固有的庄园成员之外，还包括原本属于"彰肃皇帝侍卫"集团的部分成员，即李胡（辽兴宗时追谥彰肃皇帝）斡鲁朵的部分成员，还包括了辽朝永、龙化、降圣、同、武安诸州民户在内[2]。

辽景宗在组建彰愍宫的过程中，基本上放弃了世宗、穆宗时期那种致力打击政敌的做法，而是采取了比较积极主动的合作方式，将太宗、世宗以及李胡的子孙都一视同仁，统统册封王爵，显示出试图加强皇族内部亲睦和谐的基本态度。保宁元年（969 年）四月戊申朔，

> 进封太平王罨撒葛为齐王，改封赵王喜隐为宋王，封隆先为平王，稍为吴王，道隐为蜀王，必摄为越王，敌烈为冀王，宛为卫王。[3]

---

① 《辽史》卷116《国语解》，中华书局1974 年版，第1534 页。

② 《辽史》卷31《营卫志上·宫卫》，中华书局1974 年版，第366 页。

③ 《辽史》卷8《景宗纪上》，中华书局1974 年版，第90 页。

在这些崇以王封的人物中，平王隆先、吴王稍、蜀王道隐，均为人皇王耶律倍之子，世宗诸弟①；而齐王罨撒葛、越王必摄、冀王敌烈，则均为辽太宗之子，穆宗诸弟②；宋王喜隐、卫王宛，则均为李胡之子③。从此，除李胡系宋王喜隐一支仍然试图谋反、夺取皇位外，其他诸系的封王都与辽景宗保持着良好的合作态度，如齐王罨撒葛，在保宁四年（972）病殁之后，还曾被辽景宗追谥为皇太叔，其寡妃萧氏则继续率领齐王故有的族属与部曲等，成为景宗与圣宗两朝北抗漠北诸部的杰出功臣之一。冀王敌烈和越王必摄，也相继成为景宗朝抗击北宋、遏制党项的重要将领。那么，辽世宗系统的发展状况，又如何呢？根据《辽史·皇子表》记载：辽世宗共有三子，即长子吼阿不、次子贤（即辽景宗）、三子只没。据《景宗纪》记载，保宁三年（971 年）八月，

> 祭皇兄吼墓，追册为皇太子，谥庄圣。④

又据《皇子表》记载，耶律吼之墓地，景宗时期建号为"太子院"；关于耶律吼的死因，《辽史》没有丝毫记载，大约与辽穆宗存在很大关系，所以，辽景宗予以极高待遇。耶律只没，汉名稍，为景宗之弟，穆宗朝，曾经因为私乱宫闱，而被穆宗予以刺瞎一目、又施以宫刑的惩罚；辽景宗即位之后，册封为吴王⑤。

在对皇族内部主要成员予以崇封之后，辽景宗也对先朝诸帝的斡鲁朵予以增益和实行系统的组织管理。保宁三年（971 年）三月丁未，任命飞龙使女里为契丹行宫都部署，这是见之于记载、最早出现的管理诸帝斡鲁朵的职能机构，标志着契丹斡鲁朵的属性发生很大转变，由国家进行统一的组织管理，既有效地避免了皇族内部家庭势力的"嚣张"，也进一步推动了封建国

---

①　《辽史》卷 72《宗室传·义宗倍传附隆先传、道隐传》，中华书局 1974 年版，第 1211—1212 页。

②　《辽史》卷 64《皇子表》，中华书局 1974 年版，第 979—984 页。

③　《辽史》卷 72《宗室传·章肃皇帝李胡传附宋王喜隐传》，中华书局 1974 年版，第 1214 页。

④　《辽史》卷 8《景宗纪上》，中华书局 1974 年版，第 91 页。

⑤　《辽史》卷 64《皇子表》，中华书局 1974 年版，第 984—986 页。

家政治权力的集中和强化。

三、景宗朝对东北、西南地区的经营

因为，辽景宗朝完全继承了穆宗朝时期衰败的政治局面，所以，景宗即位之后，处于一种百废待兴、百事待举的忙乱场面之中，尤其是边部形势的迅速恶化，这就要求刚刚即位的新君，势必在加强皇族内部亲情感化的同时，也亟须调整或委任材干之士对于日益恶化的边部形势，作出果断处理与相应调整。根据《辽史》记载，辽景宗即位之后，活动于胪朐河流域的敌烈八部再次掀起声势浩大的反叛辽朝的军事行动，辽景宗派出以右夷离毕耶律奚底为主帅的讨伐大军，进行平叛和招抚，经历一年有余的反复争夺，保宁三年（971年）正月，辽朝军队取得决定性胜利，

> 右夷离毕奚底遣人献敌烈俘，诏赐有功将士。[1]

但是，胪朐河流域的反叛势力并没有完全平息。同年十一月

> 庚子，胪朐河于越延尼里等率户四百五十来附，乞隶宫籍。诏留其户，分隶敦睦、积庆、永兴三宫，优赐遣之。[2]

此后，在长达十余年的时间内，东北胪朐河流域的反叛形势，总是时起时伏，并未能达到彻底的平息，景宗乾亨元年（979年）四月，"敌烈来贡"，始有部分敌烈部众重新投降辽朝。

就在东北敌烈八部掀起大规模反叛战争的时候，当时活动在今内蒙古中南部地区的吐谷浑部落以及活动于阴山西部、宁夏境内的党项部落集团，活动于阴山以北的阻卜诸部等，也都掀起规模较大的反叛，他们或者直接进攻辽朝官署、军队，或者举部投降其他割据政权。因此，辽景宗保宁三年

---

[1] 《辽史》卷8《景宗纪上》，中华书局1974年版，第91页。

[2] 《辽史》卷8《景宗纪上》，中华书局1974年版，第92页。

（971 年）七月，不得不派出心腹大臣耶律贤适接任西北路招讨使职务，以求迅速控制漠北局势；据《辽史》记载，景宗朝初期漠北草原阻卜诸部也已经呈现日益明显的反叛迹象，首先是那些居住于阴山以北的阻卜部落集团，断断续续地掀起反叛事件，乾亨元年（979 年）三月，派往漠北的将军速撒，取得与阻卜诸部作战的胜利，史称：

> 速撒遣人以别部化哥等降，纳之。

因此，在辽朝大军压境的状态下，迫使许多部落向辽朝投降。同年八月，

> 阻卜惕隐曷鲁、夷离堇阿里觌等来朝①。

即是大军压境的直接结果。虽然，阻卜部落酋长来朝，但是，漠北草原局势并不平稳；不久，辽朝大将耶律速撒便与阻卜部落重新开战，乾亨四年（981）十二月，"耶律速撒讨阻卜"。次年正月，"献阻卜俘"②。辽朝与漠北阻卜部落集团的矛盾与斗争不断升级。

就在辽景宗命令耶律贤适前往西北路安辑阻卜部落集团的同时，又派出惕隐耶律休哥、越王必摄等分别率领契丹军队，前往漠南地区镇抚党项、吐谷浑诸部。保宁五年（973 年）正月

> 惕隐休哥伐党项，破之，以俘获之数来上。③

当年二月，

> 越王必摄献党项俘获之数。

① 《辽史》卷9《景宗纪下》，中华书局 1974 年版，第 102 页。
② 《辽史》卷10《圣宗纪一》，中华书局 1974 年版，第 108 页。
③ 《辽史》卷8《景宗纪上》，中华书局 1974 年版，第 93 页。

保宁七年（975 年）三月，

> 耶律速撒等献党项俘，分赐群臣。

次年六月，又升任西南面招讨使耶律斜轸为北院大王①，以加强对漠南地区的控制。保宁九年（977 年）六月，任命宋王喜隐为西南面招讨使，前往北汉太原城面见汉主索还逃往北汉政权的吐谷浑部落。同年十月

> 耶律沙以党项降酋可丑、买友来见，赐诏抚谕。丁卯，以可丑为司徒，买友为太保，各赐物遣之。②

同年十一月，"吐谷浑叛入太原者四百余户，索而还之。"这正是在耶律喜隐任内所发生的事情③。辽景宗乾亨二年（980 年）三月，

> 西南面招讨副使耶律王六、太尉化哥遣人献党项俘。

同年七月，西南面招讨副使耶律王六等再次向朝廷献上讨伐党项部落的战俘。④ 乾亨三年（981 年）三月，任命佐命功臣韩匡嗣出任西南面招讨使，次年十月又任命南院大王耶律勃古哲为总领山西诸州事。据勃古哲本传记载，

> 保宁中，为天德军节度使，历南京侍卫马步军都指挥使。以讨平党项羌阿理撒米、仆里鳌米，迁南院大王。⑤

---

　　①　《辽史》卷 8《景宗纪上》，中华书局 1974 年版，第 94—95 页。

　　②　《辽史》卷 9《景宗纪下》，中华书局 1974 年版，第 100 页。

　　③　《辽史》卷 9《景宗纪下》，中华书局 1974 年版，第 99—100 页；《辽史》卷 72《李胡传附子喜隐》，第 1214 页。

　　④　《辽史》卷 9《景宗纪下》，中华书局 1974 年版，第 103 页。

　　⑤　《辽史》卷 82《耶律勃古哲传》，中华书局 1974 年版，第 1293 页。

由此得知，当时契丹辽朝所致力克服者，实乃分布于阴山西段、黄河以北诸党项羌部落。

与此同时，当时主要活动在今长白山以南、鸭绿江下游及辽东半岛地区的合思罕（即合苏馆）女真诸部，也趁机掀起大规模的反叛。据《辽史》记载，保宁五年（973 年）五月，

　　辛未，女真侵边，杀都监达里迭、拽剌斡里鲁，驱掠边民牛马。

合思罕女真与契丹辽朝的对立与冲突，开始融入新的历史内容；保宁七年（975 年）七月

　　黄龙府卫将燕颇杀都监张琚以叛，遣敞史耶律曷里必讨之。九月，败燕颇于治河，遣其弟安抟追之。燕颇走保兀惹城，安抟乃还，以余党千余户城通州①。

治河，即今鸭绿江流域附近。燕颇等应属渤海遗民，说明此次反叛暗中寓含渤海与女真相呼应与联合的趋势。因此，保宁八年（976 年）九月，

　　辛未，东京统军使察邻、详稳涸奏女真袭归州五寨，剽掠而去②。

直到保宁九年（977 年）五月，合思罕女真与辽朝的战争才基本平息。

应当说，辽景宗朝是在继承穆宗朝各种问题积累的基础上，同时，又承受较之前朝更多更激烈的周边混乱与动荡！东有女真诸部与渤海旧族的连续起事，北有敌烈八部与阻卜诸部不断制造各种棘手的麻烦，南有周、宋政权积极北进的逼迫。因此，景宗一朝，不断地东西奔忙之际，还要探索和寻找真正有效的"补天"手段。

---

① 《辽史》卷 8《景宗纪上》，中华书局 1974 年版，第 94—95 页；《辽史》卷 77《耶律吼传附子何鲁不传》，第 1259 页。

② 《辽史》卷 8《景宗纪上》，中华书局 1974 年版，第 95 页。

第二节 景宗朝与北宋政权的军事抗衡

一、中原战略的转变：北汉成为桥头堡

根据史书记载，947 年正月，辽太宗耶律德光在灭亡后晋政权，进入汴梁城之后，曾经在召集蕃、汉官员议事之暇，与大臣们说："我今日得于此殿坐，岂非真天子乎！"于是，便在这种思想的指导下，取消了让赵延寿或杜重威称帝中原的许诺，命令将后晋与契丹合并为一，仍称国号大辽，更改年号为大同元年（947 年），并沿袭了接收燕云地区的统治方式，即对后晋各地区行政机构与固有组织系统不作具体的变更与调整，仅派少数契丹官员出任险要之地或京师近畿与洛阳城的军事统帅；又下诏更名镇州（今河北正定县）为大辽政权的中京城，任命汉军统帅赵延寿为中京留守；此时，辽太宗已经摆出了一副"混一"中原与契丹本土的政治架构！而且，他还在给皇太弟李胡的复信中，不无骄傲地说：

> 初以兵二十万降杜重威、张彦泽，下镇州。及入汴，视其官属具员者省之，当其才者任之。司属虽存，官吏废堕，犹雏飞之后，徒有空巢。久经离乱，一至于此。所在盗贼屯结，土功不息，馈饷非时，民不堪命。河东尚未归命，西路酋帅亦相党附，夙夜以思，制之之术，唯推心庶僚、和协军情、抚绥百姓三者而已。今所归顺凡七十六处，得户一百九万百一十八。非汴州炎热，水土难居，止得一年，太平可指掌而致。且改镇州为中京，以备巡幸。欲伐河东，故俟别图。其概如此①。

就辽太宗看来，中原地区即黄河流域的中下游地带，已经成为辽朝政权的囊中之物，契丹本土与中原地区的"混一"局面，已经指日可待！

但是，由于契丹贵族进入汴梁城之后，亟须解决契丹军队的给养问题，没有认真采纳汉族官吏的建议，而是仍然依照草原游牧社会的旧俗，允许士

---

① 《辽史》卷 4《太宗纪下》，中华书局 1974 年版，第 60 页。

兵以"打草谷"方式自行解决给养与装备等。结果，造成契丹骑兵四处掳掠的混乱局面，使得汴州方圆数百里之内又再次遭到契丹骑兵的掳掠与蹂躏，而辽太宗等又没有对此采取积极的制止或弥补措施，因而，引起中原社会的极大反感。同时，以辽太宗为首的契丹贵族集团又以犒赏士兵为名，借机勒索钱财，史称后晋府库空虚，辽太宗等又以"括借"为名，强行索取民财，即使后晋达官贵人阶层也不能幸免，甚至派出军队到汴梁城附近州县催索"括借"一定数目的钱财，稍有欠缺，立致杀身之祸。因此，"括借"钱财的行为，引起后晋各地官兵与百姓的群起反抗。在这种复杂的历史局面下，河东节度使刘知远乘机割据太原，并且主动派人觐见耶律德光，并汇报说附近盗贼蜂起，现在还不能亲自前往拜谒，请您暂时调走驻守太原城南的契丹军队，以开通太原与汴梁之间的交通；这样，才使那些已经准备好的贡品，安全地送达汴梁城。耶律德光见到太原派来的使人，听到刘知远的汇报后，立即命人书写回信进行安慰，并"亲书'儿'字于知远名下"，使刘知远暂时逃避了可能来自辽朝的打击[1]。不久，耶律德光在危机重重的关头，以回归契丹腹地探望应天皇太后为名，率领契丹军队撤出汴州城，结果沿途遭到中原军队的阻击，耶律德光又突染重疾，死在北归途中。割据太原地区的刘知远，乘机指挥太原军队大举南下，相机夺取各个战略要地，乘机收复洛阳、汴梁等重要城市，宣布定都汴梁城，建立后汉政权。

后汉，虽然是一个短命的政权，但当时正值辽世宗在位、契丹国力衰微之际，中原政权达到了驱逐契丹的目的，也使得辽太宗"混一"中原地区的政治企图化为黄粱一梦。辽世宗时期，虽然仍坚持夺取中原的战略意图，并与后汉政权形成对峙与交争的局面，甚至在949年，辽朝的军队也曾经攻击至邺都（今河北磁县），连续攻克了后汉的数座州城，但毕竟未能恢复到"太宗入汴"的盛大场面。950年，后汉政权被大臣郭威所篡夺，建立了后周政权，后汉宗室刘崇趁机割据太原，自立为帝，国号仍称汉，史称北汉。北汉为了能够与后周抗衡，并达到灭周复仇的目的，遂倾国所有以奉侍契丹，甘愿成为辽朝的附庸。此时，辽朝政权内争不息，次年，辽世宗死于宫廷事变的政治阴谋中，新即位的辽穆宗已经没有能力在中原地区再次掀起波

---

[1]　《资治通鉴》卷286，后汉高祖天福十二年正月条，中华书局1956年版，第9336页。

澜。因此，辽朝遂采取了扶植后汉、抗击后周的战略。这种战略意图的转变，标志着契丹辽朝已经进入一个新的发展时代。

951 年 6 月，北汉政权遭到后周军队的大举围攻，北汉主刘崇"遣使称侄，乞援，且求封册"，甘愿成为契丹政权的附庸，来换取契丹军队的帮助。辽世宗遂派遣枢密使高勋等至太原，册立刘崇为"大汉神武皇帝"，北汉政权也答应派遣"皇子入质"于契丹。在契丹军队的帮助下，迫使后周政权撤军。952 年 6 月，后周军队再次进攻北汉政权，北汉再次遣使告急于辽朝，辽穆宗派遣中台省右相高模翰率领辽朝大军，救援北汉；此次战争持续半年之久，战事惨烈，辽朝军队相继收复被后周占领的北汉州县。直到 953 年正月，最终击退后周军队，取得保卫北汉战争的胜利。因此，战争结束后，北汉立即派遣使臣向辽穆宗报告：当年后晋政权为辽太宗树立的汴京《圣德神功碑》，已经被后周捣毁，请求在太原城内为辽太宗复刻碑文以纪圣德。辽穆宗也当然会答应北汉的请求①。标志着北汉政权对契丹辽朝政权依赖程度的加深。据司马光《资治通鉴》记载，后周太祖郭威在位时（951—953 年），曾经多次派遣使臣与辽朝约和，已经向契丹辽朝开出每年贡纳岁币银 10 万两的条件，但北汉主刘崇得到这个消息之后，惊慌失措，赶紧派人再次向契丹辽朝皇帝、大臣送礼许愿，破坏后周与辽朝的议和活动，借此稳固北汉与契丹辽朝的从属地位。辽朝对于北汉的态度，除了提供经常的军事援助及经济援助外，也动辄干涉或插手北汉政权内部的政治事务，例如册立太子、任免大臣，甚至任命一些州县长官的时候，契丹辽朝的皇帝、大臣都可以借机指派人员赴任，并且都要交由北汉皇帝（即政府）来执行。

954 年，后周太祖皇帝郭威病死，北汉借机调集军队，向后周发动大举进攻，同时，派遣使臣入辽请求援助。辽朝遂派遣武定军节度使、政事令杨衮等率领军队，入驻北汉代州境内，以配合北汉军队的战役行动。结果北汉与辽朝组成的联军在高平之地与后周军队发生激战，北汉与契丹组成的联军大败而归，北汉主刘崇逃回太原城中，忧郁成疾，一病不起，不久死亡。他的儿子刘承钧获得辽朝允准后，即位为北汉新帝，并奉表辽朝"称男臣"。从此，凡有关北汉军事事宜等一律遣使至辽朝商议，议定而后行，又进一步加

---

① 《辽史》卷 6《穆宗纪上》，中华书局 1974 年版，第 71 页。

深了北汉政权对契丹辽朝的附庸关系。此时的后周政权，并未趁机进攻北汉，而是锐意兼并南方江淮流域的大片地区。因此，后周政权的北部防线基本稳定在葫芦河一线，从而与契丹辽朝、北汉政权构成短暂的相持局面。但契丹辽朝并不甘于沉默，它仍然不断地配合北汉军队南下，攻掠后周政权的北部边郡地区，而太原一带也已经成为契丹辽朝军队不断南下的出发点，甚至是聚集地。

及北宋建立之后，契丹辽朝也仍然保护和支持北汉政权与宋朝对抗，诸如契丹西南面招讨使、统军、南院大王等高级别的统军大将，此时都已经是留守北汉政权的"常客"。他们率领的契丹军队也都经常驻守在北汉的境内。974 年，北宋遣使与辽朝议和，双方初步确定相互遣使通问的协议后，辽朝景宗皇帝派遣使臣来到太原城，向北汉主直接传达"强弱势异"，不可固守旧规；辽朝已经与宋约和，警告北汉政权此后"无妄南侵"。史称：北汉主刘继元闻讯"恸哭"，并立即遣使辽朝，乞求契丹辽朝无忘旧情，仍请如常贡献①。976 年，北宋军队进攻北汉都城太原，北汉再次遣使乞求辽朝援助并求赐军粮，辽朝乃以北宋违约为名，派出大军应援并运送粟二十万斛以相助，同时遣使宋朝，责问用兵北汉的原由。这一系列的历史事实，都充分说明北汉政权是继后晋政权后，契丹人在中原地区的又一个附庸，客观上已成为契丹军队进入中原的桥头堡。

二、景宗朝时期汉、宋对抗的局面

辽景宗朝继承了穆宗朝时期"援助北汉，抗击北宋"的军事战略，就在"黑山之变"爆发之际，辽朝军队已经在太原城周围分别与包围太原城的北宋军队展开激烈战斗。史称：

> 上闻契丹分道来援北汉，其一自石岭关入……战于阳谷县北，大败契丹，擒其武州刺史王彦符，斩首千余级，获生口百余人，马七百余匹，铠甲甚众……北汉阴恃契丹，城久不下。……契丹兵果分道由定州来援，韩重赟阵于嘉山以待之，契丹见旗帜，大骇，欲遁去，重赟急击

---

① （宋）李焘：《续资治通鉴长编》卷15，开宝七年，四库本。

之，大破其众，获马数百匹①。

讳败言胜，以小胜为大胜，以局部胜利遮盖整体失利，这是两宋涉及契丹史料的基本处理方式。其实，此次包围太原城是由宋太祖赵匡胤直接指挥的军事行动，在阻截契丹大军极端困难的状况下，宋太祖决堤放水试图淹没太原城，仍然久攻不下的情况下，被迫撤军。此次战争，虽然是北汉与辽朝最终获得整个战役的胜利，但是，在北汉朝廷内部却出现明显的投降情绪，并且迅速蔓延和滋长。史称：

> [开宝二年二月，宋太祖率军包围太原城] 时契丹使内侍韩知璠册命北汉主为帝，北汉主夜开城门以纳之。明日，置宴，群臣皆预，宰相郭无为哭于庭中，拔佩刀自刺，北汉主遽降阶持其手引之升座，郭无为曰："奈何以孤城抗百万之师乎？"盖无为欲以此摇众心也。…… [宋军既撤] 时契丹遣其将南大王来援，屯于太原城下。刘继业言于北汉主曰："契丹贪利弃信，他日必破吾国。今救兵骄而无备，愿袭取之，获马数万。因籍河东之地以归中国，使晋人免于涂炭，陛下长享贵宠，不亦可乎？"北汉主不从。南大王数日北还，赠遗甚厚②。

看来，此时的北汉政权已经丧失斗志，而且在长达十余年的曲意奉侍契丹政权的过程中更加疲惫不堪！契丹政权则依然我行我素，只以北汉作属国或附庸看待，据《续资治通鉴长编》记载，969 年 2 月，辽景宗即位后，

> 北汉主遣使持礼币贺契丹主，…… [契丹主] 厚其礼而归之，即命李弼为枢密使，刘继文为保义节度使，诏北汉主委任之。继文等久驻契丹，复受其命，归秉国政，左右皆谮毁之，未几，继文为代州刺史，弼为宪州刺史。契丹主闻之，下诏责北汉主曰："朕以尔国连丧二主，僻处一隅，期于再安，必资共治。继文，尔之令弟；李弼，尔之旧臣。

---

① （宋）李焘：《续资治通鉴长编》卷10，开宝二年二月条。
② （宋）李焘：《续资治通鉴长编》卷10，开宝二年二月条。

一则有同气之亲，一则有耆年之故，遂行并命，俾效纯称，庶几辑宁，保成欢号，而席未遑暖，身已弃捐，将顺之心，于我何有。”北汉主得书恐惧，且疑继文报契丹。乃密遣使按责继文，继文以忧惧死①。

辽朝即使在景宗时期，也仍然以属国看待北汉，并时刻担心北汉政权会产生不利于辽朝的企图与打算，总是绞尽脑汁试图全面掌控北汉政权的基本局面；应当说，这只是上述北汉政权与契丹辽朝产生“离心”迹象的一个侧面或原因之一，更重要的是契丹辽朝也已经洞察到北汉政权内部的不安全因素。

但是，有一点却是可以肯定的，即在当时复杂的历史局面之下，北宋政权在与契丹辽朝长期对抗的军事冲突中，并未捞到丝毫的便宜。虽然目前所能见到的中原史料记载中，都无一例外地夸耀着那种自始至终的“北宋常胜”的历史现象。其实，这些都不过是当时修史者们出于某种虚荣心理而蓄意虚拟的历史假象而已！其中最具典型代表意义的就是北宋史料中大肆渲染的“三千打六万”的历史故事。

> 初，契丹六万骑至定州，命判四方馆事田钦祚领兵三千御之，上［即宋太祖——笔者］谓钦祚曰：“彼众我寡，但背城列阵以待之，敌至即战，勿与追逐。”钦祚与敌战蒲城，敌骑少却，乘胜至遂城，钦祚马中流矢而踬，骑士王超以马授钦祚，军复振，自旦至晡，杀伤甚众，夜入保遂城，契丹围之数日，钦祚度城中粮少，整兵开南门突围一角出，是夕至保塞军中不亡一矢。北边传言“三千打六万”。癸亥，捷奏至，上喜谓左右曰：“契丹数犯边，我以二十匹绢购一契丹首，其精兵不过十万，只费我二百万匹绢则契丹尽矣。”自是益修边备②。

这条史料的虚拟编造痕迹十分明显。从全文记载来看，充其量属于一次成功的突围战，并不是能够扭转全局的决定性战役；史料也只是说田钦祚突围之际基本没有损失，并没有说明之前“杀伤甚众”之际其三千兵马所剩几何？

---

① （宋）李焘：《续资治通鉴长编》卷11，开宝三年正月条。
② （宋）李焘：《续资治通鉴长编》卷11，开宝二年十一月条。

又，既然是一次足以振奋人心的胜利，为什么宋太祖接到捷报之际，高兴之余，却说出了毫无斗志的"和买契丹的计划"？宋军如此得志，为什么放弃进攻而采取严密的守势？综此而言，其实"三千打六万"的故事，乃是出于宋太祖赵匡胤的编造，目的在于鼓励北宋军队与契丹辽朝作战的士气，试图扭转当时"不敢与契丹战"的普遍恐惧心理。

因此，综如上述，北汉政权内部的基本状况、契丹辽朝所采取积极进攻态势和北宋政权在与契丹辽朝（当然还包括北汉政权在内）长期争夺过程中的体会，等等，标志着已经持续很久的南、北争夺过程即将进入到一个全新的历史转折时期；这就为北宋积极营造与契丹议和的历史过程提供了现实基础。

三、北宋营造的"开宝议和"

960 年，赵匡胤取代后周，建立了北宋政权。在北宋政权的初期，针对契丹辽朝对于北部边疆地带的不断滋扰，北宋基本采取避免与契丹辽朝直接冲突的"含忍"策略，并力图将五代以来所形成的那种直接对抗局面扭转或缓和下来。根据历史资料记载，五代末年经常纵容军民人等盗捕契丹马匹等畜产，而后由政府以市场价格公平购买，借此来补充军用马匹等的不足；宋太祖即位后，遂诏令北宋境内沿边诸州、军，此后严格禁止军民人等出塞侵盗契丹境内，凡所盗马匹等统统交由地方官府交还于契丹[①]；并命令沿边军州认真整修边务，加强守备，不许恣意出境骚扰；虽然，此时辽、宋双方也经常发动战争，但由北宋主动发动的几乎没有。这说明，《宋史》记载的太祖"必欲敦信保境"的双边政策，毕竟得到了一定时间内的正常发展。也正是因为这种政策的确立，才使宋太祖萌生了一种试图不动干戈而能解决辽、宋矛盾的初步想法，即以"和买"的方式来解决双方存在的基本问题。这种政治设想的完整思路是：与契丹辽朝通过和平谈判方式，商定归还燕云十六州的具体价码，北宋宁愿采取以金钱换和平的处理原则。宋太祖这种政治构想的形成已经有着很长时间的酝酿过程。据史书记载：

> 太祖讨平（江南）诸国，收其府藏贮之别府，曰封椿库，每岁国

---

① （宋）李焘：《续资治通鉴长编》卷2，太祖建隆二年条。

用之余，皆入焉。尝语近臣曰：石晋割幽燕诸郡以归契丹，朕悯八州之民久陷夷虏，俟所蓄满五百万缗，遣使北虏（指契丹），以赎山后诸郡。如不我从，即散府财募战士，以图攻取①。

又对人说：

> 若辽敢复犯边，我每以三十疋绢，购一胡人之首，其精兵不过十万人，止费我三百万疋绢，此贼尽矣②。

可见，宋太祖的"和买"计划是包括了"赎"与"买"两方面的内容和两套实施计划，但其总的实施目标，是将燕云或山后诸郡（当然也包括北汉）放在一起来解决，从而准备在最大限度内彻底避免以后可能与契丹辽朝发生的大规模军事冲突。应当说，这是个将和平放在首位来进行考虑的"双边计划"。因此，在这种思想的推动下，便形成了辽宋双方的首次议和行动，因这次"议和"过程就发生在宋太祖在位的开宝年间（968—976 年），故历史上称之为"开宝议和"。

"开宝议和"，实际启动于北宋开宝七年（辽保宁六年，974 年），终止于宋太宗太平兴国四年（辽乾亨元年，979 年）。史称，议和的初期阶段，已经取得了一定程度的积极进展。

> ［开宝七年十一月］契丹涿州刺史耶律琮致书于权知雄州、内园使孙全兴，其略云：两朝初无纤隙，若交驰一介之使，显布二君之心，用息疲民，长为邻国，不亦休在。辛丑，全兴以琮书来上，上命全兴答书并修好焉③。

此事，据《辽史》记载：

---

① （宋）王辟之：《渑水燕谈录》，四库本。
② 彭百川：《太平治迹统类》卷 2，太祖经制契丹，四库本。
③ （宋）李焘：《续资治通鉴长编》卷 15，太祖开宝七年十一月条。

[保宁六年] 三月，宋遣使请和，以涿州刺史耶律昌术 [即合住，又名耶律琮——笔者] 加侍中与宋议和①。

以宋师屡梗南边，拜 [合住] 涿州刺史，西南面兵马都监、招安、巡检等使，赐推忠奉国功臣。合住久任边防，虽有克获功，然务镇静，不妄生事以邀近功。邻壤敬畏，属部乂安。宋数遣人结欢，冀达和意，合住表闻其事，帝许议和。安边怀敌，多有力焉。……镇范阳时，尝领数骑径诣雄州北门，与郡将立马陈两国利害，及周师侵边本末。辞气慷慨，左右壮之。自是，边境数年无事。议者以谓合住一言，贤于数十万兵。②

由此看来，北宋实际为此次议和活动的始作俑者；而辽朝大臣耶律合住（即耶律琮）从中发挥巨大作用，其本传记载的"自是边境数年无事"即指此次议和所带来的实际效果。

又根据北宋史料记载，

[开宝八年三月] 契丹遣使克卜茂固舒苏 [《宋史》作"克沙固慎思"，《辽史》作"矧思"，此处乃清朝改易——笔者] 奉书来聘，诏阁门副使郝崇信至境上迓之，及至，馆于都亭驿，是日，召见其从者十二人，赐衣带器币各有差。宴于长春殿。仍召至便殿，观诸班骑射，令其从者拉古尔绰和尔与卫士驰射毛毬、截柳枝。及辞归国，复召见，赐器币③。

盛况空前的迎接与招待契丹使臣场面，表明议和已经是宋太祖企慕已久的事情。而辽朝大约也有同感，故史称契丹主遣使晓谕北汉君臣：以天下强弱形势发生变异，今后不要妄自侵伐宋地；北汉主闻讯恸哭，急忙遣使契丹④，

---

① 《辽史》卷8《景宗纪上》，中华书局1974年版，第94页。
② 《辽史》卷86《耶律合住传》，中华书局1974年版，第1321—1322页。
③ （宋）李焘：《续资治通鉴长编》卷16，开宝八年三月条。
④ （宋）李焘：《续资治通鉴长编》卷15，太祖开宝七年十二月条。

请求仍续旧好。就说明议和已经是辽、宋双方共同期盼的事情。大约辽、宋的和谈，也终因北汉问题未能得到圆满解决而导致最终的破裂，但它毕竟揭开了南、北方割据政权和平相处的历史序幕。

第三节　圣宗朝与北宋对立局面的形成

一、宋灭北汉、攻幽州

976 年 12 月，宋太祖暴崩，太祖弟匡义（又作光义、炅），是为宋太宗，更年号为太平兴国元年；是月，辽朝派遣使臣前来吊唁及贺太宗即位。自开宝七年（974 年）双方通和以来，北宋沿边州郡奉诏设立与契丹贸易的互市场所，宋太宗太平兴国二年（978 年）三月诏令各地互市场所，设官管理。史称：

> ［太平兴国二年三月］契丹在太祖朝，虽听沿边互市而未有官司。是月，始令镇、易、雄、霸、沧州各置榷务，命常参官与内侍同张，辇香邈、犀象及差，与相贸易①。

宋太宗开始主动收回太祖时期予以契丹辽朝的贸易优惠待遇。是年，宋太宗兴兵讨伐北汉，北汉政权续遣质子如契丹、并许愿纳重币以求援助。于是，辽朝派兵增援北汉，并准备扣押宋朝派来的使臣辛仲甫②。事实上北汉问题，开始成为影响辽宋双方关系发展的主要问题。

宋太宗太平兴国三年（978 年）正月，召集大臣询问征讨太原之策，史称：

> ［太宗］召枢密使曹彬问曰："周世宗及我太祖皆亲征太原，以当时兵力、而不能克，何也？岂城壁坚完，不可近乎？"彬对曰："世宗

---

① （宋）李焘：《续资治通鉴长编》卷18，太宗太平兴国二年三月条。
② （宋）李焘：《续资治通鉴长编》卷18，太宗太平兴国二年五月条。

时，史超败于石岭关，人情震恐，故师还。太祖顿兵甘草地中，军人多被腹疾，因是中止，非城垒不可近也。"①

于是，宋太宗遂决计征伐河东，再次调动大军，于当年二月亲征北汉，大将曹彬等从征；同年三月，石岭关都部署郭进，击溃契丹骑兵数万人于石岭关南，有力地阻绝了契丹军队对太原城的支援。史称：

> 北汉援绝，北汉主复遣使间道赍蜡书奏契丹、告急，进捕得之，徇于城下，城中气始夺矣②。

由于北宋军队同心努力，且布置严密，有效地阻扼住了契丹军队的来援之路，使得孤弱难存的北汉政权，只剩下了困守孤城、等待契丹援助的唯一途径。史称，此次围城战役，宋太宗不仅鼓励士兵努力作战，而且还对守城汉军施以军事（即耀武行为）恫吓。

> 先是，上选诸军勇士数百人教以剑舞，皆能掷剑于空中，跃其身左右承之，见者无不恐惧，会契丹遣使修贡，赐宴便殿，因出剑士示之，数百人袒裼鼓噪，挥刃而入，跳掷承接，曲尽其妙。契丹使者不敢正视。及是，巡城必令舞剑士前导，各呈其技，北汉人乘城望之破胆③。

应该说，北宋军事力量的明显增长，与太祖时期的辛勤积累不无关系；同时，对于南方江南地区的渐次征服，也不断地锻炼和培训了北宋军队的战斗能力。宋太宗时期围困并灭亡北汉、成功阻绝契丹援军，就是北宋军事能力不断增长的明确表现。由于宋太宗亲临前线，宋军将领的日夜督战，终于迫使北汉主刘继元献城投降。至此，盘踞太原地区近三十年的北汉政权，被好大喜功的宋太宗一举攻克。

---

① （宋）李焘：《续资治通鉴长编》卷20，太宗太平兴国四年正月条。
② （宋）李焘：《续资治通鉴长编》卷20，太宗太平兴国四年三月条。
③ （宋）李焘：《续资治通鉴长编》卷20，太宗太平兴国四年四月壬申条。

灭亡北汉政权之后，宋太宗又想挥得胜之师北上幽州，再一举收复后晋以来陷入契丹之手的燕云十六州之地；但当宋太宗与诸将议论此事之时，许多将领都以师老兵疲为由，不愿从征，而下层军士也因宋太宗许诺攻克太原城的奖赏没有兑现而颇有微词；但沉浸在胜利喜悦中的宋太宗根本不理会将领与士兵的情绪，也毫不顾惜太祖时期与契丹艰难达成的和平局面；于是，严令诸军，挥师北上，进攻幽州城。

同年，六月辛酉，宋太宗率领大军进至定州城。丙寅，进入辽朝界内金台顿，召募当地百姓为向导，遣使契丹诸州城谕降。在北宋大军突然进攻面前，一些契丹辽朝的汉军守将纷纷投降，宋军迅速占领岐沟关（当时辽朝于此置东易州），接着又攻克涿州城。六月庚午，大军抵达幽州城下，很快形成对幽州的包围态势。但在辽朝军队的坚决反击之下，北宋军队阵前发生哗变，辽朝军队趁势进攻，北宋军全线瓦解，太宗本人也身中箭伤，狼狈而归。此次征讨幽州的军事行动，不仅彻底打破辽、宋之间已经形成的和平局面，同时，也掀起辽、宋之间再一次征伐的混乱局面。

二、宋太宗朝与契丹关系

979 年，宋太宗挥得胜之师、乘胜进攻幽州地区，一度使辽朝措手不及，但宋太宗的军事冒险行动，最终也以失败而告终。这就是著名的"高梁河之战"。辽、宋双方已经保持数年之久的"和平"局面也因此遭到破坏，同时，还招致来自契丹人的连续攻击。契丹军队大规模入侵北宋边郡，各地告急奏报纷至沓来，契丹军前锋已经抵达莫州（今河北省任丘市）；于是，宋太宗下令亲征，抵达大名府之后，契丹军队已经全部撤出宋朝北部边界，但宋太宗仍欲挥师讨伐契丹，随行大臣将领等却"抗疏"谏止北伐。据史书记载：

> 上因契丹遁去，遂欲进攻幽州。戊寅，以保静军节度使刘遇充幽州西路行营壕寨兵马部署，睦州团练使田钦祚为都监。威塞节度使曹翰充幽州东路行营壕寨兵马部署，登州防御使赵延溥为都监。复命宰相问翰林学士李昉、扈蒙，事之可否。昉等上奏曰："北鄙边兵，自古为患，乘秋犯塞，往往有之。……其如大兵所聚，转饷是资。且河朔之区，连

岁飞輓，近经踩践，尤极萧然。虽幸遇于丰稔，恐不堪其调发，属兹寒冽，益复罢劳。……伏望申戒羽卫，旋游京都，善养骁雄，精加训练，严敕边郡，广积军储，讲习武经，缮修工具……暮岁之间，用师未晚。"上深纳其说，即下诏南归。①

但是，宋太宗毕竟不同于那些"行为狂悖"之君，之所以念念不忘收复幽州地区，主要是受那些追随他并已经取代太祖朝元老旧臣、把持朝政的新贵集团殚精竭虑"建功立业"问题的困扰；虽然，宋太宗一次次遭到元老旧臣的劝谏，但时过境迁之后，又总是将收复幽州的话头，在朝堂之上经常提起。史称：

> 上既还京师，议者皆言宜取幽蓟。左拾遗直史馆张齐贤上疏曰："方今海内一家，朝廷无事。关圣虑者岂不以河东新平，屯兵尚众，幽燕未下，輦运为劳，以生灵为念乎？……自古疆场之难，非尽由于敌国，率由边吏扰而致之，若缘边诸寨抚御得人，但使峻垒深沟，畜力养锐，以逸自处，宁我致人……且臣料敌人之心，固亦择利避害，安肯投死地而为寇哉。臣又闻家六合者，以天下为心，岂止争尺寸之事，角强弱之势而已乎？"②

看来，北宋太宗朝时期，关于幽燕问题的探讨与争论还是比较激烈的！大凡那些追随太宗起家的北宋"新臣"集团，总是与太祖朝存留的旧臣们格格不入。

太平兴国八年（984 年）十一月，

> 高阳关捕得契丹生口，送至阙下。戊午，上召见，言契丹种族携贰，虑王师致讨，颇于近塞筑城为备。上谓宰相曰："戎人以剽略为务，乃修筑城垒为自全之计耳。罗者刘继元盗据汾晋，……当其保坚

---

①　（宋）李焘：《续资治通鉴长编》卷 21，太宗太平兴国五年十二月条，四库本。

②　（宋）李焘：《续资治通鉴长编》卷 21，太宗太平兴国五年十二月条，四库本。

城，结北鄙为援，岂宜制乎?"①

于是，由太宗亲自提拔的宰相宋琪对曰："臣少陷北庭，备知戎马之数。"
于是，将所知悉的契丹辽朝基本状况向太宗作了详细介绍。雍熙三年，他又
根据自己在契丹十余年的生活经历，撰写了一份很长的奏章向太宗详细介绍
契丹辽朝的基本状况与应对方略等。同样在雍熙三年雄州守将贺令图等人的
积极奏请，促使宋太宗终于下定决心再次北伐。史称：

> 先是，知雄州贺令图与其父岳州刺史怀蒲及文思使薛继昭、军器库
> 使刘文裕、崇仪副使侯莫陈利用等相继上言：自国家伐太原，而契丹渝
> 盟发兵以援，非天威兵力决而取之，河东之师几为迁延之役，且契丹主
> 年幼，国事决于其母，其大将韩德让宠幸用事，国人疾之，请乘其隙以
> 取幽燕。上遂以令图等言为然，始有北伐意。②

值得注意的是，宰相宋琪以亲身经历书写的奏章（即《平燕策》与《入燕
之路》），也正是在此后提供给宋太宗的。于是，宋太宗命大将潘美为西路
军统帅，出雁门，进攻云中（今山西省大同市）；以曹彬为东路军统帅，出
瓦桥关（今河北省雄县境内），进攻幽州；田重进为策应，出飞狐口（今河
北省涞源县北），进攻契丹蔚州（今河北省蔚县）。结果，北宋东路军受阻
于涿州城下，又崩溃于岐沟关（今河北省涿州西南四十里），于是，宋太宗
命令中、西两路退守原防，导致西路军回撤途中受到来自辽朝军队的重创；
此次北伐又以失败告终。同时，也招致了契丹辽朝规模更大、更加频繁的报
复性进攻，使得北宋黄河以北地区陷入契丹马蹄的恣意蹂躏之下。从此，宋
太宗再也不敢轻启兵端，但契丹骑兵则常年袭扰北宋河北、山西等地，"御
戎之策"开始成为北宋朝廷探讨的热门话题。雍熙四年（988 年），殿中侍
御史赵孚上书曰：

---

① （宋）李焘：《续资治通鉴长编》卷24，太平八年十一月条，四库本。
② （宋）李焘：《续资治通鉴长编》卷27，太宗雍熙三年正月条，四库本。

臣愚以为不用干戈，不劳飞輓，为万世之利者，敢献其说，唯明主择之。……欲望朝廷精选使命，通达国信，远则周古公让地于西戎，……议定华戎之疆，永息征战之事，立誓明著，结好欢和。①

淳化元年（990年），太仆少卿张洎提出"御戎三策"，认为：严守备为上策，和亲为中策，决胜负为下策；但又认为审时度势应为定策的根本，建议太宗宜乘此辽、宋无战事之机，行通和之策，达到结好息民的目的。因此，到宋太宗朝晚期，朝廷议论的主题，又重新回到约和的故途上来，但契丹辽朝以宋太宗背信弃义之故，更不与宋言和。

三、澶渊之盟

997年，宋太宗病殁，其子赵恒即位，是为宋真宗。真宗即位伊始，便下诏各地求直言极谏，俾助于国事。因此，刑部郎中、知扬州王禹偁遂应诏上疏，建言谨边防、通盟好，指出契丹虽不犯边，戍兵不可减削，应秉太祖敦信保境之策，谨敕疆吏，致书北庭，请寻旧好。以后，各地上书言事之人，也纷纷建言朝廷罢兵息战，与契丹通好。在朝野一致的呼声之下，真宗诏令知雄州何承矩，委以约和事宜，强调"轻重之际，务在得中"。何承矩遂成为与契丹约和的重要人物。② 咸平二年（999年），知虢州谢泌上疏真宗，提出不惜财帛与契丹约和的方针。③ 但契丹对北宋致达的约和信息、书信等，却置之不理，并在数年没有大规模袭扰北宋的情况下，突然于999年7月，再次向北宋境内发动大规模的进攻，而且，辽圣宗与承天皇太后也亲临前线，对北宋沿边州郡实施毁灭性打击。北宋君臣只好匆忙收拾起议和的摊子，认真做好各地防务。宋真宗诏令何承矩于雄州等地广修陂塘、水田，决引河水灌溉之，想以此来阻挡契丹骑兵的奔突，并诏求各地军民议献御敌之策，诸如铁轮拨浑、火箭、火球、火蒺藜及海船等新技术都很快就装备到水陆各军。同时，派遣间谍煽惑、离间契丹部属，使契丹于越耶律休哥的族

---

① （宋）李焘：《续资治通鉴长编》卷27，太宗雍熙四年条，四库本。
② 《宋史》卷273《何继筠附承矩传》，中华书局1977年版，第932页。
③ （宋）李焘：《续资治通鉴长编》卷44，咸平二年四月条，四库本。

属及幽州官吏，大批降附北宋。但政治上的微弱收获并不能解决军事上的劣势，这也是当时使宋真宗一直难以扭转的颓势局面。

此时，契丹辽朝已经与居住在夏州一带的党项部落，形成比较密切的合作关系。党项部落本北宋属部，由于宋太宗太平兴国年间处事不当，结果引起党项部落的反抗，发展成双方关系决裂并交战不已的状况。于是，辽朝乘机联合党项部落对北宋政权形成夹击之势。就在契丹辽朝自999年起，又连续数年持续向北宋发动军事进攻的时候，党项部落也在西北边疆地区不断袭扰北宋边郡。宋真宗咸平四年（1001年），党项部落再次大举进攻北宋灵州地区，契丹辽朝也从北面大举进攻北宋沿边州郡，使得北宋政权陷入了两线作战的困境。此时，北宋军队在与契丹军队频繁交战中，不断失利，大将康保裔、王继忠等宋真宗心腹将领相继被俘，被送入契丹本土后又变成契丹辽朝的官员。这在北宋政权内部影响极大。宋真宗景德元年（辽统和二十二年，1004年），辽圣宗与承天太后亲自率领大军南下征讨北宋，接连攻破北宋河北地区数座州城，契丹军队直抵黄河北岸澶州城下；此时，北宋朝廷内部一派慌乱，大臣或者建议真宗迁都江南，或者建议真宗西幸川蜀；唯有宰相寇准坚持真宗亲自北征，并始终不离真宗左右、拥奉真宗皇帝率御前亲军抵达澶州。史称：当固守澶州南、北两城的宋军，望见真宗皇帝的龙旗在两城之间的便桥上竖起的时候，澶州城内一派山呼"万岁！"的声音，宋朝守军士气高涨。辽、宋双方各由君主亲自统率大军，会战于澶州城下，宋朝守军利用强弩射死契丹大将挞凛，使得战局逐渐扭转。就在辽、宋双方拼死相搏、相持不下之际，宋真宗忽然接到自己的宠臣、现已降辽的北宋将领王继忠从契丹军营发出的书信，建议真宗皇帝乘机议和；于是，宋真宗如获至宝，并雷厉风行地开始了悄悄议和的活动。但他派往辽军大营的议和使者曹利用，却也险被宋朝守军将领误认为奸细而遭到斩杀，后来经过重重阻挠，曹利用终于来到契丹皇帝与太后的军营中。史称，契丹皇帝及其母后对于曹利用的到来也十分高兴。于是，辽、宋双方在经过多次使者往返的议和活动之后，宋真宗终于决定"屈己议和"即采取以金帛换和平的方式，暂时放弃了规取燕云地区的想法，与辽朝达成和议，并决定双方都要将议和约定书，放到祖庙神坛之上，面对祖先与天地神祇起誓：信守盟约。这样，辽、宋双方很快达成了和议，一致同意罢战息民。史称"澶渊之盟"。

"澶渊之盟"的主要内容包括如下几点：

（一）从此辽、宋双方为兄弟之国，辽圣宗年幼为弟，宋真宗年长为兄，契丹承天皇太后于宋真宗为婶母辈；并相约双方君主，从此世代以行辈叙论。

（二）划白沟河为界，凡双方边境城池一切如旧，不得擅自创设、增添或改建；如遇盗贼等过界，双方均不许收匿，并应捉拿送还。

（三）北宋政权每年需向辽朝奉献岁币银10万两、绢20万匹，并于雄州交界处交割与验收。

（四）双方互设榷场，以通市易，便于双方官民贸易。

（五）辽、宋互相派遣聘使，凡遇吉凶庆吊、生辰节日等典礼场面，均须依礼通问。

（六）辽、宋双方需交换誓书，以供分别保存，等等。

客观而言，澶渊之盟是长期战乱之后终于和平的标志。从此，辽、宋双方在长达120年的共同存在的历史过程中，再也没有爆发大规模的战争。这就为各自统治区域内社会的安定、生产的恢复与发展创造了优越的条件。"澶渊之盟"是辽宋双方谁也最终吞服不了对方的产物，辽宋之间基本国力上的持衡，奠定了以后百余年时间内，辽、宋北南割据、共同存在的历史格局。它们以中国历史上新的北、南朝自居，塑造了"兄弟和好如一家"的历史氛围，为中国南、北方文化的发展奠定了基础，并为南北方文化的沟通、互补与交融创造了前所未有的基本条件。

附：两朝誓书如下

1. 宋朝誓书原文

维景德元年岁次甲辰十二月庚辰朔七日丙戌，大宋皇帝谨致誓书于大契丹皇帝阙下：共遵诚信，虔奉欢盟。以风土之宜，助军旅之赀，每岁以绢二十万匹、银一十万两，更不差臣专往北朝，只令三司差人般送至雄州交割。沿边州军，各守疆界，两地人户，不得交侵。或有盗贼逋逃，彼此无令停匿。至于陇亩稼穑，南北勿纵惊骚。所有两朝城池，并可依旧存守，淘壕完葺，一切如常，即不得创筑城隍，开拨河道。誓书之外，各无所求，必务协同，庶存悠久。自此保安黎献，慎守封陲。质于天地神祇，告于宗庙社稷，子孙共守，传之无穷。有渝此盟，不克享国。昭昭天鉴，当共殛之。远其披陈，专俟报复。不宣。谨白。

2. 辽朝誓书原文

维统和二十年岁次甲辰十二月庚辰朔十二日辛卯，大契丹皇帝谨致誓书于大宋皇帝阙下：共议戢兵，复论通好，兼承惠顾，时示誓书，云以风土之宜，助军旅之费，每岁以绢二十万匹，银一十万两，不差使臣专往北朝，只令三司差人搬运至雄州交割。沿边州军，各守疆界。两地人户，不得交侵，或有盗贼逋逃，彼此无令停匿，至于陇亩稼穑，南北勿纵惊骚。所有两朝城池，并可依旧存守，淘壕完葺，一切如常，即不得创筑城隍，开拨河道。誓书之外，各无所求，必务协同，庶存悠久。自此保安黎献，慎守封陲。质于天地神祇，告于宗庙社稷，子孙共守，传之无穷。有渝此盟，不克享国。昭昭天鉴，当共殛之。孤虽不才，敢尊此约，谨当告于天地，誓之子孙，苟渝此盟，神明是殛。专具谘述。不宣。谨白。①

第四节 辽朝中期对中原人口的迁徙与安置

一、中原人口的逆向流动

唐朝晚期，由于藩镇割据局面的形成，在持续近一个半世纪的历史时间内，兵连祸结。战争的烽烟，此偃彼起，社会正常的生产秩序被彻底打乱，城池村寨，屡遭兵火，人民流离失所，从而开启了当时中原人口向周边地区逆向迁徙的序幕，并已经成为当时引人注目的特点之一。据欧阳修《五代史记》记载：幽、涿之人苦刘仁恭父子苛虐，多逃入契丹，契丹贵族

乃率汉人耕种，为治城郭邑屋廛市如幽州制度，汉人安之，不复思归。②

---

① （宋）李焘：《续资治通鉴长编》卷58，真宗景德元年十二月辛丑条正文注，四库本。
② （宋）欧阳修：《新五代史》卷72《四裔附录·契丹》，中华书局1974年版，第886页；欧阳修：《新唐书》卷218《沙陀传》，中华书局1975年版，第886页。

其实不仅刘仁恭父子，当时中原诸藩镇为应付庞大的军费开支，不仅苛捐杂税名目众多，而且攉索紧急，有时甚至预先征收数年的赋税；导致社会生产入不敷出，沉重的赋税已使大量社会人口倾家荡产、背井离乡。这就是"幽涿之人，亡入契丹，不复思归"的主要原因和历史背景。但是，当时民族人口的流动并不是单向或单一的，随着中原地区政治力量的衰落，北方游牧民族人口也不断地向中原地区渗入和迁移。883 年，沙陀人李克用因为镇压"黄巢起义"有功，被加封为河东节度使、太原尹，导致沙陀人口向南迁入今山西省汾河及晋水流域。923 年，李克用之子李存勖在洛阳建立的后唐割据政权，又使大批游牧民族人口南迁至黄河中下游地区。同时，在沙陀人不断南迁或沙陀贵族统治中心不断南移的历史表象背后，还覆盖着自唐朝中期以来不断向阴山以南移民而遗留的大批汉族人口以及代北周围传统农业区域之内世居的大量汉族人口等。从而造成一种多民族错落杂居的历史状态，这就是 10 世纪初期人口流动绵延不绝的历史大背景。

据《新五代史》记载，因刘仁恭、刘守光父子统治的苛酷，

> 幽涿之人多亡入契丹。阿保机［又］乘间入塞，攻陷城邑，俘其人民，依唐州县置城以居之。①

战争诚然是造成人口局部流动加速的重要原因，像阿保机不断俘掠幽州、涿州之人进入契丹本土那样，战争事实上加速或加大了中原人口逆向迁徙的幅度。据《辽史》记载，神册六年（921 年）十一月，

> 分兵略檀、顺、安远、三河、良乡、望都、潞、满城、遂城等十余城，俘其民徙内地。②

内地，即契丹本土。同年十二月，阿保机又

---

① （宋）欧阳修：《新五代史》卷 72《四裔附录·契丹》，中华书局 1974 年版，第 886 页。
② 《辽史》卷 2《太祖纪下》，中华书局 1974 年版，第 17 页。

诏徙檀、顺民（实）于东平、沈州。①

天赞三年（924）正月，

遣兵略地燕南。……［五月］徙蓟州民实辽州地②。

辽太宗天显十一年（937 年），发动的灭唐之役，一次即俘获唐将张敬达部众十余万人、赵德钧及赵延寿兵马约 5 万人。③ 946 年，辽太宗发动的灭晋之役，又一次性俘获晋军 20 万人。其实，契丹每次发动的对中原割据政权的军事进攻，都以"绳连木系"的形式驱掠大批中原人口北归，将他们安置在契丹本土的州县之中。据《旧五代史》记载，后晋开运元年（944年），契丹攻博州，刺史周儒举城降契丹，

［契丹］执其军士，将献于幕帐，行次中途，（契丹）守者夜寝，其中军士一人自解桎梏，为诸兵释缚，取贼（即契丹）戈矛，尽杀援者二百余人，南走而归。……贼众［即契丹兵——笔者］三千人援送所掠人口、宝货等，由长芦入蕃。以轻骑邀之，斩获千余人，人口、辎重悉委之而走④。

946 年，辽太宗攻克汴梁城（今河南开封）后，遣晋官赵莹、冯玉、李彦韬等率 300 骑兵，护送晋少主石重贵及其母李氏、太妃安氏、妻冯氏、弟重睿、子延煦、延宝等于黄龙府（今吉林农安）安置；仍以后晋宫女 50 人、内宦 3 人、东西班 50 人、医官 1 人、控鹤 4 人、庖丁 7 人、茶酒司 3 人、仪鸾 3 人、健卒 10 人从行。尔后，辽太宗又将后晋诸司僚吏、嫔御、宦寺、方技、百工及文物法器等，全部送还辽朝上京城（今内蒙古巴林左旗林东

① 《辽史》卷 2《太祖纪下》，中华书局 1974 年版，第 17 页。
② 《辽史》卷 2《太祖纪下》，中华书局 1974 年版，第 19 页。
③ 《辽史》卷 3《太宗纪上》，中华书局 1974 年版，第 39 页。
④ （宋）薛居正：《旧五代史》卷 82《后晋纪七》、《晋少帝纪二》，中华书局 1974 年版，第 1087页。

镇南博罗和屯遗址）。① 辽朝初期，以战争形式驱掠而至的中原人口，在《辽史·地理志》中也留下了一些约略的记载，据统计：仅辽上京附近诸州县，在太祖时期俘掠中原民户安置于此者，即多达 15 000 余户，约 10 万人；而同一时期，分布在东京道的汉族人口，也不会低于这个数字。

应该注意的是在辽朝太祖太宗时期，中原汉族人口向契丹地区的流动，除大规模的战争行为驱掠而至的中原人口外，还有大量的降户。譬如 907 年，幽州藩帅刘仁恭之子、平州刺史刘守奇即率众数千奔契丹；909 年，沧州节度使刘守文也率众降契丹。② 据《旧五代史》记载，天祐十四年（917），新州裨将卢文进杀节度使李存矩，率众数千降契丹，仍引契丹陷新州，进攻幽州，击败唐将周德威于居庸关西，乘势掳掠燕赵之地。又据《辽史》记载，神册六年（921 年）十月，晋新州防御使王郁率山北兵马投降契丹，挟带民众近万口，辽太祖以王郁为子，将他所率领的人众全部在潢水以南地带安置。③ 这些降户，对于契丹社会的发展，曾发挥深刻的历史作用。据《唐明宗实录》记载，

> 庄宗（即李存勖）未即位，卢文进、王郁相继入辽，皆驱率数州士女，为虏（即契丹）南藩，教其织纴工作，中国所为，虏中悉备。契丹所以强盛侵凌中国者，以得文进、郁之故也④。

同样，在 10 世纪中期（后晋末年，947 年），曾经被掳掠而入契丹腹地的邻阳县令胡峤，也在他逃回中原后所著的《陷虏记》中，写道：

> 契丹西楼（即上京），有邑屋市肆，交易无钱而用布。有绫锦诸工作，宦者、翰林、伎术、教坊、角觝、儒、僧尼、道士等，中原人并、汾、幽、蓟为多⑤。

---

① 《辽史》卷 4《太宗纪下》，中华书局 1974 年版，第 59—60 页。
② 《辽史》卷 1《太祖纪上》，中华书局 1974 年版，第 3—4 页。
③ 《辽史》卷 2《太祖纪下》，中华书局 1974 年版，第 17 页。
④ （清）厉鹗：《辽史拾遗》卷 1 所引《唐明宗实录》，四库本。
⑤ 《辽史》卷 37《地理志·上京序》，中华书局 1974 年版，第 441 页。

中原人口对于辽朝初期的社会发展，确实作出了积极的历史贡献。这种贡献不仅表现在经济发展上，在政治发展方面也留下了重要的影响。

二、辽朝对中原人口的安置

辽朝初期，分布在契丹境内的中原人口，大致可以划分为三类：一是在契丹建国前后主动归附的部分中原人口，例如在契丹辽朝影响深远的韩延徽家族、王郁家族和刘承嗣家族等；二是大规模争战中掳掠而至的中原人口，例如韩知古家族、王继忠家族和石重贵家族等；三是中原地区缘边州郡的降户，例如赵延寿家族、赵思温家族等。其中，最后两类人口，共占据了契丹社会内部所有汉族人口的绝大多数。最初，辽朝的统治者通过战争的形式，将大量的汉族人口强行带入契丹本土，像前面所揭示的那样，恐怕这些俘掠人户途中逃走，故每人都以桎梏锁锢。但当战争规模较大或俘掠人数较多时，就如《资治通鉴》所说：用长木绳索将俘户连系在一起，以骑兵押送到契丹本土。这些汉族人口被押送至契丹本土后，辽朝统治者将其大分封给各级贵族，建立了私有性质明显的头下军州，即那些为汉人"依唐州县建城以居之"的城堡，契丹人习称为"汉城"，也就是头下州。据《辽史·百官志》记载，辽初诸王，外戚、大臣及诸部从征俘掠，或置生口，各团集建州县以居之，并依其人口数目的多寡，大者称州，不能州者谓之军，不能军者谓之县，不能县者谓之城，不能城者谓之堡、寨等等。这些州城的主人即是头下主。因此，这些俘户也被称为"驱口"。以后，随着契丹封建专制政体的日益完善，对所占领的地区和人口，不再进行私有化的分封而是作为国有的重要内容，依州县编户的形式妥善安顿，譬如燕云十六州地区的户口与社会组织原封不动的保留，说明俘掠人口也日渐充实了国家的州县。

应当说，辽代初期推行的土地及人口私有化的政策，最大的受益者是耶律阿保机及其家族。他们拥有了绝大多数的土地、州城和俘掠人口，故当916年阿保机宣布建立帝制政权时，契丹人将这个自可汗到皇帝的转化过程，形象地称之为"化家为国"，即将个人及家族拥有的土地、人口、资源等转化为封建的国有形态。以后，辽朝统治者虽也注重打击和削弱头下势力，但头下州的存在在辽代的历史中并没有消除。因此，契丹政权对于大量中原人口的安置，也出现了一些新的历史变化。如辽太祖神册五年（920）

十月，契丹军进攻天德，其节度使宋瑶降而复叛，契丹军攻克天德城后，俘虏宋瑶家属，而将天德军民户安置于阴山以南，并未迁入契丹本土。说明契丹辽朝政权对攻城掠地所获人口的处置，已经不再是驱归本土实施简单的封赐，而是有意识地选择民稀地广之处设置州郡进行安置。次年，耶律阿保机又将进攻幽州属郡檀、顺二州所获人口，徙置东平（即辽东京）和沈州。因此，辽朝初期对中原人口的安置办法，是采取国有的府、州、县制度与私有的头下州制度共同存在的基本形态。但是应该看到的是：当时所有的州城都是在草原牧场上新建的。因此，到处都呈现着草原州城与其附近的农田、牧场交相辉映的奇观！辽太祖以西楼为皇都，辽太宗以皇都为上京，以东平辽阳府为东京（始称南京），增幽州为南京，基本上奠定了辽朝以五京为五道的行政区划，道下又设府、州、军城和县（城），大府设留守或知府事，州、军有节度、观察、防御、团练使或刺史，县有令、丞、尉、主簿，沿袭了唐代治理农业社会的主要行政措施。

由于契丹社会毕竟还存在着大量的游牧人口，因此，契丹辽朝对于游牧人口的管理方式，也明显地不同于那些农业人口。辽朝初期，仍然沿袭了游牧社会传统的部族管理方式。譬如辽太祖时期，在奚族设立奚六部大王府，将契丹迭剌部分为五院、六院两部，部长与其他契丹部落一样称夷离堇；辽太宗时，升五院、六院、乙室部为大王府，部长称大王，而其余诸部则置节度使，小者仍称夷离堇。契丹辽朝统治者对于部落人口及农业人口安置方法的迥然不同，体现了其"因俗而治"政策的实际内涵。

辽太祖在未获得契丹可汗位时，已经十分注重对汉族人口的统治及管理，经常亲自

率汉人耕种，为治城郭邑屋廛市如幽州制度，汉人安之不复思归。

及其担任契丹可汗后，太祖更加注重对汉人的管理，设治"汉儿司"专门管理汉人事务，并任命亲信谋事韩延徽、韩知古等人为汉人修葺屋舍、选择配偶，使其"老有所养，壮有所成"。及阿保机称帝后，命大臣康默记制定法律，使蕃、汉不同治，"以汉制治汉人，用国制治契丹"，推行"因俗而治"政策。这些，不仅对维护和巩固新建的契丹辽朝政权发挥了重大的历

史作用，也奠定了后来契丹辽朝"官分南、北"政治体制的历史基础。

三、《芳仪曲》与《长城赋》

《芳仪曲》是一首以吟咏流落契丹宫廷的中原贵族女性心理活动为主题的咏叹曲，抒发的是一种比较哀婉、孤凄与飘零的人生际遇。它比较普遍地代表了当时北宋知识阶层对于那些"陷落"契丹的中原人物的怜悯心态。但它未必是真实的人生飘零际遇的历史体现，而往往是一种基于听闻而对某些人生际遇所作出的推测、判断，然后，又在这种已经失实了的推测与判断基础上生发出同情与怜悯，讴之歌之，成为流传较广的时尚作品。其用意十分简单，即努力张扬那种自古以来便存在的"夷夏有别"的思想观念。于此，我们不妨将这首歌词，全部移录下来，以供分析。

《芳仪曲》
作者：〔北宋〕**晁说**字補之、**颜复**字长道

金陵宫殿春霏微，江南花发鹧鸪飞，
风流国主家千口，十五吹箫粉黛稀。
满堂诗酒皆词客，夺锦挥毫在瑶席，
后庭一曲时事新，泪洒临江悲去国。
公卿献籍朝未央，敕书筑第优降王，
魏俘曾不输织室，供奉一官奔武疆。
秦淮潮水钟山树，塞北江南易怀土，
双燕清秋梦柏梁，吹落天涯犹并羽；
相随未是断肠悲，黄河应有却还时，
宁知翻手更朝事，咫尺山河不可期。
苍黄三鼓滹沱岸，良人白马今谁见？
国亡家破一身存，薄命流云信流转。
芳仪加我名字新，教歌遣舞不由人，
采珠拾翠衣裳好，深红暗尽惊沙尘。
阴山射虎边风急，嘈杂琵琶酒阑泣，

无言遍数天河星，只有南箕近乡邑。

当年千指渡江来，千指不知身独哀，

中原骨肉又零落，黄鹄寄意何当回？

生男自有四方志，女子那知出门事？

君不见，李陵椎髻泣穷边，丈夫漂泊犹堪怜！

那么，晁補之等是根据什么撰写这首曲词的呢？根据宋人笔记资料的记载：

> 赵至忠虞部自北廷归朝，尝仕辽中为翰林学士、修国史。著《北
> 廷杂记》之类甚多。《杂记》言圣宗芳仪李氏，江南李璟女，初嫁供奉
> 官孙某，为武疆都监，妻女皆为圣宗所获，封芳仪，生公主一人。晁補
> 之为北都教官，因览此书而悲之，与颜复长道作《芳仪曲》云：〔其词
> 俱见上录——笔者〕……予尝游庐山，见李主有国时，修真风观，皆
> 宫人施财，刊姓氏于碑，有太宁公主、永嘉公主二人，皆璟女，不知芳
> 仪者孰是也。①

江南李氏政权（即南唐）被北宋消灭之后，末主李煜奉诏携带家属宫眷等
迁居京师汴梁城。尔后，李氏故公主以平民身份下嫁供奉官孙某，孙某调迁
武疆都监，李氏遂与夫之官所，适值辽圣宗率契丹大军攻宋，武疆陷落，孙
某生死不明，李氏母女俱被圣宗俘获，纳入宫中；开泰二年（1013）正月，
圣宗册封李氏为顺仪（赵至忠记为芳仪，两者或有一误），并与辽圣宗生育
一位公主。晁補之等人就是根据这段历史事实，创作了名噪当时的《芳仪
曲》，目的在于"醒世"。这与北宋末年辽、宋双方势力对比发生明显消长
有着密切的联系。

与《芳仪曲》创作时代相近，而又可以对读的另一篇宋人作品《长城
赋》，则是"澶渊之盟"以后，北宋朝野之间某种政治企盼或具体感想的抒
发，也是一篇不能不读的历史名篇。

---

① （宋）王铚：《默记》下卷；《晁補之文集》，并四库全书本。

《长城赋》
作者：［北宋］张舜民

　　甲戌之岁，予被诏出使，驰驱王路，行次怀柔之北，得古长城焉。因感而赋之，固以涉猎古今，亦兼风戒之意云。

　　予昔游骊山之上，得灵台之遗基。今过燕山之下，见长城之故址。自非达观，安能齐万物而一指。予本儒者，未免非非而是是，窃尝闻长城之役，不独在秦而已。燕赵启其前，始皇缮其后，西首临洮，东被于海，实万有余里。我今所见，如东海之一波，泰山之一篑，西望之而不极，东循之而无际，停骤缓辔，独立而喟，徒观其隐若环垦，屹若长堤，荒烟蔓草，日落风凄；丰狐之窟屡易，狡兔之径多迷；下有朽骨，旁有断杵，曾未知何乡之人，谁氏之子；非闾左之丁男，则关东之狱吏。当是时也，蒙恬章邯之方造，陈胜项籍之未起，尔胡不采芝于商洛山中，种桃于武陵溪里，养浩餐和，长生久视，胡为乎颜色枯槁，形容憔悴之如此也。其后百有余岁，孝武皇帝闵平城之厄，愤冒顿之书，赫然发起，慨然下诏，愤然兴师，斥单于于大漠之北，开亭障，置烽燧，出长城于千里之外，此非城之功。又数百年，外敌扰境，边马饮江，毡裘被于河洛，鸣镝斗于上林，此非城之罪。及乎周隋，至于唐晚，亦我出而彼入，将屡胜而屡败，莫不火灭烟消，土崩瓦解，饼磬罍耻，兔亡蹄在，城如有知，应为感慨。方今遐方面内，百蛮冠带，指乾坤之闓闛，以为门户。尽日月之照临，以为径界。戴白之老，不识兵革。垂髫之子，尽知礼节。庶矣富矣，震盈丰大。求之古先，莫与京对。在易有之萃，以除戎器，戒不虞。既济曰："君子思患而预防之。"儒馆老生，稽首再拜，不敢多陈，伏愿圣神念斯文而为戒。①

　　张舜民以古长城为题目，创作了一篇政治寓意极强的"大文章"，也因此名噪于北宋末期文坛。全文纵横于古今之间，寓言于正文之外，主旨直逼幽燕这个历史话题！

―――――――――

① 张舜民：《画墁集》卷5，四库全书本。

第 七 章

契丹辽朝中晚期的封建统治局面

第一节　辽朝鼎盛时期的民族统治政策

一、辽朝对国内部族的统治政策

辽朝是契丹人建立的具有浓厚行国政治特色的封建割据政权。契丹族是辽朝的统治民族，他们拥有比其他民族人口更为优越的社会地位。在辽太祖、太宗时期，不断东征西讨、创立国家的过程中，使契丹辽朝政权基本建立、形成了契丹、奚、渤海、汉族等众多民族共存的统治秩序。虽然，辽朝初期的统治者，本着治国安邦的精神，制定了"因俗而治"的民族统治策，但是，在具体的实践过程中，诸多民族群体之间的界限划分，还依然比较严格，例如契丹辽朝政权关于诸民族之间相互通婚行为的具体限制以及事实上由统治阶层一手制造并完全存在于民族间的法律地位的不平等，像"汉人伤契丹偿命，契丹殴死汉人偿以畜产"的规定，标志着契丹辽朝政权首先在确保封建贵族阶层统治的前提下，其统治还同时包含着民族统治和民族压迫的不合理现象。这是由其政权体制及其所代表的基本性质所直接决定的。

辽朝在征服了诸多民族人口、拥有更加辽阔的版图范围之后，采取各依旧俗的统治方式，使各民族人口从事其完全熟悉与习惯了的经济生产活动。譬如对那些游牧民族部落，主要采取部族社会习惯的生产管理方式，按照部落社会的基本组织形式，将那些介入契丹本土的游牧部落人口，或者仍旧保存固有的部落组织形式，或者重新进行部落的组编与重建，并在完全承认和顺从契丹贵族统治的前提下，负责向契丹政权或贵族之家定期输纳一定份额的贡献；而对于那些已经介入契丹本土的汉族人口，也在各依旧俗的基础上，将他们或各自团集起来，建立拥有一定规模的城堡或村寨，形成固定居住状态下的农、工、商业密切结合的生产、经营活动，或者在那些新开辟或新占领的区域内，仍然保留其固有生产生活方式与社会组织传统，形成在具有"因俗而治"特色的基础上的完整保留。对于新征服的漠北各地，则在其基本承认与顺从契丹辽朝政权统治前提下，分别采取了迫其接受契丹辽朝政权的委任管理，或接受契丹辽朝指派官员进行管理的统治方式；而对于一些比较完整的部落组织或割据政权等，则在其承认与接受契丹辽朝调遣的前提下，采取定期纳贡的统治方式，譬如后晋、阻卜诸部等。926 年，辽太祖灭亡渤海国后，又在其固有版图内建立了一个东丹国，册封自己的长子耶律倍为人皇王，成为东丹国的最高统治者，并制定东丹国岁输辽朝贡赋的总数：布 25 万端、马 1 000 匹。

到辽太宗会同年间（938—947 年）以后，随着契丹辽朝统治疆域的基本巩固，对于各个民族的经济剥削政策，也基本趋于稳定。

对于契丹腹地部落人口的赋役征收政策，主要分为"赋"和"役"两部分，赋即固定征收的赋税，役即定期调发的徭役。凡是契丹腹地的部落民户，都要向政府交纳赋税、承担劳役等，并规定契丹或奚族等诸部落民户，一律以拥有牲畜数量的多少作为划分财产等级的基本参照，而财产等级的高下又直接作为划分户等的标尺，户等的高下直接决定着应向国家承担赋税、劳役的基本数量。就赋税征收的角度而言，一般是依照户等的高下来抽取一定数目的羊、马为常赋，作为供应国家所需和支付各级官吏俸禄的主要来源。在常赋之外，又往往具有各种名号的杂赋，譬如契丹辽朝曾经规定：各部节度使或各地王府机构等，每年例须向皇帝贡献鞍马珍玩等物，否则会遭到国法的惩处。同时，凡是国家遇有紧急之需或节庆婚丧等大型典礼场面，各级官员也都要一律依例缴纳贡献，并规定这些贡纳之物的主要来源，即平均摊派于各个部落之内的民户身上。甚至，有时国家对于部分官员的额外颁恩与赏赐等，也大都取自于部民。

契丹辽朝的部民阶层多承担力役、兵役等。力役多系临时摊派修桥、筑路、治河、搬运等工程建设。最沉重的就是兵役，部民需自备武器、鞍马、随从等，以备征调。平时还要承担戍边兵役，丁壮至戍区由节度使管领，老弱留耕牧由司徒管辖。戍边兵役在部落中行轮换补充之法，结果导致辽中期契丹诸部的普遍贫困。

关于农业人户的赋役，由于各地农业生产的发展状况很不平衡，因此，赋役的征收制度，也有明显的地区差别。但其赋役基本分为计亩征收的田赋和按户等高下征调的力役。辽代的田赋，在南京、西京地区沿袭了唐代夏、秋两季征收的方式。辽代的农田，有官田、私田两种，私田计亩缴纳。官田又有屯田、闲田两类。屯田收粟归官，闲田募民耕种承佃或占为私产，依例纳赋。上京、中京多为所俘汉人、渤海人从事农业生产。自耕农依亩纳税，佃户除纳田赋外，还要向田主交租，投下户则要向国家和领主分别纳赋。但上京、中京及东京税额，比南京、西京地区要轻。

农户的杂税，也名目繁多，如盐铁税、曲税、义仓粟及农器钱、鞋钱、匹帛钱等，都是辽代主要税源。农户承担的力役，有驿递、马牛、旗鼓、乡正、厅隶、仓司等多种名目，供官府驱使，从事各种杂役及修河、筑路事务等。徭役的征调均按户等制定，但因法度不明，执行不严，力役差发常常不能均平。

二、分配契丹部落，镇守辽朝各地

契丹"部落曰部，氏族曰族。契丹故俗，分地而居，合族而处"，[①] 血缘关系是维系人们生产生活的纽带。但9世纪后期，随着契丹社会内部的阶级分化以及诸如"挞马"（侍卫军）、"瓦里"（管理罪犯的机构），"籍没之法"（法律条文）和"于越"（能决定军政大事的贵官）及"决狱官"（管理刑狱事务）的出现，使契丹社会向专制国家方向的转化日趋明显。10世纪初，耶律阿保机创建的契丹政权，标志着旧有的血缘关系的崩溃和地域化的社会关系的形成，使契丹社会的部落组织结构与传统相比发生了翻天覆地的变化，出现了以氏族为部，如耶律阿保机将迭剌部分为五院、六院部，又

---

① 《辽史》卷32《营卫志中》，中华书局1974年版，第376页。

将北大浓兀分为二部等。也有以部为族，如奚王府六部五帐分及以小黄室韦人户所置突吕不室韦部。还有一些部落，只是收编当时无部杂户而成，这些人户来源于不同的氏族部落群体，像后来出现的以鹰坊户组建的稍瓦部。还有些氏族，因为社会地位优越，多为贵族之家，虽自成体系，却不承担部落社会的义务，形成了"族而不部"的统治核心，如阿保机系统的大横帐等。契丹社会部落组织结构的千姿百态的变化，说明在游牧民族社会中地缘关系越来越具有重要的作用。

耶律阿保机一生中，率领契丹部族军东征西讨，以俘获为投下，使各级贵族拥有庞大的私人组织机构。926年，阿保机灭渤海建东丹，以长子耶律倍为东丹王，统治渤海故地，实际将耶律倍私人组织机构整体迁移，是契丹国家徙置及分配契丹各阶层人口，分镇各地的发端。辽太宗即位后，首先加强了对契丹本土的建设以及对周边地区的控制力度。天显三年（928年），以王郁为龙化州兴国军节度使，将契丹本土的较大规模的汉城，升格为节度使州，确立为方面重镇，继之，又升东平郡为南京。天显五年（930年），诏修袅潭离宫，建立了皇都及南京（即东平郡，今辽宁省辽阳市）以外的又一个相当重要的军政中心。天显六年（931年）置中台省于南京。同时，天显二年（927年）葬太祖于祖陵，因置祖州天成军为奉陵邑；天显九年（934年）葬太皇太后于德陵；天显十年（935年）葬皇后萧氏于奉陵，因置怀州为奉陵邑。同时，遣蒲割宁公主统三河乌古部落。随着契丹本土建设的基本完成，西南路招讨司的地位日益重要，会同元年（938年）在全部接收燕云十六州后，契丹部落组织的统治机构及分布范围等进行了新的调整。会同二年（939年）十月，"上以乌古之地水草肥美，诏北、南院徙三石烈户居之"。[①] 所徙三石烈，即南院瓯昆、乙习本石烈及北院斡纳阿剌石烈，分布于今海拉尔河至克鲁伦河之间。名义上是就水草、便垦殖，实际上是镇守和监视乌古诸部。这三石烈人户的军事统属，也如前所述戍守黑山以北的组编部落一样，归西南面诏讨司管辖。会同三年（940年），徙人皇王行宫于奉圣州，将人皇王耶律倍系统的军事武装力量驻守于今河北涿鹿附近。

随着契丹政权对各地军事政治控制的需求，上京道逐渐成为遥辇九帐

---

① 《辽史》卷4《太宗纪下》，中华书局1974年版，第46页。

族、横帐三父房及二国舅部，即所谓辽朝"内四部族"的游牧垦殖之所，其他各部纷纷出守各地。如契丹五院、六院部（即南、北院部）出镇南境，乙室部镇守西南边境，分布于今河北省张北县昂古里诺尔以北。品部、突不吕部、楮特部戍守西北，分布于阴山一带，兵事隶西北路招讨司。乌隗部、涅剌部则分布于黑山以北（即大兴安岭北，今西乌珠穆沁旗境）郝里河一带，兵事隶西南（路）面招讨司。以上即太祖太宗时期，契丹部落组织的分镇戍守情况。以后，圣宗虽更置 34 部，也只是对这种戍守状态的补充，使其更加严密。因此，辽太宗会同五年（942 年），诏令政事令僧隐等"以契丹户分屯南边"，① 即是这种戍守分布情况的确定。

三、对于属国属部的统治政策

随着契丹国力的逐渐增长和实际统治区域的延伸，契丹辽朝政权对于草原游牧部族的统治方式也在不断更新，政府的控制能力也在不断地加强。

（一）俘其人户，纳入契丹部落组织系统

9 世纪末，耶律阿保机为契丹部落挞马官时，曾以计诱降小黄室韦部落，纳入契丹部落系统，以后又不断征伐大小黄室韦，俘获众多人口，形成了辽初契丹二十部中的突吕不室韦部和涅剌挐古部，这两个部落都是由大小黄室韦人户组建，并直接受辖辽朝北宰相府的部落，设节度使，兵事属东北路统军司，为辽朝戍守泰州和东边。其余大小黄室韦人口则仍分布故地，接受辽朝的直接管辖。

903 年，耶律阿保机又将其父亲所俘奚族 700 户，徙置饶乐之清河，创为奚迭剌部，分为 13 个石烈，这就是辽初二十部中的迭剌迭达部，隶南宰相府，属西南路招讨司，戍守黑山北。以后，辽太祖又在不断征讨奚族的活动中，俘获了大量的奚族人口，将其编为部落，隶属于契丹的部落组织，构成了辽初二十部中的乙室奥隈部和楮特奥隈部，俱隶南宰相府；乙室奥隈兵事属东北路兵马司，楮特奥隈兵事属东京都部署司。而其余奚族人口，则在契丹打击下四分五裂，主体部落仅余 5 部，号为五部奚，以与西部奚相区别。五部奚即构成辽初二十部中的奚王府六部五帐分，隶北宰相府，属东北

---

① 《辽史》卷 4《太宗纪下》，中华书局 1974 年版，第 51 页。

路统军司。西部奚被契丹征服后，逐渐融入其他部落人口及州县人口中。901 年始，辽太祖不断进攻室韦、于厥（乌古）等部，俘获大量人口。916 年，辽太祖以所俘乌古人户置部，即辽初二十部中的乌古涅剌部、图鲁部，隶于契丹北宰相府。乌古涅剌部兵事属西南路招讨司，图鲁部兵事属东北路统军司。

此外，辽太祖时还以所俘达鲁虢部人户，组建了一个品达鲁虢部，隶契丹南宰相府，军事属西南路招讨司，为辽朝戍守黑山北，以防遏室韦等部。

辽代中期，随着社会人口的不断增加，辽圣宗又以俘获人口及析出宫分人口、奴婢等，编组部落。除契丹部外，统统进行重组和改编，建立了 34 部。其中，以黄室韦户置为涅剌越兀部，隶于北府，军事属西南面招讨司，戍黑山北。以乌古户置斡突椀乌古部，隶南宰相府，军事属西南面招讨司，戍黑山北。又以所俘敌烈户，分置迭鲁敌烈、北敌烈二部，隶北宰相府，军事属乌古敌烈统军司。又以所俘唐古（即阻卜及党项）人户众多，分置梅古悉、颇的、匿讫唐古、北唐古、南唐古、鹤剌唐古等部，俱隶北宰相府，除北唐古部军事属黄龙府都部署司外，其余五部的军事皆属西南面招讨司。

由此可以看出，契丹自太祖至圣宗时期对游牧部落的统治政策，实质是采用了分解游牧部落实体的统治办法，将其中一部分以俘虏的形式徙置契丹近地，并纳入契丹部落体系之中，成为契丹部落社会的一部分。这样做的结果，既达到了削弱对方的目的，也增强了契丹自身的实力。

（二）设官置守，加强对北方游牧部落的管理

对漠南各族人口的统治，契丹政权是将之作为统治的重心，直接划归上京道、中京道及西京道，分别加以统治的。对于漠北游牧部落，契丹政权采取了羁縻、镇戍及州军制等各种方式。如对靠近契丹的室韦诸部，辽朝将之视为"属国"，分别设立了室韦国大王府和黑车子室韦国大王府，辽朝派驻都监，又有黑山以北部落戍兵的严格监视。同时，辽朝废除了室韦的部落官制，改设仆射，对其官员实行朝廷任免制度，可以参与军政大事。这样就使室韦诸部自 10 世纪中期以来，再也没有发生叛辽的事件，逐渐融入契丹社会之中。

契丹对活动在额尔古纳河流域及今呼伦贝尔以东地区的乌古部，在辽代初期采取了厉行镇压的政策，中期以后则剿抚并用，在乌古部衰弱后，辽朝

还经常加以赈济，赐以羊马米粮等。开泰四年（1015年），辽朝在今克鲁伦河畔筑城，以安置归附的乌古人户，将乌古部落列为属部进行管理，如乌古部、隈乌古部、三河乌古部等。辽圣宗统和年间（983—1011年），开始向乌古诸部派遣由朝廷任命的节度使，征调部落丁壮西戍阻卜。辽道宗寿隆二年（1096年），又将乌古迁徙至乌纳水流域，为辽朝控扼北边冲要。

与乌古相邻的敌烈部，在辽圣宗统和初年发动声势较大的反辽战争，辽朝同样采取征抚并用的手段，将八石烈敌烈部（又作敌烈部、迪烈德部）分别编入属国属部之中，置大王府和节度使司进行管辖。同时，还设置乌古敌烈统军司，作为维护乌古、敌烈地区安定的统治工具。在乌古、敌烈以北，辽朝还设置了斡朗改与辖戛斯两个大王府，其中的斡朗改部就散居于贝加尔湖周围的森林地带。

在辽朝的西北地区，即今蒙古高原北部广泛分布着众多的阻卜部落。10世纪晚期，阻卜与辽朝关系恶化，为了加强漠北的控制，辽朝在古回鹘城（今蒙古国境内哈喇巴喇哈逊）修建镇州建安军，在建安军以东修建防州、维州和招州，这4座城自西向东一线排列，以镇州为中心构成辖治漠北的军政中心，辽朝还专门选拔部落骑兵2万余屯驻此地。以后，辽朝又在4城的东部添置了河董城、皮被河城和塔懒主城等军事要塞。这些城塞便将漠北地区广泛分布的阻卜部落划分为互不统属的区域集团，辽朝将这些互不统属的阻卜部落，分别称之为：阻卜、西阻卜、西北阻卜和北阻卜，将他们编入属国和属部之中，组建了阻卜诸部节度使司和阻卜国、西阻卜国、北阻卜国等大王府。节度使司和大王府均由朝廷派遣官员与经过辽朝任命的阻卜首领共同管辖，有的大王府之下还设立若干节度使司，如阻卜国大王府之下，即设立了阻卜札剌节度使司、阻卜诸部节度使司、阻卜别部节度使司等。此外，辽朝还在漠北设立了威武、崇德、会蕃、新、大林、紫河、驼等7个羁縻州。统和二十二年（1004年），辽圣宗为加强对漠北地区的控制，还与来朝觐见的阻卜酋长铁剌里联姻，将皇族之女封为公主下嫁阻卜，以"和亲"的形式密切了阻卜与辽朝的领属关系。辽朝派驻漠北地区的军事机构有：西北路招讨司驻镇州，倒塌岭统军司驻阴山北，还有西北群牧使司等。这些派驻的军事机构与辽朝设置的镇州等城塞，分统相关各州府和部族节度使司，形成了对漠北地区较为牢固的控制体系，加强了南北之间的经济文化交流，推动了多民族统一国家历史的进步与发展。

（三）契丹对属国属部赋役的征发

契丹属国、属部，东自黑龙江、朝鲜半岛，北到漠北、贝加尔湖，西迄阿尔泰山，皆有分布。其在内蒙古地区的分布，除吐谷浑、东西部奚、黑车子室韦、党项等分布漠南，大小黄室韦分布兴安岭西段，乌古敌烈分布今海拉尔河、栲栳泊（即呼伦湖）流域至克鲁伦河流域外，还有阻卜诸部分布在漠北。因此，辽朝对属国、属部的赋役规定，是按各部的地理出产制定的。如东丹国，年贡布15万端、马千匹。辽太祖征服诸部后，征收的赋役名目数量多寡没有留下什么记载，但从辽中期对诸部赋役数目的调整，能够窥其梗概。统和六年（988年），"乌隈于厥部以岁贡貂鼠皮非土产，皆于他处贸易以献，乞改贡。诏自今止进牛马"。开泰八年（1019年），"诏阻卜依旧岁贡马千七百，驼四百四十，貂鼠皮二万五千"。[①]辽朝对属国、属部的征发是很严格的，若有违犯即属"违制"，会遭到辽朝兴师问罪的镇压。除了常赋之外，辽太宗时即已制定：凡帝后生辰、正旦、重午、冬至、腊节并受贺，著为令式，即各地均要依例献礼纳贡，这些规定，对于属国、属部也毫不例外。所以，契丹国内集中了大量的马匹，珍贵的皮张、药材、香料、布帛、琥珀、玛瑙、玉器等等，这些都来自于四方的赋税和贡献。同时，遇有战事时，属国属部也要按辽朝要求差发丁壮从征。

四、奚王府部落的重新调整

奚王府的主体部落很早就依附于契丹，号称奚族大王府或奚五部。辽太祖天赞二年（923年）三月，击溃奚族东扒里斯部的残余部众，收合其余烬组建为堕瑰部，仍隶属奚族大王府管辖，因此，又称为奚六部；辽朝初期，自太祖时期就给予奚王府部落以"升帐"的崇高荣誉和地位，因为，奚王族内部划分为"五房"，所以，又被称之为"奚王府六部五帐分"。所谓"帐分"，其实就是指那种直接源于游牧文化系统的对于可汗家族的固有称谓，契丹辽朝时期这种称谓已经扩展到一个很大的范围，并且演变成为一种特权阶层拥有者的称谓；契丹辽朝初期，凡是拥有"帐分"地位者事实上

---

① 《辽史》卷16《圣宗纪七》，中华书局1974年版，第186页。

都可以获得相当于可汗的特权；奚六部贵族阶层中具有"世选"奚王权利的家族，毕竟是其中的少数，而这个处于少数的特权阶层又分为五支家族势力。辽太祖天赞年间（922—925 年），出任奚王的是勃鲁恩。辽太宗初年，出任奚王的是劳骨宁（大约就是随太宗入汴的拽剌），他们究竟属于五房中的哪一支，迄今已无法得知。但它毕竟表明奚族大王府部落，在辽朝初期还拥有相对独立的部落自主权；虽然，契丹辽朝宗王与外戚的封地，已经紧紧围绕着奚族活动区域自北向南分布开来，但奚族拥有的部落自主权毕竟还依然存在；只是到了辽圣宗朝时期这种状况发生了变化。据《辽史》记载：

> 奚和朔奴，字筹宁，奚可汗之裔。保宁中，为奚六部长。统和初，皇太后称制，以耶律休哥领南边事，和朔奴为南面行军副部署。……怙权挝无罪人李浩至死，上以其功释之。……八年，上表曰："臣窃见太宗之时，奚六部二宰相、二常衮诰命，大常衮班在酋长左右，副常衮总知酋长五房族属，二宰相匡辅酋长，建明善事。今宰相职如故，二常衮别无所掌，乞依旧制。"从之。十三年秋，迁都部署，伐兀惹。驻于铁骊，秣马数月，进至兀惹城。利其俘掠，请降不许，令急攻之。城中大恐，皆殊死战。和朔奴知不能克，从副部署萧恒德议，掠地东南，循高丽北界而还。以地远粮绝，士马死伤，诏降封爵，卒。[①]

奚王和朔奴，是奚族历史发展过程中一位极具转折意义的重要人物，这可以通过上述史料的分析与详解找到答案。第一，奚和朔奴自景宗保宁年间（969—979 年）开始担任奚王，直到圣宗统和十四年（996 年）罢爵为止，前后在位 20 余年，并且成为辽朝南京方面地位仅次于耶律休哥的军事统帅。第二，关于奚王和朔奴擅杀人命事件，《辽史》也另有补述：

> ［统和六年］二月丁未，奚王筹宁杀无罪人李浩，所司议责，请贷其罪，令出钱赡浩家，从之。[②]

---

① 《辽史》卷 85《奚和朔奴传》，中华书局 1974 年版，第 1318 页。
② 《辽史》卷 12《圣宗纪三》，中华书局 1974 年版，第 130 页。

筹宁，即和朔奴。辽朝处理刑狱案件，原有贵族减罪的规定，奚王和朔奴也因此减死论罚。第三，奚王和朔奴依据太宗颁发诰命的奏请，说明统和八年（990年）之前，奚王府的"族属"事务等逐渐疏落，表明"帐分"制度正在被封建制度所蚕食，所以，和朔奴奏请的目的就在于明确"帐分"地位的合法化。第四，史料中将凡是关于应该标记"奚王"字样的地方都一律改正为"酋长"，这是修史者意在回避"奚王"字样吗？其实不是，辽太宗更改南、北二院部及乙室部夷离堇为大王时，根本没有提及奚族名号问题。那么，奚族名号何时更号为"大王"？笔者以为，修史者使用"酋长"二字，意在规避"可汗"字样；因为，奚族部落的自主地位，始终是以"可汗"名号的存在为标志。第五，奚和朔奴征讨兀惹地区的失败，以"降封爵"而卒。"降爵"之意，何谓？史称：

> ［统和十四年夏四月］是月，奚王和朔奴、东京留守萧恒德等五人以讨兀惹不克，削官。改诸部令稳为节度使。①

伴随奚和朔奴等人的处罚，似乎辽朝部族官制度也发生很大变化。而其他人物传记中，关于征讨兀惹失利的原因，都与此记载相同，唯独缺乏关于和朔奴处罚情形的记载。好在《营卫志》保留了部分史料：

> ［奚部族］太宗即位，置宰相、常衮各二员。圣宗合奥里、梅只、堕瑰三部为一。特置二剋部以足六部之数。奚王和朔奴讨兀惹，败绩，籍六部隶北府。②

一切关于奚族的历史疑问，因此而烟消云散。于此可以得出这样的答案：奚六部隶属契丹北宰相府管辖，标志着奚族相对独立地位的取消，从此成为契丹部落集团之一，奚"可汗"的称号也从此被奚王名号所取代。奚族大王府，从此成为契丹政权地方官署，而失去奚族政治、经济、文化相对独立的

---

① 《辽史》卷13《圣宗纪四》，中华书局1974年版，第148页。
② 《辽史》卷33《营卫志下·部族下》，中华书局1974年版，第387页。

意义。辽朝中京城的建筑，就标志着奚族传统生活区域已经成为契丹辽朝政权直属的行政区域之一。所以，《辽史》中也记载：

> ［统和十五年］夏四月乙未朔，罢奚五部岁贡麛。……冬十月壬辰朔，罢奚王诸部贡物。①
> 十九年春正月辛巳，以祗候郎君班详稳观音为奚六部大王。②

此事，据萧观音本传记载：

> 萧观音奴，字耶宁，奚王搭纥之孙。统和十二年，为右祗候郎君班详稳，迁奚六部大王。先是，俸秩外，给獐鹿百数，皆取于民，观音奴奏罢之。③
> 萧蒲奴，字留隐，奚王楚不宁之后。幼孤贫，佣于医家牧牛。伤人稼，数遭笞辱。……开泰间，补充护卫，稍进用。俄坐罪黥流乌古部。久之，召还，累任剧，迁奚六部大王，治有声。太平九年［与平大延琳之乱］……以功加兼侍中。重熙六年，改北阻卜副部署，再授奚六部大王。十五年，为西南面招讨使，西征夏国。……明年，复西征，悬兵深入，大掠而还，复为奚六部大王。④

综上所述，我们从中可以看到奚王府越来越具备清楚的辽朝官府气象！

第二节　辽朝鼎盛时期的政治体制

一、统治制度

契丹辽朝在太祖、太宗时期，就已经创建了一个"东至于海，西至金

---

① 《辽史》卷13《圣宗纪四》，中华书局1974年版，第149—150页。
② 《辽史》卷14《圣宗纪五》，中华书局1974年版，第156页。
③ 《辽史》卷85《萧观音奴传》，中华书局1974年版，第1314页。
④ 《辽史》卷87《萧蒲奴传》，中华书局1974年版，第1335页。

山，暨于流沙，北至胪朐河，南至白沟，幅员万里"的草原帝国。① 海，即今日本海；金山，即今新疆北部阿尔泰山；流沙即今塔里木盆地东缘地带；胪朐河，即今蒙古人民共和国东部克鲁伦河；白沟，即今北京市西南之白沟。以后又经过圣宗与兴宗时期的具体经营，使得契丹辽朝的国土面积超过北宋版图的两倍以上。面对这样一个幅员如此辽阔的帝国版图，对于居住在这个版图之内的众多民族人口究竟该如何治理？契丹辽朝的统治者似乎并没有花费太多的时间去思考，他们笃定的施政方针就是坚决贯彻治国的"祖制"。什么是契丹人治国的"祖制"？一言以蔽之，就是太祖时期制定的"因俗而治"方针和太宗时期形成的"蕃汉分治"的局面。因此，在这种基本国策的指导下，就形成了契丹人独到的政治体制与基本制度。

在如此辽阔的版图之内，契丹辽朝的统治集团依然遵照"因俗而治"的治国方针，将国家统治区域划分为几个比较大的行政管理区划。在这些具体的区划中，可以根据其经济特征与管理方式等，细分为以下几种类型，即：

第一种类型是以南京道、西京道全部以及东京、中京二道的部分区域，构成一个相对完善的农业生产区域。农耕经济是这个区域之内地区经济的主要表现形式。因此，具体的行政管理方式，也基本沿用了中原地区封建州县的组织形式与管理办法。在这个区域内生活的主要民族人口，即以汉、渤海人口为主。这是一个比较典型的"汉制"（即中原封建体制）统治区域。

第二种类型是以上京道的大部分地区和中京道、西京道的部分地区为主构成的一个契丹腹地游牧业生产区域，畜养业经济形式始终构成契丹腹地经济形态的主要表现方式。生活在这个区域内的民族人口，即以契丹、奚族为主的游牧民族人口，这里也是一个比较典型的"国制"（即行国统治方式）统治区域。

第三种类型是以东京道东部边缘及其以东以南周边地区为主构成的比较粗放的农耕经济生产形式与牧业经济形式共同兼容的典型经济生产区域。生活在此的民族人口，主要是熟女真系统的鸭绿江女真、合懒甸女真、蒲鲁毛朵女真、回跋女真和生女真诸部等，契丹辽朝对于这些部族的统治形式基本

① 《辽史》卷37《地理志一·序》，中华书局1974年版，第438页。

采取羁縻统治方式。

第四种类型是以上京道东北部至北部地区广泛分布的室韦、阻卜部落为主构成的纯粹游牧业经济区域，生活在这里的民族人口主要是蒙古族的前身，即室韦—鞑靼人。他们广泛地分布在漠北草原地带。契丹辽朝对于漠北地区的统治不断加强，首先是修建起系列的边防州城，实行分而治之的管理办法。其次是采取向这些部落集团派遣契丹官吏的管理形式，使得漠北克鲁伦河以及鄂尔浑河、土拉河流域基本成为契丹辽朝的畜牧业生产基地。

第五种类型就是《辽史》里记载的"属国"，它们既包括了漠北草原地带的一些强大部落集团，同时，也包括了诸如高丽、西夏、高昌回鹘等，已经纳入契丹辽朝的属国之列。

在这个如此辽阔的契丹帝国的版图之内，其主要生活方式暨基本经济形态，实际上已经囊括了两大经济生产门类，即"畜牧畋渔以食，皮毛以衣，转徙随时，车马为家"的游牧经济形态与"耕稼以食，桑麻以衣，宫室以居，城郭以治"①的农耕经济形态，而契丹辽朝的基本政治体制就是建立在这两种基本经济形态之上；而辽朝的五京道，基本代表了契丹辽朝的基本统治区域。史称：契丹辽朝在其基本统治区域之内，从中央到地方普遍设立了两套平行的行政管理系统，即著名的"南、北面官制度"。

> 契丹旧俗，事简职专，官制朴实，不以名乱之，其兴也勃焉。太祖神册六年，诏正班爵。至于太宗，兼制中国，官分南、北，以国制治契丹，以汉制待汉人。国制简朴，汉制则沿名之风固存也。辽国官制，分北、南院。北面治官帐、部族、属国之政，南面治汉人州县、租赋、军马之事。因俗而治，得其宜矣。②

也就是说，契丹辽朝时期的南、北面官制度，雏形于太祖时期，基本发展完善于太宗时期。太祖时期南、北面官制度的雏形是什么样呢？《辽史》中的一段解释，可以帮助我们了解其基本构成：

---

① 《辽史》卷32《营卫志中·行营序》，中华书局1974年版，第373页。
② 《辽史》卷45《百官志一·序》，中华书局1974年版，第685页。

初，太祖分迭剌夷离堇为北、南二大王，谓之北、南院。宰相、枢密、宣徽、林牙，下至郎君、护卫，皆分北、南，其实所治皆北面之事。语辽官制者不可不辨。

凡辽朝官，北枢密视兵部、南枢密视吏部，北、南二王视户部，夷离毕视刑部，宣徽视工部，敌烈麻都视礼部，北、南府宰相总之。惕隐治宗族，林牙修文诰，于越坐而论议以象公师。朝廷之上，事简职专，此辽所以兴也。①

这里所分别介绍的就是契丹辽朝北面官系统中的官职及其职能等，迭剌部分北、南二院是辽太祖时期的创立，而契丹北、南宰相府则是契丹汗国行政组织之遗留，应该属于契丹传统文化的基本内容。到了辽太宗朝的时候，契丹辽朝北、南面官制的构成已经发生很大改变，原因之一就是燕云十六州地区的完整纳入，于是出现了契丹辽朝北面朝官系统与南面朝官系统、北面地方行政体系与南面地方行政体系等，既相互平行并列，又相互制约监督的两套行政措施。至于"北、南面官"名称的来历，主要是因为契丹辽朝政权前期更具有明显的行国政治特色，即朝廷总是处于一种并不规律的移动之中。在这种移动的朝廷内部，居住的毡帐一律东向，从而形成以皇帝宫帐为纵轴，北面官列置于宫帐以北和南面官列置于宫帐以南的独特景象，故而被称为北、南面官制度。

在中央政府内部，北、南面官的最高权力机构，就是各自的枢密院，一般称为北枢密院（又名契丹枢密院）和南枢密院（又名汉人枢密院），其长官为枢密使、知枢密使事、副使和枢密直学士等。契丹北、南二宰相府是北面官系统的核心内容之一，主要负责分别管领契丹部落的军政事务，无论是太祖二十部，还是圣宗五十四部，都统统划分为北、南二宰相府管领，并分别由契丹后族与皇族来"世选"北、南二宰相职务。中书省是南面官系统的重要机构，其前身即太祖创立的汉儿司，后更名为政事省，兴宗朝定名中书省，主要负责六品以下汉官的除授。辽朝的最高决策机构，大多都是在契丹皇帝的冬、夏捺钵所，所以，"行宫制度"也尤为严密，凡诸帝斡鲁朵都

① 《辽史》卷45《百官志一·序》，中华书局1974年版，第685—686页。

概称为"宫"，每一宫都由行宫都部署管理，并且设置"诸行宫都部署司"，"掌行在行军诸斡鲁朵之政令"。①

　　其他经济、军事制度等，也都莫不属于这种平行列置的政治体系之内。

二、四时捺钵和五京建设

　　契丹本为游牧民族，契丹政权也是游牧民族建立的政权，游牧本色便成为契丹政权的鲜明特征。隋唐时期，契丹人的历史活动中留下了一首"爵酒歌"，其中"冬月时，向阳食；夏月时，向阴食"的歌谣，就是契丹人冬季就阳取暖、夏季就阴避暑的生活习俗和记录。这种一年四季根据气候变化而选择不同驻牧场所的习惯，是游牧人社会生产及渔猎采捕等经济活动所必须遵守的自然法则，也是游牧人社会中基本的传统。史称，辽太祖阿保机于大部落之地建四楼，岁时游猎，往来于四楼之间。岁时游猎，就是指一年四季的经济生产活动，这也是因游牧人社会生活的传统而决定的。后来，契丹诸帝的"四时捺钵"习惯，就是因此衍生和发展起来的。

　　捺钵，本是契丹语，汉语的意思是"住坐处"。四时捺钵，就是春、夏、秋、冬一年四季中不同的住坐地点。其实，契丹皇帝的住坐习惯（即捺钵），也同契丹社会的生产生活方式紧密联系。根据《辽史》记载，皇帝的四时捺钵，每一次涉及的经济生产方式都各不相同，如春捺钵主要是钩鱼、射鹅鸭于水泊；夏捺钵主要是避暑，修造车马具，捕捉幼鹰驯养以备狩猎；秋捺钵捕鹿射虎；冬捺钵避寒狩猎。所以，一年四季的住坐处也不会是有规律的固定地点。但是，辽代初、中期阶段，由于军队征战频繁，皇帝的住坐地点也常选择在一些便于处理军国要务的地区，所以，有时也会呈现出一些规律性的历史活动。到了辽代晚期阶段，随着社会的安定，经济生产的发展，皇室开始有意识地圈定一些特定的地理区域作为相对固定的捺钵场所，如辽道宗时将冬捺钵地基本固定在广平淀。如《辽史》记载：

　　　春捺钵：曰鸭子河泊。皇帝正月上旬起牙帐，约六十日方至。天鹅未至，卓帐冰上，凿冰取鱼。冰泮，乃纵鹰鹘捕鹅雁。晨出暮归，从事

---

① 《辽史》卷45《百官志一·北面宫官》，中华书局1974年版，第716—720页。

弋猎。……［夏捺钵：］四月中旬起牙帐，卜吉地为纳凉所，五月末旬、六月上旬至。居五旬。与北、南臣僚议国事，暇日游猎。七月中旬乃去。秋捺钵：曰伏虎林。七月中旬自纳凉处起牙帐，入山射鹿及虎。……每岁车驾至，皇族而下分布泊水侧。伺夜将半，鹿饮盐水，令猎人吹角效鹿鸣，既集而射之。谓之"舐碱鹿"，又名"呼鹿"。冬捺钵：曰广平淀。……十月［至］坐冬行在所。①

但是，辽朝皇帝的"四时捺钵"，从始至终都不是一项纯粹的经济活动或政治活动，而是代表着一种国家体制的具体模式，即行国政治的基本特色始终都与封建体制缠绕在一起。捺钵，在《辽史》中称为"行营"，是皇帝四时巡狩的营卫组织，由于其特定的飘忽性和不确定性，从而形成了与中原地区"离宫别馆"判然有别的基本特征，故称为"行宫"。同时皇帝捺钵之际，

　　契丹大小内外臣僚并应役次人，及汉人宣徽院所管百司皆从。汉人枢密院、中书省唯摘宰相一员，枢密院都副承旨二人，令史十人，中书令史一人，御史台、大理寺选摘一人扈从。②

由于汉族人口土著而居的特点，所以，辽朝汉官系统（即南面官）不像契丹官系统（北面官）那样全部从行，而是要留下部分人员处理相应事务。即便如此，我们也可以看出，契丹"蕃制"中的全部及"汉制"中的一半都要随皇帝的"行营"移动。因此，捺钵实际携带了一大半的契丹政权的统治机构。所以，捺钵活动中也包含着越来越多的国家机器的运转机能，

　　五月，纳凉行在所，南、北臣僚会议。十月坐冬行在所，亦如之。③

---

① 《辽史》卷32《营卫志中·行营》，中华书局1974年版，第373—376页。
② 《辽史》卷32《营卫志中·行营》，中华书局1974年版，第375—376页。
③ 《辽史》卷32《营卫志中·行营》，中华书局1974年版，第375—376页。

因此，契丹皇帝的四时捺钵，事实上构成了辽朝国家统治的权力中心，只不过这是一个移动的政治统治中心。即如前面已揭示的契丹统治重心的西移，就是受这样移动的直接影响的结果。例如：辽道宗时期的冬捺钵，

> 日广平淀。在永州东南三十里，本名白马淀。东西二十余里，南北十余里。地甚坦夷，四望皆沙碛，木多榆柳。其地饶沙，冬月稍暖，牙帐多于此坐冬，与北、南大臣会议军国事，时出校猎讲武，兼受南宋及诸国礼贡。皇帝牙帐以枪为硬寨，用毛绳连系。每枪下黑毡伞一，以庇卫士风雪。枪外小毡帐一层，每帐五人，各执兵仗为禁围。南有省方殿，殿北约二里日寿宁殿，皆木柱竹榱，以毡为盖，彩绘韬柱，锦为壁衣，加绯绣额。又以黄布绣龙为地障，窗、槅皆以毡为之，傅以黄油绢。基高尺余，两厢廊庑亦以毡盖，无门户。省方殿北有鹿皮帐，帐次北有八方公用殿。寿宁殿北有长春殿，卫以硬寨。宫用契丹兵四千人，每日轮番千人祗直。禁围外卓枪为寨，夜则拔枪移卓御寝帐。周围拒马，外设铺，传铃宿卫。①

辽道宗时期捺钵地已经成为一个相当宽广的具体场所，皇帝个人的起居设施就已拥有如此丰富的内容，那么，众多从行官员、军士等人也要居住在御寨的周围，只是史料中没有记述罢了。据《辽史》寿昌三年（1097 年）六月丙戌，"诏每冬驻跸之所，宰相以下构宅，毋役其民"。② 起码说明"构宅"也已经成为辽朝晚期阶段捺钵生活中的一项重要内容，以前仅凭毡皮为宿的古朴之风已荡然无存。

辽太祖神册三年（918 年）二月癸亥，开始修筑皇都城，以礼部尚书康默记领板筑使，仅用了 100 天的时间就完成了皇都的基本建设；但根据《辽史》记载，消灭渤海国之后，又在应天皇太后与辽太宗的主持下，继续对皇都城进行扩建和改造事宜，从而使城内的皇城区耸立起一座座巍峨的宫殿；到了会同元年（938 年）的时候，皇都城便被正式定名为上京临潢府。

---

① 《辽史》卷32《营卫志中·行营》，中华书局1974年版，第375页。
② 《辽史》卷26《道宗纪六》，中华书局1974年版，第310页。

辽朝的上京城，外墙周长达到 27 华里，城内主要分为汉城与皇城两部分。皇城位于城内北部，是皇帝、皇后理政与起居之所。汉城位于皇城南，是各级官署与居民居住场所。上京临潢府统辖军、府、州、城共有 25 座，直属县 10 个，其范围南到今赤峰市翁牛特旗、敖汉旗境内，东包今通辽市境及呼伦贝尔市和吉林省的大部分地区，北抵今蒙古国克鲁伦河流域、肯特山周围的漠北草原腹地，西至今内蒙古河套附近；因此，《辽史》中称之为"上京道"。故辽上京不仅是辽朝的京都，还是辽朝地方统治序列之内的重要组织机构之一。

东、南二京的设置时间，基本同上京城相前后。如东京城，辽太祖始置东平郡，太宗天显三年（928 年）升为南京城，以安置东丹国及其移民；会同元年（938 年），更名为东京辽阳府。东京城的建筑规模远不及上京城。东京辽阳府统辖军、府、州、城共计 87 座，直辖县 9 个，其范围基本以原渤海国故地为主，西起今辽宁省医巫闾山与辽河以东，南迄辽东湾及黄海，东抵鸭绿江流域及日本海，北至黑龙江流域及其以东地区，《辽史》中称之为"东京道"。辽东京，虽有京城之名，实际乃一方政治、军事之中心，起到重镇的作用。南京城，乃会同元年辽太宗直接以幽州为南京幽都府，并进行部分改造与修缮。南京幽都府统辖节镇一：平州（下属支郡二：营州、滦州），直辖州 6、县 11，其范围基本为原来"燕云十六州"东部幽州地区，即今北京、天津市及河北省东部地区，《辽史》中称之为"南京道"。辽南京客观上起到了经济、文化中心的重要作用。

中、西二京的设置时间，相对晚些。辽圣宗统和二十五年（1007 年），于故奚王府牙帐地修建中京城，定名为中京大定府，领府二：大定、兴中，节镇六：成州、宜州、锦州、川州、建州、来州，直辖州 10、县 9，范围包括今内蒙古赤峰市南部、辽宁省辽西地区及辽北部分地区与河北省平泉、承德、龙化、滦平、迁西、秦皇岛等地。《辽史》中称之为"中京道"。辽兴宗重熙十三年（1044 年），更名云州大同军为西京大同府，管辖范围基本包括今山西省雁门关南北地区与内蒙古中部地区。

辽朝建有五京，各京建立的时间很不一致，最早建立的是上京，最晚的是西京，时间跨度在 918 年到 1044 年之间。辽朝具有浓厚的行国特征，虽称五京，但政治权力的中心却不在京城，五京是用来统治汉族州县的。因此，各京的特点不同，作用也不相同。辽太祖建皇都（太宗改为上京），但并不常住京城，上京道是辽内四部族的游牧地，也迁入了大批的农业人口，农业、手工业、商业都有一定的发展。东京统治渤海，备御高丽、女真。西京统治漠南地区，备御西夏和西南各游牧部族。西京和南京也是备御中原地区的军事政治中心，中京是辽圣宗时收取的奚王府之地，是辽朝晚期的统治重心。中京和南京经济发展程度较高，设有财赋官，对辽朝的经济发展有举足轻重的作用。

三、在今内蒙古地区的地方行政建置

辽朝将实际统治区域，分别以五京为中心进行划分，称为五道（或五京道），其中，上京、中京两道基本分布在今内蒙古自治区境内，西京道部分州县在今内蒙古自治区中南部。兹将州道状况分述如下：

（一）上京道　治上京临潢府（今巴林左旗林东镇南博罗和屯古城），辖军、府、州、城25座，其中，位于今内蒙古自治区境内的主要有：

祖州天成军（今巴林左旗哈达英格石房子古城址）

怀州奉陵军（今巴林右旗岗根苏木岗根古城址）

庆州玄户军（今巴林右旗索博力嘎苏木白塔子古城址）

永州永昌军（今翁牛特旗白音他拉苏木古城址）

仪坤州启圣军、龙化州兴国军（无考）

振武军（今内蒙古和林格尔古城址）

降圣州开国军（今敖汉旗七家城址）

饶州匡义军（今林西县小城子乡樱桃沟古城址）

长春州韶阳军（今内蒙古哲里木盟前郭县他虎城古城址）

乌州静安军（今内蒙古通辽县钱家店乡突尔基山古城址）

春州（今内蒙古哲里木盟突泉县宝石乡双城子古城）

丰州（今翁牛特旗乌丹镇南乌兰阪古城址）

静州（今内蒙古科右前旗乌兰哈达古城址）

松山州（今巴林右旗布敦花古城）

黑河州（今巴林右旗白音汉友爱古城）

通化州（今内蒙古呼伦贝尔盟陈巴尔虎旗浩特陶海古城址）

灵安州（今内蒙古哲里木盟库伦旗黑城子古城址）

越王城（今内蒙古赤峰市巴林左旗查干哈达苏木四方城古城址）

全州（今巴林左旗白音勿拉苏木白音罕山东南四方城古城址）

（二）中京道　治中京大定府（今赤峰市宁城县大明镇古城址），统州、城 10 座，其中，位于今内蒙古境内的主要有：

恩州怀德军（今赤峰市喀喇沁旗西桥乡七家村古城址）

惠州惠和军（今赤峰市敖汉旗与辽宁省交界处二十家子乡周家湾古城址）

高州（今赤峰市元宝山区哈拉木头古城址）

回纥城（今敖汉旗境内）

武安州（今赤峰市敖汉旗五十家子乡白塔子古城址）

松州胜安军（今赤峰市西南土城子古城址）

义州（今赤峰市元宝山区小五家乡半截塔古城）

（三）西京道　治西京大同府（今山西大同市），所辖州城分布于今内蒙古自治区境内者有：

丰州天德军（今呼和浩特市东白塔子古城）

云内州开远军（今内蒙古土默特左旗）

天德军（今内蒙古乌拉特前旗）

宁边州镇西军（今内蒙古呼和浩特市清水河县窑沟乡下城湾古城址）

金肃州（今伊克昭盟准格尔旗西北）

东胜州武兴军（今内蒙古托克托县东沙岗子古城址）

河清军（今内蒙古伊克昭盟鄂尔多斯市北）

净州（今内蒙古四子王旗西北）

此外，辽朝在今内蒙古地区设置多条驿路，其中，在今内蒙古境内主要的是为北宋使臣设置由中京北通上京的馆驿，简述如下（自南而北）：

富谷馆（今宁城县甸子乡黑城子古城址）

通天馆（今宁城县一肯中乡南唐神地）

大同馆（今宁城大明镇中京古城址）

临都馆（今喀喇沁旗西桥乡东土城）

崇信馆（今喀喇沁旗娄子店乡上烧锅村）

松山馆（今赤峰市西郊土城）

麋驼帐馆（今翁牛特旗四道沟梁）

新店（今翁牛特旗梧桐花镇张家店）

广宁馆（今翁牛特旗古丰州城址）

会星馆（今翁牛特旗四道帐房）

咸熙帐馆（今翁牛特旗五分地镇东他拉）

保合馆（今巴林右旗大阪镇南白音勿苏）

自此入上京，再由保合馆至黑山平淀，则经以下馆驿：

牛山帐馆（今巴林右旗查干木伦苏木沙布尔台）

锅窑帐馆（今巴林右旗白音敖包）

大黑河帐（今巴林右旗索博力嘎苏木阿山爱里）

牛心帐（今巴林左旗白音勿拉北）

新添帐（今巴林左旗浩尔吐）

顿程帐（今巴林左旗浩尔吐苏木杖房营子）

辽朝还有西京通上京驿道，但多系临时而设，姑不赘述。

应当说，这些在今内蒙古地区涌现的草原城镇，为北方地区的社会、经济和文化发展起到了重要的作用。草原上一下子出现这么多的城池，也是北方历史发展中"破天荒"的头一回，为北方地区的经济开发和建设作出了不可磨灭的贡献。

第三节　"太子山之变"与耶律乙辛之乱

一、"太子山之变"

契丹辽朝虽然自景宗时期开始，基本确立了嫡长子继承制度，但是，执行起来仍然受到契丹传统势力的干扰。譬如辽圣宗时期，由于母后摄政的影响，虽然没有发生谋夺帝位的政治事件，但承天皇太后的极度专权，也使皇位继承制度再次呈现出了兄终弟及的紊乱苗头，圣宗次弟秦晋国王耶律隆庆便在承天皇太后的宠爱之下，已经获得了皇太弟的称号。辽兴宗即位后，又是因为母后干政的影响，几乎爆发次弟耶律宗元谋夺帝位的政治事件，结果母后被囚禁，次弟宗元（后避兴宗讳更名重元）也获得了皇太弟的称号。这些，虽然都在皇室内部的种种努力之下，终于化险为夷，避免了像契丹辽朝初期那样的皇族内部大规模残杀的惨痛事变的发生，但这并不意味着契丹皇室内部亲族之内、手足之间，谋夺皇位的阴谋从此就烟消云散了。

1055 年 8 月，辽兴宗病死，由其长子、年仅 24 岁的燕赵国王耶律洪基即位为新皇帝，是为辽道宗。道宗皇帝即位之后，立即加封皇太弟重元为皇太叔、天下兵马大元帅，入朝免除使用汉制的参拜仪式、也不需向皇帝自报姓名，可谓已经达到"位极人臣"的程度。辽道宗又专门委派皇太叔耶律重元居住南京城，承担起"安抚南京军民"的责任①，事实上等于将南京道的军政事务统统委托给了耶律重元。还晋封重元之子楚王耶律涅鲁古为吴王，史称：

> 道宗即位，册［重元］为皇太叔，免拜不名，为天下兵马大元帅，复赐金券、四顶帽、二色袍，尊崇所未有。②

不仅耶律重元受到了如此荣耀的尊崇，连他的儿子涅鲁古也在清宁二年（1056 年）受封为楚国王，次年，又实授奉圣州武定军节度使。清宁七年（1061 年）六月

> 以楚国王涅鲁古知南院枢密使事。③

也就是在这一年，史称：

> 涅鲁古，小字耶鲁绾。性阴狠。……［清宁］七年，知南院枢密使事，说其父重元诈病，诶车驾临问，因行弑逆。④

---

① 《辽史》卷 21《道宗纪一》，中华书局 1974 年版，第 252 页。
② 《辽史》卷 112《逆臣上·耶律重元》，中华书局 1974 年版，第 1502 页。
③ 《辽史》卷 21《道宗纪一》，中华书局 1974 年版，第 259 页。
④ 《辽史》卷 112《逆臣上·耶律重元附子涅鲁古》，中华书局 1974 年版，第 1502 页。

钟鼎玉食的荣宠待遇，不仅未能换取重元父子的忠诚，反而刺激了其贪欲的无限膨胀。如果说，辽道宗与耶律重元父子之间存在何种嫌隙的话，这在《辽史》里根本找不到任何答案。因为，辽道宗对于重元父子的尊重程度已经超过了君主待遇大臣的极限，故重元父子的谋逆只能从他们贵显两朝的骄态中寻找答案。道宗即位之初，比较年轻，大约鉴于以往母后专政的教训，遇到疑难国事不敢仰仗后宫，反而形成了过分依赖皇太叔耶律重元的状况，而宫掖之内与重元之家关系则比较紧张，反而致使重元父子产生轻视道宗皇帝的现象。所以，清宁七年（1061 年）发生的涅鲁古谋逆事件，虽然因为事变未遂，使其图谋没有得逞。但是，耶律涅鲁古等并未因此放弃谋夺帝位的念头，反而极力扩大阵营、结党营私，积极谋划取代道宗的政治事变。清宁九年（1063 年）七月，机会终于来临：

> 秋七月丙辰，［道宗］如太子山。戊午，皇太叔重元与其子楚国王涅鲁古及陈国王陈六、同知北院枢密使事萧胡覩、卫王贴不、林牙涅剌溥古、统军使萧迭里得、驸马都尉参及弟术者、图古、旗鼓拽剌详稳耶律郭九、文班太保奚奴、内藏提点乌骨、护卫左太保敌不古、按答、副宫使韩家奴、宝神奴等四百人，诱胁弩手军犯行宫。时南院枢密使许王仁先、知北枢密院事赵王耶律乙辛、南府宰相萧唐古、北院宣徽使萧韩家奴、北院枢密副使萧惟信、敦睦宫使耶律良等率宿卫士卒数千人御之。涅鲁古跃马突出，将战，为近侍详稳渤海阿厮、护卫苏射杀之。己未，族逆党家。庚申，重元亡入大漠，自杀。辛酉，诏谕诸道。①

按：上述所说太子山，即今河北省承德境内滦河流域，故中原史料记载此事时直接称之为"滦河之变"，并云事变过程中，辽道宗肩臂中箭受伤。而《辽史》则不载道宗皇帝受伤事。其他史料记载，大多都与此相同，差异仅在局部细节描述。从中可以看出，所谓"太子山之变"或者"滦河之变"，其涉案人员之多、牵涉范围之广以及反叛力量之强大等，都从几个侧面明确地揭示出：这绝非是一次偶然发生的政治事变，而是一次有组织、有准备和

---

① 《辽史》卷 22《道宗纪二》，中华书局 1974 年版，第 262 页。

有预谋的政治事变。并且，事变之初辽道宗的阵营已经陷入空虚状态，大量的从行军马已经"倒戈"加入重元一方，只是由于道宗母后、兴宗仁懿皇后萧氏的及时支援，才使辽道宗及其追随者化险为夷、转危为安①！

辽道宗朝爆发的"太子山之变"（或"滦河之变"），其实是一次政治大裂变，它是契丹辽朝中期百余年历史发展过程中，所蕴含的一些特质性因素的爆发及其必然反映。自圣宗朝到道宗朝初年，其中已经历了近百年的发展历程，终于使一些烈性的毒素迸发出来，达到了自身清理与调治的基本目的。但是，资质平庸的辽道宗耶律洪基并没有注意到这一点，更没有主动地调整与改良那些已经不适合继续发展的落后因素，反而以一位"守成皇帝"的姿态采取听之任之的态度，最终加速了契丹辽朝灭亡的历史步伐。

关于"滦河之变"或"太子山之变"的历史成因，客观上还必须看到当时契丹政权内部已经出现与包含着的统治集团内部争权夺利的因素，譬如耶律仁先与涅鲁古、耶律乙辛与萧胡覩，史称：

[耶律仁先] 清宁初，为南院枢密使。以耶律化哥谮，出为南京兵马副元帅，守太尉，更王隋。六年，复为北院大王，民欢迎数百里，如见父兄。时北、南院枢密官涅鲁古、萧胡覩等忌之，请以仁先为西北路招讨使。耶律乙辛奏曰："仁先旧臣，德冠一时，不宜补外。"复拜南院枢密使，更王许。②

耶律仁先为南院枢密使，时驸马都尉萧胡覩与重元党，恶仁先在朝，奏曰："仁先可任西北路招讨使。"帝将从之。乙辛奏曰："臣新参国政，未知治体。仁先乃先帝旧臣，不可遽离朝廷。"帝然之。③

又如：

---

① 《辽史》卷22《道宗纪二》，清宁九年秋七月条，中华书局1974年版，第262—263页；《辽史》卷71《后妃传·兴宗仁懿皇后萧氏》，中华书局1974年版，第1204页；又《辽史》卷96《耶律仁先传》，第1395—1397页。

② 《辽史》卷96《耶律仁先传》，中华书局1974年版，第1396页。

③ 《辽史》卷110《奸臣上·耶律乙辛》，中华书局1974年版，第1484页。

耶律乙辛知北院枢密事，萧胡覩位在乙辛下，意怏怏不平。初，胡覩尝与重元子涅鲁古谋逆，欲其速发。①

因此，通过对于"太子山之变"或"滦河之变"涉案人员的简略分析，可以嗅到已经蕴蓄其中、契丹辽朝晚期即将爆发的党争之祸的浓烈气息！

二、耶律乙辛之乱

所谓"耶律乙辛之乱"，实际是紧步"太子山之变"后尘、持续爆发的契丹辽朝内部派系党争的历史活动。由于它的表现形式十分激烈，从而在契丹辽朝晚期历史上制造了一系列惨痛的冤案、错案，消耗了封建统治的实力，尤其是辽朝的皇族与后族受到沉重的打击。史称：

> 耶律乙辛，字胡睹衮，五院部人。父迭剌，家贫，服用不给，部人号"穷迭剌"。……［乙辛］美风仪，外和内狡。重熙中，为文班吏，掌太保印，陪从入宫。皇后见乙辛详雅如素宦，令补笔砚吏。帝亦爱之，累迁护卫太保。道宗即位，……同知点检司事，常召决疑议，升北院同知，历枢密副使。清宁五年，为南院枢密使，改知北院，封赵王。②

耶律乙辛就是如此慢慢发展起来的。他起家于辽兴宗朝，并深得晚年时期兴宗皇帝暨仁懿皇后的信任，因此，成为兴宗朝晚期的政治新锐人物之一。史料中所说的皇后，即辽兴宗仁懿皇后萧挞里，这是一位很了不起的契丹女性，她的父亲就是辽朝著名的政治家萧孝穆，她本人也是辽兴宗生母钦哀皇太后之亲侄，故萧挞里也颇有"刚重果决"的气度与处事敏锐的作风，史称：仁懿皇后萧氏

> 性宽容，姿貌端丽。……帝［兴宗——笔者］即位，入宫，生道宗。重熙四年，立为皇后。……道宗即位，尊为皇太后。……［清宁

---

① 《辽史》卷114《萧胡覩传》，中华书局1974年版，第1514页。
② 《辽史》卷110《奸臣上·耶律乙辛》，中华书局1974年版，第1484页。

九年秋，敦睦宫使耶律良以重元与其子涅鲁古反状密告太后，乃言于帝。帝疑之，太后曰："此社稷大事，宜早为计。"帝始戒严。及战，太后亲督卫士，破逆党。太康二年崩。①

实际此位契丹皇太后，正是耶律乙辛所以敢于专擅朝政、诛杀异己的真正靠山。耶律乙辛正是依靠为仁懿皇太后效力的机会，主动采取与耶律仁先等兴宗朝契丹老臣集团合作的方式，达到了逐步排除异己、逐渐控制道宗朝朝政大权的目的。应该说，造成耶律乙辛专擅朝政，并由此引发一系列惨痛的政治冤案的主要原因，既有"太子山之变"的负面影响，也带有更加明显的契丹后族集团内部斗争的具体因素，说明契丹辽朝内部已经孕育出党派之争的封建毒瘤。这些深刻的历史内容，也可以在耶律乙辛集团的人员构成方面得到证明。辽道宗即位之初，首先爆发了以国舅萧革与国舅萧阿剌之间的激烈的政治斗争，② 接下来就是耶律仁先、耶律乙辛与耶律重元集团之间的明争暗斗，再就是耶律乙辛擅政。因此，根据史料记载，当时参加耶律乙辛集团的后族人物，就有

> 萧讹都斡，国舅少父房之后。③
> 萧余里也，字讹都椀，国舅阿剌次子。……自后余里也揣乙辛意，倾心事之，荐为国舅详稳。④

还有萧酬斡、萧得里底⑤等直接参加耶律乙辛集团的后族人物。但是，对于耶律乙辛集团专政擅权现象，首先作出激烈政治反应的，也正是契丹辽朝政权内部的后族萧氏集团，如

> 萧忽古，字阿斯怜，性忠直，矫捷有力。……时北院枢密使耶律乙

① 《辽史》卷71《后妃传·兴宗仁懿皇后萧氏传》，中华书局1974年版，第1204页。
② 《辽史》卷113《逆臣中·萧革传》，中华书局1974年版，第1510页。
③ 《辽史》卷111《奸臣下·萧讹都斡传》，中华书局1974年版，第1493页。
④ 《辽史》卷111《奸臣下·萧余里也传》，中华书局1974年版，第1491页。
⑤ 《辽史》卷100《萧酬斡传、萧得里底本传》，中华书局1974年版，第1428—1430页。

> 辛以狡佞得幸，肆行凶暴。忽古伏于桥下，伺其过，欲杀之……后又欲
> 杀于猎所，为亲友所阻。大康三年，复欲杀乙辛及萧得里特，乙辛知而
> 械系之。①

> 萧挞不也，字斡里端，国舅郡王高九之孙。性刚直。……乙辛嫉
> 之，令人诬告谋废立事。……遂见杀。②

因此，耶律乙辛专擅朝政现象，不仅表明了这是一次十足的封建党争过程，也显示出在契丹辽朝政权内部后族集团正在经历着史无前例的大分裂、大组合的历史过程。耶律乙辛专政擅权现象，毕竟也是一次牵动整个朝野内外的重大政治现象，除了许多契丹贵族大臣卷入其中之外，也有数量不少的汉族地主官僚身不由己地卷入了这场政治漩涡之中，比较典型的有张孝杰、李仲禧等人。所以，"耶律乙辛之乱"其实是一次牵动整个契丹王朝政治统治基础的重大历史事件，它的历史作用与影响等绝不可以低估。这仅在耶律乙辛直接制造的几次惨烈的政治冤狱中，即可窥见一斑。

耶律乙辛专权所造成的直接伤害，就是由其本人及其支持者们共同制造的两起冤案，即"诬毁皇后案"与"屠害太子案"。所谓"诬毁皇后案"，发生于道宗太康元年（1075 年）十一月，在耶律乙辛的纵容与指使下，

> 宫婢单登、教坊朱顶鹤诬后与［伶官赵］惟一私［通］，枢密使耶
> 律乙辛以闻。诏乙辛与张孝杰劾状，因而实之。族诛惟一，赐后自尽，
> ［裸］归其尸于家。③

关于道宗宣懿皇后被诬案的历史背景，《辽史》以及辽朝人所作《焚椒录》中都没有明确记载。耶律乙辛专擅朝政怎会飞扬跋扈到如此地步？这些，都已经是不可索解的千古悬疑！据说，道宗宣懿皇后擅长音律歌赋，最初与道宗之间夫妻感情极为密洽，但道宗即位以后，日渐荒于国事、纵情游娱之

---

① 《辽史》卷99《萧忽古传》，中华书局1974年版，第1422页。
② 《辽史》卷99《萧挞不也传》，中华书局1974年版，第1422页。
③ 《辽史》卷71《后妃传·道宗宣懿皇后萧氏传》，中华书局1974年版，第1205页。

中，反而造成与皇后之间日渐疏远的状况，心中悲伤的宣懿皇后就亲自写了十首《回心院辞》，抒发希望能够恢复夫妻感情的寄托之思，还为它谱上曲子用乐工进行演奏，寄望得到道宗皇帝的垂怜。其辞如下：

　　扫深殿，闲久金铺暗。游丝络网尘作堆，积岁青苔厚阶面。扫深殿，待君宴。
　　拂象床，凭梦借高唐。敲坏半边知妾卧，恰当天处少辉光。拂象床，待君王。
　　换香枕，一半无云锦。为是秋来辗转多，更有双双泪痕渗。换香枕，待君寝。
　　铺翠被，羞煞鸳鸯对。犹忆当时叫合欢，而今独覆相思魂。铺翠被，待君睡。
　　装绣帐，金钩未敢上。解却四角夜光珠，不教照见愁模样。装绣帐，待君贶。
　　叠锦茵，重重空自陈。只愿身当白玉体，不愿伊为薄命人。叠锦茵，待君临。
　　展瑶席，花笑三韩碧。笑妾新铺玉一床，从来妇欢不终夕。展瑶席，待君息。
　　剔银灯，须知一样明。偏是君来生彩晕，对妾故作青荧荧。剔银灯，待君行。
　　爇熏炉，能将孤闷苏。若道妾身多秽贱，自沾御香香彻肤。爇熏炉，待君娱。
　　张鸣筝，恰恰语娇莺。一从弹作房中曲，常和窗前风雨声。张鸣筝，待君听。

结果，宣懿皇后的用意不仅没有达到，反而成为耶律乙辛集团用来陷害她的证据。耶律乙辛听说这件事情之后，便找来《回心院辞》的原稿，稍加修改便成为一首宫中偷情、粗鄙淫秽的《十香词》了！全文如下：

　　青丝七尺长，挽出内家妆。不知眠枕上，倍觉绿云香。

红绡一幅强，轻阑白玉光。试开胸探取，尤比颤酥香。
芙蓉失新艳，莲花落故妆。两般总堪比，可似粉腮香。
蜻蛴那足并，长须学凤凰。昨宵欢臂上，应惹领边香。
和羹好滋味，送语出宫商。定知郎口内，含有暖甘香。
非关兼酒气，不是口脂芳。却疑花解语，风送过来香。
既摘上林蕊，还亲御苑桑。归来便携手，纤纤春笋香。
凤靴抛合缝，罗袜卸轻霜。谁将暖白玉，雕出软钩香。
解带色已战，触手心愈忙。那识罗裙内，消魂别有香。
咳唾千花娘，肌肤百合装。元妃啖沈水，生得满身香。

据说，耶律乙辛将这首改写的《十香词》奏达道宗皇帝之后，龙颜大怒，立即敕令乙辛等究治，结果，宣懿皇后被赐死并裸尸还送母家。[①] 此事，发生在辽道宗太康元年（1075 年）十一月。但是，"宣懿皇后冤案"，毕竟不是一次简单的宫闱内变，打击的也不仅是以宣懿皇后母家为首的外戚集团。因为，在"宣懿皇后冤案"发生之后，紧接着又在朝廷内部发生了著名的"屠害太子案"，使得已经临朝听政的皇太子，又稀里糊涂地死在乙辛等人捏造的"谋反案"之中。

宣懿皇后，即道宗皇太子之生母。史称皇后被害，太子十分伤心，乙辛等人担心太子会在皇帝面前追究真相，遂设计阴谋除掉太子，

> ［太康三年］乙辛谮皇太子，孝杰同力相济。及乙辛受诏按皇太子党人，诬害忠良，孝杰之谋居多。[②]

道宗仍命耶律乙辛等人究治此案，致使太子惨死，受牵连之人更多。但是，时隔不足四年，到了辽道宗太康七年十二月，耶律乙辛及其同党都一一受到了朝廷的法办。

关于辽道宗朝接连发生的两大政治惨案，因为史料缺乏，方今学界之内，

---

① 参见（宋）王鼎：《焚椒录》，津逮阁本。
② 《辽史》卷 110《奸臣上·张孝杰传》，中华书局 1974 年版，第 1486—1487 页。

论者皆慨叹道宗何至于此!？但不管怎么说，这也是一桩耐人寻味的历史奇案。

三、河东地界之争

耶律乙辛专权擅政并非只是停留于政治斗争，同时还制造了辽、宋之间影响颇大的"河东地界之争"。本来，澶渊之盟签订之后，辽、宋双方都务于保境安民，也都共同保证决不滋事扰民。因此，在相当长一段时间内，双方维持了和平往来的友好局面，直到辽、宋双方灭亡之前几乎没有战争的干扰。但是，在这个持续百余年的历史过程中，双方也发生两次规模较大的地界之争。第一次是辽兴宗重熙年间发生的"关南十县之争"，结果迫使北宋将每年给契丹辽朝的岁币银绢总数提高到 50 万两（匹）。第二次就是"河东地界之争"。这两次大规模的地界争竞，其实都是由契丹辽朝借故挑起，目的在于迫使北宋政权应该正视两朝和好的基本态度。因为，每次地界之争，都恰好是北宋政权试图通过改革、达到富国强兵目的之际，而每次争竞的解决也都使北宋的变法或改革等统统失败，说明经济的发展与国家实力的振兴没有一个和平安定的环境很难完成。

所谓"河东地界之争"，其实是个渊源已久的历史问题。和平既久，使得双边本没有明确界分之处，很容易由于土地耕种或转卖、出租等问题产生纠葛。辽兴宗重熙年间（1032—1055 年，北宋仁宗康定、庆历年间）北宋河东地界沿边地带发生辽朝百姓越境耕种现象，地方官吏不敢擅自处理，遂上奏朝廷请求定夺。宋仁宗认为：双方通和已有年岁，应该珍惜目前的安定状况，不应该再轻易发生涉及两朝之间的"争竞"事端。于是，指使朔州官员会同辽朝地方官吏，重新划定双方边界并形成文书，以待后世验证。此次划界，北宋主动后撤，将朔州北界自原来六蕃岭南移至黄嵬山北麓。但到辽道宗咸雍年间（1065—1074 年）的时候，朔州黄嵬山一带又出现辽朝百姓越境耕种现象，地方官吏多次会同辽朝地方官员勘定疆界，戒约民众，但侵耕现象仍屡禁不止。北宋神宗皇帝即位之后，起用王安石为相，主持变法事宜，以期达到富国强兵、钳制西夏和摆脱辽朝束缚的困难局面，并派出大臣王韶经略西夏，相继取得一系列胜利，增强了宋朝在黄河上游的实力。在此前提下，辽朝遣使询问宋、夏失和原因并试图化解双方矛盾，遭到北宋委婉拒绝。为了维护西夏利益，同时也是为了辽朝自己利益不会丧失，辽朝在

"化解"不成的前提下，主动向北宋政权挑起"河东地界"的争端。咸雍十年（1074年，宋熙宁七年），辽朝使臣萧禧来到开封，指责北宋违盟，诸如雄州拓展关城、沿边营缮戍垒、存止居民等等，要求双方共同派出中央政府官员会同地方官吏一起"检视"边界地带，并且声明没有得到北宋朝廷满意的回答之前决不离开开封城！

面对辽朝蓄意挑起的地界争端，宋神宗感到问题十分棘手，召集大臣等共同商讨。司马光、文彦博等人趁机攻击变法，以寻找地界争端的解决办法为借口，借机提出"用人不当"的问题，分别从各个方面对王安石变法发起围攻，使外交与内政纠缠在一起。面对这样一种复杂的现状，王安石向神宗皇帝提出"姑欲取之，必先予之"的解决方案，即一切满足契丹辽朝的基本要求，聚精会神进行变法维新，等待国家实力真正达到"富国强兵"目的的时候，再将这些拱手让出的土地连同燕云十六州地区一起加以解决。宋神宗接受了这个建议。于是，派出大臣韩缜为勘界大使，拆除雄州新增设施，承认辽朝在北宋界内侵占的土地。熙宁八年（1075），派遣大臣沈括为回谢契丹大使，来到辽朝汇报与商定双方划界事宜。次年，辽、宋双方划定新的边界，从而解决了"河东地界之争"。值得注意的是，此次争端又是以北宋的主动让步为条件，此次割地七百里，不仅变法新政被彻底破坏，甚至直到北宋灭亡也没能收回这些失地！

"河东地界之争"是辽、宋双边关系中的一件大事，也是契丹辽朝政治发展的一项重要内容，尤其值得注意的是此次争端恰好发生在耶律乙辛专权擅政的历史时刻，像《辽史》记载的那样一种疯狂状态的擅政局面，怎能产生如此外交景象！因此，"河东地界之争"对于研究、探索契丹辽朝历史上的"耶律乙辛之乱"，也不无裨益。

第四节　辽代的阻卜与辽末的漠北动荡

一、阻卜人的经济文化生活

阻卜，本名达怛（或作鞑靼，古突厥语 Ta-tar），乃是古代突厥人对于东北地区室韦部落集团所使用的专门称谓，当突厥、回鹘汗国覆灭之后，这种称谓也传播到中原地区。所以，五代及北宋时人在修定前朝历史的时候，就率先使用了这个专门称谓。但是，自 10 世纪以来，中国古代北方地区历史发展的基本格局，已经确立了契丹辽朝与北宋政权对峙并存的历史局面，因此，中原政治力量与北方草原地带的一切联系，都已经被强大的契丹辽朝政权所阻断，北方草原地区事实上已经成为契丹辽朝独享的政治"收获"。因此，自 10 世纪初期到 12 世纪初期整整 200 余年的时间内，草原地区的一切历史人文现象，都莫不与契丹辽朝有着密切的联系。阻卜，就是契丹人对于这些达怛部落的特有称谓（现今学界称之为"室韦—鞑靼人"或"原蒙古人"）。据《新五代史》记载：达靼

　　本在奚、契丹之东北，后为契丹所攻，而部族分散，或属契丹，或属渤海，别部散居阴山者，自号达靼。当唐末，以名见中国。有每相温、于越相温，咸通中，从朱邪赤心讨庞勋。其后李国昌、克用父子为赫连铎等所败，尝亡入达靼。后从克用入关破黄巢，由是居云、代之间。其俗善骑射，畜多驼、马。

　　同光中，都督折文遇数自河西来贡驼、马。明宗讨王都于定州，都诱契丹入寇，明宗诏达靼入契丹界，以张军势，遣宿州刺史薛敬忠以所获契丹团牌二百五十及弓箭数百赐云州生界达靼，盖唐常役属之。长兴三年，首领颉哥率其族四百余人来附。讫于显德，常来不绝[1]。

其实，这里所记录的是那些居住在阴山北部以及河西地区的室韦—鞑靼（即阻卜）部落，它们仅是众多的室韦—鞑靼部落之一，因为，自唐朝末年以来他们已经与沙陀李克用集团建立起密切联系，所以，从后唐时期以至于北宋初期都同中原地区保持一定的经济文化联系，但是所谓"阴山达靼（即阴山室韦）"或"河西达靼（即河西室韦）"等并非室韦—鞑靼人的主体部落。室韦—鞑靼人的主体部落，主要分布在以杭爱山为中心的漠北草原地区，这些室韦—鞑靼部落在中原史料或辽朝史料中，都沿袭了突厥人的某

---

①　《新五代史》卷 74《四夷附录第三·达怛》，中华书局 1974 年版，第 911 页。

种称呼，而被概称为"九姓达怛"或"达怛国九部"①。此外，在室韦人的原居地，还有两支实力强大的部落集团，《辽史》称为"乌古"和"敌烈"部落，也是当时室韦——鞑靼人中的一部分；在乌古、敌烈部落的西南、今大兴安岭西段北侧，是当时被称为"大黄室韦"、"小黄室韦"和"臭泊室韦"的室韦——鞑靼部落集团，再向西就是"黑车子室韦"（又名黑车子达怛或七姓室韦、七姓达怛）等。当时活动在漠北地区的"九姓达怛"，已经拥有大量的部众、畜群和牢固的毡帐，当辖戛斯人退出鄂尔浑河地区之后，"九姓达怛"即成为这里的主人并在此地迅速发展起来，当契丹辽朝政权建立之后，"九姓达怛"也很快与契丹辽朝建立起密切的联系，大约因为"九姓达怛"部落较早地同突厥、回鹘汗国发生联系，甚至还囊括了许多突厥系统的部落在内，所以，契丹辽朝初期之际的"九姓达怛"部落体现出更多突厥文化因素的具体影响，例如：据《册府元龟》记载：

> 后唐庄宗同光三年……六月，云州节度使李敬文奏：达勒首领涝徽于于越族帐先在碛北。去年，契丹攻破背阴达勒，因相掩击，涝徽于于［越］率领步［部］族羊马三万逃遁来降，已到金月南界。今差使蒙越到州，便令入奏。②

值得注意的是：这里记载的达勒，即鞑靼的异译；于越，乃是"九姓达怛"所接受的突厥官号，本意为突厥语 uge［高官，即蒙古语中的兀格］，说明当时室韦——鞑靼人的突厥化程度之深；碛北，即大碛以北、指漠北草原的腹心地带；背阴，即《辽史》中记载的"背阴国"，乃指阴山达怛而言；金月，亦为室韦——鞑靼人的部落（族）名号；后唐庄宗同光三年（925 年），即辽太祖天赞四年。据《辽史》天赞三年六月，"大举征吐浑、党项、阻卜等部"③，直至次年结束，即此。其实，"九姓达怛"与契丹人的联系，应该早在突厥、回鹘汗国时代就已经有了比较密切的接触。据北宋初期王延德出

---

①　《辽史》卷 1《太祖纪上》，中华书局 1974 年版；《辽史》卷 14《圣宗纪五》、卷 15《圣宗纪六》。

②　（宋）王钦若等：《册府元龟》卷 977《外臣部·降附》，四库本。

③　《辽史》卷 2《太祖纪下》，中华书局 1974 年版，第 19—20 页。

使高昌国的记录：

> 契丹旧为回纥牧羊，达靼旧为回纥牧牛。①

五代迄于宋初的漠北地区，无疑是以"九姓达怛"部落为室韦—鞑靼群落中之强者，所以，契丹辽朝建立之初，欲图树立契丹政权在漠北草原地区的统治权威，首当其冲的打击对象就应该选定在"九姓达怛"的身上，但到10世纪末期，王延德出使高昌之际，仍明确记载了"九姓达怛"在今鄂尔浑河流域及其附近活动的历史事实，表明鄂尔浑河流域及其周边地带仍是"九姓达怛"的领地。值得注意的是，据《辽史》记载自景宗乾亨四年（982年）迄于圣宗统和十二年（994年），"九姓达怛"曾经发动一次持续十余年的反抗辽朝的战争，说明10世纪末期它仍具有较强的部落优势。

二、辽朝与阻卜部落

契丹辽朝对于居住在室韦人原居住地以及兴安岭以北以西地区的室韦—鞑靼人仍称之为"室韦"，而且将漠北草原地区的"阻卜"诸部，又根据其居住地域的不同而划分为"阻卜"或"北阻卜""中阻卜""西阻卜"等。

在辽太祖、太宗不断东征西讨创立国家的过程中，征服了诸多民族人口、奠定了一个辽阔的版图范围，他们对于新征服的漠北游牧部落集团，首先在他们承认辽朝和愿意纳贡的前提下，采取"各依其旧"的统治政策，确立了一套属国、属部制度，东起黑龙江流域、西迄阿尔泰山，到处都有辽朝属国属部的具体分布。辽朝统治者按照各地区各部（国）的地理条件、物产资源等，制定了比较详细的赋役（即贡献）制度。如开泰八年（1019年），"诏阻卜依旧岁贡马千七百，驼四百四十，貂鼠皮二万五千"。② 征发是很严格的，若有违犯即属"违制"，会遭到辽朝的镇压。常赋之外，凡帝后生辰、正旦、重午、冬至、腊节并受贺，即各地均要依例献礼纳贡。所以，短短的时间内，契丹国内就集中起大量的马匹和珍贵的皮张、药材、香

---

① （宋）王明清：《挥麈前录》卷4引王延德：《使高昌记》，四库本。
② 《辽史》卷16《圣宗纪七》，中华书局1974年版，第186页。

料、布帛、琥珀、玛瑙、玉器，等等。此外，遇有战事发生，属国属部还要按照辽朝的具体要求差发丁壮从征。

辽朝初期，对于征服的各族人口，除了武力恫吓外，并没有任何统治方法与技巧可言。穆宗时期（951—969年在位），首先是那些被征服的漠北部落出现了"离叛"的迹象，964年9月，大、小黄室韦掳掠契丹马牛等畜产之后，率部落向北逃走，并屡次击败辽朝军队的追剿。965年，辽朝集中兵力击杀叛乱首领、大黄室韦酋长寅尼吉部，才平息了此次叛乱，然后对其部落组织进行整顿，使大、小黄室韦部落成为控制漠北部落的主要工具。

乌古部是辽太祖时，以武力威迫其"举部来附"的，太宗即位后，乌古叛辽，遭到镇压后，又重新纳贡于辽。穆宗时，随着大、小黄室韦部落的反叛，乌古也举部响应，965年，柴河之役，击败辽朝群牧军队后，遂向西进攻，前锋直指辽朝的上京城，[①]辽朝震动，纠集大军，才最终平息了乌古的反叛。敌烈部也于辽朝初年接受辽朝管辖，辽景宗（969—983年在位）时，敌烈反叛辽朝，遭到镇压；圣宗（983—1031年在位）即位之初，敌烈部又发动了声势浩大的反叛行动，直至统和十五年（997年），才最终被平息。开泰元年（1012年），敌烈部再次叛辽，并得到了乌古等其他部落的响应，与辽朝对抗又持续7年之久，迫使辽朝动用大量兵力、部署了一次规模空前的大反击，进行了残酷的镇压，使乌古部等也从此一蹶不振。

924年，辽太祖大举西征，通过战争手段与阻卜各部确立明确的领属关系，乾亨四年（982年），伴随北宋王延德出使高昌的政治行动，阻卜各部发动了大规模的反叛辽朝的战争，直到统和十二年（994年），辽朝派遣萧太妃、萧挞凛等率领3万军队讨击阻卜，并开始认真经营漠北地区，才暂时安定了西北局势；但开泰元年（1012年），阻卜再次围攻辽朝的镇州城（契丹在漠北的统治中枢），持续数年后，在辽朝实行分化瓦解的策略下，最终被镇压。

辽初统治者以征服者自居，以霸主的身份管理和统治被征服地区的人口，肆意进行压迫和剥削，甚至在乌古、敌烈、大小黄室韦等难以承受起而反抗时，辽朝派出的军队也仍然带有严重的掠夺倾向；因此，导致反叛的部

---

① 《辽史》卷6《穆宗纪下》，中华书局1974年版，第83页。

落被镇压了，却又激起其他部落反叛事件的发生，这种连锁式的影响和一次次不稳定因素的出现，迫使辽朝中期的统治者不得不深刻地自省，如：开泰元年（1012 年），阻卜围攻镇州城时，西北招讨使萧图玉力战之后，请求朝廷增援，圣宗却责问萧图玉说："叛者既服，兵安益？且前日之役，死伤甚众，若从汝谋，边事何时而息？"① 统治者已经意识到"以暴制暴"不是理境安民的良策。因此，在平叛战争中，安置降人和招降纳叛的新策略，已经运用到军事征伐之中，并取得较好的效果；同时，契丹统治者也不得不寻求探索安定边部的新措施和新方略。

在靠近契丹腹地的室韦诸部，辽朝分别设置了室韦国大王府和黑车子室韦国大王府，由朝廷派驻都监，并设置黑山以北部落戍兵进行严密监视；同时，废除室韦部落官制，改设仆射，官员实行朝廷任免制度。这就使邻近契丹腹地的室韦诸部从此逐渐融入契丹社会之中。开泰四年（1015 年），辽朝在克鲁伦河畔筑城，名为安置归附的乌古人户，实际将乌古部落纳入属部进行管理；圣宗统和年间（983—1011 年），又开始向乌古诸部派遣朝廷任命的节度使，征调部落丁壮严密防护阻卜各部的反叛；道宗寿隆二年（1096 年），又将乌古部迁徙至乌纳水流域，帮助辽朝控扼北边冲要之地。圣宗时，将八石烈敌烈部、敌烈部、迪烈德部分别编入属国属部之中，置大王府和节度使司进行管辖，并设置乌古敌烈统军司作为维护乌古、敌烈地区安定的统治工具。

在乌古、敌烈部落以北，辽朝设置了斡朗改、辖戛斯两个大王府，全面控制东起贝加尔湖流域森林地带、西至叶尼塞河流域的广阔区域。在西北地区众多的阻卜部落中，辽朝在古回鹘城（今蒙古国境内哈喇巴喇哈逊）置镇州建安军和防州、维州、招州，使 4 座城池自西向东一线排开，形成以镇州为中心、辖治漠北的军政防线，派驻部落骑兵 2 万余人常年屯驻此地；以后，又相继增添河董城、皮被河城和塔懒主城等军事要塞，将漠北地区广泛分布的阻卜部落分割为一个个互不统属的区域集团，辽朝将它们称之为：阻卜、西阻卜、西北阻卜和北阻卜，并完全编入属国属部之中，设置了阻卜诸部节度使司和阻卜国、西阻卜国、北阻卜国大王府等统治机构，均由朝廷派

---

① 《辽史》卷 93《萧图玉传》，中华书局 1974 年版，第 1378 页。

遣官员和经过朝廷任命的部落首领共同处理部落事务，有些大王府还下设若干节度使司，如阻卜国大王府，即设立阻卜札剌节度使司、阻卜诸部节度使司、阻卜别部节度使司等。此外，辽朝在漠北地区还设立了威武、崇德、会蕃、新、大林、紫河、驼等7个羁縻州。统和二十二年（1004年），圣宗又与来朝觐见的阻卜酋长铁剌里联姻，将皇族之女加封公主下嫁铁剌里之子，以"和亲"的形式密切阻卜与辽朝的领属关系。

辽朝派驻漠北地区的军事机构，主要有：西北路招讨司（驻镇州），倒塌岭统军司（驻阴山北）以及西北群牧使司等。这些派驻的军事机构与朝廷设置的镇州诸城塞，南北呼应，分别统领相关区域的部族节度使司，构成对漠北地区较为牢固的统治体系，加强了南北之间的经济文化交流，推动了多民族统一国家历史的进步与发展。

三、北阻卜发动的反叛

辽圣宗开泰年间（1012—1021年），阻卜诸部的反叛，是由中阻卜和西阻卜联合发动的，在辽朝大军的残酷扫荡下，使中阻卜和北阻卜受到重创，此后半个多世纪的时间内，再也无力掀起大规模的反叛事件。

辽道宗大安五年（1089年），辽朝任命磨古斯为阻卜诸部长。磨古斯为北阻卜酋帅，此次任命实际是辽朝允许磨古斯继承其先人北阻卜部长的职位，是经过辽朝设在镇州等地派驻机构的考核后同意的。但磨古斯继任部长后，表面上对辽朝尊命称藩极为恭谨，暗中却结党营私、煽惑对辽朝的不满情绪。大安八年（1092年），辽朝属部耶睹刮部进攻辽边郡，西北路招讨使耶律何鲁扫古令磨古斯率部参战，帮助辽军讨伐耶睹刮，一举击败耶睹刮部落，辽军与磨古斯都有很多俘获。当辽朝军队再次袭击耶睹刮部时，由于侦候不明，误击了磨古斯部落。磨古斯乃杀辽朝派驻监军吐古斯，率部反辽。大安九年（1093年）春，何鲁扫古与都监萧张九分军追讨，萧张九战败，所率二室韦、拽剌、北王府、特满群牧、宫分军等全部被磨古斯俘获，辽朝损失惨重，何鲁扫古被撤职，朝廷以西南面招讨使耶律挞不也率军应援并领西北路招讨司事。挞不也抵镇后，务在招抚。是年10月，磨古斯率部伪降，挞不也中计，磨古斯乘机袭杀辽军于镇州南并杀死挞不也，辽朝震动。西阻卜、西北阻卜各部相继反叛，与磨古斯相呼应，袭击辽军、掠夺群牧，漠北地区一派混乱。是年冬，磨古斯与乌古札部、达里底部和拔思母部共同进攻倒塌岭，直接威胁漠南及西京大同府，辽朝急派郑家奴率军应援。当时，北至胪朐河，南至倒塌岭，阻卜诸部，所在蜂起，茶扎剌、拔思母、达里底、耶睹刮、颇里八、梅里急、排雅、仆里、同葛、虎骨、仆果等部，都加入了反辽的行列，西北路招讨司对漠北地区完全失去了控制。大安十年（1094 年）春，拔思母部等击溃辽朝四捷军，杀其都详稳特抹。是年 4 月，辽朝以知北院枢密使事耶律斡特剌为都统，夷离毕耶律秃朵为副，龙虎卫上将军耶律胡吕为都监，统率大军讨伐磨古斯。5 月，敌烈部响应阻卜诸部，进攻西北路招讨司及统军司于倒塌岭附近，辽敦睦宫太师耶律爱奴及其子战殁，辽朝以知国舅详稳司事萧阿烈统领西北路行军事，督师进讨。7 月，磨古斯率阻卜诸部再攻倒塌岭，尽掠辽朝西路群牧马匹而去。不久，辽朝军队击败磨古斯，对西北诸部进行全面镇压。但辽军虽屡获小胜，却不曾给磨古斯以真正的打击，磨古斯的威胁依然没有解除，已平服的部落也不断起来响应。

寿隆元年（1095 年），任命都统斡特剌为西北路招讨使，封漆水郡王，恢复西北局势。辽道宗还诏令西京炮兵、弩兵以技法教授西北路汉军，将炮、弩等利器装备于镇压阻卜的军队中。同时，寿隆二年（1096 年），辽道宗诏令买牛给乌古、敌烈、隗乌古部贫民，采用釜底抽薪的方式，预防乌古、敌烈部落的响应；九月又迁乌古敌烈部于乌纳水，以扼守北边要冲。在辽朝一系列军政措施的配合下，许多弱小的阻卜部落纷纷降附辽朝，但磨古斯率领的北阻卜仍在坚持反辽斗争。

寿隆三年（1097 年），中阻卜及粘八葛、梅里急部遣使辽朝，请求恢复旧地，重新确立领属关系，得到了道宗皇帝的认可，但不久，梅里急部等仍遭到斡特剌的讨伐。斡特剌将辽朝军队打击的范围，集中到了几个惯叛部落的身上，对稳定西北局势起到了很好的作用。因此，辽道宗诏擢斡特剌为南府宰相，总治漠北军民事务。寿隆四年（1098 年），迁阻卜俘户置于阴山以南，命斡特剌兼契丹行宫都部署，次年，升任禁军都统，平定了始乱的耶睹刮部。寿隆六年（1100 年），斡特剌平定北阻卜部落，俘获磨古斯献于朝廷，道宗皇帝命对磨古斯处以磔刑，持续 9 年的北阻卜反辽斗争被镇压。

　　发生在辽道宗大安年间的北阻卜反辽斗争，是辽朝历史上规模最大、影响范围最广、持续时间最长的游牧民族部落武装反抗斗争。这次斗争虽然失败了，却给辽朝的统治以沉重的打击，削弱了辽朝在漠北地区的控制力量，为以后漠北各部的发展奠定了基础。

第 八 章

辽朝、西夏时期的内蒙古西部地区

第一节　辽朝与西夏在内蒙古西部地区的争夺

一、党项羌的兴起和西夏政权的建立

党项羌部落，本属古羌族部落中的一支，大约在南北朝时期，古羌族部落中的一部分经过与其他民族人口的不断融合，逐渐形成党项羌部落。他们最初活动在今青海省境内的黄河河曲一带。到了唐朝初期的时候，党项羌的活动范围，已经东南至今四川北部松潘草原，南至今青海果洛藏族自治州境内，西及新疆，北抵今青海北部及甘肃南部地区，开始逐渐发展壮大为一支势力比较强大的部落共同体，形成了细封氏、费听氏、往利氏、颇超氏、野利氏、旁当氏、米擒氏、拓跋氏等八大姓氏集团，其中尤以拓跋氏最为强大。据说党项羌拓跋氏家族的先世血统已经融入西部鲜卑的血液，因此，他们仍然继承了鲜卑人的姓氏。公元 629 年，党项羌中的一支在首领细封步赖的率领下，主动归附唐朝，受到了唐太宗的封赏与安置，唐朝就在其原居地建立轨州羁縻州（今四川阿坝松潘草原西部），任命细封步赖为轨州刺史。接着其他部落纷纷效仿，唐朝又相继建立了崛州、奉州、岩州、远州等几个羁縻州。同时，又诏令"开河曲地为六十州，内附者三十四万口"。[①] 但是，

---

① （宋）王溥：《唐会要》卷 98《党项羌》，中华书局 1955 年版，第 1755—1759 页。

此时党项羌的大首领拓跋赤辞，采取与吐谷浑王族联姻的方式，积极配合吐谷浑部落对抗唐朝政权的政治渗透。634年，唐朝大将李靖率军征讨吐谷浑部落时，就遇到了来自拓跋赤辞部落的顽强抵抗，但它最终投降了唐朝政权。于是，唐朝在党项羌拓跋部落的居住区域之内，共计设立了懿、嵯、麟、可等32个羁縻州，分命已经归附的部落首领为刺史，任命拓跋赤辞为西戎州都督、赐姓李，受唐朝地方都督府管辖。但到7世纪后期，崛起于西藏高原的吐蕃政权逐渐对外扩张，北上消灭吐谷浑政权，开始对党项羌部落的征服活动。于是，大批党项羌部落纷纷要求内迁，以躲避吐蕃政权的打击，唐朝遂将陇山以西党项羌静边州都督府及其下属25个党项羁縻州全部迁徙至庆州安置。党项羌原居地遂被吐蕃占领，仍然生活于原居地之内的党项羌部落，也从此接受吐蕃政权的统治。吐蕃政权对占领区之内的党项羌部落加以奴役，并改称他们为"弭药"或"弥药"，以后也用这个名称来指称党项人建立的西夏政权。

8世纪中期，唐朝爆发轰动一时的"安史之乱"，大量的唐朝戍边军兵被征调入关，用来平息安史乱军。于是，吐蕃政权趁机夺取了西域与河西、陇右地区的数十座州城，散居于灵（今宁夏灵武）、盐（今宁夏盐池）、庆州（今甘肃庆阳）一带的党项羌部落，也逐渐采取与吐蕃联合的方式，不断滋扰唐朝西北边防。因此，唐代宗时期（763—779年在位），为了隔断党项羌部落与吐蕃之间的联系，遂将静边州都督府内移至银州（今陕西米脂）境内，把大量的党项羌部落迁徙到银州以北、夏州（今陕西靖边）以东地区与绥州（今陕西绥德）、延州（今陕西延安）境内。从此之后，居住于庆州一带的党项羌部落遂自称东山部落，而居住于夏州一带的党项羌部落遂自称平夏部落。

唐朝末年，随着盛极一时的"世界帝国"唐朝政权的衰落，吐蕃政权也逐渐走向衰退，党项羌部落则乘机走向强大，有大量的吐蕃部落或者与党项羌融合在一起，或者接受了党项羌部落的统治。在873年前后，党项羌平夏部首领拓跋思恭，率领部落军攻占唐宥州（今陕西靖边东），自称宥州刺史，鞭长莫及的唐朝政府也只能采取听之任之的态度。不久，唐朝爆发黄巢大起义。881年，唐朝征调拓跋思恭率领部落军队入关，参与镇压黄巢起义军的军事行动，因为作战有功，拓跋思恭被唐僖宗册封为夏州定难军节度使、夏国公，仍赐姓李，统辖夏、绥、银、宥四州之地。党项羌平夏部落从此名正言顺地拥有了以贺兰山为中心的大片地区。党项羌部落的夏州李氏，也从此以地方藩镇统帅的名义，与周围地区的强大部族如吐蕃、回鹘等相抗衡，逐渐扩大部落实力。

在唐末五代时期的50余年时间内，党项羌部落基本同中原梁、唐、晋、汉、周政权，甚至北汉政权都保持密切合作的态度，甘愿作为中原政权的藩属。而当时的中原诸政权，既无力干涉和管理党项羌部落的具体事务，也就都习惯地承认了夏州李氏所享有的政治特权及其藩属地位。当平夏部落首领李仁福在位时，除了仍然拥有定难军节度使的头衔外，还被梁太祖册封为朔方王。当李仁福的儿子李彝超在位时，后唐明宗害怕党项羌部落会与契丹联合，故仅授彝超为夏州留后。933年，派邠州节度使药彦稠率五万大军接收夏州，强迫李彝超出任彰武军（今延安）节度使留后，从而引发后唐与平夏部落之间大规模的战争，后唐军队围攻夏州城百余天而无法攻克，被迫采取媾和的方针，夏州依然成为后唐政权的藩属。

北宋初期，党项羌平夏部落贵族李彝殷（后避宋讳，更名为彝兴），仍然接受宋朝的册封，改姓赵氏，并与北宋保持密切的通贡贸易关系，并还曾多次从河西出兵协助北宋攻击契丹或北汉政权。966年，李彝兴病殁，被宋朝追封为夏王。李彝兴死后，其子光睿（后避宋讳，更名为克睿）继任定难军节度使，曾多次派兵协助宋军攻击契丹与北汉政权。克睿死后，其子继筠继任。982年，继筠又病死，其弟继捧继任。此时，夏州李氏已经盘踞夏州地区百余年，连续担任地方藩帅，中原统治制度已经给平夏部落带来巨大影响，社会面貌也已发生巨大变化，首先是宗族内部发生争权夺利的斗争。新任定难军节度使李继捧因为无力解决内部矛盾与危机，遂于982年亲自率领族人入朝贡献、希求能够得到宋朝的支持，结果反受宋朝的胁迫"请留京师"，并献上所辖银、夏诸州图籍。当时，中原政权早已丧失幽州、云州一带北出塞外的军事重地，好大喜功的宋太宗正在谋划获得河西以及河套一带地区作为北击契丹的突破口，进而扼制契丹西路。因此，李继捧的到来正好迎合了宋太宗的胃口，他一面发布诏令征召其他平夏部党项贵族入朝，一面积极选拔和派遣官吏前往银、夏诸州上任，并派出军队准备将银、夏诸州统统收归国有。北宋朝廷的做法，激起了以继捧族弟继迁为首的平夏部党项贵族集团的坚决反抗，他们以北宋拘押继捧为借口，率领族众转移到夏州东北的地斤泽（今内蒙古伊克昭盟巴彦淖尔），逐杀北宋官吏，袭击宋朝军队，掀起一场抗击北宋军队的地区战争。984 年，李继迁攻占银州城，以此为据点，自称定难军留后，迅速恢复了大部分党项故地。986 年，李继迁又在北宋大军云集的压力之下，为增强与北宋抗衡的实力、保存夏州李氏的既有利益，奉表辽朝请为藩属并希望得到辽朝的支持。辽圣宗马上接受了李继迁的请求，迅速派出使臣册封李继迁为定难军节度使，银、夏、绥、宥等州观察处置等使、特进、检校太师、都督夏州诸军事，复姓李。989 年，辽朝又以宗室女加封为义成公主下嫁李继迁，并册封继迁为夏国王。但李继迁在依附辽朝的同时，也希冀能获得北宋的承认或从辽、宋双方都能取得更多的实惠，故其政治上表现为依违于辽、宋两强之间。北宋在屡战失利的情况下，又重新起用继捧为定难军节度使，赐姓名为赵保忠，遣归夏州主政。同时，册封继迁为银州观察使，赐姓名为赵保吉。但继迁并不接受宋朝招抚，只是采取虚与委蛇的拖延态度。994 年，继捧与继迁合作，并交通契丹，北宋逮捕继捧归朝。直到 997 年，宋真宗被迫与继迁议和，使归属宋朝版图已经 10 余年之久的夏、银、绥、宥诸州，重新成为党项平夏部落领土。1002 年，李继迁攻克灵州（今宁夏灵武西南），更名为西平府，作为自己的都城。1003 年，又西击吐蕃，攻占西凉府（今甘肃武威）。

　　1004 年，李继迁受伤病死，其子德明继任，为了加强对内统治的需要，李德明对辽、宋两国采取等距离外交的政策，这样从辽、宋双方都能获得更多的实惠。譬如 1005 年，李德明接受北宋册封的定难军节度使、西平王封号，不仅结束了党项羌部落与北宋政权的连绵战争，同时，还从北宋获得每年给予银、帛、钱各 4 万和茶 2 万斤的岁赐。1031 年，李德明又为其子元昊聘娶契丹宗室女儿兴平公主为妻，继续稳固党项与契丹辽朝的藩属关系。同时，修筑怀远镇为兴州（今宁夏银川），作为自己的新都。随之，又兴兵攻占甘（今甘肃张掖）、瓜（今甘肃安西东）二州。

　　1031 年，李德明病死，其子元昊继立为夏国王。元昊一改父祖之风，采取了依辽为援、锐意抗宋的方针。1034 年，李元昊相继夺取宋朝西北地区府（今陕西府谷）、环（今甘肃环县）、庆诸州的大片土地。次年，又攻夺吐蕃占领的青唐（今青海西宁）、宗哥（今青海西宁东）诸城，夺取回鹘占领的肃（今甘肃酒泉）、瓜、沙（今甘肃敦煌）三州。继之，征服兰州诸羌，使党项羌东山、平夏两大部落集团统一为一体。1038年，元昊正式宣布称帝（党项语自称"兀卒"，汉译即"青天子"），建国号大夏（党项语称"邦泥定国"，汉译即"白上国"），改元天授礼法延祚，定都兴庆府（即今宁夏银川）。此时，西夏的版图：东临黄河，西至玉门关，南抵萧关，北及大漠，幅员二万余里，领有夏、银、绥、宥、静、灵、盐、会、胜、甘、凉、瓜、沙、肃、洪、定、威、怀、龙诸州。

西夏的统治制度，有别于中原地区的重要特点，就是推行了州衙与蕃落两套行政组织机构。州衙，即相当于军州，长官称衙内都指挥使，是某一特定区域的行政中心。蕃落，即羌、蕃等少数民族固有组织形式，长官称都知蕃落使，这也是西夏统治的基础。故西夏所置军州，也往往处于蕃落的包围之中。

二、辽、夏双方对阴山西段的争夺

在李元昊宣布建立西夏政权之后，表现最为敏感的是北宋政权。宋朝立即宣布断绝与党项羌的一切联系，并征调军队对西夏政权展开大举进攻的态势，双方很快陷入激烈的战争状态中。殊料战争的局面，完全陷入胶着状态，双方之间谁也难以在短时间内取得决定性的胜利。这种状态，恰好为隔岸观火的契丹辽朝政权提供了机会。于是，契丹辽朝首先派出使臣来到北宋东京城，重提往日关于"关南十县之地"的争议问题，要求归还土地，否则诉诸武力解决。北宋政权在不想同时与辽朝开战、陷入两线作战被动局面的前提下，只好重新采取以银、绢换和平的办法，允诺每岁增加岁币银、绢各10万两、匹，作为给予契丹政权的报偿，并以此作为条件同时要求辽朝从中调解宋、夏之间的纠纷。西夏政权本来就是个弱小的民族政权，在它和北宋陷入长期的激烈战争状态之后，人口的稀少和物质的匮乏已经使其难以支撑，很希望能够得到辽朝的有力支援。但是辽朝却乘机邀惠于北宋，从中获得北宋每年岁入银、绢达50万两、匹的巨大利益之后，掉过头来又扮演起了调停人的角色，积极调解西夏与北宋之间形成的激烈对抗关系，并采取不惜牺牲西夏的态度，公然对西夏行使宗主国的权利，迫使李元昊取消帝号，退还所攻占的北宋土地，重新向宋朝称臣纳贡。可以说，辽朝的做法实际上是利用了西夏与北宋，导致西夏与北宋成为损失最为严重的一方，而指手画脚的辽朝却成为最大利益的占有者。同时，辽朝的态度，也明显地表示出将西夏作为辽、宋双方共同附庸的基本意图。辽朝的做法，自然引起李元昊的不满，从而致使辽、夏之间的矛盾日益突出和逐渐尖锐，终于发展成为双方兵戎相见的战争局面。

西夏与辽朝的矛盾，主要是因为夹山党项诸部的归属权问题。夹山，位于阴山山脉西段（今内蒙古萨拉齐县西北、乌拉特中后联合旗界），本属辽地。但西夏与辽朝边界就在夹山附近，西夏常招诱夹山以南的党项诸部。因此，1044 年，辽、夏双方因争夺夹山党项呆儿族爆发了河曲之战。1049 年又发生了贺兰山之战。

（一）河曲之战　1044 年，辽属夹山党项呆儿族叛辽附夏，李元昊加以收容。继之，辽山西部族节度使屈烈又率五部叛辽附夏，遭到辽朝西南招讨司军队的追击，李元昊出兵接应，击败辽军。辽朝遣使西夏，责令放还叛人及部民，李元昊非但不允，又自称西朝，称辽朝为北边，断绝了与辽朝的附属关系。辽兴宗乃拘留并责罚西夏使臣，下令征兵讨伐元昊。9 月，辽军会于九十九泉（今乌兰察布市灰腾梁），以皇太弟重元和北院枢密使萧惠为前锋，辽兴宗率军亲征。李元昊采取退避策略，先上表谢罪并遣使贡方物，答应归还所收容的全部人口，依然承认辽朝的宗主地位。但辽朝大军已出，欲收功而还，故拒绝了西夏求和。辽军三路渡河，兴宗所率主力深入 400 里，却不见夏军迎战，驻兵河曲得胜寺。萧惠所领北路，直抵贺兰山北，连败夏兵；元昊请降，萧惠不许，率大军继续攻击。夏兵连续后撤，并放火烧荒，使辽军马无所食，乘辽军疲惫，大举反击，萧惠大败，损失惨重。夏兵乘胜袭击河曲得胜寺，尽覆辽军主力，辽兴宗仅在数骑掩护下逃走，驸马都尉萧胡笃被俘。河曲之战，西夏取得完全胜利。李元昊乘胜请和，归还战俘，称臣纳贡如初。

（二）贺兰山之战　1048 年，元昊死，不满周岁的儿子谅祚即位。1049 年，辽兴宗拘留西夏贺正使并停谅祚封册，诏告伐夏，以雪河曲之耻。以萧惠为河南道行军都统，耶律敌鲁古为北道行军都统，兴宗亲统中路，三路并进。萧惠误判军情，遭到夏兵袭击，死伤惨重，只身逃归。北路军在耶律敌鲁古率领下，包括阻卜部族军等，直至贺兰山，击败夏军，俘获李元昊妻及西夏官员家属等。值萧惠败，诏令班师，将所俘元昊妻等夏族人口，迁入辽朝内地苏州安置。1050年，夏兵进攻辽朝边郡金肃城，被守将耶律高家奴等击败。辽将萧迭里得率军击夏，大败夏兵于三角川（今达拉特旗境内）。兴宗复诏伐夏，以萧普奴等为帅，深入数百里，直攻西夏都城兴庆府，占夺贺兰山西北摊粮城（今巴音浩特一带）。

此后，辽朝不仅有效防止了夹山党项诸部的西属，还在阴山以南、河曲地带相继设立了金肃军、河清军等管理机构，并乘机发展了与西南吐蕃董毡部落的关系，用双方和亲的形式牵制了宋、夏向河套及其以南地区的发展。

三、西夏统治下的今内蒙古西部地区

西夏的统治区域，北控甘州回鹘，抵达合罗川（今内蒙古自治区阿拉善盟境内的额济纳河）；东抵阴山山脉西部，在夹山地区与辽朝相抗；西界吐蕃，南与北宋相持与河、陇地带（今陕西西部、甘肃南部地区）。境内居住着党项及回鹘、吐蕃、吐谷浑、沙陀、阻卜等诸部族。在阴山山脉以西和以南地带，西夏事实上控制了今内蒙古自治区阿拉善盟、鄂尔多斯市和巴彦淖尔盟等部分地区。生活在这里的居民，主要是从事游牧与农耕的党项、吐谷浑、回鹘等各族人口。西夏在这里设有胜州（今内蒙古自治区阿拉善盟鄂尔多斯市准格尔旗境内）、五原郡（今鄂尔多斯黄河北岸阴山之南）及黑山威福军司（今额济纳旗黑城遗址）、黑水镇燕军司（黑水即今额济纳河。一说黑水城在今巴彦淖尔市乌拉特后旗喀喇沐沦流域）和驻守贺兰山区克夷门的右厢朝顺军司及斡罗孩城（今内蒙古自治区狼山山脉隘口北部）等众多的边城堡寨。当西夏与辽朝、北宋并存的时候，这一地区已成为西夏重要的经济区域，在今阿拉善盟额济纳旗境内的古居延海周围，西夏开垦了大量的农田，至今还留下了黑城和绿城等西夏各族人民生居于此的遗迹。史称，在贺兰山西北，即今阿拉善左旗境内有西夏的摊粮城，是西夏政权修筑在后方的储粮场所。同时，在今阿拉善盟境内发现了西夏时期修建的边城（堡）、烽火台等遗址数十处，还有西夏时期的墓葬群及刻绘的岩画、修建的寺庙等。在黄河河套以南，今乌海市境内，还遗有西夏时期修筑的著名的阿尔寨石窟及李氏家族墓地等。

当时，夹山以北分布着拔思母、毛葛失等蒙古语族的部落，它们都与西

夏有着密切的联系。辽道宗时，拔思母等反叛辽朝，辽朝曾邀西夏配合讨伐。磨古斯率阻卜诸部大规模举行反叛时，西夏也参与镇压阻卜诸部的军事行动。1122 年，辽天祚帝北奔夹山，谟（毛）葛失部奉献马驼及食羊，并派军兵支援辽朝。天祚帝在获得阴山以北阻卜诸部的支持后，曾集中力量，向金朝大举反攻。毛葛失部的首领陀古、阿敌音等人，即先后在同金兵的作战中阵亡。1124 年，天祚帝再次奔入夹山时，毛葛失部仍派兵应援并献上马驼与食羊，部落首领还亲自率领部人在辽天祚皇帝的驻地负责守卫，被天祚帝加封为"神于越王"。因此，辽朝灭亡的前夕，毛葛失部等阻卜部落成为了辽朝反击金军的主要依靠力量。

辽、夏之间，因为争夺夹山党项部落而相继爆发河曲之战、贺兰山之战以后，辽朝开始有意识地加强对夹山附近的管理，并在阴山以南、河曲地带相继设置金肃军、河清军等专门管理机构，还积极地发展了同西南吐蕃诸部的关系，采取和亲的形式有力地牵制了宋、夏两个政权向河套及其以南地区的渗透与发展。

西夏的境内居住着党项及回鹘、吐蕃、吐谷浑、沙陀、阻卜、汉族等诸多的民族人口。大约在今内蒙古阿拉善盟境内与巴彦淖尔市黄河以北地区，主要集中分布着回鹘与夹山党项、吐谷浑和部分阴山鞑靼部落；而在今内蒙古鄂尔多斯市境内则主要分布着党项羌平夏部落的部分成员。因为，这里既有李继迁时代据以抵抗北宋的根据地——地斤泽，同时，又有 1973 年在今乌海市东南黑龙贵煤矿附近发现的西夏天盛七年"故参知政事碑"，据碑文记载，今乌海市境内即故西夏参知政事之族帐所在地；故参知政事，为西夏皇族李氏族属。碑文中还记载了麻奴氏、尹遇氏等几个比较著名的党项姓氏。故参知政事碑，显示出今乌海市一带属于西夏王族某一支属的家族领地。① 因此，可以说，西夏时期的今内蒙古鄂尔多斯市境内已经构成西夏统治的腹心地带。

西夏的统治制度，主要推行封建领主制，即由那些部落贵族与封建地主转化而来的封建贵族集团构成政治核心，虽然中央政权内部也已经设立类似中原地区的封建官制，但并不完善。直接脱胎于夏州割据政权的部族统治方

---

① 陈国灿：《乌海市所出西夏某参知政事碑考释》，《内蒙古大学学报》1997 年第 4 期。

式，依然构成西夏政权体制建设的基本特点。西夏封建体制建设的基本完
善，是直到辽末金初时期的李乾顺在位阶段（1087—1139 年），才逐渐得到
确立和巩固。

西夏政权在今内蒙古西部及其周围地区设立的行政管理机构，主要有：

胜州，今内蒙古鄂尔多斯市准格尔旗境内十二连城古城遗址。

五原郡，今内蒙古鄂尔多斯高原黄河北岸、阴山之南。

丰州，今陕西省府谷县西北，其辖境主要包括今准格尔旗西南部、伊金
霍洛旗东南部。

怀州，大约今宁夏回族自治区银川市东南，其辖境主要包括今鄂尔多斯
市鄂托克前旗西南部。

定州，今宁夏回族自治区平罗县东南，其辖境主要包括今鄂尔多斯市鄂
托克前旗西部。

盐州，今宁夏回族自治区盐池县北，其辖境包括今鄂托克前旗南部。

宥州，今内蒙古鄂尔多斯市乌审旗境内之城川古城遗址。

夏州，今内蒙古鄂尔多斯市与陕西省靖边县交界处之白城子古城遗址，
其辖境包括今鄂尔多斯市乌审旗南部。

黑山威福军司，今内蒙古阿拉善盟额济纳旗境内之黑城子古城遗址。

黑水镇燕军司，一说黑水即今阿拉善盟境内之额济纳河；一说即今巴彦
淖尔市乌拉特后旗喀喇沐沦河流域。

克夷门右厢朝顺军司。

斡罗孩城，今内蒙古巴彦淖尔市境内之狼山山脉隘口北部。

当西夏与辽朝、北宋并存的时候，内蒙古西部地区已经成为西夏政权重
要的经济区域，在今阿拉善盟额济纳旗境内古居延海的周围，西夏开垦出了
大量的农田，至今还留下了黑城和绿城等西夏各族人民生活居住于此的遗
迹。同时，根据历史资料记载，位于今贺兰山西北、阿拉善左旗境内的西夏
摊粮城遗址，就是西夏政权修筑在后方的储粮场所之一；同时，在今阿拉善
盟境内还发现了许多西夏时期修建的边戍城堡和烽火台等各类遗址数十处以
及西夏时期的墓葬群、刻绘的岩画、修建的寺庙，等等。内蒙古西部地区比
较重要的遗址有：

绿城遗址，位于今内蒙古阿拉善盟额济纳旗境内；

高油房古城遗址，位于今巴彦淖尔盟临河县高油房村；

城塔村古城遗址，位于今鄂尔多斯市达拉特旗东胜城东 20 公里处城塔村。

陶思图古城遗址，位于今鄂尔多斯市鄂托克旗陶思图村北 3 公里。

因此，在西夏存在 200 多年的历史时期内，内蒙古西部已经成为西夏与辽、宋、金三朝对峙的"后方"，也是西夏与北方室韦—达怛部落交往的"前哨"区域。

第二节　内蒙古中西部地区在辽末政局中的特殊地位

一、西夏政权从援助辽朝到附庸金朝

12 世纪初，女真金朝政权的建立，打破了形成已久的辽、宋、夏三方鼎立的政治格局。虽然，呈现出宋、辽、夏、金四个政权暂时共存的历史现象，但是，在辽、金政权激烈交兵的情况下，宋朝采取了联金灭辽的策略，西夏则采取了援辽抗金的策略，并对北宋采取了积极的进攻防守措施，有力地牵制了宋朝军队的北进。结果，使得当时中国北方地区政治割据形势又出人意料地形成了一种短暂对立的攻防阵营，辽、金两大政权于此发生重大作用，成为引导历史时局继续发展的主要力量。

1122 年，当金朝的军队向辽朝西京大同府发动猛烈进攻的时候，西夏政权立即派出 5 000 人的军队，急速增援辽朝。同年，当天祚帝失败于金军、主力丧失殆尽、不得不播迁于阴山之际，又是西夏政权迅速派出大将李良辅率军 3 万，渡河而东，积极应援天祚皇帝，并在天德军境内击退金军的先头部队，为天祚皇帝及其随从人员的顺利转移，争取了时间。接着，李良辅的军队，又与金军大将娄室等率领的金军主力，决战于宜水流域（即今呼和浩特市东南），终因寡不敌众，被迫退回西夏境内。1123 年，当天祚皇帝在阴山地区重新集结军队、准备大举反击金军的时候，西夏政权也派出军队，驻扎于可敦馆，准备支援辽朝军队的反击作战，因此受到了天祚皇帝的感谢和奖赏。同年，当辽朝军队反击失利，天祚皇帝退入云内州（今内蒙

古呼和浩特市土默特左旗）、再次准备入居夹山之际，西夏政权又派遣使节来到天祚皇帝的营盘，表达了西夏国主准备迎接天祚皇帝入境、暂时躲避金军攻击的基本态度。据说，天祚皇帝已经准备接受西夏使节的邀请，但是，金朝军队也很快得到了这个讯息，立即出兵，截断去路，天祚皇帝只好改途、准备投奔北宋。结果，在应州（今山西应县）境内的新城附近被金军俘虏。

西夏国主李乾顺，虽然从辽朝天祚皇帝那里获得了企慕已久的西夏皇帝称号，并对辽朝岌岌可危的艰难状况付出了应有的努力。但是，当眼看着辽朝政权大势已去的时候，为了获得久欲占领的阴山地带，也是为了西夏政权的自保，李乾顺在金朝元帅以割让辽朝西北之地的诱惑下，开始与金朝秘密联系，准备重新确立新的宗藩关系。自1124年起，西夏政权便不再派出军队支援已经残破的辽朝政权。金朝皇室贵族宗翰出任西南、西北两路都统的时候，继续对西夏采取诱降策略，很快就与西夏政权达成和议，内容规定：西夏必须向金朝奉表称臣，金朝则将河曲以东、下寨以北、阴山以南和乙室耶剌部吐禄泺以西的辽朝故地（即今内蒙古境内的阴山西段）全部割让给夏国。同时约定，西夏应与金军共同追剿辽朝天祚皇帝。西夏国主李乾顺在丰厚的利益面前，毫不犹豫地答应了金朝的约定。从此，西夏政权便正式成为金朝的藩属。但是，时间不长，金军因为怀疑西夏军队有诈，采取突然袭击的方式进攻西夏政权，趁机夺回已经许诺西夏政权的部分土地。

金朝在灭亡了辽朝政权之后，很快又将北宋政权选定为下轮攻击的主要目标，为了在进攻北宋的过程中能够得到西夏的配合与协作，金朝将原来辽朝天德军、云内州、金肃军、河清军及武州与河东八馆之地，一并割付夏国，其范围基本包括今阴山山脉东段以南、漠南地带及山西西北部在内的大片区域。同时，又以原来许诺北宋的山后诸州为诱饵，鼓动西夏进攻北宋。因此，西夏出兵大举进攻武（今山西省五寨县）、朔（今山西省朔州市）二州及北宋丰、麟诸州。

1127年，金朝灭亡北宋政权后，为了完整地控制漠南地区，形成对西夏和中原地区的有效防范，出兵收复天德军、云内州等，金朝政权出尔反尔的态度，引起了西夏政权的不满。但是面对这个刚刚灭亡了北宋、如日中天的金朝政权，衰弱的西夏政权也是敢怒而不敢言，只能委曲求全、顺应金朝的要求而已。1139 年，西夏国主李乾顺病殁，新主即位，西夏政权内部的各种矛盾又显现出来。1140 年，投降西夏的契丹人、时任西夏政权夏州统军的萧合达，趁机联络契丹余部，召集不愿降金的西夏境内各种政治力量，以兴复辽朝相号召，发动了一场声势浩大的军事叛乱，他们率领军队相继攻占了西夏境内的数座州城，与西夏政权展开持续数年的军事战争。西夏政权费尽九牛二虎之力才最终将萧合达等人挑起的内乱平息，但是自身也受到严重的削弱，从此一蹶不振、走向了迅速衰落的道路。政治、军事等各个方面再也展示不出初期时的那种积极进取姿态，以后也只能彻底地仰赖于金朝政权的庇护。

因此，在金朝初期的时候，因为当时北方地区割据形势的整体变化，西夏政权在今内蒙古西部地区的统治范围，也或多或少地发生了一些局部变化。但因受到金朝的有力牵制，最终其统治区域与辽朝时期相比仍然没有发生重大的改变，维持了辽、夏对峙阶段双方界限的基本状况。在此时期之内，西夏政权采取与金朝合作、打击南宋的基本态势。到了金朝中期的时候，西夏政权积极地恢复了同南宋政权之间的联系，也主动地发展了同漠北蒙古诸部的关系，尤其是与阴山鞑靼诸部的联系日益密切，但仍然停留在经济贸易往来方面，对于漠北地区西夏政权已经失去政治统治的基本能力。到了金朝末年的时候，由于整个割据局面发生巨大变化，即原来金、宋、西夏三方关系一下子改变为蒙古、金、宋、西夏四方关系。同时，由于金朝与西夏首先遭到来自蒙古汗国的军事进攻，使得疲态百出的西夏政权只能游走于各个强大政权的庇护之下。1209 年，西夏受到蒙古成吉思汗大军的猛烈进攻，都城兴庆府被蒙古军队包围数月之久，期间西夏曾经数次派遣使节求救于金朝，结果遭到金朝皇帝的拒绝，金朝竟然采取坐视不顾、幸灾乐祸的态度，寄望于蒙古与西夏的相互削弱、从而减轻自己的压力。结果导致金、西夏之间联盟关系的彻底破裂。于是，西夏国主李安全采取委曲求全的方式，向成吉思汗献上西夏公主求和，与蒙古汗国结成藩属关系。当蒙古兵撤退之后，西夏政权立即断绝与金朝关系，集结军队主力与金朝展开长达 10 余年之久的相互攻战。直到 1224 年，金、西夏双方在蒙古汗国强大军事压力面前，才不得不重修旧好，以求共同抵御蒙古军队的进攻。不久，西夏政权又趁成吉思汗西征之际，迅速断绝了与蒙古汗国的联系，并积极联合漠北诸部对势力相对弱小的蒙古老营地区发动进攻。西夏军队不仅被蒙古留守军队击败，而且很快遭致成吉思汗大军的严厉惩伐。1227 年，西夏被蒙古汗国灭亡，今内蒙古西部地区随之成为蒙古汗国的一部分。

二、金、西夏交界的今内蒙古西部地区

在战乱频仍的 12 世纪前期，西夏政权统治区域之内反而获得相对安定的和平环境，为社会经济、文化的继续发展提供了便利条件。西夏统治时期的今内蒙古西部地区社会经济发展的主要内容，就是牧业经济与农耕经济的同时并存与共同发展。据北宋历史资料记载：

> 其民春食鼓子蔓、醶蓬子，夏食苁蓉苗、小芜荑，秋食席鸡子、地黄叶、登厢草，冬则蓄沙葱、野韭、拒霜、灰条子、白蒿、碱松子，以为岁计。[①]

辽朝史料中也同样记载，西夏

> 土产大麦、荜豆、青稞、莉子、古子蔓、碱地蓬实、苁蓉苗、小芜荑、席鸡草子、地黄叶、登厢草、沙葱、野韭、拒灰藤、白蒿、碱地松实。

> 其俗，衣白窄衫，毡冠，冠后垂红结绶。……凡出兵先卜，有四：一炙勃焦，以艾灼羊胛骨；二擗算，擗竹于地以求数。三呪羊，其夜牵羊，焚香祷之，又焚谷火于野，次晨屠羊，肠胃通则吉，羊心有血则败；四矢击弦，听其声，知胜负及敌至之期。病者不用医药，召巫者"送鬼"，西夏语以巫为"厮"也；或迁他室，谓之"闪病"。喜报仇，有丧则不伐人，负甲叶于背识之。仇解，用鸡、猪、犬血和酒，贮与骷髅中饮之，乃誓曰："若复报仇，谷麦不收，男女秃癞，六畜死，蛇入帐。"有力小不能复仇者，集壮妇，享以牛羊酒食，赴仇家纵火，焚其庐舍。俗曰敌女兵不祥，辄避去。诉于官，官择舌辩气直之人为和断

---

①　（宋）曾巩：《隆平集》卷20《外国传·西夏》，四库本。

官，听其曲直。杀人者，纳命价钱百二十千。①

由此可见，西夏党项羌境内属于宜农宜牧即农牧兼营的生产区域，从党项人的讲和誓言中，可以明确地体会出西夏社会经济的基本特点及其社会文化发展的基本面貌。

　　如前所述，在今内蒙古鄂尔多斯高原乌海市及其周围地区，已经发展成为西夏党项政权的腹心地带。因为西夏政权建立之初，就是一个具有比较典型的封建领主制特点的民族政权，因此，乌海市及其周围地区已经成为西夏王室贵族享有的私人领地之一，这在已经发现的"故参知政事碑"的碑铭记载中，就可以得到证明。碑文中说碑主即故参知政事，乃"望出河西"即出于望族李氏，在党项政权内部可以称得上望族的李氏家族，也只有西夏王室才可以获得这样的称谓。碑文中又说故参知政事死后，遂于天圣七年七月"归葬三山之原"，既云"归葬"也就说明这里的确就是故参知政事李氏的家族领地。所谓"三山之原"，即今内蒙古乌海市东南 37 公里黑龙贵煤矿东南三山环抱之平原，即一处位于三山之间的平缓丘陵地带。因此，故参知政事碑的发现，可以证明今内蒙古乌海市及其周围地带，正是党项羌平夏部落拓跋氏家族的私有领地，说明党项羌的统治家族或王室贵族成员中的一部分，已经世代生活于以今乌海市为中心的广阔区域之内。根据现已取得的相关研究成果，西夏党项羌具有明显的自身文化特点，例如黑水城内出土的一份古西夏文歌谣，就记录了党项羌的起源与发展状况：

黔首石城漠水畔，红脸祖坟白河上，高弥药国在彼方。②

其中，"黔首"与"红脸"就是描述黑发脸红的党项羌先世的种族源流。据说党项羌始终承认自己是"猕猴种"，故这里所说的"红脸"也与此有关。"石城、漠水、祖坟、白河"，均指党项羌的始祖发祥地。"弥药"即吐蕃对

---

① 《辽史》卷 115《二国外纪·西夏》，中华书局 1974 年版，第 1523—1529 页。
② 转引自陈炳应：《西夏文物研究》第 8 章《西夏的文学作品》，宁夏人民出版社 1985 年版，第 204 页。以下所引用西夏文字的汉译内容，出处与此相同，不另标明。

党项羌的称谓，也是党项羌对西夏国的自称。同时，这首歌谣在谈到始祖刺普的时候，还强调了他的妻子正是一位"西羌姑娘"，她生了七个儿子，奠定了党项羌发展的基础，并为之唱颂云：

> 母亲阿妈起源，银白肚子金乳房，取姓嵬名后裔传。

这位母亲阿妈繁育出来的著名后裔，就是一位名字叫做"弥瑟逢"的西夏开国君主，目前学界公认"弥瑟逢"就是李继迁。因为，歌谣中还说道：这位弥瑟逢

> 长大簇立十次功，七骑护送当国王。

论者一般认为"七骑"的说法，应该是指李继迁的追随者或者扈从。笔者认为这里所说的"七骑"，正是以"阴山七骑"传说而名动天下的契丹人。李继迁能够坐稳西夏王的宝座，正是来源于契丹人的有力保护。这首歌谣说明了党项羌的种族起源与发展历程，也淋漓尽致地表现出党项西夏文化的基本特点。同时在俄人聂历山所公布的另一首歌谣中，还有这样一段语句：

> 弥药勇健走，契丹缓步行。西羌敬佛僧，中国爱俗文。

这段语句的譬喻可能存在不太贴切的毛病，但是，综观其内涵，应该说已经注意到了民族地区以及民族之间客观存在的文化差异。以此为特征的西夏文化从 10 世纪末开始直到 13 世纪的时候，已经成为基本覆盖今内蒙古西部地区的主流文化系统，也是当时今内蒙古西部地区社会文化发展的主要代表与基本面貌。

三、阴山室韦与契丹政权的重建

公元 1101 年，辽天祚皇帝即位后，大辽帝国已陷入风雨飘摇之中，爆发在道宗朝的耶律乙辛党争之祸，仍以强大的余波颠簸着天祚朝的政治局面，诸如萧海里的叛逃、天祚储君之争等，莫不受到道宗晚期政治状况的严

重熏染。

1114 年，女真部首领完颜阿骨打起兵反辽，辽朝组织的几次征剿大军都先后被女真人击溃，严重外患的爆发更加重了契丹辽朝内部的政治斗争。在女真军队步步进逼的情况之下，一部分契丹贵族仍然幻想以重组契丹辽朝政权来挽救奄奄一息的契丹政权的灭亡。因此，1115 年爆发的耶律章奴之乱，就是试图通过废黜天祚皇帝的形式，来唤起整个契丹贵族社会同仇敌忾的决心，挽救与维护契丹辽朝在中国北方地区的政治统治地位。但是，由于事先筹划不密，又没有得到拥有政治实力的契丹贵族实权派人物的有力支持，致使耶律章奴倡导的政治废立计划迅速破产，并很快地演变为一场契丹贵族集团内部争权夺利的斗争。耶律章奴及其追随者们纵兵掳掠上京城周围地区，使得契丹辽朝统治的心脏地带，先于女真兵马到来之前，就已经经历了一次大规模的兵火洗礼；而失去社会基础的耶律章奴集团，也很快在辽朝军队的围剿之下灰飞烟灭。但是，耶律章奴掀起的政治事变，客观上阻止了辽朝与女真军队之间一场一触即发的大决战，并从此扭转了辽朝与女真军事对垒中的不平衡地位。1121 年，耶律余睹又因谋废天祚帝泄密，再次遭到朝廷的追捕，紧急时刻，耶律余睹只好率领骨肉军帐数千人逃奔女真，直接投降完颜阿骨打，并由此成为引导女真人进攻辽朝的向导和先锋。结果使得女真人彻底拥有了与辽朝对抗的优势地位。1122 年，女真相继攻克辽朝东京辽阳府、上京临潢府和中京大定府，天祚帝于是逃亡西北夹山（今内蒙古阴山西段，在今包头市西北）地带。而辽朝南京臣僚李处温、耶律大石等人，此时，遂拥立秦晋国王、南京留守、都元帅耶律淳称帝于燕京，建号天福皇帝，改元建福元年，下诏降封天祚皇帝为湘阴王，国号仍称辽，史称北辽。至此，辽朝天祚皇帝所能直接控制的区域，仅剩下西北地区的大漠南北诸蕃部落。1122 年 4 月，女真军队又相继攻陷西京大同府及漠南地区诸州县。就在天祚帝收集残余兵马、重新集结于阴山地区的时候，同年 6 月，耶律淳病殁于南京，遗命册立天祚皇帝之子秦国王耶律定为北辽政权的新皇帝，改元德兴元年，由耶律淳之妻、皇太后萧氏摄政。年底，燕京城被女真军队攻陷，北辽残余遂投奔天祚皇帝。天祚帝会集散落各地的辽朝残余力量，积极准备恢复故土，但也很快被女真人击溃，天祚皇帝再次逃奔于阴山之中。但是，辽朝政权内部的废立或重建活动仍然没有结束，接着又相继发生了天祚之子梁王雅里和耶律大石另立辽朝政权的事件，就在不断发生的内耗之中，1125 年 2 月，辽天祚帝于应州新城附近被金军俘虏，辽朝于是走到了灭亡的结局。

辽朝政权重建的历史过程，严格地来说：始于耶律章奴之乱，而结束于耶律大石建立的西辽政权。其中，还又经历了耶律余睹、耶律淳、耶律定和耶律雅里数人相继而起的创建政权活动。因此，于此尤应说明的是耶律雅里建立后辽和耶律大石创建西辽的过程。耶律雅里，字撒鸾，为辽天祚皇帝第二子，幼欲立为太子，故别置禁卫。1123 年，天祚帝谋奔西夏，太保特母哥及军将耶律敌烈等率众拥雅里北走，越阴山，至西北阻卜诸部中，止于地名沙子里之处，拥立雅里称帝，改元神历，国号仍称辽，史称后辽。后辽建立初期，漠北部落归附者日众，辽朝设于北边的部族官吏，乌古部节度使纠哲、迭烈部统军挞不也、都监突里不等各率众归附，西北路招讨使萧纠里与其子麻涅，也率阻卜诸部来归。后辽政权呈现了重振辽朝的希望，但从行诸将多拥兵自重，大臣之间钩心斗角、争权夺利。不久，耶律敌烈以萧纠里父子煽惑人心为名，杀之，尽并其部众，导致了阻卜诸部的反叛。在与阻卜诸部的相互攻击中，1123 年 10 月，雅里病殁，敌烈遂拥立耶律术烈即位。是年 11 月，后辽政权爆发内乱，术烈、敌烈均在内乱中被杀。1124 年正月，特母哥率残余部众降金。据说，此后仍有部分契丹人在沙子里坚守后辽政权，存在十数年后，不知所终。

在辽朝政权的重建过程中，尤其是后辽、西辽政权的建立，得到了北方乌古、敌烈及阻卜各部的有力支持，这是与他们同辽朝建立 200 余年的联系密不可分的。甚至在天祚帝逃避夹山之际，也仍然得到了活动在阴山附近的白鞑靼诸部的有力支持，如谟葛失部、拔思母部对于天祚皇帝的支持，就值得引起研究者注意。据《辽史》记载，1122 年耶律淳自立于燕京、建立北辽政权后，天祚帝避居夹山之中，陷入进退维谷的窘境，"时北部谟葛失赆马、驼、食羊"等补给品，并在谟葛失、拔思母和阴山党项的支持下，使天祚皇帝很快纠集起一支 50 000 人的诸蕃精兵。与此同时，阴山诸部与西南契丹各部所选派的援兵，也正在源源不断地开向天祚帝设在阴山讴里谨的大营。1122 年 6 月，"谟葛失以兵来援，为金人败于洪灰水，擒其子陀古及其属阿敌音"，谟葛失部落是支持天祚皇帝最为有力的阴山鞑靼诸部之一，他们为了维护大辽王朝的统治秩序付出了巨大的牺牲。1123年4月，金军攻破天祚皇帝行宫，俘虏辽朝诸王、公主、妃嫔、从臣、族属、辎重等无数，就在金军押送这些战俘与战利品等返回金国的途中，谟葛失等诸蕃部落的骑兵，又重新集结起来，主动攻击护送战俘的金军于白水泺，准备一举夺回被俘的辽朝王公大臣，结果因寡不敌众，失利而归。

1123年夏、秋之际，当金军紧紧追剿天祚皇帝的时候，天祚帝率领从行大臣与士兵向西逃入辽朝设立在河曲南岸的金肃军，准备西渡黄河、进入西夏境内，以暂避金军的追击，但是，最终在耶律大石等人的劝说下，天祚帝放弃了进入西夏的计划，仍然率领从行军兵北返契丹突吕不部，开始重新集结散落各地的契丹军队。1124年正月，当天祚皇帝刚刚派出迎击金军的辽军主力之时，一支金军却趁机攻入天祚皇帝行宫附近，仓皇之际，天祚帝率领少数从行人员迅速北逃，途中又遇到谟葛失部落派来迎接天祚皇帝的使节以及谟葛失部落首领随之奉献的马、驼、食羊等军需物资，因为天祚皇帝从行人员较少，皇帝的安全成为主要问题，谟葛失部长遂亲自率领部众担当起天祚皇帝从行护卫与驻地宿卫的具体职能，直到天祚皇帝被安全护送至乌古敌烈部为止。谟葛失部落首领的真诚举动使天祚皇帝也深受感动，因此，1124年正月底，抵达乌古敌烈部的天祚皇帝，亲自册封谟葛失部首领为"神于越王"。因为得到了漠北契丹部落以及谟葛失、乌古敌烈和拔思母诸部的支持，天祚皇帝的军事势力迎来了一个重新振作的机会，天祚皇帝于是认为有了漠北诸部以及阴山室韦的帮助，收复燕云地区的机会已经来临，于是遂亲自率领重新集结起来的辽朝军队向燕云地区发起大规模的进攻，结果这支刚刚拼凑起来的军队，很快又被金军击溃于武州（今山西省神池县东北）境内，天祚皇帝又一次仓皇奔归阴山之内，从此一蹶不振。

蒙古高原诸部，在与辽朝密切相处的200多年的历史发展过程中，两者之间结下了根深蒂固的宗藩关系，因此，即使在辽朝灭亡之后的很长一段时间内，漠北诸部也仍然成为阻遏金兵追击契丹余部的坚强屏障，在金朝存在的近一个世纪的历史发展过程中，始终未能与漠北诸部达成如同辽朝那样密切的交往联系，相反地漠北诸部却成为金初以来最为头痛的"边患"之一。

相反地，作为辽朝政治延续的后辽与西辽政权，却在其最初的政权创建过程中得到漠北诸部的有力支持，尤其是耶律大石率部北走之后，正是在漠北草原得到休整、补充和壮大之后，才一举奠定西域地区近百年的统治，后辽更是毫无保留地完全融入漠北诸部之中。

第　九　章

12 世纪初期女真政权向内蒙古地区的发展

第一节　女真人的起源与金朝的建立

一、女真族的族源及其社会发展

女真族的历史源远流长，商周时期活动在北方的肃慎人，就是女真人的远祖。他们在秦汉时期又被称为"挹娄"，南北朝时期称为"勿吉"，已经拥有了粟末、黑水、白山、安车骨等七个强大的部落集团。隋唐时期更名为"靺鞨"，仍然保持着七个部落组织，而且各部名称也完全与南北朝时期的勿吉七部名称相同。到 7 世纪末期的时候，原本居地位于最南边的"粟末靺鞨"逐渐强大起来，其首领乞四比羽、大祚荣等原本受制于契丹；此时，契丹与唐朝爆发战争，乞四比羽在与唐朝作战中阵亡，大祚荣遂趁机率领粟末靺鞨部落东迁，不仅摆脱了契丹部落的束缚，也躲避了可能来自唐朝的限制，并利用契丹与唐朝争战之际，迅速征服了除黑水靺鞨部落以外的其他五个靺鞨部落，使东北松花江流域及长白山地带的靺鞨部落融为一体，成为当时东北地区力量最为强大的部落组织之一。大祚荣于是建立了新的民族政权，定国号为渤海。其后，渤海国经过几代人的努力，终于发展成为一个享誉于东北亚地区的"海东盛国"，直到公元 926 年才被契丹政权所灭亡。渤海国建立之后，生活于今黑龙江流域的黑水靺鞨部落，仍然僻居于今黑龙江流域中下游一带的苦寒之地，保持着自己的部落生活习惯、居住环境和独立发展的状态。直到10世纪初，由于渤海国被契丹政权灭亡之后，原渤海国居民也随着东丹国的南迁，大部分迁徙到今辽宁省辽阳市及其周围地区。所以，黑水部也趁此机会纷纷南下，相继进入今吉林省境内松花江流域以至长白山一带的渤海故地。也就是从此时开始，黑水部的名号开始更改为"女真"，并从此以女真的名称传入中原地区，被记载在古代历史文献之中。关于"女真"称号的实际意义，目前学界一般认为，就是对古代"肃慎"的不同译音，故古代汉文史籍中又往往译写为"羽真"、"虑真"、"朱先"、"朱申"、"朱里真"等，只是到了辽、宋时期才被统一写作"女真"。这个名词在古代阿尔泰语系蒙古语族中又被称之为"主儿扯惕"。辽朝中期，因为辽朝兴宗皇帝的名字为耶律宗真，所以，出于避讳的缘故，不仅辽朝史料中将之改写为"女直"，而且直到辽朝灭亡，辽朝之人都始终是这样来称呼女真人。

10世纪前期，女真人南下松花江、长白山地区，与辽朝的接触日渐增多。据史料记载，辽朝自太祖阿保机时代开始，就不断地对女真部落用兵，到辽太宗时期，还对居住在今鸭绿江流域、图们江流域一带以及居住于合懒甸（今朝鲜咸镜北道、咸镜南道一带）一带的鸭绿江女真、合懒甸女真、蒲卢毛朵女真部落等相继采取征服活动，使全部女真部落都与辽朝确立了附属关系。至辽圣宗时期，又将部分征服的女真部落迁徙到今辽阳市以南，重新安置，编入户籍，征发赋役，历史上称之为"系籍女真"或"系辽女真"，也就是所谓"熟女真"中的一部分。另一部分"熟女真"，就是生活于鸭绿江下游以及辽东半岛的女真部落。辽朝将靠近鸭绿江下游以及活动于今辽东半岛地区的女真部落，称之为"合苏馆女真"。所谓"合苏馆"，乃女真语地名，即今辽宁省大连市北部之南关岭。因为，此岭山势比较险要，成为控扼半岛出海口的枢要之地，加之辽太祖时期又在此修筑了著名的"镇东长城"，更使此地成为一道险要的关隘之地，故女真语称之为"合厮罕关"。"合厮罕关"，在辽朝又语讹为"合苏款"或"合苏馆"等，汉译名为"化成关"。合苏馆女真，到了辽朝中期，便被辽朝纳入属国属部的行列、编入国家户籍进行羁縻管理。因此，合苏馆女真也被称之为"熟女真"，意即它们已经接受或习惯了辽朝的封建统治形态。关于辽朝对"曷苏馆女真"所采取的政治统治方式，并非像辽朝腹地那样设置为州县，而是建立了专门的"合苏馆女直大王府"，委任其首领为"都大王"，其下各部又分别有"大王"、"惕隐"等官吏进行管理。同时，辽朝还向熟女真部落派驻了专门的派出机构，即"南女直汤河司"，既是军事驻守机构，同时也是处理和监督熟女真诸部事务的派出机构。

在熟女真部落以北，居住在今吉林省境内辉发河流域的女真部落，历史上称之为"回跋女真"。回跋，即古代对今辉发河的不同音译。"回跋女真"也属于"系辽女真"的一部分，故又被称之为"北女真"。他们也被辽朝编入了属国属部系列，其社会发展程度也与合苏馆女真等不相上下，同样属于辽朝的羁縻统治之下，只是"回跋女真"的具体事务，划归辽朝咸州兵马司直接管理。"合苏馆女真"与"回跋女真"都与辽朝建立了密切的政治、经济联系，并在先进的辽朝封建文化的影响下，社会发展较为迅速，大约在公元11世纪初期阶段，就已经开始接受与习惯了辽朝推行的封建生产关系，农业生产逐渐成为其社会经济生产的主导因素。

除了"合苏馆女真"与"回跋女真"之外，在辽朝初期还有数目更多的女真部落人口，一直居住在今吉林省境内的松花江流域、牡丹江流域及其以东黑龙江流域的广阔区域之内。生活于这个广阔地区之内的女真部落，历史上为了照顾到他们与"熟女真"部落之间的具体区别，所以，将其称之为"生女真"部落。当时的"生女真"地区拥有大小数十个部落，部落大者拥有数千户，小者也有千户左右，其总人口数已经远远超过10万人。辽朝初期的时候，"生女真"仍然处于较为低级的社会发展阶段，茹毛饮血、衣皮食肉是他们的主要生活方式，各部之间，互不统属，分立孤处。公元10世纪中期，"生女真"诸部在辽朝大军的征服下，就已经分别与辽朝建立了领属关系，辽朝虽然也将他们编入了属国属部的组织系统，但相对而言隶属关系比较松弛，并未引起辽朝的充分注意，辽朝只是对"生女真"诸部规定了必须定期向朝廷贡纳的马匹、东珠、鹰鹘等土特产品的具体数目，其具体事务则由黄龙府属下的宁江州负责处理。但是，"生女真"诸部随着与辽朝政治、经济、文化交往的逐渐加深，到了公元11世纪中期的时候，原本各不相属的部落之间，已经逐渐形成了蒲察、乌古伦、纥石烈、完颜等几个较大的部落联盟组织。

本来，"生女真"诸部中以完颜部社会发展最为缓慢，大约在公元10

世纪末，完颜部首领绥可率众向南迁徙至今松花江流域下游之海古水（又名按出虎水，即今黑龙江省阿城市境内之阿什河）之地，部落社会生活从此发生较大的改观。史称：

> 黑水旧俗无室庐，负山水坎地，梁木其上，覆以土，夏则出随水草以居，冬则入处其中，迁徙不常。献祖乃徙居海古水，耕垦树艺，始筑室，有栋宇之制，人呼其地为纳葛里。"纳葛里"者，汉语居室也。自此遂定居于安出虎水之侧矣。①

献祖，即金朝时期为先祖绥可所上谥号。绥可在位时期，完颜部因为学会了"耕垦树艺"和修建"纳葛里"的技术，使得完颜部的历史发展进入一个转折阶段。绥可死后，其子石鲁（即金朝先世之昭祖）继任，开始以"条教"（即法度、法令的约束）来管理部众，因为部民不习惯"条教"的约束，石鲁本人也差一点被部众杀死，后来在其叔父谢里忽的大力支持下，终于实现了用法度管理部民的愿望，完颜部也"后来者先"成为"生女真"诸部的强大部落。石鲁本人也被辽朝委任为管理部落事务的惕隐官。史称：

> 辽以惕隐官之。诸部犹以旧俗，不肯用条教。昭祖耀武于青岭、白山，顺者抚之，不从者讨伐之，入于苏滨、耶懒之地，所至克捷②。

也就是说，石鲁用"条教"管理完颜部取得成效之后，又利用辽朝封赠的惕隐官名号，凭借自身部落的实力，开始对其他部落发号施令；结果，其他部落也不接受石鲁的"条教化"管理。于是，石鲁率领完颜部征讨青岭（即今吉林省境内吉林哈达山东端南楼山一带）、白山（即今吉林省境内长白山）附近诸部，望风而降者纳入自己的部落联盟组织之内，拒不服从者则兴兵讨伐之，使完颜部扩展至今吉林省南部第二松花江流域。接着，石鲁又远征今黑龙江省南部绥芬河流域并由此北上，直达今俄罗斯境内之乌苏里

---

① 《金史》卷1《世纪·献祖绥可》，中华书局1975年版，第3页。
② 《金史》卷1《世纪·昭祖石鲁》，中华书局1975年版，第3—4页。

江支流伊曼河。石鲁的征讨为完颜部落联盟体的扩大与发展奠定了基础。石鲁死后，其子乌古乃（即金景祖）继任，又相继统一了白山、耶悔、统门、耶懒、土骨论诸部，迫使五国部落服从完颜部的调动。乌古乃在与辽朝关系发展中也发挥出重要作用，辽兴宗朝五国部节度使拔乙门背叛辽朝，招致辽朝的征讨，乌古乃积极帮助辽朝讨伐五国部，并俘获拔乙门，亲自献给辽朝，受到辽朝皇帝的接见，被辽朝册封为生女真部族节度使，赐给旗鼓、印绶等物。从此，完颜部首领拥有了"都太师"的称号，建立了官属、纪纲，即统治机构与相应法律条令等。辽朝咸雍八年（1072 年），乌古乃病殁，其第二子劾里钵（即金世祖）继任为节度使，部落联盟组织内部开始发生争权夺利的斗争。史称：

> 景祖异母弟跋黑有异志，世祖虑其为变，加意事之，不使将兵，但为部长。跋黑遂诱桓赧、散达、乌春、窝谋罕为乱，及间诸部，使贰于世祖。……部众闻者莫知虚实，有保于跋黑之室者，有保于世祖之室者，世祖乃尽得兄弟部属向背彼此之情矣[①]。

连年内乱，限制了完颜部的继续发展，也为完颜部首领提供锻炼机会、积累丰富经验。辽道宗大安八年（1092 年），劾里钵病殁，其弟颇剌淑（即金肃宗）继任节度使。颇剌淑在位三年，至大安十年（1094 年）病殁，其弟盈歌（即金穆宗）继任节度使。此时，部落之间的兼并战争日益激烈，"生女真"诸部已经逐渐结成几个比较强大的部落联盟体。这些联盟体为了与以前那种比较简单的部落联盟形式相区别，遂自称为"路"。例如先后形成于辽道宗寿昌二年（1096 年）的女真各"路"，按出虎路（今黑龙江省阿城市南白城子）、登辟路（今俄罗斯列索扎沃茨克市东南）、核耶呆米路（今黑龙江省呼兰县东北）、雅挞濑路（今黑龙江省方正县西南）、蒲与路（今黑龙江省克东县西南金城东北古城）、涛温路（今黑龙江省汤原县东南固木纳古城）、胡里改路（今黑龙江省依兰县南土城子）、苏滨路（今俄罗斯乌苏里斯克市西南）、耶懒路（今俄罗斯伊曼市东北）、潺蠢路（今吉林省延

---

①　《金史》卷 1《世纪·世祖劾里钵》，中华书局 1975 年版，第 7 页。

吉市东南）、二蠢出路（今朝鲜境内厚昌郡东南古城）、二涅囊虎路（今朝鲜境内乾城郡北古城）、急赛路（今吉林省通化市西南）等，这些部落联盟体之间展开了旷日持久的部落兼并战争，开始了生女真部落由部落社会向君主专制政权过渡的转折阶段。

二、"阿踈事件"与金朝的建立

金朝的创建者完颜阿骨打，是生女真完颜部人。完颜部是生女真系统中一个古老的氏族部落，据说是由高丽和靺鞨人融合而成的原始族团。完颜部自10世纪初从黑水流域南迁，到10世纪末期已定居于按出虎水流域。到11世纪后期，完颜部已经相继兼并了纥石烈、乌古论、统门、浑蠢、耶悔、星显、二涅囊虎、二蠢出部落，控制了北至今黑龙江省呼兰河流域，东达今黑龙江省张广才岭以东牡丹江流域，南抵乙离骨岭（今朝鲜吉州境内），西与辽朝黄龙府宁江州（即今吉林省扶余市境内）相接的广阔地区。

11世纪末，生女真完颜部势力的壮大，引起辽朝的警觉，开始受到来自辽朝的种种限制，尤其是完颜部发动的部落兼并战争，常常会受到辽朝的干预和阻挠。1096年，早已归附完颜部的纥石烈部人阿踈起兵背叛联盟，遭到了部长盈歌的率军讨伐。于是，阿踈转而投诉于辽朝，居止于宁江州，辽朝遂对阿踈采取庇护政策，强令盈歌撤兵，并派出官吏进行监督。但盈歌采取与辽朝虚与委蛇的策略，佯为遵守辽朝调解，暗中仍然加紧围攻阿踈城。于是，阿踈再次向辽朝提出申诉，辽朝虽然派遣使节进行调解，均被盈歌予以搪塞、敷衍，无果而终。1100年，盈歌攻破阿踈城（今吉林省延吉市附近）之后，阿踈再次投诉于辽朝，辽朝遂再次派遣使臣、奚族节度使乙烈来到完颜部，强令生女真部族节度使盈歌将攻城所获财物、人口等交还阿踈，并对阿踈部落损失予以加倍赔偿，同时，还向生女真部族强行征索名马数百匹，以示薄惩。"阿踈事件"本是生女真部族内部矛盾，对于盈歌而言，阿踈反叛本应予以征讨；对辽朝而言，阿踈背主降辽却得到辽朝保护，不分青红皂白地强行干涉女真部族内部事务，最终为女真与辽朝之间的反目成仇埋下了伏笔。辽朝的举止，使盈歌也担心自己从此无法管理女真诸部事务，于是，暗中指使和纵容主隈、秃答二部阻断鹰路，迫使辽朝请求自己的帮助，辽朝果然中计，盈歌也顺利地为辽朝重新打开"鹰路"；辽朝派人送来大批奖赏物资，盈歌将这些奖品全部分发给主隈、秃答二部。"阿疏事件"遂不了了之。1102 年，辽朝发生了国舅萧海里叛逃入"系辽女真"阿典部的事件。据说萧海里还曾遣使来到完颜部，游说部长盈歌举兵，共同反辽。辽朝也在数次出兵征讨不利的情况下，派出使臣来到完颜部，要求部长盈歌帮助辽朝捕捉萧海里。在辽朝天祚帝的催逼和出兵威胁之下，盈歌率部射杀萧海里并献首级于辽朝，但将萧海里的随行军士和器械等悉数纳入自己部落，并以萧海里军兵的武器装备完全充实了部落的武备力量。史称：

> 穆宗朝辽主于渔所，大被嘉赏，授以使相，赐予加等。①

因此，"萧海里事件"既使女真人从中获得利益，也使女真人明白了天祚朝政的腐败和无能。于是，完颜部开始无视辽朝的存在与约束，继续推行兼并战争，进一步扩大了完颜氏联盟组织的地理范围，统一生女真诸部号令，禁止其他部落首领以"都部长"（即女真语官号都勃堇）名号自称。

> 初，诸部各有信牌，穆宗用太祖议，擅置牌号者置于法，自是号令乃一，民听不疑矣。……一切治以本部法令，东南至于乙离骨、曷懒、耶懒、土骨论，东北至于五国、主隈、秃答，金盖盛于此。②

1103 年，盈歌病殁，世祖长子乌雅束（即金康宗）继任节度使。女真完颜氏贵族集团从此彻底改变了对辽朝奉命唯谨的态度，将用兵方向转向高丽。但此时受到辽朝保护的阿疏，又派遣心腹回到生女真部族联络党徒、煽惑部众，并与高丽相结，图谋共同推翻完颜氏贵族集团的统治地位。因此，自盈歌晚年开始，生女真部族遂不断请求辽朝遣还叛人阿疏，但都遭到辽朝拒绝。于是，酿成生女真部族与辽朝之间不可化解的矛盾。

1113 年，乌雅束病殁，其弟阿骨打继任为节度使。阿骨打因为曾在鸭子河拒绝为天祚帝举行的头鱼宴歌舞助兴，而与辽朝大臣结怨；返回本部之

---

① 《金史》卷 1《世纪·穆宗盈歌》，中华书局 1975 年版，第 15 页。
② 《金史》卷 1《世纪·穆宗盈歌》，中华书局 1975 年版，第 15 页。

后，遂公然向辽朝提出归还叛人阿疎的强硬辞令，并且以断绝"鹰路"、不再向辽朝贡献海东青相要挟。于是，"阿疎事件"遂成为女真人与辽朝矛盾总爆发的导火索。史称：

> 初，辽每岁遣使市名鹰"海东青"于海上，道出境内，使者贪纵，征索无度，公私厌苦之。穆宗尝以不遣阿疎为言，稍拒其使者。太祖嗣节度，亦遣蒲家奴往索阿疎，故常以此二者为言，终至于灭辽然后已。①

1114 年 6 月，阿骨打再次派遣习古乃、完颜银术可等人入辽索要叛人阿疎，并窥探辽朝情况，开始准备向辽朝用兵。使者返回之后，遂命令各部严加防守、修整器械，等待命令。辽朝黄龙府统军司也很快掌握了生女真部族发生变化的情报，辽朝遂两次遣使前来责问，阿骨打以辽朝庇护女真"逋逃"阿疎为辞，辽朝乃增兵宁江州为备。阿骨打于是又两次派人索要阿疎，实际打探宁江州形势，并征兵各部，出兵擒杀辽朝障鹰官吏。同年 9 月，阿骨打会兵于来流水（即今拉林河），以 2 500 人击败宁江州渤海戍军，攻占了宁江州城，招降辽朝属部铁骊部及部分渤海与系辽女真人口。于是，宣布诸路女真部落以三百户为谋克，十谋克为猛安，确立女真猛安谋克制度。同年 11 月，又再次击溃辽都统萧纠里、副都统挞不野所率辽兵十余万于鸭子河之出河店附近，"杀获首虏及车马甲兵珍玩不可胜计，遍赐官属将士，燕犒弥日"，② 然后，以俘获人口、武器、装备等充实了女真军队，使女真部族军的兵员总数达到万人以上。出河店战役，对于女真部落的发展具有决定性的战略意义，不仅坚定和鼓舞了女真人反抗辽朝的信心，也基本扭转了女真部落与辽朝实力对比中的颓势地位。接着，女真军队又相继攻克辽朝东北地区的咸州（今辽宁省开原市东北）、宾州（今吉林省农安县东北广元店）、祥州（今吉林省农安县东北万金塔），使得女真与辽朝的对垒线向西推进至黄龙府（今吉林省农安县）、向西南则已经接近辽朝东京辽阳府（今辽宁省

辽阳市）。同时，原本隶属辽朝的"系籍女真"诸部基本归属生女真部族，而辽朝在东北地区的属国属部也纷纷投降生女真部族，如 1114 年 11 月，兀惹首领雏鹘室举部来降、铁骊王回离保也率部归属，[①] 生女真部族已经在周围地区进一步扩大了自己的实力。

1115 年正月壬申朔，完颜阿骨打遂在女真部落贵族的劝进下，宣布即皇帝位，正式建立女真政权。正月丙子，完颜阿骨打又亲自率领女真军队进攻辽朝益州城（今吉林省农安县北小城子），辽朝守军不战而退守黄龙府，阿骨打轻取益州城。于是，分兵包围黄龙府，阿骨打率众攻击黄龙府外围重镇达鲁古城。辽朝原本设想以达鲁古城为据点，增派守军且耕且战，即一面开展屯田为固守之计，一面积蓄力量准备对女真部落实行雷霆之击；故完颜阿骨打也决心拔掉辽朝试图安插于此的这颗钉子，因此，召回围攻黄龙府的军队，集中力量攻击达鲁古城辽朝守军。正月庚子，阿骨打军队逼近达鲁古城，辽军统帅耶律斡里朵等分军为左、中、右三队迎战，阿骨打也分兵三路进攻，宗雄首先冲溃辽军左路，回军夹击辽军右路，右路又溃，于是，女真军队奋勇追击，再败辽军于阿娄冈，耶律斡里朵等仅率骑军突围而走，辽之步卒全军覆没。达鲁古城之战，缴获辽朝屯田军耕具数千张，皆精铁所铸，阿骨打遂分配给参战诸军，以为兵器。

此时，辽朝天祚皇帝仍以大国自居，派遣使臣前往女真部落责令阿骨打罢兵归降，阿骨打仍然以归还"逋逃人"阿疎为辞，并增加了将黄龙府迁往他处的附加条件，使者往还半年之久，无果而终。1115 年 9 月，阿骨打攻陷辽朝黄龙府，天祚皇帝立即动员起 30 万大军，亲征女真，对垒之际，因为发生副都统耶律章奴围攻上京临潢府、阴谋废立事件，天祚皇帝急忙率领亲征大军回撤，结果又遭到了女真军队的迅猛追击，辽朝数十万大军全线崩溃，阿骨打指挥女真军队俘获人口、兵械、军资等无数，辽朝也从此一蹶不振。

阿骨打击败天祚帝亲征大军后，附近部落纷纷归附。1116 年，乘高永昌自立东京之际，攻克沈州、东京，将南路系籍女真纳入完颜贵族统治之下，完成了女真各部的统一，并将势力拓展至辽朝东京各州县。1117 年，

---

① 《金史》卷 2 《太祖纪》，中华书局 1975 年版，第 26 页。

又北克泰州（今黑龙江泰来县塔子城），南克显州，占领了辽朝乾、显重镇。阿保机采纳了铁州人杨朴的建议，变家为国，建立了女真政权，年号天辅。1122年，更国号为大金。①

三、女真与辽朝的议和活动

当女真部族军相继攻陷宁江州与咸州、宾州、祥州等地之后，令人不可思议的是，辽朝天祚皇帝并未因此龙颜大怒，反而采取派出使臣商议解决争端的具体办法。据《辽史》记载：

> ［天庆］五年春正月，下诏亲征，遣僧家奴持书约和，斥阿骨打名。阿骨打遣赛剌复书，若归叛人阿踈，迁黄龙府于别地，然后议之。②

此事，《金史》也记载说：太祖准备进攻达鲁古城，

> ［收国元年正月］辽使僧家奴来议和，国书斥上名，且使为属国。③

由此可知，辽朝天祚皇帝明里公开发布亲征诏令，故为虚声恫吓，暗里则派遣朝臣操纵议和事务，向阿骨打开出的具体条件就是承认其属国地位，而阿骨打似乎也没有表示不能议和的决心，他所作出的具体答复就是：归还叛人阿踈，并将黄龙府远迁他处。阿骨打希望辽朝将黄龙府迁至哪里呢？史料中并没有明确记载，但从后来实际议和过程中，阿骨打又进一步提出对辽朝东京、中京地区的要求时，可以判断出：此时阿骨打的胃口，还只是满足于对辽朝黄龙府地区的完全占领。因此，阿骨打要求将黄龙府迁徙的地点，应当就是收缩到辽朝中京道或东京道的东部沿边地带。由于路途遥远，使者往返需要一定的时间，所以，阿骨打回复条件之后，还没有等到辽朝使臣再次返

---

① 刘浦江：《关于金朝开国史的真实性质疑》，《历史研究》1998年第6期。
② 《辽史》卷28《天祚皇帝纪二》，中华书局1974年版，第331页。
③ 《金史》卷2《太祖纪》，中华书局1975年版，第26页。

回的时候，已经顺利地结束了达鲁古战役。此后，半年的时间内，女真与辽朝之间并没有发生战争，似乎双方都在等待议和的最终结果。《辽史》记载，僧家奴返回朝廷之后，天祚皇帝马上派出了第二批使臣前往女真驻地议和，

> ［天庆五年］三月，遣耶律张家奴等六人赍书使女直，斥其主名，冀以速降。

辽朝采取议和的主要方式，旨在维护双方从属关系，促其投降。《金史》则记载：

> ［收国元年］四月，辽耶律张奴以国书来。上以书辞慢侮，留其五人，独遣张奴回报，书亦如之。

据《金史》的记载看，阿骨打已经对辽朝前番来书作出仔细研究，所以，此番应对之际，很快抓住辽朝的把柄，于是，扣押使臣、作书回报。所谓"书亦如之"，也就是同样采取了直斥对方名讳的语气和行文的基本方式。此事，据《辽史》记载：

> ［天庆五年五月］张家奴等以阿骨打书来，复遣之往。六月己亥朔，清暑特礼岭。壬午，张家奴等还，阿骨打复书，亦斥名谕之使降。癸丑，以亲征谕诸道。是月，遣萧辞剌使女直，以书辞不屈见留。

看来，耶律张家奴的两次往返并未能使辽朝改变态度，女真人阿骨打仍然坚持对等的议和策略，导致天祚皇帝终于确定亲征的决心。此事，《金史》记载：

> ［收国元年］六月己卯朔，辽耶律张奴复以国书来，犹斥上名。上亦斥辽主名以复之，且谕之使降。［七月］甲戌，辽使辞剌以书来，留之不遣。

双方之间的第一次议和活动，就这样被终止了。于是，双方对峙的前沿地带韩州（今辽宁省昌图县西北）附近开始交战，辽朝都统耶律斡里朵再次败绩，导致九百奚营全部投降女真政权。同年8月，阿骨打亲自率领女真军队进攻辽朝黄龙府，辽天祚皇帝也诏令斡里朵免官，重新部署征讨女真的军事力量分布，

> 以围场使阿不为中军都统，耶律张家奴为都监，率蕃、汉兵十万；萧奉先充御营都统……以精兵二万为先锋。余分五部为正军，贵族子弟千人为硬军，扈从百司为护卫军，北出骆驼口；以都点检萧胡睹姑为都统，枢密直学士柴谊为副，将汉步骑三万，南出宁江州。自长春州分道而进，发数月粮，期必灭女直。

天祚皇帝亲征女真的军事部署，阿骨打事先并不知道，仍然一如既往地攻打黄龙府。同年9月，顺利攻克黄龙府之后，阿骨打闻知天祚皇帝亲率大军30万前来决战的消息后，率领女真军队主力退回女真故地，遣返所扣押的辽朝使臣萧辞剌，并遣赛剌再次奉使辽朝重提议和条件：若归我叛人阿疎等，即当班师。言外之意，已经放弃了对于黄龙府地区的要求。同时，从《金史》关于天祚亲征、阿骨打勃面大哭的记载来看，女真贵族也已经恐惧到了极点！但是，天祚皇帝却没有趁此议和，反而拒绝了阿骨打议和请求。但是，辽朝数十万大军刚刚开抵前线之际，便又爆发了耶律张家奴阴谋废立的政治事件，迫使天祚皇帝自前线率军火速撤归，结果，受到阿骨打女真骑兵的猛烈追击，大败天祚皇帝于护步答冈，辽朝数十万大军全线瓦解，阿骨打俘获辽朝"舆辇銮幄兵械军资、他宝物马牛不可胜计"。[1] 阿骨打趁机扩大女真政权统治版图，向东直到今库页岛对岸的特林城，向南直到辽朝东京道之开州（今辽宁省凤城县南），均被女真政权所征服。1116年闰正月，高永昌据辽东京城求援于阿骨打，高丽国遣使与阿骨打结盟，且求辽朝保州之地。同年5月，女真军队攻克沈州（今辽宁省沈阳市）与东京城，统一系籍女真诸部。1117年正月，攻克辽东北重镇泰州与春州；同年12月，击败

---

① 《金史》卷2《太祖纪》，中华书局1975年版，第28页。

辽秦晋国王耶律淳于卫州蒺藜山，相继攻克辽显州（今辽宁省北宁市西南）以及乾、懿、豪、徽、成、川、惠等州。于是，开始了双方之间的第二次议和阶段。据《辽史》记载：

> ［天庆七年十二月］是岁，女直阿骨打用铁州杨朴策，即皇帝位，建元天辅，国号金。杨朴又言，自古英雄开国或受禅，必先求大国封册。遂遣使议和，以求封册。
>
> 八年春正月丁亥，遣耶律奴哥等使金议和。①

而《金史》则记载：

> ［天辅二年］二月癸丑朔，辽使耶律奴哥等来议和。［三月］壬辰，辽使耶律奴哥以国书来。四月辛巳，辽使以国书来。五月丙申，命胡突衮如辽。②

而《辽史》中关于双方间于1118年进行议和活动的历史记载，比较详细：

> ［天庆八年］二月，耶律奴哥还自金，金主复书曰：“能以兄事朕，岁贡方物，归我上、中京、兴中府三路州县，以亲王、公主、驸马、大臣子弟为质；还我行人及元给信符，并宋、夏、高丽往复书诏、表牒，则可以如约。”三月甲午，复遣奴哥使金。五月壬午朔，奴哥以书来，约不逾此月见报。戊戌，复遣奴哥使金，要以酌中之议。金主遣胡突衮与奴哥持书，报如前约。六月丁卯，遣奴哥等赍宋、夏、高丽书诏、表牒至金。［秋七月］金复遣胡突衮来，免取质子及上京、兴中府所属州郡，裁减岁币之数，“如能以兄事朕，册用汉仪，可以如约。”八月庚午，遣奴哥、突迭使金，议册礼。九月，突迭见留，遣奴哥还，谓之曰：“言如不从，勿复遣使。”闰［九］月丙寅，遣奴哥复使金。十月，

---

①　《辽史》卷28《天祚皇帝纪二》，中华书局1974年版，第336页。
②　《金史》卷2《太祖纪》，中华书局1975年版，第31页。

奴哥、突迭持金书来。十二月甲申，议定册礼，遣奴哥使金。①

至此，双方之间的议和活动已经初见端倪。1119 年正月，女真政权前来迎接大册的使臣乌林答赞谟来到辽上京城，受到辽朝的热情款待，

> 三月丁未朔，遣知右夷离毕事萧习泥烈等册金主为东怀国皇帝。已酉，乌林答赞谟、奴哥等先以书报。②

就在辽朝君臣满怀议和喜悦的时候，女真政权也已经为即将到来的议和做好准备。据《金史》记载：

> 五月壬辰，诏咸州路都统司曰："兵兴以前，曷苏馆、回怕里与系辽籍、不系辽籍女直户民，有犯罪流窜边境或亡入于辽者，本皆吾民，远在异境，朕甚悯之。今既议和，当行理索。可明谕诸路千户、谋克，遍与询访其官称、名氏、地里，具录以上。"③

当辽朝册礼使到来的时候，临时因为国书用词不当，故暂缓定约时间，以待改正。

> ［天庆九年秋七月］金复遣乌林答赞谟来，责册文无"兄事"之语，不言"大金"而云"东怀"，乃小邦怀其德之义；及册文有渠材二字，语涉轻侮；若遥芬多戩等语，皆非善意，殊乖体式。如依前书所定，然后可从。④

结果，不知道是契丹君臣的"聪明反被聪明误"，还是历史于此故意制造的超级玩笑，总之，就是因为这些点滴的差错，使得一次唾手可得、皆大欢喜

---

① 《辽史》卷 28《天祚皇帝纪二》，中华书局 1974 年版，第 336—338 页。

② 《辽史》卷 28《天祚皇帝纪二》，中华书局 1974 年版，第 338 页。

③ 《金史》卷 2《太祖纪》，中华书局 1975 年版，第 33 页。

④ 《辽史》卷 28《天祚皇帝纪二》，中华书局 1974 年版，第 338 页。

的议和场面，顿时灰飞烟灭，成为一个永久的遗憾！就在契丹君臣忙于修改国书的时候，金太祖天辅三年（1119 年）六月，女真政权开始了与北宋的议和活动。同年九月，金太祖借口辽朝册礼使失期，"诏诸路军过江屯驻"，准备与辽朝重开战端。① 次年四月，"宋使赵良嗣、王晖来议燕京、西京地"及岁币事。于是，女真遂与北宋政权订立了著名的旨在夹击辽朝的"海上之盟"。② 女真人以辽朝求和乃缓兵之计为借口，于天辅四年（1120 年）四月重新发动对辽战争。

第二节　金太祖朝发动的灭辽战争

一、耶律章奴之变与护步答冈之败

完颜阿骨打自公元 1114 年 9 月起兵后，很快攻占了辽朝用来监督和管理生女真部落的前沿重镇——宁江州，随后在 1115 年正月，以生女真部族节度使的身份，建立了历史上第一个生女真部族政权（后建国号为"大金"），并于当年 9 月攻克辽朝东北重镇——黄龙府，彻底打破了辽朝对生女真诸部的管理体系，迫使其他辽朝属部如铁骊等，纷纷依附阿骨打建立的女真政权。

但是，黄龙府的丢失，也使辽朝统治者感受到了一种发自本能的颜面尽失的羞愧，原本对生女真部族攻陷宁江州城毫不介意的天祚皇帝，听到黄龙府陷落的消息后，立即宣布亲征，迅速调集起一支数十万人的军队，齐聚长春州（今吉林省前郭尔罗斯蒙古族自治县西北），分军五路，北出骆驼口、南出宁江州，战役目标直指生女真完颜部居地海古水流域。根据目前所掌握的历史资料，当天祚帝率领的辽朝大军会聚长春州及其附近地区时，天祚皇帝也不失时机地发布了一道亲征女真的诏书，其中有这样一句话："女直作过，大军剪除。"③ 充分显示出了此次一定要彻底解决生女真部落反叛辽朝

① 《金史》卷 2《太祖纪》，中华书局 1975 年版，第 33 页。
② 《金史》卷 2《太祖纪》，中华书局 1975 年版，第 33—34 页。
③ 《辽史》卷 28《天祚皇帝纪二》，中华书局 1974 年版，第 332 页。

的根本意图。《金史》里也记载：天祚皇帝亲统30万大军至驼门（即骆驼口）。如此威势，足以使生女真部族陷入惶惶不安的境地！事实也是如此，完颜阿骨打攻占黄龙府后，听说天祚帝及其率领的讨叛大军已在行进途中，赶紧率领女真军队退回海古水流域，同时派遣使人向辽朝表示求和意愿：如果归还叛人阿疎等，则立即停止军事行动。接着，又派遣宗室粘罕、兀朮等人奉书于天祚皇帝尽为"卑哀之辞"，希冀能够躲过来自强大辽朝的雷霆之击。派出使人"乞哀"之后，完颜阿骨打又召集生女真诸部贵族"劙面仰天恸哭"，问计于众人曰："今主上亲征，奈何？"但是，在千钧一发之际，还是辽朝统治集团挽救了生女真部落可能遭受的灭顶之灾！据《辽史》记载：

> 耶律章奴，字特末衍，季父房之后。天庆四年，授东北路统军副使。五年，改同知咸州路兵马事。及天祚亲征女直，萧胡睹为先锋都统，章奴为都监。大军渡鸭子河，章奴与魏国王淳妻兄萧敌里及其甥萧延留等谋立淳，诱将卒三百余人亡归。……章奴乃遣敌里、延留以废立事驰报淳。淳犹豫未决。……至祖州，〔章奴〕率僚属告太祖庙云："我大辽基业，由太祖百战而成。今天下土崩，窃见兴宗皇帝孙魏国王淳道德隆厚，能理世安民，臣等欲立以主社稷。会淳适好草甸，大事未遂。迩来天祚惟耽乐是从，不恤万机；强敌肆侮，师徒败绩。加以盗贼蜂起，邦国危于累卵。臣等忝预族属，世蒙恩渥，上欲安九庙之灵，下欲救万民之命，乃有此举。实出至诚，冀累圣垂祐。"西至庆州，复祀诸庙，仍述所以举兵之意，移檄州县、诸陵官署，士卒稍稍属心。……〔及其败〕擒贵族二百余人。①
>
> 耶律朮者，字能典，于越蒲骨只之后，魁伟雄辩。……天庆五年，受诏监都统耶律斡里朵战。及败，左迁银州刺史，徙咸州糺将。尝与耶律章奴谋立魏国王淳。及闻章奴自鸭子河亡去，即引麾下数人往会之。道为游兵所执，送行在所。上问曰："予何负卿而反？"朮者对曰："臣诚无憾。但以天下大乱，已非辽有，小人满朝，贤臣窜斥，诚不忍见天

---

① 《辽史》卷100《耶律章奴传》，中华书局1974年版，第1430—1431页。

　　皇帝艰难之业，一旦土崩。臣所以痛入骨髓而有此举，非为身计。"后数日，复问，尤者厉声数上过恶，陈社稷危亡之本，遂杀之。①

　　这就是辽朝历史上著名的"耶律章奴之变"。此次政治事变的主要目的，就是废黜天祚皇帝，拥立魏国王耶律淳为皇帝。说明辽朝内部政治分裂已经达到难以弥合的地步，天祚朝的政治状况更是达到无法收拾的腐败地步。耶律章奴，就是《辽史》及中原史料记载中的耶律张家奴，这是两种史料记录系统的差异。耶律章奴曾经奉使生女真部落，应当是天祚朝群臣中比较了解生女真部族状况的历史人物。在辽朝首次与生女真部落议和活动中，耶律章奴是其中作用较大的人物之一，往返两地之间或两个政权，基本达成和议，因为阿骨打激怒辽朝，遂使议和破裂。但继之而来的大规模征讨序列中，耶律章奴同样承担着比较重要的责任，而他却临阵逃亡、制造政治事件，不啻是一种阵前倒戈的异常行为，并且这种行为还得到了当时部分契丹贵族人物的支持。章奴逃亡，尤其是阴谋废立事件的曝光，使天祚皇帝已经顾不得生女真部族会对辽朝产生多大影响，急忙从前线撤退回师，并立即布置讨伐耶律章奴的军事行动。辽朝的政治变化，给生女真部落提供了一个以少胜多、以弱胜强的机会，阿骨打趁机率领生女真部族军疾速追击天祚皇帝的班师之军，趁机扭转局面。史称：阿骨打对其将领们说，

　　　　诚欲追敌，约赍以往，无事馈馈。若破敌，何求不得。②

　　阿骨打的意思就是：如果真的想追击敌人的话，那么就估算着带足食物，后面是没有人给运送食粮的，但真正打败了敌人，那又会有什么东西得不到呢！也就是说，生女真部族此次也是采取了一种先死后生、不计血本的决胜策略，将自己的命运与辽朝的命运都赋予一次"狂赌"之中。史称：

　　　　追及辽主于护步答冈。是役也，[女真]兵止二万。上曰："彼众

────────────

　　① 《辽史》卷100《耶律尤者传》，中华书局1974年版，第1431页。
　　② 《金史》卷2《太祖纪》，中华书局1975年版，第28页。

我寡，兵不可分。视其中军最坚，辽主必在焉。败其中军，可以得
志。"使右翼先战。兵数交，左翼合而攻之。辽兵大溃。我师驰之，横
出其中。辽师败绩，死者相属百余里。[1]

这就是著名的"护步答冈之败"。《金史》里记载，战前天祚皇帝动员起七
十万大军，恐怕不会有如此之众，但以皇帝亲征的角度而言，动用了一二十
万的军队还是有可能的。但不管怎么说，这次失败，毕竟不是一次普通的战
略失误，而是实力寡弱的生女真部族军"硬吃"辽朝皇帝御林军的重要战
役，不仅鼓舞士气，而且增强了女真战败辽朝的信心。同时，阿骨打取得护
步答冈胜利之后，不仅强固了内部斗志、稳定了统治地位，还使得东起库页
岛对岸的特林城、北至泰州、南抵开州及鸭绿江流域的大片土地，完全纳入
生女真政权的版图之内。

"护步答冈之败"，使辽朝从此再也没能组织起一次像样规模的反击战
役，相反倒是生女真部族军愈战愈强，完全掌握了战争的主动权。

二、"余睹之变"与上京、中京的陷落

1117 年，阿骨打建元为天辅元年。到这一年的年底，女真政权已经全
部夺取了辽朝黄龙府和东京辽阳府之地，使得南自鸭绿江流域、东迄大海、
北起兴安岭以南、西至辽河上游，即今黑龙江省、吉林省、辽宁省以及俄罗
斯远东地区全部纳入女真版图。自 1117 年底开始，阿骨打又遣使辽朝重新
提出议和的条件，辽朝也立即作出回应，于是，双方在较长时间内，停止战
争、进行了频繁的使节往来和颇为激烈的讨价还价。1118 年 2 月，阿骨打
提出：辽朝兄事女真并岁贡方物与献纳上京、中京、兴中府三路州县及以亲
王、公主、驸马、大臣子孙为质和归还使人、信符等条件；辽朝也马上派出
使臣进行商议。同年 7 月，双方初步达成协议：即女真免取质子及上京、兴
中府州县并裁减岁币数量。协议的要点就在于：天祚皇帝必须兄事阿骨打，
须用中原礼仪来为阿骨打举行册礼。同年 9 月，北宋也遣使来到生女真部
族，相约与女真共攻辽朝，定约的条件就是：事成之后，须将辽朝燕京地区

---

[1] 《金史》卷 2《太祖纪》，中华书局 1975 年版，第 28 页。

归还北宋。因此，北宋政权的插足，使得阿骨打的态度发生很大变化，使女真与辽朝的和议发生动摇，女真政权开始对辽朝构拟的和议条款横加挑剔。1120 年 4 月，随着女真与北宋"海上之盟"的确定，女真政权遂单方面宣布终止与辽朝的和谈，阿骨打下诏宣布亲征辽朝，于是揭开了女真政权夺取今内蒙古东部地区的历史序幕。

1120 年（金天辅四年）4 月乙未日，阿骨打命令辽朝议和使臣萧习泥烈、北宋议和使臣赵良嗣等随军同行，前往辽朝上京城外，以观看女真军队攻打上京城的交战情况。5 月甲辰日，阿骨打驻军于浑河以西，命令宗雄率先锋军直趋上京城，派遣辽朝降人马乙持阿骨打诏书晓谕上京城军民。5 月壬子，阿骨打率军抵达上京城外，向城内发布诏书曰：

> 辽主失道，上下同怨。朕兴兵以来，所过城邑，负固不服者，即攻拔之；降者抚恤之。汝等必闻之矣。今尔国和好之事，反覆见欺，朕不欲天下生灵久罹涂炭，遂决策进讨。比遣宗雄等相继诏谕，尚不听从。今若攻之，则城破矣。重以吊伐之义，不欲残民，故开示明诏，谕以祸福，其审图之①。

但是，辽朝上京城守军仍然依仗京城坚固、御备充分、军需充足的条件，作出固守待援的防御策略。此时，辽朝天祚皇帝正在炭山（即今河北省沽源县境内之大马群山北端）附近避暑，闻知阿骨打亲自前来攻打上京城消息后，仅派耶律白厮不等人选择精兵三千人往援上京城。5 月甲寅，女真部族军向上京城发起进攻，阿骨打乃对辽使习泥烈和宋使赵良嗣说："汝可观吾用兵，以卜去就。"② 于是，阿骨打亲临攻城前线，指挥女真军队奋勇攻城，双方激战竟日，女真军队攻克上京外郭，迫使辽上京留守挞不野率守军献城投降。阿骨打率领宋使赵良嗣等人来到辽上京皇城内参观，并举行了十分盛大的宴饮庆祝活动，与会者皆向阿骨打"奉觞为寿，皆称万岁"。③ 据说宋

---

① 《金史》卷 2 《太祖纪》，中华书局 1975 年版，第 34 页。
② 《金史》卷 2 《太祖纪》，中华书局 1975 年版，第 34 页。
③ 《金史》卷 2 《太祖纪》，中华书局 1975 年版，第 34 页。

使赵良嗣为了迎合这种喜庆气氛，还即兴为阿骨打献诗一首：

> 建国旧碑明月暗，兴王故地野风乾；
> 回头笑向王公子，骑马随军上五銮。

赵良嗣的诗句，充满了对辽朝直接的嘲弄和讽喻以及对阿骨打巧妙的阿谀和奉迎，但是，赵良嗣的诗句也值得引起历史的深思。

　　阿骨打在攻陷辽朝上京城之后，因为天气逐渐炎热，一方面分兵略定上京城周围的祖州、庆州、怀州、全州诸地，另一方面则率领从行官员、军兵返回女真故地海古水流域。辽朝天祚皇帝听说上京城失守之后，遂委任北府宰相萧乙薛为上京留守、知盐铁内省两司事、东北路统军使，全权负责收复上京城诸事宜。萧乙薛遂率军进驻中京道内，积极策划恢复上京之策，史称：乙薛

> 为政宽猛得宜，民之穷困者，辄加振恤，众咸爱之①。

1120 年 5 月末，辽朝南军副都统耶律余睹所率领的军队，曾经趁女真部族军东归之际，主动攻击其主力于辽河流域，获得局部的胜利。因此，乙薛莅官之后，与南军副都统耶律余睹等人相互策应，基本稳定了中京及上京周围地区的混乱局势。但是，天祚皇帝本人，此时则已经转移至西京（今山西省大同市）附近的地域内游猎、住坐，始终与日益吃紧的两京地区保持着遥远的距离。

　　1121 年 5 月（辽保大元年，金天辅五年），已经日渐残破的辽朝政权内部，又发生了南军副都统耶律余覩投降女真政权的事件。据《辽史》记载：

> 耶律余覩，一名余覩姑，国族之近者也。慷慨尚气义。保大初，历官副都统。其妻天祚文妃之妹；文妃生晋王，最贤，国人皆属望。时萧奉先之妹亦为天祚元妃，生秦王。奉先恐秦王不得立，深忌余覩，将潜图之。适耶律挞葛里之妻会余覩之妻于军中，奉先讽人诬余覩结驸马萧

---

① 《辽史》卷 101《萧乙薛传》，中华书局 1974 年版，第 1435 页。

昱、挞葛里，谋立晋王，尊天祚为太上皇。事觉，杀昱及挞葛里妻，赐文妃死。余睹在军中闻之，惧不能自明被诛，即引兵千余，并骨肉军帐皆叛归女直。①

此事，《天祚皇帝纪》中记载的更为详细。保大元年（1121 年）春正月，

> 文妃姊妹三人：长适耶律挞葛里，次文妃，次适余睹。一日，其姊若妹俱会军前，奉先讽人诬驸马萧昱及余睹等谋立晋王，事觉，昱、挞葛里等伏诛，文妃亦赐死；独晋王未忍加罪。余睹在军中，闻之大惧，即率千余骑叛入金。②

《金史》里也记载说，天辅五年（1121 年）五月，辽朝都统耶律余睹至咸州投降。这就是辽朝历史上著名的"耶律余睹之变"，它发生于 1121 年 1—5 月。事情的起因，乃是源自于天祚朝的宫闱内争，尔后，发展成为与朝廷党争相呼应的政治斗争。因此，"耶律余睹之变"仍然延续着耶律章奴以来那种"废立事件"的基本性质。如果说，耶律章奴之变扭转了辽朝与生女真部族直接对垒的态势，那么，耶律余睹之变则奠定了辽朝灭亡的历史趋势。

史称，余睹投降生女真部族之后，1121 年 6 月，阿骨打接见了他及其随行人员。于是，余睹便向阿骨打详细介绍了辽朝的政治状况和军事动态。同年 7 月，阿骨打决定再次征伐辽朝，并诏令咸州都统司：

> 自余睹来，灼见辽国事宜，以决议亲征，其治军以俟师期。③

遂任命完颜昱为都统、宗翰副之，率军而西，准备出师辽朝中京城。12 月，任命幼弟完颜杲为内外诸军都统，以昱、宗翰、宗干、宗望、宗盘副之，任命耶律余睹为先锋、引导女真军队进攻辽中京。1122 年正月癸酉，女真部

---

①　《辽史》卷 102《耶律余睹传》，中华书局 1974 年版，第 1442 页。

②　《辽史》卷 29《天祚皇帝纪三》，中华书局 1974 年版，第 341 页。

③　《金史》卷 2《太祖纪》，中华书局 1975 年版，第 35 页。

族军相继攻克高、恩二州及回纥城,进取中京。同月乙亥日,辽中京城守军举城投降,遂分兵攻克泽州(今河北省平泉县西南)。2 月,宗翰等击败奚王军,攻克北安州(今河北省承德市西)。至此,基本征服中京道所有州县,使今内蒙古东部大部分地区全部纳入女真版图。

三、鸳鸯泊、石辇铎及青冢之战

当女真政权夺取中京城及其周围州县时,辽朝天祚皇帝并没有立即作出新的军事部署,而是从南京析津府匆忙北撤,

> [保大二年正月]金克中京,进下泽州。上出居庸关,至鸳鸯泊。①

因此,女真军队占领中京城后,又立即攻取奚族居地之内的北安州,基本控制了中京道全境。于是,宗翰驻军于北安州,分遣部将完颜希尹等略地于周围,俘获辽朝护卫军将耶律习泥烈,金军侦知天祚皇帝住坐鸳鸯泊,遂决定分兵袭之。3 月,仍以余睹为前导,都统杲出青岭,宗翰出瓢岭,分兵合击辽天祚帝于鸳鸯泊。

天祚皇帝自保大二年(1122 年)正月转移至鸳鸯泊后,统治集团内部矛盾再度爆发,当耶律余睹引导女真部族军前来追击时,萧奉先遂建议天祚帝杀死晋王,以绝耶律余睹之望。于是,天祚赐晋王死,而晋王党羽皆伏诛,辽朝政权彻底解体。面对已经无法收拾的残局,辽天祚皇帝又率领从行卫士 5 000 余人,向北撤退至古云中地区(即今内蒙古呼和浩特市境内和林格尔县附近)。是年 2 月,得知女真军队攻占北安州后,准备秋季大举的消息,天祚皇帝遂任命知北院大王事耶律马哥、汉人行宫都部署萧特末为都统,太和宫使耶律补得副之,率兵驻守鸳鸯泊。3 月,听说余睹引导女真部族军分兵会攻鸳鸯泊消息后,天祚帝遂北入夹山。

女真部族军分兵北上之后,在今内蒙古锡林郭勒盟正蓝旗、太仆寺旗境内,受降辽朝群牧使谟鲁斡,获辽朝群牧马匹无数。女真军进至鸳鸯泊(今河北张北县昂古里诺尔),辽朝守军望风溃退。宗翰遂率所部北追天祚

---

① 《辽史》卷 29 《天祚皇帝纪三》,中华书局 1974 年版,第 342 页。

皇帝至白水泊（即今内蒙古乌兰察布市察哈尔右翼前旗境内之黄旗海），天祚皇帝狼狈而去，遂获辽朝遗落宝货及诸局百工无数。然后，宗翰又率军南下，与完颜杲部会合，迫近辽朝西京城，遣部将完颜希尹等分兵进攻辽朝乙室大王府部。3月壬申，辽西京城守军投降；乙亥，辽兵复据西京城为固守计，宗翰等遂挥师围之。4月辛卯，女真军再度攻克西京大同府。于是，云内、宁边、东胜等州及沙漠以南部族皆投降女真政权。辽天祚皇帝遂北逃漠北讹莎烈之地（即今内蒙古阴山以北地区附近）。

就在辽朝政权岌岌可危的情况下，辽朝统治集团内部再次爆发政治分裂事件。保大二年（1122 年）三月，辽朝南京留守官员、宰相李处温与四军大王萧干、耶律大石等人，趁机会集蕃汉百官及诸军士兵数万人，拥立秦晋国王耶律淳为帝，上尊号曰天锡皇帝，改元建福元年（1122 年），国号仍辽，史称北辽。下诏降封天祚皇帝为湘阴王。遂割据燕、云、平及上京、辽西六路之地；而沙漠以北及西南、西北两路招讨司与诸蕃部族之地，则仍归属天祚皇帝。本来完整的辽朝政权遂一分为二。在此前提下，女真军队趁机从北辽政权手中夺取西京地。是年六月，耶律淳病殁，北辽政权也随之分崩离析。

天祚皇帝北逃漠北后，在漠北地区获得了辽朝驻守军兵以及蕃族部落的支持，很快便聚集起一支五万人的骑兵力量。同年六月，传檄天德、云内、朔、应、武、蔚诸州及燕京地区，期以仲秋八月，大举恢复燕、云之地。于是，漠北鞑靼诸部、谟葛失部落以及西夏政权等，纷纷出兵，期会漠南之地。结果，都被女真军队分别击溃。是年秋，天祚皇帝率军南下，八月戊戌，与宗望所率女真先锋军四千余人交战于石辇铎（即今内蒙古乌兰察布市商都县境内）。史称：

> ［宗望］追及辽主于石辇铎，军士至者才千余人，辽军余二万五千。……遂战，短兵接，辽兵围之数重，士皆殊死战。辽主谓宗望兵少必败，遂与嫔御皆自高阜下平地观战。余覩示诸将曰："此辽主麾盖也。若萃而薄之，可以得志。"骑兵驰赴之，辽主望见大惊，即遁去，辽兵遂溃。①

---

① 《金史》卷 74《宗望传》，中华书局 1975 年版，第 1701 页。

石辇铎之战，本来各方面条件都有利于辽朝，结果因为天祚皇帝不懂军事谋略，而导致战场形势急转直下，辽朝军队又如落花流水，再被女真骑兵彻底击溃。十二月，女真兵入居庸关，北辽太后萧氏等率众自古北口出，转趋天德军，欲与天祚皇帝相会合。于是，燕京守军举城投降，南京又被女真军队攻陷。是年，女真政权正式定国号为大金。

1123 年 2 月，金朝将燕京六州之地分割北宋政权，宣布升平州为南京平山府。辽天祚皇帝与北辽残余力量汇合后，诛北辽太后，贬降秦晋国王淳为庶人。3 月，天祚皇帝驻军于云内州（今内蒙古呼和浩特市托克托县东北）南，以知北院枢密使事萧僧孝奴为诸道大都督。4 月丙申，耶律大石等率军进攻奉圣州（今河北省涿鹿县），又被女真军击败，大石本人亦被俘，后趁机逃归天祚。4 月戊戌，金军包围天祚行宫及辎重于青冢（即昭君墓，今内蒙古呼和浩特市西南），辽朝政权再次发生分裂。《辽史》记载：

> 金兵围辎重于青塚，硬寨太保特母哥窃梁王雅里以遁，秦王、许王、诸妃、公主、从臣皆陷没。庚辰，梁宋大长公主亡归。壬寅，金遣人来招。癸卯，答言请和。丙午，金兵送族属辎重东行，乃遣兵邀战于白水泊，赵王习泥烈、萧道宁皆被执。……壬子，金帅书来，不许请和。是月，特母哥挈雅里至，上怒不能尽救诸子，诘之。[①]

此次战役，引起辽朝一系列的军事反应，是一次具有决定性意义的战役。据《金史》记载：

> 宗望、娄室、银术可以三千军分路袭之。将至青塚，遇泥泞，众不能进。宗望与当海四骑以绳系辽都统林牙大石，使为向导，直至辽主营。时辽主在应州，其嫔御诸女见敌兵奄至惊骇欲奔，命骑下执之。有顷，后军至。辽太叔胡鲁瓦妃，国主涅里次妃，辽汉妇人，并其子秦王、许王，女骨欲、余里衍、斡里衍、大奥也、次奥也，赵王妃斡里

[①] 《辽史》卷 29《天祚皇帝纪三》，中华书局 1974 年版，第 346—347 页。

衍，招讨迪六，详稳六斤，节度使孛迭、赤狗儿皆降。得车万余乘，惟梁王雅里及其长女乘军乱亡去。娄室、银术可获其左右舆帐。进至扫里门，为书以招辽主。①

同年 5 月，天祚皇帝将应西夏国主之请，准备渡河西入夏国。于是，军将耶律敌烈等人连夜劫持梁王雅里离营而去，向北逃亡至漠北，名为沙子里地方，并在那里重新建立辽朝政权，拥立雅里为帝，史称后辽。这是因为天祚皇帝的不明智之举，再次导致辽朝政权内部的分裂，但天祚皇帝仍率领从行人员渡过黄河，来到辽朝的金肃军（今内蒙古鄂尔多斯市达拉特旗树林召镇南）地区。同年 6 月，天祚派遣使臣册立西夏国主为西夏国皇帝。秋 9 月，正当天祚皇帝准备进入西夏境内之际，耶律大石自金朝逃归，至此觐见天祚帝，与诸将共同劝说天祚不能入夏。天祚皇帝乃渡河而东，来到契丹突吕不部，图谋再举。是年 8 月，阿骨打病死，遗命其弟吴乞买继位，金朝遂改年号为天会元年（1123 年）。此时，辽朝五京皆被金军攻克。因此，金军的战略目标：一是抓捕逃入夹山地带的辽天祚帝，二是尽快巩固已占领州县的统治秩序。

1124 年，金朝除仍派出追剿天祚皇帝的军队外，对辽作战的大规模战役展开阶段已经结束，仅在局部地区如平州附近仍有战争进行，其他占领区内已经开始安置流民、恢复经济生产活动。是年 7 月，天祚皇帝准备再次南下恢复燕云地区。史称：

> 天祚既得林牙耶律大石兵归，又得阴山室韦谟葛失兵，自谓得天助，再谋出兵，复收燕、云。大石林牙力谏曰："自金人初陷长春、辽阳，则车驾不幸广平淀而都中京，及陷上京则都燕山，及陷中京则幸云中，自云中而播迁夹山。向以全师不谋战备，使举国汉地皆为金有。国势至此，而方求战，非计也。当养兵待时而动，不可轻举。"不从。大石遂杀乙薛及坡里括，置北、南面官署，自立为王，率所部

---

① 《金史》卷 74《宗望传》，中华书局 1975 年版，第 1702 页。

西去①。

又是在危急的时刻，辽朝统治集团内部再次分裂。耶律大石率领所属军兵，度阴山而北，来到辽朝镇州城（即今蒙古国哈拉巴拉哈逊古城遗址）附近，会聚力量，率师西进，直到起儿漫之地，并在那里重建辽朝政权，定都虎思斡耳朵（即今吉尔吉斯斯坦境内托克马克附近），史称西辽。耶律大石率军而去，似乎并未影响天祚皇帝恢复燕、云地区的决心。史称：

> 上遂率诸军出夹山，下渔阳岭，取天德、东胜、宁边、云内等州。南下武州，遇金人，战于奄遏下水，复溃，直趋山阴。②

此次战役，因为金军在漠南没有配置大量守军，所以，天祚皇帝一路势如破竹，但进入今山西北部则遇到金军反击，辽军又被击溃。失败后的天祚帝遂奔山阴逃亡，即今内蒙古阴山北部③。很快就回到了突吕不部族之地，又在契丹残部与漠北蕃部支持下，重新积聚力量。是年10月，天祚皇帝还在突吕不部族纳妻。但是，到11月的时候，天祚帝的从行军兵又发生骚乱，导致自身力量不断削弱。12月，天祚帝宣布设置两个总管府来分别统率军兵。1125年正月辛巳，党项小斛禄部落派遣使节邀请天祚皇帝驾临其地。于是，本月戊子日，天祚皇帝遂率从行兵马向小斛禄部落进发，准备取道天德军、渡过沙海、直抵小斛禄；却不意途中忽然遭遇到金军，从行军兵四处溃散，连天祚帝自己也是步行逃出金军的包围圈，逃亡至天德军境内，狼狈得连饭都吃不上，仍奔党项小斛禄方向逃亡。同年2月，金军将领完颜娄室在余睹谷俘获天祚帝。8月，金太宗降封天祚皇帝为海滨王，安置于女真腹地。

至此，经历10年战争，金朝取代辽朝成为当时北中国的统治者。

---

① 《辽史》卷29《天祚皇帝纪三》，中华书局1974年版，第349页。
② 《辽史》卷29《天祚皇帝纪三》，中华书局1974年版，第349页。
③ 中华书局校勘本：《辽史》卷29校勘记[10]称：山阴即应州河阴县，金改山阴。是作为州县名理解，笔者认为天祚帝当时不会向南逃亡，只能向其具有获得充实的漠北故地逃亡，故校勘记误，此"山阴"应是阴山之北。中华书局1974年版，第350页。

第三节　女真政权对内蒙古地区的
占领与统治

一、北辽、后辽和西辽政权

1122 年，女真部族军已经连续攻克辽朝上京和中京城，天祚皇帝遂离开南京析津府，北迁鸳鸯泊，接着又准备逃入夹山地区（即今内蒙古阴山西段、包头市西北）。于是，辽南京留守大臣、宰相李处温，遂与四军大王萧幹以及契丹贵族耶律大石等人，胁迫留守大臣张琳等文武百官，共同拥立南京留守、秦晋国王耶律淳称帝于燕京，上尊号为天锡皇帝，改元为建福元年。同时，下诏各地降封天祚皇帝为湘阴王，国号仍称大辽，史称北辽。

北辽政权，其实仍然是耶律章奴以来所发动的"废立事件"的政治延续，表明了辽朝内部矛盾与争斗日益激化的历史现状。据《辽史》记载：

> 淳小字涅里，兴宗第四孙，南京留守、宋魏［国］王和鲁斡之子。清宁初（末），太后鞠育之。既长，笃好文学。昭怀太子得罪，上欲以淳为嗣。上怒耶律白斯不，知与淳善，出淳为彰圣等军节度使……［晋封为北平郡王］。天祚即位，进王郑。乾统二年，加越王。六年，拜南府宰相，首议制两府礼仪。上喜，徙王魏。其父和鲁斡薨，即以淳袭父守南京。冬夏入朝，宠冠诸王。天庆五年，东征，都监章奴济鸭子河，与淳子阿撒等三百余人亡归，先遣敌里等以废立之谋报淳，淳斩敌里首以献，晋封秦晋国王，拜都元帅，赐金券，免汉拜礼，不名。许自择将士，乃募燕、云精兵。[①]

耶律淳乃兴宗之孙，幼承兴宗仁懿皇后喜爱，年龄既长，遂益酷爱诗词歌赋及儒家经典，成为一位汉族文化修养很深的契丹贵族。这段记载中有两点值得引起注意，即：（一）乾统六年（1106 年），耶律淳等倡议制定的"两府

---

① 《辽史》卷 30《天祚皇帝纪四》附耶律淳事迹，中华书局 1974 年版，第 352—353 页。

礼仪"，无疑是自"乙辛乱国"以来，契丹辽朝体制建设的重大举措；（二）
天庆五年（1115 年），耶律淳获得"秦晋国王、都元帅、金券、免拜不名、
自择将士"等特权。本来耶律淳之子耶律阿撒，就是耶律章奴废立事件中
的主要人物，但废立事件平息后，耶律淳并未受到任何触动，是什么令天祚
皇帝如此投鼠忌器呢？应当就是耶律淳父亲皇太叔、宋魏国王和鲁斡遗留下
来的巨大政治资本！这些资本主要是什么？就是南京地区汉族官僚与奚族地
主集团的政治合流。这就是《辽史》记载的：北辽之基础"外假怨军，内
结都统萧幹"①。怨军是什么？据《辽史》记载：

> ［天庆七年］九月，上自燕至阴凉河，置怨军八营：募自宜州者曰
> 前宜、后宜，自锦州者曰前锦、后锦，自乾自显者曰乾曰显，又有乾显
> 大营、岩州营，凡二万八千人，屯卫州蒺藜山。②
> ［或建言：］辽东民有渤海之败，渡辽失所者众，若招之为军，彼
> 有报怨志，且报国，必以死战。帝乃授燕王都元帅，……召募辽东饥民
> 得二万余，谓之怨军，如郭药师者是也；别选燕、云、平路禁军五千
> 人，并劝谕三路富民依等第进献武勇二千人，如董庞儿者是也；……燕
> 王既招怨军、武勇军，共三万人。③

劝谕燕云平三路富民出资"进献军士"，自然是耶律淳等燕云平三路"父母
官"的事情。那么，萧幹呢？萧幹乃奚王之后，兄弟二人皆当时奚族勇士。
耶律淳建立北辽前后，萧幹为"奚六部大王，兼总知东路兵马事"，与耶律
淳私交甚密。因此，耶律淳也正是凭借着家庭背景与这些政治"资本"，才
获得了朝廷内部汉官集团（却并非清一色的汉族官僚）的积极拥护，而朝
廷内部纠缠不清的主要问题也正是源于政治体制这个基础。可以说，耶律
淳、耶律章奴和耶律余睹，都是宋魏国王和鲁斡系统主要成员；而天祚皇帝

---

① 《辽史》卷 29《天祚皇帝纪三》，中华书局 1974 年版，第 343 页。
② 《辽史》卷 28《天祚皇帝纪二》，中华书局 1974 年版，第 336 页。
③ （宋）叶隆礼：《契丹国志》卷 10《天祚帝纪上》，贾敬颜、林荣贵点校，上海古籍出版社 1985
年版，第 123 页。

较长时间地被束缚在"奸佞大臣"萧奉先等人的调度之下，一年四季，周而复始地从事捺钵活动，"耽于享乐，不理朝政"，也正是彼集团之牢固奉守契丹"祖制"的真实表现。因此，天祚朝政治斗争的频繁爆发，主要原因就在于区域间政治、经济发展不平衡的各种因素，并反复作用于朝政的直接结果。一言以蔽之，耶律淳北辽政权的建立，其实就是辽朝南京道等地区与延续契丹固有习俗之区域间的政治分离现象。故《辽史》记载，北辽建立之后，原来辽朝政权被区分为两大块系，即：

> ［耶律淳北辽］遂据有燕、云、平及上京、辽西六路。天祚所有，沙漠以北，西南、西北路两都招讨府、诸蕃部族而已。①

这种政治势力的区分，完全是一种农耕经济区域与游牧经济区域的截然对立！笔者认为，在如上记载中，其北辽管理区系之内的"上京"，地理上既难以与燕京相连，性质上也难以确定与燕京地区一致，故应属讹出；其北辽六路即指农耕区系之燕京、西京（云州路）、中京和兴中府以及奚族聚集区平州路、辽西路。

北辽的建立，使已经仅存西京、南京地区与漠北蕃部区域的残辽政权，又陷入完全分裂的状况。因此，1122 年 4 月，女真部族军又趁机攻陷西京城及漠南诸州县，刚刚建立的北辽政权无暇他顾，而天祚皇帝也只能收集兵马于阴山以北地区。同年 6 月，耶律淳病殁，遗命妻萧氏（即萧德妃）摄政、迎立天祚之子秦王定为帝，改年号为德兴元年（1124 年）。年底，女真部族军攻破居庸关，逼近燕京，萧德妃慌忙率北辽残余出古北口，北投天祚帝集团。北辽政权灭亡。与此同时，天祚皇帝在漠北地区会集起来的残余力量，也在 1122 年 8 月，被女真部族军击溃，天祚皇帝再次逃奔于阴山之中。

1123 年正月，已经从北辽集团分离出来的奚族集团，在奚王萧幹（又名回离保）的率领下，回到迁州境内的箭笴山，建立奚国，萧幹自立为奚国皇帝，建元天复元年（1123 年），并大肆屠杀契丹人，试图依据平州路的地理优势，重新恢复原来奚族既有的统治区域。1123 年 4 月，金军击破天

---

① 《辽史》卷 29《天祚皇帝纪三》，中华书局 1974 年版，第 344 页。

祚行宫于青冢南，王公大臣妃主等俱被金军俘虏。是年5月，天祚皇帝逃奔河曲地区之金肃军，谋入夏国，遭到从行将领反对，辽朝残余政权内部再次发生分裂。史称：

> 　　耶律怀义本名孛迭，辽宗室子。年二十四，以战、功累迁同知点检司事。宗翰已取西京，辽主谋奔西夏，怀义谏止之，不见听，乃窃取辽主厩马来降。[①]

耶律怀义，乃天祚皇帝从行护卫将领，劝谏天祚皇帝毋入夏国不听，失望之余，乃盗马亡奔。而军将耶律敌烈、特母哥等人，则干脆劫持天祚之子梁王雅里，北奔漠北沙子里地方，拥立雅里为皇帝，重新建立辽朝政权，改元为神历元年（1123年），国号仍称大辽，史称后辽政权。因为后辽政权建立于漠北地区，所以，很快得到漠北契丹辽朝残余力量以及诸蕃部族的支持。史称：

> 　　乌古部节度使纠哲、迭烈部统军挞不也、都监突里不等各率其众来附。自是诸部继至。……以耶律敌烈为枢密使，特母哥副之。敌烈劾西北路招讨使萧纠里荧惑众心，志有不臣，与其子麻涅并诛之。以遥设为招讨使。[②]

可以说，雅里建立的后辽政权首先得到了辽朝漠北官署及契丹部落戍兵的竭力支持，因此，后辽政权运粮于大盐泊（即今内蒙古锡林郭勒盟东乌珠穆沁旗境内之额吉淖尔盐池附近，辽朝曾于此地置仓储粟），既提供了充足的军食，也补充了当地部民的粮食积蓄。但后辽政权内部，本土从行大臣集团与漠北军兵官吏系统存在权力争夺，又加之枢密使耶律敌烈（史书又称其名为萧特烈）贪权纵杀，反而导致后辽政权很快陷入分崩离析的状态。1123年10月，雅里突然病殁，耶律敌烈遂拥立兴宗皇帝之孙术烈即皇帝

---

①　《金史》卷81《耶律怀义传》，中华书局1975年版，第1826页。
②　《辽史》卷30《天祚皇帝纪四》附耶律雅里事迹，中华书局1974年版，第353—354页。

位，结果，后辽政权内部发生兵变，耶律敌烈与新皇帝术烈俱被乱兵所杀，特母哥等狼狈南逃，于次年正月投降金军，后辽政权遂不知所终。

雅里等人率所部北走之后，天祚皇帝也在从行军将劝说下，渡河而东，掉头北上突吕不部落。此时，耶律大石来投天祚。大石自金军亡归，沿路收容流散军兵甚众。天祚皇帝北上途中，又得到阴山室韦谟葛失部落的倾力支援，军事力量开始逐渐增多。因此，1124 年 7 月，天祚皇帝准备出兵收复燕云地区，宗室贵族耶律大石劝谏天祚皇帝不能盲目出兵，天祚拒不采纳；于是，耶律大石遂杀天祚皇帝亲信大臣萧乙薛等，自立为王，率领所部兵马逾越阴山北走，

　　　北行三日，过黑水，见白达达详问床古儿。床古儿献马四百，驼二十，羊若干。西至可敦城，驻北庭都护府，会威武、崇德、会蕃、新、大林、紫河、驼等七州及大黄室韦、敌剌、王纪剌、茶赤剌、也喜、鼻古德、尼剌、达剌乖、达密里、密儿纪、合主、乌古里、阻卜、普速完、唐古、忽母思、奚的、纠而毕十八部王众，……遂得精兵万余，置官吏，立排甲，具器杖。[①]

史称大石会集漠北诸部喻以女真侵陵，天祚播迁、蒙尘于外，辽朝国祚危倾之意，号召各州、部，同心勤王，助我西行，借力各藩，翦我仇敌，复我家邦！耶律大石声泪俱下的动情演说，得到与会各部的支持，纷纷抽调精干，组成了一支万余人的精锐骑兵。在镇州经过数月休整之后，1125 年 2 月，耶律大石按契丹故俗，以青牛白马祭天地、告慰历代祖先后，整军向西进发，途经甘州北部的时候，又谕降甘州回鹘，获得比较充足的军资补充后，继续西进，沿途征服大小部落无数，使其军事力量逐渐壮大。进抵寻思干城（今叶密立）之后，遇到喀喇汗土朝汇集起来的西域诸国联军十余万人的堵截；据说，此时金朝的追兵，也由耶律余覩等人率领到达了乌纳水流域；耶律大石于是作出分兵两路、东西两线同时开战的决策。东线军队在阻卜诸部的积极协助下，很快就击退了金兵的追剿；西线军队也在大石亲自率领下，

　　① 《辽史》卷30《天祚皇帝纪四》附耶律大石事迹，中华书局 1974 年版，第 355—358 页。

很快就击败了西域诸国联军，牢固地控制了叶密立地区。于是，大石在叶密立正式宣布称帝，并采用突厥语汗号兼称"菊儿汗"，采用汉语尊号称"天佑皇帝"，国号仍称大辽（或大契丹），史称西辽，北方游牧民族称之为"哈喇契丹"。1134年，耶律大石改元为康国元年，正式定都于虎思斡耳朵（今吉尔吉斯斯坦之托克马克城）。

辽朝政权重建的历史过程，发端于"耶律章奴之乱"，而最终定型于耶律大石建立的西辽政权，其中也曾经历了无数次的尝试，终于在失败的废墟上矗立起西辽政权。尤其值得注意的是，自1125年2月辽朝政权灭亡之后，西辽事实上成为契丹部族反抗女真金朝政权的精神依托，直到金世宗统治时期（1161—1189年），西辽政权与金朝仍然是不可化解的死敌！

二、金初北方各民族人口的大迁徙

金朝在灭亡辽朝之后，又迅速挥师南下进攻北宋政权，并在相继确定了东南高丽与西北西夏政权的附属关系之后，于1127年4月，灭亡北宋政权。短短十余年时间内，女真金朝政权凭借着不断地对周围地区用兵，相继占领了辽朝故地及原来北宋统治区的大部分地区，使得女真故地与辽朝故地以及北宋北部地区连成一片，版图面积基本囊括了今黑龙江、吉林、辽宁、河北、陕西、山西、河南、山东八省之地以及内蒙古自治区与北京、天津市全部，甚至还包括了今俄罗斯远东地区的全部及今蒙古国境内克鲁伦河以南地区，从而确立起又一个国土面积庞大的世界帝国。

女真政权在建立之初，就采取了边进攻边稳固防守的统治策略。其实，这些统治方略的实行，也与女真人部落兼并的历史经验紧密相关。史称，金朝先祖乌古乃在位时期，因为完颜部的社会生产能力已经比较发达，不仅拥有大量的铁器，而且还拥有了一支战斗能力极其强大的部族军。乌古乃就是利用手中掌握的军队，迫使周围大批部落人口归附，前后归附者益众。譬如：

> 斡泯水蒲察部、泰神忒保水完颜部、统门水温迪痕部、神隐水完颜部，皆相继来附。[1]

---

① 《金史》卷1《世纪》，中华书局1975年版，第6页。

阿跋斯水温都部人，以锻铁为业，因岁歉，策杖负担与其族属来归，景祖与之处，以本业自给。①

在女真人传统生活习惯中，那种比较密切的人际关系或者部族关系的最终凝固，往往都是通过这种聚族而居的方式来完成。金朝初期，统治集团为了巩固自身的统治地位，也是为了加强对征服地区的统治，就在相当长一段时间内，采取以征服区人口充实"内地"（或金源）的措施，将大量被征服地区人口强行迁离故乡，从而成为金朝初期统治政策的一个显著特点。

金初统治者，都视其都城会宁府所在之地为"国之根本"，称为"内地"或"金源之地"。因此，为了提高"金源之地"的地位，同时，也是为了弥补"内地"生产人口的不足以及吸收先进的生产技术的目的，金朝在连年发动的灭辽战争中，从最高统治者到普通的女真贵族都十分注重和加强对于征服地区人口的掳掠、迁徙和控制。收国二年（1116 年）正月，阿骨打诏令女真各路将领：

> 自破辽兵，四方来降者众，宜加优恤。自今契丹、奚、汉、渤海、系辽籍女直、室韦、达鲁古、兀惹、铁骊诸部官民，已降或为军所俘获，逃遁而还者，勿以为罪，其酋长仍官之，且使从宜居处。②

女真初起之际，攻城略地皆以掳掠人口而归，长此以往遂使许多矛盾和社会问题突显出来，因此，阿骨打才发布了这样一道调整命令。但是，女真贵族掳掠人口的本能并非短时间内就能根除，如天辅二年（1118 年）二月，咸州路都统斡鲁古在进攻辽朝显州时，就以"所获牲口财畜多自取"，结果被降职为谋克。③ 同年六月甲寅，阿骨打再次诏令各地官府：

> 禁民凌虐典雇良人及倍取赎值者。甲戌，辽通、祺、双、辽等州八

---

① 《金史》卷 67《乌春传》，中华书局 1975 年版，第 1577 页。
② 《金史》卷 2《太祖纪》，中华书局 1975 年版，第 29 页。
③ 《金史》卷 2《太祖纪》，中华书局 1975 年版，第 31 页。

百余户来归，命分置诸部，择膏腴之地处之。①

同年七月，又有

> 辽户二百来归，处之泰州。诏遣阿里骨、李家奴、特里底诏谕未降
> 者。仍诏达鲁古勃董辞列："凡降附新民，善为存抚。来者各令从便安
> 居，给以官粮，毋辄动扰。"②

天辅六年（1122年）四月，女真军队攻克辽朝西京后，即徙山西诸州民户
及契丹等族人口，以军队押解，以实上京会宁府。又因为山西（即燕山以
西）诸部族居地接近西北二边，恐其相互结诱，遂命尽徙之岭东（即兴安
岭以东）地区安置。于是，契丹章愍宫及小黄室韦等诸部族皆迁入金上京
会宁府附近地区。同年九月，女真军队平定中京奚部族之复叛者，命其节度
使耶律慎思率诸部降附人户入居女真"内地"。③　天辅七年（1123年）二
月，阿骨打诏令其弟、谙版勃极烈吴乞买曰：

> 郡县今皆抚定，有逃散未降者，已释其罪，更宜招谕之。前后起迁
> 户民，去乡未久，岂无怀土之心？可令所在有司，深加存恤，毋辄有骚
> 动。衣食不足者，官赈贷之。④

女真统治者也明白：天下可以用武取之而理民则不可的道理，所以，曲尽
"存恤"之能事，并且仍然在将大批原辽朝境内人口不断地向女真"内地"
迁徙。金兵攻取燕京后，是年四月，因燕京即将交割北宋，遂"命习古乃、
婆卢火监护常胜军及燕京豪族、工匠"并所属六州人口等，"由松亭关徙之

---

① 《金史》卷2《太祖纪》，中华书局1975年版，第31页。
② 《金史》卷2《太祖纪》，中华书局1975年版，第31页。
③ 《金史》卷2《太祖纪》，中华书局1975年版，第38页。
④ 《金史》卷2《太祖纪》，中华书局1975年版，第40页。

内地"。① 天会元年（1123 年），又命宗望等人"徙迁、润、来、隰四州之民于沈州"。② 同年十一月，因为克复张觉所据南京平山府，

　　　　诏女直人先有附于辽，今复虏获者，悉从其所欲居而复之；其奴婢部曲，昔虽逃背，今能复归者，并听为民。③

这样，通过强制或自愿的移民办法，金朝初期将今河北、山西北部及辽朝故地的原有人口大量迁入东北地区，基本形成了辽东、辽西人口入迁"内地"，而燕京、西京人口再入迁辽东、辽西的分布状态，基本弥补了当时东北地区人口不足的现状，也改变了当时东北地区经济生产比较"荒芜"的景象，推动了古代东北地区社会经济的大规模开发与发展，但其中已包含太多北方民众背井离乡的痛苦。

　　金朝将河北、山西北部等北方地区人口，大规模迁入金源内地的同时，又将在与北宋战争中所俘获和掳掠的大部分河北、河南等中原或南方人口，又序次徙入山西、河北、河南等地安置，依次填补了因北方人口迁徙而呈现出的人口锐减与土地荒芜的现象。

　　但是，综观金朝初期所发生的民族人口大迁徙现象，于此应当指出的是：金初推行的北方民族人口大规模迁徙的政策，结果造成了当时历史上又一次各民族人口的大迁徙和大流动。在这种各族人口大迁徙的过程中，汉族人口的大规模迁徙构成了当时各族人口纷纷北徙的一个重要环节。与此同时，金初统治者在推行民族迁徙政策的过程中，又造成了整个金朝时期大量的女真人口向中原地区反方向迁徙的事实。因此，金朝时期的女真人口大规模地向南迁徙，也同样构成了当时中国北方地区人口大迁徙中重要的一环。根据史料记载，天会十一年（1133 年）秋，

　　　　悉起女真土人，散居汉地，惟金主及将相亲属卫兵之家得留④。

---

① 《金史》卷 2《太祖纪》，中华书局 1975 年版，第 41 页。
② 《金史》卷 3《太宗纪》，中华书局 1975 年版，第 48 页。
③ 《金史》卷 3《太宗纪》，中华书局 1975 年版，第 48 页。
④ 《建炎以来系年要录》卷 68，绍兴三年 9 月条，四库本。

令下之日，比屋连村，屯结而起。①

应当说，这是女真人口大规模南下的开端时刻，以后又接连不断地南下。金朝初期以来所形成的女真人口大规模南下和中原汉族等各族人口大规模北迁的历史事实，构成了金初以来中原及北方地区各民族人口大迁徙的重要内容，也显示出了女真贵族集团实行民族统治的深刻内涵。

皇统元年（1141 年），随着南宋将淮北之地割让于金朝，淮北民户或逃入南宋，或被徙置黄河以北，使淮北、河南地区出现大量的空田。于是，金朝创置屯田军，将女真族猛安谋克人户大量南迁，使女真、契丹、奚人等从北方徙居黄河南、北广阔的中原地带。海陵王迁都燕京之后，又有大量猛安谋克人户被安置在河北、山东等地。到了金朝中期的时候，这些猛安谋克组织已经广泛地分布在北起燕南，南抵淮北的广阔区域之内。根据部分学者统计，金代徙入中原的猛安谋克人口的总数，已经达到 360 万人左右。② 随着金朝猛安谋克组织的社会进化，金朝又对这些南迁的猛安谋克人户，开始实行"计口授田"的政策，使大量南迁的人户落地生根，逐渐融合、演变成为中原土著人口的一员。

因此，金朝推行的各民族人口大迁徙，实际上是对各民族人口原居地域的大调换，这是一种涉及全局的重大举措，它绝不相同于以往历朝历代推行民族人口的局部迁徙方式，体现了金代统治下各民族人口分布的主要特点，客观上造成了汉族、女真族等各民族人口的大杂居的现状，加速了诸民族融合的历史过程，推动了多民族统一国家的历史发展。

三、金朝以猛安谋克组织重编契丹等部族人口

女真人的猛安谋克制度，最初是一个军事组织。女真人生活在白山黑水之间，以部落为单位，由部长（即勃极烈，也称孛堇；部落联盟组织首领则称都勃极烈或都孛堇）统领。在日常生产活动，尤其是狩猎活动中形成了一定的组织形式，称之为猛安谋克。以后，一旦遇有战事发生的时候，各

---

① 宇文懋昭：《大金国志》卷 8《太宗纪》，第 126 页。
② 刘浦江：《金代猛安谋克人口状况研究》，《民族研究》1994 年第 2 期。

部落也都依据从征人数的多寡而分别称之为猛安或谋克。猛安，本女真语"千"，故也译为千户或千人长；谋克，本女真语乡里、邑长、族长之意，后来也被译为百户或百夫长。1114 年，阿骨打发动了宁江州战役之后，完颜氏部落贵族势力迅速壮大，遂以猛安、谋克组织的形式，对已有生女真部落人口重新加以整顿，使之成为一个军政合一的组织系统，而猛安谋克也已经成为各级女真贵族世袭享有的官称。阿骨打规定：诸路女真人户，以 300 户组编为一个谋克，以 10 谋克为一个猛安；从而确立了女真社会组织中的猛安谋克制度。以后随着完颜部实力的不断扩展，也将这种组织形式扩展到了其他女真各部以及归附女真部落的其他民族部落。这样，阿骨打就以猛安、谋克称谓取代了昔日女真部落普遍流行的部长或都部长（即勃极烈或都勃极烈）称号，使得勃极烈或都勃极烈称号成为只有完颜氏贵族或其他高级贵族才能享有的唯一称号，从而达到加强事权和统一女真诸部号令的目的。以后，随着金朝对辽朝战争的节节胜利，猛安谋克制度也被推广到了契丹故地的其他民族部落社会中。

金朝对契丹人口的统治方法，除部分地沿袭了辽朝的部族编制，以节度使、详稳、群牧、乣等组织契丹人口外，更重要的是将猛安谋克制度也原样搬入到契丹人的部落组织之中，在原有的部族基础上对契丹人进行重新改编。金朝不仅对契丹部族进行改编，也对其他各族人口采用猛安谋克组织形式进行改编，只是对契丹人所采用的猛安谋克组织制度，与对其他各族人口所采用的猛安谋克制度相比，在最为基本的编制方面还有着明显的差异。

根据《金史》记载，太祖收国二年（1116 年）五月，克服辽朝东京城之后，

> 东京州县及南路系辽女真皆降。诏除辽法，省税赋，置猛安谋克一如本朝之制。[①]

又据《金史》"兵制"记载：

---

① 《金史》卷 2《太祖纪下》，中华书局 1975 年版，第 29 页。

东京既平，山西继定，内收辽汉之降卒，外籍部卒之健士。尝用辽人讹里野以北部百三十户为一谋克。汉人王六儿以诸州人六十五户为一谋克，王伯龙及高从佑等并领所部为一猛安。

时以奚未平，又置奚路都统司，后改为六部路都统司，以遥辇九营为九猛安隶焉，于上京及泰州凡六处置，每司统五六万人。①

据同书记载，天辅七年（1123 年），攻克辽朝中京城后，抚定奚部，

表请设官镇守，上曰：依东京渤海例置千户、谋克。②

以上所引史料说明，东京渤海人口以及中京奚族人口等，都参照生女真部落猛安谋克组织的基本编制情况，进行了部落人口的重新整编；而对于部分契丹部族人口或契丹化程度较高的汉族人口等，虽然也采取了猛安谋克组织形式的重新整编，但在编制规模上已经有所不同，除了遥辇氏残余九部所置九猛安及王伯龙等猛安人口数目不明以外，其他如讹里野所率领契丹猛安谋克组织则 30 户为谋克、300 户为猛安，王六儿所率领契丹猛安谋克组织则 65 户为谋克、650 户为猛安。可以说，这种状况显示出的具体情况为：契丹人的一个猛安组织也仅仅相当于女真人的一个谋克组织！不仅说明契丹人已经成为金朝政权致力防范的重点，同时，也说明金朝初期以来分别以契丹、渤海、奚及汉人所置猛安谋克组织，都分别拥有其自身的特点；他们虽然也曾以猛安谋克组织形式进行部落编制，但在政治待遇上显然还存在着很多的不同。据《金史》官制记载，汉官之制，自平州人不乐为猛安谋克之官，始置长吏以下，即采取中原地区封建统治形式。天辅七年（1123 年），以左企弓行枢密院于广宁，尚踵辽朝南院之旧风。

至天会二年，平州既平，宗望恐风俗糅杂，民情弗便，乃罢是制。

---

① 《金史》卷 44《兵志·兵制》，中华书局 1975 年版，第 993 页。
② 《金史》卷 66《挞懒传》，中华书局 1975 年版，第 1567 页。

诸部降人但置长吏以下，皆从汉官之号。①

又据《金史》记载，天眷三年（1140 年），熙宗始令罢汉族、渤海猛安谋克制度，皇统五年（1145 年），又诏令罢废辽东汉人、渤海人的猛安谋克承袭制度，从而使汉族和渤海户全部转变为封建制度之下的州县编户。而契丹与奚族的猛安谋克组织则依然存在。

据《建炎以来系年要录》记载，金天会十一年（1133 年），悉起女真猛安谋克，散居汉地。此次大规模的人口迁徙，也包括契丹等原居北方地区的诸民族人口在内。于是，大量的猛安谋克组织开始分布于中原各地，使猛安谋克组织与封建州县制度同时并行、交叉存在，反映了金朝政权的基本社会属性即中原封建制度与游牧封建制度同时并存的历史状态。至熙宗皇统元年（1141 年）以后，金朝继续向中原地区大规模迁徙猛安谋克人口，进行军事屯田时，话就说得比较清楚了：金朝自南宋手中复取"陕西、河南地"之后，"始创屯田军，及女真、奚、契丹之人，皆自本部徙居中州，与百姓杂处"，多者五六万人，少者数千人，皆筑垒于村落间，与当地土著居民共同"杂处"。② 这些随着猛安谋克组织迁徙而来的契丹、奚人、渤海人等，均是以自己隶属的猛安谋克组织结构而徙置中原地区，他们之中的部落贵族，也和女真部落贵族一样，首先开始对部落人口进行盘剥，然后是随着封建化程度的逐渐加深，又在中原地区对土地和人口展开了疯狂的掠夺。如金世宗时期，因为女真等猛安谋克组织普遍呈现出部民贫困和土地数目不足的具体问题，为了解决部民生活和维持统治根基的需要，决定清查中原地区猛安谋克组织的土地数目，然后予以补充。结果清查发现，大多数的良田沃土都已经集中在部落贵族之家的控制之下，例如故太师耨碗温敦思忠之孙长寿等人及其亲属名下 30 余家，竟霸占良田沃土达到 3 000 顷以上。而这个耨碗温敦思忠及其亲属等，就是刚迁入中原地区不久的猛安谋克组织中的上层贵族之家。同样，迁入中原地区的契丹等其他民族猛安谋克组织内部也是如此。但是，这并不代表着所有的契丹猛安谋克组织也都是如此，譬如那些仍

---

① 《金史》卷 44《兵志·兵制》，中华书局 1975 年版，第 993 页。
② 参见宇文懋昭：《大金国志》卷 36《屯田》，第 520 页。

然留在契丹故地的猛安谋克组织，其境遇却与这些迁入中原地区的契丹人大不相同。

金朝海陵王末年，因为留居于北方地区的契丹人，不满女真政权的统治，遂在西北路招讨司小吏、契丹人耶律撒八率领下，击杀金朝官吏、夺取招讨司武器，揭竿而起，发动了声势浩大、范围甚广的契丹等民族大起义，对于金朝统治后方产生重大影响，经过数年的反复征讨之后，最终才被平息下去。但契丹人发动的起义斗争，使金朝统治者愈发将契丹人作为"心腹之患"来看待。金世宗大定三年（1163年），诏令将那些参与叛乱的契丹部落人口，废黜其自身的猛安谋克建制，打乱其户口组编方式，以其民户分别隶属女真猛安谋克组织之内，并择地旷人稀之处予以安置，从而达到分而治之与便于监视的目的。同时，未曾参与叛乱的契丹猛安谋克组织则不在罢废之内；并规定那些已迁至女真猛安谋克之内的契丹人所遗弃下来的土地，允许女真人以及不从乱契丹人迁居。金世宗大定十七年（1177），又诏令凡北方地区所有契丹猛安谋克组织并皆罢废，徙契丹人口安置于女真猛安谋克组织之内，分遣戍边，既想让契丹人为其守边服务，同时也将契丹人置于女真人的"夹防"之中。

金朝自始至终，并未采取将契丹人口放还州县的政策，即使在罢废了留居北方地区的契丹人猛安谋克组织之后，也仍将契丹人口强行迁入女真猛安谋克组织之中，并强制性地推行了使契丹人口完全女真化的统治政策。同时，又将大量的契丹青壮人口徙置北部边疆地区，组建为乣军，帮助金朝戍守边疆。因此，金朝统治时期，契丹人的反抗斗争也接连不断。

第　十　章

金朝初期在内蒙古地区的统治政策

第一节　金朝初期对内蒙古地区的统治策略

一、金朝政治统治制度的变更

金太祖时期，女真政权的统治核心是以阿骨打家族为主，同时又包括了撒改、欢都两大族系在内。此时，女真政权的统治体系，即来自部落联盟时期的都勃极烈制度。勃极烈，本是生女真部落首领的称号，当女真部落结成一个个比较牢固的部落联盟的时候，联盟首领又称之为都勃极烈，意即众勃极烈之首。在阿骨打继任生女真部族节度使之前，就已经建议废除部落首领自称勃极烈或都勃极烈的习惯，将勃极烈称号升华为只有完颜部落联盟最高首领才能独享的称号。因此，女真政权建立之后，阿骨打以猛安谋克制度作为女真部落军政合一的基本组织形态，使原来部落首领的名号一律改为猛安、谋克，将勃极烈（即勃堇、孛堇）称号发展为中央政府的官号与官职机构。1115 年 7 月，阿骨打册封其弟吴乞买为谙版勃极烈（即储君，又称大勃极烈，为国家最高长官），国相撒改为国论勃极烈（即宰相，国论乃国家之意），辞不失为阿买勃极烈（即第一），弟杲（斜也）为国论昃勃极烈（即第二），此四位勃极烈构成朝廷内部核心机构。此外，又有移赉勃极烈（即第三）、乙室勃极烈、迭勃极烈、忽鲁勃极烈等。这些担任勃极烈职务的人，主要都是完颜氏贵族成员，他们基本构成女真政权决策国家大事的主要成员，故史称勃极烈制度或都勃极烈制度，当今学界又称之为贵族议事制度。

金初的勃极烈制度（即贵族议事制度），自天辅元年（1117 年），完颜阿骨打以都勃极烈身份即位为皇帝之后，勃极烈制度也逐渐完善。诸勃极烈作为朝廷最高官职，遇有大事即相与计议，若皇帝与众勃极烈意见不合，便不能擅自决定。这种议事制度带有浓厚的原始军事民主制的色彩，但参与议事的均为部落贵族成员。诸勃极烈共同辅佐皇帝，来参决军国大事、领兵出征或分管工程、外交、历算等等。勃极烈的人选，都主要由皇帝从完颜氏贵族集团中直接选拔。这种统治制度，在金朝初期攻辽灭宋的战争过程中发挥了独到的历史作用，但随着封建君主权力的逐步加强，勃极烈制度也开始显示出自身的缺陷与不足。

金太祖统治时期，主要是"采用本国制度"即女真旧俗来管理新征服的广大地区，甚至在天辅五年（1121 年）的时候，还曾下诏给留守海古水流域（即金源之地）的弟弟谙版勃极烈吴乞买曰：

> 汝惟朕之母弟，义均一体，是用汝贰我国政。凡军事违者，阅实其罪，从宜处之。其余事无大小，一依本朝旧制。[1]

所以，金太宗即位以后，继续推行女真旧制。但是，因为辽、宋故地的相继征服，在政治统治方面也呈现出多种政治体制同时并存的局面。金太宗以谙版勃极烈身份继承帝位，故又委任自己的弟弟完颜杲为谙版勃极烈。同时，除了继续沿用太祖时期创置的各种勃极烈称号之外，又新增加了国论左勃极烈和国论右勃极烈、阿舍勃极烈等，使女真贵族勃极烈议事制度更臻完善。但是，随着金朝统治版图的不断扩大，涌入金朝的各族人口日益增多，尤其是这些新增加人口所分别带来的辽、宋官制的影响，在女真政权内部国家事务处理中也日益发挥重要作用，特别是随着女真封建集权化趋势的日益明显，贵族权力与皇权的冲突与矛盾也日益严重。天会元年（1123 年），金朝取得燕京与西京等地区之后，曾试图对汉族人口照样推行女真族习惯的猛安

---

[1] 《金史》卷 3《太宗纪》，中华书局 1975 年版，第 47 页。

谋克制度，结果遭到平州等地汉族人口的抵制，然后，在平州等汉族人口聚居区改行汉法，延续辽朝南院旧制设置中书省、枢密院于平州，专门用以管理汉族人口。天会三年（1125 年），徙平州枢密院于燕京，实权掌握在东路军帅宗望手中。于是，西路军帅宗翰亦仿此，设置云中枢密院，主持汉地调发租税等军政事务。因此，燕京、山西两路除授汉官皆由军帅承制委任，两路也由此成为明显不同于女真国制而专治一方的独立区域。史称：

> 斡离不、粘罕分道入侵南宋，东路之军斡离不主之，建枢密院于燕山，以刘彦宗主院事。西路之军粘罕主之，建枢密院于云中，以时立爱主院事。国人呼为东朝廷、西朝廷。①

虽然，太宗初期已经出现事权分立的迹象，但封建制度影响也已进入中央政权内部。天会四年（1126 年），金太宗在朝廷机构中，开始设立尚书省以下诸司系统，中央机构始有"汉官"（即中原封建制度）之制，但诸勃极烈仍然是军国大事的主要决策者。天会十三年（1135 年），金太宗病死。于是，女真贵族集团拥立太祖之孙完颜亶即位，是为金熙宗。

金熙宗自幼好尚汉文典籍，颇通儒学，熟悉中原典章礼仪制度。天会十五年（1137 年），当时朝廷内部就如何治理中原问题，发生严重的意见分歧。于是，金熙宗果断地采纳了废黜伪齐傀儡政权的建议，准备与南宋罢战议和。天眷元年（1138 年），金熙宗宣布更名会平州为上京会宁府（今黑龙江阿城县白城子），开始部分地改革女真旧制，主张推行汉官制度。是年，宣布废除原有的勃极烈等女真官号，一律依新定官制换授官号，即汉官名号。这样就通过官号改革而废除了行用已久的勃极烈议事制度，达到了削弱贵族事权、加强君主专制的目的。但是，金熙宗的改革，如限制部落贵族对政事的干预、设置御史台加强皇帝对官吏的控制、严格君臣礼仪和禁卫制度，等等，也导致了女真贵族的怨怼与反抗；同时，将朝廷权力集中在宰相手中，也进一步催化了君权与相权之间的矛盾。

皇统九年（1149 年），女真贵族集团发动宫廷政变，杀死金熙宗，拥立

---

① （宋）宇文懋昭：《大金国志》卷 3《太宗纪》，天会三年十二月条，第 40—41 页。

宗王、平章政事完颜亮为皇帝，史称海陵王。海陵王即位后，改元天德元年，并下诏求直言，开始进一步地推行雷厉风行的官制改革措施。天德二年（1150年），宣布罢黜行台尚书省，废除了自太祖太宗朝以来形成的燕京、西京两个独立行政区域，使地方政令统归于中央。设立枢密院执掌军事事务，但要接受尚书省的节制。次年，下诏修葺燕京城，确定为金朝的新都。贞元元年（1153年），宣布改燕京为中都大兴府，迁都于中都城，废黜上京城。同时，积极选拔和任用契丹、渤海、奚、汉族官吏，有意识地坚决打击女真部落贵族集团内部的政治异己势力，整顿科举制度，使选官制度成为由中央政府统一管理的官制中的一部分。尤其是在金海陵王在位的正隆元年（1156年）的时候，海陵王的官制改革已经基本完成，从而奠定了金朝继续发展的政治基础。因为，海陵王推行的政治改革主要体现在官制改革与迁都中都等方面。所以，历史上将金海陵王时期推行的政治改革措施，称之为"正隆官制"。"正隆官制"对金朝历史发展的直接影响，就在于确立了金朝政治发展的基本体制，它是金朝摆脱女真旧俗影响、走上封建中央集权制轨道的标志。虽然，海陵王个人在金代历史中尚有各种毁誉，但他所制订的官制即政治体制的改革措施，却使女真政权"自后八十年，更不改制"，为金朝在世宗统治时期形成的繁荣发展奠定了良好的政治基础。

二、金朝统治重心的逐渐南移

金代女真人，本来生活于白山黑水之间。天庆四年（1114年），完颜阿骨打率领女真部落起兵反辽，先后攻克宁江州等，在取得一系列胜利之后，建立了女真政权。女真政权的权力中心，仍然设置在完颜部落的故地——海古水流域，即金源之地（今黑龙江省阿城县境内之阿什河畔），史称"金源故地"。金源故地，经过太祖、太宗两代的经营，已经逐渐具有了皇都的气象，当时称之为会平州。但随着金朝政治版图的不断扩大，境内统治各民族人口的不断增加，旧有的猛安谋克制度和贵族勃极烈议事制度的统治，已经不能够适应于新征服地区的统治需要，例如辽南京、西京地区以及广袤的中原北宋地区的政治统治，都亟须作出有效的政治调整。虽然，天辅元年（1117年），金朝设置中书省、枢密院于广宁府，不久，又移置平州，再迁燕京城内，作为管理汉人汉地的主要机构；但是，金朝政治版图内呈现出的两套统治机构并存与民族分布异地而治的政治局面，也推动着女真政权向着封建体制方向的不断靠拢。金太宗天会初年，已经有了会平州的名称，并在事实上开始发挥出都城与政治中心的历史作用。

同时，金太宗时期，随着金朝对宋朝战争的日益吃紧，为了避免往返请示而延误军机，金太宗于天会三年（1125 年），首先允准宗望领置枢密院于燕京，宗翰领置枢密院于云中（即辽西京）。使得宗望、宗翰分别成为经营宋地，独断一方的强大军帅。当时，中原汉族人口将燕京、云中分别称之为东、西朝廷，说明这种行枢密院之制已经与金朝逐渐加强的集权政治产生了裂隙。

天会十三年（1135 年），金熙宗即位之后，首先着手改革女真旧制，宣布在朝廷中设立三师、三公，以三省为最高决策和行政机构，分别以女真贵族为三师、三公并领三省事，取代了原有的诸勃极烈称号，借以剪除勃极烈制在中央政府的消极影响。天眷元年（1138 年），又颁行新的官制，彻底废除了勃极烈制度，在中央政府机构内确立了统一的三省六部制度，将事权收归中央政府。然后，又将会平州更名为上京会宁府，进一步明确了皇都的重要地位。随着中央集权制度的确立，金朝也开始逐步统一地方的行政机构和管理权，结果因为触动了既有的东、西朝廷的利益集团，所以，导致金熙宗朝就过早地出现了朝廷内部党争事件的发生。天会十五年（1137 年），以宗磐为首的女真贵族集团，借助"高庆裔之狱"的发生，借机剪除以宗翰为首的女真贵族集团的政治势力，启用挞懒来主持金朝南面的军政事务，并更名燕京枢密院为行台尚书省，剥夺了宗翰集团的军政权力；废黜西京枢密院，乘机将部分地方事权收归中央。天眷二年（1139 年），宗磐集团又被挞懒等人以"谋反"罪名，予以全部剪除，挞懒成为掌握朝廷大权的主要人物。但是，这种源自内部的政治倾轧和残杀，也抵消了女真贵族集团内部割据势力的继续发展，从而消除了事权统一的基本障碍。皇统八年（1148 年），金朝政权初期阶段的最后一位权臣——宗弼病死，使朝廷内部的党争之祸，至此也戛然而止，为女真封建制度的确立提供了政治基础。

海陵王天德元年（1149 年），海陵王完颜亮发动宫廷政变，取代了熙宗，自立为帝，改元天德，是为金海陵王。海陵王即位后，推行了大刀阔斧的封建化改革，罢领三省事，改置尚书令，位居丞相上，乘机选拔和任用了一批渤海、契丹、奚、汉人地主阶级集团人士，打击和限制了女真贵族的权力。又罢行台尚书省，使地方政令归于朝廷。同时，鉴于上京偏离中原等地，军政协调均有鞭长莫及的不利状况，因此，天德三年（1151年），海陵王以上京会宁府"僻在一隅，官艰于转输，民艰于赴诉"为由，下诏修缮燕京城，准备作为将来国家统治的中心。① 贞元元年（1153年），正式迁都于燕京城。金海陵王迁都燕京城的重要意义，体现为使金朝的政治、经济重心逐渐南移，极大地方便了金朝对全国各地的政治、军事统治，也进一步地推动了女真社会的不断发展。海陵王时期，为了打击女真贵族守旧势力，还宣布取消了会宁府的上京名号。这些，对加快金朝封建化进程，促进经济文化的发展，都产生了重大的历史作用。自此，燕京城成为金朝统治的中心。

自海陵王时期开始，金朝也像辽朝一样，设置并完备了自己的五京制度，即上京会宁府、中都燕山府、东京辽阳府和西京大同府、南京开封府，而其中的东京、西京和燕京（即中都）都曾经是辽代的旧京，说明金朝主要是在继承辽朝政治余绪基础上发展起来的新政权。在金朝统治的初、中期，北方地区的社会经济发展速度，以中都燕山府和西京大同府治下州县的发展程度为最快，这与金朝大规模的徙民措施以及政治中心的南移不无重大的历史关系。以后号称金朝"承平盛世"时期的金世宗朝与金章宗朝，也都维持了海陵王时期所创造的这种政治局面与基本气象。使北方草原地区与金朝政权基本保持了密切的政治联系。

但是，应当指出的是，在金朝晚期，由于金朝统治基础的瓦解和朝廷政治的腐败，致使卫绍王统治时期（1209—1213年），金朝政权就已经难以抵御北方蒙古政权的不断进攻，北方草原地区也相继被蒙古政权所夺取，金朝的心脏地带——中都城，完全暴露在蒙古骑兵弯刀的刀锋之下。因此，金宣宗贞祐二年（1214年），也不得不将金朝的都城南迁至南京开封府，于是，中都城及其以北地区就全部陷落于蒙古政权。从此之后，金朝政权事实上已经陷入于苟延残喘的政治延续之中。

三、金初在今内蒙古地区设置的行政机构

金朝初期，凡与辽朝战争所俘及金军占领区内的归附人口，多被徙置于

---

① 《金史》卷5《海陵王纪》，中华书局1975年版，第97页。

女真内地。以后，随着大规模的民族人口的迁移，辽朝故地也安置了部分人口，女真人也被以猛安谋克建制单位的形式，徙置到辽代初期的山后八州等地。因此，金朝初期也沿袭了辽朝时期以今内蒙古地区为统治重心的做法，对今内蒙古地区进行积极经营和管理。譬如在靠近中原北部的原来辽朝中京地域内，金朝初期仍然沿袭了辽朝中京（后改北京，大定年间降京为路）的京都建制与管理形式，同时，因为此地区的农业经济生产条件相对比较优越，也是北方地区仅次于中原地区的重要农业生产区域之一，因此，金朝也全盘沿袭了辽朝在此区域之内设置的故有的州县建制形式，其主要设置的州府一级行政建制，在今内蒙古境内的有：

中京大定府（后更北京大定府，今内蒙古赤峰市宁城县大明镇古城遗址）；

恩州（今内蒙古赤峰市喀喇沁旗西桥乡东北土城子古城遗址）；

榆州（今辽宁省建平县东北邹家湾古城遗址）；

武安州（今内蒙古赤峰市敖汉旗丰收乡白塔子古城遗址）；

高州（今内蒙古赤峰市元宝山区哈拉木头古城遗址）；

松山州（今内蒙古赤峰市松山区南土城子古城遗址）；等。

由于金朝初期的女真统治者十分重视农业生产，所以，自天辅五年（1121年），金军攻克辽朝中京城之后，金太祖即令人遣使分别告谕各地典兵之官，勿惊扰人民，勿废堕农业种植，甚至还派人为驻守辽中京地区的金军统帅专门送去田种、米粮和牛马等物，以备赈济战争之后新归附地区的流民人口，使其能够迅速恢复农业生产活动。[①] 天会九年（1131年），金太宗又诏令：给新徙戍边户颁发耕牛和种子，同时，告谕各地官吏，凡续迁戍边人户尚在途中者，令各地就地安置，莫妨农时。[②] 应当说，在女真统治者的高度重视下，已经遭受兵火、残破不堪的社会经济生产活动，很快又得到了迅速的恢复和发展，使农业生产条件和生产技术等方面，也因为大量流民和迁徙户口的存在，而得到了进一步的改善和提高。

在今内蒙古境内西辽河上游的辽上京地区，金朝初期的统治者为了招徕

---

① 《金史》卷2《太祖纪》，中华书局1975年版，第36—39页。
② 《金史》卷3《太宗纪》，中华书局1975年版，第63—64页。

契丹等各族人口的归附，曾经在短时间内暂时保留了辽上京的京都地位，当时被改称为北京，但不久便被废黜京号、降为临潢府路。由于辽上京地区基本属于契丹族世代驻牧的牧业生产区域，当地牧业经济的比重要远远超过同时期本地的农业经济生产活动。但是，金朝初期仍然在原来辽上京附近保持了几个州府机构，例如：

临潢府（今内蒙古赤峰市巴林左旗林东镇南古城遗址）；

永州（确切地点无考，应在今内蒙古赤峰市或通辽市境内）；

龙化州（今内蒙古赤峰市敖汉旗东北部与通辽市奈曼旗西北部接壤处西拉木伦河南冲积平原之古城遗址）；

降圣州（今内蒙古赤峰市敖汉旗五十家子乡古城遗址）；

仪坤州（今内蒙古赤峰市敖汉旗新惠镇东北敖音勿苏西南古城遗址）；

庆州（今内蒙古赤峰市巴林右旗索博力嘎苏木古城遗址）；

祖州（曾名奉州，今赤峰市巴林左旗林东镇西南哈达英格古城遗址）；

饶州（今内蒙古赤峰市林西县樱桃沟古城遗址）；

怀州（今内蒙古赤峰市巴林右旗岗根苏木岗岗庙村古城遗址）；

全州（今内蒙古赤峰市翁牛特旗乌丹镇）等。

金朝在大规模地重新组编契丹部落人口和奚族等游牧民族人口的同时，也利用契丹旧有的部族组织形态和群牧组织机构等，"因辽诸抹而置群牧"，例如海陵王天德年间（1149—1153 年），就设置了迪河斡朵群牧、斡里保群牧、蒲速斡群牧、燕恩群牧、兀者群牧，这样 5 个群牧组织。金世宗时，又于临潢（即上京）、泰州分置群牧，增为 9 个群牧组织。至大定二十八年（1188 年），群牧马数达到 47 万匹，牛 13 万头，驼 4 000 峰，羊 87 万只。因此，金朝中期对于原辽上京道区域内的州县等，除照顾到一定的经济发展利益之外，其余的州县城则一概罢废，或降为县邑，或与周边州县合并。但是，原辽上京地区的某些州城，在金朝统治时期，也仍然起到了与各地经济文化交往中繁华通衢的作用，如临潢府，金代仍称"西楼"，是佛教、道教文化发展的重要区域，现今出土的金代《曹道士碑》刻石，就证明了这一点。而且，上京道的庆州等地，仍是与北方经济贸易的枢纽，被金朝辟为与北方蒙古部落从事经贸活动的榷场。

辽代的西京地区，主要控制漠南的广阔区域。辽代的突吕不部落等就曾驻牧在阴山西段，金朝对漠南的契丹等游牧人口均以猛安谋克组织进行整编之后，又将他们分别派遣到各地，或驻守或戍边，余下的也被编为乣军或组建为新的群牧组织。据《金史》地理志记载，金西京道以契丹人组建的群牧，经过金中期的发展和调整，到金末已经拥有 12 处，即：

斡独宛群牧，大定四年（1164 年），改为斡睹只群牧；

蒲速斡群牧，本斡睹只地，大定七年（1167 年），分置；

耶鲁宛群牧；

乣斡群牧；

欧里本群牧；

乌展群牧；

特满群牧，世宗时置于桓州金莲川；

忒恩群牧，世宗时置忒恩群牧于金莲川；

驼驼都群牧；

蒲鲜群牧，章宗承安五年（1200 年）七月，始置蒲思衍群牧。

此外，金朝在对漠南、山西人口采取大规模迁徙之后，很快又移置其他各民族人口补充了当地人口数量的不足。在金代统治时期内，西京道经济文化的发展几乎超过了辽朝时期。因此，金朝在漠南地区的统治，除了沿袭辽代州县建置外，也有新的创置。设置于今内蒙古中西部境内的州府机构主要有：

昌州（今内蒙古锡林郭勒盟太仆寺旗九连城古城遗址）；

桓州（今内蒙古锡林郭勒盟正蓝旗北四郎城古城遗址）；

净州（今内蒙古乌兰察布市四子王旗城卜子古城遗址）；

燕子城（今河北省张北县北，即金代抚州）；

北羊城（即辽代炭山羊城，今滦河上游沽源县南境）；

辖里尼要（即狗泊，今内蒙古锡林郭勒盟太仆寺旗九连城淖尔）；

丰州（今内蒙古呼和浩特市东白塔子古城遗址）；

云内州（今内蒙古包头市托克托县东北古城遗址）；

德州（今内蒙古凉城县麦胡图西北古城遗址）；

金肃军（今内蒙古达拉特旗耳字壕东南古城遗址）；

西平军（今内蒙古准格尔旗纳林北古城遗址）；

宁边州（今内蒙古清水河县西南城湾梁古城遗址）；

东胜州（今内蒙古托克托县）。

从而构成了金朝在漠南地区完整的行政统治体系。同时，金朝统治者也沿袭了辽代设置的西南、西北二路招讨司建制，所辖地域和部族同辽代的规模稍有差别，尤其是金朝与漠北诸部的联系不如辽代那样密切。

第二节　金朝前期的漠南和漠北地区

一、辽朝灭亡前后漠北地区的基本情况

金太祖天辅六年（辽朝保大二年，1122 年）正月至三月，辽天祚皇帝在中京失守与女真部族军随后猛追的情况下，顾不上考虑南京析津府与西京大同府的安危与防御，自鸳鸯泊（即今河北省张北县境内安固里淖）北幸白水泊（即今内蒙古乌兰察布市察哈尔右翼前旗境内之黄旗海），又北幸夹山（即今内蒙古阴山中段）。结果导致耶律淳于南京自立，尚未被女真军队攻占的辽南京、西京两道所属州府，皆奉耶律淳北辽政令。于是，"天祚所有，沙漠以北，西南、西北路两都招讨府、诸蕃部族而已。"① 由此开始，漠北诸蕃族部落也纷纷卷入辽、金双方日益激烈的战争中来。

同年四月，辽朝西南面招讨使耶律佛顶在女真军队的强大压力之下，率领云内、宁边、东胜诸州投降女真政权。西京大同府也被女真军队攻陷。从此，辽朝漠南地区所有州县基本全部陷没于女真政权。于是，天祚皇帝遂向北转移至漠北讹莎烈地方，这是因为当时阴山室韦诸部中的谟葛失部落，主动向天祚皇帝及其从行人员奉献马匹以及提供驮载的骆驼和大量的食羊等；也因当时阴山以北地区尚未遭到女真军队的攻击，这就为天祚皇帝及其从行官兵等提供了一个相对稳定的休整地点。所以，天祚皇帝退守到了漠北地区。同年六月，天祚皇帝命令都统耶律马哥率领部分从行军队，南出阴山附近的沤里谨地方，收集流散官兵、聚集于沤里谨地区。同时，征召驻守阴山西端的契丹突吕不部落和驻守漠北地区的镇州、西北路招讨司兵马，会集起

---

① 《辽史》卷 29《天祚皇帝纪三》，中华书局 1974 年版，第 344 页。

一支5万人的骑兵队伍。天祚皇帝又传檄漠南及燕京、西京地区，相约以本年八月中秋，大举收复燕京地区，其目的在于重新唤起燕京及西京地区契丹官民的斗志。于是，原西京道归化、奉圣、蔚州等地军民，遂复婴城固守，以待天祚。谟葛失部落骑兵奉命进入阴山以南，主动出击女真军队。西夏援军也东渡黄河，进入阴山以南故天德军城附近。天祚皇帝则率从行军兵进驻耶律马哥军中，期望三路共举，能够驱逐女真军队退归燕山以东，首先恢复辽朝对南京析津府、西京大同府的原有统治局面。结果因为部署不当，三路大军又缺乏相互策应与保护，所以，六月末，女真军队在迅速击溃谟葛失部落骑兵、俘虏其统帅陀古（谟葛失首领之子）与勇将阿敌音于洪灰水附近之后，立即挥师西进，击溃西夏军队于野谷。①至此，天祚皇帝三路大军会攻漠南计划，被女真军队彻底粉碎。是年八月，天祚皇帝所在之耶律马哥军队，又突然遭遇女真军队于石辇铎，并被女真军队击溃，天祚皇帝率领残余官兵再次退回漠北地区。同年九月，漠北敌烈部落发动叛乱，都统耶律马哥率领军队讨平之。是年底，女真军队攻占南京析津府，天祚皇帝率领从行官兵由扫里关北上契丹四部族之地。

金天辅七年（辽保大三年，1123年）二月，耶律淳妻萧德妃等人率领残余军兵，来归天祚皇帝于漠北，遂诛萧德妃，尽释其余党之罪不问。于是，天祚皇帝率军出居云内州（今内蒙古托克托县东北）南部。同年四月，设置于青冢附近的天祚皇帝行宫，又遭到金军袭击，官署、大臣、王公、妃主及随军辎重损失殆尽。于是，军将耶律敌烈等人遂脱离天祚皇帝、挟持梁王雅里北走大漠，重新建立辽朝政权，史称后辽。天祚皇帝遂西渡黄河、入居辽朝金肃军城内。不久，耶律大石又率残部来归，天祚皇帝遂率从行军兵，东渡黄河，入居契丹突吕不部落，重新招抚漠北诸蕃部族，积蓄力量。于是，后辽政权崩溃，天祚势力重新振作。次年正月，耶律马哥所部遭到金军攻击，马哥本人被俘，天祚皇帝唯一从行军兵全部瓦解。此时，恰好阴山室韦谟葛失部落派人迎接天祚皇帝北上，并进献途中所需马匹、骆驼和食羊等物，随后，谟葛失部落得知天祚皇帝从行官兵遭到金军攻击之后，部落首领亲自率领部落军兵前来迎接天祚皇帝。由于天祚从行禁军尽失，于是，谟

---

① 《辽史》卷29《天祚皇帝纪三》，中华书局1974年版，第345页。

葛失部落首领亲自率部民担当其防卫职责，一路历尽艰辛，直到抵达乌古敌烈部落之后，从行人员才解决食物问题。这个谟葛失（或作毛割石）部落，其实就是后世的蒙古部落，而《辽史》中导致谟葛失部落首领名字无存，大约就是元朝修史的直接"隐讳"的缘故。史书记载：

> 天祚既得林牙耶律大石兵归，又得阴山室韦谟葛失兵，自谓得天助。①

所以，封授谟葛失部落首领为"神于越王"，大约也就是因此缘故。从中不难看出阴山室韦暨谟葛失部落，在天祚皇帝试图复国过程中的重要作用！

是时，漠北强部乌古、敌烈部落，自天庆年间（1111—1120 年）以来，数次反叛辽朝统治。于是，天祚皇帝任命熟悉边事的耶律棠古为乌古部节度使，予以镇压与招抚。史称：棠古莅任之后，

> 至部，谕降之。遂出私财及发富民积，以振其困乏，部民大悦，加镇国上将军。②

乌古部落的局势基本被耶律棠古稳定下来。因此，天祚皇帝保大二年（1122 年），北幸讹莎烈地方的时候，作为乌古部落最高行政与军事机构长官的耶律棠古，对于天祚皇帝军事力量的复兴也作出了积极的贡献。史称：

> 明年（即保大二年——笔者），天祚出奔（即北幸讹莎烈——笔者），棠古谒于倒塌岭，为上流涕，上慰止之，复拜乌古部节度使。及至部，敌烈以五千人来攻，棠古率家奴击破之，加太子太傅。③

《辽史》中又记载，此次敌烈部发动的叛乱，实际是由敌烈皮室部所发动而

---

① 《辽史》卷 29《天祚皇帝纪三》，中华书局 1974 年版，第 349 页。
② 《辽史》卷 100《耶律棠古传》，中华书局 1974 年版，第 1427 页。
③ 《辽史》卷 100《耶律棠古传》，中华书局 1974 年版，第 1427—1428 页。

非敌烈部，所谓"敌烈皮室"乃辽朝所置部族军之一，故《天祚皇帝纪》记载：

> ［保大二年］秋七月丁巳朔，敌烈部皮室叛，乌古部节度使耶律棠古讨平之，加太子太保。①

乌古、敌烈部落自辽朝初年以来，就被辽朝所征服，但终辽一代反叛辽朝统治的斗争也从来没有止息过，只是到了辽道宗朝末期，乌古敌烈部落因为实力逐渐被削弱，部众也遭到辽朝的分割与迁徙，开始成为替代契丹人戍防北方阻卜诸部的主要力量。因此，辽朝末年统治危机出现之后，乌古敌烈部落也不失时机地试图摆脱辽朝的统治，但是，先后发生于天庆、保大年间的反抗行动，都被辽朝大臣耶律棠古镇压下去，从而基本确保了辽朝漠北统治秩序的继续维持。

在辽朝统治时期内，漠北地区广泛分布的室韦鞑靼族系成员，即《辽史》里记载的阻卜诸部，此时，仍然处于辽朝西北路招讨司的严密控制之下；由于辽朝在漠北地区列置以镇州为核心，以维、防、招三州为外围的军事防御体系，也有效地达到了分割阻卜诸部的基本目的。所以，辽朝末年的时候，在漠北阻卜诸部的基本活动范围内，已经出现了所谓"七州十八部"的藩属集团，即：

> 威武、崇德、会蕃、新、大林、紫河、驼等七州及大黄室韦、敌剌、王纪剌、茶赤剌、也喜、鼻古德、尼剌、达剌乖、达密里、密儿纪、合主、乌古里、阻卜、普速完、唐古、忽母思、奚的、纠而毕十八部王众。②

这里所记载的威武、崇德、会蕃、紫河等七州名称，是以前《辽史》里所没有记载的新资料，估计应该是天祚朝初期，出于加强漠北地区民族统治需

---

① 《辽史》卷29《天祚皇帝纪三》，中华书局1974年版，第345页。
② 《辽史》卷30《天祚皇帝纪四》附耶律大石事迹，中华书局1974年版，第355页。

要而新设置的七个羁縻州性质的漠北州县组织机构，其人员组成就应该是生活于漠北地区的室韦鞑靼人口（即阻卜诸部），他们都主要分布在辽朝漠北镇州附近，是倒塌岭统军司至镇州之间的一个过渡区域。而所谓"十八部王众"的区域分布，也不会距离镇州等地过远，其中"敌剌"即"迭剌、敌烈"之异译，"普速完"乃辽朝诸帝后斡鲁朵名号即相当于部族组织的契丹部落之一，说明辽朝在加强漠北地区控制的同时，也有意识地将部分契丹部落安插在漠北地区。这些漠北部落在天祚、雅里、耶律大石相继进行的政权重建过程中，都作出了相当重要的历史贡献。

二、蒙古的族称及其起源

蒙古族的族称，最早见于唐代的历史记载中，只不过它的名字在《旧唐书》中被写作"蒙兀"①，而在唐代的史料中又被写作"蒙瓦"；② 其实，"蒙兀"与"蒙瓦"，均为对"蒙兀儿"或"忙豁勒"全称的节译，乃史籍中不同阶段对相同名字的不同转译形式。当时，蒙兀部作为唐代众多室韦人部落中的一个，既是室韦部落之一（那时还不能称之为蒙古族），也是历史上"蒙古"一名最早见于史籍记载的时代。那么，后来为什么就将蒙古族称为"蒙古"的呢？关于这个问题，著名北方民族史专家孟广耀先生认为：诚如洪钧、屠寄、王国维等人所指出的那样，"蒙古"的正确读音应该是"蒙兀勒"，而它的正确写法则应是"忙豁勒"，而所以会出现"蒙古"这个专用的汉译名词，也是有其特殊的历史原因的。第一，唐代出现的汉译名字"蒙兀"，基本是当时两种语言直接交流、翻译的结果，并且在两种语言的名词对译中，已经存在着"语文脱节"的现象。第二，辽代称之为萌古、蒇劫子等，金代称之为盲骨子、朦辅等，而汉译名词"蒙古"本身就具有契丹语言、女真语言的直接影响。第三，成吉思汗时期与金朝、南宋的往来文书等，大多都使用汉文字书写。而使用汉文字书写这些往来公文的具体工作，都主要是由那些从金朝而来的"叛亡降附之臣"来完成，于是，他们就习惯地使用由女真语重译出的"蒙古"一词，并且随着时间的进展也就

---

① 《旧唐书》卷199（下）《室韦传》，中华书局1975年版，第5356—5358页。
② 古代史料多为译音且无定字，故早期"蒙古"名译写方式亦多。

逐渐地约定俗成了。这就是以蒙古人自己的称谓而翻译出来的族称——蒙古一名的基本来历。同时，这也是"蒙古"一词，还与蒙古语或蒙古文存在着很大距离的真正原因。①

蒙古族直接起源于唐朝时期室韦集团中的"蒙兀（蒙瓦）室韦"部落，已经是无须争议的问题。但是，唐朝时期的室韦部落却是一个族源关系复杂的部落群团。虽然，根据《魏书》《隋书》和《北史》的记载，契丹与室韦本为同类，"在南者曰契丹，在北者曰室韦"。似乎契丹与室韦之间，也仅存在具体分布区域的差别而已，但是，此时记载的室韦人还只是一个仅有5个氏族群体的部落集团，这或许同出身于东部鲜卑系统（即古东胡族系）的契丹人之间存在很多的亲缘关系。可是，到了唐朝中期的时候或者更确切地说8世纪前期，突厥碑文已经有室韦三十部的记载了。② 碑文所称"三十姓达怛"其实即三十部室韦。前后百年的时间内，室韦部落得到如此迅速的发展，表明其已经吸收诸多鞑靼、突厥族系氏族与部落的加入。因此，自古以来就有室韦出于鞑靼、达怛出于沙陀的说法，③ 这些说法恐怕不是空穴来风，还是有那么一丝丝的痕迹的。唐代的蒙兀室韦部落，居住于今内蒙古呼伦贝尔市境内额尔古纳河流域，从事畜牧与渔猎兼营的经济生产生活方式，其畜群以马、牛为主，无羊或数量较少，但不排除猪在经济生活中的重要地位。唐朝官方史料把包括蒙兀室韦在内的室韦部落，统统称之为室韦人。而同时期的突厥语资料（即古突厥碑文）则将它们称之为"达怛"。而且，这两种来自不同民族方面的自称与他称，很长历史时期内曾经被人们经常交相使用。对于这种独特的历史现象，亦邻真先生提出："［我们］有理由把这两个名称连接起来使用，称为室韦—达怛人。"④ 大约在8—9世纪前后，已经相继有部分室韦—达怛人，陆续离开大兴安岭东端他们世代生活的原居地，向西迁徙，逐渐进入土兀拉河与鄂尔浑河流域。9世纪初期也已经

---

① 孟广耀：《蒙古民族通史》第1卷，内蒙古大学出版社2002年版，第35—37页。

② 《阙特勤碑》与《毗伽可汗碑》，林幹：《突厥史》，内蒙古人民出版社1988年版，第241—244、253—272页。

③ 《旧唐书》卷199（下）《室韦传》，中华书局1975年版，第5356—5358页；《新五代史》卷75《四夷附录第三·达怛》，中华书局1974年版，第911页。

④ 亦邻真：《中国北方民族与蒙古族族源》，《内蒙古大学学报》1979年第3—4期合刊。

有部分室韦—达怛人陆续来到幽州塞外。9 世纪中期，回鹘汗国的彻底崩溃，完全敞开了室韦—达怛人向西迁徙的大门，从此开始，室韦—达怛人如决堤之水般地涌向漠北草原地区，并很快就成为漠北草原的主人。蒙兀室韦部落的西迁，大约是在较早的时间就开始的，据古波斯史学家拉施特丁关于成吉思汗祖先事迹的记载中，曾经提到：

> 虽然没有确切的年代，但［这个氏族］大约经历了四百年，因为根据收藏在［汗的］金匮中的史册各篇中的内容及阅历丰富的老年人的谈话，可得知如下事实：他们在阿拔思朝哈里发国初期及萨曼朝统治时代直到现在，一直都是统治者。①

阿拔思朝的存在时间是公元 750—1258 年；萨曼朝，即著名的大食王朝，它存在的时间是公元 819—999 年。那么，蒙兀室韦大约也正是在公元 750 年前后，逐渐迁徙到了漠北草原的三河源头（斡难河、土兀拉河与克鲁伦河）之地，并在那里居住下来与仍留存当地的其他部落人口融合在一起，进而形成了一支崭新的游牧部落集团。

三、蒙古族诸部的兴起

蒙兀室韦，原来居住在也里古纳河（今额尔古纳河）流域，自 9—11 世纪不断地西迁，最后到达了今鄂嫩河、克鲁伦河和土拉河三河上源一带，同当地故有的土著部族融合起来，至迟在 12 世纪初的时候，蒙兀室韦已经在这里最终经过部落的分解与组合，形成了尼鲁温蒙古和迭儿列斤蒙古这两大分支。尼鲁温，乃原蒙古语，意为"出身纯洁的人"。据说尼鲁温蒙古都是出自成吉思汗十世祖阿兰豁阿的后裔，她包括了众多的氏族和部落。成吉思汗出身的孛儿只斤氏（部）即是其中之一，并驻牧在不儿罕山（今蒙古国肯特山）附近。大约自 9 世纪末到 10 世纪初，生活在蒙古高原的蒙古各部，已经打破了故有的血缘关系的纽带，并以地缘关系为主建立和编组起了

---

① ［波斯］拉施特丁：《史集》第 1 卷第 2 分册，余大钧、周建奇译，商务印书馆 1983 年版，第 5 页。

新的部落关系和氏族组织。部落之间的掠夺战争，成为蒙古各部的部落组织和氏族结构不断膨大或衰亡的原因。在10世纪末到11世纪初，尼鲁温蒙古中出现了好几位拥有辽王朝赐予的"详稳"（或"桑昆"）头衔的部落首领，说明他们与辽王朝建立了密切的联系。在尼鲁温蒙古之外，还有一些蒙古人，他们不是阿兰豁阿的后裔，被称为迭儿列斤蒙古，意即一般的蒙古人，他们同尼鲁温之间可以通婚。迭儿列斤蒙古也包括了众多的部落和氏族，如弘吉剌、兀良合、亦乞列思、晃火坛、撒勒只兀惕、合答斤等。在金朝统治的时期，蒙古诸部已经拥有了一个松散的联盟，像弘吉剌、撒勒只兀惕、合答斤等这些小部落也已经很强悍了。

此外，当时还有许多与蒙古部落一样起源于室韦—达怛系统的部族，他们也是后来形成的蒙古族的重要组成。在这些部落中，较为著名的有以下几支：

札剌亦儿部，在辽代已成为强大的部落，拥有哲惕等十个分支。他们游牧在斡难河流域，曾是辽末阻卜诸部共同叛辽的主力，在辽朝平叛中，札剌亦儿部受到重创。辽朝在其驻牧区域，置札剌部节度使司进行管理。12世纪时，这个部落开始衰落，后被蒙古诸部所融合。

塔塔儿部，在辽代已是强大部落。辽末阻卜诸部叛辽时，塔塔儿部是主要参加者。金代，塔塔儿驻牧贝加尔湖周围，是个人口众多、势力雄强的大部。后在金朝的打击下衰弱，被成吉思汗所灭。

蔑儿乞部，辽代称梅里急、金朝称梅古悉。辽末也是一个强大的部落，势力曾南达阴山。金代仍是个强部，驻牧于色楞格河流域。后来，也被成吉思汗所灭。

外剌部，在叶尼塞河上源。成吉思汗兴起后，举部归附。

此外，还有3个带有浓烈的突厥影响而最终也融入蒙古部族中的部落，即：

克烈部，即辽代的北阻卜，占据了回鹘汗庭周围的广阔牧场。辽末已开始信奉景教，部长磨古斯曾是阻卜叛辽的渠首。金朝时仍为强部，后为成吉思汗所灭。

乃蛮部，辽称粘八葛，金称粘八恩，也是一个信奉景教的部族。驻牧在额尔齐斯河至和林间的广阔区域，后被成吉思汗所灭。

汪古部，辽称阴山室韦、阴山达怛，金称白达怛，后来归附蒙古汗国。

辽金时期，蒙古高原各部是形成蒙古民族的基本成员，但其社会发展的状况极不平衡。虽然，绝大部分人口已经从原始的形态进入了草原游牧的经济生活方式，即《元朝秘史》中所说的"有毛毡帐裙的百姓"。但也有少数部落仍生活在相对原始的森林狩猎阶段，即《元朝秘史》所说的"林木中百姓"。只有居住在最南边的汪古部，经济发展水平最高，已是农牧兼营的状态。

大约到11世纪末，绝大多数的蒙古部落已完成了自身的社会过渡，在部落组织中出现了"那颜（即官人）"和"哈剌抽（即平民）"、"别乞（即长老、贵人）"、"伯颜（即富人）"和"牙当吉（即穷人）"、"孛斡勒（即奴隶）"。特别是身为贵族的"别乞"、"那颜"阶层，控制了部落内部的领导权，部落首领的充任要通过他们召开的"忽里勒台"选举才能产生。同时，部落贵族的身边还聚拢了一批为其效力的勇士，称"那可儿"，汉译"伴当"，名义上是贵族私人的随卫，但数目过多就成为私人武装力量。这一切，标志着贵族阶层已成为凌驾于普通部民之上的统治机构的代言人，在他们不断进行的掠夺战争中使个人的权力不断膨胀；在他们同辽金政权的不断往来和接受官封的过程中，促使部落间结成日益牢固的联盟；而联盟组织的形成，便促使"汗"的称号出现和推动着汗权的不断发展。成吉思汗的三世祖合不勒汗时，就建立了蒙古部落的大联盟，享有了汗的称号。此后，蒙古部的汗号，便始终在孛儿只斤家族中产生。

在12世纪初，蒙古高原各部之间，已结成了十几个较大的部落联盟组织，使蒙古高原呈现了日益清晰的统一发展的趋势，相继出现了像合不勒汗、俺巴孩汗、忽图汗这样著名的历史人物，和由他们相继领导建立的较大规模的部落联盟（统一）组织。到12世纪末，原来蒙古高原部落林立的局面，已经发展兼并为分疆对峙的蒙古、塔塔儿、克烈、蔑儿乞、乃蛮5个大的部落。这5个部落之间，相互仇杀，战火绵延，正如《元朝秘史》在开篇中所说："天下扰攘，互相攻劫，人不安生"。但也预示着蒙古高原上一种从未有过的空前大统一的即将到来。

第三节　金朝前期的民族统治政策

一、金朝前期的民族统治政策

女真族建国初期，盛行部族奴隶制度。女真社会的奴隶，以部落社会的罪犯及部落贫民沦为债务奴隶为主，但随着金朝对辽宋战争的胜利，战俘已经成为奴隶的主要来源。因此，金朝前期，女真人的社会生产中广泛地使用奴隶，奴隶基本成为社会生产的主要承担者。许多女真贵族之家都动辄拥有成百上千或者逾以万数的奴隶，作为其家庭和社会生产的主要劳动力。金世宗在未即帝位之前，其家中就已经拥有从事各种生产、生活服务的奴隶万余人，即使普通的女真贵族家庭拥有的奴隶数目，一般也都保持在以千、百数计的水准之上。如此庞大的奴隶阶层的客观存在，直到金朝灭亡前夕，这种现象也没有发生太大的社会改变。但是，随着金朝统治者出于"长治久安"统治的需要，在对被占领区内各民族人口普遍实行南北大迁移的同时，客观上也造成了女真、汉族及渤海、契丹等各族人口大杂居的历史现状，不但使金朝境内的社会经济结构显得十分复杂，也使阶级关系和民族关系更加复杂化。因此，女真族作为金朝统治的主体民族，致使金朝的民族统治政策与以前的辽朝相比，就更具有十分明显的民族歧视的倾向。

如前揭金初对契丹、渤海、奚、汉等各民族人口，完全依照猛安谋克制度进行组编时，就表示出了不同的标准和待遇条件。例如金初攻克辽中京地区之后，奚王回离保与契丹遥辇氏昭古牙，皆率所部抵抗金军，奚王回离保直到战死，而昭古牙独力难支之际，被迫投降金军。金朝政权又是怎样对待他们的余部的呢？据《挞懒传》记载，

　　其后抚定奚部及分南路边界，表请设官镇守。上曰："依东京渤海列置千户、谋克。"……遥辇昭古牙部族在建州，斜野击走之，获其妻孥及官豪之族。……又降遥辇二部，再破兴中兵，降建州官属，得山砦二十，村堡五百八十。阿忽复败昭古牙，降其官民尤多。昭古牙势蹙来降，兴中、建州皆平。……挞懒请以遥辇九营为九猛安。上以夺邻有功，使领

四猛安，昭古牙仍为亲管猛安。五猛安之都帅，命挞懒择人授之。①

也就是说，身为奚六部路都统的挞懒，对于管辖区内的奚族与契丹遥辇氏部族的统治策略，却采取了截然不同的两种方式，即对奚族六部采取一如东京渤海人，也就是生女真部落的猛安谋克组织管理程式，进行部落组织千户、百户的重新组编形式，基本给予了与女真部落同样待遇。而对遥辇氏部族的整编方式，则是虽然以原有九营为主整编为九猛安，但不仅谋克组织户数大幅降低，而且将昭古牙家族所在猛安组织直接上升为"亲管猛安"，也就是隶属皇帝个人所有的私属部落组织，同时还将其中四猛安封赏给女真贵族夺邻为部属，其余猛安组织则赏赐给挞懒"择人主之"，既是将遥辇氏部族作为女真贵族的战利品，也是将遥辇氏部族置于部族奴隶的地位。所以，遥辇氏部族与奚部族的编制程序和待遇条件等都是截然不同的。

金朝统治时期，女真族是享有社会地位最高的统治民族，在这个意义上，所有政治、经济事务等都要统统让位于女真民族。一般而论，女真、渤海、奚、契丹与汉族之间，这是一个因社会地位排列而构成的民族等次或者社会序列关系，其中，汉族中又被划分出"北人"与"南人"之分。"北人"即主要是指原来辽朝境内的汉人，"南人"则主要是指原来北宋境内的汉族人口。虽然，金朝统治时期也往往将南宋境内的人口称之为"南人"，但其意义则是指南宋人口（也就是蒙古族语言所说的"南家思"）。所以，此"南人"与彼"南人"的意义也是有所不同。其后，随着契丹人起义不断发生，因此作为北人的汉族人口的社会地位也超过了契丹族，但女真族的崇高地位则是始终没有改变的。金章宗朝时，更明确规定："禁称本朝人及本朝言语为'蕃'，违者杖之。"② 同时，还规定凡金朝境内的人口分称为：本户（女真户）、汉户、契丹户及杂户③等，从而使女真民族的社会主体意识更加明显。因此，金代女真人始终享有独一无二的社会地位，始终都是金朝政治统治的中坚力量。他们拥有至高无上的法律地位，甚至规定汉人官员

---

①　《金史》卷77《挞懒传》，中华书局1974年版，第1763页。
②　《金史》卷9《章宗纪》，中华书局1975年版，第218页。
③　《金史》卷46《食货志》，中华书局1975年版，第1028页。

与女真部民发生法律纠纷的时候，不需查问双方各自的诉状或陈诉，汉族官员一律要遭受"解职"的惩罚。而在社会经济地位上，凡是女真部民都一律由国家分配给土地，即使女真部民一旦失去了土地，政府也一律要及时予以分配或补偿；这是只有女真人口才能享受的经济待遇。其他民族人口则否。同时，尽管女真部民由国家分配给土地，但女真部民只须承担轻微的税额（即源于部落自助或自救原则的"义仓"制度），并不承担向国家缴纳赋税的义务；而其他民族人口则一律要依照两税法的基本规定纳税，而且国家也并不负责这些社会人口的土地分配。可以说，这些制度已经从各个方面确保了女真族完全居于金朝境内各民族之上的统治民族地位。

金初推行的民族统治政策中，还存在着各民族之间关系上的不平等的待遇。众所周知，民族等级的存在是民族歧视政策的明显特征，如元朝的四等人制，实际是严重的民族压迫行为，而金朝也是如此。据《燕云录》记载，金朝凡涉及军政财权的要务，"先用女真，次渤海，次契丹、次汉儿"。这种民族之间等级上的差别，在南宋人的奉使见闻中也留下了记录。南宋绍兴年间（1131—1162 年），陈康伯使金，"有李愈少卿者来迓客，自言汉儿也，云：'女真、契丹、奚皆同朝，只汉儿不好。北人指曰汉儿，南人却骂作番人'"。应当指出的是，这里所说的"汉儿"，是指原辽朝境内的汉族人口。金灭北宋后，俘掠的北宋境内的汉族人口被称为"南人"，其地位更不如"汉儿"。但大体上说来，金初推行的分别种群或地域的民族等级政策，使金初境内人口的排序方式为：女真、渤海、契丹（奚）、汉儿和南人，这也是金初民族统治的鲜明特点。

金朝推行的民族等级制度，在金代中晚期发生了大规模的调整。首先是金朝封建化进程的日益深刻，使统治者不得不正视人口数目众多且生产方式先进的汉族的存在。其次是金代初期以来政治斗争的翻覆和民族矛盾的激化，已使旧有的政治统治秩序七零八落，迫切需要重新确立和维护女真人统治的政治局面。在金朝统治的初期，虽然"汉儿"与"南人"都要通过科举的形式入仕，但选拔的方式、录取的人数、任职的品级上都存在着严重的不同。海陵王贞元二年（1154 年），诏令合并南北选，使"南人"与"汉儿"享有同等的入仕机会和条件，标志着民族界限的局部突破和南人社会地位的上升。金世宗大定年间（1161—1189 年），因为契丹曾掀起大规模的反叛，奚族也加入反叛行列之中，致使契丹和奚人的社会地位与金初相比迅速衰微，失去了政治上的优势以及与汉族人口相比的民族待遇上的优势。金世宗更谆谆嘱告后人，契丹与我女真本非一类！导致自此以后，契丹和奚人等被金朝统治者打入了"另类"，使金中期以后契丹与女真的矛盾日益激化，终于使契丹人在颠覆金朝政权的过程中发挥了重大作用。

女真人和渤海人的政治联盟的局面，在金初确定的民族等级政策中已经形成，并在海陵王时期（1149—1161 年在位）和金世宗时期（1161—1189 年在位），渤海人的政治势力达到了鼎盛的发展阶段，渤海大氏、张氏、李氏三大右姓跻身朝廷显位，发挥着重大的政治影响。但由于渤海政治集团在金世宗末年卷入了宫廷斗争之中，1190 年金章宗即位，使渤海人一败涂地，从此一蹶不振，再也得不到金朝统治者的信任和关爱。

总的来说，由于金朝封建化程度的加深和大规模的民族融合局面的形成，使得金初形成的民族歧视倾向、严重的等级关系，在金朝中晚期逐渐崩溃。但直到金朝灭亡，女真统治者也未将其根除，女真族也一直享受着独一无二的优越地位，并在社会政治经济各个领域中对其他民族人口进行恣意的压迫和剥削。所以，金代的民族统治政策，一言以蔽之，是推行民族间不平等的民族压迫政策。

二、北方地区的稳定与金朝内部的斗争

金朝内部，不仅集中了诸多的民族成分，也集中了诸多发展程度互不相同的经济区域，譬如女真、契丹、汉族以及其他民族人口之间，事实存在的社会发展程度的巨大差异，还有女真故地与辽、宋故地之间所存在的经济生产生活方式的具体差异等等，都是刚刚建立的金朝政权急需解决的基本问题，但是，金朝女真政权只是在坚持"本国旧制"的前提下，参酌辽宋故制，实行了程度不同的改革措施。所以，从金朝政权建立之日起，社会矛盾的积聚也随着时间的延长而日益激烈。

金朝政权，是一个凭借着武力强盛而建立的强大的民族政权，故民族问题也始终是其最为敏感的社会问题之一。譬如耶律余睹反叛金朝以及契丹等民族的不断反抗，使金朝的民族矛盾自其建立之日起也日益激烈。这是因为女真贵族统治者的基本治国理念，就是从其部族治理的根基繁衍发展起来

的。在女真社会处于部落或部落联盟阶段时，女真人非常重视将同一阵营中的社会人口汇集到一起进行管理。这种管理方式，即使在女真人注定要战胜辽朝并取代辽朝的统治地位的时候，也没有任何改变。例如，金朝初期对于辽朝故地人口的统治方式，就包含着比较明显的部落联盟阶段的集中管理形式。史称，辽朝天德军节度使郭企忠率领属部投降金朝之后，

> 军帅命［企忠］同勾当天德军节度使事，徙所部居于韩州。①

辽朝天德军境内的民族人口，在归附女真金朝政权之后，被金朝军队全部迁徙到距离女真故地较近的韩州境内安置，说明金朝的统治观念确实保留着许多自身民族习惯的具体成分。除此之外，即使在金朝稳定北方政治统治局面之后，也仍然采取迁徙、移置的统治策略。根据《金史》记载：

> 太祖自燕还师，留宗翰、斡鲁经略西方，怀义领谋克从军。天会初，帅府以新降诸部大小远近不一，令怀义易置之，承制以为西南路招讨使。乃择诸部冲要之地，建城市，通商贾。诸部兵革之余，人多匮乏，自是衣食岁滋，畜牧蕃息矣。②

所谓"新降诸部大小远近不一"，即是金朝政权大规模迁徙征服地区人口所造成的直接结果。因此，为了维持与保护北方地区的经济发展局面，自金熙宗至海陵王时期，金朝政权积极致力于地方州县建制的整顿与完善，例如，西京大同府路、北京大定府路、临潢府路和咸平府路，共计省废19座州城。直到号称"小尧舜"的金世宗统治时期，不仅社会生产出现繁荣景象，统治局面也趋于稳定。

就在金朝地方统治形式逐渐走向稳定状态的同时，金朝政权内部不断发生政治斗争。天会十三年（1135年），金熙宗继位之后，试图采取用朝廷相权交换军权的方式，取消"东、西朝廷"对中央集权政治的消极影响，结

---

① 《金史》卷82《郭企忠传》，中华书局1975年版，第1841页。
② 《金史》卷81《耶律怀义传》，中华书局1975年版，第1826页。

果又导致宗翰系统对朝政的操纵与垄断，宗翰党羽完颜希尹位列尚书左丞相兼侍中、高庆裔为尚书左丞，这些人沆瀣一气、淫毒刑政。于是，熙宗利用宗磐系统与宗翰对立的矛盾，于天会十五年（1137 年），借口以"贪赃"的罪名，杀死高庆裔与转运使刘思，宗翰希望解除自己的官职为高庆裔赎罪，也遭到熙宗拒绝，故宗翰愤恚而卒；于是，挞懒升为左副元帅、宗弼升为右副元帅，开始取代宗翰系统的政治地位，削弱了西朝廷的势力和影响。次年，废掉宗翰扶植的伪齐刘豫政权。

但是，宗翰死后，宗磐系统又布列朝堂，成为新的专权擅政的党派集团。于是，熙宗又提拔太祖之子宗隽为左丞相，并加太保、领三省事的头衔，希望通过宗隽来抵制宗磐集团。结果宗隽很快又与宗磐集团合流，形成宗磐、挞懒、宗隽为首更为庞大的政治集团。熙宗只好回过头来，提拔完颜希尹，试图依仗宗翰余党完颜希尹达到抵制宗磐集团的目的。天眷二年（1139 年）二月，恢复完颜希尹尚书左丞相兼侍中职务，并积极拉拢宗弼，借以增加抵制宗磐集团的分量。同年七月，宗磐、宗隽等人密谋夺取皇位，事情泄露，被宗弼与希尹联合诛杀。宗弼因此升为都元帅，朝廷大权遂掌握在宗干、宗弼等人的手中，遂大肆剪除宗翰党羽，朝野内外掀起大规模的清除宗翰党羽的政治行动。与此同时，宗弼也积极支持熙宗推行"新制"的改革措施，正是伴随着"事权收归中央"的具体行动，皇统三年（1143 年），金朝开始大刀阔斧地厘革金初以来"州县滥置"的弊端，将一批人口稀少的州城省置为县，将一些已经不能适应农业生产的地区干脆罢废，既减少了政府的官吏数目，也更适宜社会经济发展。

皇统八年（1148），宗弼病死。于是，金朝内部各种矛盾重新爆发，首先是熙宗皇后裴满氏干涉朝政，至如丞相委任也往往只须皇后一语而已，而熙宗晚年更是猜忌忍刻、滥杀无辜，朝臣集团朝不保夕。因此，宗干长子海陵王纠集党羽，发动宫廷政变，自立为帝，史称海陵王。海陵王时期，将金朝封建化改革的步伐推向了一个新的发展阶段。

三、中原地区社会矛盾的加深

金朝在攻占了北宋的大片领土之后，不仅使境内民族差别的矛盾迅速突现出来，而且也使地区差别的矛盾不断激化，尤其是在大批女真人口进入中原地区之后，金朝境内社会问题日益尖锐。这是因为，如果说金朝北方地区的社会矛盾，主要是以契丹人反抗为主的民族矛盾的话，那么，当大批女真人迁入中原地区之后，就已经成为阶级矛盾与民族矛盾的混合物。

金朝政府将大量的女真民户迁徙到中原地区之后，为了解决女真部族人口赖以生存的田地问题，先是由政府直接来拨赐那些无人耕种的官地，实行"计口授田"，而后是由于土地不足和女真人贫困化现象日趋严重，金朝政权于是采取"通检推排"的方式和手段，大肆拘刷中原地区汉族民田，转以拨赐女真人户，以解燃眉之急。金朝政府推行以"通检推排"形式为主的土地拘刷政策，非止一次，而是随着迁入中原女真人口的不断增加，也同时进行了数次土地拘刷政策。结果往往是：在官府的正常拘刷范围内，形成了官府与豪强勾结的形势，当政府将刚刚拘刷来的田地拨赐到这些猛安谋克户时，宗室贵族却趁机占取了大量的良田沃土，普通女真人户所得田地，又往往是不能耕种之田。同时，各族各级官僚地主、豪族集团，也乘机巧取豪夺、抢夺农民赖以生存的田地。结果自金朝中期以来，就造成了汉族人口与南迁女真诸族人口之间激烈的社会矛盾，既是民族矛盾也是阶级矛盾，既是普通民众与官僚地主之间的矛盾也是女真贵族官僚与汉族地主官僚之间的矛盾，受祸最为严重的就是山东、河南地区。与此同时，女真部族内部贵族官僚强夺民产的现象也频繁发生，从而又造成女真部族社会内部日益严重的阶级对立。这些，就是金朝政府直到灭亡也未能解决的最为基本的社会问题。

宗室贵族占取大量田地后，并不亲自耕种，而是转手租佃于他人，自己从中谋利。土地越来越多地集中到了豪富的手中，宗室和官僚冒占官地的现象也日趋严重。金世宗时，土地集中的现象已十分严重。甚至女真贵族迁往新地时，旧地也并不交回。这样，造成了金代中期以来赋税分担不均的现象，进一步激化了阶级矛盾。

进入中原的女真贵族较快地接受了中原地区封建租佃关系的经营方式，一般女真人户也起而效仿，造成了"猛安谋克人惟酒是务，往往以田租人，而预借三二年租课者。或种而不耘，听其荒芜者"，更有"一家百口而垅无一苗者。"[1] 不但加速了女真内部的贫富分化，也加速了女真贵族腐化堕落

---

① 《金史》卷47《食货志》，中华书局1975年版，第1047页。

的步伐。

戦争的减少和优越物质条件的刺激，使女真贵族逐渐放弃了原本"尚武、勇悍"的本性和质朴的民风，转而追逐奢华靡烂的生活方式。懒惰和奢侈，不仅造成了女真人的贫困和军队战斗力的下降，也拉动着金朝政权走上了腐败堕落的不归之路。金朝政治的腐败，首先表现在最高统治集团内部的奢侈腐化之风，如章宗李妃，与宰相勾结，专擅朝政，制造冤案，后族之人悉居显要，"射利竞进之徒争趋走其门"，当时有谚语曰："经童为相，监婢为妃"。其次，政治的黑暗，导致了内部倾轧的发生，明昌二年（1191年），郑王允韬被赐死，株连甚众。继之，镐王永中被赐死，全家被禁锢，男女人口 40 年不得婚娶。泰和八年（1208 年），卫绍王继位后，由于不能扭转积弊，大权仍操在章宗李妃等人手中。大安三年（1211 年），在蒙古大军进逼的状态下，军将纥石烈执中领兵入城，废掉卫绍王，拥立宣宗。不久，军将又杀执中，中都城内一派恐慌，宣宗只好匆匆迁都于汴京。

在金朝政治腐败、军力下降和边境危机日益加剧的情况下，阶级矛盾和民族矛盾日趋尖锐。泰和六年（1206 年），爆发了山东杨安儿领导的"红袄军"起义，各地群起响应，大者数万，小者数千，他们或单独作战，或联合行动，甚至与宋朝和蒙古联络，以灭金为宗旨。最终形成了杨安儿、李全为首的两支较大的队伍。在北方地区，则于承安元年（1196 年），爆发了契丹德寿领导的群牧大起义。天庆二年（1112 年），又爆发了耶律留哥领导的契丹人自立政权的斗争。这些大规模起义的爆发给行将灭亡的金政权予以沉重一击。

第 十 一 章

金朝中期的内蒙古地区

第一节　耶律撒八和耶律窝斡领导的契丹部落大起义

一、耶律撒八发动的各族人民大起义

金初推行民族压迫政策，使契丹等辽朝遗族，遭受沉重的经济剥削和兵役负担。金海陵王正隆五年（1160 年），又派遣使臣尽征西北路契丹戍边部落丁壮，以充实南征宋朝的军队，由于催索苛急，限期严酷，结果，使契丹人在申诉无门的情况下，酿成了耶律撒八领导的各族人民大起义。史称：

> 正隆五年，海陵征诸道兵伐宋，使牌印燥合、杨葛尽征西北路契丹丁壮，契丹人曰："西北路接近邻国，世世征伐，相为仇怨。若男丁尽从军，彼以兵来，则老弱必尽系累矣。幸使者入朝言之。"燥合畏罪不敢言，杨葛深念后西北有事得罪，遂以忧死。燥合复与牌印耶律娜、尚书省令史没荅涅合督起西北路兵。[①]

在紧迫的局面之下，契丹人又听说所有男丁都要服从此次征发，遂在耶律撒八领导下揭竿而起，发动了声势浩大的反金大起义。

---

① 《金史》卷 133《叛臣传·移剌窝斡传》，中华书局 1975 年版，第 2849 页。

耶律撒八，本金朝西北路招讨司译史。当金朝催发契丹丁壮南征之时，撒八尽知官府和部落详情，遂与孛特补等人秘密筹划，率领部人击杀金朝征兵使者和西北路招讨使完颜沃侧等，打开西北路招讨司府库，取出招讨司所存贮的兵甲 3 000 副，发给参加起义的契丹部众。于是，众推老和尚为招讨使，议立辽代帝室子孙为皇帝，表示出了恢复辽朝和抗金到底的决心。金朝西北路招讨司，设立在抚州燕子城（即今河北省张北县）。所以，撒八等人发动的反金大起义，很快就得到了金朝山前诸群牧与山后四群牧契丹民众的普遍响应，他们纷纷击杀金朝委任的群牧使等官员，主动投奔撒八起义队伍。数日之内，撒八等人就已经招集起部众万余人。与此同时，契丹五院司部落的豪杰人物，也趁机击杀女真节度使尤甲兀者，率领部民响应撒八起义。

耶律撒八起义，震动了当时的北方各族，分布在山前、山后地带的契丹群牧组织、五院部众及咸平府契丹猛安谋克等群起响应，影响直达辽代原来上京、西京、中京诸地区。于是，诸地所在契丹、奚、汉及阻卜和部分女真人都参加了起义队伍。山前、山后群牧组织的归附，不仅为起义队伍增加了力量，也为起义队伍提供了大量的马匹。史称：起义发生之后，

> 会宁八猛安牧马于山后，至迪谋鲁，贼尽夺其马。
> 阇沙河千户十哥等与前招讨使完颜麻泼杀乌古迪列招讨使乌林答蒲卢虎，以所部趋西北路。室鲁部节度使阿厮列追击败之，十哥与数骑遁去，合于撒八。①

撒八起义震动了整个北方地区，所谓"阇沙河"及"乌古迪列招讨司"，应该均在金朝泰州境内，即今内蒙古呼伦贝尔市境内。可以说，撒八大起义已经点燃所有耶律部落人口反抗金朝女真统治的怒火。与此同时，就在撒八准备取得进一步发展的时候，另一路契丹起义军，也以反抗金朝女真人残暴统治相号召，在咸平府路开辟了反金起义的第二战场，并对金朝统治予以重大打击与扰动。史称：

---

① 《金史》卷 133《叛臣传·移剌窝斡传》，中华书局 1975 年版，第 2850 页。

咸平府谋克括里，与所部自山后逃归，咸平少尹完颜余里野欲收捕括里家属，括里与其党招诱富家奴隶，数日得众二千，遂攻陷韩州及柳河县，遂趋咸平。余里野发兵迎击之，兵败，贼遂据咸平，于是缮完器甲，出府库财物以募兵，贼势益张。权曹家山猛安绰质，集兵千余，扼干夜河，贼不得东。绰质兵败，括里遂犯济州。会宿直将军孛尤鲁吴括剌征兵于速频路，遇括里于信州，与猛安乌延查剌兵二千，击败括里。括里收余众趋东京，是时世宗为东京留守，以兵四百人拒之。贼至常安县，闻空中击鼓声如数千鼓者，候见旌旗蔽野，传言留守以十万兵至矣，即引还，亦以其众合于撒八。

括里起义军自韩州（今吉林省梨树北古城遗址）起事之后，又攻陷咸平府（今辽宁省开原市东北古城遗址），向金朝故地进军，直趋济州城（今吉林省农安县），遇强敌于信州（今吉林省公主岭市西北秦家屯古城遗址）；而后，收兵南下，直趋东京城（即今辽宁省辽阳市），西南取金朝沈州常安县（今辽宁省铁岭市西南懿站古城遗址），并在金东京城周围展开掳掠之后，又掉头北上，与撒八主力会合。

耶律撒八占领金朝西北路招讨司之地后，遂将军事注意力转向原辽上京、中京地带，并乘金朝忙于南征江南南宋政权之际，趁机向契丹本土发展。于是，金朝派出枢密使仆散忽土、西京留守萧怀忠率军一万前往征剿。此时，金朝右卫将军萧秃剌所部率领的数万金军，正与撒八起义军转战于燕山以北及大兴安岭西端地带，契丹起义军转战于漠南草原地区，屡次击败随后追击的萧秃剌军队，最终导致萧秃剌部粮饷不继，被迫撤军退守临潢府。金朝遂下令诛杀"亡辽耶律氏、宋赵氏子男凡百三十余人"，以绝后患。[①]右卫将军萧秃剌退守临潢府之后，耶律撒八认为转战草原地区，终究难免陷入金朝大军的包围之中，与其东奔西走，不如率领起义部众西进投附耶律大石政权。于是，遂率契丹起义军沿龙驹河（即今蒙古国境内之克鲁伦河）西进，准备直奔西辽。此时，仆散忽土、萧怀忠等人率领的一万精兵，抵达临潢府附近，与右卫将军萧秃剌部会合后，遂并力北追撒八起义军，直至龙

---

① 《金史》卷 5《海陵王纪》，中华书局 1975 年版，第 114 页。

驹河畔，也没有见到撒八起义军的踪迹，因为后方粮饷不继，只好整军而还。结果，萧怀忠、萧秃刺等皆因逗留不进、贻误军机，被论罪处死，仆散忽土族诛。北京（即大定府）留守萧赜也因驭下不严、杀降和掠夺契丹妇女等罪名被论罪处死。于是，金朝任命枢密副使白彦敬为北面兵马都统、开封尹纥石烈志宁副之，中都留守完颜毂英为西北面兵马都统、西北路招讨使唐括孛姑的副之，仍然率领军队分路追击契丹撒八等，期以一举歼灭。

此时，耶律撒八率领契丹起义军，万里投奔耶律大石，虽然一路上粉碎了金兵的追剿，摆脱了金军的追击，但是，原居大兴安岭山前一带的契丹人如五院、六院等都不愿意追随撒八远离故土、依附大石，他们都有更愿意留在本土、致力恢复辽朝故土的基本愿望。因此，当撒八起义军顺利西进的时候，山前契丹部众遂在六院部节度使移剌窝斡的率领下，采用突然袭击的方式，杀死撒八，夺取了起义军的领导权。史称：

> 撒八既西行，而旧居山前者皆不欲往，伪署六院节度使移剌窝斡、兵官陈家杀撒八，执老和尚、孛特補等。[1]

于是，移剌窝斡（即耶律窝斡，《金史》"耶律"写作"移剌"——笔者）遂率领已经摆脱金军追击的契丹起义军，掉头南下，准备向东进攻临潢府，一举夺取契丹故都，重新恢复已经灭亡的契丹辽朝政权。

二、耶律窝斡抗金和金世宗的基本政策

移剌窝斡篡夺契丹起义军权力事件，发生在大定元年（1161年）冬初。于是，移剌窝斡遂自称都元帅，以陈家为都监，率领起义军迅速东进，直抵临潢府城东南新罗寨，开始围攻临潢府。此时，金朝东京留守完颜乌禄，也趁海陵王率军亲征南宋之际，宣布自立为帝，是为金世宗，改元大定元年，并开始接收海陵王时期一切地方军政权力，尚无暇应付移剌窝斡的反叛力量。遂派遣移剌扎八、前押军谋克播斡、前牌印麻骇、利涉军节度判官马脑等招谕移剌窝斡等，令其投降。史称：

---

[1]　《金史》卷133《叛臣传·移剌窝斡传》，中华书局1975年版，第2851页。

　　窝斡已约降，已而复谓扎八曰："若降，尔能保我辈无事乎？"扎
八曰："我知招降耳，其他岂能必哉。"扎八见窝斡兵众强，车帐满野，
意其可以有成，因说之曰："我之始来，以汝辈不能有为，今观兵势强
盛如此，汝第欲如群羊为人所驱去乎，将欲待天时乎？若果有大志，吾
亦不复还矣。"贼将有前孛特本部族节度使逐斡者，言："昔谷神丞相，
贤能人也，尝说他日西北部族当有事。今日正合此语，恐不可降也。"
于是，窝斡遂决意不复肯降矣。扎八亦留贼中，惟麻骇、播斡还归。[①]

契丹部族大起义，不仅是一次契丹部族下层民众主动参与的民族大起义，而
且也包括了部分已经失势的契丹旧贵族集团的主动参与。于是，移剌窝斡遂
引军进攻临潢府，金军守将、总管移室懑领兵出城迎战，寡不敌众，被窝斡
起义军俘虏，金朝守军不敢出战。窝斡乃分兵五万包围临潢府，并分遣余兵
四出攻掠周围官府与守军。金世宗即位后，采用招抚与镇压并用的政策，征
调大军，派遣权元帅左都监吾札忽、右都监神土懑、广宁尹仆散浑坦等人，
率军分路讨伐契丹诸部。

　　大定元年（1161 年）十二月己亥日，移剌窝斡在围城不克的情况下，
正式称帝于临潢府新罗寨，改元天正元年，表示出坚决抵抗金朝和恢复大辽
王朝的决心。当吾札忽等数路金军会合同知北京留守完颜骨只所部急速北
上，抵近临潢府的时候，移剌窝斡已经撤兵北去，契丹起义军主力转攻金朝
东北重镇泰州城（今吉林省洮南市东北城四家子古城遗址）。于是，吾札忽
率军往援泰州，追赶上窝斡率领的起义军主力之后，双方整军备战之际，吾
札忽属下押军猛安契丹人忽剌叔率所部临阵倒戈、投降窝斡起义军，导致吾
札忽所部被窝斡起义军彻底击溃。接着，金朝泰州节度使乌里雅率军出城迎
战，又被窝斡起义军击溃，乌里雅本人仅率数骑逃入城内，泰州守军遂婴城
固守，窝斡起义军向泰州城发起全线攻击，战况十分激烈。史称：

　　贼四面登城，押军猛安乌古孙阿里补率军士数人，各持刀以身率先

---

　　① 《金史》卷 133《叛臣传·移剌窝斡传》，中华书局 1975 年版，第 2851 页。

循城击贼力战，斫刈甚众，贼乃退走，城赖以完。①

于是，大定二年（1162 年）正月，金世宗遂又增派右副元帅完颜谋衍率师讨伐窝斡起义军，并"以西南路招讨使完颜思敬、兵部尚书阿邻督北边将士"，征讨契丹诸部。② 金世宗在基本稳定统治局面之后，开始剿抚并用对契丹起义军展开大规模围剿，例如大定二年（1162 年），世宗发布诏令：

> "应诸人若能于契丹贼中自拔归者，更不问元初首从及被威胁之由，奴婢、良人罪无轻重并行免放。曾有官职及纠率人众来归者，仍与官赏，依本品量材叙使。其同来人各从所愿处收系，有才能者亦与录用。内外官员郎君群牧直撒百姓人家驱奴、宫籍监人等，并放为良，亦从所愿处收系，与免三年差役。或能捕杀首领而归者，准上施行，仍验劳绩约量迁赏。如捕获窝斡者，猛安加三品官授节度使，谋克加四品官授防御使，庶人加五品官授刺史。"
>
> 诏尚书省："如节度、防御使捉获窝斡者与世袭猛安，刺史捉获者与世袭谋克，驱奴、宫籍监人亦与庶人同。"复诏宰臣，遍谕将士，能捕杀窝斡者加特进、授真总管。③

金世宗的诏令，有几点值得注意：第一，能从窝斡军中主动前来投降者，可以不问当初首犯或从犯之罪以及被胁迫从乱的缘由等，即免除一切罪行；第二，如果前来投降者曾是贵族之家的奴婢（战争俘虏的奴隶），也可以像良人一样免除其奴婢身份、释放为良民。第三，前来投降者如果曾经为官者，仍官复原职，如能率领人众来归者也一律授予官赏。第四，宣布参与叛乱者不论何种家庭之驱奴以及宫籍监人户等，都一律放免为良民，并允许其随所愿居住处所登记管理。第五，乃捕杀首领的奖励条款。从金世宗诏令反复强调的奴婢、驱奴、宫籍监人户来看，促成契丹部落大举反叛的根本原因，就

---

① 《金史》卷 133《叛臣传·移剌窝斡传》，中华书局 1975 年版，第 2852 页。
② 《金史》卷 6《世宗纪上》，中华书局 1975 年版，第 125—126 页。
③ 《金史》卷 133《叛臣传·移剌窝斡传》，中华书局 1975 年版，第 2852—2853 页。

在于女真贵族及金朝政权对契丹等民族的残酷统治和民族压迫。

金世宗的招降令发布之后，金朝军队也基本完成具体战役部署。史称：右副元帅完颜谋衍进军至川、懿二州地区，分军驻守于懿州庆云县（今辽宁省康平县西南张强古城遗址）和川州武平县（今内蒙古赤峰市敖汉旗丰收乡白塔子古城遗址）境内，并遣使上奏朝廷要求派人护送粮饷、选用精良兵杖运送军前使用。于是，金世宗

> 诏以南征逃还军士就往屯戍，如不足，量与富家签调，就近地签步军，给杖护送粮运。①

至此，金朝军队首先完成对移剌窝斡起义军在南侧战线的阻截任务，从此也揭开了金军大举反攻的序幕。

大定二年（1162年）二月，移剌窝斡等久攻泰州不下，遂撤军南攻济州（今吉林省农安县），并分兵邀击金军粮运。于是，

> 元帅完颜谋衍与右监军完颜福寿、左都监吾札忽合兵，甲士万三千人，曷懒路总管徒单克宁、广宁尹仆散浑坦、同知广宁尹完颜岩雅、肇州防御使唐括乌也为左翼，临海节度使纥石烈志宁、曷速馆节度使神土懑、同知北京留守完颜骨只、淄州刺史尼庞古钞兀为右翼，至术虎崖，尽委辎重，士卒赍数日粮，轻骑袭之。②

此时，窝斡内部出现离叛迹象，纥椀群牧契丹人纥者投降完颜谋衍，遂引导金军攻击窝斡老营辎重于长泊附近。同年四月，双方爆发长泊之战。长泊之战，窝斡大败，遂率余部向西撤退。又被金军追及于雾淞河，双方相接，互有杀伤，但是，窝斡起义军终于打破金军的南线封锁。

雾淞河之战以后，双方军兵都已疲惫，完颜谋衍等遂驻军于白泊，而移剌窝斡仍率所部继续南进。同年四月，金世宗诏令征行官兵曰：

---

① 参见《金史》卷133《叛臣传·移剌窝斡传》，中华书局1975年版，第2853页。
② 参见《金史》卷133《叛臣传·移剌窝斡传》，中华书局1975年版，第2853页。

应契丹与大军未战而降者，不得杀伤，仍安抚之。后招诱来降者，除奴婢以已虏为定，其亲属使各还其家，仍官为赎之。[①]

此项诏令，除了重申保护降服人口之外，也允许将败走之后来降的契丹人口视为战争虏获处理，如虏获为良民则由官府出资予以换赎，如虏获为奴婢则归虏获者所有。反映出金朝讨伐契丹反叛势力的军事征伐行动，开始呈现出一定的转机。

三、联合奚族　转战中京诸地

大定二年（1162 年）四月，经过连续的长泊之战和雾淞河之战以后，金朝军队又因为粮运不继而驻军白泊修整，窝斡则率领起义军继续向南进发，接连攻击金军防守薄弱的懿州、川州地区，率领起义军直趋金军防守更为薄弱的北京大定府境内，准备由此进入燕山以西地区。金世宗匆忙征调各地军队，重新部署讨伐契丹事宜：

> 于是，发骁骑军二千、曷懒路留屯京师军三千，号称二万；会宁、济州军六千，亦号二万。元帅左都监高忠建总兵，沃州刺史乌古论蒲查为曷懒路押军万户，邳州刺史宗宁为会宁路押军万户，右宣徽使宗亨为北京路都统，礼部郎中完颜达吉为副统，会元帅府讨击之。[②]

接着，金世宗派遣使臣至懿州劝诫元帅府诸将士曰：

> 朕委卿等讨贼，乃闻不就贼趋战，而驻兵闲缓，经涉累月，虽曾追袭，乃不由有水草之地，以致马疲弱不能百里而还。后虽破敌，而纵诸军劫掠，数日后方追北雾淞河，亦不乘胜，辄复引还。贼遂入涉近地，北京、懿州由此受兵。朕欲重遣汝等，以方任兵事，且图后功。当尽心

---

① 《金史》卷 6《世宗纪上》，中华书局 1975 年版，第 127 页。
② 《金史》卷 133《叛臣传·移剌窝斡传》，中华书局 1975 年版，第 2855 页。

一力，毋得似前怠弛。①

而金世宗的劝诫，并没有生效，同年五月，诏治右副元帅完颜谋衍、元帅右都监完颜福寿坐击贼逗留之罪，罢职，召还京师；遣元帅左监军高忠建会北征将帅讨契丹，以临海军节度使纥石烈志宁为元帅右监军。六月，复命御史大夫白彦敬西北路市马，以尚书右丞仆散忠义为平章政事兼右副元帅，经略契丹诸部②。继之，起运中都大兴府库内储备之良弓一万五千张、箭一百五十万支，并出内府金银十万两，俱送至懿州军前备用。③

（六月）戊寅，诏居庸关、古北口讥察契丹奸细，捕获者加官赏。己卯，诏守御古北口及石门关。④

同时，命令万户温迪罕阿鲁带率兵四千驻守古北口，蓟州、石门关等处各发兵五百守之。以西南路招讨使完颜思敬为都统，西北路招讨使唐括孛古底副之，以兵五千往会燕子城原有戍兵，屯驻狗泊，远探斥候，并诏令思敬曰：

契丹贼败，必走山后，可选新马三千，加刍秣以备追袭。⑤

至此，金朝通过一系列的军事部署，实际已经决计要将移剌窝斡及其率领的契丹起义军剿灭于北京路之内。

大定二年（1162 年）六月，移剌窝斡率领契丹诸部起义军至大定府北花道（即今内蒙古赤峰市东南）附近时，遭遇金军统帅仆散忠义率领的金军主力。仆散忠义大张三军为左、中、右三路，窝斡集中兵力进攻仆散忠义左翼军，双方互有胜败，窝斡趁机突破仆散忠义军队的堵截，继续向山后地带运动。花道之战，使窝斡起义军受到一定的损失，金朝军队则仍然采取步

---

① 《金史》卷 133《叛臣传·移剌窝斡传》，中华书局 1975 年版，第 2855 页。
② 《金史》卷 6《世宗纪上》，中华书局 1975 年版，第 127—128 页。
③ 《金史》卷 133《叛臣传·移剌窝斡传》，中华书局 1975 年版，第 2856 页。
④ 《金史》卷 6《世宗纪上》，中华书局 1975 年版，第 128 页。
⑤ 《金史》卷 133《叛臣传·移剌窝斡传》，中华书局 1975 年版，第 2856 页。

步进逼的追击战术。双方又在袅岭西陷泉（即今河北省隆化县七家乡河东村附近）之地，展开大规模决战，导致窝斡起义军主力损失殆尽。

陷泉之战以后，移剌窝斡收合残余万余人，进入奚族分布区之内。于是，奚族诸部与窝斡起义军联合起来，使窝斡起义军力量很快得到了恢复，并不断向金军布防严密的蓟州、古北口地区发动进攻。金世宗命令完颜谋衍等人自中都大兴府将兵三千东出，与古北口守军相合，东击窝斡。又命燕子城守将完颜思敬率军南入奚地，会攻窝斡余党。征行大军自东向西进攻。形成了对移剌窝斡和奚族之地三面夹击的态势。是年八月，金军将领高忠建等人又击败奚族主力于栲栳山（即今河北省隆化县境内之大罗圈子山）。温迪罕阿鲁带又击败奚族于古北口。于是，契丹老和尚投降，窝斡起义军开始瓦解。窝斡谋奔山后，转投夏国，受到金军围堵，遂北走沙陀（即今内蒙古东部浑善达克沙地）。是年九月，金军将领纥石烈志宁利用契丹降人稍合住捕捉窝斡成功，契丹大起义遂被金朝政权镇压。

移剌窝斡被捕后，起义军余部仍然坚持斗争。例如移剌窝斡所置监军那也、都元帅丑哥等人，率领余部继续周旋于原辽上京地区。契丹部落首领蒲速越则继续领导余部坚持斗争，直到大定四年（1164 年）五月，才被最终平息。仍有窝斡余众继续活动于燕子城附近。而另一位著名的契丹起义军领袖括里，则率领余部南下，转战各地，最终投降了南宋政权。

第二节　金朝鼎盛时期的经济政策

一、金朝的赋税政策

由于金朝女真族和汉族社会发展的不平衡，反映在赋役制度上也有着不同的特点。譬如地税中，有女真族的牛头税（亦称牛犋税）和汉族的两税法，虽然均以田地为征课的对象，却有着实质上的区别。因此，金代对于各族人民的经济剥削，也是和其执行的政治制度及民族统治方式等息息相关，是金朝经济政策中的重要内容。

（一）田赋　金朝的田赋包括牛头税和两税法两项内容。牛头税是对金代女真猛安谋克户所征收的地税。金朝建国初期，并没有固定的田赋，只是根据国家需要的多寡而临时征收。据《金史》太宗纪记载，天会三年（1125年）诏令："今大有年，无储蓄则何以备饥馑，其令牛一具赋粟一石，每谋克为一廪贮之。"但女真人牛头税的征收，直到金世宗时期（1161—1189年）才成为定制。根据《金史》食货志记载，"牛头税即牛头税，猛安谋克部女真户所输之税也。其制每耒牛三头为一具，限民口二十五受田四顷四亩有奇，岁输粟大约不过一石，官民占田无过四十具"。由此可知，牛头税的征课是以牛头税地的土地分配制度为单位，是分得土地的女真族各家族向国家承担的一种地税。是以民25口、牛3头为一耒具为基础而实施的，这是与女真族保持的奴隶制大家庭的形态相适应的。同时，女真户牛头税的征收，并不是直接的收归国有，而是以女真人的社会基层组织"谋克"为单位来集中管理，目的主要是为了备灾荒，使女真人不致流离失所，也是支付猛安谋克贵族俸禄的来源。故《金史》食货志称，金太宗天会三年（1125年），为防饥馑而征牛头税，到世宗时期牛头税虽已成定制，但与太宗时期也有大的差别，只是规定按年征收，其征收的方式和目的则是："征牛头税粟，就命谋克监其仓，亏损则坐之。"又据《金史》纥石烈良弼传记载，金世宗亲口对良弼说，征收牛头税目的就是备荒年，凡出现水旱灾情而致乏粮现象时，可以相互赈济。

金代的牛头税，最高不超过一石，最低仅征收三斗，税额极为轻微，给女真贵族提供了将土地转佃与人，自己从中取利的机会。正是因为如此，才导致了金朝中晚期以来，女真贵族对于土地的大规模兼并和掠夺。

金代汉族等人口的土地税赋，与女真人比较起来则要沉重得多。据《金史》食货志记载，金代凡耕种官田才须纳租，大约与屯田相类似。耕种私田者则须缴纳土地税，其方法是：分田为九等随等次而差取之，但税收的方法则延续了唐代以来的两税法，分夏秋两季来征收，并有严格的期限规定，农户要在规定的时间内将税粮交送到指定的地点。一般是夏税每亩收三合，秋税每亩收五升，又须纳秸一束（即15斤）。若遇水旱灾害，政府也酌情蠲免税额。同时，鼓励农户积极开垦荒地闲田，一般免征3年以内的租赋。

（二）物力钱与通检推排　物力，指官民拥有的财产，如土地、园林、牲畜、房屋、奴婢、车马和现钱等，是金朝划分户等的主要依据。金初不向官民征收财产税，但金世宗时开始制定财产税，即物力钱。为了较好地维持物力钱的征收，遂对金朝境内的官民财产进行全面的评估，即"通检推排"。金世宗时期的"通检推排"，主要是评估官司的财产，并对土地状况制定相应等第，确定税法，使民户负担平均。但执行中弊端重重，反而成为金朝苛政的象征，造成了各地物力畸轻畸重的现状。

除此以外，金代还对盐、茶、曲、酒、醋、铁等生活必需品实行专卖和榷酤制度，禁止民间私制和交易。对于正常的商业活动，也征收关税和商税等。除此之外，金朝杂税也名目繁多，如河夫钱、军需钱、铺马钱及桑皮故纸钱等，这些都是在财产税以外的额外加征。

（三）役法　金代的役法，主要通过通检推排来确定民户物力的强弱，制定户等，作为征收物力钱和征发力役的依据。金代的役法，有职役、力役和兵役之分。金代地方组织是州县和猛安谋克双重体系，县以下有坊正、里正、主首、壮丁等，协助官府催督赋役，或由富家充任，或出钱募雇，猛安谋克户50家以上置寨使，维护治安，这些即是职役。金代的力役，主要是修路、建城、治河、造船等。金代的兵役，则在各族人口中共同推行，一有战事便在民户中依户等高低、人丁多少签发丁壮，称为签军，金世宗时规定签军依物力状况征发，方法是："物力五十贯者出一军，不及五十贯者，数户共之。"金代的兵役是各族人口的一项沉重负担。

二、金朝北方地区的土地占有关系

金朝北方地区主要分布着女真、契丹、奚、汉族等各族人口，在金朝的土地制度中，南迁的女真、契丹等族的土地分配方式，与北方地区同族人口并没有区别，但北方的汉族则和中原汉族的土地制度基本一致，故金代北方地区的土地占有关系所要论述的中心，即女真族的占田制和契丹人土地关系的变更。

金朝的土地制度，大体而言基本包括了三种主要形式，即由奴隶制社会向封建制社会过渡的女真人土地占有形式、原契丹族土地关系的转变和中原汉族封建土地形态的发展。三者之间，虽各有特点，自成体系，但在金代土地发展中，仍以中原地区封建租佃关系居主导地位，女真及契丹的土地发展也渐趋中原模式，这是金代北方民族土地制度发展的总趋势。

（一）女真族的土地占有关系 女真族最初的土地制度，即前面已揭示的"牛头（牛犋）税"地，是经过女真社会内部发展变化，由政府对土地进行分配的方式，是在土地国有前提下实行的，是与女真族部落生产关系相联系的。它规定以"民二十五口，算牛一犋"，方便和满足了占有大量人口的女真贵族的需要。但随着私人所有制的出现和发展，金世宗时，女真牛头税地的分配原则和土地占有方式逐渐遭到了破坏。一方面女真贵族为了规避物力而将大批奴隶出售，同时将地租佃于汉人；另一方面大量猛安谋克户迁入中原，需要重新分配土地。因此，金熙宗皇统五年（1145 年），诏令南迁的猛安谋克户按屯田制度，实行"计口授田"，分配官地，使其耕种。"计口授田"的同时，并未废止旧有的牛头税地，但新的土地分配和占有方式的推行，标志着女真族土地占有关系的转变。虽然"计口授田"以人丁为授田的标准，已不同于以前按家族授田的方式，但仍然维护了猛安谋克组织和保留了奴隶劳动的特权，这只能是女真土地占有关系向中原封建土地形态转变的过渡环节。恰是因为这种转变，使得金朝晚期的女真贵族实际上变成了出租土地的地主，大量的女真等猛安谋克民户事实上沦为国家的依附农民，终于完成了女真族土地占有形式同中原封建土地租佃关系的并轨发展。

（二）契丹族土地占有关系的改变 辽朝契丹族土地关系的特点，是国有前提下的部族生产方式与私有性质十分明显的头下军州性质的土地占有制度。前者是以契丹部族为主，实行"各有分地"的牧业生产，后者是以皇帝皇后的宫分地及贵族的头下州为主，实行国家分配前提下的土地与人口的私有化。尤其是贵族的投下州，附着其土地上的耕种人口，自辽朝中晚期既要输租于官司，也要纳课于头下主，成为辽朝存在的"二税户"。这种头下州形式的土地制度，是在契丹部族私有化过程中接受中原州县制影响的结果。

辽朝火亡后，这种头下州制度已经无存，"二税户"中仅剩下了附属寺院的人户。契丹的部族土地所有方式也被代之以女真人的猛安谋克组织下的牛头（牛犋）税地。那些被金朝以猛安谋克制组编的契丹、奚族等人口，也在女真人南下的过程中，或被迁入中原，或分徙边地。如《金史》食货志记载，契丹迭剌、唐古二部五糺，总户数为 5 585，总人口为 137 544（其中正口为 119 463，奴口为 18 081），田地 16 024 顷 17 亩，牛犋 5 066。从这个数字中可以看出，契丹族确实被推行了女真人的牛头税地的占有方式。入居中原以后，又同女真人一起"计口授田"，契丹贵族也大规模兼并土地，并同女真人一起完成了向封建租佃制转化的演变过程。

此外，金朝在契丹族畜牧业生产较为集中的地区，设置了群牧机构，沿袭了辽朝统治方式，牧户均为契丹部民，他们有自己的经济，是封建国家编户下的牧业生产者。政府将许多土地划为牧地，禁止耕种，以维护牧业的发展。但金朝规定契丹群牧，凡马至三岁即要交付女真人牧养。金世宗以后，契丹牧户地位下降，群牧中的"群子"或"牛马群子"等，已成为封建国家控制下的奴隶和役丁。

因此，金朝契丹土地关系的变化，使契丹族的土地占有关系和阶级关系都发生了重大的变动，尤其是土地关系变得更趋复杂。但是，随着金朝封建化过程的深入，契丹族各种土地形式也向封建化的方向发展，这是由当时的历史趋势所决定的。

三、金朝社会经济的发展

建国前的女真社会有了粗放的农业生产经营方式和原始的手工业生产活动，但渔猎和畜牧仍是其主要的生活来源。金朝初期，连续不断的战争，使经济生产活动遭到不同程度的破坏。自金熙宗时期（1135—1149 年）开始，北方地区的封建统治秩序开始恢复，大批的社会生产人口也逐渐稳定在固定的生产区域内。金世宗即位后，更是有意识地推动社会生产的发展。大定二年（1162 年），颁布"纳粟补官法"①，强调农业生产及农产品的重要意义，积极鼓励农业开发与农业生产。金世宗所采取的发展农业生产政策，基本包括以下几个方面：

第一，主动解放社会生产力，为农业生产提供最为根本的人力保证。大定二年（1162 年）二月，诏令各地：

> 招谕盗贼或避贼及避徭役在他所者，并令归业，及时农种，无问罪

---

① 《金史》卷6《世宗纪上》，中华书局 1975 年版，第 125 页。

名轻重，并与原免①。

此道诏令，针对海陵王末年大肆签、募兵丁引起的社会混乱，命令各地官府劝民复业、毋违农时。大定三年（1163 年）二月，金世宗语于宰相曰，

> 滦州饥民，流散逐食，深可矜恤。移于山西，富民赡济，仍于道路计口给食②。

"山西"，即燕山西、北地区。这是因为上一年滦州境内契丹窝斡之乱的影响，导致流民遍野，金世宗遂命燕京地区引导流民进入今河北西北部及北京西部地区。同年三月，金世宗又诏令大臣，

> 分诣诸路猛安谋克，劝农及廉问。诏临潢汉民逐食于会宁府济、信等州。庚戌，诏免去年租税③。

所谓"诸路猛安谋克"，即金朝分布各地的猛安谋克户。"临潢汉民"，即原居临潢府的汉族民户，因为受到契丹窝斡之乱的影响，不仅农业歉收，而且流民遍野，故世宗诏令大臣引导这些没有从乱的汉族百姓，就食于会宁府所属的济、信等州境内，以度过缺炊断粮的艰难时光。同年四月乙酉，金世宗又诏令官府，

> 赈山西路猛安谋克贫民，给六十日粮④。

大定三年（1163 年）十一月，又诏令燕京周围地区，

---

① 《金史》卷 6《世宗纪上》，中华书局 1975 年版，第 126 页。
② 《金史》卷 6《世宗纪上》，中华书局 1975 年版，第 130 页。
③ 《金史》卷 6《世宗纪上》，中华书局 1975 年版，第 130 页。
④ 《金史》卷 6《世宗纪上》，中华书局 1975 年版，第 131 页。

中都、平州及饥荒地并经契丹剽掠，有质卖妻子者，官为收赎①。

大定四年（1164 年）四月甲戌，又释放宫女二十一人②。同年九月，金世宗又对宰相曰，

> 北京、懿州、临潢等路尝经契丹寇掠，平、蓟二州近复蝗旱，百姓艰食，父母兄弟不能相保，多冒鬻为奴，朕甚闵之。可速遣使阅实其数，出内库物赎之③。

第二，倡导勤俭之风，主动减轻人民的负担，鼓励农业生产。大定二年（1162 年）四月乙亥，

> 诏减御膳及宫中食物之半④。

大定三年（1163）三月，

> 中都以南八路蝗，诏尚书省遣官捕之。……〔五月〕中都蝗，诏参知政事完颜守道按问大兴府捕蝗官。

蝗虫是农业生产的重要破坏者。所以，金世宗即位后十分注意防治农业中可能遇到的"天灾"。同年六月，金世宗"观稼于近郊"⑤。大定三年（1163年）八月，又诏令：

> 重九出猎，国朝旧俗。今扈从军二千，能无扰民？可严为约束，仍

① 《金史》卷6《世宗纪上》，中华书局 1975 年版，第 132 页。
② 《金史》卷6《世宗纪上》，中华书局 1975 年版，第 134 页。
③ 《金史》卷6《世宗纪上》，中华书局 1975 年版，第 134—135 页。
④ 《金史》卷6《世宗纪上》，中华书局 1975 年版，第 127 页。
⑤ 《金史》卷6《世宗纪上》，中华书局 1975 年版，第 131 页。

以钱万贯分赐之①。

大定四年（1164 年）二月丁巳，

> 免安州今年赋役，及保塞县御城、边吴二村凡扈从人尝止其家者，亦复一年……庚辰，以北京粟价踊贵，诏免今年课用……［三月］诏免北京岁课段匹一年②。

这些，都是在出猎前后所作出的一系列旨在保护农业生产的重要法令。因为，金世宗具有这样的治国思想，他也时刻不忘以自己的感受来影响群臣。史称，大定八年（1168 年）正月，

> 乙丑，上谓宰臣曰："朕治天下，方与卿等共之，事有不可，各当面陈，以辅朕之不逮，慎毋阿顺取容。卿等致位公相，正行道扬名之时，苟或偷安自便，虽为今日之幸，后世以为何如。"群臣皆称万岁。辛未，谓秘书监移剌子敬等曰："昔唐、虞之时，未有华饰，汉惟孝文务为纯俭。朕于宫室唯恐过度，其或兴修，即损宫人岁费以充之，今亦不复营建矣。如宴饮之事，近惟太子生日及岁元尝饮酒，往者亦止上元、中秋饮之，亦未尝至醉。至于佛法，尤所未信。梁武帝为同泰寺奴，辽道宗以民户赐寺僧，复加以三公之官，其惑深矣。"③

由于金朝统治者对于农业生产的极端重视，使得北方地区残破的农业经济生产形式，开始复苏和发展。

农业的恢复和发展，也推动了手工业生产的发展。金代的采矿和冶铸业有了明显的提高，不仅西京云内州境内生产的青镔铁成为名动中原的精金利器，而且煤也已经成为烧瓷、冶铸的主要燃料。金朝的真定府、平阳府、太

---

① 《金史》卷 6《世宗纪上》，中华书局 1975 年版，第 132 页。
② 《金史》卷 6《世宗纪上》，中华书局 1975 年版，第 133 页。
③ 《金史》卷 6《世宗纪上》，中华书局 1975 年版，第 141 页。

原府、河间府及怀州路等地，已经成为官营丝织业的集散地。像东京辽阳府路出产的"师姑布"，就是名闻南、北的商贸交易的特产。此外，金代的稷山竹纸和平阳白麻纸，也是名闻遐迩的精品。手工业生产的日益活跃，也刺激了商业活动的逐渐活跃，推动了金朝商业经济门类的迅速发展。中都大兴府和南京开封府，都是商旅云集、百物荟萃的商业活动中心。海陵王时开始印行的交钞，就是金朝商业经济活动日益活跃的历史表现。

第三节　金朝中期对漠北的统治与蒙古部落的崛起

一、合木黑蒙古的形成

蒙兀室韦的向西迁徙，确切地说并非一次彻底的部落大挪移，只是蒙兀室韦的主体或大部分部落成员来到了不儿罕山周围，而其他部落组织还相对广泛地分布在自大兴安岭东端以北的原居地到三河之源不儿罕山之间的辽阔区域之内。从公元 8 世纪中叶到公元 10 世纪之间，蒙兀室韦的发展呈现出巨大的历史变化，原有的蒙兀室韦的部落组织，此时已经相继与其他部落组织重新整合为新的部落形态。例如 10 世纪初期，从大兴安岭东端以北到蒙古草原三河之源的不儿罕山之间，此时次序分布着乌古、敌烈以及各支阻卜（即室韦—达怛人）部落。此间，关于那些已经迁徙到不儿罕山周围的蒙兀室韦部落的成员们，其社会生活与部落组织也发生较大的历史变化。当时，正值契丹辽朝对漠北地区实行有效统治的历史时期，许多实力远远超过原蒙古人部落集团的部落组织，都相继与辽朝发生严重的冲突，譬如北阻卜部落（即后来著名的克烈亦惕部）就与辽朝发生激烈冲突，但原蒙古部落因为实力较弱，反而与契丹辽朝保持了密切的联系，从而获得了比较充足的发展空间与时间。据《蒙古秘史》记载：成吉思汗的始祖是"天生的"孛儿帖赤那和豁埃马阑勒。

当初元朝的人祖，是天生一个苍色的狼［孛儿帖赤那］与一个惨白色的鹿［豁埃马阑勒］相配了，同渡过腾吉思名字的水，来到于斡难名字的河源头、不儿罕名字的山前住着，产了一个人名字唤作巴塔赤罕。

从巴塔赤罕开始，经历八代人的前后继承，到成吉思汗的先祖孛儿只吉歹蔑儿干在位的时候，他们作为蒙兀室韦人中的一支，已经确立起自己的名号"孛儿只吉氏"，即著名的孛儿只斤蒙古家族，后来被称为蒙古部落中的黄金家族。此时，他们与许多的氏族一起拥有一个共同的名号——蒙古。到孛儿只吉歹蔑儿干的孙子朵奔蔑儿干的时候，孛儿只斤氏不仅拥有自己的奴隶和畜群，而且部落内部已经融入部分其他成员，如朵奔蔑儿干的妻子阿阑豁阿就是名为豁里剌儿氏族的女儿，朵奔蔑儿干又收留了马阿里［黑］伯牙兀氏族的孩子。从朵奔蔑儿干开始，孛儿只斤氏又分离出许多新的氏族组织，如朵奔蔑儿干的哥哥都蛙锁豁儿的子孙，此时变成了朵儿边氏族。朵奔蔑儿干的儿子们，也分别成为别勒古讷惕、不古讷兀惕、合答斤、撒勒只兀惕氏族，只有幼子孛端察儿依然为孛儿只斤氏，并在部落内融入兀良合部落的人口。但是，孛端察儿死后，他的氏族中又分离出了札答剌氏、巴阿邻氏、沼兀亦列惕氏。到了朵奔蔑儿干的孙子蔑年土敦的时候，氏族内部又分离出那牙勤氏、大巴鲁剌思氏、小巴鲁剌思氏、不答安惕氏、阿答儿斤氏、兀鲁兀惕氏、忙忽惕氏①。总之，从 8 世纪中叶到 10 世纪初期，那些迁徙到不儿罕山附近的原来蒙兀室韦部落的部分成员，不仅在部落组织方面有了比较迅速的发展，而且已经拥有了自己的名号——"迭儿列勤—蒙古"，即一般蒙古人。据古波斯史学家拉施特丁记载：

> 曾在额儿古涅——昆，并［在那里］各自获得固有名称的真正蒙古民族所出的一支，［后来］他们离开了那里。［这些部落是：］捏古思、兀良哈惕、弘吉剌惕、亦乞剌思、斡勒忽讷惕、晃豁坛、阿鲁剌惕、乞里克讷惕、嫩真、许慎、速勒都思、亦勒都儿勤、巴牙兀惕和轻吉惕②。

---

① 额尔登泰、乌云达赉：《蒙古秘史》（校勘本）第 1—46 节，内蒙古人民出版社 1981 年版，第 913—925 页。

② ［波斯］拉施特丁：《史集》第 1 卷第 1 分册，余大钧、周建奇译，商务印书馆 1983 年版，第 127—129 页。

这就是拉施特丁所记载的当时"迭儿列勤—蒙古"所拥有的 18 个部落组织的名称，这些部落的形成应该在 11 世纪的后半期，即辽朝晚期阶段。而拉施特丁记载的 18 个部落中，每个部落又囊括着诸多的氏族组织，所以，拉施特丁也记载说：

> 由于神对他们的佑助，在四百年左右他们［繁衍出］许多［氏族］分支，人数超过了其他［民族］；由于他们的强大，这些地区的其他［部落］也渐以他们的名称著称，以致大部分突厥人［现在］都被称为蒙古人①。

蒙古诸部的迅速发展，使得"迭儿列勤—蒙古"自从朵奔蔑儿干时期开始，就形成了一支逐渐区别于其他蒙古诸部的"尼伦蒙古"部落，他们是出自圣母阿阑豁阿"圣洁的腰"的蒙古人，也就是"天生的"蒙古部落的统治者。据拉施特丁记载，尼伦蒙古也由 16 个部落（或氏族）组成，他们是：

> 合塔斤、撒勒只兀惕、泰亦赤兀惕、赫儿帖干、昔只兀惕又名捏古思之赤那思、那牙勤、兀鲁惕、忙忽惕、朵儿边、巴邻、巴鲁剌思、合答儿斤、照烈惕、不答惕、朵豁剌惕、别速惕、雪干、轻吉牙惕②。

当成吉思汗建立大蒙古国之后，尼伦蒙古中又被划分出所谓"乞牙惕—尼伦"或称为"乞牙惕—孛儿只斤"，即著名的"黄金家族"。这是由成吉思汗父亲的后代们组成的蒙古国统治家族③。此系后事，暂置不论。

这样，由蒙兀室韦的一部分逐渐发展起来的蒙古部落，事实上就包括了"尼伦—蒙古"和"迭儿列勤—蒙古"两部分，而这两部分蒙古人就构成了

---

① ［波斯］拉施特丁：《史集》第 1 卷第 1 分册，余大钧、周建奇译，商务印书馆 1983 年版，第 128 页。

② ［波斯］拉施特丁：《史集》第 1 卷第 1 分册，余大钧、周建奇译，商务印书馆 1983 年版，第 129—130 页。按：拉施特丁原文记载即此 19 个氏族名称。

③ ［波斯］拉施特丁：《史集》第 1 卷第 1 分册，余大钧、周建奇译，商务印书馆 1983 年版，第 130 页。

全体蒙古人，即"合木黑—蒙古"。从成吉思汗的先祖孛端察儿开始，又经历五代人的发展，到屯必乃薛禅在位的时候，孛端察儿的后裔们已经统治了全部蒙古人，使蒙古部落发展成为一个相对统一的部落联盟体。据波斯史学家拉施特丁记载：

> 屯必乃汗是成吉思汗的四世祖，在蒙古语中，四世祖被称为不都秃。他有九个聪明、能干、勇敢的儿子，其中每一个都是现今有声望的分支和部落的始祖；这些部落每一个有三万车帐，男女人数达到十万人①。

或许像拉施特丁所记载的人口数字含有很多的水分，若每个部落是十万人口，则屯必乃合罕与其九子的九个部落合在一起就已超过百万人口了。但以这个总人口的数字来衡量成吉思汗兴起之前的蒙古草原地区，似不为过。而屯必乃合罕在位的时期，大约也正处于辽朝末年和金朝初期。

二、金朝与漠北诸部的关系

金代的漠北地区，主要分布着室韦—达怛为主的游牧部落，金朝虽沿袭了辽朝以来的阻卜称谓，但金朝时期的"阻卜"已经不是漠北诸部族的共有名称了。此时，蒙古部族已经成为强大的部落群体，正逐渐发展成为蒙古高原的主人。因为《金史》为元朝修定，凡涉及金代蒙古的史事一概采取回避的态度，故《金史》中很难寻觅关于蒙古的详尽介绍。只是在同期的其他文献中，才保留了若干关于蒙古史迹的记载。当时，中原称蒙古为"蒙国""蒙骨""萌古斯""蒙古子"等，除了仍能见到辽代记载的梅里急（梅古悉）、王纪剌（广吉剌）、阻卜（塔塔尔）、北阻卜（克烈）部族外，当时漠北地区及相邻地带的部族分布状况是：蒙古部游牧于克鲁伦河与斡难河之间，在蒙古部的东面今贝尔湖周围有塔塔儿部（辽称阻卜，金称阻卜、达达）；塔塔儿之东，在今呼伦池一带游牧的是弘吉剌（广吉剌）部及其诸

---

① ［波斯］拉施特丁：《史集》第 1 卷第 2 分册，余大钧、周建奇译，商务印书馆 1983 年版，第 34 页。

属部；在呼伦湖之东则是蒙古合底忻（合答斤）、山只昆（撒勒只兀惕）及
迪列士（或即辽代敌烈）等部；在蒙古部的西北，今色楞格河与鄂尔浑河
流域游牧的有梅古悉（辽称梅里急，即蒙古蔑儿乞部）；在叶尼塞河上源有
外剌部；在贝加尔湖地区有八儿忽部、斡亦剌部。以上诸部都与蒙古部同属
蒙古族。此外，在蔑儿乞之南，占据了回鹘汗庭（今蒙古哈达桑）周围的
广阔牧场的是信奉景教操突厥语的克烈（北阻卜）部，辽道宗时，反叛辽
朝的阻卜部长磨古斯，就是克烈部王罕的祖父。在克烈部之西，从额尔齐斯
河到古和林之间的广阔草原上，居住着信奉景教操突厥语的粘八恩（辽称
粘八葛，即乃蛮）。在蒙古部西南靠近长城地带，是由原蒙古人、突厥人、
吐谷浑人、党项人融合而成的混合体——白达靼（即汪古部）。在乃蛮之北
的叶尼塞河两岸游牧的还有操突厥语的吉利吉思（即辖戛斯）。在蒙古部之
北，还有部分古东胡遗族失必儿（鲜卑）。在乃蛮、吉利吉思以南，即回
鹘。回鹘之西有西辽。事实上，这种部落之间的分布状况，随着部落兼并和
内外环境的变化也在不断地发生着变化和调整。

　　辽朝晚期，已经有相当数量的蒙古部落南徙阴山地带，如辽西南面招讨
司隶属的梅里急部和谟葛失部等，都曾在辽亡前留下了重要影响。金初，谟
葛失等又叛服不常，在金朝与漠北地区的联系中起着正反两方面的重要作
用。因此，中原文献中记载：自 1135 年至 1149 年，金朝曾相继遣大臣宗
磐、胡沙虎及宗弼（兀朮）等 4 次北征蒙古，皆不能制服，最终只好与蒙
古议和，割西平河（今克鲁伦河）以北 20 余团寨给蒙古，且岁赐牛、羊、
米、豆、绵、绢等数十万，并册命蒙古首领为熬罗勃极烈。似乎这一时期的
蒙古诸部已结成了松散的部落联盟组织形态。此后，与金朝密迩相连的汪古
部就成了金朝的属部，充当着为金朝守边的任务。由于金朝忙于同南宋的争
夺，所以，对北方的局势也难以抽出力量予以牵制，因此，以蒙古部落为主
体的北方诸部族，也就很快地走向了整体的大联合，并最终跃上了中国北方
历史发展的大舞台。

　　贞元元年（1153 年），海陵王又命令西京路统军挞懒北征，并且调动了
四路军马，其规模之大、动用兵马之多，也都是前所未有的景象。但是，大
规模战争的进行并没有达到金朝一举荡平漠北诸部的预想，反而使得漠北诸
部防御金朝的警觉性更高，对金朝北部边疆的骚扰更加频繁，导致金朝为此

付出的防御代价也更加沉重。因此，金世宗统治时期，随着中原形势的逐渐稳定，金朝也相应地调整了与北方各部族的关系，蒙古各部落也相继成为了金朝的属部，漠北诸部首领开始接受金朝的册命，并定期向金朝纳贡服役等等。根据史料记载，金世宗时期曾经主动改善金朝与漠北诸部族的紧张关系。例如，

　　　　［大定八年］十二月戊子朔，遣武定军节度使移剌按等诏谕阻䩛①。

此"阻䩛"，即辽代之"阻卜"部落集团。金朝沿用辽朝故名，其实所指部落区域，狭义而言乃指当时活动在今大兴安岭以北、呼伦贝尔湖及额尔古纳河流域至克鲁伦河流域之间的蒙古诸部，即后来形成的广吉剌部落集团以及白鞑靼部落等；广义而言就是指漠北地区的蒙古诸部。移剌按奉命诏谕"阻䩛"诸部，其实乃是金朝主动结好漠北诸部的信号。因此，大定十二年（1172 年）四月，就有了"阻䩛来贡"，以及大定十五（1175 年）年七月，"粘拔恩与所部康里孛古等内附"的历史记录②。粘拔恩部落的"内附"，使金朝的政治影响已经扩大到了今阿尔泰山以北、叶尼塞河以南的蒙古草原西部。同时，也使得金朝政权对于漠北地区的了解日益详细。例如，《金史》记载：

　　　　初，［粘割］韩奴被旨招契丹大石，后不知所终，只是因粘拔恩部长撒里雅寅特思等来，询知其死节之详，故录其后③。

因为，双方之间建立起密切的联系，打探漠北地区及西辽大石的消息与动静也比较顺畅，所以，金朝也重新调整了原有的东北路、西北路和西南路三路招讨司机构，同时恢复与增置了宁远大将军和诸部统军司、诸部节度使司等具体的行政管理机构，直接加强管辖与管理北方属部和增加北部边境地带的

---

① 《金史》卷 6《世宗纪上》，中华书局 1975 年版，第 143 页
② 《金史》卷 7《世宗纪中》，中华书局 1975 年版，第 156、162 页。
③ 《金史》卷 7《世宗纪中》，大定十六年十一月条，中华书局 1975 年版，第 165 页。

防守力量。但是，由于金朝统治者所执行的对蒙古各部分而治之的统治政策，也往往引起漠北诸部的反感，所以，即使金世宗在位的时期，金朝与漠北蒙古各部的相互攻击，也始终未能完全地停歇下来。大定七年（1167年），金世宗命令移剌子敬经略北部边疆地区，大约就已经同漠北诸部产生了不小的摩擦。大定十年（1170年），金世宗又派遣参知政事宗叙率兵北巡，虽然此次北巡的目的，史书中已经没有了记载，但都能肯定这是一次规模很大的战争行为，打击的对象就是漠北蒙古诸部。正是因为漠北蒙古诸部很难予以征服，同时，金朝也已经无力北进，故从金世宗时期开始，金朝政权已经采取防守策略，并因此而动议和修建了沿边壕堑（即金边堡、界壕），即著名的"金长城"，以之抵御北方部族的侵扰。大定十七年（1177年），金世宗又派遣监察御史完颜觌古速巡行北部边境，并开始兴建蜿蜒万里的边堡和界壕等防御工事。

至金章宗在位的时候，金朝与漠北蒙古诸部的对立形势，已经日趋严重。明昌六年（1195年），金章宗命令夹谷清臣行尚书省事于临潢府，又诏令率师出征漠北诸部，直指合勒河（今喀尔喀河）、栲栲泺（今呼伦湖）流域，进攻蒙古合答斤、撒勒只兀惕等部，俘其畜产而还[1]，但克烈等部也因此背叛金朝政权。承安元年（1196年），金章宗又命令丞相襄率军北征塔塔儿部落，由于指挥得法，且得到漠北蒙古诸部的支持，所以，很快就击败塔塔尔部落，并勒石纪功于九峰石壁（即今蒙古国南部巴彦浩特附近），然后，率军奏凯而归[2]。承安三年（1198年），金章宗又派遣大臣宗浩驻军于泰州，再次北击广吉刺等部落[3]。金朝虽在连年战争中获得局部胜利，但也促使蒙古诸部走向了联合。至金末，整个蒙古高原已为蒙古诸部的牧地，金界壕已收缩至达里泊（今赤峰市克什克腾旗）。金泰和元年（1201年），漠北11部共立札木合为局儿罕，主要参加者即广吉刺、合答斤、撒勒只兀惕、塔塔儿等部，共同抵抗金朝的态度是十分明显的。

金章宗朝以后，由于金朝政治统治的腐败，就为蒙古灭亡金朝奠定了基

① 《金史》卷94《夹谷清臣传》，中华书局1975年版，第2085页。
② 《金史》卷94《内族襄传》，中华书局1975年版，第2088—2089页。
③ 《金史》卷93《宗浩传》，中华书局1975年版，第2073—2074页。

础。自金卫绍王时期开始，统治集团内部的争权夺利与相互倾轧以及作为金朝统治基础的猛安谋克制度的彻底崩溃，使得金朝统治者已经再也组织不起有力的力量来抵抗外族的入侵了！因此，当时就有一首童谣说："鞑靼来，鞑靼去，赶得官家没去处。"鞑靼，即指蒙古部落及其建立的汗国政权；官家，即指金朝皇帝。蒙古部落成为北方大漠南北地区的主人也只是个时间的问题了。

三、金朝强盛期的北边设置与防务

金朝初期，在北方边疆地区分别设置了东北、西北、西南三路招讨司，作为管理和招徕北方民族事务的地方统治机构。在东北方面，灭辽之后，便沿袭辽制设置了乌古敌烈统军司，寄治泰州，金海陵王天德二年（1150年），更名为乌古敌烈招讨司，金世宗大定元年（1161年）又更名为东北路招讨司，章宗承安元年（1196年）徙治于金山县（即今内蒙古兴安盟乌兰浩特市东北前公主岭古城），后复还旧治。东北路招讨司下属有 8 个部族节度使，即迭烈（敌烈）、乌鲁古（乌古）和唐古、石垒、萌骨、助鲁、计鲁、孛特本，这些都是由不同部族人口杂居一起所组成的乣军，他们基本分布于今额尔古纳河以南，嫩江以西，以今洮儿河流域为中心，包括了今呼伦贝尔市、兴安盟和通辽市东北部一带。在西北方面，金初沿袭辽制，仍置西北路招讨司，不过其治所则大幅度南移至燕子城，后移治桓州（今内蒙古锡林郭勒盟正蓝旗西北四郎城古城），管辖临潢府以西及桓、昌、抚 3 州以北部族事务，曾领乌昆神鲁节度使，后改由招讨使兼领；又有九详稳，即苏木典、卜迪不（孛特本）、胡都、霞马、咩、唐古、耶刺都、木典、骨典等诸乣。在西南方面，金初沿袭辽朝西南面招讨司建制，治丰州，曾领木典、咩、唐古、耶刺、骨典及奚族第一、第三部乣等。此外，金朝又有群牧机构（契丹语称"抹"，女真语称"乌鲁古"，均指群牧），其中，斡覩只、蒲速椀、瓯里本、合鲁椀、耶鲁椀五处群牧，位于武平县、临潢府、泰州之间，而特满、忒恩、兀者（乌展）、迪斡（乣斡）等群牧位于抚州境内，又有大盐泊群牧司（即今内蒙古锡林郭勒盟东乌珠穆沁旗境内之额吉淖尔盐池附近）。

此外，还有庆州朔平榷场、抚州虾蟆山榷场、春榷场（集宁县）、北羊城榷场（火俺榷场）、昌州狗泊榷场（辖里尼要榷场）、丰州天山榷场等。

除了这些具体的管理机构之外，金朝的北边防务也颇具特色。据《金史》记载，金朝边界的北部沿线大体为：

> 北自蒲与路之北三千余里，火鲁火疃谋克地为边，右旋入泰州婆卢火所浚界壕而西，经临潢、金山，跨庆、桓、抚、昌、净州之北，出天山外，包东胜，接西夏①。

此处所记载"婆卢火所浚界壕"之事，乃指金朝宗室人物婆卢火于天眷元年（1138 年），驻守乌古敌烈时期所修筑的东北边防御工事。关于金朝初年婆卢火修筑的界壕，据现今考古调查资料得知：其遗迹自今呼伦贝尔市额尔古纳右旗根河南岸上库力地方北部，向西沿额尔古纳河进入陈巴尔虎旗北部，再转过河北进入俄罗斯境内，然后，又从今呼伦贝尔市满洲里北部入境，向西经新巴尔虎右旗北部，复入今蒙古国境内，途经乌勒吉河与克鲁伦河之间，向西抵达肯特山南麓，然后消失踪迹。这条边壕，全长七百余公里，整体建筑有墙有壕，也有附属性质的烽燧与马面、小型城堡遗迹，而且部分地段直接使用岩石砌筑。现今学界一般认为，这条界壕遗迹就应该是《金史》记载的婆卢火界壕。其目的在于防范漠北部族的侵扰。

金朝大定五年（1165 年）正月，世宗皇帝诏令修筑东北边堡防戍设施，其主要内容为：

> 诏泰州、临潢接境设边堡七十，驻兵万三千②。

接着，大定七年（1167 年）闰七月，又命令秘书监移剌子敬率领金军"经略北边"，当然是针对漠北诸部族采取的军事行动。在大定二十一年（1181 年）的时候，金世宗认为自泰州境内至临潢府境内，以往设置的堡、寨、栅、障等皆参差不齐，难以协调与相互支援，于是，遂决定：

---

① 《金史》卷 24《地理上·序》，中华书局 1975 年版，第 549 页。
② 《金史》卷 6《世宗纪上》，中华书局 1975 年版，第 135 页。

东北自达里带石堡子至鹤五河地分，临潢路自鹤五河堡子至撒里乃，皆取直列置堡戍。

计划确定之后，施工阶段又遇到了具体问题，史称：

评事移剌敏言："东北及临潢所置，土瘠樵绝，当令所徙之民姑逐水草以居，分遣丁壮营毕，开壕堑以备边。"上令无水草地官为建屋，及临潢路诸堡皆以放良人戍守。

也就是说，当取直列置边堡计划付诸实施之后，在迁徙民户与安置民户等方面又遇到难题，所以，仍由世宗皇帝作出裁决：边堡列置之后，有水草地者依水草而居，无水草地者官府代为营建房屋，以供戍边户使用。于是，朝廷之上开始群议：

省议："临潢路二十四堡，堡置户三十，共为七百二十，若营建毕，官给一岁之食。"上以年饥权寝，姑令开壕为备。四月，遣吏部郎中奚胡失海经画壕堑，旋为沙雪堙塞，不足为御。乃言："可筑二百五十堡，堡日用工三百，计一月可毕，粮亦足备，可为边防久计。泰州九堡、临潢五堡之地斥卤，官可为屋外，自撒里乃以西十九堡，旧戍军舍少，可令大盐泊官木三万余，与直东堡近岭处求木，每家官为构室一椽以处之。"①

以上记载，似乎说明金世宗朝时期重新修整泰州至临潢府堡戍事务，就这样定夺并实行，因此，朝廷为此花费巨资，列置戍边百姓军人等处处都需要付出财帛与劳役。这里所说的"达里带石堡了"，即今呼伦贝尔市莫力达瓦达斡尔族自治旗尼尔基镇北前七家子古城遗址；"鹤五河"，即今科尔沁右翼中旗境内之霍林河；"鹤五河堡子"，即今霍林郭勒市附近霍林河畔；"撒里乃地"，即今内蒙古赤峰市巴林草原北部乌兰坝附近，金世宗曾避暑于

---

① 《金史》卷24《地理上·边堡》，中华书局1975年版，第563页。

此地。

以后，金章宗朝时又数次修筑边堡，基本补齐了临潢府以西，直至阴山以北，再南抵阴山山脉西端的全部北边防线。金章宗朝具体修筑时间，主要集中在明昌年间（1190—1196 年），故后人称为"金长城"或"明昌长城"。

第 十 二 章

金朝晚期的内蒙古地区

第一节　金朝晚期女真政治势力 从内蒙古地区的南移

一、金朝在内蒙古地区统治范围的收缩

金朝对漠北地区的控制，虽然沿袭了辽朝西南面招讨司、西北路招讨司和东北路招讨司的建置，却未能恢复辽朝统治的旧疆。由于西辽政权的存在，大多数漠北部落都奉西辽为宗主国，譬如金太宗时期，曾经命令耶律余睹等人率领军队深入漠北地区，寻找耶律大石及其主力军队，试图歼灭之。金军抵达乌纳水流域之后，不仅没有寻找到耶律大石及其军队，反而遭到漠北诸部的纷纷攻击，结果无功而返。以后，虽然西辽政治、军事势力已经从漠北地区逐渐淡出而向中亚地区集中，但是，漠北诸部仍然在相当长的一段历史时间内，与金朝政权保持着一种基本对立的抗衡关系。到金熙宗天眷元年（1138年），金朝述主持修建了一条著名的北部边防设施，即东起今呼伦贝尔市根河流域、中经今俄罗斯境内、南入满洲里、然后又北经乌勒吉河与克鲁伦河之间直抵肯特山地区，长达千余里的边墙与戍堡设施。这条军事防线完全分布在今大兴安岭山脉以西的广阔区域之内，说明当时金朝政权还能够对今克鲁伦河流域以北地区实行有效的军事占领。但是，到了金熙宗皇统六年（1146年），情况就已经发生了很大的变化。是年，西辽政权的政治、军事势力，又重新向漠北地

区发展，结果引起了整个漠北地区政治局面的大变动；于是，金朝著名的军事将领、已经身为都元帅的宗弼，此时面对漠北地区日益紧张的军事形势，遂亲自率领金朝军队以"北巡边防"为名，向金朝漠北诸部发动了强大的军事攻势，但军事进展并不顺利，结果与当时的蒙古部落集团达成了划西平河（即今克鲁伦河）为界的约定。金朝政权也从此退出克鲁伦河以北大片地区，金朝的军事占领区域也退缩到了今蒙古人民共和国境内的克鲁伦河流域以南的部分地区。金朝政权在军事行动未果的情况之下，也只好派出粘割韩奴等人前往漠北地区，去主动招降西辽耶律大石政权①。以后，海陵王统治时期，虽然西辽政权的消息日渐减少，但是，金朝与漠北诸部族的紧张关系并未解除。

到金世宗在位（1161—1189 年）的时候，虽然漠北地区的诸部族已经逐渐疏远了与西辽政权的联系，也都相继与金朝建立了"通贡"联系与边界贸易关系，并且大部分部落都表示接受金朝的"政令"与管理等，确立了双方的领属关系；但是，金朝此时也没有力量再向漠北寻求更加深入的政治与军事发展。因此，金朝政权也只能对漠北草原诸部采取拉拢与分化策略相结合的统治办法，利用挑起漠北诸部落之间的地区纷争，来达到减轻或缓解金朝北部边防压力的基本目的。金朝政权所采取的这种分割治理的管理方式，也取得了一定的效益和具体成果，像元朝时期记录并保存下来的《蒙古秘史》中，关于金朝实行"减丁"政策的记录，就应该是对此时期内金朝统治政策的历史回忆。与此同时，金世宗统治时期，金朝政权还又一次主动地收缩了北部防线，并在北部地区重新调整与构筑了一道蔓延千余里以边墙、戍堡为主形成的军事防御体系，它东起今呼伦贝尔市莫力达瓦达斡尔族自治旗尼尔基镇北前七家子小城遗址，向西南沿大兴安岭东南麓，经黑龙江省北部进入呼伦贝尔市阿荣旗与扎兰屯境内，又经过兴安盟扎赉特旗境北部、进入科尔沁右翼前旗境内满族屯，又向西抵达霍林郭勒市、再向西进入今锡林郭勒盟东乌珠穆沁旗境内②。同时，根据史料分析：金朝初期，西北路招讨司的治所就设在燕子城（今河北省张北县附近）。到金世宗的时候，大臣移剌子敬建议将西北路招讨司治所北迁。于是，世宗遂诏令将西北路招

---

① 《金史》卷 4《熙宗纪》，中华书局 1975 年版，第 82 页。
② 《金史》卷 24《地理上·边堡》，中华书局 1975 年版，第 563 页。

讨司迁治于界壕附近，以卫护金莲川避暑之地，遂创建了桓州城（今内蒙古锡林郭勒盟正蓝旗南黑城子古城遗址），定名为桓州威远军节度使，并作为西北路招讨司新治所。不久，又将桓州北迁（今正蓝旗西北四郎城古城遗址）。桓州又下辖抚州（今河北张北县）、昌州（今内蒙古太仆寺旗九连城古城址）两个支郡。而桓州、昌州一带，本来就是著名的牧马地，金朝在此设置了多处群牧所。这些情况已经说明，金世宗时期金朝的边堡、界壕等军事防线，已经大幅度地收缩至达里湖及正蓝旗境内，也标志着金世宗时期开始对漠北地区主动采取了以防守为主并向南收缩的军事防御策略。

金世宗在位时，也正是当时漠北地区蒙古诸部的基本势力发生了大发展大变化的历史时期。此间，诸多的蒙古部落之间相互争夺属民和畜产的现象已经十分普遍。1162 年，蒙古部的杰出首领铁木真，就诞生于各个部落之间激烈的争战之际。金章宗即位的同一年（1189 年），也正是铁木真被蒙古乞颜贵族推举为蒙古可汗的时候。因此，在金章宗在位（1189—1208 年）时，也正是铁木真所率领的蒙古部落，分别与蔑儿乞、塔塔尔、克烈、乃蛮等强部展开空前的角逐以及统一蒙古诸部的历史时期。所以，在金章宗的统治时期内，蒙古诸部不断地向南进逼，也已经成为当时漠北草原各种政治力量发展的基本象征。故金章宗时期的北部边防问题，也已经成为金朝政权的当务之急。丞相完颜襄的大举北征，就是在这种情况下进行的。当时金朝的部署是：讨伐扰边的广吉刺诸部落，然后稳定边防形势，重新修筑边堡、界壕，以求一劳永逸。但率先出征的夹谷清臣因为部署失当，反而激起属部塔塔尔的反叛。于是，金章宗只好委任完颜襄代替夹谷清臣行尚书省事于临潢府，并大举征讨广吉刺及塔塔尔部落，军事行动取得成功之后，又调集国内民力物力相继在西南路、西北路与临潢府路地区修筑了新的界壕、边堡，因为这些事情主要发生在金章宗明昌年间（1190—1196 年），故后世又习惯地将金章宗时修筑的边堡界壕，称之为"明昌长城"、"外堡"等。"明昌长城"，全长 3 800 公里，西起阴山西端以北地区，中经今内蒙古乌兰察布市、锡林郭勒盟境内，向东沿蒙古高原东南缘南下，抵近燕山山脉北部；自锡林郭勒盟正蓝旗境内进入赤峰市克什克腾旗西南部，沿达里湖西侧，又东北行；经克什克腾旗天合园乡进入林西县，沿大兴安岭余脉西端南麓东行；自林西县五十家子乡进入巴林右旗索博力嘎苏木，又东行进入巴林左旗境内；

经巴林左旗北部乌兰达坝地区进入阿鲁科尔沁旗境内，再东北越过达拉河进入通辽市扎鲁特旗境内；又东北行，经科尔沁右翼前旗进入霍林郭勒市，向东抵达呼伦贝尔市莫力达瓦达斡尔族自治旗嫩江西岸尼尔基镇东北。"明昌长城"与辽代漠北统治区域相比，其收缩的幅度是十分惊人的。即便如此，金朝统治者也仍然难以抵御北方的"边患"，或许这也是金章宗本人所始料不及的事情！同时更令金章宗始料不及的就是：当丞相完颜襄的大举北征，完全打垮了塔塔尔人部落之后，不仅未能稳定北部边防，反而又给铁木真所率领的蒙古部落更多的地理活动空间，从此揭开了蒙古汗国政权与金朝政权直接抗争的新篇章。

二、金朝与蒙古

关于金朝与蒙古部落的关系，在元朝修订《金史》的时候，已经被删削殆尽，除了保存一些"大朝、大兵"等相关记载外，关于金朝与蒙古部落的关系，尤其是成吉思汗建国以前的历史记录，丝毫都没有保留下来。倒是在其他各类史料中，还保留着一些关于蒙古部落与金朝关系的记载。根据《蒙古秘史》记载，自成吉思汗始祖孛端察儿开始，孛儿只斤家族共经历了六代人，至第七代屯必乃薛禅在位的时候，蒙古部落已经逐渐地强大起来；屯必乃薛禅病殁之后，由他的儿子合不勒接任蒙古部落的合罕职务，故被称为合不勒合罕，合不勒合罕病殁之后，由他的堂侄俺巴孩继任为蒙古部落的合罕，故称为俺巴孩合罕。从屯必乃薛禅到俺巴孩合罕时期，也正好是金朝海陵王统治时期及其以前的金朝前期阶段。据《蒙古秘史》记载：

> 捕鱼儿海子，阔连海子。两个海子中间的河名兀儿失温，那河边住的塔塔尔一种人，俺巴孩将女儿嫁给他，亲自送去，被塔塔尔人拿了，送与大金家。俺巴孩此时别速歹氏巴剌合赤名字的人说将回去，说道你对合不勒皇帝的七个儿子中间的忽图剌根前，并我的十个儿子内的合答安太子根前说：我是众百姓的主人，为亲送女儿上头，被人拿了，今后以我为戒。你每将五个指甲磨尽，便坏了十个指头，也与我每报仇[①]。

① 额尔登泰、乌云达赉：《蒙古秘史》第53节，内蒙古人民出版社1981年版，第927—928页。

捕鱼儿海子，即古代的贝尔湖；阔连海子，即今呼伦湖；大金家，即蒙古语对金朝的称呼。据说，俺巴孩合罕是被金朝皇帝钉死在木驴上的。这是《蒙古秘史》中关于蒙古部落与金朝之间最早发生联系、并且又是形成了"世仇"的直接记录。但是，根据古代波斯史家拉施特丁的记载，蒙古部落与金朝的联系，早在合不勒合罕时期就已经存在。拉施特丁记载说：

合不勒汗是自己部落和属民的君主和首领。因为他和所有的儿子都很勇敢和能干，所以关于他们的传说传到了阿勒坛汗的国家和他的异密处。因为在阿勒坛汗的心目中［合不勒汗］是一个值得尊敬的伟人，所以他想同他接近，想在双方之间开辟出一条团结友好的大道，便派了一些使者去邀请他。当合不勒汗到达那里时，他很尊敬他。端来了各式各样美味的食物和无数可口的饮料。因为乞台人生性狡猾、不讲信义，常阴险地偷袭强敌，下毒害人是出名的，所以合不勒汗感到担心，认为他们在食物里暗中下了毒。他借着外出松快松快的名义，不时走到外面来，来来回回地走动，因为天气炎热，所以他沉没到水里，仿佛是为了解除暑热，他能够在水底下潜伏吃完一头羊那么长的时间。他就按习惯在水下潜伏着，将吃下的东西全部吐出，然后再到阿勒坛汗处，照常吃了许多食物，喝了许多酒。乞台人惊奇地说道："最高的主把他造成一个多么幸福和结实的人啊，他老也吃不饱，喝不醉，老不呕吐。"他走到阿勒坛汗面前，拍手而舞，抓住他的胡子，戏弄他。异密与怯薛丹见他举止粗野，便说道："他对我们的君主太无礼了！"——他们全向合不勒汗扑了过来。合不勒汗见阿勒坛汗高兴地笑了，便走上前去逢迎他说道："我举止失措，粗野无礼，听凭阿勒坛汗惩罚我或留我一命！我没能克制自己，干出了这么些事！"阿勒坛汗是一个有头脑、能克制自己的君主，他知道合不勒汗有部落和属民，如果为了这么点小事将他杀死，以后他的长幼宗亲就会出于仇恨而起来为合不勒汗报仇，他们之间的纷争和敌对关系将会长期绵延。因此，他把这一举动当作开玩笑和友好的嬉闹，压下了怒火，宽恕了他。接着，他命人从国库里取来许多金子、宝石和衣服赐给他［这些东西堆在一起，有他的身子那么高］，极其尊敬和彬彬有礼地将他送了回去。

但是，在合不勒汗离开了阿勒坛汗之后，阿勒坛汗的大臣们却建议将他再追回来。阿勒坛汗的使者在途中追上合不勒汗的时候，合不勒汗拒绝随他们回去。当再来追他的时候，合不勒汗已经回到家里，于是，使者们将他捉住，但合不勒汗在路上又逃回了家里，由于他的儿子们都不在家里，所以，合不勒汗将自己的儿媳和仆役们召集起来，袭击并杀死了阿勒坛汗的使者们①。这位合不勒汗在位的具体时间，大约相当于金太宗与金熙宗在位时期（1123—1149年），当时的蒙古部落可能在强大而繁盛的契丹辽王朝及其文化影响下，开始结成比较固定的部落联盟关系，进而呈现出了一个强大而又斗志旺盛的政权形态。所以，宋人在《三朝北盟会编》中，不失时机地记载下了金熙宗皇统六年（1146年），都元帅宗弼率军北伐，结果与蒙古部落确定划西平河为治的盟约以及赐封其首领为"敖罗勃极烈"的具体情况。宗弼北伐及赐封蒙古部落首领的事情，应该就是在合不勒汗在位时期。但是，从合不勒汗自金朝逃回之后，蒙古部落与金朝关系也急转直下，这是因为：

> ［合不勒汗的儿子们］他们全是把阿秃儿、战士和勇士，他们中间没有一个人会在拥有大量辎重的大军面前逃跑，没有一个敌人能够抵抗他们。关于他们的勇敢的故事很多。其中之一如下：因为他们都极其勇敢，所以在与敌人作战时，就离开那可儿们，待在一旁某个地方。［从那里，］他们打败那些攻打他们那可尔的人，夺取他们的财产，运到自己的帐幕里。最常见的是：当他们回家来时，他们的妻子们已经哭得眼中无泪了，因为她们担心这些著名的勇士们遇到了危险②。

也就是说，合不勒汗的儿子们都是一些善于战斗和掳掠的勇士，战争与掳掠是他们生活中的最大乐趣。也正因为如此，在他们与金朝发生的冲突之中，

---

① ［波斯］拉施特丁：《史集》第1卷第2分册，余大钧、周建奇译，商务印书馆1983年版，第42—44页。

② ［波斯］拉施特丁：《史集》第1卷第2分册，余大钧、周建奇译，商务印书馆1983年版，第44页。

不幸就最终落到了其中一个人的头上。这个人就是合不勒汗的长子：斡勤·巴儿合黑。

因为塔塔儿部落是乞台君主阿勒坛汗的奴隶与臣民，又由于合不勒汗曾杀死过他［阿勒坛汗］的使者，他们之间结下了仇，此外，合不勒汗诸子由于将叙及的原因，同塔塔儿诸部发生纠纷，引起了战争，因此，他们［塔塔儿人］经常埋伏起来，伺机袭击。他们突然找到机会，将斡勤·巴儿合黑捉住，送到了阿勒坛汗处。阿勒坛汗下令用铁钉将他钉到"木驴"上，他就死去了①。

蒙古部落与塔塔儿部落发生纠纷的原因是什么呢？据说合不勒汗的妻子豁阿·古鲁古（弘吉剌惕部人）的弟弟，因为生病，就请了一位塔塔儿部的珊满来看病，珊满作过巫法之后，病人却死了。但是，病人的宗亲们回来之后，因为这件事情去找到那位珊满并杀死了他。结果塔塔儿部为此向弘吉剌惕部落寻仇。蒙古部落作为弘吉剌惕部的亲戚也参与了对塔塔儿部落的战争。于是，蒙古部落也与塔塔儿部落结成了仇敌。所以，在合不勒汗晚年的时候，就发生了塔塔儿部捉住合不勒汗的儿子送给金朝皇帝处死的事情。当合不勒汗病死之前，就已经亲自确定其堂侄俺巴孩为蒙古合罕的继承人，但俺巴孩合罕继位不久，便又发生了《蒙古秘史》中所记载的：塔塔儿人捉住俺巴孩汗献给金朝并被钉死于木驴的事件。俺巴孩合罕被捕之后，蒙古部落贵族推举合不勒汗之子忽图剌做了蒙古合罕，史称忽图剌合罕。忽图剌合罕继位之后，立即展开了与塔塔儿部的复仇战争。

由于塔塔尔人捉住他的兄弟斡勤·巴儿合黑和他的父亲的堂兄弟察剌合·领昆的孙子俺巴孩合罕，将他们送到了阿勒坛汗处。而阿勒坛汗在前述情形下将他们杀死，［忽图剌合罕］便率领军队出征乞台，他在

---

① ［波斯］拉施特丁：《史集》第1卷第2分册，余大钧、周建奇译，商务印书馆1983年版，第40页。

那里与阿勒坛汗的部落和军队作战，洗劫了他的部分地区①。

据说，俺巴孩合罕被钉死之前曾经托付一位名叫不剌合赤的那可儿，去告诉阿勒坛汗自己的部落会为他复仇。结果，

> 阿勒坛汗轻蔑地嘲笑着回答道："你，送了这个信来的人，自己去告诉你们那些人吧！"于是，他刚把俺巴孩合罕杀死之后，就把一匹备用换乘的马给了上述不剌合赤，打发他去把俺巴孩已被杀死的消息通知俺巴孩合罕的部落。……当俺巴孩合罕遇害的消息传到他们那里时，合丹太师、秃带和也速该把阿秃儿同各部落和人数众多的蒙古兀鲁思一起，举行了出兵为俺巴孩合罕报血仇的会议。他们拥戴忽图剌合罕登上了汗位，将全部军队交给他统辖，向乞台进军。他们到了那里，厮杀起来，击溃了阿勒坛汗的军队，歼灭了大量乞台人，并进行了劫掠。夺得的无数战利品在军队之间进行分配后，他们便回来了②。

这位处死了俺巴孩合罕的金朝阿勒坛汗，大约就是金朝的海陵王完颜亮。据《金史》记载，海陵王贞元元年（1153年），曾经征调四路大军征讨漠北部落，而俺巴孩合罕的被捕，大约就是这次军事行动的直接结果。据《蒙古秘史》记载：忽图剌合罕在位期间，曾经与金朝属部塔塔儿部落进行了大小十三次作战，一直未能达到复仇的目的。忽图剌合罕以后，就是时间比较短暂的也速该把阿秃儿时代，蒙古人的复仇战争仍在进行，直到铁木真时期，才完全达到了复仇的目的，也由此揭开了蒙古人灭亡金朝的历史序幕。

三、契丹反叛与北方"边患"的增强

金朝的北部边疆地带，自从耶律撒八及移剌窝斡领导的契丹等各民族大起义被镇压之后，契丹人的处境，也发生了很大的变化。史称：

---

① ［波斯］拉施特丁：《史集》第1卷第2分册，余大钧、周建奇译，商务印书馆1983年版，第52页。

② ［波斯］拉施特丁：《史集》第1卷第2分册，余大钧、周建奇译，商务印书馆1983年版，第54页。

　　　　［大定三年八月］戊寅，诏罢契丹猛安谋克，其户分隶女真猛安
　　谋克①。

　　也就是说，当移剌窝斡领导的契丹大起义被平息之后，金世宗首先取消了参
与起义的契丹人或契丹部落原来拥有的独立的猛安谋克组织，然后又将这些
契丹部族人口分别隶属于女真人的猛安谋克组织的管理程序之内，目的无非
是想以女真人来更加严密地监视或控制契丹人的反抗情绪。以后，金朝虽然
又恢复了契丹人的猛安谋克组织，但是因为北方边事比较频繁，而契丹人小
规模的反抗或叛逃仍然不断地发生，如大定九年（1169 年）正月戊寅，"契
丹外失剌等谋叛，伏诛"②，致使金世宗对契丹人的猜疑和防范日渐严重，
大定十七年（1177 年）正月戊申，又下诏将部分契丹人口北迁上京及乌古
里石垒部，

　　　　诏西北路招讨司契丹户，其尝叛乱者已行措置，其不与叛乱及放良
　　奴隶可徙乌古里石垒部，令及春耕作③。

　　西北路其他契丹人也被迁往东北，仍令其与驻守女真人口杂居共处，目的是
希望他们能够互通婚姻，以此达到同化契丹人的目的。于是，一声令下，便
导致大批契丹人口被迫弃牧归农，沦为女真人管理下的直接耕种的佃农。这
样，也使得金朝北方地区的契丹人经济状况与阶级结构，变得日益复杂。因
为，南入中原的契丹人或为地主或为佃农，部分留居故地的契丹人或为牧主
或为牧人。而迁至东北地区金朝上京会宁府一带的契丹人，则逐渐沦落为女
真人口直接管理下的佃农。与此同时，更多的居住在北方地区的契丹部落民
户，仍然在不断地被金朝政权编组为乣军，充当着为金朝戍边卫疆的责任。
因此，金世宗推行的同化契丹人的政策，不但未能达到消除契丹人隐患的根
本目的，反而促使契丹人与女真人之间的民族矛盾日益激化。

---

　　① 《金史》卷6《世宗纪上》，中华书局1975年版，第132页。
　　② 《金史》卷6《世宗纪上》，中华书局1975年版，第144页。
　　③ 《金史》卷7《世宗纪中》，中华书局1975年版，第166页。

金章宗承安元年（1196 年），当金朝正被蒙古诸部的扰边问题，搅得寝食难安的时候，被金世宗北迁乌古里石垒部落附近的特满群牧契丹人，在契丹德寿、陀锁二人的率领下，又于信州（今吉林怀德县秦家屯古城）发动了规模极大的民族大起义，他们摧毁金朝地方政权，建立契丹政权，建元身（神）圣元年，部众很快发展到 10 万人以上。德寿、陀锁起义的消息传开之后，分布契丹故地的群牧、诸乣等，也纷纷群起响应，彻底打破了金朝东北地区的统治秩序，给金朝政权造成了极大的震动和不安。于是，金朝右丞相完颜襄赶紧撤回北征漠北诸部的金军进行大规模的围剿。同时，又担心金朝西北路契丹诸乣与德寿、陀锁起义军会合，便趁征讨漠北塔塔儿部凯旋之际，率领大军将契丹诸乣统统强行迁徙到中都附近的山后地区予以安置，并采取了积极的安抚政策，很快就稳定了诸乣的形势，也保存下金朝抵抗北方"边患"的一支生力军。然后，金朝抽调大量女真兵力大举征伐和镇压德寿起义，参与起义的契丹诸部落，也在金朝分化瓦解的安抚政策下，暂时安定下来。但是，此时的金朝也已陷于多事之秋，虽然对契丹诸部采用了安抚和依赖政策，却未能从根本上解决契丹与女真之间的隔阂和矛盾。

完颜襄将契丹诸乣迁至中都附近并加以安抚之后，暂时平息了这些契丹人的反叛情绪。但随着金朝政权的腐败和女真人猛安谋克组织的名存实亡，女真军队已经是雄风不再，在金朝北御蒙古南防南宋的紧张军事形势下，金朝军队已不足以应付南北战场的需要，因此，这些南迁的契丹乣军，便成为金朝主要的军事依赖力量。金章宗泰和六年（南宋开禧二年，1206 年），南宋见蒙古渐盛，金朝已经衰弱下去，遂发动了著名的"开禧北伐"，金、宋之间又爆发了一场大战，于是，金朝便急派契丹乣军出征。也正是在这一年，蒙古族杰出的领袖铁木真，在漠北草原地区建立了大蒙古国，加尊号为成吉思汗，统一蒙古草原，开始了向漠南地区进军的历史步伐。

1211 年秋，成吉思汗亲征金朝，连克金军边塞乌月营、乌月堡，进克昌州、桓州，击败金军主力于会河川。净、丰、云内、东胜诸州均被蒙古军攻克，并分别威胁到金中都和西京的安危。金朝又急调契丹乣军镇守中都通玄门外。1212 年、1213 年，蒙古军连番南下，漠南地区已经成为大蒙古国的版图。1213 年，契丹乣军与蒙古军战失利，主帅被责，兵士未有抚恤，致使群情汹汹，主帅尤虎高琪发动兵变，攻杀金朝执政完颜执中，尤虎高琪出任左副左帅，专擅朝政。金宣宗在与蒙古匆忙议和后，即决定迁都汴京。1214 年，金朝宗室、百官南迁，诏命契丹乣军，随从南下，但又虑其生事谋叛，下令收回乣军马甲武器，结果，激起乣军再次反叛。乣军在斫答、比涉儿、札剌儿等人率领下，杀死主帅，还军中都，大败中都金军的堵截，并与蒙古联络。成吉思汗立即派大将石抹明安兄弟收降了这些契丹人，并就地进行围攻中都（即今北京市）的战斗。1215 年正月，在契丹乣军的帮助下，成吉思汗占领中都，使其从此成为大蒙古国经略汉地的中心。

就在金朝忙得不可开交的时候，1212 年，金朝北边契丹千户耶律留哥在隆安（今吉林农安）、韩州（今吉林榆树县偏脸城）一带起兵反金，很快召集 10 万余人，向金朝辽东地区发起进攻，耶律留哥主动与蒙古征辽东将军按陈订盟于金山（今大兴安岭），表示永为蒙古藩属，联合蒙古共同向金军发起攻击，大败金军于迪吉脑儿（今辽宁昌图县附近）。1213 年，留哥称王，国号辽，定都于咸平府（号中京）。1215 年，留哥攻占东京辽阳府，夺取了辽东。此时，留哥政权内部就降附蒙古还是自立政权问题发生争执，导致内乱，耶律留哥投降蒙古，徙居于临潢府。辽东之地又为蒲鲜万奴所占据。至此，当时北方地区内的整个内蒙古地区基本全部处于大蒙古国的版图之中，金朝完全丧失了对北方地区的控制能力。

第二节　蒙古族游牧文化圈的继续延展

一、"也可·忙豁勒·兀鲁思" 的建立

据说屯必乃薛禅有 9 个儿子，他们每个人都领有一个势力强大的部落集团，而每个部落集团都有 3 万个以上的车帐，人口数在 10 万人左右，而全体蒙古人的总人口数足有百万以上①。屯必乃薛禅在位的时候，他的 9 个儿子都统统听命于他。屯必乃薛禅死后，他的第六个儿子合不勒成为继承人。这时的蒙古部落已经成为漠北草原的强大部落集团，他们统治了更加辽阔的

---

① ［波斯］拉施特丁：《史集》第 1 卷第 2 分册，余大钧、周建奇译，商务印书馆 1983 年版，第 34 页。

土地面积，囊括了更多的部落人口。因此，他们也拥有了一个新的名号，即"呼和忙豁勒"（意为青色的蒙古），并从此成为当时中原王朝——金朝所致力对付的主要对手。据《三朝北盟会编》记载，金朝皇统六年（1146年），宗弼（即兀术）率领8万大军北伐鞑靼诸部的时候，结果被打败，因此，金朝被迫与当时的蒙古诸部划西平河（即今克鲁伦河）为界，而将西平河以北20多个军事据点——团寨，都统统地交给了蒙古诸部。这个时候，大约就是屯必乃薛禅及合不勒汗在位的时候。古代波斯史学家拉施特丁也记载说，合不勒合罕在位的时候，曾经得到阿勒坛汗（即金朝皇帝）的极大尊重①。据《蒙古秘史》记载，合不勒合罕死后，由他的堂兄弟想昆必勒格的儿子俺巴孩继承了蒙古汗位，称俺巴孩合罕。俺巴孩合罕在位的时候，大约为金朝海陵王时期。《金史》记载，海陵王贞元元年（1153年），命令西京路统军使挞懒率领西北路招讨司、临潢府路及乌古敌烈统军司等四路军队，大举北巡，主要目标即针对势力日益强大的蒙古部落集团。此次战争想必十分惨烈，可惜《金史》等并未留下丝毫关于战果的描述，倒是在《蒙古秘史》中记载了俺巴孩合罕被金朝皇帝钉死在木驴上的事件。这大约就是金朝贞元元年（1153年）北伐蒙古诸部的主要战绩。因此，俺巴孩合汗之死，也使蒙古部落从此与金朝结下了"世仇"。同时，根据《蒙古秘史》的相关描述，自俺巴孩罕死后，蒙古部落似乎已经失去过去那种相对牢固的统一局面，尤其是在俺巴孩合罕的继承者忽图剌汗死后，泰亦赤兀惕、主儿勤等部贵族集团开始争夺部落统治权，当乞颜孛儿只斤部人也速该临时当选部落可汗之后，又在为儿子铁木真定亲的途中，再次受到塔塔儿人的暗算，中毒而亡。从此，蒙古诸部又陷入贵族之间争权夺利的内乱之中。

据《蒙古秘史》记载，也速该死后，家中只有寡妻诃额仑与几个年龄幼小的孩子。次年春天，俺巴孩合罕的两位夫人率领众人祭祖时，又故意没有分配给也速该家中应得的那份胙肉，诃额仑气愤地质问了她们。于是，俺巴孩合罕的夫人就与部落贵族约定在部落起营转移的时候，将诃额仑母子抛弃并分掉其家拥有的"收养人口"（即奴隶或私有部众）。当察合台老人进

---

① ［波斯］拉施特丁：《史集》第1卷第2分册，余大钧、周建奇译，商务印书馆1983年版，第58—63页。

行劝阻时，他们用枪刺伤老人的背部，遂裹挟也速该家的部民而去。当诃额仑前往阻止时，也仍然没能留下一个人。就这样，铁木真一家被蒙古乞颜贵族们无情地抛弃在斡难河畔。诃额仑夫人

> 拾着果子，撅着草根，将儿子每养活了。这般艰难的十分，养的儿子每长成了，都有帝王的气象。
>
> 诃额仑菜蔬养来的儿子，都长进好了，敢与人相抗。为奉养他母亲上头，将针做钩儿于斡难河里钓鱼，又结网捕鱼。却将母亲奉养了①。

逐渐地铁木真一家拥有了自己小量的马群和羊群以及部分人口的归附。正如《多桑蒙古史》所说的那样：

> 畜养马群为鞑靼种族［即蒙古人——笔者］经济之要源。

同样，据《黑鞑事略》记载：

> 牧而庖者以羊为常②。

羊不仅是游牧民族的食物来源，同时，羊毛织物也是为人们提供御寒衣物和居住手段的主要来源。马群和羊群，已经构成漠北游牧民族经济结构的主要支撑。据《史集》记载：成吉思汗的八世祖母莫挈伦"有巨额的财富和收入"，"每隔几天，她就要吩咐将畜群赶在一起。她的马和牲畜，多到无法计算。当她坐在山头上，看到从她所坐的山顶上直到山麓大河边满是牲畜，遍地畜蹄时，她便喊：牲畜全聚拢来！"莫挈伦的牲畜、马匹之多，实属可观。但也由此说明当时漠北草原优良的牧场景象。正当铁木真一家从生死线上刚刚挣扎过来的时候，乞颜部的贵族们又在泰亦赤兀贵族的挑唆下，回过

---

① 额尔登泰、乌云达赉：《蒙古秘史》第74、75节，内蒙古人民出版社1981年版，第935—936页。

② 《黑鞑事略笺证》，《王国维遗书》第13册，上海古籍出版社1983年版，第5页。

头来"斩草除根"，他们指名道姓地要结束铁木真的生命。在铁木真一家与乞颜部贵族顽强抗争之际，孱弱的家庭经济也几度面临覆灭的危机。虽然，铁木真曾经得到妻家的无私帮助，但是，面对乞颜贵族以及蔑儿乞人、塔塔儿人的四处夹击，无奈的铁木真只能乞求也速该的安答——克烈部首领脱斡邻勒罕的帮助，脱斡邻勒罕（即著名的王罕）因此被铁木真尊称为"父罕"。

在克烈部的帮助下，铁木真相继打败了乞颜部贵族和蔑儿乞部以及塔塔儿人等，终于使蒙古诸部又逐渐聚拢在铁木真的周围，从而呈现出漠北草原地区克烈、蒙古、乃蛮以及札答阑部札木合等几支势力较大的部落集团。1189 年，蒙古乞颜部贵族集团聚会于斡难河畔，共同推举铁木真为蒙古可汗。这一年，也正是金朝世宗皇帝病殁、章宗皇帝即位之际。铁木真当选为蒙古可汗之后，许多将领和贵族都向他表示效忠：他们愿意

　　　　我如老鼠般收拾，老鸦般聚集，盖马毡般盖护，遮风毡般遮挡①。

这样，铁木真就建立了一个以他的"那可儿"们为核心的蒙古政权，并由此揭开了统一蒙古部落的历史序幕。

铁木真称汗不久，就遭到其"安答"札木合率领的札答阑、泰亦赤兀、翁吉剌等 13 部联军的进攻，双方爆发了蒙古族历史上著名的"十三翼之战"，双方力量对比以札木合集团为优，但因札木合率领的是诸部联军，所以，战斗配合不力，铁木真又适时地撤出战斗，故对实力弱小的铁木真并未造成伤害；反而是札木合由于痛恨诸部战斗不力，故于回师途中将赤那思部首领们捉起来活煮了 70 锅②，于是，札木合的盟友们纷纷倒戈、投附铁木真。所以，"十三翼之战"不仅未能削弱铁木真的力量，反而使铁木真的实力更加强大。1195 年，塔塔儿人与金朝关系恶化。1196 年，金朝丞相完颜襄率军讨伐塔塔儿部，铁木真趁机联合克烈部覆灭塔塔儿部于浯勒札河（今蒙古国境内乌尔扎河）畔，并乘机剿灭内部异己集团——主儿勤部，使

---

①　额尔登泰、乌云达赉：《蒙古秘史》第 124 节，内蒙古人民出版社 1981 年版，第 961 页。

②　额尔马泰、乌云达赉：《蒙古秘史》第 129 节，内蒙古人民出版社 1981 年版，第 964 页。

得蒙古部呈现内部空前团结的局面。1198 年，合答斤、山只昆（撒勒只兀惕）部落等也遭到金朝打击迅速衰弱。1200 年，铁木真又趁机占领捕鱼儿海子周围地区，使翁吉剌诸部成为蒙古部落联盟中的一分子。1201 年，彻底击溃札木合集团，乘胜追击又消灭泰亦赤兀惕部。1202 年，终于使大兴安岭地区与不儿罕山联成一片。1203 年，克烈部向铁木真发动进攻，双方会战于合兰真沙陀之地，铁木真战败，退守克鲁伦河下游班朱尼河流域；是年，克烈部又与金朝发生激烈冲突。秋季，铁木真趁机收集残余，一举消灭克烈部。1204 年，铁木真确立蒙古千户、百户制度，对部落人口实行新的编组方式，确立了游牧封建制度的基本组织程序；建立以"八十宿卫、七十散班"和"扯儿必"官职为代表的常备军；同年 4 月，与乃蛮塔阳汗决战于萨里川，塔阳汗被俘，乃蛮部灭亡，整个漠北草原地区重新恢复统一局面。1206 年，铁木真在斡难河源头，树立起九斿白纛，按照蒙古部的旧俗召开忽里勒台大会。与会的蒙古诸部贵族一致推举铁木真为统帅全蒙古部落的大汗，上尊号为"成吉思汗"。于是，成吉思汗宣布国号为"也可·忙豁勒·兀鲁思"即"大蒙古国"。蒙古地区的统一，标志着蒙古民族共同体的基本形成。

二、东北与西北地区的征服

成吉思汗建立了统一的蒙古汗国之后，金朝还是一个表面强大的封建政权。所以，成吉思汗首先将南向用兵的主攻方向确定为河西地区的西夏政权。1205 年，成吉思汗首次用兵于西夏政权，蒙古骑兵很快就攻克了西夏的两个重要据点，即力吉里寨和落思城，大肆掳掠之后，立即撤军。1207年秋季，成吉思汗又借口西夏"不纳贡赋"而对西夏继续用兵[①]，攻克西夏设置于龙骨山北的重镇斡罗孩城（今内蒙古阿拉善盟阿拉善左旗境内西南之狼山山口附近），并与西夏军队展开大规模交战，纵兵四处掳掠，直到次年 2 月始收军撤回蒙古老营。1209 年，蒙古军继续进攻西夏，攻克黑水城（今内蒙古阿拉善盟额济纳旗境内额济纳河畔之哈拉浩特古城遗址）之

---

①　［波斯］拉施特丁：《史集》第 1 卷第 2 分册，余大钧、周建奇译，商务印书馆 1983 年版，第209 页。

后，挥师直指兀剌海关口（即今阿拉善左旗境内之狼山口），西夏以太子
为主帅、以大都府令公高逸为副，率军五万迎战，结果高逸被俘，兀剌海
关守将出降，蒙古军遂直捣西夏都城中兴府（即今宁夏银川市），与西夏
军队相持于克夷门（即今贺兰山通往银川市之关口），最终俘获西夏守军
主帅嵬名令公，遂包围中兴府并引水灌城，结果蒙古军营反遭淹没。于
是，成吉思汗遣人招降，西夏国主遂向成吉思汗献公主求和，并确立了西
夏每年定期向大蒙古国贡献骆驼、毛制品和鹰鹘的义务。从此不仅西夏成
为了大蒙古国的属国，而且河西走廊以北、阴山以西的大片草原地带也纳
入大蒙古国的版图。

　　蒙古部落原本臣属于金朝政权，这是无可置疑的事实，甚至成吉思汗本
人也曾经兴高采烈地接受过金朝的官封以及定期地向金朝献纳蒙古物产等，
但是，蒙古部落与金朝政权之间的矛盾也是由来已久的。根据史料记载，金
卫绍王未做皇帝之前，曾经前往静州（今内蒙古兴安盟乌兰浩特市东北前
公主岭古城遗址）接受蒙古部落每年缴纳的贡物，铁木真于此遇到过他并
与之相认，也比较理解此人王公子弟的脾性。因此，当1208年11月卫绍王
即位为帝的诏书送到蒙古大营后，成吉思汗不仅拒绝向诏书参拜，还南向唾
而言曰：

　　　　我谓中原皇帝是天上人做，此等庸懦亦为之耶，何以拜为！[1]

消息传回到金朝之后，据说金朝打算趁成吉思汗入贡之际，捕捉并杀死他。
于是，蒙古汗国废除了与金朝的臣属关系。1211年2月，成吉思汗举行伐
金誓师大会，宣布金朝屠害蒙古先人罪状，然后，分兵两路：以成吉思汗率
领的东路军为主力，以大将者别为先锋；以成吉思汗三子术赤、察合台、窝
阔台所率军队为西路，以汪古部为向导。同年3月，东路军前锋迅速攻破金
军乌沙堡、乌月营等要塞，突破金朝倚为壁垒的边墙防线，于是，成吉思汗
率领主力军队抵达今达里诺尔附近，短暂休整之后，又迅速攻占金朝昌、
桓、抚三州，并占领了抚州境内的大水泊等要地。同年8月，金朝任命宗室

---

① （明）宋濂等：《元史》卷1《太祖纪》，中华书局1983年版，第15页。

贵族完颜承裕为主帅，率领军队十余万人，号称四十万，出据野狐岭，将为固守防御之计，结果成吉思汗趁金军驻防之际，两路夹击，彻底击溃金军主力于野狐岭下；完颜承裕率领残余军队退守宣德州境内会河堡，蒙古军随后赶到，再次击败金军于会河堡，并乘势进军至距中都城百里之遥的缙山县。者别率领的蒙古军，也突破了居庸天险，直抵中都城下。此时，蒙古西路军也在汪古部的配合下，顺利越过阴山，相继攻克丰、云内、东胜、武、朔诸州，对西京大同府形成两面夹击态势，迫使金朝西京留守纥石烈执中仓皇弃城逃回中都。于是，蒙古军围攻中都城，久攻不下之后，遂撤军北归。其先锋者别则率军进攻辽东地区，攻克辽阳城后，掳掠而去。

1212 年，成吉思汗率领蒙古骑兵再次南下，相继攻克昌、桓、抚诸州之后，挥师进攻西京城，久攻不下，又退回阴山。次年，蒙古骑兵再次南下，相继攻克宣德州、德兴府与居庸关，再败金军主力于紫荆关，攻克涿、易二州。然后，蒙古军兵分三路：尢赤、察合台、窝阔台率领右路军，沿太行山东麓南下，直抵黄河北岸，又沿太行山西麓北返，大肆蹂躏金朝河北、山西境内；哈撒儿率领左路军，沿渤海湾东进，相继攻克蓟、平、滦诸州及辽西州县；成吉思汗与幼子拖雷率领中路军，连续攻破中都附近诸州县后，进军山东地区，大肆屠城、掳掠之后，北返。此次作战，直到 1214 年春季才结束，但蒙古大军仍云集中都城北，迫使金朝献公主求和。1214 年 5 月，金宣宗趁中都解围之际，宣布南迁，行至涿州境内的时候，从行契丹纥军发生哗变，纥军首领与蒙古联络，准备引导蒙古军进攻中都城。是年 7 月，蒙古军再次南下，包围中都城，次年 5 月，中都城陷落。至此，蒙古汗国已经基本占领今河北、山西以北及大兴安岭以西地区。

辽东以及辽西地区与金朝的发祥地密迩相连，是金朝政权重要的战略后方所在。但是，自金朝中期以来，随着封建化程度的加深和女真猛安谋克户口的不断南迁，金源故地以及辽河东、西地区逐渐降落为相对次要的地方行政区域之一；金宣宗时期已经呈现出抛弃东北地区、专意河洛地带的统治策略。1214 年，中都议和之后，成吉思汗开始委派大将木华黎经营辽东、辽西地区。此时，辽东地区正展开激烈的军事争夺，交战双方即耶律留哥政权与金朝辽东宣抚使蒲鲜万奴。耶律留哥，曾经担任金朝北边纥军千户，蒙古兴起之后，尤其是承安元年（1196 年）特满群牧德寿等人大起义之后，金

朝担心北边契丹部落及诸糺有异志，

　　　　下令辽民一户，以二女真户夹居防之①。

史称，耶律留哥由此而不自安。于是，趁金朝将上京会宁府及泰州守军征调
中都备御蒙古之际，遂挺身逃亡至隆安府（今吉林省农安县）及韩州（今
辽宁省昌图县境内）一带，纠集壮士，占据山泽。当地州兵屡次追捕，都
被留哥等人击败，留哥逐渐聚集起一支数千人的武装力量。于是，与另一支
由契丹人耶的领导的反金武装力量会合，开始大规模地招兵买马，很快就聚
众达十余万人；留哥自称都元帅、耶的为副元帅，成为一支势力庞大的反金
武装集团。同时，留哥还派出使者联络蒙古，与成吉思汗东路大将按陈定盟
于金山（即今大兴安岭东段），表示愿意臣服蒙古国。于是，金朝派遣行军
元帅胡沙率领各地征调军兵六十万，号称百万，前往征剿；留哥遂联络蒙古
军南下，趁势大败胡沙金军于迪吉脑儿附近。次年，耶律留哥自称辽王，改
元为天统元年（1213 年）。1214 年，金朝派遣青狗来到留哥军中，以高官
厚禄引诱留哥投降，遭到拒绝之后，青狗也参加了留哥政权。同年 11 月，
金宣宗遂改任蒲鲜万奴为辽东宣抚使，率领大军四十万前来征讨，又被耶律
留哥军击退。蒲鲜万奴遂退守东京辽阳府，留哥遂定都咸平府（即今辽宁
开原）。此时，金朝东北地区只剩下三个孤立的据点，即退守东京的蒲鲜万
奴和固守北京的奥屯襄、据守上京的蒲察五斤。

　　1214 年 4 月，锦州豪强张鲸聚众十余万，自称临海郡王，击杀金朝官
吏，宣布自立，迅速夺取了金朝辽西大部分地区。于是，张鲸也奉表投降大
蒙古国。1215 年 2 月，成吉思汗派遣木华黎率军经略辽东、辽西地区，攻
克高州，兴中府土豪石天应聚兵数万，击杀金朝守城官兵，举城投降木华
黎。于是，成吉思汗命木华黎征调张鲸所部入关南征，张鲸遂谋叛，被木华
黎斩杀，其弟张致遂据锦州自立，直到 1216 年春，木华黎平定张致，占领
辽西全部州县。

　　此时，辽东地区已经形成耶律留哥与蒲鲜万奴两大系统。天泰元年

　　① 《元史》卷 149 《耶律留哥传》，中华书局 1983 年版，第 3511 页。

（1215 年）正月，蒲鲜万奴据东京城自立，国号大真，改元天泰元年（1215年），自称天王，今辽宁省东、南部遂为万奴政权所有。是年，留哥以六十万大军攻克辽阳城，但随后其内部即在是否归附蒙古的问题上发生分裂，留哥率领所部退居临潢府；耶厮不等则率所部离开辽阳国府，在万奴军队追击下，逃亡进入高丽境内。1216 年 7 月，木华黎军进入辽东，收复沿海州县；10 月，万奴投降蒙古政权，曾与木华黎军队一起剿灭契丹进入高丽所部。此后，万奴复叛逃而去，于是，辽东及其以东地区陷入蒙古、金朝、万奴三方争夺中，但不久均为蒙古所征服。

三、蒙古族游牧文化的迅速扩展

金朝对漠北地区的控制，虽然沿袭了辽朝西南面招讨司、西北路招讨司和东北路招讨司的建置，却未能恢复辽朝统治的旧貌。由于西辽政权的存在，大多数漠北部落尊奉西辽政权为宗盟国，直到西辽势力在漠北地区的淡出，金朝与漠北诸部的关系也才有所缓和。但金朝政权已经无力主动向漠北地区进行渗透，只能转而采取拉拢与分化并用的办法，达到缓解金朝北边压力的目的。自金初开始至金章宗朝为止，金朝政权修筑的绵延万里以上的防御设施，即边墙或界壕的存在，标志着女真金朝时期农耕文化与游牧文化纵横交布的临界线，已经又推进到今兴安岭以南、蒙古高原以东和阴山以北一线。

金世宗时期（1161—1189 年），正是漠北蒙古诸部势力大发展的时期，部落之间争夺属民和畜产的现象十分普遍。1162 年，蒙古族杰出首领铁木真的诞生，标志着北方草原地区历史文化发展即将揭开新的一页。与金章宗即位的同一年即公元 1189 年，铁木真正式被蒙古部乞颜贵族们推举为新任蒙古部落的可汗，从此开始仅用了不到 16 年的时间，蒙古部在铁木真的率领下，就相继平定与征服了比自己势力强大的蔑儿乞、塔塔儿、克烈以及乃蛮部落。正如古代波斯史学家拉施特丁所记载的那样：

> 这些各种不同的部落，都认为自己的伟大和尊贵，就在于跻身于他们之列，以他们的名字闻名，正如现今，由于成吉思汗及其宗族的兴隆，由于他们是蒙古人，于是各有某种名字和专称的各种突厥部落，如

札剌亦儿、塔塔儿、斡亦剌惕、汪古惕、克列亦惕、乃蛮、唐兀惕等，为了自我吹嘘起见，都自称为蒙古人，尽管在古代他们并不承认这个名字①。

因此，成吉思汗统一蒙古草原地区之后，不仅使原有的蒙古诸部获得空前的团结与凝固，而且也使蒙古族的群体实力获得空前的发展与壮大。那么，统一以后的蒙古族政治力量，能否作为一支崭新的政治群体而继续向南进逼，从而改写古代中国历史发展的新篇章呢？

其实，毋庸讳言，统一之后的蒙古族已经责无旁贷地成为了当时漠北草原各种政治力量会聚与发展的象征。因此，金章宗朝时期屡次出现的北部边防危机，就已经成为了影响金朝政权长治久安的当务之急！而完颜丞相的大举北征，也正是在这种情况下进行的，这也是当时金朝政权不能不进行的一项尴尬之举！当时，金朝的军事部署是：讨伐扰边的广吉剌诸部，稳定日益危机的北部边防形势，再增筑边堡界壕等防御设施，试图能够达到一劳永逸的基本目的。但是，率先领兵出征的夹谷清臣，因为措置不当，反而又激起了金朝属部塔塔儿部落的大举反叛，于是，金章宗只好以完颜丞相代替夹谷清臣行尚书省事于临潢府，并积极利用蒙古诸部之间的矛盾，拉拢克烈、蒙古诸部的支持，从而达到消灭塔塔儿、遏制广吉剌的目的；并又相继在西南路、西北路和临潢路重新修筑界壕、边堡，部署防守力量。但是，应该看到的是：金章宗朝时期，搅闹得金朝北部边疆寝食难安的部落实体，也只是蒙古草原尚未统一时期的几个地方部落实体，也就是活动于今呼伦湖以及克鲁伦河、额尔古纳河流域的广吉剌部落集团，与活动于今呼伦湖及其以西以南地带的塔塔儿部落集团。这两个部落集团，其实不过是后来形成蒙古民族统一体中的一分子。仅仅是一个广吉剌部落集团，就已经使金朝付出九牛二虎之力而仍然无法征服，那么，当许多像广吉剌这样的部落集团凝结为一个统一体之后，再掉过头来重新对付金朝政权的时候，则预示着金朝政权的灭顶之灾已经到来！

① ［波斯］拉施特丁：《史集》第1卷第1分册，余大钧、周建奇译，商务印书馆1983年版，第166页。

金章宗朝时期，完颜丞相施加于塔塔儿人部落组织的雷霆之击，帮助了铁木真家族数代"仇恨"的昭雪，而完颜丞相承诺给予铁木真的封赏，既标志着一种崇高的政治地位的赐予，抬高了铁木真在蒙古诸部中的地位，同时，也给予了铁木真及其所率领的蒙古部落以更多的地域活动空间，并为铁木真最终完成统一蒙古草原的大业提前扫清了一个顽敌，也给铁木真及其所率领的蒙古部落窥探中原地区提供了一条更为直接与便利的通道。从此，铁木真及其率领的蒙古部落就完全地占领了今呼伦湖及其周围地区。塔塔儿部落覆亡之后，本来与金朝政权关系密切，并且还被金朝政权赐予王封而被蒙古草原诸部羡慕地称为"王罕"的克烈部，却在 13 世纪初期的时候，突然发生了与金朝关系破裂的重大事件，不仅使克烈部由此遭到了金朝政权的倾力讨伐，更为重要的是铁木真也趁克烈部新败之际，偷袭其王庭，并一举得手，完全征服了强大的克烈部落，使得蒙古草原的大部分地区都已经统一在蒙古部落的九旄大纛之下。

本来金世宗朝时期，就已经将大部分契丹人分别隶属于女真人的猛安谋克组织之内，并下诏将部分北方地区的契丹人口向东北迁徙，到金上京会宁府及乌古里石垒部落等地重新安置，因而迫使大批契丹人口与女真人口杂居共处，直接导致了大批契丹人口被迫放弃已经熟悉的游牧业而转为农业生产，并沦落为女真人管理下的直接耕种猛安谋克土地的佃农，使契丹人的经济状况和阶级结构都发生了巨大的变化，也使得契丹人与女真人的民族矛盾日益激化。金朝末年的时候，已经出现了许多契丹人主动向北方草原地区迁徙并拒绝与女真金朝政权合作的政治态度，譬如契丹人述律库烈儿及其家族，就是如此。

> 辽亡，改述律氏为石抹氏。其祖库烈儿誓不食金禄，率部落远徙。……［其后，石抹也先］勇力过人，善骑射，豪服诸部。金人闻其名，征为奚部长，即让其兄隆德纳，……［自居北野山中，及］闻太祖起朔方，匹马来归①。

---

① 《元史》卷150《石抹也先传》，中华书局 1983 年版，第 3541 页。

同时，许多身为金朝官员的历史人物，也将昭雪"家国覆亡之恨"的历史愿望寄托在蒙古人身上，譬如耶律阿海、耶律楚材等，就是如此。

> 耶律阿海，辽之故族也。金桓州尹撒八儿之孙，尚书奏事官脱迭儿之子也。阿海天资雄毅。……通诸国语。金季，选使王可汗，……与弟秃花俱往，[遂见太祖而留宿卫]①。

这些现象，说明金朝政权内的契丹人，不仅与金朝产生较大的政治离心力，而且还体现出蒙古人与契丹人之间较为深厚的历史凝聚力。

金朝末年的时候，契丹诸糺不仅发展成为一支强大的军事力量，还成为金朝北御蒙古、南御南宋的主要军事力量之一。1213 年，金朝政权发生兵变；1214 年，新即位的宣宗皇帝，宣布迁都汴京；途中，又发生了糺军哗变。他们在契丹人斫答、比涉儿、札剌儿等人的率领下，掉头北上中都城，并派遣使节与蒙古汗国联络，成吉思汗立即派大将石抹明安兄弟南下，迅速收降了这些契丹军队，并在契丹糺军的帮助下，于 1215 年正月，攻占中都城。

就在金朝政权忙得不可开交的时候，1212 年，金朝北边契丹千户耶律留哥，又在隆安（今吉林农安）、韩州（今吉林梨树县偏脸城）一带发动起义，并与蒙古军联合攻击金朝辽东、辽西地区。1115 年，耶律留哥攻克辽阳府；与此同时，蒙古军也夺取了辽西地区，它标志着 13 世纪初期游牧文化的临界线又再次重返黄河以北、燕山以南地带。

第三节 金朝的灭亡

一、"九公封建"与抗蒙战争

贞祐二年（1214 年）五月，金宣宗在蒙古军压迫中京（即今北京）的危机情况下，不顾其他大臣的反对，采纳元帅大都监完颜弼的建议，决定放

---

① 参见《元史》卷 150《耶律阿海传》，中华书局 1983 年版，第 3548—3549 页。

弃中京城、迁都于南京汴梁府。五月十八日，正式启行，离开中京。宣宗南迁，标志着金朝已经无力抵挡蒙古军队的南进，从而成为金朝历史的转折点。

金朝南迁之后，社会矛盾急剧增加。据《金史》记载：

> 自兵兴以来，河北溃散军兵、流亡人户，及山西、河东老幼，俱徙河南。在处侨居，各无本业，易至动摇。窃虑有司妄分彼此，或加迫遣，以致不安①。

这里记载的是什么意思呢？当时，随着朝廷迁居到河南境内的军户高达几百万口。而随之南徙的失业百姓分布在河南、陕西境内者更无法计数。这是金朝历史上又一次大规模的民族大迁徙。面对突然增加的失去土地与生计的众多人口，金朝统治者仍然采取保护女真本户的政治经济政策。为了维护女真人的基本生计和统治局面、防御蒙古，朝廷遂诏命河南等地括取民田，以安置自河北南迁而来的女真军户，结果造成增加民户负担、夺取民田的灾难性后果；世代居住河南地区的民户在朝廷括地政策下，民怨沸腾。于是，朝廷有人又提出增加赋税、取消括地的建议。如刘元规曰：

> 伏见朝廷有括地之议，闻者无不骇愕，……将大失人心，荒田不耕，徒有得地之名，而无享利之实②。

而大臣高汝砺则明确提出停止括地的建议，

> 惟当倍益官租，以给军粮之半，复以系官荒田、牧马草地，量数付之，令其自耕。

也就是说，采用增加赋税与扩展军屯的方式，作为解决国家府库空虚、安置

---

① 《金史》卷108《胥鼎传》，中华书局1975年版，第2378页。
② 《金史》卷47《食货志》，中华书局1975年版，第1052页。

女真军户的基本措施。但是，由于朝廷优柔寡断，不仅括地未能执行，连增加赋税、开垦荒地也未能认真执行，反而造成土地荒芜现象日益严重。结果造成宣宗南迁之后苛刻成风的政治景象，朝廷内部党争事件不断发生；政治腐败导致金朝猛安谋克制度的彻底瓦解，在内外交困的形势下，金宣宗只好采取招纳地方豪强武装力量抵御蒙古军队的防御策略。

金宣宗南迁之后，中京城已经陷落于蒙古手中，但是当时河北境内以及山西一带，民众自发组织起来共同抵御蒙古进犯。"义军官民坚守堡寨，力战破敌者众"[1]，河北义军首领苗道润，智勇双全，已经抚定城邑五十余座，屡次派遣信使向朝廷请求官封。朝廷面对义军蜂起的状况，遂决定采取设置公府、节制一方的封建策略。兴定四年（1220年）二月，宣宗颁布诏命封授九人为公侯，即沧州经略使王福为沧海公、河间路招抚使移剌众家奴为河间公、真定经略使武仙为恒山公、中都东路经略使张甫为高阳公、中都西路经略使靖安民为易水公、辽州从宜郭文振为晋阳公、平阳招抚使胡天作为平阳公、昭义军节度使完颜开为上党公、山东安抚副使燕宁为东莒公，九公除划定各自统辖范围外，如能收复邻近州县亦听其节度。九公统帅各自兵马，有自行署置官吏、征敛赋税与赏功罚过的特权。九公都同时兼领宣抚使、银青崇禄大夫、宣力功臣。宣宗朝推行"九公封建"的本意，在于组织地方武装力量抵御蒙古军的进攻，但它也同时暴露出金朝政权国衰军坏的真实情况，标志着女真金朝中央集权制度的彻底瓦解。以后，封建的地方军政首领不断增加，结果呈现出地方实力派之间明争暗斗的趋势，成为影响金朝"恢复"的绊脚石。

贞祐四年（1216年）二月，蒙古军经由西夏进攻关陕地区。八月，攻破延安府、坊州。十月，攻克潼关。然后经由嵩山小路，直入距离汴京仅二十里的杏花营。贞祐五年（1217年），蒙古军统帅木华黎在云燕设置行省，然后南下，攻克中山府赵、威、邢、磁、洺诸州，进破大名府，攻入山东。次年，蒙古军进攻的主要方向转入河东、陕西境内。元光二年（1223年）十二月，金宣宗病殁，又发生次子守纯与太子守绪争夺皇位的事件，导致统治集团内部分崩离析。

---

[1]　《金史》卷113《完颜赛不传》，中华书局1975年版，第2481页。

二、耶律留哥政权与蒲鲜万奴东夏政权的建立

就在金朝政权因为蒙古军威胁中都安全而忙得不可开交的时候，崇庆元年（1212 年），金朝北边契丹千户耶律留哥，遂占据隆安（今吉林农安）、韩州（今吉林梨树县偏脸城）一带发动反金起义，并主动与大蒙古国联系，与蒙古军联合攻击金朝辽东、辽西地区，大败金军主力于迪吉脑儿（今辽宁昌图县附近）。次年，耶律留哥自称辽王，年号天统。贞祐二年（1214 年），金朝派人劝降留哥，遭到拒绝后，又派遣宣抚蒲鲜万奴率军四十万大举进攻。细河之战，金军大败，退守东京辽阳府；耶律留哥遂宣布定都咸平府（今开原市），建号为中京，拥兵六十万。1115 年，耶律留哥攻克东京辽阳府。与此同时，蒙古军也已夺取辽西地区。1216 年，耶律留哥政权内部发生分裂，留哥遂率领支持者退守临潢府，并向成吉思汗表示臣服。于是，蒙古军开始进入辽东地区。

蒲鲜万奴细河落败之后，与金朝政权发生矛盾。1215 年正月，遂于东京宣布自立，建国号大真，改元天泰，称天王。于是，辽河附近女真猛安谋克户皆顺从万奴政权。万奴遣军进攻婆速府路，结果遭到辽东金军的分路围剿。1216 年，万奴遣使投降蒙古。1217 年，万奴军攻破金上京城，又遭到当地金朝军队的围攻，遂北上开元城（即原渤海上京龙泉府），重建东夏政权，基本实现对今张广才岭以东、北至黑龙江、南至鸭绿江地区的割据局面。后来，东夏政权也被蒙古所灭亡。

耶律留哥政权与蒲鲜万奴政权的相继建立，标志着金朝东北路地区的彻底丧失，一方面牵制了金朝军队自东北方面对蒙古军的反击能力；另一方面也暴露出金朝政权内部分崩离析的具体景象。耶律留哥政权最终臣服于蒙古汗国，蒲鲜万奴政权对蒙古汗国时叛时服，最终也被蒙古军队所消灭，东北地区全部都纳入蒙古汗国的统治范围之内。

三、金朝的灭亡

1223 年完颜守绪即位之后，是为历史上的金哀宗。哀宗即位之初，即申明治国的基本方针：

　　述先帝之遗意，有便于时欲行而未及者，悉奉而行之。国家已有定制，有司往往以情破法，使人罔遭刑宪，今后有本条而不遵者，以故入人罪罪之。草泽士庶，许令直言军国利害，虽涉讥讽无可采取者，并不坐罪①。

　　金哀宗仍然想尽自己最大努力来挽救金朝的灭亡。因此，正大元年（1224年）正月，首先将民愤极大的权臣蒲察合住处死，并任用抗蒙有功的将帅分掌军政枢要职务，为抗蒙死难的将士修建褒忠庙。招降归附蒙古国的武仙仍为恒山公，安置于卫州。主动与南宋、西夏议和，集中力量抵御蒙古军的进攻。正大三年（1226年），金军统帅移剌蒲阿率军收复山西大片失地，一举收复平阳、太原等重镇，在1226—1230年间，金哀宗成功地组织起陕西北部防御，多次击退蒙古军队的进攻。

　　1231年，蒙古军夺取了具有重要军事意义的凤翔府，大汗窝阔台驻夏于官山九十九泉，遂决定分兵三路进攻金朝。窝阔台亲自率领中路军、斡陈那颜率领左路军进兵济南、拖雷率领右路军自凤翔入宝鸡。三路齐发，同时向金朝进攻。当年10月，窝阔台进攻河中府。拖雷自大散关攻入饶峰关、进破房州，挥师东进，直指汴京。1233年正月，托雷率领的蒙古军与金军主力会战三峰山，金军全军覆没。三峰山之战，是蒙古军对金朝的根本性胜利。蒙古军随后进围汴京城，迫使金哀宗向蒙古军纳质求和，以曹王讹可为人质送入蒙古军营，蒙古军遂退；是年七月，蒙古要求哀宗去帝号、称臣，遭到拒绝；十二月，哀宗借口京城食尽、出外就兵于归德城；次年正月，京城西面元帅崔立发动兵变，逼迫太后，召王子从恪为梁王、监国，崔立自立为太师、军马都元帅、尚书令，并遣人秘密奔赴蒙古军营，准备投降蒙古；同年三月，军将蒲察官奴发动兵变，软禁哀宗于行宫；四月，崔立以汴京城投降蒙古军；六月，蒲察官奴等被斩杀。蒙古遂与南宋联合定议共击金朝。是年八月，蒙古、南宋联军分别由塔察儿、孟珙率领，攻围金哀宗驻守的蔡州城，十二月初，蒙古军攻破蔡州外城，金哀宗自缢而死，金朝灭亡。

---

　　①　《金史》卷17《哀宗纪》，中华书局1975年版，第373—374页。

教育部人文社会科学百所重点研究基地
内蒙古大学蒙古学研究中心学术著作系列
TOMUS 23

内蒙古通史 第二卷

辽西夏金时期的内蒙古地区（二）

总 主 编　郝维民　齐木德道尔吉

本卷主编　任爱君

人民出版社

第三编

专　　题

第 十 三 章

10世纪之前的契丹发展史

第一节 契丹史研究的主要悬疑：
契丹族源问题的分析

目前契丹辽史研究日新月异，对许多疑难问题的研究如雨后春笋，尤其是契丹族源问题的研究，更成为相对集中和比较受重视的话题。经过20世纪的积累，迄今为止，关于契丹族源问题的探讨已吸引了历史学、民族民俗学、语言学、人类学和考古学等多门学科的介入，形成了三十多种主张及观点各异的看法，但每种看法又都不是孤立的，各种看法之间也时有交叉①。经过初步整理归纳后，这些看法大体上可概括为：（一）契丹起源于东部鲜卑宇文氏说②。（二）契丹起源于匈奴说③。（三）契丹起源于鲜卑说④。

---

① 孙进己、孙泓：《二十世纪我国契丹史研究综述》，《阜新辽金史研究》第5辑，中国社会出版社2002年版，第144—146页。

② 持此观点的学者很多，具有代表性的如：冯家昇：《契丹名号考释》，《燕京学报》1933年第13期；李桂芝：《辽金简史》，福建人民出版社1996年版，第1—7页；张柏忠：《契丹早期文化探索》，《考古》1984年第2期。

③ 此观点派生于古史中唐宋时人记载，代表性的如：王民信：《契丹民族溯源》，《契丹史论丛》1973年，第1页。

④ 盛襄子：《契丹源流说略》，《新亚细亚》，1936年；嵇训杰：《关于契丹族名称、部落组织和源流的若干问题》，《中国史研究》1985年第2期；赵振绩：《契丹族系源流考》，文史哲出版社1992年版；张正明：《契丹史略》，中华书局1979年版，第1、2页；杨树森：《辽史简编》，辽宁人民出版社1984年版，第1—3页。

（四）契丹部族屡经混合说①。（五）契丹起源于乌桓说②。（六）契丹起源于青牛白马两个氏族结合说③等几个较大的类型。每个类型中又包括了更加细致区分的诸多主张。但总的看来，目前学界中的态度大多数集中在"宇文说""混合说"及"青牛白马说"等相对集中点上，且诸点之间时有缠绕，随研究的进展也呈现了日益清晰的联系。虽然如此，契丹族源的研究尚未取得统一的共识。

一、与契丹同时期汉籍资料记载

魏收在《魏书·契丹传》中记载，契丹与库莫奚本为宇文鲜卑破灭后的残余（即"遗落者"），其风俗、语言和生活方式基本相同，为同一人类经济生活群体中不同的氏族部落个体（即"异种同类"）。北齐、北周及隋朝、唐初的史臣也都基本沿袭了这一观点。如唐代杜佑《通典》，即是如此。说明契丹部落自4世纪末至7世纪末，在长达300年的时间内，在鲜卑故地经历了与库莫奚、地豆于、豆莫类及突厥、柔然和高丽诸族的离离合合之后，逐渐融汇成了一个较为强大的部落实体。但也恰恰是在7世纪末，因契丹与唐朝关系的突然恶化，导致唐朝对契丹族源问题又出现了一些新的说法或者诬蔑之辞。

当时，唐高宗的皇后武媚娘正在一步步地走向政治权力的巅峰，准备要取代唐王朝李氏男性成为中国古代历史上第一位女皇帝。正当她的梦想即将实现的时候，契丹部落首领李尽忠、孙万荣借机打出恢复李唐王室的旗号④，掀起了一场来势凶猛的部落大反叛，连克营、幽、冀诸州，相继打败了唐朝数次征调的围剿军队，甚至联合了一批志在恢复李唐王朝的河北士

---

① 持此观点者亦承认契丹早期历史与宇文部有关，陈述：《契丹政治史稿》，人民出版社1986年版，第16页；李桂芝：《辽金简史》，第1—7页；任爱君：《契丹史实揭要·契丹初起之形态》，第1—17页。

② 陈可畏：《契丹的族源、早期的社会形态与文化》，《辽金史论集》第7辑，中州古籍出版社1996年版，第87页。

③ 持此观点的代表性学者有冯家昇、王民信及舒焚（《辽史稿》，湖北人民出版社1984年）、冯永谦等人。

④ （唐）张鷟：《朝野佥载》卷3载，李尽忠之乱，以"还我庐陵相王来"为号召，四库本。

人①，给武则天的统治造成了极大的恐慌和具有实质意义的威胁。696 年，武则天在后突厥默啜可汗的帮助下才平息了这次反叛。就在镇压和平息反叛过程中，唐代的往来公牍文字出现了一些对契丹的别称（或蔑称），如神功元年（696 年），张说撰《为河内郡王武懿宗平冀州贼契丹等露布》（以下简称"露布"）称：

　　契丹凶丑，奴隶苗裔，非冒顿之荣族，异单于之贵种②。

同一年里，陈子昂撰《为建安王誓众词》、《为建安王贺破贼表》（以下简称"词""表"）中，则称契丹为"凶羯遗丑""契丹凶羯"③。其后，唐人严识元撰《泽州都督杨志本碑》（下简称"碑"）中，称李尽忠反叛时说，

　　俄而东胡叛换……则天有命分麾④。

可知，7 世纪末和 8 世纪前期，唐代对契丹源流的认识已经出现了分歧。如上引诸说中，张氏在《露布》中称："契丹凶丑，奴隶苗裔，非冒顿之荣族，异单于之贵种"，认为契丹乃匈奴之统属，在族系关系上有着较为疏远的距离。这就同魏收《魏书》中关于宇文鲜卑乃"南单于远属"的记载相合。陈子昂撰写的《表》中则称契丹"凶羯"之遗（羯人，本为西域人种与匈奴等东部人种混合而成的杂夷部落），是认为契丹乃是由许多大小部落混合而成的"杂蕃"。严氏《碑》中则称契丹为"东胡"后裔。细味三种观点，似差距并未悬隔太远。

8 世纪中期，由于突厥汗国的作用，契丹与唐朝的关系再度紧张。此时唐人公牍文字中也留下了相关的记录。如魏湜《为幽州长史薛楚玉破契丹露布》云：

---

① 任爱君：《契丹史实揭要》，哈尔滨出版社 2001 年版，第 86、87 页。
② 《全唐文》卷 225，上海古籍出版社 1990 年版，第 1000 页。
③ 《全唐文》卷 209，上海古籍出版社 1990 年版，第 933 页；《全唐文》卷 214，第 953 页。
④ 《全唐文》卷 267，上海古籍出版社 1990 年版，第 1196、1197 页。

蠢兹凶寇，东胡余孽。……西连匈奴，东构渤海，收合余烬，窥我
阿降奚。①

是以“匈奴”称突厥，而以“东胡”指契丹。同时，还出现了“山戎”、
“林胡”等代指契丹的名词，如孙逖《唐故幽州都督河北节度使燕国文贞张
公遗爱碑并序》② 及权德舆《大唐四镇北庭行军事兼泾原等州节度度支营田
等使……南川郡王刘公纪功碑铭》③ 等，或以“山戎”、或以“林胡”指称
契丹。甚至在唐代士子的“策论”中，也留下了相关记载，并可证明山戎、
林胡、东胡的称谓，其实相同。如《议边塞事策》：

> 问：东胡逆命，北海为墟，朝廷徇修复之功，边境恃折冲之寄，辽
> 水东西，城池不复；丸山左右，职贡犹逆……
> 对：蠢彼林胡，阻分辽汉，铤而走险，代构其患④。

这一切，似乎表明唐代对于契丹族源的认识已统一到东胡这一系统中来。其
实不然，唐代对契丹族源的认识仍重复着究属东胡（鲜卑）还是匈奴的争
议之中。如杨炎撰《云麾将军李府君神道碑》：

> 府君讳楷洛，先族汉校尉之裔也，世居其北，遂食坚昆之地，实主
> 崆峒之人，大为王公，小为侯伯，其精薄日月，其动破山川。厥后东
> 迁，复为鲜卑之右。⑤

楷洛，即唐肃宗朝中兴名将李光弼之父。光弼，本为契丹后裔。其后，沈亚
之撰《泾原节度李常侍墓志铭》则说：

---

① 《全唐文》卷352，上海古籍出版社1990年版，第1578、1579页。
② 《全唐文》卷312，上海古籍出版社1990年版，第1402页。
③ 《全唐文》卷496，上海古籍出版社1990年版，第2050页。
④ 参见《文苑英华》卷501，中华书局1982年版，第2569—2570页。
⑤ 《全唐文》卷422，上海古籍出版社1990年版，第1810页。

府君讳汇，太尉武穆公光弼之少子也，为人俭毅意气。祖楷洛自匈
奴提其属来入，始为唐臣①。

是又以匈奴称契丹。李汇为李光弼②之子。祖孙三代的记载中截然不同，又
陷入了匈奴与鲜卑的纠缠之中。若再验之于：杨炎撰《唐赠范阳大都督忠
烈公李公神道碑铭》③ 及沈亚之撰《沈参军故室李氏墓志铭》④（二碑均系
李楷洛祖孙三代碑志），将其中关于李光弼先世源自汉校尉李陵的附会剔出
不计，则是否透露出了契丹人的起源确有自匈奴故地东迁（或南迁）的古
老信息？易言之，正如《魏书》关于宇文鲜卑的记载那样，契丹也是匈奴、
鲜卑诸部族反复融汇的结果呢？这是很有可能的。

五代和北宋时期关于契丹起源的记载，仍然承袭了前人的主张和认识程
度。这在新、旧两唐书和新、旧五代史所作《契丹传》及各种《契丹传》
资料（如《东都事略·契丹传》《宋会要·契丹传》《五代会要·契丹传》）
等中可以得到体现。其后，历代关于契丹起源的记载，大体上与唐、宋时期
相一致。唐、宋时期的历史观点，又毫无疑问的是受到了魏收在《魏书》
中关于宇文部及契丹、库莫奚的相关记录的影响。在魏收记录的基础上，唐
宋时期显示的进步的意义，则是隐约透露了契丹人起源过程中自匈奴故地向
鲜卑故地迁徙的线索（或痕迹），这是值得注意的现象。

在近代关于契丹起源的探讨中，如前所述，形成了许多不同的主张和看
法。但经过整理后，我们发现这些主张和看法依然是对前人观念的一种沿袭
和重复，依据的依然是同古人相同的那些资料，只不过是对现有资料的反复
探索与分析。虽然，有诸如考古学、人类学以及语言学等多种学科的研究手
段的介入⑤，但也只是一种新的方式方法的尝试，还没有办法能将已逝的历

---

① 《全唐文》卷738，上海古籍出版社1990年版，第3376页。
② 《新唐书》卷136《李光弼传》，中华书局1975年版，第4583页。
③ 《全唐文》卷422，上海古籍出版社1990年版，第1810页。
④ 《全唐文》卷738，上海古籍出版社1990年版，第3377页。
⑤ 邵福根：《契丹女尸体质形态的研究》；时墨庄：《三号墓契丹男性人骨的测定》，《契丹女尸》，
内蒙古人民出版社1985年版，第146—162，163—176页；朱泓：《人种学上的匈奴、鲜卑、契丹》，《北
方文物》1994年第2期；刘凤翥：《略论契丹语的语系归属与特色》，《大陆杂志》1992年第5期；于宝
林：《契丹民族语言的初步探查》，《契丹古代史论稿》，黄山书社1998年版，第89页。

史的每一个发展或变化的细节都描绘下来。这些，就需要我们的研究工作必须有一种慎重的思考和一种比较切合实际的处理方式，达成共识，推动契丹辽史研究的进一步繁荣与发展。

　　众所周知，中国古代北方民族史的研究是一门综合性的学科，其特征不仅在于诸学科知识的综合，更在于纵和横两个方向的历史知识的综合，尤其是对中古时期北方诸民族的历史研究，更充分体现出对以往的和同时的各民族历史活动必须综合把握的科学研究特点。这说明民族历史的研究，其实是一种对民族融合过程的研究。尤其是中国古代北方民族历史的研究，时间越靠后其体现的融合发展的特征就越加明显。契丹的历史也是如此。如前所归纳的关于契丹起源的研究中形成的六大类型的观点，诸如宇文说、匈奴说、鲜卑说、乌桓说，再进一步的归类便又回到了唐宋时期的匈奴与东胡的争议中来；而"混合说"又是对两者的中和。只有"青牛白马说"算是一个与契丹人起源有关的神话传说，是个例外。同时，在契丹起源的争论中，彼此都难以获得一个单一的民族概念上的结果。匈奴说也罢，鲜卑（东胡）说也罢，都有自己的一些合理性的资料佐证，但又都没有构成一个完整的资料依据体系。这正如围棋棋局中形成的"共活"那样，是谁也降服不了谁。因此，这样对峙（或重复）的结果，在尚未获得更加充分的新材料之前，只能是事倍而功半。但混合说所提倡的注意其起源过程中兼并与融合的发展特征，不失为探索契丹起源和研究契丹历史的有益方法。[①]

二、契丹人的记忆——青牛白马传说

　　契丹青牛白马传说，是关于契丹族起源的神话传说。这则传说，仅见于《辽史》卷37《地理志》永州条。

　　　　有木叶山，上建契丹始祖庙，奇首可汗在南庙，可敦在北庙，绘塑二圣并八子神像。相传有神人乘白马，自马盂山浮土河而东，有天女驾青牛车由平地松林泛潢河而下，至木叶山，二水合流，相遇为配偶，生

---

　　① 任爱君：《契丹与库莫奚的先世及其关系》，《昭乌达蒙族师专学报》1989 年第 2 期；任爱君：《契丹史实揭要》，哈尔滨出版社 2001 年版，第 1—17 页。

八子，其后族属渐盛，分为八部。每行军及春秋时祭必用白马青牛，示不忘本云。

其实这则神话故事，是在叙述了永州木叶山始祖庙后的插叙，其中的"神人"与"天女"是与契丹始祖奇首及其可敦（妻子）紧密联系在一起的。遍检公元 10 世纪时五代及宋初的文献典籍中，只有关于奇首（或吉首）的零星记载，并没有关于青牛白马传说的完整记录。只是到 11 世纪中期时，确切地说是在宋仁宗庆历元年（1041 年），契丹史臣、翰林学士赵至忠归降北宋时才传入中原。青牛白马传说，自此对宋代史学予以较大影响。如叶隆礼撰《契丹国志》，即对此加以引述；胡三省为《资治通鉴》作注时，也加入了相关内容。不过，胡氏、叶氏均为十二三世纪时人，从他们生活时期开始，青牛白马的传说，似乎成为了有关契丹起源的"信史"，一直影响到现在。因此，在有关契丹起源的探索中，也就形成所谓契丹起源于青牛、白马这样两个氏族相互结合的观点。

关于契丹起源于青牛、白马两个氏族结合说，最早是冯家昇先生在《契丹祀天之俗与其宗教神话风俗之关系》一文中所作的蠡测①，其后则由一些学者加以系统的论述，成为学界关于契丹起源的一种新观点和新看法。甚至，还据此将契丹起源的历史不断前推②。但是，青牛白马传说能否代表契丹起源的历史过程，也早有人提出了异议，认为青牛白马传说产生的年代应该不早于唐代③。如果说，青牛白马传说的产生时间，真的不早于唐代的话，那么，这个传说就不是一个真正关于契丹民族起源的传说；易言之，那种认为契丹起源于青牛白马两个氏族结合的论点，也就不攻自破，只是一个无益的假设罢了。

如前所述，青牛白马传说在《辽史》中确有记载，但青牛白马传说在

---

① 燕京大学历史学会编辑：《史学年报》1932 年第 4 期。

② 冯永谦：《关于契丹族与奚族起源的几点意见》，《辽金契丹女真史研究》1988 年第 2 期；赵光远：《试论契丹族的青牛白马传说》，《北方文物》1987 年第 2 期；舒焚：《契丹族始祖奇首可汗》，《辽金契丹女真史研究》1986 年第 1 期。

③ 王民信：《契丹古八部与大贺迭剌的关系——耶律述律二姓试释》，《史学汇刊》1972 年第 4 期。

辽代契丹人中的盛行始于何时？《辽史》中并没有明确的记录，只是在《地理志》中将它与始祖的记述笼统地加在了一起。当这个传说传入北宋后，也曾引起了北宋史臣的注意和怀疑。如范镇所说：

> 契丹之先，有一男子乘白马，一女驾灰牛，相遇于辽（水）上，遂为夫妇，生八男子，则前史所谓迭为君长者也。此事得于赵至忠，至忠尝为契丹史官，必其真也。前史虽载八男子而不及灰牛白马事。契丹祀天，至今用灰牛白马。予尝书其事于《实录》契丹传，禹玉恐非其实，删去之。予在陈州时，至忠知扶沟县，尝以书问其八男子迭相君长时，为中原何代，至忠亦不能答，而云："约是秦汉时"。恐非也。①

范镇所说的这番话，标志着其本人和宋朝史臣对于赵至忠介绍的青牛白马传说所持的是疑信参半的态度。可以相信的是：青牛白马传说是契丹官方史学的认可，契丹也确实存在着用青牛白马祭天的习惯。但令人疑惑的是：在赵至忠传入这个故事之前，宋代史臣所见的史书中已记录了契丹八男子（迭为君长）之事，却没有掺入青牛白马的传说。即使当范镇将传说作为新史料写入《实录·契丹传》时，也仍在史臣合议时以不可据信为由而删除。这就需要作些实际的探讨。

第一，青牛白马传说究竟形成于何时？这在《辽史》中也无法找到确切的记载。我们所能知道的只是：913 年，诸弟之乱时，太祖阿保机

> 登都庵山，抚其先奇首可汗遗迹，徘徊顾瞻而兴叹焉②。

又据《太祖纪》赞，

> 奇首生都庵山，徙潢河之滨。

---

① （宋）范镇：《东斋纪事》卷 5，四库本。
② 《辽史》卷 1《太祖纪上》，中华书局 1974 年版，第 8 页。

又据《营卫志》记载：

> 契丹之先，曰奇首可汗，生八子。其后族属渐盛，分为八部，居松漠之间。今永州木叶山有契丹始祖庙，奇首可汗、可敦并八子像在焉。潢河之西，土河之北，奇首可汗故壤也。

这些记录中并没有一星半点与青牛白马相关的内容。也只有前引《地理志》永州条下，将奇首事迹与青牛白马传说放在了一起。其实，土河根本不在建国前契丹人活动范围内，其始祖奇首即使有过在土河的活动，也不过惊鸿掠影一般，不会像传说中那样悠游安然。那么，是否说明奇首与传说中的"神人"是各不相同的两个人物呢？回答是否定的！那么，《地理志》中为何不直接称奇首为"神人"（或称神人为奇首）呢？笔者认为，这与《辽史》修订时采择史料及契丹国初太祖、太宗时期存在人为创造神话的传统有关。如《太祖纪》中记录太祖阿保机非人非神之语的"令诸部头等诏"，太宗立晋时神人托梦的征兆及立晋后又将"白衣观音尊为家神"的事例，等等①。其中恰好也显示了当时对始祖奇首"神化"的可信程度。史称，会同四年（941年）二月丁巳，太宗

> 诏有司编始祖奇首可汗事迹②。

辽太宗诏令史臣编撰始祖奇首事迹的时间，也正在他将幽州大悲阁白衣观音迁至木叶山安置、"尊为家神"之际，两者之间是有密切联系的。此次编撰奇首可汗事迹，也正是辽太宗对始祖奇首全面神化的开端。同时，永州的设立，是辽景宗时期（969—982年）的事情，"二水合流"也是当时取义为永州的根据。但在永州设置之前，木叶山已经成为契丹祭天（祭祖）的神圣场所。当永州设置之时，对始祖及木叶山的"神化"已经完成。总之，

---

① 任爱君：《神速姑暨原始宗教对契丹建国的影响》，《北方文物》2002年第3期；任爱君：《契丹史实揭要》，哈尔滨出版社2001年版，第31—59页。

② 《辽史》卷4《太宗纪》，中华书局1974年版，第49页。

青牛白马传说作为对始祖的"神化"，在经历了数十年的思想渗透和传播之后，直到 1041 年始传入宋朝，也是情理之中的事情。关于青牛白马的传说，在辽朝道宗时期的考古资料中才有隐约的记载，如赵孝严撰《耶律宗愿墓志》称"越自仙辂下流于潢水"，可以说是对这种传说的反映，但不是实际的本真。

第二，青牛白马传说被范镇写入《契丹传》后，北宋史臣又依据什么理由将之删除呢？对此疑问应该深入到宋人对契丹起源的了解中来。查阅北宋时人的文集，发现北宋人常以"匈奴""阴山""龙庭"指称契丹及契丹会礼场所。如宋人使辽诗中的《阴山》[①] 及《阴山画虎图》[②] 和梅尧臣《送王紫微北使》[③] 等。同时，更引人注意的是：五代时期的画家胡瑰所作《阴山七骑图》[④] 和李赞华（耶律倍）所作《吉首并驱骑图》（吉首即奇首）[⑤]等画史资料流传至北宋中期后，都已成为了解契丹起源的重要证据。据王易《燕北录》记载：清宁四年（1058 年），辽道宗举行柴册礼时，

> 先望日四拜，又拜七祖殿，次拜木叶山神，次拜金神。次拜册太后，次拜赤娘子，次拜七祖眷属。次上柴笼受册。……七祖者，太祖、太宗、世宗、穆宗、景宗、圣宗、兴宗也。赤娘子者，番语谓之掠胡奥偌，俗传是阴山七骑所得黄河中流下一妇人，因生其族类。其形木雕彩装，常时于木叶山庙内安置，每一新戒主行柴册礼时，取来作仪注，第三日送归本庙。七祖眷属，七人俱是木人，着红锦衣，亦于木叶山庙内取到。

由此可知，阴山七骑是关于契丹始祖的传说，赤娘子即契丹之始祖母（即

---

① （宋）刘敞：《公是集》卷 28，四库本。

② （宋）王安石：《临川集》卷 9，四库本。王安石此诗所咏，即其使辽时所见辽人陈昭衮徒手搏虎救驾的故事绘画。任爱君：《契丹史实揭要·宋人使辽诗中的几首奇特的作品》，哈尔滨出版社 2001 年版，第 39—43 页。

③ （宋）梅尧臣：《宛陵集》卷 5，四库本。

④ 《宣和画谱》卷 8，四库本。

⑤ 《宣和画谱》卷 8，四库本。

木叶山可敦庙之可敦）。若以之与青牛白马传说相比照，则青牛白马传说人为隐饰之迹愈彰！这也应是辽太宗极力"神化"（加以掩饰）的目的所在。与王易《燕北录》记载可以互为证明的，尚有孔武仲吟咏《刘器之阴山七骑图》的诗意，

> 北风飒飒边云黄，飞沙暗日天惨苍；
> 驾鹅鸣哀雁不翔，七骑正出阴山傍。
> 山傍阴尘岁无阳，鸟飞堕翼人立僵；
> 犯寒跨鞍知悍强，以此决战谁能当。
> 面颜虽在姓莫详，一一大帽新衣裳；
> 马蹄瑟缩弓不张，但见旗旆随风扬。
> 凤瓶倒酒进其王，俯仰意气骄雪霜；
> 横斜道路深浅冈，想见射获多麝獐。
> 时平不复扰边疆，但见楼兰驰骍骊；
> 仍嗟苦淡无辉光，人生所乐惟故乡。
> 彭城妙本家世藏，托以轻缣盛锦囊；
> 持来舒卷临华堂，环视叹诧几发狂。
> 我生未省到朔方，坐令出塞意慨慷；
> 攘归可敌千金装，长厚不疑同舍郎[1]。

满篇的契丹苦寒气息，呼之欲出。孔武仲确实见到了《阴山七骑图》。图画的收藏者刘器之，即北宋名将刘安世，字器之。这个图画与契丹确有渊源。又孔武仲之弟孔平仲，曾奉使契丹，但他似乎在歌楼茶肆或街巷表演中见到了与王易所述有关的场面，为此亦作《阴山七骑》诗一首，吟咏的内容就绝不是对绘画的描述，而是表现了一种更为宏大而隆重的"演出"气氛：

> 青毡作帽黑药靴，进退飒飒生风沙；

---

[1]　《清江三孔集》卷5，四库本。

> 夷歌夷舞两跪拜，问渠何为乃至此？
> 象渠之人假为之，朱颜的皪秀两眉；
> 手操弓矢仰视天，如见飞雁驰平川。
> 主称此乐直万钱，坐客竟饮黄金船；
> 世人见识无百年，通欢收快贵目前。
> 当时披发祭于野，自非辛有谁知者①。

孔平仲所描绘的简直就是一种偶像傩戏或舞蹈的场面。这就应该是宋人记载的临安街头演出的"阴山七骑"等著名"小剧目"之一。

如上所述，阴山七骑及赤娘子的故事，确曾在辽宋双方的知识文化人群中广为传播，是双方习知的重要历史内容，也是木叶山崇拜及其内部设施的重要内容。青牛白马传说则是辽朝统治者对其初期历史的掩饰所采取的一种"神化"方式。那么，在关于契丹族起源问题的探索中，那种认为契丹起源于青牛白马两个氏族结合的观点，就是一种对于史实的误解；相反的，奇首所代表的阴山七骑与赤娘子的传说更近乎于契丹历史的本真。

1996 年，《文物》杂志上发表了契丹贵族耶律羽之的墓志铭，其中记载："其先宗分佶首，派出石槐，历汉魏隋唐以来，世为君长。"这是关于契丹源流的比较清晰的来自契丹人方面的记录。佶首即奇首，译音无定字，是阴山七骑之主，也是契丹始祖；石槐即东汉末鲜卑统一大联盟之主檀石槐。羽之墓志中，是将檀石槐与佶首（吉首、奇首）分别放在了关于契丹起源过程中的"源"与"流"的对应位置上，说明契丹人的起源与鲜卑有着密切的联系。鲜卑人在 1 世纪末进入匈奴故地后，社会各个方面都发生巨大的变化，原来的部落组织也纷纷重新改组，人口的融合推动了社会的迅速发展，在三四世纪之际，使南匈奴、乌桓等众多原有的族团很快消逝得无影无踪。那么，在这种大的历史背景下，让我们再回过头来审视唐代的有关争议和宋、辽时期关于阴山七骑、赤娘子的传说及羽之墓志的记载，其中的症结不是已经昭然若揭了吗！

同样，在 2000 年发现的辽圣宗庶子耶律宗愿墓志铭中，关于皇族起源

---

① 《清江三孔集》卷 21，四库本。

中称："越自仙辂，下流于潢水，［肇］发瑶源，神幄梦雹于玄郊，有蕃宝胤。"① 仙辂，自然是指传说中所谓"有天女驾青牛车由平地松林泛潢河而下"中的"青牛车"了。并认为这就是瑶源始肇、宝胤繁兴的源头。但是，将《耶律宗愿墓志铭》的这种记载，与《耶律羽之墓志》中的相关记载，及王易《燕北录》和五代北宋时期的画史资料、宋人在赵至忠入宋前后的见闻（如《阴山七骑诗》）等，统统地放在一起来相互参酌并加以鉴别，其中的许多疑点，尤其是北宋时人将青牛白马传说写入"契丹传"后又删除的疑问等，也就迎刃而解了。北宋时人早已听闻契丹起源中八男子之事，却直到赵至忠降宋，才知道八男子之事与青牛白马传说混合在一起。而《耶律羽之墓志》的记载，也证明当时尚未形成这样的传说。辽太宗诏令编撰《始祖奇首可汗事迹》的时间，是会同四年（941 年）二月，耶律羽之死于会同四年八月，翌年三月下葬，说明此时青牛白马的传说尚未形成，否则在契丹皇族中也不会放过这个炫耀的机会。所以，在《耶律宗愿墓志》（作于咸雍八年，1072 年）中的相关记载，起码是现在还不足征信的。

三、近年发现云南施甸蒋氏族谱秘画的意义

20 世纪 90 年代，云南省社会科学院根据已掌握的线索，与内蒙古社会科学院联合对保山等地元代移民的后裔进行调查。调查组经过数年的奔波，掌握了大量的历史学、语言学、民俗学、民族学等方面的证据（或数据）后，经过反复论证，认定了生活在今滇西地区的 10 余万人口确属元代黑军（即契丹人）驻守云南的后裔②。这个结论，取得了重大的社会效应，不仅使早年陈述先生关于大辽瓦解后的契丹人流向问题的观点得到部分证明，还弥补了元代以后关于契丹人活动（历史生活方式）的很长一段时间的空白。调查组在仔细取证的过程中，于施甸长官司村发现了契丹后裔蒋氏保存了六百多年的族谱（家谱）。在族谱中不仅取得了直接的文字证据，而且还保留下了一帧制作不失雅致的图画，调查者称之为"秘画"。有关"秘画"的内

---

① 盖之庸：《内蒙古辽代石刻文研究·耶律宗愿墓志铭》，内蒙古大学出版社 2002 年版，第 222 页。

② 参见孟志东：《云南契丹后裔研究》，中国社会科学出版社 1995 年版。

容是：右侧为一骑白马男子（装束从略），白马前蹄高悬，后蹄踩入右侧的河流中。左侧为一坐在青牛背上的女子（装束从略），牛蹄没入左侧河流中。左、右两侧河流向前方汇聚。在二河汇聚处，有一座土山，顶部为一株高大粗壮的青松，山两侧坡上各有 4 株略小些的青松，沿山坡两侧自上而下一字排开，山足部分又有两株小青松左右排开。画幅右侧，云朵飘浮间绘有一轮红日，画幅左侧云朵飘浮间绘有一钩弯月。整幅画图，构思缜密，讲究对称，布局合理，活灵活现地融汇和体现了辽朝青牛白马传说与木叶山祭祀场面的结合。应当说，这是一份判定该地区居民确实为元代从军（或流落）云南的契丹后裔的有力证据。

　　当调查组将此结果公之于世之后，很多人对"秘画"进行了研究，尤其是将"秘画"的内容与古八部联系起来考察①，似乎获得了青牛白马氏族结合说的新证明，这就不能不令人吃惊。其实，"秘画"的发现，第一，确实印证了契丹人在辽朝时期曾流行过关于族源问题的青牛白马传说。第二，这个"秘画"的内容还应放回到《辽史》记载的本身进行考察，因为，现存"秘画"的创作时代最早是明朝的事情②。第三，历史研究的物证，不能依赖那些时间跨度太大的东西。如果时间跨度太长，就应先对所发现的新物证（资料）进行仔细的排比分析。云南发现的"秘画"起码是十五世纪的作品，以此来证明或考论四五世纪时期的历史，不是太过颠倒吗？如前所述，契丹人确曾出于一种政治的需要而对始祖传说进行了一定的加工和包装（即神化），这是一种历史上确实存在的真实，"秘画"的发现就是对这种曾经有过的"真实"的翻版。同时，将"秘画"放回到《辽史》的相关记载中来考察，应该是关于"祭山仪"中的一段描述，最为相宜。

　　　　设天神地祇位于木叶山，东向；中立君树，前植群树，以像朝班。又偶植二树，以为神门。……杀牲，体割，悬之君树。……皇帝皇后至

---

　　① 杨毓骧：《云南青牛白马图与古契丹八部考辨》，《内蒙古社会科学》（文史哲版）1994 年第 5 期。

　　② 杨毓骧：《云南青牛白马图与古契丹八部考辨》，《内蒙古社会科学》（文史哲版）1994 年第 5 期。

君树前下马……诣天神地祇位致奠……（群臣）依次致奠于君树，遍及群树。……皇帝率皇族三匝神门树；余族七匝①。

这段史料与前所述"秘画"相关内容对比，有着惊人的一致，说明"秘画"的作者是通过对"祭山仪"的思考和揣摸之后，加以立意布局的。所以，"秘画"的构图，只是对《辽史》祭山仪的简单再现，并没有自身的创造和发明，它不能成为关于契丹起源研究中所谓青牛白马两个氏族结合说的直接证据。

四、契丹始祖奇首可汗

据《辽史·太祖纪》赞记载，

辽之先，出自炎帝，世为审吉国，其可知者盖自奇首云。奇首生都庵山，徙潢河之滨。传至雅里，始立制度，置官属，刻木为契，穴地为牢。让阻午而不肯自立。

这段话是元朝修史时，史臣所作，也是《辽史》中关于契丹前后历史贯穿的最为清晰的描述。史臣所本，约是耶律俨所作的《实录》。因为《辽史·世表》序中有这样一段话，可以看出《太祖纪》赞、《世表》序之间笔削的联系：

考之宇文周之书，辽本炎帝之裔，而耶律俨称辽为轩辕后。俨志晚出，盍从周书。盖炎帝之裔曰葛乌菟者，世雄朔陲，后为冒顿可汗所袭，保鲜卑山以居，号鲜卑氏。既而慕容燕破之，析其部曰宇文，曰库莫奚，曰契丹。契丹之名，昉见于此。

这段话中，多半是元朝修史时的主观臆断。但从此可以看出修史过程中主观指导意识的统一，即对契丹人自承黄帝之裔的说法加以否定。但史实资料的叙述应当是保存了耶律俨《实录》或《志》的原貌。所以，《太祖纪》赞

① 《辽史》卷49《礼志·祭山仪》，中华书局1974年版，第834页。

的描述，也引起了学界的重视，有些学者还曾就此作了深入的探讨，试图追踪契丹在 4 世纪末以前的更为久远的根系①。

《辽史·世表》的作者，也仍像上面引述《世表》序的说法一样，称鲜卑为契丹之先。曹魏时，部长轲比能被杀，部众流散潢水之南。有莫那者，本葛乌菟之后，率众"自阴山南徙"，始居辽西，后为慕容氏所破，"或为库莫奚，或为契丹"。依据《世表》的记载，可以看出：（一）契丹人确与鲜卑有着深刻的渊源；（二）尤其莫那"自阴山南徙"的记述，更是一条重要的古代信息。这是应引起重视的二条重要的历史线索。

根据历史文献资料的记载，契丹及库莫奚自 4 世纪末起已经作为一个独立的部落，驻牧于西拉木伦及土河流域，虽部落实力尚属弱小，但其活动范围已逐渐波及今赤峰地区。直到 10 世纪初契丹人建立了集权制国家时，契丹部落都始终未曾离开过这块水草肥美的区域，前后持续五百余年。但在如此漫长的历史时间内，契丹人生活的痕迹，却在现今考古学手段的揭示与研究中显得难以区分。尤其是契丹人的历史文化遗存与东部鲜卑历史文化遗存更是难以清楚地剥离，这一点已经为众多的考古学发现所证实。如通辽市所发现的几座被风沙揭露而失去地层关系的墓葬，遗物中既有明显的鲜卑文化成分，同时也包含着契丹早期文化的一些明显特征②。所谓契丹早期墓葬的依据材料，考古学手段所能够加以明确区分的，往往都是 10 世纪前后的契丹生活遗留，如扎鲁特旗封山屯契丹墓③等，而 4 世纪至 9 世纪时契丹生活遗存简直难以发现和区分。据 1994 年公布的巴林右旗沙巴尔台苏木塔布敖包石砌墓资料显示，塔布敖包石砌墓从墓葬形式到葬俗方面，都与明确了解的鲜卑墓有着较多的共同点和较为显著的承袭因素，尤其是塔布敖包一号墓中出土的敞口罐及陶器器底印纹的做法等，都是鲜卑文化的典型器物和同类器物制作的典型特征。同时，塔布敖包一号墓中出土的盘口瓜棱壶，则属于辽代陶器的典型器物。鉴于塔布敖包石砌墓的年代应属于中唐时期之前，即

---

① 嵇训杰：《关于契丹族名称、部落组织和源流的若干问题》，《中国史研究》1985 年第 2 期。

② 张柏忠：《哲里木盟发现的鲜卑遗存》，《文物》1981 年第 2 期；张柏忠：《契丹早期文化探索》及《内蒙古哲盟发现的几座契丹墓》，《考古》1984 年第 2 期。

③ 哲里木盟博物馆：《扎鲁特旗封山屯契丹墓清理简报》，《北方文物》1990 年第 3 期。

七八世纪之际。所以，发掘者认为：该墓为契丹墓葬，"早期契丹具有明显的鲜卑文化特征，表现出承前启后的特殊内涵"。"契丹之风俗习尚乃至生活用具依然较多地保持了从鲜卑继承下来的文化传统，并在此基础上不断地进行创造性的发展"①。事实上，塔布敖包石砌墓资料恰当地解决了契丹早期遗存探索中的棘手问题，据此还可以厘正以前考古发现中的诸多错误，同时，可以获得更为丰富的早期契丹历史资料。据此，关于《耶律羽之墓志》记载，其先"宗分佶首，派出石槐"，也就不是墓志撰丹者的随意附会，应是契丹口碑资料遗存的恰当反映。

与《耶律羽之墓志》中关于其自身起源记载相符合的契丹口耳相传的资料，绝对不会是《耶律宗愿墓志》中显露的"仙轺"下凡（即青牛白马神话传说），而是以中原画史资料所揭示的"阴山七骑"和契丹人隆重奉礼的赤娘子传说最为贴切。因为，画史资料及赤娘子的传说，更显示了一种民族民俗学意义上的历史本真。就辽代契丹社会发展状况而言，契丹人的婚姻制度仍然保留着母系社会阶段族外婚的诸多孑遗，如不限辈分的甥舅婚和姊亡妹续之法等等②，甚至还保留了一些原始群婚制的残留③。这种婚姻状况的反映，也与文献材料中保存下来的关于契丹部源起于阴山七骑掠得潢河中一妇人（即抢婚）因生其族类的说法，可以互为印证，是非常可信的。益发证明了北宋文士注重和传扬《阴山七骑》故事的隐秘用意，这也正好印证了耶律倍选题命画所作《吉首与七骑图》民族学意义上的深刻人文内涵，可以视为契丹民族精神与文化传统的完美体现。

如前所述，奇首即佶首，有时也作吉首、奚首，盖古代译音无定字，声同字不同。关于奇首的传说，《辽史·太祖纪》赞云：

> 奇首生都庵山，徙潢河之滨。

---

① 齐晓光：《巴林右旗塔布敖包石砌墓及相关问题》，《内蒙古文物考古文集》，中国大百科全书出版社 1994 年版，第 454—461 页。

② 朱子方：《从出土墓志看辽代社会》，《社会科学辑刊》1979 年第 2 期；孙进己：《契丹胞族外婚制》，《民族研究》1983 年第 1 期；孟古托力：《契丹族婚姻探讨》，《北方文物》1994 年第 1 期。

③ 向南、杨若薇：《论契丹族的婚姻制度》，《历史研究》1980 年第 5 期。

奇首的出生地在都庵山。那么，都庵山又在哪里呢？据《辽史·太祖纪》记载，913 年，太祖阿保机北定诸弟之乱后，

> （五月）壬戌，（叛首）剌葛、涅里衮阿钵诣行在，以缟索自缚，牵羊望拜。上还至大岭，……六月辛巳，至榆岭，以辖剌县人扫古非法残民，磔之。甲申，上登都庵山，抚其先奇首可汗遗迹，徘徊顾瞻而兴叹焉。……壬辰，次狼河。

所谓大岭，当指兴安岭山系。榆岭，在辖剌县。据王溥《五代会要·契丹传》，阿保机立国前，契丹诸部已拥有 41 个县。辖剌即霞濑，乃契丹 41 县之一。《辽史·太祖纪》：太祖"契丹迭剌部霞濑益石烈乡耶律弥里人"。据《辽史·国语解》：石烈，乡名；弥里，乡之小者。则石烈似为契丹语"县"或"大乡"之意。故《辽史·百官志》"北面宫官"称："某石烈。石烈，县也。"故知此霞濑（辖剌）县，应在辽上京临潢府附近，即黑山（今巴林右旗赛汗罕乌拉）以南至上京临潢府（今巴林左旗林东镇南上京故址）之间。榆岭及都庵山，均在霞濑（即辖剌）县内及其周围，其详细地点待考①。狼河，即后来临潢府附近主要河流，今蒙古语称乌尔吉木伦（汉译长狼河），流经今赤峰市巴林左旗、阿鲁科尔沁旗境内。

据此可知，奇首最初的生息之地，位于古代松漠的北部，即靠近大兴安岭山系，今巴林右旗赛汗罕乌拉（契丹黑山）一带。这里也被契丹世代视为部族始兴之源或发祥地。那么，奇首又率其部众徙于"潢河之滨"的哪一段或哪一侧呢？《辽史·宫卫志》"部族上"则较好回答了这一问题。

> 契丹之先，日奇首可汗，生八子。其后族属渐盛，分为八部，居松漠之间。今永州木叶山有契丹始祖庙，奇首可汗、可敦并八子像在焉。潢河之西，土河之北，奇首可汗故壤也。

---

①　或认为都庵山，应即今河北省东部迁安县附近的都山。见舒焚：《契丹始祖奇首可汗》，《辽金契丹女真史研究》1986 年第 1 期。

《营卫志》中的这段记载，显然是元朝修史时史臣的综述，但"潢河之西，土河之北，奇首可汗故壤也"，应是修史时对参据史录原本的照抄。因为，所谓"奇首可汗故壤"的描述，实际是辽代的木叶山暨永州地望的地理描述，这可与《辽史·地理志》"永州"条的记载进行对读：

> 永州永昌军，观察。承天皇太后所建。太祖于此置南楼。……东潢河，南土河，二水合流，故号永州。冬月牙帐多驻此，谓之冬捺钵。有木叶山，上建契丹始祖庙，奇首可汗在南庙，可敦在北庙，绘塑二圣并八子神像。（下记青牛白马传说，前已引述）。

此处"东潢河，南土河"的永州及木叶山地望与"奇首故壤"非常一致。是关于契丹始祖活动的记忆与契丹人精神寄托的重要场所。因此，辽帝坐冬议政也选择这里，就是与奇首和祭天活动有着深刻渊源关系的。据此可知，奇首非仅耶律阿保机家族所崇奉，乃是契丹部族共同的人文始祖，而且，在契丹人创建君主集权制国家之前，奇首已经家喻户晓，是契丹人口耳相传、人所共知的历史人物。怀念奇首的地点（或奇首的生活遗迹）最初曾有过都庵山，只是后来随着辽朝政治体制的发展才渐被木叶山优越的社会地位所独享。木叶山，因此也成为了契丹始祖、祭天场所的代名词。

关于奇首的事迹，还有我们前文论述过的：奇首是与阴山七骑为一体的历史人物。根据画史资料和王易《燕北录》的记载，奇首的妻子（可敦），就是契丹人崇奉在木叶山神庙中的赤娘子，是阴山七骑自潢河中掠得一妇人。也就是说，奇首的妻子（可敦）原本是他抢夺而来的外族女子。同时，根据《辽史·耶律曷鲁传》记载，奇首最终是被汉人杀死的。

> 汉人杀我祖奚首，夷离堇怨次骨，日夜思报汉人。

奚首即奇首。关于奇首一生的事迹，在现存史料中也仅如上述而已。那么，奇首应是什么时期的人呢？据前引述宋人范镇的说法，赵至忠认为约是秦汉时[①]。

---

① （宋）范镇：《东斋纪事》，四库本。

而《耶律羽之墓志》文称："宗分佶首，泒出石槐"。笔者认为"宗"即宗族，宗分佶首，是说契丹人氏姓之始。泒即派，派出是源起，即宗族分流所自出，说明檀石槐与佶首前后有别的序列关系。《辽史·世表》在关于契丹人始源过程中的记录，也仅著录了轲比能与普回之子莫那二人，且两栏中的史料有颠倒舛错之嫌，如第二栏"魏"目云：

> 青龙中，部长比能稍桀骜，为幽州刺史王雄所害，散徙潢水之南，黄龙之北。

第三栏"晋"目云：

> 鲜卑葛乌菟之后曰普回，普回有子莫那，自阴山南徙，始居辽西。九世为慕容晃所灭，鲜卑众散为宇文氏，或为库莫奚，或为契丹。

笔者怀疑两栏目中关于余部分散的记录有颠倒。因为契丹、库莫奚本为宇文部崩灭后的孑遗，散处潢水之南，黄龙之北。普回与莫那正是宇文之先，而第三栏中何以述宇文部灭亡后，又散为宇文氏等大小若干部？历史发展的事实，正是在轲比能被杀后，鲜卑部众才散为宇文氏等大小数十部，宇文部被慕容氏所灭，余众才又散处潢水流域。因此，应将《辽史·世表》第二、三栏中部众分散的记录相互对调，应是史实。其中，莫那至宇文部被灭亡已历9代（世），若每世以20年计，则莫那之南迁，也应当在轲比能时代之先（青龙，乃曹魏明帝年号，公元233—237年；宇文部灭亡在公元342至344年间），甚至在檀石槐建立鲜卑部落大联盟之前。那么，《世表》中所载堪与奇首对应的历史人物，也只有莫那与轲比能二人，究竟是谁呢？这也是我们不能贸然定论的。

但是，奇首所处之时代，应在檀石槐部落大联盟以后，是确定无疑的。历史发展的事实是：曹魏时期（220—265年），轲比能重新建立的部落联盟，在柯比能死后，中部鲜卑部落开始了大规模的东迁，如宇文部、段部，都东徙至燕山东段及其以北以东地带。契丹先世也应在此时随鲜卑进入了松漠地域。因此，在以后漫长的发展过程中，契丹人仍然受到了浓郁的鲜卑文化因素的影响。

契丹族的起源是一个涉及诸多学科的相当复杂的历史课题，也是史学研究者们所着重揭示的重要内容。但是，历史的魅力或许就在于它拥有或保持的那一份本真，那一份神秘和那些不可知的因素。

据叶隆礼《契丹国志》记载，奇首殁后，契丹人历史又进入了一个新的神话阶段。这个神话阶段由契丹人的三位君主构成，即乃呵（一具骷髅）、喎呵（一头野猪）、昼里昏呵（善养羊的人）[①]。这则神话传说充满了浓郁的萨满巫术色彩，去伪存真，应当是对契丹部（或氏族）形成之后，所经历的猎牧生活的真实反映，或者说，它是利用原始宗教手段记忆下来的契丹人早期历史的记录。

总之，对于契丹起源及其初期阶段的历史研究，有助于了解契丹历史的本真，有利于掌握契丹部族的历史特点，从而分析和解答《辽史》中的遗漏与疑难。因此，特作以下两点陈述：

（1）关于契丹族起源及其神话传说

前辈史学家们曾不止一次地暗示过，对于历史的认识绝不能简单地停留在对表面现象的思索，而应是对于一种潜在的深刻内涵的把握。如果仅仅通过被研究对象的较长时间以后的点滴遗留，便可作为其以前的更长时段内起始点阶段的证据来思考，这是一种不谨慎的和不切合实际的"飞跃"；同样，如果在还没有完全理解或无法超越古人认识的前提下进行研究，也只能是茫然地对前人的前人所作结论的无益的重复。

契丹族起源的探索，久已纷纭。自从魏收在《魏书》中，将库莫奚、契丹作为宇文鲜卑的遗余而又将宇文鲜卑记为南匈奴的远属，便开启了唐宋时期久议不决的争议。但唐末五代以来，契丹画家们遗留的画史资料，以及辽宋时期双方稔熟的阴山七骑与赤娘子传说，近年发现的辽代初期的新考古资料（尤其是耶律羽之墓志）及这些资料间的融会贯通，无疑为我们了解和认识契丹起源的实际状况提供了更为有力更为直接的证据。

作为新资料中的一种，云南契丹后裔的发现具有重大的意义，它为契丹

---

① （宋）叶隆礼：《契丹国志·卷首》，初兴本末，贾敬颜、林荣贵点校，上海古籍出版社 1985 年版，第 1—2 页。

辽史的研究拓展了更为宽广的领域，使人们对于契丹历史的理解也更加深入。但是，新的资料（或某些证据）从发现到利用之间所实现的完整转换的过程，是史学工作者必须在经历过一段时间后的慎之又慎的验证过程，只有如此才能牢固地树立深入发掘与研究的基础。因此，云南契丹后裔调查中发现的族谱"秘画"，虽不失为一份典雅的艺术作品，但就其表现的内容看，既不是对辽代盛传的契丹起源传说的发展和再造，也不是对契丹起源传说的加工与利用，而是一种机械的模仿与再现。其所模仿和再现的东西又是已经丧失了本真的赝品，充其量也不过是反映（或保存）了辽代曾经有过的一段已经远离了本身实际的虚拟的标志。

虽然，关于契丹起源的传说，在辽宋时期已形成了几种版本。但是我们通过《辽史》资料及同时期汉籍资料的比照参考，及近年发现的《耶律羽之墓志》记载，则使支离破碎的契丹起源过程有一种较好的历史线索的串联，也基本反映了早期契丹历史的一些真实，从而为我们在更多学科手段参与下更加充分细致地解决契丹历史的基本问题提供了更大的可能。

（2）关于永州及木叶山地望

关于木叶山的地理位置，这是与辽代永州等几座州城紧密联系在一起的共同的历史地理问题。如《辽史·地理志》"武安州"条记载：

> 太祖俘汉民居木叶山下，因建城以迁之，号杏埚新城。复以辽西户益之，更曰新州。统和八年改今名。初刺史，后升，有黄柏岭、袤罗水、个没里水。

又据《贾师训墓志铭》记载：

> 徙同知永州军州事，既上，日夜经画民事利病，奏减部并邻道龙化、降圣等州岁供行在役调，计民工三十余万。[1]

综上可知，永州与武安州（或新州）、龙化州、降圣州均为邻道，而永州、武安

---

[1]　向南：《辽代石刻文编·道宗编下》，河北教育出版社 1995 年版，第 476—483 页。

州、龙化州、降圣州，均属辽朝重要州城遗址，却迄今无一确认。虽然，曾有人推测永州故址即今翁牛特旗白音他拉苏木辽代古城①，但不能有效解决周围相应的邻道诸州城遗址。所推定的海金山即辽代木叶山，亦与文献记载殊难相合。以白音他拉苏木辽代古城为永州的说法，曾影响学界认识达二十年之久。笔者认为，其实这应是个误断。误断的证据之一，即将《辽史·地理志》"永州条"位置的记载"东潢河，西土河"与白音他拉古城相较，方位不合。或者认为"东潢河"等，乃是"东北潢河，西南土河"之误，笔者也曾如此认为。② 但与《营卫志》奇首故地的记载相较，我们就不能随意地认为是《辽史》笔误。证据之二，历史上的西拉木伦与土河汇合口，并非在今翁牛特旗境内。据《清史稿》记载：老哈河自发源地经喀喇沁右旗、中旗（今宁城县）入敖汉旗，东北流入翁牛特左旗，再东流经扎鲁特旗入喀尔喀旗，与潢水相合。西拉木伦河（即潢水）经克什克腾旗入巴林左、右旗，会黑水（今查干木伦）入翁牛特左翼旗（今翁牛特旗），又东北流经阿鲁科尔沁旗入扎鲁特旗，再入喀尔喀旗东流，老哈河自奈曼旗入喀尔喀，东北流汇潢河（即西拉木伦河）。故奈曼旗牧地，当潢河老哈河合流之南岸③。是知，现今所据推定辽代永州位于翁牛特旗大兴镇附近两河汇合处，非《辽史》中记载的"二水合流"的原址。所以，翁牛特旗白音他拉苏木古城为辽代永州城、海金山为辽代木叶山的推论不能成立。永州及木叶山地望，仍是尚待考证的辽史之谜。

同时，尚需说明的是：《辽史·地理志》"武安州"条记载，称"有黄柏岭、袅罗水、个没里水"，对此，中华书局本校勘记云："袅罗水个没里水，按《国志》卷首《初兴本末》作袅罗个没里。袅罗个，黄也；没里，水也。即黄河，并非两水。"即武安州境内河流记载有误④，但"校勘记"厘正为黄河，也不确切。因为，永州及木叶山在潢水与土河之间，武安州（即新州）在木叶山南，故武安州境内不应有潢水（如有潢水则木叶山已在

① 姜念思、冯永谦：《辽代永州调查记》，《文物》1982 年第 7 期。

② 任爱君：《契丹与库莫奚的先世及其关系》，《昭乌达蒙族师专学报》1989 年第 2 期。

③ 《清史稿》卷 77《地理志·内蒙古》，中华书局 1977 年版，第 2402 页；张穆：《蒙古游牧记》卷 2、卷 3。

④ 《辽史》卷 39《地理志三·中京道·武安州》，校勘记（5），中华书局 1974 年第 1 版，第 490 页。

潢水之北，并不在二水之间），武安州境内河流应即土河，即《契丹国志》
之陶隈思没里，今赤峰境内老哈河。又，武安州中"黄柏岭"之地望，据
2002 年公布的 1990 年发现于赤峰市敖汉旗金厂沟梁乡姚家沟的耶律元宁墓
志记载，"归葬于黄柏岭之东原，先太师茔之西次"①，则木叶山之发现，或
许时日不会太远。

　　总之，对于契丹起源及其初起阶段历史的研究，有助于了解契丹历史的
本真，有利于掌握契丹部族的历史特点。从而分析和解答《辽史》中的遗
漏与疑难，为推动史学的发展捐助薄力。

第二节　唐朝与契丹部落发展的历史关系

　　契丹辽朝建立之前部落社会的发展情况，目前学界已作出较为客观的认
识，其中李桂芝先生等相继发表的研究著述，就比较系统地论述了唐代契丹
部落发展的诸多问题②；因此，谨在前人研究的基础上，就唐代契丹部落发
展的历史趋向等，略做阐述，以补其阙。

一、唐朝契丹羁縻州的建立及其类型

　　契丹与唐朝的联系，始于 7 世纪初期。唐高祖武德年间（618—626
年），一支契丹部落依附唐朝，接受唐朝封赏③，其首领被任命为辽州总管；
唐太宗贞观二年（628 年），又有契丹首领率部落投降唐朝，因遭到突厥汗
国的追索，唐朝将其安置在营州地区④。以后，仍然有一些契丹贵族率领部

---

　　① 盖之庸：《内蒙古辽代石刻文研究》，内蒙古大学出版社 2002 年版，第 21—22 页。
　　② 李桂芝：《关于契丹古八部之我见》，《契丹大贺氏遥辇氏联盟的部落组织——〈辽史·营卫
志〉考辨》；［日］岛田正郎：《辽代社会史研究》，岩南堂书店昭和五十年（1975 年）；［日］爱宕松
男：《契丹古代史研究》，京都大学东洋史研究会昭和三十四年（1959 年）。王民信：《遥辇阻午可汗二
十部考》，载氏著：《契丹史论丛》，学海出版社 1973 年版。
　　③ （宋）欧阳修：《新唐书》卷 219《契丹传》，武德中，其大酋孙敖曹"遣人来朝，而君长或小
入寇边。后二年，君长乃遣使者上名马、丰貂"。中华书局 1975 年版，第 6168 页。
　　④ （宋）司马光：《资治通鉴》卷 192《唐纪八》，太宗贞观二年四月丙申，"契丹酋长帅其部落来
降。颉利遣使请以梁师都易契丹。上谓使者曰：契丹与突厥异类，今来归附，何故索之！师都中国之
人，盗我土地，暴我百姓，突厥受而庇之，我兴兵致讨，辄来救之，彼如鱼游釜中，何患不为我有！借
使不得，亦终不以降附之民易之也。"中华书局 1956 年版，第 6050 页。

分部落成员投降唐朝，并都得到唐朝的接纳、封赏和安置。直到唐太宗设立契丹松漠都督府为止，已经有大批的契丹部落人口成为唐朝的"属部"。因此，唐朝政权对于契丹部落及其依附部落的统治措施，就值得探讨，并且成为研究唐代契丹历史发展的重要课题。

贞观二十二年（648 年），唐朝在契丹部落设立松漠都督府，封契丹大首领窟哥为大将军、松漠都督府都督、使持节、10 州诸军事、无极县男，并将契丹部落划分为若干个"州、县"，实现了唐朝对契丹部落的"羁縻"统治。

所谓"羁縻统治"或"羁縻制度"，具体而言，就是由朝廷任命部落首领兼任州、县长官或地方及部落最高统治者，组织管理上则沿袭部落人口原有的或者比较习惯的管理方式。羁縻州，名义上是以"州、县"划分的属民或属部，其实仍然维持着原有的部落组织习惯，羁縻州的人口并不向唐朝政府承担赋役，客观上只是接受唐朝政府管辖的非正式州县，它与唐朝政府管辖的"正州"有着很大的区别。这种羁縻州制度，确立于唐太宗时期，是唐朝政权首创的对周边少数民族部落实行的特殊的行政管理方式，故又被称为"蕃州"。"蕃州"的部落首领接受朝廷颁发的印信，实行部落事务的内部自理，这是唐代封建社会推行的一种有限制的部族自治的管理方式，并由朝廷的派出机构（都督府或都护府）来代行具体的管理职责①。

唐代的契丹羁縻州，存在着部落羁縻州和入内侨置蕃州两种形式，它们最初都接受由唐朝政府指定的派出机构——营州都督府管辖，后来则是分别接受营州都督府和幽州节度使的管辖。所谓部落羁縻州，即以契丹本土部落组成的由唐朝政府委任的松漠都督（府）直辖的契丹部落组织，并在部落内部模仿中原州、县组织形式作出具体的州、县划分，其管理原则仍维持原有的部落组织程序和部落生活方式不变；而入内侨置蕃州（或称入内侨蕃羁縻州），则是由部分投降唐朝的契丹部落人口组成，它们隶属于唐朝的营州都督府或其他地方行政机构管辖，主要是由那些主动地或被动地依附唐朝的契丹部落人口构成，最初也同样维持着原有的部落组织习惯和生活方式等，但是部落自理的范围只能局限于一个部落组织或者是一个州县的范围之

---

① 中国大百科全书总编辑委员会《中国历史》编辑委员会、中国大百科全书编辑部编：《中国大百科全书·中国历史·Ⅰ·羁縻州》，中国大百科全书出版社 1992 年版，第 421—422 页。

内，入内侨置蕃州之间并不发生直接的或整体的联系，它们都直接隶属于唐朝的地方行政机构管辖，如营州都督府或幽州节度使等。因此，部落羁縻州与入内侨置蕃州，最初似乎是在隶属关系上存在着很大的区别，但到了唐朝中晚期的时候，两者间在具体的管理形式上也出现了一定的差异，使得两者的区别也发生了本质的变化。

据《新唐书》记载，贞观二十二年（648 年），任命契丹首领窟哥为松漠都督府都督，赐姓李，将契丹 8 个部落分别设置为州县，如纥便部（又名松漠部落）为弹汗州（即李窟哥所属部落及松漠府治所），达稽部为峭落州，独活部为无逢州，芬问部为羽陵州，突便部为日连州，芮奚部为徒何州，坠斤部为万丹州，伏部为匹黎、赤山二州，共为一府九州（县制及数目不详，但应多于九州之数）；同时又将契丹别部首领曲据部落设置的玄州（辖静蕃县），也划入松漠都督府统一管理，故总计十州，以李窟哥为都督十州诸军事。松漠都督府的具体事务，由李窟哥会同部落首领自理，但军政事务等还要接受唐朝设置在柳城（今辽宁省朝阳市）的营州都督府的调遣和管辖。这是唐朝在契丹部落设立的羁縻州及其主要组织、管理形式。但是，这种确立于唐太宗时期的契丹部落羁縻州制度，也在后来具体的历史发展过程中，经历了不同程度的发展与变化。

此外，唐朝在设立松漠都督府之前，契丹部落已经不是一个很完整的部落组织形态，事实上还存在着一些入内侨置的蕃州，像上述玄州就是如此。据《新唐书》记载，武德二年（619 年），以归降的契丹首领孙敖曹率领的契丹内稽部为辽州。贞观元年（627 年），更名为威州。贞观二年，又以归降的契丹松漠部落为昌州。贞观三年，又以征服的部分契丹、室韦部落为师州。贞观十年，以归降的契丹乙失革（活）部落为带州。贞观二十年（646年），以隋朝时期即已内属的契丹首领曲据率领的部落为玄州，皆隶属营州都督府管辖。[①] 这五个契丹羁縻州，就是所谓入内侨置蕃州的组织形式，它的确立起码始于唐高祖统治时期。当松漠都督府建立之后，除原有的玄州形式上拨还契丹本部（即松漠都督府）管辖外，其他四个入内侨置蕃州，则仍然隶属唐朝的营州都督府管理，属于唐朝直接管理的侨置羁縻州县。这种情况

---

① 《新唐书》卷 43（下）《地理志七·羁縻州》，中华书局 1975 年版，第 1520—1526 页。

说明，契丹部落早在隋朝时期就已经被中原政权采取了强行分割的管理方式，部落中的部分人口已经从整体中分离出来，成为中原政权直接管辖的"属部"或者说是"内属部落"。因此，唐朝推行的入内侨置羁縻州的管理方法，实际是对内属游牧部落人口的比较直接的管理措施，也是对前朝统治经验的总结与利用。唐朝设立契丹入内侨置羁縻州的真正目的，在于沿用和采取分化、瓦解的管理政策，这在契丹羁縻州发展、变化的具体过程中可以找到答案。

唐朝的契丹羁縻州，在唐太宗时期以后，就有了比较具体的发展与变化。如武则天统治的垂拱年间（685—688年），析分内属的威州（即原辽州）部落设立新的羁縻州，定名为归诚州。载初年间（689—690年），又析分内属的昌州松漠部落设立沃州；万岁通天元年（696年），析分内属的带州乙失活部落设立信州。这些新增加的羁縻州，仍然隶属营州都督府管辖，不仅维持了其原有部落的管理程序，而且将原有部落一分为二，客观上达到分化的效果。这样，自7世纪中期，唐太宗全面设立契丹羁縻州起，到7世纪末武则天统治时期，契丹入内侨置蕃州已经发展为8个（包括玄州），它们已经脱离契丹本土部落，成为唐朝营州都督府直接管辖的"属部"。这些"属部"即入内侨置蕃州的数量，已经接近契丹部落羁縻州的总数，成为与契丹本部势力相侔的另一支契丹部落群体。同时，这些"属部"在唐朝政府控制和管理契丹本部及其周围地区时，也发挥了具体而特殊的作用。而且，诸如此类的"属部"即契丹入内侨置蕃州的管理形式，以后又被唐朝政权转化成为真正具有侨置州县性质的、直接进入内地州县安置的契丹羁縻州，并在盛唐时期使其总数发展到10个以上。因为，武则天时期又增加青山州，唐玄宗时期又将纥便部弹汗州转化为入内蕃州、更名为归顺州归化郡，等等。

唐朝时期客观存在的两种形式的契丹羁縻州，标志着当时契丹部落组织的发展，实际上处于一种被强行分割的历史状态。这种被分割的具体状态，就决定了唐代中晚期阶段及其以后的契丹社会历史发展的必然趋势。

二、"契丹反叛"与羁縻州制度发生的变化

所谓"契丹反叛"，指唐朝政府对于契丹本土部落实行羁縻统治时期，由契丹本土部落首领直接领导的，包括奚、霫等部族参加的大规模的反唐战争。这种由契丹部落首领直接发动的反唐战争，最早出现于唐高宗统治的显

庆年间（656—660 年），① 而在武则天（690—704 年）及唐玄宗（712—756
年）统治时期达到了巅峰。其中，由契丹首领李尽忠和可突于分别发动的
反唐战争最具有典型特征。这是因为，这两次战争都对契丹部落的发展产生
了巨大的影响和深刻的历史作用。

李尽忠，契丹纥便部人，乃首任契丹松漠都督府都督李窟哥之孙，武则
天时期，以契丹王族子弟身份直接继承松漠府都督、大将军及无极县男的爵
位。史称，战争起因乃是营州官吏"侵侮"契丹所致。战争初期，李尽忠
自称"无上可汗"，表示了与唐朝决裂的决心，他任命孙万荣为军事统帅。
孙万荣，契丹内稽部人，乃唐初归降的契丹内稽部首领、辽州总管孙敖曹之
孙。唐高宗时期，孙万荣曾以契丹贵族子弟身份进入京师长安为"侍子"，
生活于关中地区十余年之久。因此，颇为了解唐朝山川险易及朝廷内部的政
治情况，后来放还契丹本土部落时，还被朝廷加封为新增置的归诚州刺史，
成为朝廷分化、瓦解内稽部实力的践行者。由于孙万荣与李尽忠为姻亲关
系，所以得到了李尽忠的信任和依赖。李尽忠在发动反唐战争后不久，便因
疾而亡。李尽忠病殁之后，孙万荣成为反唐战争的领导者，他也像唐朝军队
诛叛伐逆那样，传檄各地并提出"还我庐陵王来"的政治口号，起到极大
的煽惑作用，并屡次覆灭唐朝军队，相继攻克营州和幽州、冀州、青州的大
部分地区，震撼了武则天的统治。历时年余，始被平息，② 对武则天政权的
发展，尤其是对契丹部落的历史发展产生了重大的历史影响。③

李尽忠和孙万荣所发动的反唐战争，对契丹部落发展的历史影响，首先

① 《新唐书》及《旧唐书》之《契丹传》，并《资治通鉴》卷 200，高宗显庆五年五月戊辰条记
载：唐朝军队在奚族配合下，一举击败契丹首领阿卜固领导的反唐战争，并俘斩阿卜固。《旧唐书》卷
83《薛仁贵传》及《新唐书》卷 111《薛仁贵传》，则称薛仁贵在征讨高丽的战争中，大破契丹部落于
黑山。显然，这是一次史书失载的战争，但从结果可以看出，这也是一次由契丹首领发动的包插奚族参
与的反唐战争。

② 《新唐书》卷 219《契丹传》，中华书局 1975 年版，第 6168—6169 页。（后晋）刘昫：《旧唐
书》卷 199（下）《契丹传》，中华书局 1975 年版，第 5350—5352 页。

③ 政治口号的提出，见（唐）张鷟：《朝野佥言》卷 6；造成的政治影响，见张说：《为河内郡王武
懿宗平冀州贼契丹等露布》，揭示附逆臣僚有十二卫大将军见任鹿城县令李怀璧、河北道招抚大使冀州刺史
马行懋、冀州道副大总管杨奉节、冀州长史王宏允、总管刘伏念、信都县令杨志寂、总管胡六郎、总管王
先知、三品总管姬目、帅马明誓等，说明契丹反叛不仅是民族斗争，也混合着当时剧烈的政治斗争。张撰
《露布》全文，见（清）董诰等辑：《全唐文》卷 225，上海古籍出版社 1990 年版，第 1000 页。

是交战过程中和被唐朝政权镇压之后，以契丹本土部落设置的一府九州，彻底丧失"羁縻州"性质，脱离了唐朝的统治；其次是那些用契丹部落建立的唐朝"属部"形式的入内侨置蕃州，基本变成由唐朝政权直接管理的真正内属的入内侨置蕃州。原来隶属营州管辖的契丹 8 个入内蕃州，在战争爆发后，已经成为唐朝政权严密控制的对象，从而造成了这些州县面貌的巨大变化。据《旧唐书》记载，万岁通天元年（696 年），威、沃二州被从原来营州都督府附近南迁幽州地区，师、带二州也从营州南迁太行山以东的青州地区。次年，昌、信二州又从营州南迁青州。同时，形式上划归松漠都督府管辖的玄州，也被从营州南迁黄河以南、邻近淮河流域的徐、宋二州境内。它们事实上受到唐朝政府严密的分隔式管理。而原本隶属营州都督府管辖的契丹入内侨置蕃州中，孙万荣任刺史的归诚州，已经在战争状态下回归到契丹本部。这些被分别南迁的契丹入内侨置蕃州，直到神龙年间（705—707 年）才被唐朝政府"放还"北方，并全部侨置于幽州境内，[①] 从此成为隶属幽州管辖的入内侨置蕃州，并逐渐丧失其自主管理的地位，形成"幽州契丹"的主要构成。

　　由李尽忠、孙万荣发动的反唐战争，始于万岁通天元年五月，结束于次年六月。唐朝政府对契丹入内侨置蕃州采取的大规模迁徙行动，也发生在这个具体时间之内。因此，唐朝政府对契丹入内侨置蕃州迁徙的目的，就是隔绝他们同本土部落之间的任何联系。这些事实表明，所谓营州地方官吏肆意"侵侮"契丹部落的深刻内涵，即李尽忠等发动反唐战争的根本原因，乃是契丹部落与唐朝政府激烈争夺内属部落人口的直接结果。如玄州本已归属松漠都督府管理，却在战争前后重新成为营州"属部"，并与其他部落一起南迁，证明玄州归属松漠都督府管辖只是形式而没有实际内容，唐朝政府从来就没有放弃对于那些内属契丹部落人口的直接的管辖权力；而本属营州管辖的归诚州，则在战争过程中脱离了营州都督府的束缚，重返契丹本土，与其部落首领的个人努力是分不开的。这也说明那些早在唐朝初期已经归降的契丹部落，也始终没有放弃重返本部或故土的追求与渴望。又据《旧唐书》记载，沃州与威州迁移到幽州。但《新唐书》中则记载：沃州"没于李尽忠，开元二年复置"，所谓"没于李尽忠"的记载，并不是说这个部落被李

---

① 《旧唐书》卷 39《地理志二·河北道四》，中华书局 1975 年版，第 1522—1526 页。

尽忠铲除或者消灭，而是说这个部落被李尽忠占领或者夺取了，这说明沃州也在战争时期成为回归本土的契丹内属部落之一。① 因此，对于营州都督府隶属的契丹入内羁縻州归属权的争夺，才是李尽忠等人发动反唐战争的根本原因；而反唐战争造成的契丹入内蕃州性质的根本变化，则是对契丹羁縻州制度及契丹部落发展所造成的直接的历史影响。

据《旧唐书》记载，这些契丹部落南迁之后，在部落人口数量上发生了明显的变化，如：

> 威州，……旧领县一，户七百二十九，口四千二百二十二。天宝领县一，户六百一十一，口一千八百六十九。
>
> 师州，……旧领县一，户一百三十八，口五百六十八。天宝领县一，户三百一十四，口三千二百一十五。
>
> 带州，……天宝领县一，户五百六十九，口一千九百九十。
>
> 玄州（即曲据部落，又名李去闾部落），……天宝领县一，户六百一十八，口一千三百三十三。
>
> 昌州，……旧领县一，户一百三十二，口四百八十七；天宝领县一，户二百八十一，口一千八十八。
>
> 信州，……天宝领县一，户四百一十四，口一千六百②。

万岁通天元年南迁的四个州，除沃州实际"陷落"外，带州仅存天宝年间的数字，无法鉴别其人口数量的变化情况。威、师二州则保留迁徙前后的人口数目，可知威州人口数目，至天宝年间（742—756 年），已大不如前；师州人口数目，虽较前有很大增长，但与开元年间（713—741 年）的军事征服有密切关系。③ 万岁通天二年南迁者，人口数目不多，昌州的现象与师州

---

① 沃州记事，见《旧唐书》卷39《地理志二·河北道四》，中华书局1975年版，第1524页；《新唐书》卷43（下）《地理志七·羁縻州》，中华书局1975年版，第1127页。

② 《旧唐书》卷39《地理志二·河北道四》，中华书局1975年版，第1520—1526页。

③ 《新唐书》卷43（下）《地理志七·羁縻州》之归义州条记载，开元二十年（732年）信安王北征，俘虏奚族人口五千帐，设置了归义州，中华书局1975年版，第1126页。像师州这样以"杂户"为主的州县更容易得到朝廷军事掳掠的补充。

相同，玄州、信州与带州状况相同，因此，具体分析的结论如下：

第一，信州建立于万岁通天元年，乃契丹乙失活（又名乙失革）部落，这是唐朝从带州部落的析出；弹汗州以契丹王族纥便部为主，而昌州和沃州领有的"松漠部落"，也应指契丹王族所在的纥便部落；① 因此，弹汗、昌、沃三州，皆为唐朝对契丹王族纥便部落的析置。

第二，所谓入内蕃州迁徙的目的，至为明了。唐朝将内属契丹部落人口采取远距离迁徙的政策，是为了割断他们与契丹本土部落的联系、避免他们回归契丹本土。契丹本土部落和唐朝政权之间，对于这些内属部落的激烈争夺，构成了双方的主要矛盾。但是，大规模的内属部落人口数量的回落，则说明唐朝在迁徙和控制这些内属部落的同时，这些内属的契丹人口也经历了一次更严酷的磨难，像玄州部落被分置徐州和宋州，就是一个很好的例证。因此，可以确定战争、析置和疾病，是内属契丹部落人口数目锐减的主要因素。

第三，沃州和归诚州②是契丹"反叛"前，分别从昌州和威州析置的入内侨置蕃州，目的是分解这些内属部落的基本实力。但是，这两个新增加的内属部落却都在李尽忠发动的反唐战争中，脱离唐朝的控制而回归本土部落，说明李尽忠等发动的反唐战争，既丢掉了许多部落贵族的原有利益，同时也达到了一定的目的。对比之下，唐朝取得了战争的胜利，但是也丧失了一些原有的统治权力。

综此三端，唐朝初期对契丹的统治，不仅严密，而且注重对部落实力的分散控制，这是激起契丹部落反抗的真正原因。因此，唐朝的契丹"羁縻州"，并非以政治"羁縻"为主要原则，同时还包括着唐王朝对周边民族部落的统治欲望。《新唐书》记载，营州官吏上下"骄沓，数侵侮其下，尽忠

---

① 《旧唐书》卷39《地理志二·河北道四》云，归顺州"为契丹松漠府弹汗州部落"，沃州"处契丹松漠部落"，昌州"领契丹松漠部落"，沃州本从昌州析出；《新唐书》卷43（下）《地理志七·羁縻州》云，归顺州本弹汗州，"析纥便部置"，昌州"以松漠部落置"，沃州析昌州置。而记载其他部落则或称部落名或称首领名为部名，如曲据部落等，是知此"松漠部落"即"松漠弹汗州部落"，亦即纥便部——契丹王族部落。

② 归诚州的建立时间，据《旧唐书》卷199（下）《契丹传》记载，乃垂拱初年建立，垂拱年号为685—688年，则其建立年代或即685年左右，中华书局1975年版，第5349—5350页。

等皆怨望。万荣本以侍子入朝，知中国险易，挟乱不疑，即共举兵"，杀官
吏，"盗据"营州而反。① 似乎激起契丹反叛的原因，主要在于营州官吏的
侵渔百姓，和"本性好乱"的孙万荣的煽惑之力，而所谓孙万荣"挟乱不
疑"的记载究竟怎样解释？因为史料的缺乏也已经成为不解之谜。② 但是，
契丹人反唐战争的主要目的，并不在于是否归还"庐陵王"的问题，而是
在于契丹贵族集团与唐朝政权的基本矛盾，像李尽忠自称"无上可汗"就
是很好的说明，说明双方间的矛盾已经到了不可排解的程度，而造成双方矛
盾激化的根本原因，正是这些入内侨置蕃州契丹人口的归属问题。

契丹人反抗唐王朝的斗争，随着李尽忠与孙万荣的死亡而偃旗息鼓，这
表明反唐战争的发动者和策源地，是来自契丹上层社会及其同唐朝政府间无
法调和的矛盾。但是，矛盾的激化并没有通过战争的形式得到解决，相反
的，契丹部落社会的历史发展却由此发生巨大转变，从而确立了唐朝中晚期
契丹部落社会发展的基本趋向。

三、可突于的反叛和唐朝采取的纳质宿卫制度

万岁通天元年发生的契丹反叛战争，其影响是相互的，契丹部落挣脱了
唐朝的统治，却又成为突厥汗国的属民。唐朝政府虽然击败了契丹部落的反
抗，但是，营州统治体系也遭到彻底的摧毁。此后的二三十年内，营州已经
成为唐朝政权的军政势力无法达到的"弃地"。

开元二年（714 年），并州长史、和戎、大武等军州节度大使薛讷奏请
击契丹、复置营州，得到了唐玄宗的支持。③ 开元四年，契丹首领失活率部
落脱离突厥、上表请求归附唐朝。于是，唐玄宗封失活为松漠郡王、行左金
吾卫大将军兼松漠都督（后加静折军经略大使衔），仍赐姓李，契丹八部首
领仍旧加封刺史、且令或蕃中郎将等，唐朝又恢复了对契丹本土部落的羁縻

---

① 《新唐书》卷219《北狄·契丹》，中华书局1975年版，第6168页。

② 《资治通鉴》卷200《唐纪十六》，高宗显庆五年（660年）五月戊辰条。唐兵讨叛奚和契丹，
擒松漠都督阿卜固，这是松漠都督府的最早反抗。中华书局1956年版，第6320页。同书卷204，则天后
垂拱三年（687年）五月丙寅条。朝官刘祎之因与契丹归诚州都督孙万荣"交结"、受贿而遭免官杀身
之祸，中华书局1956年版，第6444页。说明孙万荣为代表的契丹贵族值得引起注意。

③ 《资治通鉴》卷211《唐纪二十七》，玄宗开元二年春正月条，中华书局1956年版，第6695页。

统治形式，并任命将军薛泰为押蕃落使，领兵镇抚契丹、奚部落。次年，复置营州于柳城（今辽宁朝阳），设立都督府兼平卢军使，[①] 恢复唐朝前期对契丹本土部落的统治局面。

开元八年（720 年），契丹部落首领、松漠都督府衙官可突于挟制契丹松漠郡王，与唐朝发生军事冲突，并击败唐朝军队，迫使营州都督府再次退入渝关。[②] 这次战争爆发的原因，据史料记载：一是可突于在契丹部落统治结构中的权力垄断和飞扬跋扈。二是可突于同唐朝政权之间的矛盾。史称由于朝廷的故意轻视和慢待，而造成与可突于之间相互"构怨"的局面，因此引发了可突于发动的反唐战争。可突于发动的反唐战争，与以前的反唐战争形式的最大不同，就是战争的状态断断续续、时战时和。开元十一年，契丹与唐朝重新确立臣属关系，营州又回迁柳城。从此，双方基本在和亲状态下，维持着时战时和的关系，直到安禄山反唐为止，营州治所再未变动，基本发挥着镇遏"两蕃"（即契丹与奚）的历史作用。

可突于发动的反唐战争，始于开元八年（720 年），直到开元二十二年（734 年），唐朝幽州节度使在与唐朝关系亲善的蜀活部首领李过折的配合下，一举击杀可突于及松漠郡王屈列等，基本平息了可突于领导的反叛势力。于是，唐朝任命李过折为知契丹兵马中郎将、检校松漠都督府都督、北平郡王，管理契丹部落。但是，次年，可突于余党涅里又击杀蜀活部首领李过折，拥立迪辇俎里为首领，号称阻午可汗。蜀活部，即前面已经提到的契丹乙失活部、又名乙失革部；迪辇，应该就是对遥辇部的不同音译。可突于发动的反唐战争，导致契丹部落社会原有的组织形态发生很大改变，即原本确立的纥便部大贺氏家族拥有的统治地位彻底瓦解，代之而来的是由可突于等部落首领直接拥立的遥辇氏家族统治地位的确立与巩固。这种发生在契丹本土部落组织结构内部的翻天覆地的变化，并非是因为李尽忠、可突于这样一些历史人物的特殊贡献的结果，而是由历史发展的基本趋势所决定的，或

---

① 《资治通鉴》卷 211，玄宗开元四年八月辛未条、五年三月庚戌条，中华书局 1956 年版，第 6720、6727 页；《新唐书》卷 39《地理志三·营州柳城郡》同，中华书局 1975 年版，第 1023 页；《旧唐书》卷 39《地理志二·营州上都督府》，开元四年（716 年）复置，中华书局 1975 年版，第 1521 页。

② 《资治通鉴》卷 212《唐纪二十八》，玄宗开元八年十一月辛未条，中华书局 1956 年版，第 6743 页。

者说更加深入地探讨发生在其中的深刻变化的根本原因，其实就是羁縻州制度的确立与发展所引起的连锁反应，导致与唐朝关系亲善的契丹首领及其部落集团纷纷入驻中原的边郡州县，成为与唐朝政权关系密切的"内属"部落之一。① 这是外部原因直接作用于内部之后的剧烈变化，是外因通过内因而发生作用的历史实例。

羁縻州制度对于契丹本土部落组织发展所产生的深刻而巨大的影响，就在于唐朝政府坚决予以贯彻的"纳质"、"充宿卫"制度，并作为羁縻制度的重要内容予以执行。史载，开元十二年三月，"契丹遣使来朝且谢恩。往岁，契丹使木处离奉国信归蕃，是以来也"②；其中值得注意的是"归蕃"或"还蕃"的记录。因为，史料记载中还存在着与此完全相反的情况，如开元十四年四月，"契丹遣大首领李阔池等六人来朝，皆授折冲，留宿卫"，这是没有将契丹使者放还本土部落的直接记载。还有，开元二十三年十二月，"契丹遣使渴胡等来朝，授果毅，留宿卫"，③ 也是在封授官职之后未能及时"还蕃"的记载，说明契丹部落使节经常被授予皇室护卫的职责而留居长安。因此，史料中出现的李阔池等人的遭遇，也就不是当时唯一的特例。因为，据相关史料的记载，契丹使者被留住于京师长安，不仅是当时采取的比较常见的统治方式，而且还是羁縻政策的主要内容，它属于朝廷规定的契丹部落必须履行的"质子"（即侍子）制度的主要补充形式。

前述孙万荣就曾经有过出任唐朝"侍子"即"质子"的经历，也就是被送到京师长安来作为人质，这是唐朝政权规定的契丹部落贵族家庭必须履行的责任。开元五年，唐玄宗在一份诏书中曾经提到"契丹松漠郡王李失活，遣子入侍"的事情；④ 开元二年闰五月，唐玄宗在另一份诏书中，则提到"充质宿卫子弟"和"质子（即侍子）"的安置与管理问题，

今外蕃侍子，久在京国，……宜命有司，勘会诸蕃充质宿卫子弟

---

① 葛承雍：《西安东郊发现契丹王墓志的释读》，《文物》2004 年第 9 期。
② 参见（宋）王钦若等：《册府元龟》卷 971《外臣部·朝贡四》，中华书局 1960 年版。
③ 参见《册府元龟》卷 975《外臣部·褒异二》，中华书局 1960 年版。
④ 参见《册府元龟》卷 992《备御五》，中华书局 1960 年版。

等，量放还国。契丹及奚，延通质子，并即停追。前令还蕃首领等，至幽州且住，交替者即旋去。

十五年，契丹遣首领诺括来送质子并献方物。①

可见，唐朝政府规定的"侍子"或"质子"制度，是要求那些充当人质的契丹贵族子弟，不仅要及时地送到长安，而且朝廷还象征性地或者实际性地授予这些"入质"子弟一定职位，使其在入住长安的同时充当着朝廷的"宿卫子弟"，并设立了一定的交替轮换制度等。因此，也才有了契丹部落定期遣送"质子"的记录。而且，契丹贵族子弟的"入质"制度，是上至契丹松漠郡王下到契丹部落普通的任职官吏，全部包括其中。但是，经常性地遣送"质子入侍"与执行首领"留宿卫"的相关制度，无疑是强者施加于弱者的政治压迫和沉重负担，这也是唐朝开元、天宝年间（713—756年），契丹部落所以不断反抗的重要原因之一。

契丹首领"留宿卫"制度，也同样包括了契丹贵族社会的全部成员在内。据《新唐书》记载，唐玄宗开元年间，松漠郡王郁于病殁，弟吐于继立，权力旁落可突于之手，吐于只好携带下嫁到契丹的唐朝公主逃奔唐朝，被朝廷改封为辽阳王、"留宿卫"于长安；可突于另立吐于之弟邵固为契丹松漠郡王，唐朝遂加封邵固为左羽林卫大将军、广化郡王，于是，"邵固以子入侍"②。这些，说明唐朝对于契丹部落的控制，尤其是契丹贵族子弟入侍和首领入宿卫，已经成为一项特殊制度，而且这项制度并不是唐玄宗时期的独创，而是对唐太宗时期以来相关制度的延续与继承。

同时，唐玄宗时期还非常注重对契丹部落的瓦解和分割，如开元六年（718年）五月戊午，"契丹部落孙骨呐等十八人内属，并授游击将军，赐绯袍银带，留宿卫"③。所谓"内属"与"入侍"、"留宿卫"的本质区别，就在于"内属"乃是主动脱离部落组织、自愿成为归附朝廷的"归化"人口，也称"归化人"，这是唐宋时期的一种特殊现象，宋代又称"归明人"，都

---

①　参见《册府元龟》卷996《纳质》，中华书局1960年版。

②　《新唐书》卷219《契丹传》，中华书局1975年版，第6170—6171页。

③　参见《册府元龟》卷974《褒异一》，同书卷977《褒异四》，中华书局1960年版。

是专指那些主动归附中原王朝的周边民族人口。两者之间的主要区别就在于主动和被动之分。唐玄宗时期，所谓契丹"归化"人口的大量存在，与唐朝政府的极力招纳和煽惑政策密切相关。这些由契丹"归化人"构成的归附人口，都被大量地安置在幽州境内。开元二十年（732 年），唐朝政府又将战争中所俘奚族五千帐，设置为归义州，侨治幽州良乡县；①然而，此事，据新旧两唐书《王武俊传》记载，所谓五千帐奚族人口中，也含有大量的契丹人口在内。②。因此，唐玄宗时期（712—756 年），契丹"归化人"的大量存在，不仅是唐朝历史的特殊现象，也是契丹部落发展史的特殊现象，它与唐朝推行的羁縻制度紧密相连。

自武则天神龙年间（705—707 年），将南迁的那些契丹内属部落放还"幽州"之后，唐朝在幽州的统治也日趋稳固，对契丹部落的招徕也更为得力。因此，在睿宗景云元年（710 年）时，便又从玄州部落中析出了一个新的羁縻州——青山州。玄宗开元二年（714 年），又以招徕的契丹人口重新恢复了原有的沃州建置；开元四年，又将原有的纥便部弹汗州，更名为归顺州，天宝元年（742 年），再改名为归化郡，③ 使契丹纥便部弹汗州事实上成为唐朝直接统治的入内侨置蕃州。这种契丹部落羁縻州向唐朝政权直接管辖的入内侨置蕃州的转变，说明唐朝政权推行的羁縻州制度对于契丹本土部落的影响，已经是深入毫端。

唐朝积极地恢复以松漠都督府为象征的契丹羁縻州制度，有效地控制了隋初归附的曲据部落（玄州）等，使入内蕃州变成了幽州的属民，而以弹汗州（或归顺州）及昌、沃二州为主、安置的契丹王族纥便部（又名松漠部落）人口，也逐渐成为唐朝幽州直接统辖的属郡，它们都共同构

---

① 《新唐书》卷 43（下）《地理志十·羁縻州》，中华书局 1975 年版，第 1126 页。

② 案，史书称王武俊为契丹怒皆部落，开元中与奚族降唐，其"怒皆"即"内稽"之异译；称张孝忠为奚乙室活部酋帅，是将契丹误书奚族。前揭《新唐书》卷 211《王武俊传》，中华书局 1975 年版，第 5951 页；《新唐书》卷 148《张孝忠传》，中华书局 1975 年版，第 4767 页；《旧唐书》卷 142《王武俊传》，中华书局 1975 年版，第 3871 页；《旧唐书》卷 141《张孝忠传》，中华书局 1975 年版，第 3854 页。

③ 《新唐书》卷 43（下）《地理志七·羁縻州》，中华书局 1975 年版，第 1126—1127 页；《旧唐书》卷 39《地理志二·河北道四》，中华书局 1975 年版，第 1520—1526 页；（宋）乐史：《太平寰宇记》，四库本。

成了唐代契丹"归化"人口的主要来源，表明契丹王族所在的纥便部已经被唐朝政权成功地予以瓦解和控制，并由此导致了 8 世纪前期纥便部大贺氏家族的迅速衰落和消失①。大贺氏家族及其所在的契丹松漠部落，即纥便部弹汗州也从此成为唐朝政府直接统治的内属部落之一，成为唐朝中晚期以来契丹"归化"人口的重要组成部分，是"幽州契丹"的主要来源。

这些现象说明，在羁縻统治前提下，先后爆发的两次大规模的反唐战争，使契丹本土部落遭到了重创，部落组织形态失去了其原有的意义。因此，《辽史》关于这段历史的记载，也十分明确地肯定了：契丹经过与唐朝的战争，原有的八部已失去基本的部落组织结构，只能对部落进行重新整顿，形成了契丹社会新的部落组织形态②——遥辇氏八部，即大贺氏王族的覆亡和遥辇氏王族的崛起。同样，在中原史料的记载中，也突出地表现出许多内属的契丹部落组织在反复的争夺中，被唐朝政权移置到幽州地区并导致了它们在契丹本土部落组织中的消失，从而凸显出唐朝中晚期历史发展中存在的突出的民族分布现象之一，即"幽州契丹"的客观存在，及其对唐朝政权和契丹部落发展所发挥的历史作用。

唐朝对契丹部落采取的"纳质子""入宿卫"等"监控"手段，是限制契丹部落发展的统治措施，并且收到了分化、瓦解契丹王族部落的"奇效"。因此，唐朝对契丹部落的"监控"手段，也同样施用于归附唐朝的契丹人（史称"归化人"），如名将李楷固，武则天时期因平定契丹余部有功，封为燕国公③，但终因得不到朝廷信任，愤恚而卒④；即使功高如李光弼，也因是契丹人，照例受到朝廷的猜嫌，当他与安、史叛军激战之际，朝廷也仍然要"辇其母至京师"、授其弟为禁军将领，明为褒崇，暗寓纳质，致使

---

① 《新唐书》卷 219《契丹传》，中华书局 1975 年版，第 6170—6172 页；《旧唐书》卷 199《契丹传》，中华书局 1975 年版，第 5352—5353 页。

② （元）脱脱等：《辽史》卷 32《营卫志·部族上》。大贺氏既微，"时契丹因万荣之败，部落凋散，即故有族众分为八部"，即遥辇八部。中华书局 1974 年版，第 380 页。

③ 《资治通鉴》卷 206，久视元年六月条，中华书局 1956 年版，第 6547 页；同书卷 207，久视元年秋七月条，第 6548 页。

④ （唐）张鷟：《朝野佥言》卷 6，"天后惜其材，不杀，用以为将。稍贪财好色，出卫潭州乔口镇守将，愤恚而卒。"据颜真卿撰：《李光弼神道碑》记载，李楷固即李光弼外祖。

李光弼终因心情郁闷而病殁①。这种情况，在唐代中晚期几乎是司空见惯的历史现象，像唐末藩帅、契丹人张孝忠、王武俊，在归顺朝廷后，也都按照惯例从子孙中挑选出堪当"尚主"的人选和入侍的宿卫，入居长安，外示荣宠，其实是将"驸马"也变做了"人质"。这从张孝忠及王武俊的子孙，在与公主"和亲"中所演绎出来的驸马懦弱、公主跋扈的婚变闹剧等种种丑闻中，可以窥见其一斑。②

综上所述，唐朝对于契丹部落和契丹"归化人"的统治，不仅苛刻而且严密，呈现着唐初以来沿袭不变的统治策略，通过不断的分化、瓦解、招抚等手段，基本达到控制或遏制契丹的目的，还统治了许多契丹人口，将他们长期安置幽州境内，实行羁縻管理，像前述天宝年间契丹入内侨置蕃州县户口统计资料表明，唐朝幽州拥有的契丹人户约 4 600 余户、20 000 余口，从而形成"幽州契丹"这一独特的历史现象和人文现象。

四、大贺氏的衰微与幽州契丹的形成

唐朝在契丹王族部落设立羁縻州，即昌、沃二州和弹汗州，目的在于征服契丹和分化契丹王族部落的实力。唐玄宗时期，随着唐朝在东北地区政治统治体系的恢复，及完全控制了昌、沃二州松漠部落的基础上，又继续对契丹王族纥便部施加影响，将纥便部弹汗州改名为归顺州，依然将契丹王族部落作为主要的控制对象，结果对契丹王族所在的纥便部大贺氏家族造成极大的影响，这在两唐书的记载中可以清晰地体现出来。

唐朝对契丹王族纥便部大贺氏家族势力的分化，即使是在激战犹酣的万岁通天年间，也仍然坚持分化与招抚并用的手段，如万岁通天二年十月，"左玉钤卫员外将军兼汴州刺史李括莫离为归顺王"。③ 此事，其他史书中又记为，

> 契丹，其君长姓大贺氏。唐贞观二十二年，蕃长窟哥内属，授松漠

---

① 《旧唐书》卷110《李光弼传》，中华书局1975年版，第3303—3311页；《新唐书》卷136《李光弼传》，中华书局1975年版，第4583—4590页。

② 任爱君：《契丹史实揭要》第3章《唐代契丹归化人研究》，哈尔滨出版社2001年版，第100—111页。

③ 参见《册府元龟》卷964《外臣部·封册二》，中华书局1975年版。

都督，封无极县男，赐姓李氏。其曾孙楛莫离，则天时，封归顺郡王。①

此"括莫离"、"楛莫离"，皆一音同译；或作"祜莫离"、"枯莫离"。② 而《旧唐书》"契丹传"则明确记载，窟哥曾孙祜莫离，"则天时，历左卫将军兼检校弹汗州刺史，封归顺郡王"。③ 将三条史料相互对比，时代一致、封爵一致，仅"兼任"或"检校"的刺史州名称有异。但分析可知，汴州为唐朝及五代时期中原地区的"正州"而非契丹羁縻州，况且武则天时期不可能出现地理位置的错移，只能是史料记录时发生的笔误。因此，李括莫离所任之刺史州，只能是弹汗州，并以此身份受封归顺郡王。④ 但是，值得注意的是，李括莫离的兄弟李尽忠等发动的反唐战争，已于万岁通天二年六月被平息，此时唐朝正派遣契丹降将李楷固等率领军队征服契丹残部，直到久视元年（700 年）李楷固等"献俘于含枢殿"⑤ 时，这次征服行动方才结束。故万岁通天二年（697 年）十月，李括莫离被晋封为归顺郡王的爵位，也正是此次唐朝政权在征服契丹残部过程中，具体应用招抚策略的直接结果之一。

唐朝政权对契丹王族的招抚，还见于唐朝名臣杨炎为人撰写的两篇（均为一人）"神道碑铭"的记载中。其一说：有位名字叫做李楷的契丹人，

久视中，以骁骑岁入于辽西，临太原，南震燕赵；……有命招谕，合以信誓，际于天人，话言感悟，抚剑叹息。是岁，以控弦之士七百骑，垂橐入塞，解甲来朝。以其本枝，复赐李氏，授玉钤卫将军、左奉宸、内供奉。⑥

① 参见《册府元龟》卷 967《外臣部·继袭二》，中华书局 1975 年版。
② 《旧唐书》卷 199（下）《契丹传》，中华书局 1975 年版，第 5349 页；《新唐书》卷 219《契丹传》，中华书局 1975 年版，第 6168 页。
③ 《旧唐书》卷 199（下）《契丹传》，中华书局 1975 年版，第 5349 页。
④ 笔者对这三条史料的认识，即担任刺史州职务的记载，以《旧唐书》本传为准；授封郡王的时间，以第一条史料记录为准，因第二、三条仅具备基本时代（即则天朝）这一共性特征。
⑤ 《资治通鉴》卷 207《唐纪二十三》，则天后久视元年（700 年）秋七月条，中华书局 1956 年版，第 6548 页。
⑥ 《全唐文》卷 422，杨炎撰：《唐赠范阳大都督忠烈公李公神道碑铭》，上海古籍出版社 1990 年版，第 1908 页。

此李楷，又称李楷洛，即唐朝名将李光弼之父。在碑文将其名字写作"楷"或"楷洛"，说明这是对于其本人契丹名字的译写，导致其名字译写不一致的主要原因，就是所谓自古以来记写北方游牧民族历史人物时存在的"译音无定字"的缘故。久视，乃武则天统治时期的年号之一，仅行用不足一年（即700年）。碑文中关于"以其本枝"的记载，应是指李楷洛与契丹纥便部大贺氏王族的渊源关系，因为大贺氏王族曾经被唐朝赐姓为李氏，故因其"本枝"的关系也被赐姓李氏，这是碑铭撰写时必须突出的夸耀之辞。所谓"有命招谕"，就是安抚或招降，是指武则天时期征服契丹残部的过程中采用了剿、抚并用的手段。同时，杨炎又在另一份碑文中说，契丹人李楷洛的家世，为：

> 世居其北，遂食坚昆之地，实主崆峒之人。大为王公，小为侯伯。其精薄日月，其动破山川。厥后东迁，复为鲜卑之右。①

所谓"鲜卑之右"，鲜卑即喻指契丹；右有尊、上（长）之意，此处是指其家世尊贵的意思。接下来的记载，除与前一件碑文的记载内容相同之外，还叙述了李楷洛本人在武则天朝至唐玄宗朝时期，曾先后为唐朝征服"两蕃"（即契丹与奚族）和镇守幽、营二州及北方地区的功绩。同时，据《新唐书》记载，李光弼，世居营州柳城，"父楷洛，本契丹酋长，武后时入朝，累官左羽林大将军，封蓟国公。"② 这说明李楷洛也像李括莫离一样，是武则天时期征服契丹残部战争中招抚策略的佐证和主要成果。李楷洛被招抚或劝降的时间，应在久视庚子年年间（700年五月至辛丑701年正月），因为两篇神道碑的记录，都说久视年间是楷洛入朝的时间，故李楷洛的归附，也是契丹降将李楷固征伐契丹余部的直接结果。因此，李楷洛与"李括莫离"实有一定的渊源联系。

---

① （宋）李昉等：《文苑英华》卷908、碑65《云麾将军李府君神道碑》，中华书局1982年版，第4780—4782页；《全唐文》卷422，杨炎撰：《云麾将军李府君神道碑》，上海古籍出版社1990年版，第1907—1908页。

② 《新唐书》卷136《李光弼传》，中华书局1975年版，第4583页。

又据颜真卿撰《李光弼神道碑》记载：

> 天后万岁中，大将军燕国公武楷固，为国大将，威震北陲，有女曰今韩国太夫人。①

武楷固即李楷固，在武则天朝因功赐姓为武，其女"韩国太夫人"，即李光弼之母。则李光弼之父李楷洛的归附唐朝，确与李（武）楷固有着密切的联系。同样，李楷洛与李括莫离，均属契丹纥便部大贺氏王族的家庭成员，他们都隶属于唐朝在契丹纥便部所置的弹汗州，而柳城也正是武则天时期契丹纥便部弹汗州之所在。那么，从李括莫离和李楷洛的相继归附唐朝政权，就可以看出唐朝对契丹纥便部大贺氏王族的分化瓦解政策，早在唐朝初期就已经形成并在武则天时期取得了一定的成果。

因此，如前所述，唐朝契丹羁縻州中的弹汗州，在唐玄宗时期被更名为归顺州归化郡，就值得深思。据《新唐书》记载，太宗贞观二十二年（648年），始以纥便部为弹汗州，至玄宗开元四年（715年）时将弹汗州更名为归顺州，天宝元年（742年）时又将其晋增为"归化郡"；② 这种羁縻州名称的演变，实际也蕴蓄着契丹王族部落与唐朝政权关系不断发展的政治内涵。那么，这种内涵的作用又如何？结合文献的记载再加以分析，就可以得出一个完整的答案。

两唐书《契丹传》都明确记载，自纥便部设置弹汗州后，李括莫离在武则天时期，是以契丹大首领李窟哥裔孙的身份，被唐朝任命为弹汗州刺史，并在万岁通天二年（697年）以弹汗州刺史身份受封为归顺郡王。这种情况表明，战争之后的契丹纥便部弹汗州，便又很快地重新"归顺"唐朝政权。在杨炎撰写的碑铭中，久视元年（700年）的李楷洛"入朝"，也被看做是唐朝与契丹部落关系发展中的一次重大事件，被赞誉为"其来也，戎羯生忧；其至也，幽燕罢警"，③ 是由战争状态向和平状态的转折，对唐

---

① 《全唐文》卷342，上海古籍出版社1990年版，第1534—1536页。
② 《新唐书》卷43《地理志七·羁縻州》，中华书局1975年版，第1127页。
③ 《全唐文》卷422，杨炎撰：《云麾将军李府君神道碑》，上海古籍出版社1990年版，第1908页。

朝中期东北政局的发展产生了重大的影响。又疑李楷洛与李括莫离应为一人，区别仅在名字的译写。因弹汗州更名"归顺州"，应与"归顺郡王"爵号有关，再改名"归化郡"时，契丹部落已经"归化"唐朝。因此，这应该是标志着契丹纥便部大贺氏王族的家族势力的基本归降（或全部归降）。开元四年，唐玄宗所以将契丹纥便部弹汗州易名为归顺州，个中原因，首先是应该同封授给大贺氏家族"归顺郡王"的爵号有关。其次是表明当时的契丹纥便部弹汗州已经成为被唐朝政权完全控制的契丹羁縻州之一。因此，唐玄宗天宝元年，又将弹汗州晋增为归化郡的名号，则是标志着契丹纥便部大贺氏家族及其领有的弹汗州部落，此时已经完全"归化"于唐朝、并成为幽州境内管辖的入内侨置蕃州之一。

由此可以看出，唐朝初期，契丹王族所在的纥便部弹汗州，在李尽忠等发动的反唐战争之后，虽然仍保持了大贺氏家族对于契丹部落的最高统治权，但是作为大贺氏家族维护统治权力的基础——纥便部弹汗州，已经被唐朝政权成功地从契丹部落组织中分离出来，并发展成为唐朝政权直接统治的入内侨置蕃州之一，标志着唐朝政权对于契丹部落组织采取的分化瓦解政策，首先在对契丹王族部落的分化中取得了重大的突破，导致了契丹王族整体力量的彻底分裂。其中，大贺氏家族中以李括莫离或李楷洛为代表的一系，已经脱离契丹本部、成为帮助唐朝政权直接管理分布在幽州地区的契丹人口的政治代表[①]，而且纥便部大贺氏家族中的这一部分历史人物，已经开始从部落贵族向封建官僚地主的方向转变，李楷固和李光弼父子就是典型例证。这部分大贺氏家族成员社会身份的具体变化，也是大贺氏家族在契丹部落内部的社会地位发生变化的直接导向。因此，契丹部落组织在 8 世纪前期出现的历史变革，更大程度地是通过唐朝这个外部原因的直接影响而发生历史作用，其部落首领可突于等人发动的反唐战争，也不过是此次契丹部落贵族集团内部发生具体分化的直接产物。

---

① 《资治通鉴》卷 215《唐纪三十一》，玄宗天宝五年（746 年）四月癸未条记载，立契丹酋楷洛为恭仁王，第 6871 页。因上年九月，契丹王李怀节杀公主，叛唐而去，故有是命。但李怀节已是遥辇氏家族的契丹可汗，楷洛只是契丹旧日王族成员，已经成为唐朝契丹"归化人"中的一员，扶立楷洛为王的目的也不过是为了分化和瓦解契丹部落组织。这同时也是本文立论的一个旁证。

因此，从武则天时期对契丹入内侨置蕃州的调整，再到唐玄宗对契丹归附人口的经营，就是唐代"幽州契丹"形成的基本过程。唐朝的契丹羁縻制度，对于契丹本土部落发展的直接影响，就是导致大贺氏家族统治基础的彻底丢失。根据《辽史》记载，辽始祖涅里和遥辇氏阻午可汗统治时期，利用契丹部落的"故有族众分为八部"，而涅里所领有的迭剌部和阻午可汗所领有的遥辇部则"自为别部"，不在契丹八部之列。① 所谓涅里和阻午可汗领有的部落不在契丹部落之列，就是明确他们所领有的部落是其家族拥有的私有财产，也是巩固其家族对于契丹部落整体进行统治的唯一基础。其实，大贺氏家族统治契丹部落时期，也是如此。但是，自大贺氏家族所在的纥便部弹汗州逐渐被唐朝控制之后，大贺氏家族在契丹部落的领导地位，也随之发生剧烈的动摇。

据《新唐书》记载，李尽忠发动的反唐战争失败之后，面临唐朝和后突厥政权的打击，使契丹部落不能自立、只能依附后突厥政权，结果受到比唐朝政权更加苛刻的剥削和奴役。因此，开元四年（716 年），契丹首领失活率领部落重新归附唐朝。失活是李尽忠的从弟，故仍赐姓李。自李失活以下，为娑固、郁于、吐于、邵固，都是李窟哥的后代，皆以从兄弟关系先后继承契丹松漠郡王的爵位。李失活去世的时间，为开元五年（717 年），在他的统治时期，契丹部落社会发展仍相对平稳。但李失活死后，大贺氏家族的部落统治地位已经摇摇欲坠，先是李娑固在位不足两年，便被已经控制了部落实际权力的衙官可突于所驱逐，逃奔至唐朝营州都督府，并在配合唐朝讨伐可突于的战争中阵亡。娑固的继承者郁于，为可突于所立，部落大权已经完全掌握在可突于手中。开元十二年（724 年），郁于病死，其继承者吐于，也是可突于所立，在位仅一年，因不愿受可突于挟制而奔唐，受封为辽阳王、留居长安任皇室"宿卫"。可突于乃立吐于从弟邵固，邵固继位不足五年，因同可突于发生权力争夺，又被可突于所杀。从此大贺氏绝嗣，可突于及其党羽雅里等人所立契丹新王，如屈列和迪辇俎里等，皆非大贺氏家族之人。② 大贺氏家族从此退出契丹部落的政治舞台，由遥辇氏家族取而代

---

① 《辽史》卷 32《营卫志中·部族上》，中华书局 1974 年版，第 380 页。

② 《新唐书》卷 219《契丹传》，中华书局 1975 年版，第 6170—6172 页。

之。因此，可突于发动的反唐战争，表面看来是因为可突于否定大贺氏家族的统治地位而引起的，其实，孕育于其中的真正原因，乃是契丹部落对于已经恢复的羁縻统治形式的否决与对抗。因为，在可突于累次废立大贺氏或遥辇氏首领的时候，唐朝政权都始终执行"怀柔"政策，只要可突于的反抗矛头没有直接指向朝廷，那么，朝廷就会对他所拥立的新首领统统予以承认和封赏，只有可突于等不再听从唐朝政权的调遣时，唐朝才会派出军队予以征讨或者下诏削夺已经封赏给他们的官号。这也从一个侧面表明，当时唐朝政权与以可突于等为首的契丹部落贵族间的矛盾，并不在于大贺氏家族的统治地位是否动摇，而是在于已经全面恢复的羁縻统治能否恢复到7世纪中期的统治局面。

但是，历史也真实地表现了当时的历史局面，即在契丹部落社会组织结构中，衙官可突于能够操纵契丹王权，说明契丹王族势力的衰微，大贺氏家族此时已经失去了控制王权的能力。这些，当然与契丹纥便部弹汗州历史地位的演变存在着很大的联系。因此，8世纪前期，契丹社会发生的这些历史变化，不仅是纥便部大贺氏王族衰落的标志，也是唐朝对契丹羁縻统治日益削弱的直接体现。

综前所述，随着唐朝以羁縻为前提的分化瓦解政策的实施和契丹部落王族统治的衰微，造成"幽州契丹"这一历史现象的形成。据史料记载，唐朝中晚期，许多契丹人的籍贯已从部落改为州县，如李光弼"营州柳城人"，孙孝哲"家居于范阳"[1]；李怀仙世代服侍契丹，故称"柳城胡人"，并在"安史之乱"后，成为幽州地区的首任藩帅[2]。1952年11月，考古工作者在北京陶然亭西姚家井发现"大唐故信州刺史河东薛府君墓志之铭"的16字墓志盖，说明唐朝中晚期的契丹侨置蕃州，已经不再是以纯粹的契丹部落人口构成，像信州这样的入内侨置蕃州，就已经是以乙失活部落为主而包括了其他民族人口在内的融合状况了。因此，幽州契丹的存在，不是一个孤立的历史现象，还包容了大量的其他民族人口，并共同凝结成地缘关系至为明显的"州县"组织形式，这也是契丹入内侨置蕃州的部落组织发展、演变

---

① （唐）姚汝能：《安禄山事迹》卷下，四库本。
② 《旧唐书》卷143《李怀仙传》，中华书局1975年版，第3895页。

的直接结果。在这个具体的发展、演变过程中，导致诸多的契丹人流离失所、沦落为高门大户的奴婢，如 1976 年内蒙古巴彦淖尔盟乌拉特前旗额尔登宝拉格乡赛胡同（陈二壕村）发现的唐天德军将领王逆修墓志铭记载，长庆三年（823 年）王逆修因疾病不愈而大行善举时，"修善"的措施之一，就是"放家人从良"。"放"即释放和免除，"家人"即指家庭拥有的奴婢，"从良"即免除奴婢身份而为普通百姓。在王逆修所放"从良"的奴婢中，就有一名契丹女婢，"番名信的铃，汉名春燕，年十四。乞姓王，行第十五娘，于贾氏夫人为女"。① 契丹人信的铃的身份已经被释放为"良人"，但是仍然不能脱离王家而独立生存。此外，还有契丹人李猪儿，幼年时沦落营州，被安禄山蓄养为奴，并被施以宫刑、用为阉人，出入安禄山卧内，成为安禄山得心应手的侍从之一，深受安禄山的喜欢和信任。② 这些残酷的现实表明："幽州契丹"已经逐渐融入到当时以幽州和云州地区为中心的北方各民族的社会生活③，并开始在当时北方社会的各个层面中发挥出自己的作用和影响。

第三节　晚唐时期契丹部落的历史发展趋向

唐朝中、晚期，曾有部分契丹人进入幽州地区并发挥深刻的历史作用，这些契丹人世代居住在幽州境内，对契丹本土部落的发展产生很大影响。那么，这些契丹人与本土部落有着怎样的联系？这也是应该阐发的主要内容。

一、"山后八州"与"银鞍契丹直"

唐玄宗天宝十五年（756），幽州节度使安禄山举兵反唐，"幽州契丹"被扫地为兵，成为安禄山反唐的重要力量。当安禄山相继攻克东都洛阳和京

---

① 张郁：《唐王逆修墓志考》，《内蒙古文物考古》（创刊号），1982 年，第 67—72 页；《唐王逆修墓发掘纪要》，载魏坚主编：《内蒙古文物考古论文集》第 2 辑，中国大百科全书出版社 1997 年版，第 510—512 页，附录墓志全文。

② 《安禄山事迹》卷下；《资治通鉴》卷 219，肃宗至德二载正月条，中华书局 1956 年版，第 7011 页。

③ 关于唐朝后期"幽州契丹"的历史表现，参见任爱君：《契丹史实揭要》，哈尔滨出版社 2001 年版，第 82—111 页。《唐代契丹归化人研究》，当时尚认为属"归化人"，没有形成"幽州契丹"概念，此不赘论。

师长安后，契丹将领的军事才干也逐渐显露出来，并成为安史军队的中坚力量，如孙孝哲、王武俊、张孝忠、尚可孤、李宝臣等。当安禄山及史思明死后，这些契丹将领已经发展成为手握重兵的方面大员，因此在唐朝政权的招抚政策下，摇身一变又成为表面依附唐朝、实际割据一方的藩镇统帅。同时，由于历史的原因，还有部分幽州契丹人或入朝为官、或为唐朝戍守各地的军事将领，并在重建唐朝皇室威权的过程中，发挥了积极的重要历史作用，如李光弼父子等。总之，"幽州契丹"，这些已经归附唐朝的契丹人，在中晚唐的历史中扮演了重要角色，他们中既有率军平叛、再造王室的鼎鼎功臣，也有拥兵自重、割据自肥的藩镇渠帅，对晚唐历史政局的发展产生了重要的影响。破坏与维护（对唐朝而言）来自这两方面的政治魔力，同时也影响着"幽州契丹"的自身发展。当唐末五代之际，"幽州契丹"依然在军阀割据的乱局中发挥出最后的历史作用。

根据史料记载，安禄山对于契丹等游牧部落人口的利用，启发了平叛过程中逐渐起家的新军阀，如唐朝皇室疏属李锜，在唐德宗贞元年间（785—805）成为朝廷宠臣，以润州刺史、浙西观察、诸道盐铁转运使的身份，独霸一方。史称其

> 恃恩骜横，……图久安计，乃益募兵，选善射者为一屯，号"挽硬随身"，以胡、奚杂类虬须者为一屯，号"蕃落健儿"，皆锜腹心，禀给十倍，使号锜为假父，故乐为其用。①

所谓"胡、奚杂类"，"胡"是指北方游牧民族，"奚"是指唐朝号称难治的"东北两蕃"之一的奚族，他们都是在"安史之乱"中流落中原或江淮地区的北方民族人口。因此，李锜号称"挽硬随身"的军队中，当然也包括了流落江淮地区的幽州契丹人在内。江淮地区尚如此，在河北地区将大批游牧民族人口组织为骑兵，就更是司空见惯。

唐僖宗中和二年（882年），黄巢起义军攻占关中，唐朝无力抵御，朝廷大臣中有人提出：代州沙陀人李克用"骁勇，有强兵"，建议宣诏沙陀首

---

① 《新唐书》卷224（上）《叛臣上·李锜传》，中华书局1975年版，第6382页。

领李克用率军讨逆。李克用骁勇，乃是出自天然秉性，所谓"有强兵"则
是指其统率的部族军。李克用率军入援后，唐朝即将其官职由忻、代留后，
擢升雁门节度使。史称：

> 克用军至，贼惮之，曰："鸦军至矣，当避其锋。"克用军皆黑衣，
> 故谓之鸦军。①

正是这支"鸦军"，在中和三年（883年）二月，于长安附近的梁田陂，击
败黄巢，收复长安。由此，北方部族军再次威震中原。

此后，各地军阀都以拥有一支北方部族军为荣。于是，魏博镇组建了一
支著名的"牙兵"队伍，号称"银枪效节都"："皆选摘精锐，纵恣豢养，
复故时牙军之态，时人病之"。② 但是，真正能够以北方部族人口组建完整
的骑兵队伍者，也只有少数的几个军镇，如割据太原地区的李克用、占据幽
州地区的刘仁恭等。史书记载，幽州所属山后地区的军事储备资源十分丰
富。乾宁二年（895年），

> 李克用表刘仁恭为卢龙留后，留兵戍之。……妫州人高思继兄弟，
> 有武干，为燕人所服，克用皆以为部将，分掌幽州兵。部下士卒，皆山
> 北之豪也，……仁恭欲收燕人心，复引其诸子置帐下，厚抚之。③

所谓"幽州兵"或者"山北之豪"，皆是称举幽州地区军事储备资源的用
语，其所指皆是那些居住在幽州地区的北方游牧民族人口，他们善骑射、有
勇力，是军阀征讨过程中组成骑兵力量的最佳选择。因此，幽州或者山北地
区向来受到"据地自肥"的军阀势力的青睐。故李克用对于山北豪强力量
十分重视。此事，又据《高行周传》记载，晋王李克用将讨幽州，

---

① 《资治通鉴》卷255《唐纪71》，僖宗中和二年十二月条，中华书局1956年版，第8283页。
② 《旧五代史》卷22《杨师厚传》，中华书局1976年版，第298页。
③ 《资治通鉴》卷260《唐纪76》，昭宗乾宁二年二月壬子条，中华书局1956年版，第8465—
8466页。

　　　　谋曰："高思继兄弟在孔领关，有兵三千，此后患也，不如遣人招
　　之。思继为吾用，即事无不成。"克用遣人招思继兄弟。燕俗重气义，
　　思继等闻晋兵为匡威报仇，乃欣然从之，为晋兵前锋。[①]

高思继兄弟为何有如此巨大的政治魅力？原因就在于上一条史料中所说的
"山北"地区的重要性。所谓"山北"地区，历史上又称为"山后"或
"山后八军"（八军，有时也称八州）。唐朝末年，幽州所属州郡计有：幽、
涿、瀛、莫、平、营、蓟、妫、檀、沧、景、德、蔚、新、武等 15 州，其
中的妫、蔚[②]、新、武诸州，与隶属并州节度的云、应、朔、儒诸州，共称
山后（或称山北）八州（或称八军）。在这些州军中居住的大多数人口，均
属依附中原的游牧民族部落，他们借助唐朝边镇的保护，躲避北方草原地区
剧烈的部落兼并战争。根据历史资料的记载，居住在此地区的部落人口，除
了已知的保持着部落形态的西部奚外，还有数目众多的契丹、吐浑、室韦以
及沙陀突厥等。史称，"奚、霫部落，当刘仁恭及其男守光时，皆刺面为义
儿，服燕军指使"[③]。但所谓"山后"地区居住的民族人口，不只奚、霫而
已，还包括有大量的其他民族人口在内，如后晋安重荣节度晋州时，

　　　　吐浑去而复来，重荣卒纳之，因招集亡命，课民种秫，食马万匹，
　　所为益骄。……上表曰：臣昨据熟吐浑白承福、赫连功德等领本族三万
　　余帐，自应州来奔。又据生吐浑、浑、契苾、两突厥三部，南北将沙
　　陀、安庆、九府等各领其族、牛羊、车帐、甲马七八路来奔，……山前
　　后逸（利）、越利诸族首领皆遣人送契丹所授告身、敕牒、旗帜来
　　归款。[④]

由此可知，所谓"山后"地区游牧民族人口的分布状况，所谓"山前后逸

---

①　（宋）《新五代史》卷 48《高行周传》，中华书局 1974 年版，第 547 页。
②　蔚州注：《资治通鉴》卷 266《后梁纪一》，太祖开平元年四月己酉条，作檀州，曰"卢龙以
妫、檀、新、武四州为山后"。中华书局 1956 年版，第 8672 页。
③　（元）脱脱等：《宋史》卷 264《宋琪传》，中华书局 1977 年版，第 9124 页。
④　《新五代史》卷 51《安重荣传》，中华书局 1974 年版，第 583—584 页。

（利）、越利诸族"，即是与契丹族属关系极为密切的室韦部落集团，10 世纪后期都融入契丹部落之中。因此，无论是割据太原地区的李克用集团，还是割据幽州地区的刘仁恭集团，都十分重视对山北地区的控制和保护。"山北（后）"地区，已经成为军阀战争的一份珍奇而又宝贵的财产，刘仁恭和李克用等都十分重视"山北八军"。据记载，元行钦，本幽州刘守光爱将，天祐九年（912 年），"周德威攻围幽州，守光困蹙，令行钦于山北募兵，以应契丹"。① 而此事，据上引《高行周传》记载："其后守光背晋，晋兵攻之。守光将行钦牧马山后，闻守光且见围，即率所牧马赴援。"又，晋兵攻取幽州后，即以骁将周德威为节度使，锐意经营山后地区。史称，

> 李承约字德俭，蓟门人也。少事刘仁恭，为山后八军巡检使，将骑兵两千人。仁恭为其子守光所囚，承约以其骑兵奔晋，晋王以为匡霸指挥使。②

与李承约同时归降李克用的幽州军将还有王思同等，从李克用对这些降将所建立的军号来看，无疑认为他们的归属会对自己建立的太原政权起到"匡威定霸"的奇效。因此，李克用获得幽州地区后，很快扭转了与后梁抗衡的颓势局面，并逐渐成为号召一方的新霸主，任命大将李嗣本统率振武军。

> 周德威讨刘守光，嗣本率代北诸军、生熟吐浑，收山后八军，……论功授振武节度使，号"威信可汗"。③

李嗣本号称"威信可汗"，原因在于统率振武军辖区内人口，绝大多数都是游牧部落，所以称其为"威信可汗"，乃是依照游牧民族社会的惯例，是辖

---

① 《旧五代史》卷 70 《元行钦传》，中华书局 1976 年版，第 925 页。
② 《新五代史》卷 47 《李承约传》，中华书局 1974 年版，第 527 页。
③ 《旧五代史》卷 52 《李嗣本传》，中华书局 1976 年版，第 710 页；《新五代史》卷 36 《李嗣本传》，中华书局 1974 年版，第 389 页。

区内游牧民族对李嗣本的尊称和敬仰。振武军，其地当今内蒙古和林格尔县境内，管辖范围为阴山以南至云、代以北地区，并不管理"山后八州"之地，但其辖区内的人口构成与"山后八州"有着极大的类似。后唐时期，管理"山后八州"的专门机构，是新州团练使，又称为"山北团练使"。晋王（后唐庄宗）收复山后地区之后，"庄宗以属其弟存矩，存矩为新州团练使，统山后八军"①。幽州的覆灭，使晋王政权成为威震各地军阀的强大政权。此后，晋王政权在同后梁等割据政权的对抗中，军队中的"胡骑"发挥了重要作用。这些"胡骑"，并不是指沙陀人组成的军队，而是指那些专门由山北诸部落人口组成的骑兵队伍。如910年晋、梁之间爆发的"柏乡之战"，

> 晋王进军，距柏乡三十里，遣周德威等以胡骑迫梁营挑战，梁兵不出。……营于野河之北，又遣胡骑迫梁营驰射，且诟之。②
>
> 周德威白晋王以兵少不足攻城，晋王遣李存审将吐谷浑、契苾骑兵会之。③

"山后八州"资源的重要，势必引起其他割据政权的垂涎与羡慕，也会千方百计地赚取"山后"的各种资源，朱全忠就是如此。史称：周知裕，

> 幽州人也。为刘仁恭骑将，……梁太祖得知裕喜甚，为置归化军，以知裕为指挥使，凡与晋战所得，及兵背晋而归梁者，皆以隶知裕。梁晋相拒河上十余年，其摧坚陷阵，归化一军为最。④

---

① 《新五代史》卷48《卢文进传》，中华书局1974年版，第539页；《旧五代史》卷97《卢文进传》同，中华书局1976年版，第1294页。

② 《资治通鉴》卷267《后梁纪二》，太祖开平四年十二月壬午条，中华书局1956年版，第8731页。

③ 《资治通鉴》卷268《后梁纪三》，太祖乾化二年（912年）四月条，中华书局1956年版，第8756页。

④ 《新五代史》卷45《周知裕传》，中华书局1974年版，第499—500页；《旧五代史》卷64《周知裕传》同，中华书局1976年版，第859页。

朱全忠的"归化军"，颇有拾人牙慧、用其子遗的意味，但这也从另一个角度说明山后八州的马匹和人力，都是当时重要的军事资源。

由于山后地区充沛的军事资源，为幽州和太原两大藩镇提供了充足的战斗力，所以才使得幽、并地区成为天下强雄。又因为幽、并两镇的统合，造成五代时期多朝天子皆出太原的特殊现象。① 幽、并藩镇不仅拥有强大的骑兵，还根据民族部落的不同特点，组织了不同称号的军队。所谓"契丹银鞍直"，就是这样的一支军事力量，其兵员构成主要以契丹人为主，因为所配备马具（鞍）的质量佳好，多以银叶镶嵌，故名"银鞍直"②。

自从"安史之乱"以后，像这样专门以契丹人组织的军队，成为五代时期北方藩镇的独创。幽州与太原，凭借着当时"山后八军"的特殊资源和军事兴趣等，而日益崇尚对于北方骑兵的特殊待遇，所以出现了各种各样的骑兵队伍，如李克用的"义儿军"等。但用契丹人组成军队，并直接投入到军阀混战的战场，在史料记载中，首先见于刘仁恭割据幽州时期。史书记载：

> 王思同，幽州人也。其父敬柔，娶刘仁恭女，生思同。思同事仁恭为银胡禄指挥使，仁恭为其子守光所囚，思同奔晋，以为飞胜指挥使。③

王思同因与刘仁恭戚属关系尤密，故出任"银胡禄指挥使"，说明这是一支非常重要的军队。此事，《资治通鉴》记载：守光囚其父，

> 银胡禄都指挥使王思同帅部兵三千，山后八军巡检使李承约帅部兵

① （清）赵翼、王树民校证：《廿二史札记》卷 21《五代诸帝多有军士拥立》、卷 22《一军中有五帝》条，中华书局 1984 年版，第 464—467、482—483 页。

② 银鞍，应指鞍具以银叶装饰；直，乃当时北方语言名词性后缀成分，即元代"探马赤"等称呼中"赤（—ci）"的音译，相当"人"。《辽史》卷 31《营卫志上》，宫卫作"直"、"只"或"真"、"果只"。中华书局 1974 年版，第 365—370 页。

③《新五代史》卷 33《王思同传》，中华书局 1974 年版，第 358—359 页；同书卷 27《药彦稠传》记回鹘可汗献秦王礼物，有"金装胡禄"。中华书局 1974 年版，第 299 页。

两千奔河东；守光弟守奇奔契丹，未几，亦奔河东。河东节度使晋王克用以李承约为匡霸指挥使，思同为飞腾指挥使①。

关于"银胡禄"，《资治通鉴》注曰："胡禄，箭室也"，② 而两唐书《兵志》的记载，也同样表明"胡禄"就是骑兵用来装箭的匣袋。另外，在宋朝的词曲中也经常见到用"银胡禄"来与"金仆姑"对举的用例③，其中，所谓"金仆姑"形容的是箭，"银胡禄"形容的就是盛箭的匣袋。因此，"胡禄"在唐朝时就已经是骑兵必须携带的装备，而王思同率领的军队被冠以"银胡禄"的称号，则说明它是一支由配备"银胡禄"装备为突出标志而组成的坚强的军事力量，这也是一支以生活于幽州境内的契丹等游牧民族人口为主而组成的特殊的军事组织。因此，才受到了刘仁恭集团的倍加珍惜和特殊重视。那么，这支军队为何称为"银胡禄"呢？有两点足资借鉴，即：

第一，五代时期，藩镇尚夸耀"军容"之风。如安重荣之乱，"高祖遣杜重威逆之，兵已交，其将赵彦之与重荣有隙，临阵卷旗以奔晋军，其铠甲鞍辔皆装以银，晋军不知其来降，争杀而分之"④。所谓"铠甲鞍辔皆装以银"，既是表明这是一支待遇好、战力强的精锐部队，也是崇尚夸耀军容的具体表现。还有晋王天祐七年（910 年），周德威等与后梁大将韩勍对阵时，史称：周德威率晋军，"进薄汴营，距柏乡五里，营于野河上。汴将韩勍率精兵三万，铠甲皆被缯绮，金银炫耀，望之森然，我军惧形于色"⑤。韩勍率领的三万精兵，也是一支待遇好、战斗力高的精锐之师。由此可见，当时藩帅各有"精兵"，不仅厚加给养而且装饰光鲜，冀得其死力；这是当时形势使然，目的在于以恩宠邀人心。五代时期，梁、唐、晋、汉、周，莫不如此。

---

① 《资治通鉴》卷 266《后梁纪一》，太祖开平元年四月己酉条，中华书局 1956 年版，第 8672 页。

② 《资治通鉴》卷 266《后梁纪一》《王思同奔晋》，开平元年（907 年）四月己酉条注，中华书局 1956 年版，第 8672 页。

③ 辛弃疾：《鹧鸪天》"燕兵夜娖银胡禄，汉箭朝飞金仆姑。"张璋主编：《历代词萃》，河南人民出版社 1983 年版，第 202 页。

④ 《新五代史》卷 51《安重荣传》，中华书局 1974 年版，第 585 页。

⑤ 《旧五代史》卷 56《周德威传》，中华书局 1976 年版，第 751 页；《新五代史》卷 25《周德威传》，中华书局 1974 年版，第 260 页。

第二，游牧民族的传统。自古以来，游牧民族就有喜用金银装饰器物的习惯。如前述"银胡禄"，就是如此。它是用银片（或叶）装饰起来的"胡禄"。这种装饰习惯几乎是草原游牧民族的通例，如后唐明宗长兴三年（932年）二月，"药彦稠进回鹘可汗先送秦王金装胡禄，为党项所掠，至是得之以献"①。所谓"金装胡禄"，即"金胡禄"，是用金叶装饰起来的"胡禄"，即骑兵所用的箭匣（袋）。此外，游牧民族对于马具的装饰也是如此，故契丹鞍具的样式，在五代时期已风靡中原，号称"契丹样"，不仅制作精美，而且装饰华丽。这在当时互相赠送的礼物以及五代政权三令五申禁止制造"契丹样"装饰的禁令中，可窥一斑②。

因此，"银胡禄"同五代时期曾经广泛存在的"契丹银鞍直"，又称"银鞍契丹直"或"契丹直"一样，都是当时藩镇或割据政权等利用契丹等游牧民族"善骑射"的本领而组织起来的军队。那么，五代时期对于"契丹直"的利用又如何？

王思同逃奔太原晋政权时，为后梁开平元年（907年）。此后，太原政权的军队中，经常见到契丹骑兵的记载。如晋王李存勖天祐十五年（918年）八月

> 大阅于魏郊，河东、魏博、幽、沧、镇、定、邢、洺、麟、胜、云、朔十镇之师，及奚、契丹、室韦、吐浑之众十余万，部阵严肃，旌甲照耀，师旅之盛，近代为最③。

此次阅兵，包括了契丹人在内的诸多游牧部落人口，而《资治通鉴》的记

---

① 《旧五代史》卷43《明宗纪九》，中华书局1976年版，第589页；《新五代史》卷27《药彦稠传》，中华书局1974年版，第299页。

② 《旧五代史》卷100《汉书二·高祖纪下》，天福十二年闰七月乙丑，"禁造契丹样鞍辔、器械、服装"，中华书局1976年版，第1335页；《新五代史》卷10《汉本纪第十》高祖，"秋闰七月，禁造契丹服器"，中华书局1974年版，第102页；《全唐文》卷654，收录许敬迁《请禁断契丹样装服奏》："臣伏见天下鞍辔、器械，并取契丹样装饰，以为美好。安有中国之人，反效戎虏之俗？请下明诏毁弃，须依汉境旧样。"上海古籍出版社1990年版，第3973页。

③ 《旧五代史》卷27《后唐庄宗纪三》，中华书局1976年版，第391—392页。《新五代史》卷5《唐本纪第五·庄宗下》，中华书局1974年版，第43页。

载，就说得更加明白：

> 晋王谋大举入寇，周德威将幽州步骑三万，李存审将沧景步骑万人，李嗣源将邢洺步骑万人，王处直遣将将易定步骑万人，及麟、胜、云、蔚、新、武等州诸部落奚、契丹、室韦、吐谷浑，皆以兵会之。八月，并河东、魏博之兵，大阅于魏州。①

除去各镇的兵力外，契丹等游牧民族的兵力也有数万之多，且其来源皆属"山后"或"山北"地区。这说明服从太原晋政权指挥与调动的契丹等游牧民族部落，并不是契丹本部而是居住在"山后八州"地区的游牧人口，他们自唐朝以来世代居住于此，不仅成为幽州藩帅用兵中原的主要力量，也成为燕、云地带用以抵御契丹等游牧民族部落南下的主要力量。

那么，后唐庄宗李存勖是否也有专门以契丹人组建的军队呢？据记载：王重裔，"事庄宗为厅直，管契丹直。从安汴洛，累为禁军指挥使"。② 这说明，在李存勖建立后唐政权之前，其军事力量中已经存在着一支以契丹人组建的亲兵队伍，称为"契丹直"或"银鞍契丹直"，后来还成为后唐政权禁卫军系统中的一支精锐武装。后唐庄宗李存勖在灭亡后梁政权之前，经常亲自率领自己的亲兵队伍迎战、抗击顽敌。故其建立的"契丹直"，也是他的精锐部队之一。此后，后唐明宗李嗣源在位时，"契丹直"也仍然存在。据史书记载，天成三年闰八月戊申，"赵德钧献俘于阙下，其蕃将惕隐等五十人留于亲卫，余契丹六百人皆斩之。"③"亲卫"即指"契丹直"。天成三年即辽朝天显三年（928年），此次俘虏的六七百名契丹人，是辽太宗派来救援定州王都的两员大将秃馁（铁剌）和涅里衮分别率领的军兵。此事，《辽史》也有记载，④ 但未言"契丹直"事。《新五代史》及《五代会要》等则

---

　　① 《资治通鉴》卷270《后梁纪五》，均王贞明四年（918年）八月条，中华书局1956年版，第8833页。
　　② 《旧五代史》卷129《王重裔传》，中华书局1976年版，第1702页。
　　③ 《旧五代史》卷39《后唐明宗纪五》，中华书局1976年版，第541页。
　　④ 《辽史》卷3《太宗纪上》，天显三年三月、四月、七月诸条记事，中华书局1974年版，第28—29页。

对"契丹直"记载颇详：

> 明宗斩秃馁等六百余人，而赦赫邈（即惕隐涅里衮——笔者），选其壮健者五十余人为"契丹直"①。
>
> 其年八月，幽州部送所获番将惕隐已下六百余人至京师，明宗皆赦之，选其尤壮健者，立为契丹直②。

可见，秃馁与惕隐涅里衮（即赫邈）两人，是在不同时间分别被后唐俘虏，秃馁被斩杀，赫邈则被赦免死罪，并充任皇帝的亲卫军，用意在于对契丹的分化政策；并已达到目的③。10 世纪后期，在北宋的宫廷侍卫中，也延续了"契丹直"的组建方式，但其数目很少，已是"设而不用"的招徕机构，起着招慰或分化契丹政权的作用。但是，五代时期的"契丹直"，则是更多的用于军阀之间激烈的战争。

刘仁恭、刘守光父子统治幽州时（895—913 年），拥有的契丹"银胡禄"，可能就是后来幽州藩镇所拥有的"契丹银鞍直"或"银鞍契丹直"的前身。后唐政权时期，幽州藩镇拥有一支数目较大的"银鞍契丹直"，并在辅助和维护后唐政权的过程中发挥重大历史作用。但其军队结构如何？创始人是谁？等等，都已无法得其详。仅知赵德钧在担任幽州节度使时，曾组建和拥有一支数目庞大的"契丹银鞍直"队伍，但也只是留下一个具体的数字而已，如清泰三年（936 年）九月，契丹败后唐军队于太原城下，契丹主耶律德光迫降赵德钧率领的幽州军队于镇州团柏谷，

> 时契丹主问德钧曰："汝在幽州日，所置银鞍契丹直，何在？"德

---

① 《新五代史》卷 72《四夷附录一·契丹》，中华书局 1974 年版，第 891 页。
② （宋）王溥：《五代会要》卷 29《契丹》，四库本。
③ 《辽史》卷 3《太宗纪上》记载："（天显七年）十二月辛亥，以叛人泥离衮家口分赐群臣。"中华书局 1974 年版，第 34 页。笔者以为，此泥离衮就是天显三年救援定州的惕隐涅里衮。其"泥离衮"与"涅里衮"为译音之异，实为一人；究其家庭受到惩处，盖因涅里衮（即赫邈）为官于后唐，已被视为叛臣之故。

　　钧指示之，契丹尽杀于潞之西郊，遂锁德钧父子入蕃。[①]

　　赵德钧此次率领的"银鞍契丹直"，总数为 3 000 人，皆被耶律德光所杀。这支队伍为赵德钧父子统治幽州以及树立其在后唐朝廷中的威望，作出了重要的贡献，但是，最终却像灰尘一样被抛弃在潞州郊外的荒野中，落得个凄凉的结局，它标志着"幽州契丹"历史的终结。

　　但是，幽州藩镇建立和拥有的"银鞍契丹直"作为一支强大的军事力量，毕竟没能全部囊括所有的"幽州契丹"，而且"银鞍契丹直"的数目可能还不及所有"幽州契丹"总人口数的十分之一。因为，"银鞍契丹直"这些所谓的"拥有银质马鞍的人"，充其量也不过是指"幽州契丹"中数目较少的那些精于马术而又勇力、射技超群的勇猛之士，更大多数的契丹人口仍然依照自己的生活方式生存在幽州境内。所以，幽州藩镇拥有的"银鞍契丹直"的全部覆灭，并非代表着"幽州契丹"整体力量的全部覆亡，而只能够代表着"幽州契丹"独立的历史发展过程的基本终结，从此之后他们作为契丹部落人口的一部分又重新回归到契丹部落发展的整体过程中来。这样，在经历了二三百年的历史发展之后，"幽州契丹"也终于因为本土部落势力的强盛发展而重新回归到本土部落之中，从此也完全摆脱了唐王朝羁縻统治的政治羁绊。

二、契丹部落的历史发展趋向

　　众所周知，在唐王朝建立之际，北方草原地区已经存在着强大的突厥汗国政权，它与唐王朝呈现着南北对峙的局面。虽然，唐初的统治者曾被北方草原诸部共同尊奉为"天可汗"，但在持续近一个半世纪的时间内，突厥汗国及后突厥汗国政权，始终是北方草原的主人，与唐王朝保持着对抗与冲突，战争的烽烟几乎没有消歇。8 世纪中叶，突厥汗国在唐朝与其他北方民族政权的夹击下覆灭，但历史的格局并未因此改变，而是又形成了唐王朝与回鹘汗国的对峙。9 世纪中叶，回鹘汗国与唐王朝同时衰落，从而改变了古代北方草原地区历史发展的基本局面。

　　8 世纪 50 年代，以幽蓟地区为重心爆发的"安史之乱"，摧毁了号称

---

① 《旧五代史》卷 98《赵德钧传》，中华书局 1976 年版，第 1310 页。

"世界帝国"的唐王朝的统治支柱，将其送入分裂、衰落的轨道。但是，"安史之乱"的发生，对于契丹本土部落而言，却是天赐良机。因为，开元年间（713—741 年）以来，契丹部落发生的王权更替，不仅使部落社会经历了一场血火熔炼的深刻变革，而且还招致了唐朝政权的武力干涉，战争连年，烽火不断。但"安史之乱"的爆发，则使云聚在契丹部落周围地区的唐朝军队撤退得干干净净，使契丹部落完全消释了来自外部的政治、军事压力，为其发展提供了良好的环境。8 世纪中叶，契丹遥辇氏家族取得世选可汗的权利，世里氏（即辽朝耶律氏）家族则获得世选部落夷离堇的权利。在这个新的部落组织结构中，已经确立起各种具有国家职能的管理机构，如南、北宰相府和数目众多的州县及曳刺、阿扎割只、梅老（落）、郎将等职任，还出现了极具私有特征的特权形式——即每一位契丹可汗都有权建立自己的"宫分"（即斡鲁朵）组织，这是由可汗生前亲自率领、死后由家属继承的私有财产。同样，世里氏家族作为部落军事首领（大夷离堇）的权利保障，也将自己拥有的部落（迭刺部）从部落组织中脱离出来，成为独立于部落组织之外的家族私有财产。因此，契丹部落世选制度的确立，直接造就了世代相袭的贵族阶层，这是以前不见于史书记载的契丹历史新现象。

据唐朝幽州节度使刘济墓志铭记载，9 世纪初期，契丹与奚族便揭开了同河北藩镇争夺幽州的序幕。[1] 虽然，回鹘汗国在助唐平乱的过程中，一度呈现出迅速发展的势头，但是，840 年，黠戛斯人向回鹘汗国发动的致命一击，也使这个统一北方草原不久的行国政权分崩离析。就在中原形成"藩镇割据"局面，无力北顾的时候，黠戛斯人也没有建立起一个新的统一政权，而是不可思议地又退回到原居地的剑水（今俄罗斯叶尼塞河）流域。这样，就使得北方草原各部族，在回鹘汗国灭亡后，暂时处于一种分裂的分散游牧的状态，呈现亟待填补的政治空缺。这就为草原各部族的独立发展提供了时机，也为草原诸部族成为新霸主或争夺新霸主而埋下伏笔，为草原地区的重新统一创造了便利条件。

自 9 世纪中叶开始，近似"政治真空"的蒙古高原地区，主要汇集了从不同方向渗透的三种力量，即室韦—达怛人，从呼伦贝尔草原向克鲁伦河

---

① 《全唐文》卷 505，权德舆撰：《刘济墓志铭》，上海古籍出版社 1990 年版，第 2275—2276 页。

流域、直至杭爱山地区的介入。到 10 世纪初期，已经分布在阴山以北的辽阔区域，使漠北草原成为室韦—达怛人繁息生居之地。其中黑车子室韦已经分布于今内蒙古锡林郭勒盟境内及乌兰察布市部分地区。契丹人，从大兴安岭西端以南，向阴山以南及燕山地带发展，10 世纪初期，已经进入内蒙古高原的东南端，即今锡林郭勒草原地区。另一支由突厥遗族和其他部族人口混合而成的沙陀人，在 9 世纪初期，即从新疆东部向内蒙古地区迁徙。9 世纪末，已定居于今阴山以南及山西省北部地区，并在帮助唐朝镇压庞勋起义的战争中逐渐壮大，成为当时北方游牧部族中唯一崭新的政治力量。这些不断向蒙古高原地区发展的诸部族，就其力量对比而言，室韦—达怛人还处于相对落后的"不相总一"的分散发展阶段，对草原霸主的地位还不能构成有力的争夺。因此，对北方草原地区的控制和统一，便"机遇均等"地落在了沙陀人和契丹人的面前。

沙陀，本为突厥别部。唐朝初年，分布在新疆准噶尔盆地东南、天山东部巴里坤湖一带，当时有大碛名沙陀，故号沙陀突厥。唐朝中期，因为遭到吐蕃政权的侵逼，东迁甘州（今张掖），归附唐朝，被安置在盐州（今陕西定边），设立阴山都督府，实行羁縻管理。后来，又被迁移至河东地区，安置在定襄川（今山西马河），遂自称"阴山沙陀"或"陉北沙陀"。9 世纪末，首领朱邪赤心，因镇压庞勋起义有功，赐姓李，名国昌，迁升为振武（今内蒙古和林格尔县）节度使，控制了阴山以南地区，并逐渐征服居住在阴山以南的吐谷浑部落。876 年，国昌之子李克用袭破云州（今山西大同市），试图控制漠南地区，遭到唐朝的征讨，被迫逃入阴山以北的室韦—达怛部落并与之建立了密切联系。不久，因黄巢起义军攻破长安，唐朝急召李克用入援。883 年，李克用击败黄巢主力于梁田陂，收复长安，因功升授河东节度使，获得了梦寐以求的兲州地区及北方重镇太原[1]。而另一个在镇压黄巢起义中起家的军阀朱温，则控制了汴梁（今河南开封）为中心的中州地区。

<hr>

[1]　《新唐书》卷 143《沙陀传》，中华书局 1975 年版，第 6153—6166 页；《旧五代史》卷 25《唐书一·武皇纪上》，中华书局 1976 年版，第 336—337 页；《新五代史》卷 4《唐本纪第四·庄宗纪上》，中华书局 1974 年版，第 33 页。

历史的发展经常蕴藏着"出人意料"的结果，李克用虽与吐谷浑长期争夺漠南地区，但获得河东地域后，又专注于中原的争夺。884 年，李克用奉诏征讨黄巢余部，被朱温在汴州上源驿设宴埋伏，击毙部将三百余人，唐僖宗只能加封李克用为检校太傅、同平章事、陇西郡王，以示安抚①；不久，又被赐号"忠贞平难功臣"，加封为晋王②。904 年，朱温弑杀唐昭宗，消息传到太原，李克用矢志为唐朝复仇，从此专注于同朱温的争夺，放弃了对北方草原地区的控制。

因此，自 9 世纪后期，契丹部落与幽州藩镇的接触也日益频繁，并且契丹部落的政治、军事实力也在不断地得到积聚与壮大。史称：

> 咸通中，其王习尔之再遣使者入朝，部落浸强。习尔之死，族人钦德嗣。光启时，……乃钞奚、室韦，小小部种皆役服之，因入寇幽、蓟。刘仁恭穷师踰摘星山讨之，……契丹乃乞盟，献良马求牧地，仁恭许之。……刘守光戍平州，……禽其大将。群胡恸，愿纳马五千以赎，不许，钦德输重赂求之，乃与盟，十年不敢近边③。

可见，至唐朝咸通年间（860—873 年），契丹部落已成为回鹘汗国之后，北方草原的强者。习尔之可汗在位时间，约从咸通年间到广明元年（880 年）前后。习尔之，即《辽史》记载的"鲜质可汗"④，此时契丹部落已经征服奚族，所谓"部落浸强"，标志着契丹展开对周围弱小部族的吞服与统一的历史

---

① 《旧五代史》卷 25《武皇纪上》，中华书局 1976 年版，第 338—339 页；《新五代史》卷 4《庄宗纪上》，中华书局 1974 年版，第 34 页。

② 《旧五代史》卷 26《唐书二·武皇纪下》，中华书局 1976 年版，第 353 页。

③ 《新唐书》卷 219《北狄·契丹》，中华书局 1975 年版，第 6172—6173 页。

④ 《辽史》卷 63《世表》，中华书局 1974 年版，第 956 页；卷 45《百官志一·北面诸帐官》，"遥辇九帐大常衮司"记九可汗名称，有"鲜质可汗"，即"习尔之"，第 711 页。《营卫志下》记载，"迭剌迭达部，本鲜质可汗所俘奚七百户，太祖即位，以为十四石烈，置为部"，第 388 页。此事，《太祖纪上》，"先是德祖俘奚七千户，徙饶乐之清河。至是创为奚迭剌部，分十三县"，第 2 页。按契丹语称县（或大乡）为"石烈"，"七千户"为"七百户"的讹误。因此，两厢比照，涉及的主要人物或时代并不冲突。《营卫志》所说的"鲜质可汗"，即是时代，"德祖"即辽太祖之父撒剌的，是后人追赠的庙号。说明撒剌的与鲜质可汗（即习尔之可汗）系同时代人，而且，从《辽史》记载太祖出生于咸通十三年的记录来看，太祖父亲的生活时代正在唐懿宗咸通年间（860—873 年）前后。

过程。

习尔之可汗即鲜质可汗①，契丹部落的崛起肇始于鲜质可汗时期。不过上引史料的错误在于：鲜质可汗的继嗣者是耶澜可汗，耶澜可汗的继嗣者才是钦德（又名痕德堇）可汗。唐朝光启年间（885—888年）的契丹可汗即耶澜可汗。刘仁恭割据幽州，始于唐朝乾宁二年（895年），至后梁乾化三年（913年）被李存勖击灭。故与刘仁恭父子订立盟约者，乃钦德可汗，是发生于10世纪前后之交的历史事件。据《新五代史》记载：

> 某部大人遥辇次立，时刘仁恭据有幽州，数出兵摘星岭攻之，每岁秋霜落，则烧其野草，契丹马多饥死，即以良马赂仁恭求市牧地，请听盟约甚谨。②

这些记载，都应是痕德堇可汗统治契丹部落时期的事情了。

同时，值得注意的是，契丹社会客观存在的居于部落组织之上的豪强贵族家族，是以大贺氏、遥辇氏和世里氏家族为代表的部落权力的拥有者。大贺氏家族，因反叛唐朝而遭到削弱。遥辇氏家族在世里氏家族的支持下，乘机夺取了大贺氏家族的统治地位、确立了遥辇氏汗国的统治形态。这既是对大贺氏时期既有的统治形态的继承，也是对契丹部落社会组织机构的进一步发展。遥辇氏汗国时期所确立的社会职务的"世选"方式，其核心内容就是对汗国形态下所有社会职务的层层分配形式，并明确规定为世代承袭、不可更改的"定制"，从而确立了贵族家庭在部落社会的特权。因此，"世选"

---

① 《辽史》卷45《百官志一·遥辇九帐大常衮司》具列遥辇九可汗名称：洼、阻午、胡刺、苏、鲜质、昭古、耶澜、巴刺、痕德堇。中华书局1974年版，第711页。然而，在《世表》中，仅列出四位可汗，即阻午、耶澜，并以习尔之当巴刺可汗、以钦德当痕德堇可汗。第955—956页。这种对应方式除钦德与痕德堇在对音上不存在问题外，习尔之与巴刺则在对音和史实两方面都存在问题。而痕德堇，《太祖纪》明确记载，"唐天复元年，岁辛酉，痕德堇可汗立"。第1页。而耶澜可汗，《兵卫志上》记载"遥辇耶澜可汗十年，岁在辛酉"云。第396页。中华书局标点本《辽史》对此校勘曰："按《世表》，耶澜可汗在唐会昌间"，与此不合云云；又曰：《太祖纪》述痕德堇可汗事，"较近实际"。第400页。故笔者认为天复元年或是耶澜可汗与痕德堇可汗的交替之际，鲜质可汗后，为耶澜可汗，再后，为痕德堇可汗。

② 《新五代史》卷72《四夷附录第一·契丹》，中华书局1974年版，第886页。

制度的形成，客观上加速了部落社会内部的两极分化，形成了贵族与平民以及平民与奴隶的对应关系。到9世纪末期的时候，契丹社会中已经出现了多种分别象征着不同社会身份、地位的人际关系的称呼，如"阿钵""舍利（又作沙里）""阿主沙里"和"驱口""宫分人"等，还出现了惩治罪犯的法律及关押、管理罪犯的专门机构"瓦里"。这一切都同世选制度的实行，存在着密不可分的联系，标志着游牧封建制的因素已经植根于契丹部落社会之中。

而且，契丹社会"世选"制度确立的基本条件，就是适应当时广泛存在的"合族而处"的氏族大家庭形式，这从《辽史》记录的相关内容可以找到答案。据《皇族表》记载，自辽太祖五世祖耨里思时起，世里氏家族享有的世选夷离堇的权力，就是所有家族成员（男性）共享的权益，[①] 说明"合族而处"的大家族形态，仍然是当时的主要家庭形式。至9世纪末期，大约从辽太祖的祖辈和父辈起，连绵不断的部落战争，俘获了大量的人口、畜产和财物，使军事首长（即夷离堇）的地位和权力不断提高，私有观念及其形态急剧膨胀，如辽德祖撒剌的俘获奚人7百户，成为世里氏家族的财产，903年被耶律阿保机编为奚迭剌部，析分为13个县（契丹语称为"石烈"），全部编入迭剌部的组织程序中。[②] 于越释鲁在位时，也曾将俘获的党项、吐谷浑人口迁入契丹腹地，置城以居，从事牧业生产，成为世里氏家族的附庸[③]。世里氏家族拥有日益显赫的权势、威望和巨大的利益，因此，在私有观念日益明显的前提下，导致这个大家族内部也呈现出小家庭势力迅速分化的趋势。虽然，明确见于记载的契丹社会的个体小家庭形式，到9世纪晚期的时候才出现，但它马上就发挥出了重大的历史作用。

契丹社会个体小家庭形式的出现，其直接作用就是准备将原来由大家族共享的"公共"权力，变成由父子相承的小家庭内部独享的私有权力。因此，当氏族大家族形态向更为具体的个体小家庭形式过渡的时候，作为契丹

---

① 《辽史》卷64《皇子表》，第962—965页；卷66《皇族表》，中华书局1974年版，第1013—1019页。

② 《辽史》卷1《太祖纪》，第2页，卷33《营卫志下·部族下》，中华书局1974年版，第388页。

③ 《辽史》卷37《地理志一·越王城》，中华书局1974年版，第443页。

贵族家庭社会利益标志的"世选"权力，也越来越多地呈现为已经被掌握在了大家庭内部的少数成员的手中，如辽太祖四世祖萨剌德曾经九次出任夷离堇职务，其次子帖剌三次出任夷离堇。辽太祖伯父岩木，也曾经三次出任夷离堇①，这种众多的由一个人数次享有"公共"权力的现象，就说明氏族大家庭内部"共享"的社会权力已经逐渐失去了它公正、公允的本来面貌，正逐渐成为某些家庭成员个人拥有的得心应手的工具。因此，社会权力的日益集中，个体小家庭对氏族大家庭利益的日趋垄断，便不可避免地产生权力争夺基础上的残酷仇杀。如：辽太祖祖父匀德实在位时，就被家庭内部成员杀害，发生了家族内部武力争夺夷离堇的事实②。唐昭宗天复元年（901年），契丹痕德堇可汗即位后，夷离堇职务也重新推选：当时，耶律辖底之兄当选为新任夷离堇，就在其准备举行柴册仪时，耶律辖底突然在支持者的拥护下，身着夷离堇礼服、乘马而出，宣布就任夷离堇职务。耶律辖底这种对于大家庭内部"公共"权力的公开的肆意的争夺，居然还被承认为事实并心安理得地坐起了夷离堇的职位，就连已经即位的痕德堇可汗也毫无办法。③ 说明"世选"制度正在遭受着无情的破坏，建立在这个基础之上的契丹汗权也已徒具其表，个体小家庭势力已经掌握了契丹社会的绝对权力。在耶律辖底事件发生后不久，又发生了世里氏大家族成员勾结其他家庭暗杀于越释鲁的事件，④ 争斗的焦点依然是大家族内部共享的"公共"权力。

总之，9世纪末期契丹社会的血雨腥风，急切地呼唤"英雄"的出现，拯救民生，制止内乱。当时，已经崭露头角的耶律阿保机便适逢机遇地充当了契丹社会急切企盼的"创世英雄"，并在10世纪初期，他把契丹社会的历史发展从一个旧的阶段纳入了另一个新的历史进程。

---

① 《辽史》卷64《皇子表》，中华书局1974年版，第962—963页。《耶律羽之墓志铭》记载帖剌其实仅三任夷离堇，而九任夷离堇者乃帖剌之父辽懿祖萨剌德。见盖之庸：《内蒙古辽代石刻文研究》，内蒙古大学出版社2002年版，第2页。

② 《辽史》卷71《后妃传·玄祖简献皇后萧氏传》，中华书局1974年版，第1198—1199页。

③ 《辽史》卷112《逆臣上·耶律辖底传》，中华书局1974年版，第1498页。

④ 《辽史》卷112《逆臣上·耶律滑哥传》，中华书局1974年版，第1503页；同书卷31《营卫志一·著帐郎君》，第371页；卷90《萧塔剌葛传》，第1358页。

三、"幽州契丹"及其所形成的历史影响

前面论述了契丹部落在唐朝时期的历史发展线索，并着重分析了唐朝推行的羁縻政策对于整个契丹社会历史发展的影响，描述了唐朝时期契丹社会历史发展的主要场景：即大贺氏政权同唐朝羁縻政治的密切联系以及遥辇氏政权与唐朝羁縻统治恢复时期所形成的对抗局面，和由此体现出来的契丹部落历史发展的基本趋向。同时，还分析并揭示出唐朝时期契丹社会未能摆脱的"分裂"发展局面，即客观上存在的本土部落与"幽州契丹"所呈现的同时分立、并存的历史现状。

8 世纪中期，"安史之乱"的爆发，使契丹部落和幽州契丹都同时脱离了唐朝政权的控制和束缚。契丹本土部落摆脱了唐朝的控制，走上了独立发展的道路，并在特定的历史环境和历史因素的作用和影响下，从 9 世纪中期开始部落内部的氏族大家庭逐渐被个体家庭势力所打破，既有的贵族统治方式也日益明确地贴上了私有制的标签，加速了部落社会内部的两极分化，并在中原地区先进的封建文化的影响下，迅速地催生了植根于部落社会土壤的游牧封建制度的主要因素，即部落职务的世袭占有形式和贵族与平民的对立以及部落私有人口的增多和私有观念下的个体家庭势力的进一步发展，暴力统治工具的出现等，决定了契丹社会向着游牧封建制度的具体方向迅速发展。

在契丹部落走向独立发展的同时，幽州契丹已与世代生活在燕云地区的众多游牧民族部落逐渐融合、共同发展，从而形成了以前幽州等地没有出现的独特文化现象，即北方游牧文化的各种因素已经在这里植根发芽，形成了一派"胡风胡雨"的新天地，"胡族"的生活气息已经浓烈地在这里散布开来，形成了近似于中原州县组织而又与中原地区迥然有别的社会生活面貌。

当时，燕云地区与中原的主要区别之一，就是生活在这里的各族人口都共同形成了"重言诺，尚气力"的社会风尚，是当时"天下精兵"之所在。区别之二，就是这里的社会经济生活习惯，已经掺杂了大量的北方游牧民族的生活习惯，甚至语言习惯的相互掺杂。区别之三，对于客观事物正确与否的判断形式，幽州地区也形成了同中原地区判然有别的世界观，譬如对于"安史之乱"的态度，中原地区的主要人口都是采取了切齿痛恨的形式，唯

独幽州地区则呈现出对于安禄山和史思明等人的敬仰与崇奉之情。史称：
"安史之乱"之后，唐朝自黄河以北直到幽州地区都陷入藩镇割据的局面，
因此，唐王朝能否中兴关键就在于能否收复或消灭这些割据力量。唐穆宗时
期（821—824 年），历史发展给予李唐王朝一次绝好的机会，即幽州藩帅刘
总在内外交困的情况下，上表朝廷要求归还"王土"，入居京师，将幽州管
理权毫无保留地交给了唐朝政权。于是，朝廷选派门第、官称俱高的张弘靖
为幽州节度使。此时，幽州已经脱离唐朝控制达半个世纪之久，在文化风俗
方面与中原隔绝已久，故张弘靖始入幽州，便因其不同于河朔藩帅的养尊处
优的"中原名士"的作态，首先引起了幽州地区人口的视觉刺激，这是来
自于观念系统的不相吻合的表现。张弘靖因为"文法细密"和凌辱幽州吏
卒而被蓟人捆送出境后，幽州就再也没有回到唐朝的控制之下①。这说明
"安史之乱"以后，幽州地区已经呈现出与中原地区日渐突出的文化差异。
幽州地区已经掺杂了以游牧经济方式为主的生活习尚，成为与中原农业社会
判然有别的游牧经济文化的集散地。由此而言，已经世代生活于幽州的契丹
等北方民族人口，事实上充当着幽州藩镇的主要军事来源，作为反叛唐朝的
主要军事储备，并在幽州社会经济、文化和军事战争中都发挥出重要的历史
作用。例如，"山后"地带存在着从契丹部落脱离出来的以奚族为主体的包
括契丹人在内的"西部奚"集团，是自 9 世纪末期以来形成的介于契丹本
土部落与幽州契丹之间的新势力，他们依附于中原政权，反抗契丹本土部落
建立的游牧封建政权，并逐渐与幽州契丹结为一体。幽州藩镇以及后唐政
权，先是利用幽州契丹组建的"契丹银鞍直"，继之又拥有"西部奚"集
团，同时与契丹统治者及中原割据势力相抗衡。结果就造就了中国古代历史
发展的一个奇妙现象，即自汉唐以来服属中原的幽州地区，自 8 世纪中叶至
14 世纪中叶成为北方游牧民族封建割据政权的经济文化中心。造成这种现
象的基础，就是唐朝的羁縻统治。

---

① 《旧唐书》卷 129《张延赏传·附子弘靖传》，中华书局 1975 年版，第 3611—3612 页。

第 十 四 章

辽金时期的政治体制和统治方略

第一节　契丹辽朝双重政治体系的成因与基本结构

一、契丹辽朝前期统治阶层治国思想的逐渐演变

10 世纪初，崛起于中国北方的契丹族，建立了强大的集权制国家，势力所及不但囊括了"东至于海，西至金山，暨于流沙，北至胪朐河"的游牧经济世界，而且还"浸包长城，跨有幽燕"这样传统的农耕经济区域。契丹国家内部，不但经济成分较为复杂，民族成分也殊为纷纭。然而，契丹辽朝立国二百余年，非但祚运长久，即其统治政策也堪称楷模，为后代提供了诸多可鉴之处。元代就是利用本俗，"参辽金之遗制，立政安民"成一国之大体①。故元人修《辽史》之动因，即在于总结与整理辽人的史绩，使其"垂鉴后世，做一代盛典"。辽朝的典章文物，兴衰历史，也是元朝"所取制度、典章、治乱、兴亡"之由②，元人也慨叹"一代风俗自辽金"，即有辽一代为中华历史文化之发展作出了巨大贡献。

然而，一个民族或一个国家的兴亡废替、文治武功、动荡与安宁、发展与倒退等等，总是与其施政纲领相联系的。契丹辽朝集游牧民族和农耕民族

---

① 《元文类》卷 14 《立政议》，四库本。
② 《辽史》附录《修三史诏》，中华书局 1974 年版，第 1554 页。

的政治、经济、文化体制于一体，这是中国古代各王朝中罕见的现象；其施政大纲就是"因俗而治"，从具体的国情和政治需要出发，在建国之初就确立了"蕃汉不同制"的基本原则。由于南（指属于农耕经济的汉族人口）、北（指属于游牧社会的契丹等人口）之间政治、经济、文化形态所体现的明显差异，促使统治者采取了南、北两种形式的政治、经济、文化形态同时并存、并行发展的政治原则。这种现象，又被人称之为"一国二制"。因此，契丹辽朝政权的稳定与安宁及其对中华历史发展的贡献，都是与这种基本的表现形式，不相背离的。于此欲以契丹辽朝的"一国二制"形式为议题，试对契丹辽朝的政治体制作些分析，倘有抛砖引玉之效，则属荣幸。

（一）"因俗而治"构想是契丹辽朝早期治国思想的形象概括

契丹族的"一国二制"，就是以"因俗而治"为指导思想。以"汉法"治汉人与渤海人，以"蕃法"治契丹与诸夷，是其法律凭证。而官分南、北

北面治宫帐、部族、属国之政。

即管理契丹等游牧民族军政事务的行政机构。

南面治汉人州县、租赋、军马之事。

即管理汉族等农耕人口的军政事务的行政机构。这是两种对等的国家行政体系，从而在政治体制与法律程序上构拟了"一国二制"的基本内容。所谓"蕃汉分治"就是"蕃不治汉，汉不治蕃"，这是其政治制度的初始事实。

契丹建国之初，太祖阿保机草创帝制，在其廓清大漠南北之际，也同中原政权极力争夺土地和人口，将大批的汉族战俘和掳掠人口徙置于契丹腹地。从902年起，先后建立了龙化州等"汉城"①，假以安置汉族人口，尽量使其恢复农耕生产，使得契丹草原出现大批"插花田"。关于阿保机对汉族人口的统治办法，《文献通考》谓，阿保机自以"所得汉人多矣"，乃

_____

① 汉城一词，实为类名，是为安置汉族人口而仿建的中原州县制度。

> 自为一部，以治汉城，……率汉人耕种，为治城郭邑屋廛市，如幽
> 州制度，汉人安之，不复思归①。

其实不然。据《辽史》记载，韩延徽，幽州安次人，燕帅刘守光使其来聘，太祖留之，

> 立命参军事，……乃请树城郭，分市里，以居汉人之降者。又为定
> 配偶，教垦艺，以生养之。以故逃亡者少②。

又，韩知古，蓟州玉田人，少陷没契丹中，及长，负其才，

> 挺身逃庸保，以供资用。……太祖召见与语，贤之，命参谋议。总
> 知汉儿司事③。

可见，辽太祖阿保机实是假手于他人，采用以"以汉人治汉人"的统治方法。韩知古、韩延徽等其他汉族人物，应当是作为陷于契丹的汉族人口的"首领"而参与契丹国家之事。然而，其与阿保机之间的关系却是形同主仆，均落籍于阿保机的"宫分"中，酷似于"家臣"。这种曲折的政治地位的对比以及君臣之间的社会关系，都是由于当时契丹社会具体的历史条件和政治环境所决定的。南方汉族人口聚居的中原地区，其社会发展程度已迈入封建社会的高级阶段；而北方契丹族居处的两河流域，此时其社会发展的程度，甚至连奴隶制初级阶段的条件还不具备，仍然处于部族制的发展阶段。两相对照，区别是十分明显的。因此，像这样的两种明显处于不同发展层次的人口，一旦被置于一体的统治环境之中，就势必造成统治政策的不能划一性。所以，阿保机既利用汉族人士，代其管理汉族人口，又维护了契丹等游

---

① （元）马端临：《文献通考》卷345《契丹》，中华书局1986年版，第2702页。
② 《辽史》卷74《韩延徽传》，中华书局1974年版，第1231页。
③ 《辽史》卷74《韩知古传》，中华书局1974年版，第1233页。

牧民族集团的现有发展形态，继续其部族制度的生活习惯。① 这就是契丹辽朝所以形成"因俗而治"施政纲领的现实基础和客观条件。当然，这也是与契丹统治者主观上的"开明"统治分不开的。

辽太祖阿保机实现了"因俗而治"的政治原则，只是在一定程度上回避和缓解了南、北方在政治、经济、文化、形态各不相同的前提下所可能产生的剧烈碰撞与冲突及由此而引起的民族纠纷，而不能彻底解决南、北方人口在合一之后所可能产生的一切问题。阿保机的"因俗而治"，只是设立了一个具体的负责汉人事务的机构——汉儿司，甚至在其"正班爵"、"城皇都"确立了一套完整的契丹官制体系之后，也未能形成一套相对独立的"汉官"体系。虽然，也使用并设立了许多"汉官"名称，"则沿名之风固存也"，其实多属虚设②。至太宗立晋，始有燕云地区纳入辽国的版图，促使契丹统治者不得不仔细考虑"汉制"在国家体制中的地位调整问题。太宗在会同元年（938年）十一月，

> 于是诏以皇都为上京，府曰临潢。升幽州为南京，南京（东平郡）为东京。……升北、南二院及乙室夷离堇（部长）为王，以主簿为令，令为刺史，刺史为节度使，二部梯里己为司徒，达剌干为副使，麻都不为县令，县达剌干为马步。置宣徽、阁门使，控鹤、客省、御史大夫、中丞、侍御、判官、文班牙署、诸宫院世烛，马群、遥辇世烛，南北府、国舅帐郎君官为敞史，诸部宰相、节度使帐为司空，二室韦闳林为仆射，鹰坊、监冶等局官长为详稳③。

于此应该说明的是，燕云十六州地区归属契丹之后，契丹统治者原封不动地保留了那里的封建秩序，升幽州为南京，以示其地位对于契丹国家的重要性。详参以上太宗诏书，无非是"定制"之诏，意味着对太祖以来的国家体制实行有机的调整。太宗还于是年改国号"契丹"为"大辽"，改年号

---

① 任爱君：《辽朝国家体制研究》，《昭乌达蒙族师专学报》1991 年第 2 期。
② 《辽史》卷 45《百官志一·序》，中华书局 1974 年版，第 685 页。
③ 《辽史》卷 3《太宗纪上》，中华书局 1974 年版，第 45 页。

"天显"为"会同"。① 对此，中原史书也相当注重，并记载说：

> 会同元年，（契丹）更其国号大辽，置百官，皆依中国，参用中国之人②。

这里所云的"置百官"与《太祖纪》中的"正班爵"，意义显然是相同的，它不是代表着一种全新的政治体制的确立，而只能是对太祖时期的政治体制的部分调整。其调整的内容，就是确立了"汉制"在辽国政治体制中的地位。因此，如果说，太祖时期"因俗而治"的内容中，尚含有抵制汉人以俯就契丹的政治意图的话，那么，到太宗时期，确立"汉制"改革契丹官制等一系列行动，则是表现了促进契丹近于汉人的统治意图。其"因俗而治"的内容，遂确立为"一国二制"的历史形式。史载，太祖神册六年（921 年），

> 夏五月丙戌朔，诏定法律，正班爵③。
> 定治契丹及诸夷之法，汉人则断以律令④。

这是太祖时期为"一国二制"的历史形式奠定了法律基础。而太宗又于政治体制上将其塑造成型。至世宗大同元年（947 年）

> （八月）始置北院枢密使，以安搏为之，（九月）高勋为南院枢密使⑤。

至此，南、北枢密院的确立，不但标志着辽国官制体系的完备，也标志着"一国二制"形式的趋于完善。

---

① 刘凤翥：《契丹王朝何时何故改称大辽》，《昭乌达蒙族师专学报》1987 年第 2 期。
② 《新五代史》卷 72《契丹》，中华书局 1974 年版，第 621 页。
③ 《辽史》卷 2《太祖纪下》，中华书局 1974 年版，第 16 页。
④ 《辽史》卷 61《刑法志上》，中华书局 1974 年版，第 937 页。
⑤ 《辽史》卷 5《世宗》，中华书局 1974 年版，第 66 页。

　　因此，我们说，契丹国家初期创造的"一国二制"的国家体制，就是在以契丹皇帝为代表，以契丹贵族为基础的统治机构中共同包容了北方游牧民族所处的比较落后的部落（或部族制）和南方汉族等民族所具备的较为先进的封建社会的政治结构，它们无疑都体现了各自的政治特色。相较之下，不但暴露了南、北之间社会发展程度的高下之别，同时也客观地反映了南、北之间在经济生活方式、文化传承体系和宗教信仰风俗习惯等方面所存在的明显差异。例如，张砺，原本磁州人，初仕后唐，及辽太宗援立后晋，始入仕契丹，辽太宗擢升为翰林学士，后因不习北方土俗、饮食、居处之俗，意常郁郁，乃谋逃归中原①。

　　这种南、北方人之间所存在的自然隔阂，正如天造地设般牢固，是契丹统治者无法于一时所能破除的。又如太宗灭晋之后，曾试图据有中原，建立一个规模更为庞大的"一体"制国家，结果却因中原各地的群起反抗而失去对中原的控制。据太宗自己总结的失败原因，就在于"三失"②。我们透过"三失"的现象看本质，即可得出一个结论：由于南、北方长期存在的自然隔阂的因素及历史上人为的客观隔阂的因素，是契丹统治者欲求政权稳固、长治久安的不可忽视的重大问题。像燕云地区划入契丹版图之后，虽保存其旧有的体制不变，尚使统治者无法有效地获得汉族人口对既成事实的完全接受（以便凝结为高度的政治向心力）；相反，沦陷于契丹的汉地汉人都表现了极大的苦闷、不满和强烈的思乡之情！更何况，德光入汴之始即召归、拘禁执事中原各地的汉官，而缰以蕃索，"专用国人及左右近习"怎不致"政令乖失"、人心不服？③ 这是南、北之间长期存在的隔阂因素起到了强烈的作用。

　　诚然，契丹辽朝政权的初期，确曾存在着国事"专用国人"，视契丹等为"国人"，视汉人犹"汉儿"、"汉子"④ 及契丹凌辱汉人的事实（参《张砺传》萧翰之跋扈）。但是"一国二制"体制的规定，是以"因俗而治"

---

　　① 《辽史》卷76《张砺传》，中华书局1974年版，第1251—1252页。

　　② 《辽史》卷4《太宗纪下》，中华书局1974年版，第60页。

　　③ 《辽史》卷76《张砺传》，中华书局1974年版，第1252页。

　　④ 王易：《燕北杂记》云："北界汉儿多为契丹凌辱，骂作十里鼻。十里鼻，奴婢也。"

这一原则为指导思想的，自始至终都基本是以维护民族平等为职责的，是从维护国体的大局出发的。例如对于渤海故国的处理上，太祖灭渤海，以其与契丹有着明显的政治、经济和生活习惯等方面的差异，故灭其王族而以长子倍为其主，建东丹国，因其故俗而治之。但到 928 年 12 月，太宗即召东丹国左次相耶律羽之

> 迁东丹民以实东平。其民或亡入新罗、女直，因诏困乏不能迁者，许上国（契丹）富民给赡而隶属之。升东平郡为南京①。

东丹国从此便名存实亡。这段史实，不论其手段如何，其目的却是使契丹国家与东丹国从此化为一体。因此，"一国二制"事实上是以"一国"为前提而实行的"因俗而治"的政策。"一国"便成为我们认识这一现象或体制的基本点。史载，契丹国家

> 其官有契丹枢密院及行宫都总管司谓之北面，以其在牙帐之北，以主蕃事。又有汉人枢密院、中书省、行宫都总管司，谓之南面，以其在牙帐之南，以主汉事②。

不但南、北面官系列是相互对等的国家行政机构，即使是以法律凭证相区分的"蕃""汉"之法，也是不存轻重优劣之分的对等的法律程序。虽然，契丹人自视为"国人"，但其治国人之法，也并不比"汉法"稍假以颜色，史称其刑惨酷者：

> 或投高崖杀之。淫乱不轨者，五车辗杀之。……讪詈犯上者，以熟铁锥捅其口杀之③。

---

① 《辽史》卷 3《太宗纪上》，中华书局 1974 年版，第 30 页。
② （宋）李焘：《续资治通鉴长编》卷 110，天圣九年六月条，四库本。
③ 《辽史》卷 61《刑法志上》，中华书局 1974 年版，第 937 页。

由于"一国二制"的实行基础，是基于游牧人口与农耕人口在高度集权的统一国家中无法混一的具体事实，所以，自太祖肇基起，它就体现着对等的"一体化"程序和权宜性的施政特点。

那么，太祖时期所推行的这种权宜性的施政体系，在其后继者的时代是否体现了继承"祖制"的恒永性的特征？在下面叙述中将论及这一问题。

（二）历史发展与社会环境转变赋予"因俗而治"新的发展特征

根据《辽史》记载：

> 契丹旧俗，事简职专，官制朴实，不以名乱之，其兴也勃焉。太祖神册六年，诏正班爵。至于太宗，兼制中国，官分南、北，以国制治契丹，以汉制待汉人。……因俗而治，得其宜矣①。

早在 1919 年日本学者津田左右吉便在其发表的《辽国制度的二重体系》一文中提出了"二重制"观点②，其后，又被岛田正郎等人修正为"二元制"。他们认为，辽自太宗、世宗时期，

> 鉴于有积极统治汉人的必要，乃确立在契丹人政权下的汉地与汉人，由汉人自行管理的原则，并顺其方针在行政组织内采用中国王朝的各种制度进而树立北、南两面之所谓二元的统治制度……并变成恒永化之二元的统治制度③。

这种观点，曾在国内外辽金史学界产生很大影响。直到 50 年前姚从吾先生在题为《契丹汉化的分析》的讲演中，也仍沿用"二元制"观点，对契丹国家历史义化发展作了深入分析。其后，国内学者纷纷就此提出新看法，或认为"因俗而治"应是辽朝统治者为了适应统治范围内不同地区生产力发

---

① 《辽史》卷45《百官志一·序》，中华书局1975年版，第685页。
② 《满鲜历史地理研究报告》第5本。
③ ［日］岛田正郎：《辽朝北面中央官制的特色》，《大陆杂志》29卷，1964年第6期。

展水平状况与经济发展的不平衡，而在上层建筑领域采取的调整措施①；或认为北面官和南面官只是辽朝官制系统的一部分，其共同存在并不曾使契丹、汉族成为可以分隔开的两个政治实体②。也有学者从"中华多元一体"的理论高度，探索契丹辽朝的政治体制，提出了对"一国二制"的新认识，认为它是因俗而治思想的表现，"一国"是问题的根本点③。

诸家观点的共同之处是以"因俗而治"为依据，从不同的认识角度提出各自的看法。人们逐渐地脱离和抛弃了那种"静止地认识历史"的态度，而以发展的观点去认识历史问题；也不再将契丹辽朝作为中国历史上的一个边族、一个敌国，而是作为中国历史上曾经很长一段时期存在的"主权国家"，从而在正确的认识基础之上加深对契丹辽朝国家体制的探索和研究。

然而，"一国二制"既然作为一个具体的历史问题，不仅要弄清其"来龙"，还要以发展的线索来把握其"去脉"。"因俗而治"作为契丹辽朝的主要施政思想，不但表现了极大的政策连续性，还表现了具体的发展特征，而作为其主要表现形式的"一国二制"现象，也具有同样的特征，随着历史的发展和社会环境的变更，其具体的形式和内容也产生着一定程度的变异。

辽太祖时期，由于国家尚属草创，契丹民族对"国家"形态的发展，还谈不上对中原体制的"效步"。故"国制简朴"，大量的俘掠所得农耕人口，也不过统统依照旧俗，置投下州以处之，所有土地上的耕作者，都是诸投下主的附属人口。虽然，辽太祖也设立了"汉儿司"以管理农耕人口，但究其实，也不过是假汉人治汉人的羁縻之策，所管理者恐怕也主要是阿保机个人名下的私属。大多数的汉族臣僚均落籍太祖的"宫分"，标志着他们不过是构成了皇帝集团——这一庞大"家族"中的一分子，而其他的土地耕种者，也不过是各投下主"家族"中的低级成员。在这种几乎是构成了大家族对小家族统治的政治状态下，"家"与"国"的概念，在当时很难被完整地区分开来，故史云，辽太祖"化家为国"，就形象地表明了当时的现状与发展情况：只因庞大的皇室家族拥有强大实力，才控制了辽阔的地域。

---

① 杨世彝：《浅析辽朝的"因俗而治"》，《青海师范学院学报》1985 年第 3 期。
② 李锡厚：《论辽朝的政治体制》，《历史研究》1988 年第 3 期。
③ 张博泉：《试论历史上的"一家两国"与"一国二制"》，《史学集刊》1987 年第 4 期。

这种现状，势必要进行调整，调整之后才能保证既得利益的长治久安，这就决定了在此环境中形成的"因俗而治"思想具有的必然的发展特征。

辽太宗即位，占有燕云地区之后，遂一革故俗，在行政体系上，更部族之长为王、为使节，使部族之政纳入国家的轨道；改契丹官号，因汉族仪制，树立国家仪范；抑东丹、除渤海旧制，"治渤海人一依汉法"，有效地避免了国家权力的过度分散，达到了集权的目的。在政治策略上，从纠治风俗入手，尽量促进"胡汉一家"繁荣局面的实现，会同三年（940年）十一月丁丑，

> 诏有司教民播种纺绩。除姊亡妹续之法。①

同时，又

> 以乌古之地水草丰美，命瓯昆石烈居之，益以海勒水之善地为农田。三年，诏以谐里河、胪朐河近地，赐南院欧董突吕、乙斯勃，北院温纳河剌三石烈人，以事耕种。②

辽太宗本人也愈益重视农业生产的发展，并在巡幸、畋猎、行军之际，也发布诏令，用务以不妨农时、不伤禾稼诫谕臣僚群从。农业经济，在契丹国家的经济结构中具有了蓬勃的生机。如果说，太祖时期契丹国内的农耕经济尚属贵族控制之下的局部的经济行为，那么，太宗时期的农耕经济已经是开始惠及整个部族社会的具体生产活动③。并且，农业生产的经营方式呈现出从契丹内地、从中原地区推及边疆民族的发展趋势。因此，伴随着契丹国内各族之间经济生产关系的调和，势必会引起上层建筑结构的调整。会同三年（940年）十二月丙辰，

---

① 《辽史》卷4《太宗下》，中华书局1974年版，第49页。
② 《辽史》卷59《食货志上》，中华书局1974年版，第924页。
③ 《新唐书·奚传》记载：当时契丹与奚已具粗放的农业经营方式，所以，太宗时期推行部族经营农业方式进展迅速，恐怕也是与这种历史原因有关系的。

> 诏契丹人授汉官者从汉仪，听与汉人婚姻。①

反之，凡汉人任契丹官者，皆须从契丹仪。那种明显的"分治"现象，开始在国家权力的直接干预下呈现出被"扰乱"的迹象，这无疑有利于民族间的融合与发展。自太宗入汴之后，皇帝与南班汉官服汉服、太后与北班臣僚用国服②。契丹辽朝的礼仪、车舆、符印之制，皆杂以汉法。这些，或许还属于当时存在的一些"个性"特征或局部现象，但总体发展趋势端倪已露，即将构成普遍的发展特征。史载，德光入汴后，

> 召晋百官悉集于庭，问曰："吾国之大，方数万里，有君长二十七人。今中国之俗异于吾国，吾欲择一人君之，如何？"皆曰："天无二日，夷夏之心，皆愿拥戴皇帝"……二月丁巳朔，契丹主服通天冠、绛纱袍，登正殿，设乐悬、仪卫于庭。百官朝贺，华人皆法服，胡人仍胡服，立于文武班中间③。

由此可见：首先，"夷夏之别"的区分仍然明显，契丹族的政治体制仍存留很多军事民主制特点；其次，契丹官员仍属军政无分、文武无别的基本状态。但无可辩驳的是，辽太祖确实对后世国家体制的发展开辟了一条广阔的道路。自此之后，凡契丹国家羁留或俘虏的汉族官吏，多数已不再落入皇帝的宫籍或投下主的私属，而是直接被任命为官员，为统治集团服务。如赵延寿荣膺"中京留守、大丞相"并加封魏王，就是为契丹政权彻底征服中原服务。

伴随着契丹国家封建化程度的加深，契丹官制系统中出现了众多模仿汉官系统的结构和官号。学界大都认为，世宗时南、北枢密院机构的设立，标志着契丹官制体系的完备。然而，北枢密院机构的设立，不也标志着部族之政被绳以"汉法"了吗？据《百官志》"契丹北枢密院"职能的诠释，是

---

① 《辽史》卷4《太宗下》，中华书局1974年版，第49页。
② 《辽史》卷55《仪卫志一·舆服》，中华书局1974年版，第900页。
③ 《资治通鉴》卷286，后汉天福十二年正月条，中华书局1956年版，第9338—9339页。

掌兵机，武铨，群牧之政，凡契丹军马皆属焉。①

枢密使总理国家军政要务，直接对皇帝负责，这自然不同于太祖时期的"国制"。至景宗、圣宗时期，朝臣身兼南、北要职，蕃汉贵族日趋合流，已构成封建统治基础。随着各族之间经济生产生活方式的日益接近，族群区别日益减少，文化合流成为新的发展趋势。故"因俗而治"的政治构想发展至它的成熟阶段的时候，"一国二制"的历史形式已被南、北兼治的政治体系所取代，南、北政治体制的掺杂利用及合流发展已经成为契丹辽朝主要的历史内容。

（三）南、北兼治政治体系的形成

"因俗而治"作为一种主要的建国构想，它始创于太祖时期，完成于太宗世宗阶段。"一国二制"作为这一历史构思的主要表现形式，也只是符合了当时统治集团的政策手段而不是代表了其完整的统治意图。史载，

　　　幽涿之人多亡于契丹，阿保机乘间入塞，攻陷城邑，俘其人民，依唐州县置城以居之。汉人教阿保机曰：中国之王无代立者。由是阿保机益以威制诸部，而不肯（受）代②。

太祖建国，确实是受到了汉族文化的影响，得到了汉族人士的帮助。因而，916 年即皇帝位后，便以"佛非中国教"而"孔子大圣，万世尊之"为由，诏建孔庙于皇都。契丹统治者自视为"中国人"，无疑是为了自己的统治能在中国的政治与道统上占据一席之地。契丹统治者总是认为，汉人是怯弱的象征。③ 故其欲据有中原、一统中国的想法总是未变。947 年，太宗入汴后便俨然以中国皇帝自居，曾于晋廷大言于群臣曰：

　　① 《辽史》卷 4《百官志一》，中华书局 1974 年版，第 686 页。

　　② 《文献通考》卷 345《契丹》，中华书局 1986 年版，第 2702 页。

　　③ 《旧五代史》记载，阿保机云："吾解汉语，历口不敢言，惧部人效我，令兵士怯弱故也。"中华书局 1976 年版，第 1831—1832 页。

> 汉家仪物，其盛如此，我得于此殿坐，岂非真天子邪。①

这种极力争取正统、自视为"中国"的思想，是终辽一代统治阶层牢固的思想观念。辽太宗曾语晋臣曰："中国事，吾皆知之；吾国事，汝曹不知也。"表明唯有他洞悉南北要务，唯有他方能实现南北统一格局。因此，契丹统治者"因俗而治"的政治构思，不过是为实现其政治总意图而推行的一种政策或手段，这也就决定了其内容与表现形式（即"一国二制"）所具有的基本发展特征——权宜性。

自太宗时起，农业经营方式开始在部族生活中推行，它以国家权力化和部族生活自然承受能力相结合的形式，使得农耕经济与畜牧经济这两种截然不同的经营形式有机地结为一体。《食货志》言：

> 应历间，云州进嘉禾，时谓重农所召。保宁七年，汉有宋兵，使来乞粮，诏赐粟二十万斛助之。非经费有余，其能若是？②

圣宗太平九年（1029 年）朝议燕地饥，欲通海漕"移辽东粟饷燕"。道宗朝，

> 西北雨谷三十里，春州斗粟六钱。时西蕃多叛，上欲为守御计，命耶律唐古督耕稼以给西军。唐古率众田胪朐河侧，岁登上熟。移屯镇州，凡十四稔，积粟数十万斛，每斗不过数钱。③

至如燕京、上京、中京等，更是各置籴仓，"依祖宗法，出陈易新"，"辽之农谷至是为盛"。农业经济得到普遍推广，甚至一般契丹人户也以农耕为生计，

---

① 《新五代史》卷 72《四夷附录第一》，中华书局 1974 年版。
② 《辽史》卷 59《食货志上》，中华书局 1974 年版，第 924 页。
③ 《辽史》卷 59《食货志上》，中华书局 1974 年版，第 925 页。

　　　统和三年，帝尝过藁城，见乙室奥隗部下妇人迪辇等黍过熟未获，遣人助刈。太师韩德让言，兵后逋民弃业，禾稼棲亩，募人获之，以半给获者。①

像隶属宫籍的锦州等地以盛产绫锦著称，成为供应宫掖消费的重要物品，因而，那里的耕作人户被号为"太后丝蚕户"②。至于贵族之家，更是田连阡陌、人众物丰，兰陵郡夫人萧氏曾一次向寺院施田 3 000 顷及大批人口、马牛、钱粟等③；而秦越长公主也施舍宅院建立佛寺，同时赠送新寺

　　　稻畦百顷，户口百家，枣栗疏园井□器用等物④。

大凡贵室之家，动辄"奴婢千口"，而"其无丁之家，倍值佣蹑"。1007年，苏颂使辽时，曾见契丹中京地区"耕种甚广，牛羊遍谷，问之皆汉人佃奚土"，因而诗云：

　　　田畴高下如棋布，牛马纵横以谷量。赋役百端闲日少，可怜生事甚茫茫⑤。

甚至契丹部民之贫困者，也不得不靠佣工富室以谋生计⑥。随着南北各族经济生活方式的日益接近，民族间的彼此宽容、亲近因素远远超越早期那种隔阂导致的混乱因素而发展成为民族间的主要关系。故苏颂使辽所见："契丹马群动以千计"，"羊以千百为群，纵其自就水草，无复栏栅而生息极繁"；"蕃汉人户亦以牧羊多少为高下"的历史表象，便形成了"北朝之政，宽契

---

① 《辽史》卷59《食货志上》，中华书局1974年版，第924页。
② 路振：《乘轺录》，贾敬颜：《五代宋金元人边疆行记十三种疏证稿》，中华书局2004年版，第39—79页。
③ 陈述：《全辽文》卷8《创建静安寺碑铭》，中华书局1982年版，第200页。
④ 陈述：《全辽文》卷10《妙行大师行状碑》，中华书局1982年版，第301页。
⑤ 苏颂：《魏公集》使辽诗，四库本。
⑥ 《辽史》卷87载："萧蒲奴，字留隐，奚王楚不宁之后。幼孤贫，佣于医家牧牛。伤人稼，数遭笞辱"。中华书局1974年版，第1335页。

丹，虐汉人，盖以旧矣"① 的历史结论。随着民族融合趋势的迅速发展，藩汉各族之间，无论上下阶层都面临一个共同的发展阶段，即从彼此疏远、敌视的过程而迈入同甘苦共命运的新阶段。像"燕京"地区的上层建筑领域已被耶律与萧等契丹贵族和韩、刘、马、赵等汉族大户共同把持，契丹族的一些部民也已经沦为汉族大户的奴婢，据《梁援墓志》记载，其父梁廷嗣曾蒙赐

> 大水泺之侧地四十里，契丹人凡七户。

同样，汉族官僚郭世珍

> 仕辽景宗为太尉司徒，尝于私第赐地数千亩②。

而且，那些自太祖太宗时期，凭个人实力占夺人口而建立的投下州军，开始受到国家的干预。首先，皇室的私地与私属被大量地出脱宫籍，或以州县制形式成为国家的编户齐民，或依旧俗组建新的部族实体，如辽圣宗将太祖"二十部"整顿为"五十四部"，其中包括了许多出籍宫户组成的新部。其次，大批的贵族投下州，或被收归国有，如川、双、贵德州等；或被国家强征赋税，成为半私半公的"二税户"。辽朝的"二税户"，主要来源有两种途径：一是国家对强迫投下户"输租于官，且纳课给其主"③；一是国家对寺院控制人户，采取"分其税一半输官，一半输寺"的办法④。随着这些经济生活制度方面的深刻变革，契丹社会内部各族之间的风俗习惯、文化传统也势必走向"一体化"的发展趋势，而民族间的相互理解与宽容，恰恰是顺利发展的直接前提，而"通婚"这一有效的血缘连接渠道无疑构成合作精神的最直接的态度。契丹皇帝纳汉族妇女为妃嫔，大约始于辽世宗，而契丹公主下嫁汉人则人数较多，蕃汉臣僚间的通婚现象更难于计数，民族的血液开始相互流

---

① 苏辙：《栾城集》卷41《北使还论北边事劄子》，四库本。
② （元）王谔撰：《郭公新茔碑》，四库本。
③ 《中州集》卷2《李晏传》，四库本。
④ 《金史》卷46《食货志》，中华书局1975年版，第1033页。

淌，随之而来的便是南、北互相学习、和睦相处的场面；不但契丹人学到了汉人的各种优秀成果，汉人也学到了契丹人的各种技能和本领；契丹人不但能以汉族文字书写篇牍、赋诗造句，汉人也能以契丹族的语言文字交流感情、谱写华章。南北各族的思想观念系统已开始进入一个共通的时期。故北宋朝中晚期，中原人士凡见到北朝臣僚或黎庶人等，即不问出身门第、原系何族，一概以"辽人"目之，说明将近百年的文化濡染已经使"大辽"成为涵盖契丹政权管辖人口的代名词；辽文化也已经是一种很普遍的社会全民文化①。

经济生活习惯及文化思想方面的日趋认同的发展趋势，势必引起上层建筑领域的调整。史载，太宗会同三年（940年）诏令"契丹人授汉官者从汉仪，听与汉人婚姻"，② 其后，会同五年（942年），太宗又在任命明王隗恩代于越信恩为西南面招讨使时，又训示明王隗恩曰："宜先练习边事，而后之官"，③ 目的无非在于使"契丹人授汉官者"能够熟悉了解辖区内的风土人情，避免举政失措，影响一方的安危。如果说，契丹辽朝早期在使用契丹人管理汉地汉人时（当时极少见有汉人管理契丹事务的记载），尚是小心翼翼、唯恐失措的话，那么，这种现象至契丹辽朝中期以后则大为改观。保宁八年（976年），诏南京复礼部贡院，恢复了汉族"科举"取仕制度。统和元年（983年）

枢密请诏北府司徒颇德译南京所进律文。从之。④

开始将"汉法"部分地以契丹文字形式公布实行。同年六月，

册皇太后日，给三品以下用大射柳之服。⑤

契丹服舆制度开始以蕃汉杂糅、依品定制的方式固定下来，而不再以民族界

---

① 参见任爱君：《契丹辽朝文化总体整合说》，《北方民族文化》1991 年版。
② 《辽史》卷4《太宗下》，中华书局1974 年版，第49 页。
③ 《辽史》卷4《太宗下》，中华书局1974 年版，第51 页。
④ 《辽史》卷10《圣宗一》，中华书局1974 年版，第110 页。
⑤ 《辽史》卷10《圣宗一》，中华书局1974 年版，第110 页。

限来规定朝会服饰。同年八月，又诏

> 以政事令孙桢无子，诏国舅小翁帐郎君桃隈为之后。[1]
>
> 以燕京留守于越休哥言，每岁诸节度使贡献，如契丹官例，止进鞍马，从之。[2]

伴随着南、北臣僚职事品位甚至南、北人口法律程序的一致性发展，不但众多汉官免除宫籍出任北面官系统之要职，还出现了凌驾于南、北面官之上势焰煊赫的汉族权臣韩德让，他在统和年间已经集南、北枢密使、宰相、诸行宫都部署等要职于一身。其次如张德筠，统和二年（984 年）任"崇德宫都部署""宣徽北院使"，王悦则出任"行宫市场巡检使""诸宫院兵马副都部署"等[3]。"诸行宫都部署"是统和年间出现的超越南、北面官系统之上的军政实职机构[4]，它是对最初设置的北、南面行宫都部署实行集权的形式，是在符合行宫兵马统一控制和协调指挥原则下设立的，其具体职能，据余靖《武溪集》记载：

> 胡人从行之兵，取宗室最亲信者为行宫都部署以主之，……其兵皆取于南、北王府，十官院人充之。

南、北王府属下不但统率契丹军，还统率"西南及山后八军"等。"诸行宫都部署"不但治诸宫院之兵马，还指挥南、北王府兵马，其权限已超越南、北大王之上。自韩德让首膺此职之后，其后沿承不衰。圣宗开泰六年（1017 年）

> 以枢密使漆水郡王耶律制心权知诸行宫都部署事。[5]

---

① 《辽史》卷 10《圣宗一》，中华书局 1974 年版，第 111 页。

② 《辽史》卷 10《圣宗一》，中华书局 1974 年版，第 112 页。

③ 陈述：《全辽文》卷 5《王悦墓志铭》，中华书局 1982 年版。

④ 李锡厚：《论辽朝的政治体制》，《历史研究》1988 年第 3 期。

⑤ 《辽史》卷 15《圣宗六》，中华书局 1974 年版，第 179 页。

重熙六年（1037年）萧扫古除授此职；重熙十年（1041年）耶律宗政除授此职①；道宗咸雍五年（1069年），陈觉以翰林学士中散大夫行中书舍人，"签诸行宫都部署司事"②；天祚乾统六年（1106年），王师儒又正授此职③，等等。可知圣宗朝以后，契丹国家确实设立了"诸行宫都部署司"这一机构，它的出现标志着"分治"格局已被彻底打破。

综上种种，契丹辽朝的国家体制，自中期以来已纳入"一体化"轨道。南、北面官系统的任官制度已失去严格的"蕃汉"区别，贵族官宦之家取资入仕的途径也开始转向"科举"的目标，原有的"世选制"习惯已遭到冷落④。契丹贵族由"尚武"而崇文，不但出现众多文士雅客，圣宗朝凡亲王任节度使，"各将之官，乞选伴读书史"皆从之，已成定例⑤。南、北面官制度构成了完整的中央官制体系，但南、北面官依然存在，尤其是南北面官系统各自具体机构职掌范围仍未改变，则需要认真地探讨契丹辽朝国家体制究竟发展到怎样的程度。据《辽史》记载：

> 国制，以契丹、汉人分北、南枢密院治之。

重熙十二年（1043年）北枢密使萧孝忠奏曰：

> 一国二枢密，风俗所以不同。若并为一，天下幸甚⑥。

事未及行，而孝忠病殁。萧孝忠的奏议，无疑是符合契丹国家体制建设一体化的发展趋势，但奏议的精神却终辽一代未能实现。其原因，恐怕是很多的。史载，圣宗时，

① 陈述：《全辽文》卷7《耶律宗政墓志铭》，中华书局1982年版。
② 陈述：《全辽文》卷8《秦晋国妃墓志铭》撰者属衔，中华书局1982年版。
③ 陈述：《全辽文》卷10《王师儒墓志铭》，中华书局1982年版。
④ 任爱君：《契丹辽朝文化总体整合说》，《北方民族文化》1991年版；杨若薇：《辽朝科举制度的几个问题》，《史学月刊》1989年第2期。
⑤ 《辽史》卷17《圣宗八》，中华书局1974年版，第201页。
⑥ 《辽史》卷81《萧孝忠传》，中华书局1974年版，第1285页。

先是，契丹及汉人相殴死，其法轻重不均，至是一等科之。统和十二年，诏契丹人犯十恶，亦断以（汉）律。

兴宗重熙十三年（1044 年）又置"契丹警巡院"，开始对部族科以"条制"。但道宗时，因为

以契丹、汉人（虽）风俗不同，国法不可异施。

于是，诏令大臣更定条制，及新律成，实行不到二年而终止，据说原因在于新律条制繁缛不及"旧法简易"①。所谓"旧法"，即圣宗、兴宗以来所渐定的诸"条制"，可见契丹国家体制建设的发展，在法律程序上辽道宗朝也只能停止于圣宗以来渐定的"条制"水平；在其国家政治生活中皇帝的冬、夏捺钵所已非纯粹的车帐方式，但也仅仅达到一种半定居的程度，据沈括1075 年使辽时所见道宗犊儿山夏捺钵：不但有屋，也有毡庐，还有类似中原的"太庙"设施和随之存在的"市场"等，粗略地构拟了一组"左祖右社，前朝后市"的建筑格局②。《辽史》亦载，道宗寿隆三年（1097 年）诏

每冬驻跸之所，宰相以下构宅，毋役其民③。

原本游徙不定的捺钵生活，呈现出设立固定"捺钵所"的居住形式。至此，契丹辽朝国家体制建设，已成为一种亦蕃亦汉、南北体制相互掺杂的具体形态，不但区别于早期的"一国二制"，也还尽量地体现着契丹国家的历史特色。史载，至于太宗始"兼制中国"，乃官分南、北，成其大体。然而，早期的"兼制"，不过是将两种不同的体制和不同的社会发展阶段的人口简单地置于契丹国家之中；而中晚期的"兼制"体系已达到汉人、汉制能够治

① 《辽史》卷 61《刑法志上》及卷 92《刑法志下》，中华书局 1975 年版，第 939、945 页。

② 沈括：《熙宁使虏图钞》，贾敬颜：《五代宋金元人边疆行记十三种疏证稿》，中华书局 2004 年版，第 122—169 页。

③ 《辽史》卷 26《道宗六》，中华书局 1974 年版，第 310 页。

契丹，蕃人、蕃制亦可施于汉人的深刻程度（当然就法律程序而言，蕃汉制度均是部分地施用于对方）。南、北两种体制的"兼制"形态已成为契丹辽朝政权的主要历史特色。这一点，北宋中期就引起朝廷的注意和认识，据《道山清话》记载：

> 裕陵（神宗）尝因便殿与二三大臣论事，已而言曰："……二虏（指辽和西夏）之势所以难制者，有城国，有行国，古之夷狄能行而已；今兼中国之所有矣，比之汉唐，最为强盛。"大臣皆言："陛下圣虑及此，二虏不足扑灭矣。"上曰："安有扑灭之理，但用此以为惧则可。"

（四）关于契丹国家兼制形态的简单说明

契丹族自专制政体确立之日起，即操纵着中原割据政权间兴亡嬗替的命脉；以后，又同占有中原的北宋政权形成分庭抗礼的局面，并在 11 世纪中叶以后，南、北方达成和平交往的历史活动中造就"唯我独尊"的态势。这种现象，是中国历史上史无前例的。自古以来，农耕经济与游牧经济及其各自文化体系之间的关系，向来被看做是两种截然不同、甚至对立的人文现象。然而，契丹国家不但统治了广阔的游牧经济区域和相当辽阔的农耕经济区域，还将这两种对立的经济、文化形态置于一体化的体制建设中，塑造了一个"城国"形态与"行国"形态都同时兼具的强大政权；也正因如此，才使它无论在国力上还是在政治气势上，与北宋相比都始终处于领先的优势地位。雄踞"北中国"二百余年，传祚九世，这是契丹辽朝历史的基本梗概。如果在这种认识前提下，再来仔细研究其局部问题的端详，则无疑是极有裨益的。

因而，笔者认为"因俗而治"的政治构想绝不是契丹统治者的目的，而只是为达目的而推行的一种策略和手段。"分治"形态下的"二制"形式，绝不可能成为契丹封建政权一体化结构中的永久性内容，而是要适应"一体化"趋势的发展需要，故"分治"形态的规律性运动的结果，只能是在民族融合不断发展的过程中汰其废余而呈现着"一制"化的发展趋势。虽然，"兼制"不同于"一制"，但它构成了一个初具规模的"混一体"，为大统一局面的到来提供了充足的条件。因此，笔者认为：契丹国家"兼制"体系的确立，主要符合了如下三点。

（1）是"分治"形态发展的趋势；

（2）是适应国家统一体的需要的结果；

（3）也是多民族的融合发展的必然产物。

"兼制"体系是"分治"形态的较高发展阶段（或结果），也是在"分治"前提下实现"一制"（或一统）的必不可少的发展过程与过渡环节；契丹辽朝国家统一体的主要特色，就在于努力实现一种前所未见的政治体制建设的南、北"兼制"的一体化。

二、论辽太宗朝"政治分治"局面的基本形成

契丹族的历史发展，从 10 世纪初期进入了繁荣阶段。这是因为，契丹部落社会的发展已经进入一个新的历史阶段。907 年，契丹迭剌部人耶律阿保机，凭借家族与个人的实力，一举废除原有的汗国统治形式，彻底打破自 8 世纪以来确立的部落社会世选可汗的传统，将契丹可汗的世选权，从遥辇氏家族手中转移到迭剌部的世里氏（即迭剌部耶律氏）家族，并且在不到 9 年的时间内，把契丹可汗的继承方式，由家族内部全体人员的选举权力固定为个人家庭的父子相继制度，使相对原始分散的汗国政治体制迈向封建专制统治的轨道。

926 年，耶律阿保机病死，在他的妻子应天皇太后述律平的主持下，次子耶律德光成为阿保机"天皇王"职位的合法继承人。耶律德光，就是契丹辽朝历史上著名的辽太宗，在其统治契丹辽朝二十余年的历史时间内，建树颇多，为契丹辽朝政权的继续发展奠定了基础。对于辽太宗朝政权体制的基本特点，即南北分治体制的成因应作些探讨。

辽太祖创立的契丹专制主义政权，虽然已拥有大量城市，安置了许多汉族人口，但是，政治体制建设却依然没有脱离"行国政治"的框架，随事置官、因俗而治的特征十分明显；还没有建立起一套完整、系统的政治体系。辽太宗即位后，继承了太祖朝政治发展的余绪，使契丹政权在天显年间（926—937 年）仍然维持着行朝政治的基本特色，但是，太宗朝初期的具体行政措施，也显露出一些明显不同于太祖朝时期的新气象。例如：天显六年（931 年）四月，宣布"置中台省于南京"，标志着东丹国藩封势力的被削

除；同年九月，"诏修京城"，对已有的皇都进行全面扩建和重修①。此时，契丹政权已先后与后唐及江南吴越、东南高丽等政权建立密切联系，经贸往来，关系不断；又北服乌古诸部，西征党项部落，政治影响达到今高加索地区的辖戛斯和阿尔泰山一带的阿萨兰回鹘；对于中原地区也主动罢战息兵，积极恢复农、牧业生产，使契丹政权呈现繁荣、安定的局面。

天显三年（928 年）经营定州的失败，并未影响到辽太宗锐意争夺幽燕地区、扩充国家版图的雄心。天显九年（934 年）四月，利用后唐政权发生宫廷政变的时机，立即组织军队向山西北部进攻；又派出亲信将领"捉生于敌境"，以敏锐的政治嗅觉，积极侦伺后唐政局的发展。但是，辽太宗发兵的具体过程，却并非一帆风顺，只有经过应天皇太后"允许"，才能付诸实施。耶律德光是借助"天神"的力量达到自己的目的，即利用千回百转的政治手段达到了经略中原的基本目标。

耶律德光凭借个人的努力，最终冲破应天皇太后为首的元老旧臣集团的阻碍，达到了经略中原的基本目的。这不仅是一次成功的政治抗衡的胜利，更重要的是标志着辽太宗朝具体施政方针的基本转换，即原有的部落掠夺战争方式开始演变为封建兼并战争。

936 年，耶律德光帮助石敬瑭建立了后晋政权，册立石敬瑭为"大晋皇帝"于太原城外，全歼围攻太原的后唐军队，轻取梦寐以求的幽州城；与后晋政权，结为父子之国，每年收纳后晋岁贡银绢 30 万两、匹，并割让燕云十六州之地予契丹。

所谓"燕云十六州"，即：幽州（今北京市）、蓟州（今天津市蓟县）、瀛州（今河北省河间县）、莫州（今河北省任丘市）、涿州（今河北省涿州市）、檀州（今北京市密云县）、顺州（今北京市顺义县）、妫州（今河北省怀来县）、儒州（今北京市延庆县）、新州（今河北省涿鹿县）、武州（今河北省张家口市宣化）、云州（今山西大同市）、应州（今山西省应县）、朔州（今山西省朔州市）、寰州（今河北省阳原县）、蔚州（今河北省蔚县），其范围包括了今北京、天津市及河北、山西两省的部分地区。

因此，辽太宗宣布改皇都为上京临潢府、升幽州为南京幽都府，改原南

---

① 《辽史》卷 3《太宗纪上》，中华书局 1974 年版，第 32—33 页。

京东平郡为东京辽阳府，新州更名奉圣州、武州更名归化州；燕云十六州采取与契丹等民族不同的管理方式，沿用中原固有的管理组织制度，实行不同区域内不同民族的分别管理政策（即分治政策），从而将太祖时期确定的"因俗而治"的政治特点，演绎至体制建设的极致，确定了契丹辽朝政权的基本框架和主要特征。

会同元年（938 年）十一月，又全面实行契丹官制改革，将原有的契丹语官号，改变为汉语官号，标志着中原封建体制不仅在契丹政权体系内被容纳，而且还时刻影响着契丹政治体制的继续发展。

辽太宗即位后，以应天皇太后为首的契丹老臣集团主要实行的政策，就是"契丹本位政策"，满足于对外掠夺战争的巨大收获，注重部落社会自身的安定与繁荣。也正是因为如此，推崇中原政治礼仪的人皇王耶律倍才遭到以母亲为首的老臣集团的反对，否定了他作为太祖继承人的资格。但是，作为老臣集团肯定的人选，耶律德光也并未像应天皇太后等所期望的那样拒绝汉文化，而是也像其长兄那样成为积极模仿和推行"汉法"的践行者。

928 年 12 月，辽太宗将渤海国迁徙到东平郡，升东平郡为南京（今辽宁省辽阳市），对东丹国采取削藩政策；930 年，册立皇弟李胡为寿昌皇太弟、兼天下兵马大元帅，成为新的皇位继承人。于是，人皇王耶律倍泛海归降后唐，太宗遂委命人皇王妃萧氏统领渤海国僚属。

938 年，后晋政权将燕云十六州之地割让与契丹政权，耶律德光于是改年号为会同元年、定国号为大辽，并重新确立契丹辽朝官制，废除部分契丹语官号，参考或采用中原官称，同时规定契丹君臣的朝拜礼仪等等。使得契丹政治体制建设呈现出明显不同于辽太祖时期的新内容，这就是曾经深受人皇王耶律倍喜爱与崇尚的"汉法"即中原封建体制。

但是，必须看到辽太宗时期"契丹本位"政策的顽固存在，也就是说，契丹政权事实上存在着契丹传统管理方式和中原封建制度两套行政机构；标志着契丹政治体制建设形成了南、北两套政治体制兼而有之的新形式，这是辽太宗后期契丹政权政治体制建设的基本特点。

据《辽史·仪卫志》记载：辽朝职官制度划分为南、北两班（即南、北面官制度），是在契丹政权获得燕云十六州后采取的官制改革措施。

而且辽朝职官制度的南、北划分也与契丹人固有传统相关，它肇始于太祖朝对传统体制的沿袭，形成于太宗朝燕云十六州的完全归属。

因此，辽太宗与应天皇太后分别代表的中原政治体制和契丹政治体制，并因此实施"分治"的开始阶段，就是在燕云十六州地区纳入契丹政权的那一历史时刻。

第二节　契丹辽朝的政治体制

契丹国初的历史，实际是契丹族的风俗文化和各种社会制度，经历了一次新的熔铸、锻造以至成型的过程。因此，能够比较真实地揭示这一时期契丹国家的历史面貌，将有助于我们了解和认识契丹社会的发展形态，换言之，阿保机时期契丹国家的政治经济结构如何？契丹族固有的传统习俗，对契丹族统治者们的建国思想起到了怎样的规范作用？这是本文的中心议题。

一、经济生活方式决定了阿保机时期契丹国家的行国特色

史载，唐朝末年，契丹有八部，

> 部之长号大人，而常推一大人建旗鼓，以统八部。至其岁久，或其国有灾疾而畜牧衰，则八部聚议以旗鼓立其次而代之，被代者以为约本如此，不敢争。某部大人遥辇之时，刘仁恭据有幽州，数出兵摘星岭攻之，每岁秋霜落则烧其野草，契丹马多饥死，以良马赂仁恭，求市牧地，请听盟约甚谨，八部之人以为遥辇不任事，选于其众，以阿保机代之①。

这段史料，提供了两点真实材料：其一，阿保机的家庭，虽在契丹部内久已坐大，但其取代遥辇氏家族的汗权地位，仍是凭借传统的世选习俗达到目的。其二，契丹族当时的社会经济以游牧射猎为主，马是其中的重要成分。这两点，是所有历史记录中共同认可的事实。契丹人的经济生活方式和风俗习惯等，都与南方中原地区的汉族有所不同。所谓

---

① 《文献通考·四裔考·契丹》，第 2701—2702 页。

冀州以南，历洪水之变，夏后始制城郭，其人土著而居绥服之中，外奋武威，内揆文教。……并、营以北，劲风多寒，随阳迁徙，岁无宁居，旷土万里，寇贼奸宄乘隙而作①。

说明自古以来，中国燕山南北便是两番景象的世界：南人土著而尚文教，北人转徙而崇刚猛。因此中国北方草原地区自古以来就被中原人士号为"朔漠"之地，视为戎夷之所。这种民族间的差距，是由于具体的地理生活环境、气候条件等多方面因素所决定的。

长城以南，多雨多暑，其人耕稼以食，桑麻以衣，宫室以居，城郭以治。大漠之间，多寒多风，畜牧畋渔以食，皮毛以衣，转徙随时，车马为家。此天时地利所以限南北也②。

不同的地理生活环境，造就了不同的民族种群。正所谓

天地之间，风气异宜，人生其间，各适其便③。

因而不同的民族种群之间，便形成了不同的经济生活方式、语言表达形式和宗教信仰习惯等，从而创造了不同的社会文化。

契丹人以游牧经济立足于大漠之间，崛起于中国的北方。西辽河流域是契丹人的发祥地。这里山势连亘，丘阜纵横，地气刚猛，河流湍急。五代时期，中原人士亲历此地时，留下了长松郁然，逶迤千里，饶丰草、珍禽、异兽、野卉而七月季节山上寒如深冬的历史记录④。宋代王曾在记录契丹事时，亦云：

自过古北口，居人草庵板屋，耕种，但无桑柘；所种皆从垄上，虞

①　《辽史》卷31《营卫志上》，中华书局1974年版，第361页。
②　《辽史》卷32《营卫志中》，中华书局1974年版，第373页。
③　《辽史》卷32《营卫志中》，中华书局1974年版，第373页。
④　《契丹国志》卷25《胡峤陷北记》。

吹沙所壅。山中长松郁然，深谷中时见畜牧牛马橐驼，多青羊黄豕①。

王曾所言，乃辽代中晚期事。可见，辽国境内，农耕条件自不宜比及南方的中原地区，因而，游牧经济仍是此期内的契丹部民的主要经济生活方式。

虽然，史料中并不乏见，阿保机为汉人置州建城，使其耕种的记载，事实上，这是对其"头下州"性质的农耕人口采取的安置和经济剥削的办法。契丹国家初期，通过大规模的对外战争，掳掠了大批的汉人和渤海人口，却将他们统统地分赐给贵族之家。契丹贵族将这些凭军功获得的人口，安置在其领地之内，并都相继利用这些俘户在其"头下州"内垦辟了一定数量的农田。陈述先生将契丹国初，在契丹本部内出现的这些农耕经济，称之为"插花田"②。"插花田"，是一种零散的、未能为国家集中管理的，在草原上垦辟的，以私奴经营方式为主的农耕生产。这种形式仍然不能构成契丹早期社会的一种新的经济形态。因此，阿保机时期，虽然已有众多的汉族士人为他所赏识和重用，却只是使他学习了汉人制汉人的办法，换句话说，就是阿保机学习了怎样来管理其投下州性质的私地内农耕民族人口；这些人口，只不过是向其家族的各种生产（包括家务、畜牧、农耕等）负责的工具——私奴。韩延徽、韩知古等汉族名臣，最初也不过是为阿保机担任"佣保"、"牧马"的仆役。所以，尽管契丹国家的初期，契丹社会内已存在大批的、汉族文化程度较高的人口，却依然不能改变契丹人生活的旧风尚。

契丹人的经济生活方式，既然是以游牧畋渔为主，因此，契丹人的主要乐趣，就在于草场和畜群。因为生活是随阳迁徙，虽然部内各有分地，但人并不依著于土地。而某种意义上，因畜群的移动人也必须随之迁徙，人的生活主要依赖于马的存在。生活中畜马用马，创造了游牧人的物质财富；精神上崇马敬马，丰富了游牧人的精神财富。因而，契丹社会经济的繁盛与否，契丹部众的贫富差别，全都系于拥有马的数目多寡。《辽史》云：

契丹旧俗，其富以马，其强以兵，纵马于野，驰兵于民。有事而

---

① 《辽史》卷39《地理志三·中京大定府》，中华书局1974年版，第485页。

② 陈述：《契丹社会经济史稿》第1篇，香港三联书店1963年版，第1—15页。

战，缇骑介夫，卯命辰集。马逐水草，人仰湩酪，挽强射生，以给日用，糇粮刍荛，道在是矣①。

马几乎是契丹人生活的命根子。阿保机在为契丹可汗的第八年（914 年），平息剌葛之乱后，曾感慨而言：

> 民间昔有万马，今皆徒步，有国以来所未尝有②。

国力已疲敝，遂"弭兵轻赋，专意于农"，以畜养契丹族的游牧经济。没有了马，契丹人的游牧生活不但受到了极大的限制，契丹国家的对外掠夺战争也丧失了必需的物质基础。直到辽国晚期，马仍然是契丹贵族聚敛财富的主要目标。其例一，恩州有盗马者，官府辨验

> 事连假主，假主惧不服。（官府）乃潜捕其家牧儿，诘问得实。引质之，（假主）始伏其罪③。

其例二，锦州永乐县，

> 先是州帅以其家牛羊驼马，配县民畜牧，日恣隶仆视肥瘠，动撼人取钱物，甚为奸扰④。

这只是契丹社会的一个剪影。贵盛之家，马牛蔽山谷；贫者无马则难以为生。马，不但是契丹人的生活依托，也是精神依托，更是财富的象征。食肉饮湩，绩毛衣皮，上马即行，下马则止。契丹人的这种生活方式，终辽一代，渗透到社会生活的各个领域。其例一，道宗朝兰陵郡萧夫人创建静

---

① 《辽史》卷 59《食货志上·序》，中华书局 1974 年版，第 923 页。
② 《辽史》卷 1《太祖纪上》，中华书局 1974 年版，第 10 页。
③ 陈述：《全辽文》卷 9《贾师训墓志铭》，中华书局 1982 年版，第 252 页。
④ 陈述：《全辽文》卷 9《贾师训墓志铭》，中华书局 1982 年版，第 252 页。

安寺，

> 施地三千顷，粟一万石，钱两千贯，人五十户，牛五十头，马四十
> 匹，以为供亿之本①。

马牛也成了寺院的资产。更有甚者，佛徒以草纸造释迦牟尼涅槃像一躯，具
仪荼毗时，

> 火及之处，以取净杀血于烟焰之中。

加佛像以血食、求感应舍利子。这是契丹人的经济特色与文化特色的结合。

　　阿保机是以传统的世选习俗获得契丹汗位，因此，他的生活方式，也摆
脱不掉传统习俗的熏染。史载，阿保机"岁时游猎，常在四楼间"，这就是
契丹人"随阳转徙"的生活习惯。综观《辽史》，阿保机在其为汗后有限的
生年内，几乎是在进行着无限止的掠夺战争，以战争所获来积累契丹国家的
社会财富。契丹国家军队出征的给养则凭射猎和因敌取资的方式来实现，这
是阿保机时期契丹国家日益强盛的根本原因。史载，天赞三年（924 年），
阿保机西征回鹘、党项诸部，十月，

> 猎寓乐山，获野兽数千，以充军食②。

这次西征，就是这样：

> 六百余里且行且猎，日有鲜食，军士皆给③。

阿保机以后的契丹诸帝，也是按岁时行其"春水秋山"的捺钵生活，这实

---

① 《全辽文》卷8《创建静安寺碑铭》，第200页。
② 《辽史》卷2《太祖纪下》，中华书局1974年版，第20页。
③ 《辽史》卷2《太祖纪下》，中华书局1974年版，第20页。

际与阿保机岁时常猎四楼之间的生活完全一样。

综此种种，体现了契丹国家早期的鲜明特征。具有这种特征的国家制度，古代史书以其有别于中原地区封建国家体制，而称其为"行国"。"行国"一词，首见《史记·大宛列传》乌孙条，《集解》引徐广曰：行国，"不土著"。颜师古注《汉书》时指出，行国随畜，逐水草迁徙，毋城郭常处耕田之业。由此意义而言，阿保机时期，契丹国家的本色就是游牧民族的行国政权。

二、阿保机"化家为国"的历史形式

根据《辽史》记载：

> 契丹故俗，分地而居，合族而处①。

此分地，是由于部族、人口、畜产的不断发展，部族之间统一行动的要求不断加强的前提下，实行的契丹本部之内的草场分配方式。这在辽人耶律俨的《辽志》中，可以得到证明：

> 契丹之初，草居野次，靡有定所。至涅里始制部族，各有分地。太祖之兴，以迭剌部强炽，析为五院、六院。奚六部以下，多因俘降而置②。
>
> 番居内地者，岁时田牧平莽间。边防纥户，生生之资，仰给畜牧，绩毛饮湩，以为衣食。各安旧风，狃习劳事，不见纷华异物而迁。故家给人足，戎备整完。卒之虎视四方，强朝弱附③。

因此，所谓辽国之法，

---

① 《辽史》卷32《营卫志中》，中华书局1974年版，第376页。
② 《辽史》卷32《营卫志中》，中华书局1974年版，第377页。
③ 《辽史》卷32《营卫志中》，中华书局1974年版，第377页。

> 天子践位置宫卫，分州县，析部族，设官府，籍户口，备兵马①。

这样的记载，信为不虚。这是契丹人管理游牧民社会的切实可行的方法。

阿保机的建国思想，自然不能摆脱游牧人传统习俗的熏陶，其建国的方式，更不能与游牧人世代传承的民族文化系统相脱离。906 年，阿保机

> 伐河东代北，攻下九郡，获生口九万五千，驼、马、牛、羊不可胜纪。九月，城龙化州于潢河之南②。

龙化州，实际上是阿保机的私地，其所以建州置城，目的在于安置其以战争所获、按功行赏所得的人口和畜产。903 年，又以其父所得的七千户奚众组建为"奚迭剌部"③。"奚迭剌部"，实际是迭剌部的奚，是阿保机家族的附庸，将奚族人口组建为部，一则有利于阿保机家族畜产经济的发展，二则有利于其家兵队伍的扩大和加强。所谓

> 辽亲王大臣，体国如家，征伐之际，往往置私甲以从王事。大者千余骑，小者数百人。国有戎政，量借三五千骑，常留余兵为部族根本④。

说明契丹贵族皆有私甲家兵，战则合，无事则散于民间。也正是契丹贵族的这种"体国如家"的社会心理，才能使我们更形象、确切地来理解阿保机"化家为国"的历史过程。因此，阿保机增置私城私户和私兵的行为，即是其努力加强个人实力，以图最终掌握契丹汗权的准备过程。

阿保机即契丹汗位前，已拥有土地辽阔的"分地"（即私地），此不赘述⑤。901 年，阿保机任契丹夷离堇后，凭借"二十一功臣"集团的鼎力支持，终于在 907 年获得契丹汗位，完成了父祖以来世代为之奋斗的"化家为

---

① 《辽史》卷 31《营卫志上》，中华书局 1974 年版，第 362 页。
② 《辽史》卷 1《太祖纪上》，中华书局 1974 年版，第 2 页。
③ 《辽史》卷 1《太祖纪上》，中华书局 1974 年版，第 2 页。
④ 《辽史》卷 35《兵卫志中》，中华书局 1974 年版，第 409 页。
⑤ 任爱君：《阿保机时代之契丹四楼考辨》，《昭乌达蒙族师专学报》1990 年第 1 期。

国"的历史任务。所谓"二十一功臣"据《辽史》，主要有：耶律曷鲁、萧敌鲁、萧阿古只、耶律斜涅赤、耶律老古、耶律欲稳、康默记、韩知古等二十一人。他们或少即从太祖游，或日侍太祖左右，早隶太祖帐下，始终伴随阿保机，上马则同行，下马则共止，有事则同征。不但已成为了契丹社会中一个牢固的生活圈子，更大程度上体现了这个人为的"圈子"的政治意义。在阿保机"化家为国"的过程中，这二十一人都立下了汗马功劳。"后太祖二十一功臣，各有所拟"，分以阿保机的眼、耳、口、手、心等各部位喻之，以示其与辽太祖的密切关系①。后来辽代

> 诸帝以太祖之与欲稳也为故，往往取其子孙为友②。

又，据《辽史》，耶律曷鲁薨后，太祖

> 赐名其阡宴答，山曰于越峪，诏立石纪功③。

诸帝取其子孙为友，太祖又赐名"宴答"，表明二十一功臣及其子孙与辽太祖及后代诸帝之间，世代保持和传承下来的密切联系。这不由使人想起成吉思汗聚拢豪杰勇士归属于自己的办法，就是广结"俺答"④。其实，"宴答"与"俺答"，名异实同，皆归一旨，是北方游牧民族社会中共同传承下来的结交盟友的习俗。人们最初互相结为"宴答"，是为了在艰苦的生活环境中人与人之间的关系更为亲密。这是在具体的生活环境与生活条件的共同约束下产生的人与人之间在思想意识上的亲密行为，一旦实现于社会生活之中便化作了民族习俗的产物；后来又被民族英雄人物所利用，成为振兴民族、立国拓疆的有利工具。这也是北方游牧民族社会文化的一大特色。阿保机称"二十一功臣"为"宴答"，即属于这一历史范畴。广结"宴答"，也是阿

---

① 见《辽史》卷73，所涉及诸人本传，中华书局1974年版，第1219—1227页。
② 《辽史》卷73《耶律欲稳传》，中华书局1974年版，第1226页。
③ 《辽史》卷73《耶律曷鲁传》，中华书局1974年版，第1222页。
④ 参见额尔敦登泰、乌云达赉：《蒙古秘史》，内蒙古人民出版社1981年版。

保机积蓄力量、化家为国的重要方略之一。

除此之外，史载，辽太祖始生，祖父方被害，其祖母

> 惧有阴图害者……鞠为己子。常匿于别幕，涂其面，不令他
> 人见①。

又，韩匡嗣

> 以善医，直长乐（宁）宫，（应天）皇后视之犹子②。

这种契丹族固有的收养"假子"的生活习俗，也成为阿保机聚拢和收养社会上豪杰之士的一种办法。如，耶律老古

> 其母淳钦皇后姊也。老古幼养宫掖，既长，沉毅有勇略，隶太祖帐
> 下。……佐命功臣其一也③。

又如契丹人耶律朔古

> 幼为太祖所养。既冠，为右皮室详稳④。

又如汉族人王郁

> 举室来降，太祖以为养子。⑤

---

①　《辽史》卷1《太祖纪上》及卷71《皇后传·简献皇后萧氏传》，中华书局1974年版，第1、1198—1199页。

②　《辽史》卷74《韩知古传》，中华书局1974年版，第1233页。

③　《辽史》卷73《耶律斜涅赤传·附老古》，中华书局1974年版，第1224—1225页。

④　《辽史》卷76《耶律朔古传》，中华书局1974年版，第1246页。

⑤　《辽史》卷75《王郁传》，第1241页。

阿保机的众多"假子"也在其化家为国的过程中立下了汗马功劳，并深得阿保机夫妇赏识，如述律后曾与王郁言：

> 汉人中，唯王郎最忠孝①。

当然，"假子"中也有背恩弃义的不肖之徒，辽太祖七年

> 以养子涅里思附诸弟叛，以鬼箭射杀之②。

"射鬼箭"，是契丹人用以惩毙背信弃义的不祥之徒的习俗。可见，契丹人的社会生活中，既有一种习俗，也相应地存在着维护这个习俗纯洁性的习惯法规。因此，契丹社会早已存在的收养"假子"的习俗，也成为阿保机建国的有利工具。

那么，在契丹社会中，何以会有如此众多的豪杰之士聚拢于阿保机的周围？这种问题的根源，只能到契丹民族的风俗文化生活中去寻找，才能得到正确答案。契丹与蒙古，同属游牧民族系统中的东胡族系。在其先，乌桓、鲜卑人的社会生活中，曾存在"推慕"部落大人的习俗，据鱼豢《魏书》言：

> 常推募勇健能理决斗讼相侵犯者为大人。……其俗无姓氏，常以大人健者名字为姓；敬鬼神，其先大人有健名者，亦同祠以牛羊③。

如魏广阳人阎柔。少没鲜卑中，及长，以勇健有智而被推为部落大人。由此看来，契丹、蒙古的结"宴答"及收养"假子"的习俗，实源于东胡族系这种世代传承的英雄崇拜的心理。更是其俗尚悍勇的表现形式。据《辽史》，耶律海里本是遥辇昭古可汗的后裔，阿保机

---

① 《辽史》卷75《王郁传》，中华书局1974年版，第1241页。
② 《辽史》卷1《太祖纪上》，中华书局1974年版，第8页。
③ 《三国志》卷30《魏书·乌桓鲜卑东夷列传》，中华书局1982年版，第832页。

　　　　初受命，属籍比局萌觊觎，而遥辇故族尤觖望。海里多先帝知人之
明，而素服太祖威德，独归心焉①。

又，遥辇鲜质可汗之子耶律敌刺及契丹部人萧撒葛只等②，与二十一功臣一
样，自愿投属阿保机的帐下。这种现象，也只能以游牧人社会中世代传承的
英雄崇拜习俗来解释才最为合适。史载，阿保机

　　　　身长九尺，丰上锐下，目光射人，关弓三百斤，……国人号阿主
沙里③。

阿保机确是当时契丹社会的一代雄杰。因此，契丹社会的豪健之士，才如风
从云聚地归属于阿保机的麾下。

　　阿保机的确是一位民族英雄。而能成为民族英雄的起码条件，大概就
是他能及时地将那些原本在社会生活中不引人注意的东西，随着形势的发
展而将其转化为最有利的工具。无论是契丹，还是蒙古社会，人们结为
"宴答"，一定程度上都是以英雄崇拜为前提，故结为"宴答"的双方，
只允许同舟共济，而不容有相互背叛，这是游牧人结为"宴答"的重要
条件。阿保机担任契丹可汗后，与诸"宴答"之间已是主从的关系，"宴
答"们自然成为可汗身边最密切的扈从④。契丹旧俗，凡可汗即位，必须
建立"宫分"，宫分即《辽史》所说的斡鲁朵，其主要结构包括可汗奉
祭神祇的神帐、旗鼓仪卫和可汗的亲卫部队、畜产、家属及从事各种劳
役的人口。因此，这些就构成"宫分"的主要内容，史书上也称为"辎
重"。阿保机的帝王之智，就在于他能迅速地将聚拢起来的豪健之
士——宴答和假子，转化为自己"宫分"的核心内容。史载，阿保机为
契丹可汗后，

---

　　① 《辽史》卷73《耶律海里传》，中华书局1974年版，第1227页。
　　② 《辽史》卷74《耶律敌刺传》、卷101《萧胡笃传》，中华书局1974年版，第1229、1436页。
　　③ 《辽史》卷1《太祖纪上》，中华书局1974年版，第1页。
　　④ 《辽史》卷73，所涉及诸人本传，中华书局1974年版，第1219—1227页。

　　　简天下精锐，聚之腹心之中。……选诸部豪健二千余人。

组成了"兵甲犀利，教练完习"的宫卫亲军，号为"腹心部"①。而耶律曷鲁、萧敌鲁等二十一功臣，正是这个"腹心部"的主要军政将官。这支军队直接向阿保机负责，它的任务就是出则扈从，居则宿卫，有事从征，无事从事经济生产活动。阿保机立国安邦平天下，靠的就是这支军队。

　　所谓阿保机"化家为国"的说法，可以有两点解释：其一，阿保机即汗位后的十数年内，依靠其"腹心部"的军事实力，东征西讨，不断开疆拓土，不但扩充了游牧生活所需要的草场，同时也极大地增加了其私有的人口、畜产和土地，使其斡鲁朵的规模，在最初"宫分"的基础上迅速膨胀起来。契丹四楼，就是阿保机此时的斡鲁朵。这一点，笔者已有论述，简而言之，

　　　　在阿保机"化家为国"的过程中，其立国规模，就肇始于四楼！②

而阿保机的斡鲁朵，就是阿保机的"家"。其二，漆侠先生曾对契丹国初的皇位继承制度作了深入探讨，并认为：阿保机时期，诸弟集团屡次为乱而终未诛杀的原因，绝不是阿保机的气量恢弘，而是由于契丹社会盛行的兄弟相及的世选制度，剌葛等人的"自立"行为是符合契丹人的生活习俗的；直到辽景宗朝以后，契丹人才确立了父死子继的嫡长子继承制③。因此，阿保机时期，兄弟相及的世选习俗，实质上是将国家笼罩于世里氏大家族的统治之下。

　　综上所述，显而易见，阿保机的建国方略，就是充分利用了契丹族社会生活的主要特征，经济上遵守固有的经济生产生活方式，政治上将大批的豪杰人物及其家属纳入了自己的生活圈子中，组成了一个俨然若部族的军政合

---

① 《辽史》卷73《耶律曷鲁传》及卷35《兵卫志中》，中华书局1974年版，第1221、402页。
② 任爱君：《阿保机时代之契丹四楼考辨》，《昭乌达蒙师专学报》1990年第1期。
③ 漆侠：《契丹辽国建国初期的皇位继承问题》，《河北师院学报》1989年第3期。

一的社会组织；从而实现了"化家为国"的历史过程。

三、阿保机时期契丹国家政治结构的基本特点

契丹国家早期"遊田之习，尚因其旧"①，传统的游牧经济形式，决定了阿保机时期契丹国家的各种轨制，不可能超脱出"旧俗"的约束。

（一）契丹国家早期的"著帐"制度

据《辽史》记载，

> 辽之先世，未有城郭、沟池、宫室之固，毡车为营，硬寨为宫，御帐之官不得不谨。出于贵戚为侍卫，著帐为近侍。

又以部族为护卫，百官番宿为宿直②。这里的"宫"及"御帐"均指皇帝居处的行宫，即契丹早期的斡鲁朵。"御帐之官"就是斡鲁朵内管理民政军政事务的人员，故又称斡鲁朵官。前述辽太祖二十一功臣，就是一些这样性质的人员；著帐，辽史记载，凡"百官子弟及籍没人称著帐"③。据《百官志》可知，这是契丹国家皇帝斡鲁朵内的侍役承应机构，是为近侍。其著帐人员，可分为两类：一是执行一切贱役的籍没罪隶；一是包括宗室戚属在内的"百官子弟"，这是契丹贵族阶层，他们是管理斡鲁朵内一切事务的官吏，是"出于贵戚为侍卫"的"御帐之官"。因此，所谓"著帐"，就是著户籍于皇帝的斡鲁朵。据《辽史·百官志》言，

> 遥辇痕德堇可汗以蒲古只等三族害于越释鲁，家属没入瓦里。应天皇后知国政，析出之，以为著帐郎君、娘子，每加矜恤。④
> 太祖受位于遥辇，以九帐居皇族一帐之上。⑤

---

① 《辽史》卷68《游幸表·序》，中华书局1974年版，第1037页。
② 《辽史》卷45《百官志一·北面御帐官》，中华书局1974年版，第697页。
③ 《辽史》卷73《耶律斜涅赤传·附颇德传》，中华书局1974年版，第1225页。
④ 《辽史》卷45《百官志一》，第702页。
⑤ 《辽史》卷45《百官志一》，第711页。

以遥辇九帐大常衮司，"掌其九世可汗宫分之事"，

> 凡辽十二宫、五京，皆太祖以来征讨所得，非受之于遥辇也。①

宫分，即斡鲁朵。由此可知，阿保机置宫分，诚是以契丹旧俗，因宜而治，而契丹贵族之家"著帐"于皇帝的斡鲁朵，却是阿保机的首创。

阿保机以结交"宴答"、收养"假子"的习俗，聚拢了大批的契丹社会的豪杰之士，他们在阿保机化家为国的过程中，以"贼在君侧，未敢远去"，"日侍太祖左右"。如，"太祖会李克用于云州，时（耶律）曷鲁侍"②。913年，

> 弟剌葛等乞降。上素服，乘赭白马，以将军耶律乐姑、辖剌僅阿钵为御，解兵器、肃侍卫以受之。

此耶律乐姑、辖剌僅阿钵，即前述之二十一功臣中的耶律老古与耶律欲稳③。这些豪杰之士，自阿保机当国后，不但负其斡鲁朵内的侍卫之责，也同时是行兵攻战的将领。他们不但自身属籍于"宫分"，"以肺腑之亲，任帷幄之寄"，还援引其兄弟子侄戚属故旧，共同属籍于阿保机的宫分之中，如：耶律觌烈，

> [太祖] 既即位，兄曷鲁典宿卫，以故觌烈入侍帷幄，与闻政事④。

有的更是举家举族投属于宫分，如：耶律欲稳，

> 太祖始置宫分以自卫，欲稳率门客首附官籍。

---

① 《辽史》卷45《百官志一》，第711—712页。
② 《辽史》卷73《耶律曷鲁传》，中华书局1974年版，第1220页。
③ 《辽史》卷1《太祖纪上》及卷73《耶律斜涅赤传·附老古》，中华书局1974年版，第6、1224—1225页。
④ 《辽史》卷75《耶律觌烈传》，中华书局1974年版，第1237页。

耶律欲稳的后代"宫分中称'八房'"①。而所谓诸功臣中的汉族人士，当时多以只身属籍于阿保机的宫分，若韩延徽、康默记之类。诸如此类，也就是"著帐"。由于阿保机与其"宴答""假子"之间的特殊关系，所以后代契丹诸帝亦多引太祖功臣的子孙为友，这些功臣们的子孙，便出入于皇帝的行宫，列侍于皇帝的近卫系统，成为契丹皇帝禁卫力量的统帅人物，若：萧阿古只之子，官至右皮室详稳；耶律斜涅赤之侄，为左皮室详稳；萧敌鲁之子，领汉军侍卫；又，汉人出身的功臣子孙，亦不依科举入仕，若康默记之孙康延寿，"景宗特授千牛卫大将军"；韩延徽之子韩德枢，

　　　　未冠，守左羽林大将军，迁特进太尉②。

可见，自阿保机时始，诸功臣子弟便可以落籍皇帝侍卫系统，获得直接仕进的途径。这些，表明了阿保机时期契丹国家的任官方式。

宋人余靖《契丹官仪》云：皇帝四时捺钵，从行百官各归有司掌籍，

　　　　其未有官者，呼舍利，犹中国之呼郎君也，不在此籍，即属十宫院及南北王府矣。

其中十宫院著籍的"舍利"，就是"著帐"者。《辽史·国语解》云，

　　　　契丹豪民要裹头巾者，纳牛驼十头，马百疋，乃给官名曰舍利。后遂为诸帐官，以郎君系之。③

契丹贵族子弟，除皇帝特授侍卫之职外，尚有大批无官职的白身人即舍利，纳资著帐于诸宫院（即斡鲁朵），以求获得仕进的资格。这是契丹辽朝后期，著帐者变为国家选拔官吏储备系统的历史实录。《辽史·百官志》言：

---

①　参见《辽史》卷73《耶律欲稳传》，第1226页。
②　《辽史》卷74《韩延徽传·附子德枢》，中华书局1974年版，第1232页。
③　《辽史》卷116《国语解》，第1536页。

"百官择人，必先宗室"。又，辽朝

> 秉国钧，握兵柄，节制诸部帐，非宗室外戚不使①。

这就是契丹及辽朝宗室贵戚、功臣之家，常蒙特授的传统方式。这些人的子孙，只须按辽太祖以来其父祖取官仕进的途径，照例可以蒙获选官任职的优惠。因此，阿保机确立的"著帐"制，也就是当时契丹国家的选官任官制度，这种制度，现在所见的辽代墓志中，有时也往往被混为"承荫制"。

（二）阿保机时期契丹国家体制的确立

辽太祖阿保机，既然是以其个人所有的斡鲁朵（即宫分）的规模为基础，完成了"化家为国"的历史过程，因而，其对契丹社会的政治统治，也自然不能抹净其斡鲁朵生活的痕迹。史言，阿保机任契丹可汗前，所谓的功臣集团，不过是其个人的群从、部曲。及其为契丹诸部"秉国事"的于越之职后，即私欲以群从之首的耶律曷鲁为迭剌部夷离堇。907年，即可汗位后，便以耶律曷鲁、萧敌鲁等执掌其腹心部，"总军国大事"，其所谓功臣集团，也开始从"家臣"的身份向国家官吏的地位转化。908年，阿保机设立了专理宗室事务的大内惕隐司；909年，置羊城于炭山之北以通市易；910年，以萧敌鲁取代了遥辇旧置的北府宰相职务，并世选之，总理契丹"北府"所辖诸部的军国之事；911年，置铁冶。但是，这一时期内，以临潢府和祖州地区为主的契丹"西楼"之地，虽世代为阿保机家族所有，而诸弟内阋，终使阿保机对"西楼"的控制，远不如对"东楼"——龙化州地区的控制更为稳妥。因此，913年爆发的诸弟之乱，使阿保机依旧俗安置于祖宗旧地（即西楼）的斡鲁朵（即行宫）被焚掠一空，连象征可汗神圣职责的祭天"神帐"也落入诸弟手中，留守行宫的述律后，仅护得代表可汗权力的旗鼓仪卫，"军于黑山，阻险自固"②。而阿保机斡鲁朵内的家属、人口、庐帐、车乘、畜群、资产等"辎重"，统统丧失殆尽。

---

① 《辽史》卷114《逆臣传下》卷后"论"，中华书局1974年版，第1517页。
② 《辽史》卷73《萧敌鲁传·附弟阿古只》，中华书局1974年版，第1223页。

> 时民更兵焚剽，日以抗敝①。

及平息叛乱之后，契丹社会固有的经济基础已是一派凋敝景象。短期之内，使阿保机失去了东征西讨的军事能力。

但是，诸弟之乱的平息，却为契丹国家体制的发展打开方便之门。914年，耶律曷鲁出任迭剌部夷离董，

> 曷鲁抚辑有方，畜牧益滋，民用富庶②。

使内乱中受灾最重的迭剌部重新振作起来，从而扩大和加深了阿保机对契丹社会的统治基础。控制了迭剌部，就等于控制了契丹社会中"南府"诸部的军国政事，使契丹诸部的力量统一于阿保机麾下。916年，阿保机于龙化州筑坛受册，接受"天皇帝"尊号，仿效汉制确立了一套具有契丹民族特色的政治机构。建年号神册，以长子倍为皇太子，以妻述律氏为地皇后，以耶律曷鲁为阿庐朵里于越，总百僚、宰理契丹国家的军政事务。

> 百僚进秩，颁赉有差，赐酺三日③。

916年4月，卢国用（即卢文进）来降，任命为幽州兵马留后；11月，更名武州为归化州、妫州为可汗州，设置西南面招讨司，选有功者领之；917年，以新州裨将刘殷为新州刺史；918年，于西楼之地，兴土木，建皇都，以康默记等汉臣董其役，是年，皇都建成。

918年以前，汉人韩延徽助阿保机管理契丹境内汉族流徙人口事务，也取得巨大成效。史载，随着汉族等农耕人口的剧增，延徽

> 乃请树城郭，分市里，以居汉人之降者。又为定配偶，教垦艺，以

---

① 《辽史》卷73《耶律曷鲁传》，中华书局1974年版，第1221页。
② 《辽史》卷73《耶律曷鲁传》，中华书局1974年版，第1221页。
③ 《辽史》卷1《太祖纪上》，中华书局1974年版，第10页。

生养之。以故逃亡者少。①

农耕人口在契丹本土的安定，对契丹社会经济的恢复和发展也起到了推动作用。太祖即命延徽为守政事令，崇文馆大学士，迁左仆射，参决中外大事。

> 太祖初元，庶事草创，凡营都邑，建宫殿，正君臣，定名分，法度井井，延徽力也②。

为此，阿保机设立了专理汉人、渤海事务的行政机构：汉儿渤海司，以韩知古总其事。史载，

> 时仪法疏阔，知古援据故典，参酌国俗，与汉仪杂就之，使国人易知而行③。

919 年，修辽阳故城，以汉民、渤海户实之，改为东平郡，置防御使总之，以遏边防。920 年，始制契丹大字，

> 汉人教以隶书之半增损之，作文字数千，以代木刻之约④。

同年 5 月，以康默记为皇都夷离毕，总理契丹国家的刑法事务，史载，

> 一切蕃汉相涉事，属默记折衷之，悉合上（阿保机）意，……时诸部新附，文法未备，默记推析律意，论决重轻，不差毫厘。雁禁网者，人人自以为不冤⑤。

---

① 《辽史》卷74《韩延徽传》，中华书局 1974 年版，第 1231 页。
② 《辽史》卷74《韩延徽传》，中华书局 1974 年版，第 1232 页。
③ 《辽史》卷74《韩知古传》，中华书局 1974 年版，第 1233 页。
④ 参见《文献通考·四裔考·契丹》，中华书局 1986 年版。
⑤ 《辽史》卷74《康默记传》，中华书局 1974 年版，第 1230 页。

921 年 5 月，"诏定法律，正班爵"。嗣后，又以皇族世任南府宰相之选，并参酌回鹘文字制定"数少而该贯"的契丹小字①。这一系列措施，标志着契丹国家体制的趋于完备。

但尚须注意的是，《辽史》纪传中，凡言阿保机时期，汉臣职事者其官衔多属虚拟，即《辽史》自谓：太祖始立汉制，沿名之风尚存也。若韩延徽，传言曾守政事令、崇文馆大学士。辽国之初，政事尚简，文法疏阔，崇文之馆只是溢美之辞；又政事令，乃政事省长官，建于世宗朝，而延徽任职于太祖时，乃虚美之饰。唯其"参决军国大事"为真也。

综此而言，阿保机称帝之初，是将"宫分"中的职事人员，转化为国家的行政管理人员；统治政策上制定了以汉制待汉人，以蕃制待契丹的国策，而将斡鲁朵代表的"家"的职能转化成"国"的职能。这是契丹国家政治体制建设朝着健全方向发展的一面，它奠定了后代辽国政治制度的基础。

（三）阿保机时期契丹国家政治结构的特色

契丹国家早期的政治体制继续发展的另一方面，就是继承和维护了契丹族固有的生活习惯。史载，天赞元年（922 年）十月，

分迭剌部为二院：斜涅赤为北院夷离堇，绾思为南院夷离堇，诏分北大浓兀为二部，立两节度使以统之。②

天赞二年（923 年），

置奚堕瑰部，以勃鲁恩权总其事。

这就是《辽史·部族志》所记强部立夷离堇以领之，次者置节度使，又次者设详稳、令稳领之的强干弱枝的国策。它标志着自天赞初元开始，阿保机已从重点发展和健全国家体制的过程转向了重点维护和巩固国家政治体制的

---

① 《辽史》卷 64 《皇子表·德祖第三子迭剌》，中华书局 1974 年版，第 967—969 页。
② 《辽史》卷 2 《太祖下》，第 18 页。

历史过程。但析置部族的措施，也不是一个孤立的内容，它与契丹贵族继承和发展民族旧俗的政策密不可分。天赞年间（922—925 年），阿保机又制订分州县、析部族、设官府、籍户口、备兵马，以强干弱枝的"斡鲁朵法"①。规定，天子世建宫卫

> 崩则扈从后妃宫帐，以奉陵寝。有调发，则丁壮从戎事，老弱居守。

依然保留了形式上较为原始的契丹贵族私属性质的"宫分"或"投下"习俗。因此，契丹国家的王公大臣、贵戚之家，则视其军功、权力的大小，定其等级，限制其实力，并承认其个人私属的一切。所谓

> 其间宗室、外戚、大臣之家筑城赐额，谓之头下州军，惟节度使朝廷命之，……不能州者谓之军，不能县者谓之城，不能城者谓之堡②。

这些记载，是当时"斡鲁朵法"的主要内容。因此，所谓"斡鲁朵法"，实际是契丹国家早期以政治制度形式对契丹贵族的"分地"（即私属）及其附着人口等加以限制和分配的规定。

契丹社会中大者千余人，小者数百人，各自为军。故私属性质的投下州规模不等，至有州、军、县、城、堡等名称与形式上的差异。但是，传统的游牧经营方式，毕竟不能从根本上确定其州县城堡的规模，也自然不能比及于土著的农耕民族的州城规模。据《宣和乙巳奉使录》，云：契丹之地，

> 所谓州者，当契丹全盛时，但土城数十里，民舍百余家及官舍三数椽，不及中原一小镇，强名为州。

---

① 《辽史》卷31《营卫志上·宫卫》、卷35《兵卫志中·宫卫骑军》，中华书局1974年版，第362、402 页。

② 《辽史》卷48《百官志四·南面方州官》，中华书局1974年版，第812页。

但是，契丹贵族所拥有的人众，可谓至夥。《契丹国志》云：

> 晋末，契丹主投下兵，谓之大帐，有皮室兵约三万人骑，皆精甲
> 也，为其爪牙。国母述律氏投下，谓之属珊，有众二万。……其诸大首
> 领太子伟王、永康、南北王、于越、麻答、五押等，大者千余骑，次者
> 数百人，皆私甲也。别族则有奚、霫，胜兵亦千余，人少马多。又有渤
> 海首领大舍利高模翰兵，步骑万余人。

此记虽为辽太宗时事，然太祖之时，契丹贵族蓄私甲状况亦可窥一斑。因
此，当“斡鲁朵法”颁行之际，凡符合建立“私甲”条件的贵族之家，皆
可以名正言顺地确立私属的规模。史载，

> 辽太祖宗室强盛，分迭剌部为二，宫卫内虚，经营四方未遑鸠集。
> 皇后述律氏居守之际，摘蕃汉精锐为属珊军；太宗（史称尊号）益选
> 天下精甲，置诸爪牙为皮室军[1]。

因为，太宗德光于太祖之时，被命天下兵马大元帅，故得以置私甲，并以辽
代的怀州一带为其“行帐放牧”之所，

> 天赞中，从太祖破扶余城，下龙泉府，俘其人，筑寨居之[2]。

行帐，既是辽代斡鲁朵的别称，也是指耶律德光在此时的私属。“寨”亦即
“堡”一类的社会基本实体。益知，阿保机的诸功臣，也必于此时建立了头
下州。头下州与斡鲁朵，只不过主人的身份有别，因此，名称虽异，实则一
类。这是契丹国家早期，依据其民族旧俗而制定的一套相对称的大小不等的
斡鲁朵制度是契丹国家早期的政治体制建设的又一个主要方面。
　　综如上述，契丹国家的初期，确立了管理游牧民族社会的政治体制。契

---

① 《辽史》卷35《兵卫志中》，中华书局1974年版，第401页。
② 《辽史》卷37《地理志一·怀州》，中华书局1974年版，第443页。

丹社会的斡鲁朵，是契丹国家"蕃制"中的核心。皇帝的大斡鲁朵，不但代表了主人的特权，成为契丹国家政治经济文化的中心，同时也成为"蕃制"中的最高行政机构。国家通过对贵族仕进途径的确立以及对诸头下主私属的政治干涉的效果，使得大斡鲁朵与诸头下州等私属连成一体。这是契丹早期政治结构中鲜明的民族特征。契丹族旧有的生活习俗，对契丹国家的建立、早期的政治生活以及终辽一代的民族历史，都发挥了深刻而巨大的影响。

　　阿保机以旧有的"宫分"传统，确立和巩固了对契丹诸部的统治地位，顺利地完成了建国的历史目的。阿保机所创立的斡鲁朵法，使契丹皇帝的大斡鲁朵与贵族之家所拥有的私属，即遍布社会的诸多小斡鲁朵（即头下州）之间串成一线，构成独特的契丹国家政治结构。大小斡鲁朵之间，所以能串连于一起，主要通过两种途径：一是诸小斡鲁朵（即头下州）的最高行政长官，须由国家任命，方属合法。这是国家对贵族私属采取的政治干涉和限制办法。一是"著帐"制为契丹贵族的仕进入官制度，将诸小斡鲁朵的主人转为大斡鲁朵的"著帐"者，将二者直接连成一体。大大小小的斡鲁朵，一切皆服从于契丹皇帝的大斡鲁朵。这就是契丹国家对其本部贵族的统治政策。

　　阿保机时期已经形成了"以汉制治汉人"的基本国策，为后世辽朝社会的发展开创了一条崭新的政治道路，不但使后世形成了中华民族历史上的独特的辽朝政治制度，也使后世创造了独特的社会文化成果。因此，阿保机时期，契丹国家的政治体系，对后世辽朝历史的全面发展产生了深厚的影响，为丰富和发展中华民族传统文化作出了贡献。

　　（四）持续发展中的契丹国家体制建设

　　如果说阿保机时期确立的契丹国家体制存在对立统一的矛盾的话，那么，以后契丹国家体制的进一步完备和发展，则无疑是矛盾的双方互相克制、容纳和促进统一的过程。

　　926 年，阿保机病死，长达一年多的时间内，契丹国家的皇位继承问题才得以解决，究其原因，还是契丹汗位世选传统的直接影响。检查《辽史》可以发现，阿保机诸弟除安端一人外，其他人都在太祖死后相继去世，死因不明，而中原史籍记载：应天皇后在太祖死后，大杀契丹诸酋长[1]。《辽史》

---

[1]　（宋）司马光：《资治通鉴》卷 275，唐明宗天成二年，中华书局 1956 年版，第 9001 页。

也记载，

> 淳钦皇后称制，有飞语中伤者，后怒，突吕不惧而亡。……太宗知
> 其无罪，召还①。

而比突吕不更惨的是耶律迭里，

> 太祖崩，淳钦皇后称制，欲以大元帅嗣位。迭里建言，帝位宜先嫡
> 长；今东丹王赴朝，当立。由是忤旨。以党附东丹王，诏下狱，讯鞫，
> 加以炮烙。不伏，杀之，籍其家②。

因此，皇子倍虽被阿保机立为皇太子，但淳钦皇后却以世选的形式使次子德光（即尧骨）继立为"嗣圣皇帝"。928 年，

> 时人皇王在皇都，诏遣耶律羽之迁东丹民以实东平。其民或亡入新
> 罗、女直，因诏困乏不能迁者，许上国富民给赡而隶属之。升东平郡为
> 南京③。

这是耶律德光即位后，为巩固统治而采取的有效措施：一方面羁留耶律倍于皇都，另一方面则对东丹国进行削减，升东平郡为南京，以控扼渤海故地。930 年，"以先所俘渤海户赐（皇弟）李胡"，后遂

> 册皇弟李胡为寿昌皇太弟，兼天下兵马大元帅。

是年 4 月，"人皇王归国"，11 月"浮海适唐"④；行前留卜了"小山压大

---

① 《辽史》卷 75《耶律铎臻传·附突吕不》，中华书局 1974 年版，第 1240 页。
② 《辽史》卷 77《耶律安抟传》，中华书局 1974 年版，第 1260 页。
③ 《辽史》卷 3《太宗纪上》，中华书局 1974 年版，第 29—30 页。
④ 《辽史》卷 3《太宗纪上》，中华书局 1974 年版，第 32 页。

山，大山全无力"，这样充满愤懑与怨悔的诗句①。

938 年，耶律德光以援立石晋之功，接受石晋奉上的皇帝册号，同时，也接受了燕云十六州之地。契丹国家与后晋政权之间，确立了宗属的关系，契丹称"上国"，石晋自称"儿皇帝"。燕云十六州地区的社会制度，也被原封不动地保留和承袭下来。燕云十六州的归属，使契丹国家体制建设得到了完善和发展。史载，当后晋遣使以燕云"十六州并图籍来献"时，契丹国家也相应地对自身的统治体系进行了调整，

> 于是诏以皇都为上京，府曰临潢。升幽州为南京，南京（东平郡）为东京。改新州为奉圣州，武州为归化州。升北、南二院及乙室夷离堇为王，以主簿为令，令为刺史，刺史为节度使，二部梯里己为司徒，达剌干为副使，麻都不为县令，县达剌干为马步。置宣徽、阁门使，控鹤、客省、御史大夫、中丞、侍御、判官、文班牙署，诸宫院世烛，马群、遥辇世烛，南北府、国舅帐郎君官为敞史，诸部宰相、节度使帐为司空，二室韦闼林为仆射，鹰房、监治等局官长为详稳②。

同时，契丹皇族子弟普遍推行封王制度。不但契丹国家政治体制中已形成一定规模的汉官体制，也有相当多的契丹官号改用汉名。上、南、东三京的设置，标志着契丹国家"因俗而治"政治构想的全面确立。947 年，曾入主中原的耶律德光，在所谓"打谷草"、"括诸道民钱"、"不使节度使还镇"等"三失"③ 引起的混乱形势下，病死于北归途中。这"三失"，恰好是此时契丹国家民族性的集中体现。德光死后，耶律倍之子耶律阮以"父不为而子为，又谁咎也"为由④，在回师途中，自立为帝，由此引起契丹国内政治局面的一度混乱⑤。耶律阮在位时间不长，但他对契丹国家体制建设却有独到作用。史载，天禄元年（947 年）八月"癸未，始置北院枢密使，以安抟

①　《辽史》卷 72《耶律倍传》，中华书局 1974 年版，第 1210 页。
②　《辽史》卷 4《太宗纪下》，中华书局 1974 年版，第 45 页。
③　《辽史》卷 4《太宗纪下》，中华书局 1974 年版，第 60 页。
④　《辽史》卷 77《耶律屋质传》，中华书局 1974 年版，第 1257 页。
⑤　《辽史》卷 77《耶律屋质传》，中华书局 1974 年版，第 1255—1257 页。

为之"，九月，以"高勋为南院枢密使"①。至此，契丹国家南、北枢密院制度正式确立，标志着契丹国家从军事民主制形态向集权的君主制形态转变的基本完结。从此，无论是对契丹及诸游牧民族人口的统治，还是对汉族、渤海人口的统治，皆纳入专制主义集权制度的轨道。

作为隋唐以来形成的选官入仕的科举制度，最初随着燕云十六州的归附而通行于燕云地区。以后随着契丹五京制度的确立，科举制度也逐渐面向全国，统和六年（988年）"诏开贡举"②，从此，科举制度的范围，开始由幽燕汉人应试③，发展到面向全部的汉人、渤海人口④。

契丹国家的宫卫制度，在辽圣宗时期进行一次新的变革，大批的宫籍户人口被析置为新的部族⑤，契丹国家的斡鲁朵法已经在中央集权体制的发展过程中接受了新的改造，诸帝的斡鲁朵开始成为与当朝皇帝生活相分离的经济实体。契丹国家建立的五京制度，只是设置于各地区各方面的区域性统治重心，绝非当时契丹国家的政治中心。契丹国家的政治中心，只能是契丹皇帝四时驻坐的"行宫"。

四、契丹国家体制得以确立的社会文化背景及其体制建设的历史特点

阿保机生活的时代，与政治经济体制发展相适应的文化形态，据《辽史》云：

> 契丹转居薰草之间，去邃古之风犹未远也⑥。

实际上契丹社会的文化发展，当时也绝非如此。一定时期的社会文化形态，不但包含了那个时期的人类精神风貌，同时也涵盖了人类所创造的物质财富水平。契丹国家初期的物质文化水平，主要是从畜牧业生产的角度来衡量，

---

① 《辽史》卷5《世宗纪》，中华书局1974年版，第64页。
② 《辽史》卷12《圣宗纪三》，中华书局1974年版，第133页。
③ 《辽史》卷89《耶律庶成传·附蒲鲁》，中华书局1974年版，第1351页。
④ 杨若薇：《辽朝科举制度的几个问题》，《史学月刊》1989年第2期。
⑤ 《辽史》卷33《营卫志下·部族下》，中华书局1974年版，第388—392页。
⑥ 《辽史》卷56《仪卫志二·序》，中华书局1974年版，第905页。

但当时包含的其他经济现象也绝不能剔除这个基本范畴之中；更何况战争也是人类社会发展中经常使用的文化交流形式之一。契丹国家从创立到体制的完备，始终与周边民族保持着各种形式的交往，契丹本土文化中不但已介入回纥、突厥诸民族文化的血液，还植入汉、渤海等民族文化的因素，为契丹社会文化的发展和成长提供了一个可靠的温床，输送了源源不断的营养。如果说，契丹国家初期的政治制度可以"简略"论，则契丹社会文化形态断不可以"简略"视之。史载，契丹国家初期（916 年以后），

> 太祖问侍臣曰："受命之君，当事天敬神。有大功德者，朕欲祀之，何先？"皆以佛对。太祖曰："佛非中国教。"（太子）倍曰："孔子大圣，万世所尊，宜先。"太祖大悦，即建孔子庙，诏皇太子春秋释奠①。

阿保机此时自恃自己缔造的契丹国家就是"中国"。阿保机的这种自夸态度并非毫无根基。当时契丹国内尚无中原地区汉唐时代那样完备的典章文物，但其文化内涵的"富有"程度则是中原割据政权所望尘莫及的。一方面契丹国家政治经济实力远胜于中原诸割据政权，另一方面已荟萃众多民族文化形态，都潜移默化地影响着契丹国家的统治者们和契丹国家的历史发展。来源于不同族系、地区和经济生活方式的诸民族，不但以迅猛的速度在契丹国内集中、膨胀，而且都在政治分治的前提下获得继续发展。诸游牧民族人口不但将文化、宗教、习俗融入契丹社会，也将生命血液融入契丹民族，因此，属于他们各自的文化已难以找到一个合适的界定尺度。而来自中原等地区的农耕民族，也将固有的习俗、生活方式和文化传统带入契丹社会之中……这是一个何其"富有"的文化形态呵！这些文化，在契丹社会内部容纳、聚积的直接结果，正是一种发乎于契丹国家政治体制而功效归止于文化的诸民族文化的"整合"形态，即契丹国内同时共存、兼容并蓄的文化运动形式。

史载，辽太祖之子耶律倍，不仅"通阴阳，知音律，精医药、砭焫之术"，还"工辽（契丹）、汉文章"，善画，习经籍，

---

① 《辽史》卷72《耶律倍传》，中华书局 1974 年版，第 1209 页。

市书至万卷，藏于医巫间绝顶之望海堂①。

耶律倍这样的契丹贵族，绝不是契丹社会的特例②，他代表了当时契丹国内贵族统治集团的一种基本风貌。因此，诸文化形态在契丹社会相当集中和共同发展，必然引起自身文化传承体系与诸文化间猛烈的冲撞、汲取与会合，而这种诸文化间的整合形态，就构成了当时契丹社会历史文化的基本形态。这个基本的文化形态的存在和发展，构成了阿保机敢于傲视中原割据政权的根本原因。其后耶律德光也曾说："中国事，我皆知之，吾国事，汝曹不知也。"③ 还说"汉家仪物，其盛如此。我得于此殿坐，岂非真天子邪！"④ 完全是一副蔑视晋臣、志得意满的神态。这种代表契丹社会文化水准的整合型文化，也使中原士大夫阶层神其广博，讶其丰富。史载，耶律倍入唐，书籍之丰，令人惊骇⑤；其书画遗墨，也为北宋时人所崇重⑥。

自辽景宗、圣宗以来，社会制度发生深刻的变革，但圣宗释放的宫籍户不是转化为国家州县编户，而是重新组成为部族。贡举仕进之法不是为全盘汉化，而是为扩大封建统治的社会基础。政治中心是"捺钵"（驻坐所）而不是五京。其他诸如"国乐""角牴""祭仪""陵寝"制度，乃至行马乘车、貔狸为食等文化习俗，仍世代沿袭。书墨绘画，皆现本国习俗。君臣传唱，多用本国语文……因此，契丹辽朝晚期的社会文化领域中，仍以意得志满的情绪传唱"华夷同风"的绝响。

辽朝文化是综合北方民族文化特点的再造，它以崭新的面貌、勇于进取的精神和博大的胸怀将诸民族文化"整合"为一个历史的复合体，为契丹国家体制的建立、健全和发展，提供了现实的理论根据。契丹辽朝的历史文化，横向上构成当时历史条件下的一个联合体，纵向上经历西辽、金、元以至清代而留卜绵延不断的历史余响。

---

① 《辽史》卷72《耶律倍传》，中华书局1974年版，第1211页。

② 参见《辽史》卷103《文学上》、卷104《文学下》、卷108《方技》，中华书局1974年版。

③ 《资治通鉴》卷286，汉高祖天福十二年，中华书局1976年版，第9334页。

④ 《新五代史》卷74《四夷附录》，中华书局1974年版，第898页。

⑤ 《辽史纪事本末》卷3《东丹建国》引欧史语，中华书局1983年版，第89页。

⑥ 《辽史》卷72《耶律倍传》，中华书局1974年版，第1211页。

阿保机虽不失为 10 世纪中国历史舞台上一位杰出的少数民族政治家，但具体的条件、习俗、文化传统的影响，决定其不能摆脱文化传统的束缚，一方面积极参酌汉法、任用汉人、设置汉官，将自己打扮成"中国"的皇帝；另一方面则大规模承袭游牧社会固有的生活形态，为巩固政权而采取与社会情况相适应的统治措施，依然充当着游牧民族的首领"天可汗"（即天皇帝的对译）。就此而言，阿保机如神话传说中的"两面人"，充满了矛盾并体现出鲜明的民族特征与政治色彩。"矛盾存在于一切事物的发展过程中，……新过程又包含着新矛盾，开始他自己的矛盾发展史[①]。"以农耕经济为主要生活方式的汉人、渤海人与以游牧经济为主要生活方式的契丹等民族，共处契丹国家这一特定的政治经济实体中，体现出双方在文化水平、生产力程度和语言习惯等方面的不协调与不平衡，构成了当时契丹国家历史存在的特殊性，"尤其重要的，成为我们认识事物的基础的东西，则是必须注意它的特殊点，就是说，注意它和其他运动形式的质的差别[②]。"因此，这种契丹国家的历史特殊性，就是契丹国家的本质特征，它具有如下的主要内容：

第一，契丹社会文化整合形态，决定了契丹国家体制建设所存在的"行国"（即游牧民族自治体制）与"城国"（即农耕民族政治体制）互补的特征。契丹统治者创立"以国制治契丹，以汉制待汉人"的政治构想，是基于多民族的经济生活方式的区别而形成的基于经济形态的"分治"方式。但是经济不仅能作用于政治，也能作用于文化，故契丹人"蕃汉分治"制度，不仅体现当时的经济状态，也体现社会文化的基本面貌。

游牧民族政权，多以"行国"为表象，而农耕民族政权则以"城国"为规模。契丹政权不但保留和发展了燕云、渤海地区的城镇制度，同时也在契丹腹地涌现出众多的州城和京城，而国家政治生活也保留了极大的流动性。一般说来，"城"是农业的象征，"行"是畜牧经济的体现；以城立国，善积蓄；以畜牧立国善流通，各有独到的优越性……因此，宋人记载，说：

---

① 毛泽东：《矛盾论》，《毛泽东选集》第 1 卷，人民出版社 1991 年第 2 版，第 282 页。
② 毛泽东：《矛盾论》，《毛泽东选集》第 1 卷，人民出版社 1991 年第 2 版，第 274 页。

　　　　裕陵（神宗庙号）尝因便殿与二三大臣论事，已而言曰："尝思唐
　　明皇晚年侈心一摇，其为祸有不胜言者，本朝无前代离宫别馆，游豫奢
　　侈非特不为，亦不暇为也。盖北有狂虏，西有黠羌，朝廷汲汲然左枝右
　　梧，未尝一日不念之。二虏之势所以难制者，有城国，有行国，古之夷
　　狄能行而已；今兼中国之所有矣，比之汉唐，最为强盛。"大臣皆言：
　　"陛下圣虑及此，二虏不足扑灭矣"。上曰："安有扑灭之理，但用此以
　　为惧则可"。

宋人所论确为中的。这是契丹辽朝与中原政权长期对抗的根本原因。
　　第二，契丹国家体制的发展，是从简单的组合体到有机的统一体的转化
过程。契丹国家体制的确立，肇始于太祖，形成于太宗、世宗而发展于圣宗
时期。这是以根本不同的农耕、游牧两种经济形态为基础，但由此引起的两
种文化的"整合"过程，却是一个渐进的历史阶段。史载：

　　　　蒲鲁，字乃展。幼聪悟好学，甫七岁，能诵契丹大字。习汉文，未
　　十年，博通经籍。重熙中，举进士第。主文以国制无契丹试进士之条，
　　闻于上，以庶箴（蒲鲁之父——笔者）擅令子就科目，鞭之二百①。

契丹国家的统治政策，是以"同风不同俗"作为国家选官制度的基本依据；
但契丹文化毕竟已成为一种多文化共存的整合形态，故天祚朝，严禁契丹人
应试的禁令，已成为明日黄花②。据《辽史》记载：

　　　　保宁中，以南京郊内多隙地，请疏畦种稻，帝欲从之。林牙耶律昆
　　宣言于朝曰："高勋此奏，必有异志。果令种稻，引水为畦，设以京
　　叛，官军何自而入？"帝疑之，不纳③。

―――――――――

　　①　《辽史》卷89《耶律庶成传·附蒲鲁》，中华书局1974年版，第1351页。
　　②　《辽史》卷30《天祚纪四·附大石》，云大石于天庆六年举进士，中华书局1974年版，第355
页。
　　③　《辽史》卷85《高勋传》，中华书局1974年版，第1317页。

"城国"与"行国"间的矛盾，在景宗朝仍是统治者中疑窦丛生、不敢轻言取从的重大问题。但至圣宗朝，这些矛盾也开始逐渐缓和、协调起来，这是在"蕃汉"双方传统文化相互克制自身顽症的基础上发展起来的。

第三，契丹国家体制确立和发展的历程，是以适应社会需要为目的。阿保机时期，以部族为国之根本，农耕人口的总数目毕竟有限，国家体制的特点（即侧重的成分）是以适应部族统治的需要为目的；太宗、世宗时期，随着大批汉族人口的涌入，随之而来的是封建政治、经济因素和高度发达的农耕文明因素的迅速掺入，统治阶层不得不对农耕人口的统治政策进行重新调整，废除太祖设置的汉儿司而代之以与契丹制度平行的枢密院。景宗、圣宗、兴宗、道宗时期，契丹社会文化形态发生了质的变化，不同传统的文化形态之间出现了日益增多的相互吸引的现象，不但汉人能流畅地使用契丹族的语言文字，汉族士大夫引以为重的儒学"课业"也成为契丹贵族之家日日玩习、孜孜以求的"显达"之途；契丹统治者不仅削减"宫分"与头下州的规模，还推行科举制度，史载：

> （重熙）十二年，（萧孝忠）入朝，封楚王，拜北院枢密使。国制，以契丹、汉人分北、南院枢密治之，孝忠奏曰："一国二枢密，风俗所以不同，若并为一，天下幸甚"。①

契丹统治阶层的有识之士，已洞悉社会文化发展的内涵，把握了历史发展趋势的时代脉搏。故景、圣以来，契丹社会发生了诸多的"改革"现象。

五、契丹国家体制发展与契丹族"汉化"过程的关系

凡议契丹历史文化者，多以契丹"汉化"作为辽朝中晚期出现的社会新现象，执此论者，主要衍生于将契丹辽朝推行的"蕃汉分治"政策认定为"二重制"或"二元制"政权。这种说法，已遭到多方面的驳议②，但由此衍生的一系列错误认识，却并未引起足够的注意。

---

① 《辽史》卷81《萧孝忠传》，中华书局1974年版，第1285页。
② 李锡厚：《论辽朝的政治体制》，《历史研究》1988年第3期。

　　五十余年前，姚从吾先生曾在"契丹汉化的分析"约定讲话中①，使用了"二元制"的提法，但他认为契丹汉化的过程，是中国北方草原文化与中原农耕文化合流的过程。他在历史分析中指出，燕云十六州归属契丹后，当时中国以今山海关、明长城一线为分野，

　　　　存在着两个显然不同的社会，与两个颇有差别的文化。

辽中晚期，契丹社会已由有限度地接受汉化的兼容并包时期而转入放任自便、听从各族人口的文化自择期；从此，契丹社会内部的不同文化类型，

　　　　历年二百，汇成一流。强劲的契丹族遂与和易的汉族作了历史上第三次的各族大混合，演进成为今天的中华民族。

契丹国家体制以"因俗而治"为核心内容，但这种因俗变通、简繁相辅的统治方略，并不意味着守旧而排斥中原封建制度的影响，恰恰相反，它既便于将原来经济、政治发展不相平衡的地区和部族稳定于统一的政权之下，也有利于契丹社会汲取、汇合诸民族文化之长，从而再造新型的契丹文化。契丹人的自身文化本来就是多源形成的，因而，它的特点就是善于汲取先进的文化因素，扬长避短，不断充实自身的文化形态。

　　契丹民族与汉民族文化的密切往来，可以追溯到唐代，契丹酋长李尽忠发动的对唐战争，曾深入黄河以北的华北地区，完全越过了古幽州，遇人则俘，遇城则克，一度造成唐朝的恐慌。20世纪初，在辽上京故址发现两通唐高宗时建造佛窟的残碑②，唐玄宗时契丹首领还参加了"泰山封禅"大典。因此，中原文化的血液早已汇入契丹文化的脉搏之中。生活在契丹境内的汉人与契丹人，在"分治"的前提下，出现了契丹人兼治汉人或汉人兼

---

　　① 杨家骆：《国学名著珍本会刊》，《辽史汇编》第9册，台北，鼎文书局1973年版；孙进己等主编：《契丹史论著汇编》，辽宁省社会科学院历史研究所铅印本，1988年，第507—522页。
　　② 马真吾：《契丹上京临潢府》，孙进己等主编：《契丹史论著汇编》，辽宁省社会科学院历史研究所铅印本，1988年，第1084—1099页。

治契丹人的统治方略，如韩德让任契丹北府宰相，"总二枢府事"①，故辽朝的政治体制断不可以简单的"二元制"看待。契丹社会文化的发展，也不是封闭的而是一种兼容并蓄的多源文化共同发展趋势。

辽太宗时，诏令契丹人授汉官者，从汉仪、听与汉人婚姻②。民族间的通婚形式，是文化合流的直接形式；契丹人婚姻制度的特征之一，是不计行辈的婚姻法则，这一点同样通行于汉族人士中，如韩匡美，先娶后族之女萧氏为妻，后又续娶萧氏之侄为再室③。当然，也出现大量的契丹人与汉人通婚现象。契丹人的名称，有大名、小名和汉名之别，本字与汉字之别的特征④，契丹境内的汉人也同样如此，如韩德威的两个孙子分别取契丹名：谢十、涤鲁；涤鲁，又字遵宁；韩制心"小字可汗奴⑤"。

契丹社会中，不但契丹贵族有权从事游牧、役使汉族人口；汉人官僚也同样能从事游牧、役使契丹人口，如梁廷嗣，

> 景宗登极，有龙潜之旧，诏养母夫人孟氏为之妻；并以大水泺之侧地四十里，契丹人凡七户，皆赐之⑥。

这7户契丹人，就是供管牧畜的役使人口。

辽代的建筑、绘画艺术中，不但体现了盛唐文化的深刻影响，更大程度地体现了草原文化的特征。如宣化辽墓发现的壁画天文图⑦、二八地辽墓壁画等⑧，都体现了鲜明的草原文化特色。此外，敖汉旗发现的胡人骑狮瓷像⑨、北三家辽墓的狮子击鼓图等⑩，又是中亚文化植入契丹文化的典型特

---

① 《辽史》卷82《耶律隆运传》，中华书局1974年版，第1290页。
② 《辽史》卷4《太宗纪下》，中华书局1974年版，第49页。
③ 陈述：《全辽文》卷6《韩橁墓志铭》。
④ 都兴智：《契丹人的姓氏和名称》，《辽宁师范大学学报》1990年第5期。
⑤ 《辽史》卷82《耶律隆运传》，中华书局1974年版，第1289—1294页。
⑥ 薛景平、冯永谦：《梁援墓志考》，《北方文物》1986年第2期。
⑦ 郑绍宗：《河北宣化辽壁画墓发掘简报》，《文物》1975年第8期；陶宗冶等：《河北宣化下八里辽金壁画墓》，《文物》1990年第10期。
⑧ 郑绍宗：《克什克腾旗二八地辽石棺画墓》，《内蒙古文物考古》第3期。
⑨ 项春松：《内蒙古敖汉旗发现胡人骑狮辽瓷像》，《北方文物》1988年第2期。
⑩ 邵国田：《内蒙古昭乌达盟敖汉旗北三家辽墓》，《考古》1984年第11期。

征。契丹人不但传唱着脍炙人口的汉文诗赋，同时传唱的契丹文字的鸿篇巨制——《醉义歌》，也使汉族文士钦羡不已①。

契丹辽朝始终实行的"蕃汉分治"政策，绝不是顽固地坚守两种相互隔绝的经济生产方式，它体现在经济上的重要意义，一方面是提供了一个稳定的经济发展条件，丰富了社会物质财富的积累。农业的发展，首先需要川、原这样的先决条件，自太祖"城龙化州于潢水之南"后，太宗更以乌古、海勒水、谐里河及胪朐河等地，赐诸部"以事耕种"②，从而达到两种经济生产活动相互补充的基本目的。另一方面是促成了两种经济生产方式的有机结合，史载，会同初年，太宗

　　　　以乌古之地水草丰美，命瓯昆石烈，居之，益以海勒水之善地为农田③。

瓯昆石烈，本契丹五院部的基本构成单位之一。水草丰美，便畜牧；河边善地，宜农田，这种形式，也构成了契丹社会部族经济生活的兼治形态。这种游牧人兼事农耕生产方式，早在唐代即已出现，只不过更为粗放而已④。至景宗时期，北汉曾乞粮于契丹，一次即助粟二十万斛。以后，辽朝又在边地屯垦，农业生产获得了突飞猛进的发展⑤。其游牧经济的主要生产物，是马、羊等，史载，"其马善登，其羊黑"⑥。畜牧业经营的主要场所是丘陵山地，宋人王曾出使契丹时，记录沿途所见的生产景象是：平原地带，"居人草庵板屋，耕种，但无桑柘，所种皆从垄上"。丘陵地带，则"山中长松郁然，深谷中时见畜牧牛马橐驼，多青羊黄豕"⑦，可见契丹社会两种生产方式的搭配，确实是相得益彰的，它们共同构成了契丹社会经济的统一体。

---

① 陈述：《全辽文》卷12。
② 《辽史》卷59《食货志上》，中华书局1974年版，第924页。
③ 《辽史》卷59《食货志上》，中华书局1974年版，第924页。
④ 《新五代史》卷74《四夷附录三》载：奚"颇知耕种，岁借边民荒地种穄，秋熟则来获，窖之山下"，中华书局1974年版，第909页。
⑤ 《辽史》卷59《食货志上》，中华书局1974年版，第925页。
⑥ 参见《新唐书》卷196（下）《奚传》。
⑦ 《辽史》卷39《地理志三·中京道》，中华书局1974年版，第485页。

契丹社会政治、经济、文化的"兼治""整合"形式，决定了契丹社会政治生活中始终坚持的"蕃汉杂糅"的文化特征。作为契丹国家政治中心的"捺钵所"，不但保留了契丹民族宿毡帐、门户东向的习俗，也仿效汉制设立中书、枢密院、客省等权力机构，"又东，毡庐一，旁驻毡车六，前置槖，曰，'太庙'，皆草莽之中①"。其捺钵之制，直到天祚之时，仍沿承不废②。

陈述先生在《大辽瓦解以后的契丹人》一文中，论证了辽国灭亡后的契丹人的归属，具有以下几个基本的流向：

（1）随大石西走，建立西辽，以后又融入了当地的民族之中；

（2）纳入金国的统治之下，金灭后，相当多的人口融入高丽族之中；

（3）部分回归故土的契丹人，在蒙元汗国兴起后，组成"黑军"，对元帝国的历史发挥了重大影响；以后，又随北元政权迁北，融入蒙古族中；

（4）以库烈儿为首的部分契丹人，曾北徙并被保存下来，即今达斡尔人；

（5）在各个历史阶段中，大部分的契丹人口，融入了汉民族。

事实上，契丹民族的这种多渠道的流向，正是由多源的文化形态决定的③。

由此看来，契丹与汉族的融合，是在"分治"前提下的平等的融合，"你中有我，我中有你"，才是这个融合过程中的鲜明特征。倘若仅以"汉化"一词，为契丹国家的历史发展，画下一个简单的句号，无疑是偏颇而极不恰当的。因为，民族间的相互融合，实际上就是民族文化的相互融合。契丹国家的历史文化形态，才是契丹国家不同于其他国家政权的质的差别。

---

①　沈括：《熙宁使虏图钞》，贾敬颜：《五代宋金元人边疆行记十三种疏证稿》，中华书局2004年版，第122—169页。

②　《辽史》卷64《皇子表·兴宗次子和鲁斡》，载："天祚即位，弛围场之禁。和鲁斡请曰：'天子以巡幸为大事，虽居谅阴，不可废也。'上以为然，复命有司促备春水之行。"可见，即使辽晚期，契丹皇帝的"捺钵"生活亦欲止而不能。中华书局1974年版，第991—992页。

③　孙进己等主编：《契丹史论著汇编》上册，辽宁省社会科学院历史研究所铅印本，1998年沈阳，第275—296页。

第三节 契丹辽朝前期的四楼、
捺钵与斡鲁朵

一、契丹辽朝前期四楼、捺钵与斡鲁朵的关系

契丹辽朝政权的行朝（或行国）政治状态，学界已有大量的探讨①，笔者也曾经以《契丹族俗对其国家体制的影响》为题作过系列探讨②。究其特点，就是在施行"因俗而治"的基础上，坚持和保留了游牧民族的政权特色，在"分治"的前提下仍然继承和发展了游牧民族的社会传统和生活习俗，从而形成了一套有别于以前任何民族政权的统治体系及政治结构等。因此，北宋神宗对契丹辽朝政权的基本看法，就是说明问题的典型材料。史称：神宗与王安石厉行变法之际，遭到了契丹人态度强硬的"划界"问题的干扰，陷于内外交困的地步，迫于无奈，不由地感慨而言：

> 唐明皇晚年逸豫，以致祸乱。如本朝（即北宋——笔者）无前世离宫别馆、游豫奢侈之事，非特不为，亦无余力可为也！盖北有强敌，西有黠羌，朝廷汲汲枝梧不暇。然二敌之势所以难制者，有城国，有行国；自古外夷能行而已，今兼中国之所有，比之汉唐尤为强盛也！③

---

① 陈述：《大辽瓦解以后的契丹人》，转引自陈述：《契丹政治史稿》，人民出版社 1986 年版，第86 页；李桂枝：《辽金简史》，福建人民出版社 1998 年版，第 47—60 页；［日］岛田正郎：《辽朝北面中央官制的特色》，台湾《大陆杂志》1964 年第 29 卷第 12 期；李锡厚：《论辽朝的政治体制》，《历史研究》1988 年第 3 期。

② 任爱君：《阿保机时期契丹国家的历史特点》，《昭乌达蒙族师专学报》1991 年第 3 期；《辽朝国家体制研究》，《昭乌达蒙族师专学报》，1991 年第 4 期；任爱君：《辽宋共存共亡的政治格局及其文化意义》，《1993 年赤峰·中国古代北方民族文化国际学术研讨会论文集》，文史出版社 1995 年版，第162—180 页。

③ （宋）李焘：《续资治通鉴长编》卷 328，元丰五年七月乙未条。

所谓"城国"，即指城郭以治的农业社会及其政治制度；而"行国"即指随逐水草、迁徙无常的游牧社会及其政治制度。宋神宗认为，古代的北方游牧社会仅能造成"行国"（即行朝政治）的局面，但是现在的契丹政权却兼备了"行国"与"城国"的两套体制！这就使得仅有"城国"体制的北宋政权，要想再像汉唐那样来制服北方游牧民族政权，已经感到束手无策了。但是，强大的契丹辽朝政权的灵魂是什么？主要的还是它的行朝政治体制。而契丹辽朝行朝政治的核心，就在于其独具特色的斡鲁朵（即宫卫制度）和捺钵（即行营制度）的政治结构及其作用①。斡鲁朵和捺钵，原本都是契丹人自古相传的生活方式与社会习俗，契丹辽朝时期将这些传统性的东西保留下来，不仅赋予了其普遍的文化意义，而且还赋予了它更深刻的社会政治内涵，并在习俗现象、文化现象和政治现象等方面都兼而有之，是社会习惯法与封建法典相辅相成的国家法律，它贯穿了契丹辽朝政权的上层建筑与经济基础的各个层面，是契丹辽朝政权统治的核心与根本措施。

本文所要探讨的"四时捺钵和楼居习惯"，就是对于契丹辽朝所采取的游牧与农耕两种统治方式同时并存的"两元政治"体系中，那种直接产生于北方游牧社会的基本统治制度及其形式的研讨。

众所周知，契丹辽朝自太祖阿保机时起，就已经确立了"因俗而治"的基本框架，并在以后历史发展中被奉为圭臬，演变成契丹辽朝历代君主都恪守不易的祖传遗制。在这种基本精神的直接指导下，太祖时期逐渐树立的用中原地区的"汉制"（即中原封建统治制度）来管理汉族等农业人口，用北方草原地区的"蕃制"（即北方游牧社会统治制度）来管理契丹等游牧部落人口的统治方略，在太宗和世宗时期，得到了进一步发展，并使其成为具有高度的程式化、体系化和结构化、制度化的法律依据，形成了一套完整的"南、北面官"统治体系。这种南面官和北面官制度，在辽太宗时期得到极大的发展，而在辽世宗时期得到基本完善；从此，所谓"官分南、北"，也就成为契丹辽朝区别于以前历朝历代和中国古代北方民族政权的鲜明标志，

---

① 姚从吾：《辽朝契丹族的捺钵文化与军事组织、世选习惯、两元政治及游牧社会中的礼俗生活》，《中山学术文化集刊》1968年第1期；参见傅乐焕：《辽代四时捺钵考五篇》，《辽史丛考》，中华书局1986年版。

这也是契丹辽朝所以被后世判定为"两元政治"体制的直接由来①。我们主要沿用前人的这种基本看法，试图对契丹辽朝北面官制度的基本形式，条分缕析，作出基本的判断。

"四时捺钵"，即指契丹辽朝存在的季节性、游动式生活方式，后来引入契丹辽朝的政治生活中，成为契丹皇帝必须恪守的政治生活方式，故与国家政权紧密相连，成为契丹辽朝突出的政治现象、社会现象，甚至是文化现象。关于"四时捺钵"的具体形式和特殊作用，前辈学者傅乐焕的《辽代四时捺钵考五篇》及《广平淀续考》②已言之凿凿；其在辽朝、金朝及元朝，甚至清朝等北方民族建立政权中的共生现象等问题，则有姚从吾等所作的阐发③。故于此探究的仅是被学界忽略和未能阐发的起源问题。史载：

> 有辽始大，设制尤密。居有宫卫，谓之斡鲁朵；出有行营，谓之捺钵；分镇边围，谓之部族。有事则以攻战为务，闲暇则以畋渔为生。无日不营，无在不卫。立国规模，莫重于此。④

也就是说，契丹辽朝政权虽然"官分南北"，但北面官制度仍然是整个统治秩序的核心。而构成北面官制度的核心内容，则是宫卫（斡鲁朵）、捺钵（行营）和部族组织，三者缺一不可，是契丹辽朝历代备受重视的要务和焦点。宫卫与捺钵的关系以及捺钵制度的主要内容等，前面已经论及，此不赘述。那么，契丹人的捺钵制度又是如何产生的呢？据《辽史·营卫志》"行营"目记载：

---

① ［日］津田左右吉：《辽朝制度之二重体系》，《津田左右吉全集》第12卷，岩波书店1964年版；［日］岛田正郎：《辽朝北面中央官制的特色》，《大陆杂志》1964年第29卷第12期；姚从吾：《辽朝契丹族的捺钵文化与军事组织、世选习惯、两元政治及游牧社会的礼俗生活》，《中山学术文化集刊》1968年第1期。

② 参见傅乐焕：《辽史丛考》，中华书局1986年版。

③ 姚从吾：《辽朝契丹族的捺钵文化与军事组织、世选习惯、两元政治及游牧社会的礼俗生活》，《中山学术文化集刊》1968年第1期；参见姚从吾：《说契丹的捺钵文化》，《东北史论丛》下册，台北中正书局1959年版。

④ 《辽史》卷31《营卫志上·序》，中华书局1974年版，第361页。

天地之间，风气异宜，人生其间，多适其便。（中略）大漠之间，多寒多风，畜牧畋渔以食，皮毛以衣，转徙随时，车马为家。此天时地利所以限南北也。辽国尽有大漠，浸包长城之境，因宜为治。秋冬违寒，春夏避暑，随水草就畋渔，岁以为常。四时各有行在之所，谓之"捺钵"。①

由于自然环境和生活条件的限制，造成了地区之间或社会之间客观存在的各种区别和差异，这些区别和差异的主要特征就是表现在生活习俗方面的差异。契丹人随季节迁徙的生活方式，也正是契丹辽朝政权"四时捺钵"制度所以产生的社会基础。那么，这种制度产生与演变的过程如何？根据史料记载和考古资料的显示，契丹部落组织脱胎于东胡族系的东部鲜卑部落。即4 世纪中叶，东部鲜卑部落爆发了一次规模较大的部落兼并战争，最终由慕容鲜卑相继吞并了段部和宇文部，完成了古代东北地区东部鲜卑部落的统一。当时，宇文部的部分残余向北逃入古代著名的"松漠之地"（又名松漠）。古代的松漠，即今大兴安岭西南部以南、内蒙古高原东南端以东，东至今内蒙古通辽市开鲁县境内，东南至今赤峰市境内西拉木伦河流域的中下游，西南至今内蒙古与河北省交界处七老图山脉及围场县境内，向南延续至今喀喇沁旗与宁城县境内，并包括今努鲁儿虎山系。自北朝至金、元时期，"松漠"之内仍保留着良好的草原稀疏森林景观，登高遥望，平林漠漠，郁郁苍苍，故史称"松漠"②。契丹人在古代的松漠地带，是如何游牧的呢？古松漠，并不包括今赤峰市全部，今赤峰市地理面积近 9 万平方公里③；古松漠，要远远小于今赤峰市的范围，这对于契丹人游牧经济的发展是个致命的缺陷。即使是在隋唐时期，契丹人的地理活动范围已经超出了今赤峰市的

---

① 《辽史》卷 32《营卫志中·行营》，中华书局 1974 年版，第 373 页。

② 学界有人认为"松漠"中的"松"字，即古代的"平地松林"（今赤峰市北部、西拉木伦河流域以北的巴林草原与克什克腾旗地域），"漠"字乃今浑善达克沙地；并引用《魏书》宇文残部逃入"松漠之间"的记载为证明，认为宇文残部的居住地，最初正是在"平地松林"与"浑善达克沙地"之间。这其实是一种误解。《魏书》中的"之间"的"间"字，可以作"之内"或是"其中、内部"来理解，而且在古代的"平地松林"和"浑善达克沙地"之间，又怎能寻找出它们的过渡地区呢？！

③ 内蒙古自治区计划委员会国土整治办公室：《内蒙古国土资源地图集》，内蒙古人民出版社 1987 年版，第 125 页。

范围，其分布地域南至辽宁省西、北部，抵达医巫闾山系，东至今通辽市境内，不过因为受到唐朝、高丽和渤海政权的限制，契丹人更多的时候，还是在以古代松漠地区为中心的地域内活动，虽有逾越，范围也不是很大。自 4 世纪中叶起，直到 10 世纪初，契丹专制政权建立之前，契丹人就世世代代生活在以松漠为中心的今赤峰市及其周边地带。因此，今赤峰市境内也堪称"契丹故地"。这样，与以前及以后的任何草原游牧民族相比，在如此狭小的地域范围之内，契丹人又是如何将其游牧经济逐步展开和发展起来的呢？

古东胡族系的生活居地，在一定程度上与古肃慎族系的居地相近，双方之间的相互濡染与影响是早就存在的事实。当东部鲜卑生活于古代饶乐水（即今西拉木伦河）流域的时候，许多古肃慎族系的人口便已经加入到东部鲜卑的行列中来，如慕容部就曾因灭亡古扶余国并占领了其故地，而遭到当时的"天下共主"——晋朝皇帝的申斥；古肃慎族系的灭亡，也正是始于此时。到唐朝中晚期，古肃慎族系的绝大部分人口都融入周边的部落社会之中。契丹人的社会发展也是如此，也同样地吸收了许多的周边地区人口在内，从而推动了契丹社会的继续发展。史书记载，当时作为古肃慎族系后裔的靺鞨人，多依山水，凿穴以居，种植麦穄，"其畜多猪"、"男子衣猪狗皮"①。而契丹人"其俗颇与靺鞨同"②，与契丹同类的南室韦人，则是：

> 其俗丈夫皆披发，妇人盘发，衣服与契丹同。乘牛车，籧篨为屋，如突厥毡车之状。渡水则束薪为筏，或以皮为舟者。马则织草为鞯，结绳为辔。寝则屈为屋，以籧篨覆上，移则载行。以猪皮为席，编木为藉。妇女皆抱膝而坐。气候多寒，田收甚薄，无羊，少马，多猪牛。造酒食啖，与靺鞨同俗。③

南室韦人的经济生活，实际上是一种复合的经济结构，既保留了古东胡人的游牧经济结构，也吸收了古肃慎人粗放的农业生产成分。在史书的记载中，

---

① 《隋书》卷 81《东夷传·靺鞨》，中华书局 1973 年版，第 1821—1822 页。
② 《隋书》卷 84《北狄传·契丹》，中华书局 1973 年版，第 1881—1882 页。
③ 《隋书》卷 84《北狄传·室韦》，中华书局 1973 年版，第 1882—1883 页。

既反复强调了契丹人和靺鞨人、室韦人等共同拥有相同或相近的生活习俗，同时也说明了他们之间必然拥有极为相近的经济生活习惯。文献资料的记载和考古资料的显示，也都共同地说明了这一点，契丹人也拥有与漠北草原的游牧经济结构判然有别的游牧经济类型。据《魏书》记载，北魏太祖登国三年（388 年），率领军队突袭当时尚与契丹人合部而处的库莫奚部落时，曾一次就俘获其牛、羊、豕杂畜达百万头。① 同样，《隋书》和《通典》记载：契丹人在父母坟墓前祭祀时所祝"酹酒歌"云，

> 冬月时，向阳食；夏月时，向阴食；使我射猎时，多得猪鹿。②

这些都表明，在契丹人的社会生活中，猪也已成为其生活里重要的畜产之一。因此，11 世纪初，宋人王曾在奉使契丹时所作《上契丹事》中记载：

> 过古北口，居人草庵板屋，耕种，但无桑柘；所种皆从垄上，虞吹沙所壅。山中长松郁然，深谷中时见畜牧牛马橐驼，多青羊黄豕。③

王曾的记载，乃指当时古北口外山谷丘陵地带的居民生活方式。论者多以此之比定为奚族之地的基本经济状况。其实契丹与奚族的经济结构并不存在实质性的差异，两者间的经济生活方式完全可以用"相同"一词来形容。也就是说，由于契丹人所具备的复合型的经济结构，使得他们也将"猪"这种特殊的畜产，像马牛一样地进行牧放式的饲养；而古松漠地区特定的自然状态，造成野生的猪、鹿数量很多，这样就造成了人们饲养的猪群与野猪群的自然混合。当代的动物学知识表明，尚未长成的野猪的幼体，其毛色多呈黄白色（只有长成的野猪毛色为棕红色）。所以，王曾所见为"青羊、黄豕"，"黄豕"的观感是正确的；而所谓"青羊"（青色即黑色），是一种形体大于普通山羊的北山羊，又称"羱羊"。欧阳修在《新唐书·奚传》中，

---

① 《魏书》卷 2《太祖纪》，卷 100《库莫奚》。
② 《隋书》卷 84《北狄·契丹》，第 881 页，中华书局 1973 年版，第 1881 页。
③ 《辽史》卷 39《地理志三·中京大定府》，中华书局 1974 年版，第 485 页。

也记载了当地多黑山羊的事实。此外，在《新唐书》和《五代会要》等史书中，也在记载奚族的经济结构时说：

> 出古北口，地宜羊马。羊则纯黑，马逾前蹄坚。善走，以驰猎为务，逐兽高山，自下而上，其势若飞。语与契丹小异。爨以平底瓦鼎，煮穄为粥，既饪，以寒冰解之而食，每春借边民之荒田种穄，秋熟乃来，持获毕，则窖于山下，人莫知其处所。以木为椎，断橡为臼，所受不过一斗。①

因此，当时契丹与奚族的社会经济结构，已经形成了以游牧经济为主体，既有游牧与农耕经济成分的充分复合，也颇具以采猎为主要内容的山地经济的特点；这是当时契丹社会经济发展的主要特征。一定的经济生活方式，也就相应地决定了一定的人类群体所拥有的共同的社会习俗和文化特点。

据《辽史》记载，10世纪的前后，契丹人过着"分地而居，合族而处"的部落生活方式②；"各有分地"则是契丹人的部落组织中，以家庭为社会基本单元的基本经济保障，他们的一切正常的经济生产和生活，都是在自己的"分地"中反复进行的；所以，"各有分地"的制度，也是契丹社会得以稳定的最根本的保障。契丹人就是这样在各自的分地范围内，延续着一年四季随阳转徙、逐水草而居、以游牧为主的生活方式。史称，契丹上京之地，"地沃宜耕植，水草便畜牧"，是个宜农宜牧的优良场所，周围环绕着天梯、别鲁、蒙国三座山峰，此地与辽祖州之地一样，都是属于契丹世里氏家族的领地。而且，据《地理志》记载，这里是辽太祖之高祖、曾祖和祖、父四代先人的生居之所，也是辽朝皇族的真正发祥地③。关于契丹皇族世里氏家庭的领地究竟有多大？今天已不清楚。但是，太祖及太宗时期所遗留下来的各种史料，也包括了一些零星的部落分地的资料；仅据《地理志一》就有这样的描述：

---

① 王溥：《五代会要》卷28《奚》。
② 《辽史》卷32《营卫志中·部族上》，中华书局1974年版，第376页。
③ 《辽史》卷37《地理志一·上京临潢府及祖州》，中华书局1974年版，第439—443页。

　　泰州，德昌军，节度。本契丹二十部族放牧之地。

　　静州，观察。本泰州之金山。

　　静边城。本契丹二十部族水草地。

　　仪坤州，启圣军，节度。本契丹右大部地。

其中，明确记载为属于契丹部落之世里氏家族的牧地，则有：

　　上京临潢府。本汉辽东郡西安平之地。新莽曰北安平。太祖取天梯、蒙国、别鲁等三山之势于苇甸，射金龊箭以识之，谓之龙眉宫。

　　祖州，天成军，上，节度。本辽右八部世没里地。

　　庆州，玄宁军，上，节度。（中略）辽国五代祖勃突，貌异常，有武略，力敌百人，众推为王。生于勃突山，因以名；没，葬山下。在州二百里。①

所谓世里氏，即契丹辽朝皇族的姓氏称号，又被译写为耶律；其所在的部落，就是当时契丹社会中号称"强大难制"的迭剌部②。迭剌部，在辽太祖建立君主专制政权之后，便因重新划分二十部的策略和机会，而被一分为二，成为两个新的部落：五院部（南大王府）和六院部（北大王府）③。这些新组建和划分出来的部落组织，也重新进行了牧场的划分，明确了各个部落所拥有的"分地"及其范围。这在《地理志》中也同样能找到相关的描写：

　　乌州，静安军，刺史。本乌丸之地，东胡之种也。辽北大王拨剌占为牧，建城，后官收。

　　横州。国舅萧克忠建。部下牧人居汉故辽阳县地，因置州城。

---

① 《辽史》卷37《地理志一》，中华书局1974年版，第438—443页。

② 《辽史》卷32《营卫志中·部族上》，记载："兹所以迭剌部终遥辇之世，强不可制云"，中华书局1974年版，第376—381页。

③ 《辽史》卷2《太祖纪下》，卷33《营卫志下·部族下》，中华书局1974年版，第18、384—385页。

凤州。槀离国故地，渤海之安宁郡境，南王府五帐分地。

遂州。本高州地，南王府五帐放牧于此。

丰州。本辽泽大部落，遥辇氏僧隐牧地。

顺州。本辽队县地。横帐南王府俘掠燕、蓟、顺州之民，建城居之。

闾州。罗古王牧地，近医巫闾山。

松山州。本辽泽大部落，横帐普古王牧地。有松山。

豫州。横帐陈王牧地。

宁州。本大贺氏勒得山，横帐管宁王放牧地。〔勒得山——唐所封大贺氏勒得王有墓存焉〕。①

上述引用的资料显示，既有太祖建立君主专制政权之前的契丹部落的"分地"状况，也有建立君主专制政权后契丹社会对于各部"分地"重新划分的事实，其中还包括了对于辽太祖的家族拥有"分地"情况的断续的或间接的记录。但是，在《地理志》中也保留了一些太祖时期前后，契丹皇族的牧地分布及其移动情况的记录，如：

祖州，天成军，上，节度。本辽右八部世没里地。太祖秋猎多于此，始置西楼。

龙化州，兴国军，下，节度。本汉北安平县地。契丹始祖奇首可汗居此，称龙庭。太祖于此置东楼。

降圣州，开国军，下，刺史。本大部落东楼之地。太祖春月行帐多驻此（应天皇后生太宗于此——笔者）。

永州，永昌军，观察。承天皇太后所建。太祖于此置南楼。

武安州，观察。唐沃州地。太祖俘汉民居木叶山下，因建城以迁之，号杏埚新城。（《仪卫志》则记载此地乃太祖春月放飞之地——作者）。

显州，奉先军，上，节度。本渤海显德府地。世宗置，以奉显陵。

---

① 《辽史》卷37《地理志一》，中华书局1974年版，第445、449—450页。

显陵者，东丹人皇王墓也。

宜州，崇义军，上，节度。东丹王每秋畋于此。

怀州，奉陵军，上，节度。本唐归诚州。太宗行帐放牧于此。[①]

由此看来，在契丹辽朝君主专制政权建立之初，契丹皇族内部也恪守着"各有分地"的传统驻牧方式，基本构成了以个体家庭为单位的牧地分配状况；因此，太祖及其儿子们都在自己的分地之内，按季节移驻，从事着放牧与射猎的活动，并因为季节的不同而形成不同的放牧和射猎地点（即场所）。这种具有一定规律及其特点的驻牧生活方式，也必然具备了一定的名义、内涵与固定的称号等。

史称，辽太祖时期的驻牧生活方式，是凭具体划分的"四楼"，依据着季节的变化而分别进行的有规律的四时移动；据《新五代史》与《契丹国志》等史书的记载：辽太祖在汉人的帮助下，利用汉字隶书的字形结构创制了契丹文字，尔后

又于木叶山置楼，谓之南楼；大部落东一千里置楼，谓之东楼；大部落北三百里置楼，谓之北楼，后立唐州，今废为村（按："唐州"或是"慶州"之误——笔者）；大部落之内置楼，谓之西楼，今上京是。其城与宫殿之正门，皆向东辟之。四季游猎，往来四楼之间。[②]

此事，据《辽史》"国语解"记载：

辽有四楼：在上京者曰西楼；木叶山曰南楼；龙化州曰东楼；唐州曰北楼。岁时游猎，常在四楼间。[③]

---

① 以上记载，除显州见《地理志二》，武安州、宜州见《地理志三》之外，其余皆见《地理志一》。

② （宋）叶隆礼：《契丹国志》卷1《太祖大圣皇帝》，贾敬颜、林荣贵点校，上海古籍出版社1985年版，第5页。

③ 《辽史》卷116《国语解》，第1535页。

而《辽史·地理志》也证明了契丹西、东、南三楼记载位置的正确，只有北楼被漏载，但从庆州条的相关记载来看，

> 庆州，玄宁军，上，节度。本太保山黑河之地，岩谷险峻。穆宗建城，号黑河州，每岁来幸，射虎障鹰，军国之事多委大臣，后遇弑于此。以地苦寒，统和八年，州废。圣宗秋畋，爱其奇秀，建号庆州①。

此地，穆宗朝之前，就已是非常著名的地方；从穆宗迄于圣宗时期续有建筑的事实，正像契丹东楼、南楼和西楼之地一样，都在太祖时期之后不断有所建设，如：南楼之地，除已知的武安州之外，还有太祖时期置于南楼西北的义州和太宗时期置于南楼西侧的慈州。通过这些事例，可以窥见庆州，在契丹辽朝初期所具有的重要地位，必然与太祖时期的建树和设置有关，故疑庆州乃北楼所在。

关于辽太祖时期营建的契丹四楼，在中原史料像《新五代史》等，将其与太祖时期制定契丹大字的事实一起记录，并在叙述上先讲制字，后说四楼，似乎契丹四楼的营建是与制造契丹大字同时或更加延后的事情②。契丹大字的制造，据《辽史》记载：神册五年（920年）正月乙丑日，"始制契丹大字"；在不到九个月的时间内，"九月壬寅，大字成，诏颁行之"③。契丹大字的制造和颁行，都是太祖神册五年之中的事情，这是否表示契丹四楼的营建也是此年或此后发生的事情呢？根据《新五代史》《旧五代史》及《资治通鉴》等史书的记载，早在辽太祖神册五年（920年）之前，中原地区就已经得知了"西楼"是契丹部落的金帐所在，那里是契丹人政权统治的中心。如，后梁贞明三年（辽太祖神册二年，917年），契丹大军围攻幽州城，晋王李存勖命大将李嗣源等人救援幽州时，李嗣源以胡语

---

① 《辽史》卷37《地理志一》，中华书局1974年版，第444页。
② 《新五代史》卷72《四夷附录第一》，中华书局1974年版，第888页；《旧五代史》等所记与此略同。中华书局1976年版，第1828—1830页。
③ 《辽史》卷2《太祖纪下》，中华书局1974年版，第16页。

　　　　谓契丹曰："汝无故犯我疆场，晋王命我将百万众直抵西楼，灭汝
种族！"①

　　这说明，契丹四楼的营建，早于契丹大字的创制时间。而且，从《地理志》
中关于"祖州"，太祖于此"始置西楼"；和太祖又分别于永州"置南楼"、
龙化州"建东楼"的记载来看，契丹四楼确实属于辽太祖时期的营建设施，
其树立的时间应当不晚于太祖建置龙眉宫和明王楼的年代，即公元908年；
因为，《辽史》记载，当太祖任契丹可汗的第六年（912年）时，就曾建天
雄寺于西楼；次年，西楼又遭到反对太祖的契丹叛军的焚烧和掳掠②。因
此，所谓契丹四楼，其实是辽太祖建立君主专制政权之前的设施，就是在太
祖担任契丹可汗时期开始营建的具体设施。这既是辽太祖个人的管理设施，
同时也具备了作为管理整个契丹社会的政权机构的功能。史称，辽太祖
"四季游猎，往来四楼之间"③，也就是在《地理志》中所分别加以叙述的
"秋猎"行帐和"春月行帐"以及冬、夏两季行帐的驻牧地；是在每一季节
的驻牧范围内，都各自建立了一个以供驻牧的场所及其设备等，这样的场所
就被称为"楼"。又据《辽史》记载，契丹辽朝政权

　　　　四时各有行在之所，谓之"捺钵"。④

　　这里说的"行在之所"，即上述所论的驻牧地，或驻扎行帐的地方。契丹辽
朝的四时捺钵制度，是以鲜明的经济生活内容为标志，春捺钵在湖泊周围猎
获天鹅等大型鸟类为主，并有相应的庆祝形式；夏捺钵向北方清凉之地迁
徙，目的在于避暑和筹备将来的生产生活工具等，皇帝与大臣汇聚议论军国
大事；秋捺钵主要从事射猎活动，以猎获虎、狼、猪、鹿等大型动物为主，

---

　　① 《资治通鉴》卷270《后梁纪五》均王贞明三年八月甲午条，中华书局1959年版，第8818页。
　　② 《辽史》卷1《太祖纪上》，中华书局1974年版，第5—8页。
　　③ （宋）叶隆礼：《契丹国志》卷1《太祖大圣皇帝》，贾敬颜、林荣贵点校，上海古籍出版社
1985年版，第5—7页；《辽史》卷116《国语解》，"岁时游猎，常在四楼间"，中华书局1974年版，第
1535页。
　　④ 《辽史》卷32《营卫志中·行营》，中华书局1974年版，第361页。

同时采集与生活相关的山果、野菜等秋实；冬捺钵向南方温暖之地迁徙，目的在于违寒就暖，皇帝与大臣等会聚议论军国大事。① 四时捺钵表现出来的经济特征，是不折不扣的复合型经济结构的具体体现。"捺钵"制度的渊源，直接导源于契丹人四季迁徙的生活方式，直接形成于辽太祖时期四季游猎往来于四楼间的具体活动。辽太祖时期的游猎迁徙活动，已具备了领导契丹政权的鲜明的政治特点，也正是因为它对契丹政权发展的巨大影响，才导致四时捺钵行为成为一种复杂的社会现象和特殊的政治现象。

契丹人的生活方式，尤其是与之关系密切的聚落居住形态，又被同时代的唐、宋时期人士称之为"楼居"。"楼居"一名，最早出现于唐朝，当时用来形容回鹘汗国等北方民族的一种居住形式。北宋欧阳修编写《五代史记》（即《新五代史》）时，也采纳了这种称谓，记录甘州回鹘可汗经常保持着楼居状况的事实②，但没有对楼居生活作出详细的描述。

楼居的称呼产生于唐朝，而楼居的事实却浸润了唐、宋、辽、金、元等历代政权。如唐代的诗句中"宁为殿下走，不肯作楼居"的描写，比喻和盛赞大唐王朝容纳四海贤良和文化泽被四海、溥及八方的恢弘气象；元朝诗人耶律铸"风萧冷激在楼居"的诗句，吟咏和描写漠北的社会风光③。从这些诗句描写的迹象看，所谓"楼居"之事，绝非是指普通的游牧民族聚落而言，应该是指那些在游牧民族的聚落中享有崇高社会威望与政治地位的贵族居住形式；从"宁为殿下走，不肯作楼居"的描述看，"楼居"更具有了一种状写北方游牧民族社会的王者气象，是说他们在盛唐文化的影响下，宁肯入朝为臣子，也不愿回到北方大漠去享用称王称侯的生活。因此，"楼居"是对古代北方游牧民族部落首领居住方式的描述。

"楼居"，有时简称"楼"。如两唐书《回鹘传》记载，太和公主与回

---

① 《辽史》卷32《营卫志中·行营》，关于四时捺钵的记载，中华书局1974年版，第361、373—376页。

② 《新五代史》卷74《四夷附录第三·回鹘》，记载"其可汗常楼居"，中华书局1974年版，第916页。

③ 耶律铸：《双溪醉隐集》卷4《戏书太极宫碑阴》。以上详见任爱君：《契丹四楼源流说》，《历史研究》1996年第6期；《说契丹"岁岁作楼居"》，载高延青主编：《1998年·中国古代北方民族文化第二届国际学术研讨会论文集》，《北方民族文化新论》，哈尔滨出版社2001年版，第251—262页。

鹘可汗在汗庭举行盛大婚礼和册封可敦仪式时，公主行礼于"楼下"、可汗受礼于"楼上"①。这里所说的"楼"，正是欧阳修记载的回鹘可汗的"楼居"。那么，既然已经明了"楼居"与"楼"之间的关系，则其起源又如何？根据史书记载，西汉中晚期，匈奴政权通过汲取中原等周围民族的先进生产技术，已经学会和掌握了"穿井治楼以藏谷"的先进技术②，而且史书中也明确记载了这种技术的重要作用在于收藏谷物等；但汉朝使节苏武所见到的储藏设备则是曾经用以来关押他的地窖③。另外，西汉末期，陈汤等在西域击杀匈奴郅支单于时，单于曾以木材建"楼"用来抵御汉朝军队的攻击④；但单于所建立的"楼"，究竟如何，已无从查考。这是史书关于北方游牧民族"楼"事的最早记载。在北朝鲜卑人的资料中，也可发现与此相关的证据。据《魏书》记载，北魏平城的皇城内，存在着太祖拓跋珪建立的白楼。白楼是北魏太祖时期的行宫，也是北魏王朝在平城时代的重要设置之一，并具有实际的纪念意义。白楼的建筑，就是个巨大的帐房，它拥有一个高大的夯筑台基，在夯筑台基下还修建了庞大的地窖，目的也是为了储藏谷物、食料等生活必需品。这种颇具民族特点的行宫建筑，与匈奴政权时期存在的"楼"，似乎有着很大的相似或相同的特征，存在着一定的联系与传承的特点⑤。据郦道元《水经注》和北宋乐史《寰宇记》记载，北魏太武帝拓跋焘曾在白道之地建立行宫，当时俗称为"阿计头殿"⑥，或省称"何头殿"⑦。"阿计头"或"何头"即北方民族之斡鲁朵习俗称谓，这是北魏前期存在斡鲁朵习俗的明证⑧。北魏太武帝的白道行宫，在今呼和浩特市北部乌素图河上游东侧蜈蚣坝，其山顶遗有建筑遗存：平面略呈圆形，有石筑

①　《旧唐书》卷195《回鹘传》，中华书局1975年版，第5212页。

②　《史记》卷110《匈奴列传》，《汉书》卷94（上）《匈奴列传》。

③　《汉书》卷54《李广苏建列传·附苏武》，第2462页。

④　《汉书》卷70《陈汤、甘延寿传》，第3013页。

⑤　任爱君：《契丹四楼源流说》，《历史研究》1996年第6期；《北朝鲜卑斡鲁朵遗制拾零》，《北朝研究》1997年第2期。

⑥　郦道元著，王国维校：《水经注》卷3，上海人民出版社1984年版，第85页。载："其水西南流，历谷，迳魏帝行宫东，世谓之阿计头殿。"

⑦　（北宋）乐史：《太平寰宇记》载："都田贵山，《郡国志》云，后魏行宫在此山，俗曰何头殿也。"

⑧　《契丹四楼源流说》，《历史研究》1996年第6期。

残墙，内径 80 米，南侧开门，有路直通山下，墙内有夯土筑造的圆形高大台基，底径 45 米，存高约 5 米，台基上部外缘为一圈高近 1 米的土垄，土垄内形如锅底，直径 17 米，料为卓帐之所①。这些都说明在北朝鲜卑人时期皇帝的行宫或行营等，其实就是游牧社会所习见的斡鲁朵。

至于游牧社会可汗或皇帝的斡鲁朵内部的居住方式，史书没有详细的记载，仅存"随阳转徙，车马为家"的印象而已。但通过其他的相关资料可作大概的推测。据《魏书》记载，皇帝的帐房有冬季使用的毡殿和夏季使用的縠殿（即布帐），而《南齐书》就记录了鲜卑人的縠殿②。同时，这些帐房式的宫殿也自有其一定的建筑方法，如《水经注》记载，自白道城北出有高阪，谓之白道岭，岭下有溪水（今乌素图河），

> 西南流，历谷，迳魏帝行宫东。世谓之阿计头殿。宫城在白道岭北阜上，其城员角而不方，四门列观，城内唯台殿而已③。

说明行宫设置需一定形胜条件的依托，建筑布局须体现营卫特点。又据两唐书关于太和公主下嫁回鹘可汗之记载，可汗与新册封的可敦，分别位于"楼上"和"楼下"。这里所说的"楼"，其实也是像白道行宫一样的游牧政权的宫殿。而且尤为重要的是：两唐书的记载中还涉及回鹘汗庭的设置范围，这是行宫更加辽阔的场面。史载：长庆二年（822 年）闰十月，护送公主使臣胡证等还朝后，奏称：

> 初，公主去回纥牙帐尚可信宿，可汗遣数百骑来，请与公主先从他道去。胡证曰："不可。"使曰："前咸安公主来时，去花门数百里即先去，今何独拒我？"证曰："我奉天子诏送公主以投可汗，今未见可汗，岂宜先往。"使乃止④。

---

①　汪宇平：《呼和浩特市北部地区与"白道"有关的文物古迹》，《内蒙古文物考古》总第 3 期，1984 年版。

②　《南齐书》卷 57《魏虏传》，中华书局 1972 年版，第 986 页。

③　《水经注》卷 3，上海人民出版社 1984 年版，第 85 页。

④　《新唐书》卷 217（上）《回鹘传》，中华书局 1975 年版，第 6129 页。

信宿即一夜，这距离可汗牙帐已没有多少路程了。花门，学界一般认为即回鹘之别称，或者认为是地名但其确切位置已不可考①。其实，"花门"乃是回鹘汗庭或牙帐之地的正门，一如北宋彭汝砺奉使契丹辽朝时所见广平淀之"芦箔门"。这是彭汝砺在广平淀见到的契丹人等用苇箔杏花及松柏枝干等扎束起来的一座汗庭的门户。

> 其门以芦箔为藩垣，上不去其花以为饰，谓之羊箔门。作山棚，以木为牌，左曰紫府洞，右曰桃源洞，总谓之蓬莱宫，殿曰省方殿。（中略）山棚之前作花槛，有桃杏杨柳之类。前为丹墀，自丹墀十步谓之龙墀。殿皆设青花毡。其阶高二、三尺，阔三寻，纵杀其半，由阶而登，谓之御座②。

契丹辽朝时期，类似的情况当非少见。因此，金朝中期，今赤峰市附近还遗留"花道"的习惯称谓③（但此时的"花道"已经演变成为一个真正的地名了），就应与此有关。在游牧人的社会生活中，可汗的汗庭甚至行宫都拥有明确的地域范围，这是游牧人部落社会中不容忽视和混淆的大事。回鹘汗国的"楼"或"楼居"，其意义与汗庭一样，是同一事物的两个名称，即"楼"或"楼居"汗庭的别称或异名。北朝鲜卑人的"白楼"及与其作用大体相同的行宫建筑，存在着依山傍水的地域选择与建筑风格，回鹘人的"楼居"，虽然已经难知其详，但料想与鲜卑人的风格特点不会有太大的区别。

又据《大唐西域记》记载，7 世纪中期，西突厥汗国的可汗牙帐地为千泉。千泉之地，乃是当时水草丰美、禽兽众多、山蔬野果丰富的富庶之地。能够占领最为富庶的地方，也是游牧民族部落首领和贵族的权利。回鹘汗国的牙帐最初在都军山（今蒙古杭爱山），后来又选择了合罗川（今额济纳河流域）。合罗川，唐代或称"纥罗墩"，大诗人白居易就留下了"阴山道，

---

①　林幹：《试论回纥史中的若干问题》，林幹主编：《突厥与回鹘历史论文选集》下册，中华书局 1987 年版，第 597—624 页。

②　（宋）彭汝砺：《鄱阳集》卷 8，广平淀诗序。

③　《金史》卷 133《叛臣传·耶律窝斡》，中华书局 1975 年版，第 2857 页。

阴山道，纥罗墩肥水泉好”的著名诗句①。由于可汗的汗庭，向来就有南、北的划分（或冬夏之分），目的在于明确大暑或大寒时期的不同驻牧地，但介于两地之间的移动就往往以行宫的名义来称谓，如耿世民先生所译回鹘可汗碑文，就有“汗宫”、“宫殿”或“行宫”的不同称谓，说明可汗的移动性也是很大的；而且碑文中关于修建“宫墙”或“宫垣”的记载，证明了可汗的庭帐也像部落一样拥有自己的分地②。这些构成了“楼居”生活的具体内容。据《太平广记》记载：

> 费州蛮人举族姓费氏，境多虎暴，俗皆楼居以避之。③

又据宋人胡宿《文恭集》记载，仁宗朝广亲邸宅，

> 公坐省曹案领修造，有诏修缮，令主督作。广亲，秦悼王邸也，年祀浸久，支庶弥广，无容室处，至为楼居。上患其然，方议益邸，会其火，引度取邸旁民家地，以广其官。④

前面已有论述，“楼居”即匈奴、鲜卑、回鹘之“楼”，它不是北方游牧民族社会普通居民聚落的称谓，而是指部落可汗或皇帝的居所。但是，这两条史料记载的“楼居”的主人，都不是上述身份要求的皇族的支庶，是否表明上述的推断错误了呢？其实不是。因为，这两条史料记录的对象非北方游牧民族，他们的“楼居”方式，只是借用了“楼居”的形式和居住方式。这对于探明北方民族的“楼居”内容和形式等，也具有同样重要的参考价值及证明作用。费州居民为了躲避老虎的伤害，而采纳了游牧民族习用的“楼居”方式，说明这是一种人口相对聚集的聚落形态（因为散居是无法防御老虎的侵害的），可能采纳了“楼居”生活具有的墙垣等防御设施和高大

---

　　① 白居易：《白氏长庆集》。
　　② 林幹：《突厥史》附录《耿世民译突厥文碑铭译文》之《毗伽可汗碑》、《磨延啜碑》，内蒙古人民出版社 1988 年版，第 266—272、280—286 页。
　　③ 《太平广记》卷 427《虎二、费忠》。
　　④ （宋）胡宿：《文恭集》卷 37《宋故奉直郎守侍御史王公墓志铭》。

台基的瞭望能力。北宋的广亲王府邸宅，由于"年祀浸久，支庶弥广，无容室处，至为楼居"，即随着家庭人口的不断增长，王府邸舍已不足安置家庭内部人口的居住问题，迫于无奈，只好采取游牧民族部落的居住方式。这也说明"楼居"是一种相对简易、而又能容纳众多人口的居住方式。"楼居"生活方式，在黄河以南地区的社会生活中的适用，表明其绝不是一种普通的席地设置，而是有高大台基隔离潮湿与水气的特殊建筑形式。

辽太祖时期的契丹四楼，其实就是北方民族的"楼"或"楼居"传统的体现。辽太祖时期营建的四楼中，南楼的地域范围，包括了太祖迄圣宗时期先后兴建的义州、慈州及永州、武安州等地；西楼的范围，囊括了上京临潢府和祖州等地；东楼的范围，囊括了龙化州和降圣州之地。辽太祖营建的契丹四楼，是有明确地域范围的驻牧场所（或地点），每一个地点涵盖的地域范围都十分庞大。在这个庞大的地域范围内，必然有着明确的地理划分或者是鲜明的标志性设施的存在，否则"四楼"的位置将无法判明或加以区分。据《辽史》记载，穆宗应历十六年（966 年）曾经下达命令，

> 自先朝行幸顿次，必高立标识以禁行者。比闻楚古辈，故低置其标深草中，利人误入，因之取财。自今有复然者，以死论。①

又曰：

> 秋七月壬午，谕有司：凡行幸之所，必高立标识，令民勿犯，违以死论。②

所谓"先朝行幸顿次"，即那些已经归属于先帝名下的草场山川地带，既有纪念意义，也有私有成分存在其中，故需用立法加以保护。这也说明穆宗朝以前各位皇帝的行宫之地，都有一定的地域界限的规定。证明太祖时期四楼

---

① 《辽史》卷 61《刑法志上》，中华书局 1974 年版，第 937 页。
② 《辽史》卷 7《穆宗纪下》，中华书局 1974 年版，第 84 页。

之地各有明确的地域范围①。据《辽史》记载：契丹皇帝

　　　　四时各有行在之所，谓之"捺钵"。

又说：

　　　　皇帝四时巡守。②

既然契丹辽朝的"捺钵"或"四时捺钵"制度，是皇帝一年四季的"行在之所"，也称为"四时巡守"；则其意义与太祖时期"一年四季，往来于四楼之间"，又有何异③。因此，契丹辽朝的"四时捺钵"，从其实际意义与具体表现而言，无疑脱胎于太祖时期的"四楼"习俗，只是两者间存在着时代内容上的差异。说明契丹辽朝的"四时捺钵"习惯来源于北方民族的"楼"或"楼居"传统。

　　契丹辽朝政权在与北宋政权的抗衡取得基本平衡之后，捺钵生活，也基本按照春夏秋冬季节的变化，分别在鸭子河泺、吐儿山（即属于兴安岭山系）、伏虎林、广平淀等地驻坐，"每岁四时，周而复始"，是循环往复、屡行不易的生活与居住方式。其驻坐处虽然也时有变化，但每一个驻坐处都像穆宗时期所规定的一样拥有庞大的地域范围；因为季节的不同和驻地的不同，而分别从事不同的生产和生活方式，像春季主要用鹰鹘来搏取鹅、鸭、雁等水禽，秋季则猎获虎、熊、狍、鹿、猪、獾等，冬夏两季主要为违寒、避暑，是皇帝与大臣共同议论国是的时间，史称：

　　　　皇帝四时巡守，契丹大小内外臣僚并应役次人，及汉人宣徽院所管

――――――――――

　　① 关于四楼，日本学界也有探讨，如北川房次郎：《辽代西楼和北番地理志》，《收书月报》1943年2月85号；《西楼续记》，《收书月报》1943年5月88号；村田治郎：《西楼小记》，《收书月报》1942年12月第82、83号；《西楼再记》，《收书月报》1943年5月88号等，实将西楼作为地名考证。
　　② 《辽史》卷32《营卫志中·行营》，中华书局1974年版，第373—375页。
　　③ 傅乐焕先生也将太祖四楼视为四时捺钵，但未说明其原因。《辽史丛考》，中华书局1984年版，第1—242页。

百司皆从。汉人枢密院、中书省唯摘宰相一员,枢密院都副承旨二员,
令史十人,中书令史一人,御史台、大理寺选摘一人扈从。每岁正月上
旬,车驾启行。宰相以下,还于中京居守,行遣汉人一切公事。除拜官
僚,止行堂帖权差,俟会议行在所,取旨、出给诰敕。文官县令、录事
以下更不奏闻,听中书铨选;武官须奏闻。五月,纳凉行在所,南、北
臣僚会议。十月,坐冬行在所,亦如之。①

契丹皇帝"纳凉"和"坐冬"之时,也是契丹辽朝"行朝政治"的重要体
现,间或从事一些小型的射猎、山林采集活动。这是契丹辽朝"捺钵"的
主要内容。那么,契丹辽朝的"捺钵"活动具有怎样的组织特征呢?据
《辽史》的记载,可以划分为两类,即行政组织与驻牧场所的分配。契丹
辽朝

> 毡车为营,硬寨为宫,御帐之官不得不谨。出于贵戚为侍卫,著帐
> 为近侍,北南部族为护卫,武臣为宿卫,亲军为禁卫,百官番宿为宿
> 直。奉宸以司供御,三班以肃会朝,硬寨以严晨夜。法制可谓严
> 密矣。②

凡皇帝行在之所的营卫制度,都与随员制度相关(在专制政权的草创阶段
更是如此),而且内容及组织程序等有条不紊。所谓"御帐之官",也称为
"北面御帐官",即契丹营卫组织的基本纲领,史称:

> 侍卫司 掌御帐亲卫之事。

御帐,即皇帝的大营、宫殿,或称硬寨。又有:近侍局、护卫府、奉宸司、
三班院、宿卫司、宿直司、硬寨司、著帐郎君院等③。直接与皇帝行宫系统

---

① 《辽史》卷32《营卫志中·行营》,中华书局1974年版,第375—376页。
② 《辽史》卷45《百官志一·北面御帐官》,中华书局1974年版,第697页。
③ 《辽史》卷45《百官志一·北面御帐官》,中华书局1974年版,第697—702页。

联系的是："北面宫官"，史称：

> 辽建诸宫斡鲁朵，部族、蕃户，统以北面宫官。

其中有统领诸帝斡鲁朵即行宫事务的"诸行宫都部署院。总契丹汉人诸行宫之事"和"契丹行宫都部署司。总行在行军诸斡鲁朵之政令"、"行宫诸部署司（诸行宫部署司之误——笔者）。掌行在诸宫之政令"及"押行宫辎重夷离毕司。掌诸宫巡幸扈从辎重之事"等①。统和四年（986 年）六月

> 以夷离毕侄里古部送辎重行宫，暑行日五十里，人马疲乏，遣使让之。②

说明皇帝行宫的管理系统，早在辽圣宗时代之前就已经存在。

笔者曾认为：契丹四楼，就是辽太祖的私人领地。现在看来有修正的必要。这个问题恰好与"捺钵"之际驻牧场所的分割密切相关。契丹皇帝的驻牧范围内存在着土地（或牧场）分配现象，如《察割传》记载：世宗行猎或驻帐之时，

> 察割以诸族属杂处，不克以逞，渐徙庐帐迫于行宫。右皮室详稳耶律屋质察其奸邪，表列其状。③

表明在契丹皇帝行帐的周围，也有族属和大臣的庐帐，但其排列位置和方向等都有规定，且有官员专门负责执行，否则，无法解释"屋质察其奸邪"的事实。又据《地理志》记载，南京析津府潞阴县，有一大水泊，名为延芳淀。

---

① 《辽史》卷 45《百官志一·北面宫官》，中华书局 1974 年版，第 716—720 页。
② 《辽史》卷 11《圣宗纪二》，中华书局 1974 年版，第 123 页。
③ 《辽史》卷 112《逆臣上·察割》，中华书局 1974 年版，第 1500 页。

辽每季春，弋猎于延芳淀，居民成邑，就城故漷阴镇，后改为县。在京东南九十里。延芳淀方数百里，春时鹅鹜所聚，夏秋多菱芡。国主春猎，卫士皆衣墨绿，各持连锤、鹰食、刺鹅锥，列水次，相去五七步。上风击鼓，惊鹅稍离水面。国主亲放海东青鹘擒之。鹅坠，恐鹘力不胜，在列者以佩锥刺鹅，急取其脑饲鹘。得头鹅者，例赏银绢。国主、皇族、群臣各有分地。户五千。①

此中，既有"春捺钵"场面的生动描述，也指出延芳淀之地，已受到契丹辽朝统治者的青睐，成为举行春季"捺钵"的优良场所，形成了皇帝、皇族和群臣"各有分地"的不平常景象。这也生动地说明了契丹皇帝的捺钵所，就是"各有分地"的部落生活场面的浓缩。因此，无论太祖时期的"四楼"之地，还是契丹辽朝时期的"四时捺钵"场所，都不是皇帝个人的私领，而是仍然保留着游牧民族的部落社会"各有分地"的故俗与传统。

关于契丹四楼与斡鲁朵的关系，学界曾有过相应的探讨，李锡厚先生认为，捺钵是辽朝创立的中国封建王朝史上独特的政治形式，在辽朝政治体制中拥有核心地位。捺钵就是朝廷，是契丹人风俗习惯的产物②。《辽史》将捺钵与斡鲁朵说成平行或等同的机构设置。其实斡鲁朵是捺钵系统的构成，在空间上斡鲁朵和捺钵也是完全分开的，在辽朝的政治体制中两者间的地位并不等同，只有捺钵才真正具有核心的政治地位③。李先生前半部分的评述是客观公正的，后半部分的结论值得商榷。其史料依据为：第一，宫卫不能与斡鲁朵等同，官职中的行宫官也不能等同于宫官；第二，冬捺钵也不能等同于斡鲁朵，因《营卫志》记载了各位帝后斡鲁朵的地点，若冬捺钵即斡

①　《辽史》卷40《地理志四·南京析津府漷阴县》，第496页。
②　李锡厚：《论辽朝的政治体制》，《历史研究》1988年第3期；《辽中期以后的捺钵及其与斡鲁朵、中京的关系》，《中国历史博物馆馆刊》1991年总第15—16期。
③　李锡厚：《辽中期以后的捺钵及其与斡鲁朵、中京的关系》，《中国历史博物馆馆刊》1991年总第15—16期。

鲁朵，则史料记录不会存在捺钵之外又有斡鲁朵或斡鲁朵之外又有捺钵的混乱①。姚从吾认为契丹人的"宫卫"（即"冬捺钵"）中可见具体描写，但是"冬捺钵"与其他三捺钵明显不同。"宫卫"乃契丹皇帝久驻之地而"捺钵"是四时巡行的牙帐②。其认识依据则过分注重辽代中晚期的资料，缺乏对其自始至终的源流或演变的探讨。国外学者，如岛田正郎等人则仅就史料进行阐述③，可略而不论。

辽太祖时期的契丹四楼，起源于汉魏隋唐以来古代北方游牧民族的"楼"或"楼居"传统。"楼"是对特定居住方式的最早记载，北魏前期出现的"白楼"不过是加以颜色的标志或区别；唐朝时期使用"楼居"的称谓，指代北方民族部落首领的居住场所。笔者认为"楼居"，是分别由一个名词和一个方位词（或动词）组成，"楼"是名称而"居"则是作用或意义的附加成分，目的在于标志这种设施的具体用途。"楼"与"楼居"、"四楼"等一脉相承，正如北方游牧民族的文化线索一脉相承一样，体现了北方游牧民族的历史发展，起码在 13 世纪以前存在极大的相似或相近的特点；这些相似或相近的特征，为北方游牧民族的历史研究提供了一个可以相互勘验比证的研究功能，利用这个功能既可以通观北方游牧民族的历史线索，也可以相互对比、释其存疑。不仅契丹四楼问题的是如此，其他问题的解决也能如此尝试，而且会有事半功倍的效果。

北魏时期所见的斡鲁朵遗制，是历史中曾被记录下来的"白楼"和"阿计头殿"，可以相互补正的资料如：

> 自佛狸至万民，世增雕饰。正殿西筑土台，谓之白楼。万民禅位后，常游观其上。台南又有伺星楼。正殿西又有祠屋，琉璃为瓦。宫门稍覆以屋，犹不知为重楼。④

---

① 李锡厚：《辽中期以后的捺钵及其与斡鲁朵、中京的关系》，《中国历史博物馆馆刊》1991 年总第 15—16 期。

② 姚从吾：《辽朝契丹族的捺钵文化与军事组织、世选习惯、两元政治及游牧社会中的礼俗生活》，《中山学术文化集刊》1968 年第 1 期；《契丹汉化的分析》，台湾《大陆杂志》1952 年第 4 卷第 4 期。

③ ［日］岛田正郎：《辽朝北面中央官制的特色》，《大陆杂志》第 29 卷，1964 年第 6 期。

④ 《南齐书》卷 57《魏虏传》，中华书局 1972 年版，第 986 页。

这样的建筑，明确记载为不是"重楼"的建筑形式，应是与"白道行宫"相一致的建筑设施。回鹘汗国的相关资料，与蒙古国境内鄂尔浑河流域发现的古突厥文碑铭等同。关于回鹘人的"楼"与"花门"，仅将古突厥文碑铭的记录，择要介绍如下：

> 在……泉那里，我让人建造了白色宫殿，让人打造了宫墙（或石碑）。我在那里过了夏天。我在那里拜了天。我让制作了我的印记和诏谕。……我在 siz 泉，在我的汗宫那里过夏。在那里我举行了拜天①。

译文涉及的"宫墙"的作用及其表示的状态，起到了圈定可汗驻牧地范围的效果与作用。同时，一个值得注意的现象是：契丹辽朝时期，将古回鹘汗国遗留在漠北草原的汗庭建筑称之为"窝鲁朵城"。如：

> 开泰元年十一月，石烈（乃"尤烈"之误——笔者）太师阿里底杀其节度使，西奔窝鲁朵城，盖古所谓龙庭单于城也②。

此城的地理位置，日本学者松井已于 20 世纪初发表的《契丹可敦城考》一文，作了较为详细的考证③，此不赘述。这段史料值得引介的是：契丹辽朝仍将"龙庭"及可汗所居之城统统视为"窝鲁朵"这是契丹人将原本存在的"龙庭"与后来出现的斡鲁朵，在功能、作用及意义理解上视为等同的明证。再由此而推及辽朝的龙化州，其地本始祖之"龙庭"，也应是契丹人早期斡鲁朵所在，两者无论功能、作用还是名义称号，都是相通的。因此，辽太祖在这里建立州城和设立"东楼"的初衷以及辽太宗将此定名为"龙化州"的始因等，也都是相同的：这里是契丹人的龙庭——即历代可汗的斡鲁朵所在。这既是太祖四楼就是其斡鲁朵的证明，也是辽太祖所以将皇都

---

① 林幹：《突厥史》，《耿世民译突厥文碑铭译文·磨延啜碑》，内蒙古人民出版社 1988 年版，第 280—286 页。

② 《辽史》卷 93《萧图玉传》，中华书局 1974 年版，第 1378 页。

③ ［日］松井著：《契丹可敦城考》，冯家升译，《禹贡半月刊》第 6 卷第 11 期。

移至西楼地的缘由所在。

关于辽太祖时期的四楼，就是其四大斡鲁朵的论述，可以详见任爱君《契丹四楼源流说》①。既然太祖时期的四楼就是四个斡鲁朵，那么，太祖时期的斡鲁朵就一定拥有很大程度的移动性。太祖时期斡鲁朵发生的剧变，乃是由于"斡鲁朵法"的确立。所谓"斡鲁朵法"，其实是关于皇帝、贵族及大臣之家拥有私领份额的具体规定，既是法律化的保障，也是条制化的限制。因此，斡鲁朵的规模和投下州的数量，构成了当时"斡鲁朵法"的主要内容。"斡鲁朵法"的实施，从时间上看，应与部族的划分、投下州的建立和太祖时期斡鲁朵的整顿等同步进行。太祖对斡鲁朵的整顿，是他在丁卯年（907 年）正月宣布的"皇族承遥辇氏九帐为第十帐"②的规定加以否定时开始。也就是说，辽太祖最初的斡鲁朵包括了整个世里氏家族（即整个迭剌部）在内，而经过整顿之后的斡鲁朵则仅仅保留了早期的"腹心部"和后来的契丹皇族。那么，实施整顿的确切时间，就应该是天赞元年（922年）。辽太祖明确规定：迭剌部分为五院、六院部，成为"契丹二十部"之首③；从此，辽太祖曾祖以上之皇族后裔被从宫帐中剥离出来。契丹可汗或皇帝斡鲁朵内容也从此发生了历史变化。这些事实，都体现出契丹辽朝时期的斡鲁朵与捺钵习惯及其制度等，实际是直接脱胎于辽太祖时期的契丹四楼，或者说契丹四楼就是后来契丹辽朝捺钵与斡鲁朵习惯的前身，即宫卫与行营制度的始源。契丹辽朝时期的四时捺钵制度，据《辽史》的记载属于圣宗或道宗时期的事实，它应该形成于契丹辽朝的中期④。

契丹辽朝前期，斡鲁朵与捺钵的密切联系，在辽太宗时期的一则记录中，可窥其一斑。辽太宗在扶立后晋政权后，北归途中，顺便收复了自 9 世纪末以来脱离契丹政权控制的西部奚集团，耽误了归程，使国内留守的应天皇太后感到担心，屡次派出信使促太宗返程，并亲自到滦河流域迎接，史称：

---

① 任爱君：《契丹四楼源流说》，《历史研究》1996 年第 6 期。

② 《辽史》卷 1《太祖纪上》，中华书局 1974 年版，第 3 页。

③ 参见《辽史》卷 2《太祖纪下》、卷 33《营卫志下·部族下》，中华书局 1974 年版，第 18 页。

④ 参见《辽史丛考》，中华书局 1984 年版。

（天显十二年春正月）丙寅，皇太后遣侍卫实鲁趣行，是夕，率轻骑先进。丁丑，皇子述律迎谒于滦河，告功太祖行宫。戊寅，朝于皇太后，进珍玩为寿①。

这则史料，明确记录了"太祖行宫"（即太祖的斡鲁朵）卓帐于滦河流域的事实，像这样的移动状态，在契丹辽朝中晚期历史记录中是不存在的。同样的记录，在世宗时期，也能见到，如：天禄五年（951 年）

九月庚申朔，自将南伐。壬戌，次归化州祥古山。癸亥，祭让国皇帝于行宫。群臣皆醉②。

说明此时为人皇王新建的斡鲁朵，也随世宗宫卫的转移而移动。说明契丹辽朝前期，皇帝及先帝的斡鲁朵也拥有一定的移动性。

景宗时期，失去先帝斡鲁朵移动的记录，契丹辽朝的斡鲁朵又经历了再次调整。李锡厚先生与姚从吾先生等，在斡鲁朵与四时捺钵之间存在认识上的差异，即在于忽略了宫卫及行营的来源与时代特点，忽略了斡鲁朵与捺钵的演变；由于所参据资料的历史时间性的混淆，造成了认识角度的歧异和推演结论的争鸣。

辽太祖出任契丹可汗之际，曾宣布将皇族"升帐"为第十帐——成为契丹可汗宫帐中又一个新组建的斡鲁朵，充其量是对既存现状及习俗传统等的继承。这种对故俗和传统的继承，就是四楼的存在与延续。辽太祖以皇族的整体结构承接前任九代可汗的"宫分"（即斡鲁朵之异名），是执行契丹故俗的结果。这是辽太祖"宫分"的存在与发展的第一个阶段。出任契丹可汗的阿保机，正如《辽史》描述的具有"帝王之度"与"英雄之智"那样，

辽太祖有帝王之度者三：代遥辇氏，尊九帐于御营之上，一也；灭

---

① 《辽史》卷 3《太宗纪上》，中华书局 1974 年版，第 40 页。
② 《辽史》卷 5《世宗纪》，中华书局 1974 年版，第 66 页。

渤海国，存其族帐，亚于遥辇，二也；并奚王之众，抚其帐部，拟于国族，三也。有英雄之智者三：任国舅以耦皇族，崇乙室以抗奚王，列二院以制遥辇是已。观北面诸帐官，可以见之矣。①

为了建立一个更加牢固、拥有绝对权威的新政权，是阿保机一生的奋斗过程。阿保机从翻覆的政治斗争中胜利的时候，更彰显出其个人的政治器量、统治智慧与管理方略。他将原本存在的迭剌、遥辇两大氏族不能同治以及它们又不能与奚族同治的混乱局面，发展为迭剌、遥辇两大氏族与新征服的奚族和渤海遗族同时共存的局面；同时，也利用宠信拔里、乙室己等"国舅部落"作为皇族统治的辅弼；适当抬高和赋予乙室部的地位达到遏制奚王的目的；将迭剌部一分为二形成挟制遥辇氏族的局面。可以说是"化戾气为祥和"，将部落社会积存的怨恨与敌对情绪化为乌有。当然，其中也囊括了许多后人的谀美之辞，但亦非全属凭空杜撰，基本呈现了当时的主要政局，揭示了社会发展的基本现状。922年，辽太祖对于斡鲁朵结构的调整，实际上也是对"捺钵"生活的重新调整，但是这种调整还只是注重于专制体制的建立，斡鲁朵与捺钵并没有截然分开，还保持着共同移动的方式。这是辽太祖"宫分"存在与发展的第二个阶段。

综上所述，太祖时期的契丹四楼，自丁卯年（907年）正月宣布"皇族承遥辇九帐为第十帐"之日起，至天赞元年（922年）十月宣布"分迭剌部为二院"之日止。此间，太祖的斡鲁朵既是宫卫，也是行营，斡鲁朵与游猎生活紧密相关。自天赞元年十月之后，阿保机曾祖以上皇族后裔与迭剌部一起从宫卫系统中剥离出来，辽太祖的斡鲁朵只由"腹心部"来承当，但其斡鲁朵仍具有极大的移动性，宫卫与游猎仍然联系在一起，这种状况一直持续到景宗朝。此后，契丹斡鲁朵的移动功能逐渐终止，捺钵与斡鲁朵的密切联系逐渐淡漠。契丹辽朝中晚期，捺钵现象因北宋时期中原人士的引介和渲染，成为契丹辽朝判然有别于中原政权的一道独特风景线，这就是现今《辽史》记载的捺钵状况，它较为全面地反映了圣宗时期及其以后捺钵形式的实际情况。

---

① 《辽史》卷45《百官志一·北面诸帐官》，中华书局1974年版，第711页。

二、辽朝斡鲁朵的渊源

斡鲁朵，始见于突厥文碑铭①，在古代史籍中相对完整地被记录下来，则只有《辽史》卷31《营卫志》"宫卫目"：皇帝"居有营卫，谓之斡鲁朵。"它起源于古代游牧民族的社会传统，属于游牧社会习惯法的范畴②。

辽代的斡鲁朵，是辽朝的一项政治制度，它与辽朝的政治兴废息息相关。因此，辽朝斡鲁朵的研究，对于契丹辽史学研究的进展意义十分重大。虽然如此，目前辽代斡鲁朵的研究，由于资料限制等原因，还仍然处于一种悬疑状态。许多史界名流和契丹辽史研究者，均为此付出了艰辛的努力，如姚从吾、傅乐焕、费国庆和日本学者岛田正郎、箭内亘等人的研究成果③，都为辽代斡鲁朵问题的研究，建立了筚路蓝缕的开创之功，当代学者李锡厚、杨若微等人在斡鲁朵组织系统的研究方面取得了一定性的突破，使契丹斡鲁朵的许多问题得到局部澄清④，但辽代斡鲁朵的渊源则鲜有问津。

（一）"帐分"、"宫分"与"地分"

辽太祖耶律阿保机创立君主专制的政权之前，斡鲁朵就已经存在于契丹社会，只不过当时还被习惯地称为"帐分"。什么是契丹人的"帐分"呢？这在《辽史》的相关陈述和记载中，可以了解到"帐分"的内涵。

第一，据《辽史》卷45《百官志》"北面诸帐官"条，"遥辇九帐大常衮司"掌遥辇九世可汗"宫分"之事。因此，所谓"遥辇九帐"，即九帐

---

① 耿世民译：《突厥文碑铭译文》，林幹著：《突厥史·附录》，内蒙古人民出版社1989年版，第280—286页。译文中将斡鲁朵统译为"宫"。

② 苏赫：《说北方民族的斡鲁朵习俗》，《1998年·中国古代北方民族文化第二届国际学术研讨会论文集》，《北方民族文化新论》，哈尔滨出版社2001年版，第167—184页。

③ 姚从吾：《辽朝契丹族的捺钵文化与军事组织、世选习惯、两元政治及游牧社会中的礼俗生活》，《中山学术文化集刊》第29卷，中国台北1968年第1辑；傅乐焕：《辽代的斡鲁朵》（英文版），1945年英国牛津大学硕士论文；《辽朝丛考》，中华书局1984年版；费国庆：《辽代斡鲁朵探索》，《历史学》1979年第8期；岛田正郎：《辽朝北面中央官制的特色》，《大陆杂志》中国台北1964年第29卷第6期。

④ 李锡厚：《论辽朝的政治体制》，《历史研究》1988年第3期；《辽中期以后的捺钵及其与斡鲁朵、中京的关系》，《中国历史博物馆馆刊》1991年总第15—16期。杨若微：《契丹政治军事制度研究》，中国社会科学出版社1991年版；武玉环：《辽代斡鲁朵探析》，《历史研究》2000年第2期；任爱君：《契丹四楼源流说》，《历史研究》1996年第6期；《契丹史实揭要》，哈尔滨出版社2001年版，第185—263页。

分，是指遥辇九世可汗宫分。宫分，据《辽史》即斡鲁朵。知"帐"与"帐分"，也即斡鲁朵。

第二，据《辽史》卷1《太祖纪上》记载，太祖元年（907）春正月庚子，"诏皇族承遥辇氏九帐为第十帐"。所谓"第十帐"，即阿保机亲族形成的独立的帐分。因为，同在《辽史》卷45《百官志》"北面诸帐官"条记载，"遥辇九帐大常衮司"，掌遥辇九世可汗"宫分"之事。并称"太祖受位于遥辇，以九帐居皇族一帐之上，设常衮司以奉之，有司不与焉。凡辽十二宫、五京，皆太祖以来征讨所得，非受之于遥辇也。"帐即宫分，所谓皇族一帐即"第十帐"，也即是阿保机的宫分。

既然"帐分"与"宫分"有着这样直接的联系，或者说两者在特定的内涵方面出奇地一致，那么，"帐分"与"宫分"究竟是什么？从上引《百官志》"北面诸帐官"条记载可知："帐分"即"宫分"，也即斡鲁朵。遥辇九帐，在辽代"设常衮司以奉之，有司不与焉"。常衮司，是遥辇九帐的管理机构；"有司"是指国家正常的统一管理机构，是对所有的"国有"内容进行管理的组织系统，但"有司不与"却是指不在"国有"管理机构的统辖范围之内。因此，所谓"遥辇九帐大常衮司"，就是一个独立于"国有"系统之外的单独管理机构。这个单独管理机构的领有权归属于谁呢？无疑是遥辇氏贵族家庭。这从辽太祖对其尊之奉之的态度上可以表现出来①。所以，"帐分"或"宫分"在其归属的性质上体现出了强烈的私有化特征。

同时，不得不提的是盛行于契丹等游牧民族社会的"地分"。"地分"，在《辽史》等古代史籍中有时又写作"分地"，如"契丹故俗，分地而居，合族而处。"② 这个"分地而居，合族而处"便形象地道出了契丹社会以氏

---

① 遥辇九帐，作为遥辇氏贵族家庭的私有财产，在辽太祖即任契丹可汗很长一段时间内，其实一直是由其家庭来单独管理的。据《耶律海里传》，海里为遥辇昭古可汗之后，907年，辽太祖继任可汗后，遭到了契丹贵族阶层的强烈抵制，发生了大规模的内部战争，因此，辽太祖"既靖内难，始置遥辇敞稳，命海里领之"。敞稳，即常衮。所谓辽太祖"既清内难"云云，只能是指其于916年宣布建立帝制之时或以后的事情，同907年相比已有十年时间。这十年时间，是遥辇九帐真正为"有司不与"的完整的私人财产的时期。敞稳的设立，虽然没有否定私有的性质，却已经予以国家干预的管理方式。

② 《辽史》卷32《营卫志中·部族下》，中华书局1974年版，第376页。

族为单位各有明确的游牧范围划分的分布形态。因此，"地分"，即是游牧社会中对各个氏族人口游牧地域的明确划分。"帐分"、"宫分"，也与"地分"一样有着明确的规定和具体的划分。

"帐"或"帐分"，即契丹习惯法中的帐制，最为典型的是：《辽史》中习见的"国舅帐"，这在《营卫志》"部族目"中被称为"二国舅升帐分"。① 它在辽朝的历史中，曾经长期存在并发挥重要的作用。

帐制，在契丹生活中和部族组织形式密切相关，如《营卫志》"部族目"记载："部落曰部，氏族曰族。契丹故俗，分地而居，合族而处"。以氏族为单元是部落社会的基本形态。但随着社会的发展，部落与氏族之间的等序关系渐被打破，出现了以下四种现象："有族而部者"，即虽为氏族却给予了部落的名分，如辽代的五院部、六院部之类；"有部而族者"，即维护了部落与氏族间等序关系的原貌，像辽代的奚王部、室韦部；"有部而不族者"，即虽然组成了部落，其成员间却没有氏族血缘关系，像辽代的特里特勉部、稍瓦部、曷朮部，都是以诸部散户或掳掠驱口组成；还有一种就是"族而不部者"，即为一个完整的氏族，却脱出了部落组织之外，这样的"部族"就是具备了"帐"或"帐分"条件的遥辇九帐族和皇族三父房族（帐）。是知"帐制"与"氏族"有时也是复合在一起的。因此，凡属具备了"帐"或"帐分"条件者，都是和氏族大家族观念下的家庭形态密不可分的。这种情况是在辽始祖涅里拥立阻午可汗后，便已存在。史称，涅里所统迭剌部与可汗家族的遥辇部"别出"于八部组织之外，被以世袭形态下的世选方式确立和保持下来。这种"别出"现象，就是契丹人历史活动中的"帐分"（或帐制），"帐分"的初立就称为"升帐"，被"升帐"的部族（一般均是以氏族单位为主）就是给予了家庭领有部落并在世袭形态下进行世选继承的特权。因此，关于辽朝斡鲁朵与契丹帐制的渊源，再结合史实，缕述如下。

（二）迭剌部的"别出"和契丹帐制

辽太祖斡鲁朵的建立，确切时间是在元年（907年）正月庚子日。此前，契丹贵族（或群臣）遵照遥辇痕德堇可汗传位于阿保机的禅让遗命，

① 《辽史》卷33《营卫志下·部族目》，中华书局1974年版，第384页。

于元年春正月庚寅，设坛于如迂王集会埚（契丹地名，在龙化州），燔柴告天，拥立阿保机为契丹可汗，事隔 10 日后，阿保机宣布建立了自己的斡鲁朵，即"庚子，诏皇族承遥辇氏九帐为第十帐"。

辽太祖最初建立的斡鲁朵，是依照契丹社会故有的帐制（或帐分）习俗建立的。"帐制"（或"帐分"）的原始体现，就是《辽史》卷 32《营卫志中》"部族上"条记载遥辇八部时，指出的"遥辇、迭剌"两个别出的部落。

> 大贺氏既微，辽始祖涅里立迪辇祖里为阻午可汗。时契丹因万荣之败，部落凋散，即故有族众分为八部。涅里所统迭剌部自为别部，不与其列。并遥辇、迭剌亦十部也。①

这里所说的"涅里所统迭剌部自为别部，不与其列"，就是指涅里拥有的迭剌部被允许具备了像阻午可汗的遥辇部那样的特殊的地位。涅里和他的迭剌部又是怎样组建起来的呢？《营卫志》"部族下"条记载：

> 五院部 其先曰益古，凡六营。阻午可汗时，与弟撒里本领之，曰迭剌部。传至太祖，以夷离堇即位。天赞元年，以强大难制，析五石烈为五院，六爪为六院，各置夷离堇。
> 乙室部 其先曰撒里本，阻午可汗之世，与其兄益古分营而领之，曰乙室部。②

这两则材料说明，当阻午可汗建立之时，对拥立有功人员涅里的赏赐的特权是给予了其领有部落可"别出"于八部系统之外（即升入帐分）的赏赐。涅里领有的部落就是迭剌部。迭剌部的祖先是益古。益古，在阻午可汗时将原有六营部众一分为二，与弟撒里本分领，使一个原本完整的部落分为两个：即"别出"的迭剌部和纳入八部之中的乙室部（即唐代契丹"乙室活

---

① 《辽史》卷 32《营卫志中》，中华书局 1974 年版，第 380 页。
② 《辽史》卷 3《营卫志下》，中华书局 1974 年版，第 384—385 页。

部"，又称"乙失革"）。益古与涅里，应为同一人。

阻午可汗的建立，发生在 8 世纪中叶唐玄宗时期（712—756 年在位）。涅里及其所领"别出"的迭剌部，就始建于此时。迭剌部出现的时间，当与阻午可汗领有的遥辇部是同时或稍晚，它们共同代表了契丹社会早期存在的帐制或帐分（斡鲁朵）习惯。帐制，在契丹社会组织系统中，拥有至高的权力和优厚的待遇，它拥有的牧地草场牲畜和财富都优于八部。更为重要的是：帐制拥有一支从属于首领个人的常备军，契丹语称"挞马"，即相当于后世铁木真的"那可儿"或"探马赤"。所以，契丹社会组织系统在阻午可汗时，一经确定之后，便执行了一条世代维持原状的统治方式，即契丹部落社会中的大小职位，均依阻午可汗确立时的原样被世代保留和承袭下来，这就是契丹社会盛行的世袭形态下的世选习惯。契丹帐制与世袭形态下的世选传统，构成了自 8 世纪中叶以来至 10 世纪初期契丹社会组织结构发展中相辅相成的两个重要内容。

《辽史》称：辽太祖取代遥辇氏成为契丹可汗，终止了遥辇部（或帐）在世袭形态下的世选可汗的权力，汗位的世选资格转移到迭剌部中来。与此同时，许多职位的世选资格也发生了变化，国舅族和皇族对于南、北府宰相世选资格的获得，就是明证。同时，《营卫志》"部族目"关于"太祖二十部"记载中，称"二国舅升帐分，止十八部"。就是说升入帐分的两个国舅部同样获得了"别出"于部落组织管理机构之外的特权，它们已成为了单独进行管理的私有财产，已经不再是"国有"的内容，因此，所谓太祖时期的二十部，实际上只有十八部。这种"升帐分"，就是涅里时期的"别出"，二者的意义是等同的，即它们将不受部落组织的约束而成为家庭（或家族）的私属。

（三）契丹政权建立的历史途径

凡谈辽代的斡鲁朵，不能不触及其政权的建立。众所周知，契丹人的社会组织形态，从原始的氏族部落（即四五世纪时期的古八部），发展到组织程度相对较高的部落联盟时期，即从隋唐初期的大贺氏联盟过渡到唐朝中期形成的遥辇氏联盟[1]，出现了最高统治者可汗和联盟最高军事首领大夷离堇

---

① 李桂芝：《辽金简史》，福建人民出版社 1996 年版，第 11—19 页。

及部落首领夷离堇、阿扎割只、梅老（里）、秃里等，还有管理部族事务的机构：南、北面宰相府（长官也分称南、北宰相）和具体的部落组织结构：石烈（相当于中原的县）、弥里（相当于中原的乡）等，其长官为达剌干、弥里马特本、马特本和闸撒狨等；出现了部落首领的侍卫组织：挞马（长官称挞马狨）；部落罪犯的管理机构：瓦里；相应的刑律：籍没之法（还有各种名目的刑名）等。这一切，说明契丹社会的组织形态已经具备了国家的雏形。只是在这个国家的雏形中，还具有浓重的部落色彩，联盟的职能还发挥着更多的作用。因此，这个联盟尚不能被直接地定名为国家，它事实上还是一个徘徊在国家机器面前的部落组织机构。

这种状态，起码从 8 世纪中叶起便已经形成，当时契丹社会组织结构确定的部落职务，是在世袭形态下的世选，即由特殊的家族掌管着部落社会内部的大小职务。结果，使部落人口的两极分化进一步加速，原有的血缘谱系的识别不断加强，剥削和压迫在社会生活中成了寻常现象。贵族之家越来越多地掌握了部落社会从上到下各个职能机构的权力，贵族子弟成为社会中尊贵的"舍利"和"阿钵"，一个真正的统治阶级已经形成。但是，直到 10世纪初，当时还盛行的世袭形态下的世选制度，虽属于世袭制的范畴却尚未达到世袭制的鼎盛，也就是说，世袭形态下的世选习惯只是明确了社会组织系统内从可汗到部落的各种职务，都分别由各个层次的贵族家庭承袭的事实，至于承袭的方式并没有严格的规定，只是允许在家庭内部所有血亲人口的男性中选拔。这种推选的方式，沿袭了古东胡族推选首领的习俗。如果说，契丹社会世袭形态下的世选习惯，在联盟组织被明确下来的时候，还仅是针对个人或几个人的后代确定下来的（初期的遴选也不过是在几个兄弟间进行），那么，在经历了一个半世纪的发展后，每个职务的世选都要同时面对家庭（或家族）中的更多人口的竞争，这就为特权的继承或分享带来了诸多不便。仅以世选夷离堇职务的阿保机家族（即世里氏）为例，9 世纪末至 10 世纪初，懿祖萨剌德（辽太祖曾祖父）四子中，长子叔剌早卒，无后，次子贴剌曾九任夷离堇（贴剌二子羁古只、辖底均曾任夷离堇）；四子匣马葛年少而卒，但匣马葛之子偶思曾任夷离堇；玄祖匀德实（懿祖第三子，即辽太祖祖父）四子中，长子麻鲁早卒，无后，次子岩木曾三为夷离堇（岩木三子胡古只、未掇、楚不鲁均曾任夷离堇），三子释鲁亦曾久任夷离堇而致"于越王"之号；德祖（玄祖季子，即辽太祖之父）六子中，长子阿保机和次子剌葛也曾相继担任夷离堇（辽太祖以夷离堇升于越，夺取汗位后，剌葛继任）①。由此看来，世选习惯虽推雄勇者任之，但也有任期限制（如此，才能出现一人曾三次或九次出任的现象），同时，因为没有一个固定的父死子继的习惯（更不要说嫡长子继承制了），呈现了同一家族内部多房系的叔侄兄弟共同争夺夷离堇的现象，出现了血亲之间的仇杀。如：玄祖为"部人"（即亲族）狼德所杀和于越释鲁为子所杀的事件以及耶律辖底利用盛行的原始习俗巧取兄长夷离堇职务的事件等，都与世选方式（或习俗）有密切联系。部落首领的职位由公平推选发展到巧取豪夺，标志着私有形态已成为社会的通常现象，古老的公正与平均观念，已经不能解决部落中的新问题。部落联盟已经走到了它的终点，国家制的基础正在逐步夯实。

伴随着部落组织形态的衰亡，国家机器的新生和古老的世袭形态下的世选方式的紊乱，契丹社会的发展也呈现出更加清晰地由血缘族系的大家庭向以父权为核心的个体家庭转变的辙迹。

综观辽太祖创立专制政体的实际过程，完全是在承继了契丹社会固有现状的基础上，一步步地打破了旧有的"常规"，确立了个体家庭在新的社会结构中所处的位置。因此，所谓辽太祖"化家为国"的描述，可以从两方面来理解：一是契丹政权建立的现实基础，二是个体家庭成为社会基本单位。发展和变革是契丹政权初期运作过程中的主要内容，许多部落遗制虽然原封不动地保留下来，但已经加上了专制统治的保险锁，标上了专制政体的国家标签，性质发生了变化。这就是"各安旧风"，"因宜为治"。

契丹政权建立的途径，就是在全盘承袭了部落组织的固有形态之后，因宜为治，积极变革的结果。它承袭了固有的世袭世选习惯（甚至还主动扩大），但由国家掌握了世选资格的许可。它继承了部落社会血缘大家族的特点，却在消弭了大家族的废墟上扶植了个体家庭。它继承了固有的"神权至上"为主的意识形态，却因势利导地树立起以"君权神授"为核心的思

---

① 《辽史》卷64《皇子表》，中华书局1974年版，第964页。

维方式①。辽太祖耶律阿保机创立的契丹政权不是在剧烈的政权更替中产生的，而是从部落联盟自然腐化的废墟中冒出的新苗。

（四）辽太祖晚年"斡鲁朵法"的颁行

据《辽史》卷33《营卫志下》"部族下"条记载，辽太祖在明确遥辇九帐和皇族十帐的地位后，又将拔里、乙室己二国舅部升为"帐分"，将崇高的利益惠及国舅家族。此外，据《百官志》"北面诸帐官"条记载，

> 辽太祖有帝王之度者三：代遥辇氏，尊九帐于御营之上，一也；灭渤海国，存其族帐，亚于遥辇，二也；并奚王之众，抚其帐部，拟于国族，三也。

所谓"度"，即是气量或容纳，尊遥辇九帐于御营之上的"御营"，就是以皇族为"第十帐"的新帐分。说明耶律阿保机建国之初，对帐制的沿用与保留已经很多，也更说明契丹政权是在继承旧俗基础上演变而来的。

同样是在《百官志》"北面诸帐官"条，叙述了辽太祖"有帝王之度"后，接下来又说：

> 有英雄之智者三：任国舅以耦皇族，崇乙室以抗奚王，列二院以制遥辇是已。②

"智"是指巧取或者利用。容纳的结果，造成了帐制的泛滥；夺取的结果正在于克服前者的缺陷，所谓任国舅以耦皇族，是指这两个帐制家族相辅弼、平均分配了享受世选的特权。这是发生在辽太祖四年（910年）至神册六年（921年）之间的事情，实现的过程有10年。《太祖纪上》载，"四年秋七月戊子朔，以后兄萧敌鲁为北府宰相。后族为相自此始。"《太祖纪下》神册六年正月，"以皇弟苏为南府宰相，……宗室为南府宰相自此始。"这两个开始，意味着废除了原有的二宰相世选家族的权利，将之重新分配给后族

---

① 任爱君：《从舍利到帝王——辽太祖耶律阿保机研究之一》，《社会科学辑刊》2004年第1期。
② 《辽史》卷45《百官志一》，第711页。

和皇族来享用。这是一种夺权，也是一个重大的变化。所谓"崇乙室以抗奚王"，是指对奚族部众的分化瓦解政策和将奚王府给予大部的待遇。所谓"列二院以制遥辇"，遥辇就是指遥辇九帐，这是遥辇氏家族失去汗位之后的唯一残存。"二院"是指二院皇族，即五院、六院部（又称南、北院）。天赞元年（922 年）十月，辽太祖"析迭剌部为二院"。这个迭剌部，就是涅里所统辖并成为遥辇氏时期"升帐"的部落①。耶律阿保机因其人口众多、势力过于强大，便以血缘亲属关系的远近作出区分。规定：肃祖（阿保机之高祖）长子的后代，为五院部，又称南院部；将肃祖第三子、第四子的后代，及懿祖（肃祖第二子，阿保机之曾祖）第二子、第四子的后代，合并为一部（懿祖长子无后），称六院部，或北院部；总称二院部。同时，又将玄祖（懿祖第三子，阿保机之祖父）第二子岩木的后代，析为孟父房（玄祖长子无后）；第三子释鲁的后代，析为仲父房；玄祖季子德祖（阿保机之父）的后代析为季父房；总称"三父房"或"三父帐"②。

> 辽俗东向而尚左，御帐东向，遥辇九帐南向，皇族三父帐北向。东西为经，南北为纬，故谓御营为横帐云。③

综此而言，迭剌部被析分为二院皇族（即南院部、北院部）和皇族三父帐（和横帐）。其中，所谓的"二院部"已经取消帐制名分，变成了新的部落；唯有皇族三父房，完全保留了那个"第十帐"的原始意义。皇族改造的同时，遥辇九帐也被设置敞稳等予以管理，这应是"创二院以制遥辇"的基本内容。

《辽史》称：

> 辽国之法，天子践位置官卫，分州县，析部族，置官府，籍户口，

---

① 关于迭剌部的"别出"，契丹史研究者在很长一段时期时，均感十分费解，笔者经过分析后认为"别出"即"升帐"，是实现部族人口私有化的一种特殊的途径。这种私人领有的部落（族）"别出"的现象，可一直上溯到契丹"古八部"时，隋唐时期的"契丹十部"。

② 《辽史》卷45《百官志一·北面皇族帐官·序》，中华书局1974年版，第707页。

③ 《辽史》卷45《百官志一·北面诸帐官·序》，中华书局1974年版，第712页。

备兵马。崩则扈从后妃宫帐，以奉陵寝。①

这些规定，不像是辽太祖草创契丹政权之始的确定。因为，辽太祖初创时期的斡鲁朵与辽朝中晚期实际存在的诸斡鲁朵，在结构和形态上还存在很多差异。辽太祖的斡鲁朵，渊源于契丹帐制（帐分）习俗，但是，由于辽太祖前期帐制的过滥，导致了在斡鲁朵与帐制之间的重新整顿，像二国舅部"升帐分"和迭剌部析分为二院皇族和三父房帐（横帐），标志着斡鲁朵形态自帐制中的分离。那么，分离过程如何呢？

辽太祖斡鲁朵的建立，是以皇族承遥辇九帐为第十帐开始，意味着其斡鲁朵规模囊括了原有迭剌部和帐制传统的一切内容。史称，辽太祖继任契丹汗位后，"属籍比局萌觊觎，而遥辇故族尤觖望"。这里的"属籍"所指的就是第十帐，是其个人及家族所属的迭剌部，即固有的血缘关系相区别的家族内部家庭势力的争斗。当时，一切尚因旧习，制度设置还未及开创，为了维护既有的局面，"太祖宫行营始置腹心部，选诸部豪健两千余充之"。建立了一支个人的护卫军系统。这个护卫系统还仍然属于第十帐的范围，是辽太祖的坚定的追随者。腹心部，就是著名的"算斡鲁朵"的前身。在不断的东征西讨中，腹心部不断发展壮大并奠定了其成为算斡鲁朵的重要地位。从907年到916年，短短十年之内，腹心部已成为辽太祖统治契丹诸部的有力工具。916年，辽太祖宣布继皇帝位，正式确立君主专制政体的时候，他的主要的辅臣耶律曷鲁被委任为"阿庐朵里于越"，以总管辽太祖的斡鲁朵事务的身份，成为契丹社会仅次于阿保机一人之下的绝对权力的拥有者，说明契丹社会斡鲁朵的内涵具备了国家象征，它在旧有的帐制基础上不断地发展，对于辽太祖建立政权起到了直接的推动作用。

《辽史》卷35《兵卫志中·宫卫骑军》记载，

> 太祖以迭剌部受禅，分本部为五院、六院，统以皇族。而亲卫缺然。乃立斡鲁朵法，裂州县、割户丁，以强干弱支。诒谋嗣绩，世建

---

① 《辽史》卷31《营卫志上·宫卫》，第36页。

宫卫。①

这里所说的斡鲁朵法，即《营卫志上》"宫卫"条所说的："辽国之法，天子践位置宫卫，分州县，析部族，设官府，籍户口，备兵马。崩则扈从后妃宫帐，以奉陵寝。"确定了斡鲁朵的组建、构成和帝王生前死后的领有者，变成了一个完整的组织结构。斡鲁朵法的确立，应当在天赞元年析分迭剌部的前后，年代上限不会超过天赞元年（922 年）以前。从此，确立了辽朝斡鲁朵的基本样式和基本规模，也是以法令和制度的形式，明确了斡鲁朵与帐制的分离。

综上所述，太祖的斡鲁朵，在早期上承帐制或帐分的传统，构成中包括了亲族和依附人口。天赞元年（922 年）以后，实行斡鲁朵法，构成中亲属的范围与第十帐相比有了明显变化。二院部和三父房帐的剥离，标志着斡鲁朵内部亲族的构成主要以帝王的直系子孙为主，血缘的认同得到更为有力的凝固。这是辽朝的斡鲁朵，直接来源于契丹社会的"帐分"习俗（或称"帐制"），而又最终与"帐分"或"帐制"传统脱离了的完整轨迹。但是，契丹人仍在斡鲁朵的称谓中保留了"宫分"的习惯称谓，体现着两者间蛛丝马迹的联系②。那么，辽朝的斡鲁朵是否在天赞元年（922 年）以后便依斡鲁朵法实施，而没有其他变化了呢？这个问题，我们还应再回到辽朝的历史实际中去探讨。

第四节　金朝对漠南草原的统治方略

一、金朝对漠南地区的统治

金朝前期，社会生产广泛使用奴隶，许多女真贵族都动辄拥有成百上千或逾以万数的奴隶，作为家庭和社会生产的主要劳动力。奴隶阶层的客观存

---

① 《辽史》卷 35《兵卫志中》，第 402 页。
② "宫分"的称谓，除《营卫志·宫卫目》的记载，在《辽史》列传中也有许多大臣出身于先朝诸"宫分"。

在，直到金朝灭亡，也没有太大的改变。但随着金朝统治的需要以及占领区人口的大迁移，客观上也造成各族人口杂居的现状，阶级关系和民族关系也更加复杂。女真族作为金朝的主体民族，其民族统治政策，就更具有歧视与压迫的倾向。

金初，对被征服的契丹、渤海、奚、汉等各族人口，实行统一的猛安谋克制的组编形式，但其中又存在差异。例如：攻克辽中京后，奚王回离保与遥辇氏昭古牙率部抵抗金军，回离保战死，而昭古牙降金，据《挞懒传》记载，当时身为奚六部路都统的挞懒，对辖区内奚族与契丹族的统治策略截然不同，即对奚六部一如渤海人的猛安谋克进行部族重新组编，但对遥辇氏部族则以原有九营为九猛安，且将昭古牙直接上升为"亲管猛安"，即隶属皇帝个人的私属部落组织，另将四猛安封赏给女真贵族夺邻为部属，其余五猛安则许挞懒"择人主之"，置于部族奴隶的地位。

女真族是金朝社会地位最高的统治民族，只有女真族的崇高地位是始终不变的。

金朝规定汉人官员与女真部民发生法律纠纷时，不需查问曲直，汉官一律"解职"；女真部民由国家分配给土地，即使女真部民失去了土地，官府也要及时予以分配或补偿，其他民族人口虽未经分配土地，也要依照两税法纳税，而且不许拖欠。

金朝中晚期，随着封建化进程的加深和民族矛盾的激化，迫切需要调整确立和维护女真统治的政治局面。海陵王贞元二年（1154年），诏令合并南北选，使"南人"与"汉儿"享有同等入仕的机会和条件，金世宗大定年间（1161—1189年），因为契丹奚族的反叛，更谆谆嘱告后人，契丹与女真本非一类！

所以，金朝的民族统治政策，是不平等的民族压迫政策。

金朝初期，以今内蒙古地区为统治重心，沿袭了辽朝的京都建置与管理形式，共有二府十四州和五个群牧组织，即中京大定府、临潢府和恩、榆、武安、高、松山、永、龙化、降圣、仪坤、庆、祖、饶、全、静以及迪河斡朵群牧、斡里保群牧、薄速斡群牧、燕恩群牧、兀者群牧。

辽世宗时，又于临潢（即上京）、泰州分置群牧，增加为9个群牧组织。原辽朝上京道的州县，仅剩下庆州、临潢府、高州等几座州城。据

《金史·地理志》记载，西京道以契丹人组建的群牧，经过金中期的发展和调整，已拥有 12 处，即：斡独宛群牧，大定四年（1164 年）改为斡睹只群牧；蒲速斡群牧，本斡睹只地，大定七年（1167 年）分置；耶鲁宛群牧；乣斡群牧；欧里本群牧；乌展群牧；特满群牧，世宗时置于桓州金莲川；忒恩群牧，世宗时置忒恩群牧于金莲川；驼驼都群牧；蒲鲜群牧，章宗承安五年（1200 年）七月，始置蒲思衍群牧。

此外，又设置昌、桓、净、丰、云内、德、宁边、东胜等八州，金肃与西平二军和燕子城、北羊城、辖里尼要三座榷场。从而构成了金朝在漠南地区完整的行政统治体系。

二、金朝统治中心的倾斜

金朝初期，女真政权以家族政治为主，女真政权的统治体系，即部落联盟时期确立的都勃极烈制度。勃极烈，本女真部落首领称号，当部落结成牢固的联盟时，联盟首领称都勃极烈，即众勃极烈之首。女真政权建立后，以猛安谋克制度作为女真部落的基本组织形态，部落首领名号一律改为猛安、谋克，将勃极烈（即勃堇、孛堇）称号发展为中央官号与官职机构，故史称勃极烈制度或都勃极烈制度又称为贵族议事制度。

金初，主要是"采用本国制度"来管理新征服的广大地区。以后，因辽、宋故地相继征服，也呈现出多种政治体制同时并存的局面。

1123 年，金朝取得燕京与西京地区后，燕京、山西两路遂成为明显不同于女真国制的独立区域。标志着封建制度的影响已进入中央政权内部。天会十三年（1135 年），金熙宗即位后，朝廷内部就如何治理中原问题发生分歧，于是，熙宗采纳废黜伪齐、与宋议和的建议，开始推行分封建化改革。废除勃极烈议事制度，达到了削弱贵族事权、加强君主专制的目的。皇统九年（1149 年），宗王、平章政事完颜亮为皇帝，史称海陵王。开始雷厉风行的官制改革。废除燕京、西京两个独立行政区域，设立枢密院，执掌军政事务，受尚书省辖制。贞元元年（1153 年），迁都于中都城，整顿科举制度等，基本奠定了金朝继续发展的政治基础。

自 1114 年，完颜阿骨打起兵反辽，女真政权的权力中心，始终设在完颜部的故地——海古水流域，金太宗天会初年，于金源故地修建起第一座女真人的都城——会平州。

但金太宗天会三年（1125 年），允准宗望领置枢密院于燕京，宗翰领置枢密院于云中（即辽西京），使宗望、宗翰分别成为独断一方的强大军帅。当时，被分别称之为东朝廷、西朝廷，事实上充当了管理汉族等农耕人口的政治中心。金熙宗即位后，着手改革，因为触动了贵族集团的利益，导致朝廷内部党争事件的发生。

1149 年，海陵王发动宫廷政变，改元天德，推行封建化改革，以上京会宁府"僻在一隅，官艰于转输，民艰于赴诉"为由，下诏修缮燕京城，迁都燕京。自此，燕京成为金朝的统治中心。

自海陵王开始，金朝逐渐完备了五京制度，即上京会宁府、中都燕山府、东京辽阳府和西京大同府、南京开封府，其中东京、西京和燕京都曾是辽代旧京，说明金朝是在继承辽朝政治余绪基础上发展起来的新政权。但是，金朝晚期，北方草原被蒙古汗国夺取，中都城完全暴露在蒙古骑兵的刃锋之下。因此，金宣宗不得不将都城南迁开封府，使统治中心再次南移。

三、金朝对漠南草原地区的放弃

（一）金朝中期对漠南地区的统治措施

金朝是一个强大的多民族政权。在这个民族政权的内部，不仅集中了多种多样的民族成分，也集中了多种多样的社会发展程度互不相同的地区，譬如：女真之于契丹、契丹之于汉族、金源之地之于辽朝故地、辽朝故地之于北宋故地等等，这些都是急需解决的基本社会问题，但金朝政权初期只是在采取"本国旧制"的基础上，参酌辽宋故制而已，直到金熙宗、海陵王及世宗统治时期，实行程度不同的封建化改革之后，才使得激烈的社会矛盾暂时延缓下来。

金朝的民族问题，始终是最为敏感的社会问题。金朝的民族矛盾，从它建立之日起，就是社会主要矛盾。这是因为女真贵族集团的基本治国理念，首先是从部族治理的根基繁衍发展起来的，他们十分重视将同一阵营中的社会人口汇集到一起的管理形式。这种管理形式，即使是在女真人即将建立政权的时候，也基本没有发生太多的改变，例如：

郭企忠字元弼，唐汾阳王子仪之后。郭氏自子仪至承勋，皆节镇北方。唐季，承勋入于辽，子孙继为天德军节度使……天辅中，大军至云中，遣耶律坦招抚诸部。企忠来降。军帅命同勾当天德军节度使事，徙所部居于韩州。①

金朝初期执行的大规模民族迁徙政策，就是女真贵族习惯于汇集管理的重要表现。这种将已经被征服的人口不断迁徙、汇集的管理办法，也终于在底定辽朝故地之后，呈现出种种管理与措置方面的破绽，据《金史》记载：

天会初，帅府以新降诸部大小远近不一，令怀义易置之，承制以为西、南路招讨使。乃择诸部冲要之地，建城市，通商贾。诸部兵革之余，人多匮乏，自是衣食岁滋，畜牧蕃息矣②。

这里所记录的造成"新降诸部大小远近不一"的直接原因，除了战争损耗外，主要就是大规模迁徙征服地区人口而造成的直接结果。因此，随着整个辽朝故地统治局面的基本稳定，行政设施的措置与规划也就显得越来越重要。根据《金史》记载，金朝初期全部继承与保留了辽朝时期的一切地方行政建置，但是，大规模的人口迁徙政策，已经导致部分地区出现人口稀疏、无法维持的状况，而金朝统治者对此并未引起高度注意。现仅据史料的断续记载，就金朝设置于北方地区的州县建置来看，自金熙宗至金章宗朝时期，金朝漠南地方州县建置的主动调整（卫绍王与宣宗时期发生的州县调整，不在此列），已经印证了金初大迁徙对后来地方州府行政建置状况的破坏程度与基本影响，谨将其省废情况罗列如下：

西京大同府路：德州、抚州、昌州三州相继被省废；

北京大定府路：恩州、武安州、高州、松山州四州被省废；

临潢府路：永州、龙化州、降圣州、仪坤州、祖［奉］州、饶州、怀州、全州、静州九州被省废；

①《金史》卷82《郭企忠传》，中华书局1975年版，第1841页。
②《金史》卷81《耶律怀义传》，中华书局1975年版，第1826页。

咸平府路：乌州（今内蒙古通辽市科尔沁左翼中旗乌斯图古城）、遂州（今内蒙古通辽市库伦旗东北三家子古城）、徽州（今库伦旗西南水泉古城）三州被省废；

如上共 19 座州城被省废，说明金初以来的州县滥置状况以及由此可以了解到的具体统治方式。直到号称"小尧舜"的金世宗统治时期，不仅金朝社会生产出现繁荣景象，金朝统治局面也趋于稳定，所以，州县滥置状况也得到了克服。而如此众多的州城遭到了废弃，起码说明如下问题：

第一，金朝政治统治中心的转移，已经将更大的精力放在了中原农耕生产区域。金朝初期，对于漠南草原地区的统治极为重视，大量的军队就屯扎在漠南草原地区。甚至在金世宗时期，也仍然将金莲川捺钵作为国家经略北方地区的重要军事活动，依然维持着金朝对于大漠草原地区的基本控制能力。

第二，金朝中期已经出现放弃漠南草原地区的政治构想，譬如金世宗时期梁襄等人关于世宗金莲川捺钵的评议，就已经显示出重视燕京城而轻视金莲川的具体观念；金章宗时期对于金莲川捺钵地的彻底放弃，标志着金朝已经在封建化改革的进程中逐渐放弃畜牧业生产方式。

（二）金朝北部边防的不断收缩

金朝初期，在东北方面仍然沿袭辽朝旧制设置乌古敌烈统军司，寄治于泰州城（今吉林省洮南市东北德顺西南城四家子古城），主要管理近边乌古、敌烈诸部落事务，并承担金朝防御漠北草原诸部落侵袭，是金朝安置于东北地区的主要防御屏障。海陵王天德二年（1150 年），更名乌古敌烈统军司为乌古敌烈招讨司，集防御与进攻于一体，成为金朝东北边疆的重要镇守机构。金世宗大定元年（1161 年），又更名乌古敌烈招讨司为东北路招讨司，赋予其更加充分的职能与权限。金章宗承安元年（1196 年），又将东北路招讨司徙治于金山县（今内蒙古兴安盟乌兰浩特市东北前公主岭古城），将东北路招讨司的具体位置前移到今大兴安岭西端，此时主要的管理职能与镇遏对象已经完全转化为活跃于呼伦贝尔草原的蒙古诸部。不久，就因为无法应付蒙古弘吉剌诸部的侵扰，而被迫允许东北路招讨司复还旧治。东北路招讨司下属迭烈（即敌烈）、乌鲁古（即乌古）、唐古、石垒、萌骨、助鲁、计鲁、孛特本等八个部族节度使，他们都是由不同部族人口组成的乣军，主要分布于以今洮儿河流域为中心的额尔古纳河以南、嫩江以西的辽阔地带。

但是，自金章宗承安年间（1196—1200年）开始，随着漠北草原蒙古诸部势力的不断发展以及金朝政权政治统治中心的不断南移，东北路招讨司也越来越难以发挥金朝初期的屏障作用，最终在蒙古诸部的不断侵扰与金朝末年东北反叛势力、割据势力的共同作用下，东北路招讨司在13世纪初期就先于金朝灭亡而消逝。

在西北方面，金朝初期仍沿袭辽朝旧制，设置西北路招讨司，但其治所已经大幅度地南移到燕子城（今河北省张北县喀剌巴尔哈孙古城），主要管理今内蒙古中南部地区，并驻军防御漠北草原蒙古诸部的侵扰。金世宗大定八年（1168年），又将西北路招讨司移治于桓州（初今内蒙古锡林郭勒盟正蓝旗南黑城子古城，后移今正蓝旗敦达浩特镇北四郎城古城），管辖范围包括临潢府以西及桓、昌、抚三州以北诸部族事务，下设乌昆神鲁节度使（后改由招讨使兼领）及苏木典、卜迪不（孛特本）、胡都、霞马、咩、唐古、耶剌都、木典、骨典等九详稳，他们都是西北路招讨司所属诸乣军。

在西南方面，金朝初期仍然沿袭辽朝西南面招讨司建置，治丰州（今内蒙古呼和浩特市东郊白塔村西南古城），初领木典、咩、唐古、耶剌（即耶剌都）、古典（即骨典）诸详稳及奚族第一、第三部乣军等，成为金朝初期抵御漠北草原部落的核心力量。其后，将木典、咩、唐古、耶剌（即耶剌都）、古典（即骨典）诸详稳改隶西北路招讨司，西南面招讨司实力逐渐削弱，成为主要防御西夏及阴山以西地区的边疆防戍机构。

除这些职能比较具体的镇抚、管理机构外，金朝还有颇具特色的边堡设施等。据《金史》记载，金朝中期北部边界的大体走向为：

> 北自蒲与路之北三千余里，火鲁火疃谋克地为边，右旋入泰州婆卢火所浚界壕而西，经临潢、金山，跨庆、桓、抚、昌、净州之北，出天山外，包东胜，接西夏。[1]

此处记载的"婆卢火所浚界壕"，"婆卢火"即金初宗室人物婆卢火；"所浚界壕"即著名的金边堡（又名金界壕或金长城），乃婆卢火驻守乌古敌烈之

---

[1]　《金史》卷24《地理上·序》，中华书局1975年版，第549页。

地时，修筑的东北边界防御工事。关于婆卢火修筑的界壕，其遗迹自今呼伦贝尔市额尔古纳右旗根河南岸上库力北部，向西沿额尔古纳河进入陈巴尔虎旗北部，再转过河北进入今俄罗斯境内，再向南由今呼伦贝尔市满洲里北部入境，向西经新巴尔虎右旗北部，复入今蒙古国境内，途经乌勒吉河与克鲁伦河之间，西抵达肯特山南麓后，消失踪迹。婆卢火修筑的这条边壕，全长七百余公里，整体建筑有墙有壕，也有附属性质的烽燧与马面、小型城堡遗迹。这是金朝最早修筑的界壕。

金朝大定五年（1165 年）正月，诏令东北路招讨司等修筑东北边堡防戍设施，其主要内容为：

> 诏泰州、临潢接境设边堡七十，驻兵万三千。[①]

所谓"边堡七十，驻兵万三千"，就是沿用了宗室人物婆卢火时期有墙有壕、有烽燧、马面与小型城堡的防御设施。金世宗时期大规模地修筑边疆防御设施，说明金朝政权已经在与蒙古草原诸部落长期对抗的过程中，将积极进攻的战略意图转化为消极保守的防御态势，金朝政权在与蒙古诸部的长期对抗中开始转向退守的趋势。大定二十一年（1181 年），金世宗认为泰州至临潢府境内设置的堡、寨、栅、障等参差不齐，难以协调与相互支援，遂决定皆取直列置堡戍。

1189 年，铁木真也被蒙古部落推举为可汗。成为漠北草原各种政治力量发展的基本象征。金章宗时期数次修筑边堡、界壕，也没有解决问题。因为金章宗修筑边堡、界壕，主要发生于明昌年间（1190—1196 年），故史称"明昌长城"、"外堡"。全长 3 800 公里，西起阴山以北地区，沿蒙古高原东南缘南下，经过燕山西端北部，自达里湖西侧东北行，进入林西县，东至巴林北部，越过达拉河进入扎鲁特旗境内，经科尔沁阜原，东抵呼伦贝尔市嫩江西岸的尼尔基镇。

"明昌长城"与辽代漠北统治区域相比，收缩幅度惊人，不仅未能稳定北部边防，反而揭开了元朝统一全国的历史序幕。

---

① 《金史》卷6《世宗纪上》，中华书局 1975 年版，第 135 页。

第 十 五 章

辽金时期的社会发展现象

第一节　辽金时期的社会与文化

一、辽金时期的社会状况

（一）辽代的社会

婚姻、姓氏和家庭　辽代的契丹人，仍保留着族外婚制的影响，他们严格奉行同姓不婚的原则。在这种前提下，契丹人姑舅表亲婚姻极为普遍，并且不受行辈的限制，甚至还存在姊亡妹续的习惯。

辽代的契丹人，虽曾接受了浓郁的汉族文化影响，也尊孔崇儒，但妇女的社会地位并不受压制，也没有全部照搬照抄中原地区"三从四德"的礼法说教，寡妇再嫁被视为天经地义的人之常情。如辽景宗病殁后，承天皇太后便下嫁汉人丞相韩德让，并赐韩德让姓名为耶律隆运，大约是按照契丹人收继婚旧俗处理的，故赐韩氏名为隆运（辽圣宗御讳隆绪），并为耶律隆运建立了个人的斡鲁朵。辽代的皇帝，大多数都是娶契丹萧姓女儿为皇后，但也有例外，如辽世宗耶律阮未即帝位时，就曾以俘获后唐宫人甄氏为妃，即帝位后，便将甄氏册立为皇后，虽可以说是契丹后妃群体中的特例，但契丹皇帝的婚姻家庭生活中确实不排除其他各族人口。如辽圣宗，就曾将俘获的南唐国主李璟的女儿册立为顺仪，此事传到北宋后，宋人曾非常主观地写了一首《芳仪曲》，以哀感凄婉的语调陈述了芳仪的内心世界。其实，李氏与辽圣宗的夫妻生活非常恩爱和谐。

　　契丹族中仅有耶律和萧两个姓氏，但同姓之人并不代表着必然的血缘关系，只是以姓氏作为互为婚姻的两个群团。因此，无论萧氏或耶律氏中哪一个群团，内部都有着更加仔细的区别。首先是耶律氏，辽太祖以地名为姓，将前代可汗家族大贺氏、遥辇氏与皇族俱定为耶律氏，但皇族中又有二院皇族和三房皇族的划分。二院皇族，即以辽太祖阿保机五世祖之长子洽慎后裔为五院司（又称五院部、北院），五世祖三子、四子的后裔与四世祖二子、四子的后裔并为六院司（又称六院部、南院），总称二院皇祖，他们与阿保机为同宗，但关系已较为疏远。三房皇族，即阿保机祖父的后裔，阿保机以二伯父岩木的后人为"孟父房"，三伯父释鲁的后人为"仲父房"，阿保机父亲的后裔为季父房。以后皇族三父房中又有区分，即阿保机的子孙自季父房中脱出，成为皇族的中心，称"大横帐"，这是阿保机的直系后裔，与皇族三父房一起隶属于大惕隐司（相当于后世的"宗人府"一类机构）。这些耶律氏所在的部落，也包括了与其婚姻的萧氏在内。随着大横帐地位的突出，与皇族世代通婚的萧氏也别出为二国舅族，使婚姻与政治结合在一起，形成了地位突出的显赫家族，基本上不与卑小帐族通婚。所以，耶律姓中有"庶耶律"，地位较低，各方面都无法与皇族相比。萧姓也是如此。

　　衣食住行　契丹人在唐代中晚期时，主要经济生产方式是游牧渔猎和采集，故其生活极为简单，"食肉衣皮"是契丹人经济方式和生活内容的写照。辽朝建立后，确立了"国服"和"汉服"，均以丝绸布帛制作，但皮衣（裘）仍是契丹人入冬御寒的主要衣物，后晋时宰相冯道奉使契丹写下的"朝披四袄专藏手，夜盖三裘怕露头"的诗句中，裘袄即指契丹太宗皇帝赏赐的锦袄、貂袄和羊裘、狐裘、貂裘等。在朝廷中，除了国服、汉服以外，还有祭服、朝服、公服、猎服和常服之分，种类不一，式样众多。一般契丹人有长袍、短服、裤、帽、靴等，袍服多为圆领、交领或直领，均左衽窄袖，与汉族式样不同。颜色有红、黄、蓝、绿、紫、黑、白等多种。腰带有丝革之分，带上佩刀匕、荷包、针筒、火石及金、玉、水晶、玛瑙、琥珀、碧石饰品等。皇帝冠帽有实里衮冠、金冠、硬帽等，臣僚贵族有金、银冠、毡冠、皮帽、巾帻等，贵族妇女有瓜皮小帽。

其中，契丹人的皮帽曾影响到金元时期，元张翥曾有诗句"遮头更著狐皮帽，好个侬家老契丹"。

契丹人不分男女，皆好戴耳环，并有髡发习俗，即去其顶发，使颅四周发下垂并向后披，男子喜好将鬓边发一缕穿入耳环中。契丹女性亦髡发，现有豪欠营女尸为证，但契丹男子髡发，考古材料甚多，式样多种，故契丹男子只有一种髡发式样，还是兼有多种，都尚待考证。

契丹人的食物以肉乳为主，肉类又可制成濡肉、腊肉、干肉等等，尤喜食火锅。同时也食用粮食，多制成炒米，或饼、馒头一类，也做粥加以奶乳或肉等。契丹人的果品较为丰富，有养殖的桃、李、栗、柿、葡萄、梨、蘋婆等，也有采集的花红、李、枣、梨等野果，用以蜜渍，制成果脯，远销中原各地。夏有西瓜，冬有冻梨，为醒酒消渴的佳品。此物传入北宋后，大文豪苏东坡一经品尝便写下了动人的佳句：

> "几共查梨到雪霜，一经题品便生光，木奴何处避雌黄。北客有来初未识，南金无价喜新尝，念滋嚼句齿牙香。"[1]

契丹人过着"随阳转徙"的游牧生活，居住的是便于迁徙的庐帐和车帐等。赵延寿在契丹居住多年后，对契丹人生活的直观感受是："黄沙风卷半空抛，云动阴山雪满郊。探水人回移帐就，射雕箭落著弓抄。鸟逢霜果饥还啄，马渡冰河渴自跑。占得高原肥草地，夜深生火析林梢。"[2] 近年来，赤峰市克什克腾旗二八地辽墓石棺发现的契丹驻地小景的线刻绘画，正可以作为契丹人四时迁徙状况的参考。契丹皇帝也有四时移徙的生活习惯，史称捺钵，或四时捺钵，指契丹皇帝一年四季不同的住坐地点。但皇帝所用的毡帐或车帐，都比普通牧民的居帐大得多，可以容纳千百人，故又称"行宫"或"行殿"。契丹人在建国以前就建筑了城市，但最具代表意义的还是辽上京和辽中京。辽上京，始建于918年，始称皇都，后经辽太宗的修缮和扩充，更名上京临潢府，是当时世界范围内较大的城市之一。共分皇城（内

---

① 《东坡词》，四库本。

② 《太平广记》卷200《武臣有文》，中华书局1961年版，第1508页。

城或北城）、汉城（外城或南城）两部分，皇城中集中了大型的宫殿建筑，汉城中则有市场、民居和作坊等，全城周长达 27 华里。辽中京，是辽代鼎盛时期的建筑，始建于 1007 年，定名为中京大定府，是辽代中晚期的政治经济中心。中京城建筑分为外城、内城和皇城三部分，大型宫殿集中于皇城，皇城在内城之中。内城居外城中央，两者呈"回"字形。自内城南门有一条 500 米长、40 米宽的大道，直通皇城南门，大道两侧有矮墙，估计内城应是侍卫亲军驻所。外城有官舍、庙宇、民居、作坊、市场等等，规划齐整，东西对称。自外城南门（朱夏门）至内城南门（阳德门）之间，有一条长达 1 400 米、宽达 64 米的中央干道，路面呈弧形，干道两侧有排水沟用片石砌成木板加盖。在干道东西各有 3 条南北向街道与干道平行。并有东西向街道 5 条，街道两侧亦有排水沟。外城还有大型砖塔一座（即今大明塔）。全城周长 30 华里，整座城市建筑体现了高超的布局和科学的规划，是当时世界一流的都市建筑。

马，是契丹人重要的代步工具，也是契丹人衡量富庶程度的重要依据。《辽史》称契丹"其富以马"，说明了马在契丹人社会中的重要经济地位。契丹人男女皆善骑，从幼儿阶段即开始了"马背上的生活"。除了马以外，还有各种车辆，如从黑车子室韦人那里学得的造车技术，就对契丹有重大影响。还有高辐广轮的奚车，也是利于泥泞和沙漠地带出没的重要工具，在辽墓壁画中有着众多关于"奚车"的绘画表现。据说契丹人还掌握了一种凭车渡河的技术。

生老病死与礼仪禁忌　契丹人有用十二生肖纪年的习惯，并已将这种纪年法运用到每一个人的属相上来，并因此衍生出一系列的礼仪和禁忌。

据说契丹妇女在分娩前，要净身拜日，然后搭制专门的毡帐居住，分娩时卧在甘草苗上，以手帕蒙住孕妇双眼，若生男，为产妇饮调酥杏油，其夫用胭脂涂面；生女，则为产妇饮加盐的黑豆汤，其夫以炭涂面。如果是契丹皇后生产，就要搭 48 座专门制作的小帐幕，铺设如契丹旧俗，但每帐例置一羊，至皇后生产时，便由宫人用力扭羊角令其惨叫，以代皇后呻吟，以后，此羊即不得宰杀和鞭打，任其老死。若皇后生男，皇帝著红衣，奏契丹乐，赏赐近臣，饮酒祝贺；若生女，皇帝著黑衣，奏汉乐。契丹小儿长至 12 岁后，有过本命年习俗，亲戚相庆；若帝后本命年则要举行再生仪，有着一套具体的排场和铺陈，并模仿出生时的情景，以示不忘父母鞠养之劬劳。

早期契丹社会中，若儿孙死，父母哭以葬；若父母死则不哭，"哭者，以为不壮"。葬的方式是：置尸于山树之上，3年后取骨焚之以葬。子孙例须扫墓祭祖，主要是洒酒以祭，需口中念诵告祝先祖的祭辞："冬月时，向阳食；夏月时，向阴食。使我射猎时，多得猪鹿。"故猪肉和鹿脯等也是祭祖的必需品。同时，遇有契丹人死时，他生前所用器具、乘马、奴婢等要殉葬，仅留一小部分衣物等分赠亲戚好友。辽朝建国后，这种葬俗也未根除，有人还亲眼目睹了契丹人置尸于树（树已改为搭制的尸棚）的丧葬方式①。辽朝，出现越来越多的石砌、砖筑的墓室，有的墓室已极为豪华和讲究，如驸马赠卫国王婆姑墓、皇族耶律羽之墓等，墓室中先置打磨规范的巨大的石板，搭成屋室之状，再由砖石砌券外围，然后将柏木棺椁、棺床移入石室中，封锢石门。还有的作成九脊小帐的样式，再于内中置木床，像死者生前居住的那样。贵族的墓前还要放置一些石人、石虎、石羊等石像生，非常气派。辽代帝后的陵墓，更是因山为陵，规模宏大，不同寻常。契丹人还要在送葬后，举行烧饭祭祀，一般是在死后、七夕、周年、忌日、节辰、朔望之日举行。先筑土为台或掘地为坎，置一大盆，盛以酒食并加以焚化。契丹人死后，有时还要加以处理，已经掌握了一套制作木乃伊的技术。也有一些僧人死后，尸骨焚化，将骨灰盛在模仿死者相貌雕制的真容木雕像中。贵族则普遍采用金银覆面或网络罩裹死者全身。

契丹人还有祭祀天地祖先山川河流诸神的习俗，都是相当隆重的礼仪活动。与此相关，契丹人也产生了诸多的禁忌，如遇有日食发生时，则望日而唾，或拜日相救并背日而坐；遇有月食发生时，则置酒相庆；遇到旋风时，口称"坤不刻"，并鞭打空中49下；听到霹雳时，则相互勾住中指、口中模仿唤雀之声；如迁居新地时，须先屠白狗厌禳。如辽太宗至汴梁时，就先"磔犬于门，以杆悬羊皮于庭为厌胜"②。

节日和娱乐　契丹人的娱乐活动，也依季节不同而有差别。每年的年终，有岁除仪，即除夕夜，皇帝与大臣宴贺使于正殿，敕使和夷离毕率执事

---

① （宋）楼钥：《玫瑰集》卷101，四库本。
② 《资治通鉴》卷286《后汉纪》，中华书局1956年版，第9330页。

郎君至殿前，将盐及羊膏置篝火中焚烧，噼啪爆响之际，巫师赞祝火神，皇帝等拜火，毕，守岁相庆。

契丹人年中还有许多节日相庆，如正月初一、正月初七、正月十五、立春、二月初一、三月三、端午、七月十三、九月九、冬至等。其中，较为重要的有：正月十五、二月初一等。正月十五，契丹语称"鹘里尀"，意为"偷时"，俗称"放偷日"，契丹故俗自正月十三至十五日，许人做贼三日，至夜，家家需加意防范，遇人来盗，不能以兵杖相加，相互心知肚明，只能设法支遣。若稍有疏忽，大至妻女、宝货、衣服、奴婢、鞍马、车乘，小至杯碟、箕帚之类，都可能被人盗去，且官府也不能究治。如有失窃，数日后访知物之所在或盗者自言，失窃之家需备酒食钱物赎回。

二月初一日称中和节，契丹人将这一天和六月十八日同称"怦里尀"，意即"请时"，是请客的日子。二月初一日国舅萧氏请皇族耶律氏宴饮一日，纵情欢乐。六月十八日由皇族耶律氏邀请国舅萧氏，如二月一日那样。

契丹人的娱乐活动，有马球、射柳、角觝、围棋、双陆等。马球又称击鞠，预设场地于开阔处，两端置门，参与者均骑马，分为两队，马走如电，杖舞如风，来回驰逐盘旋，以杖击球入门多者为胜，是契丹人十分喜爱的活动。这在敖汉旗发现的辽墓壁画中，有惟妙惟肖的摹画。射柳，也是一项马上活动，于地插柳枝两行，去皮半尺露出白梗。预射者以尊卑为序，各系帕于枝为标记，乘马以无羽平镞箭射之，射断白梗处而又能在空中接帕在手者为胜，断其白梗而未能接者次之，断其青处或不断及不中者为负，负者饮以劣酒以羞辱之。角觝，类似近代的摔跤，也是契丹人喜爱的娱乐活动。契丹的围棋、双陆水平都较高，据说契丹曾派出围棋手到北宋挑战，现代考古发掘中也经常见到辽代的弈局、棋子等。契丹的双陆，也已炉火纯青，并且也是契丹人喜闻乐见的娱乐方式，据南宋人记载，契丹人的双陆技术，宋人已经全然不知，其技法、规度等已经自成一格。

（二）金代的社会状况

婚姻、姓氏和家庭　女真人也奉行同姓不婚的俗约，姑舅表亲通婚的现象十分普遍，缔结婚姻的形式，可以男女自择，也可由父母决定。贵族子弟的婚姻，往往与政治和财产相关，故多由长辈决定。但贫苦人家子女就享有较多的自由。据《三朝北盟会编》记载，女真婚嫁，富者以牛马为聘，贫者及女年长，乃行歌于途，自叙家世、女工、容色，以申求侣之意，听者若有未娶而愿纳之者，即携以归，其后方具礼偕女至家拜父母。这种婚姻自择的现象，反映了当时女真社会古朴简约的民风。而与女真相近的乌惹人也有类似的习俗。女真人的婚姻仪式中，从始至终都有一套特定的仪式，如：行纳币之礼时称拜门，女真人的拜门礼很有意思，这一天，男方亲戚家人一同前往女家，携酒食少者 10 余车，多者 100 车，用以宴请女家亲族。席间，男女分行而坐，先以金杯、银杯或木杯进酒，然后以木盘进大小软脂、蜜糕等茶食。食罢，饮茶或乳酪。尔后，妇家无大小，皆坐炕上，婿党罗拜其下，谓之"男下女"，礼毕，男家牵过送聘的马匹，少者 10 匹，多者 100 余匹，女家量择佳者酌留十分之二三，并以衣服为回报。若婚后，丈夫需为妻家服役 3 年，期满后携妻将子而归，妻家即以奴隶、牛马相赠。同时，女真社会中也盛行收继婚的行俗。金朝中晚期随女真社会封建程度的深化和对中原文化影响的吸收，女真人的婚姻习惯也逐渐中原化了。

女真人的姓氏与最初的氏族部落有着密切的联系，史称，女真人皆以部为姓，但女真部落名称也有相同者，如除皇室完颜部外，还有同姓完颜部及其他完颜部等，也都姓完颜氏；也有的本非完颜部众，因后来加入了完颜部也成了完颜氏，说明了女真人的姓氏与其相对原始的部落生产方式相关。《金史》称，女真人的姓氏中，分为白姓黑姓，白姓中包括以完颜氏、夹谷氏等为首的 27 支，以裴满氏、徒单氏等为首的 30 支，以乌古伦氏等为首的 26 支；黑姓中包括以唐括氏、蒲察氏为首的 16 支，总计有 99 姓，其中也包括了一些女真部落以外的其他民族人口。

金朝建立以前，女真人已经进入了家长制奴隶制时期，家庭已经成为部落社会的基本单位。女真旧俗，生子年长即异居，使之结为新的独立家庭，但分居后建立的小家庭，与原有家族的关系仍十分密切，基本上又构成了以旧有家族为中心包含了众多小家庭的"大家庭"。这种"大家庭"所维持的族人聚种的生产经济活动，也在金朝初期被完整地留存下来并制定了与其相适应的土地制度。金代中晚期逐渐被封建化独立的个体家庭所取代。

衣食住行　女真人的服饰以皮、布为主，有衫、裳、裘、帽、袜等。女真人的上衣短而左衽，妇人上衣则称大袄子，皆无领。妇人裳有锦裙、单裙等。金朝建立后，服饰制度也接受了宋、辽服饰传统的影响，宋人称女真君臣服装与中原相似唯以左衽为异；贵族妇女不戴皮帽，好裹逍遥巾或头巾等。金代中期，女真社会奢华浮靡之风日盛，服饰之制更趋豪华，富贵家奴婢亦服罗绮。女真皇帝除朝服外，又有常服、燕服、猎服等；朝服则由通天冠、绛纱袍等组成，冕24旒，衮用青罗夹制，上有日、月、山、火、龙、虎为纹饰；皇后朝服有花珠冠、青罗衣，以九龙、四凤、花鸟为饰。普通人的衣饰有袍、裤、中单、裙、团衣、腰带、巾帽、护胸、腹带、鞋袜帽靴等。

女真人实行辫发之制，妇女辫发为盘髻，男子则辫发垂后，男女皆好佩耳饰如环坠等。

女真人的食物，最初以粮食和渔猎业收获为主，建国以后食物日益丰富，除农作物外，畜牧业产品也是女真人的常食，菜蔬有葱、韭、蒜、芹、蔓菁、萝卜和各种山野菜等。同时，女真人很早就掌握了以糜酿酒、以豆作酱的技术。据《三朝北盟会编》记载，早期女真人的饮食方式，其饭食"以半生米为饭，渍以生狗血及葱、韭之属，和而食之，茗以芜荑。食器则无瓯陶，无碗箸，皆以木为盘。春夏之间，止用木盆注盛粥，随人多寡盛之，以长柄小木勺子数柄回环共食。下粥肉味无多品，止用鱼生、獐生、间用烧肉。冬亦冷饮，却以木碟盛饭，木盆盛羹，下饭肉味与下粥一等，饮酒无算，只用一木勺子，循环酌之。炙股烹脯，以余肉和茶捣臼中，糜烂而进。"女真人喜用的佐餐之物，是研芥子为末并滴醋伴食，葱韭亦捣烂食之。金朝建立后，宫廷之中用几案排陈酒饭，主食有馒头、炊饼、白熟胡饼和茶食、肉盘子等。以后，食物品种日臻精细，出现了许多著名茶肴，如：厮剌葵菜冷羹、蒸羊眉突、塔不剌鸭子（亦可用鸡、鹅）、野鸡撒孙、柿糕、高丽栗糕等。女真人的饮料有茶、酒、乳等。

女真人的住室，早期是"穴居"，即半地穴式的房屋，后来有了简单的住室称为"纳葛里"，意为居室。女真建国的初期房屋之制，仍是依山而居、联木为栅，屋高数尺，覆以木板、桦皮或用草苫盖，墙壁以木，门屋东向。环室为土床（即炕），炽火其下，以取其暖。其后，女真人的居室条件有了较大改观，还在金源故地建造了上京城，海陵王时修建的中都城，更是美轮美奂，成为当时世界最先进的建筑。金朝皇帝也沿袭了辽代的捺钵习俗，主要以"春水秋山"为主，即春季至大水泊处钩鱼射鹅鸭，秋季射获鹿虎等。但金朝皇帝冬季一般居住皇宫中，夏季则喜欢去金莲川坐夏。这些活动到金章宗及以后逐渐减少。

女真人以马为主要代步工具，但女真人也掌握了制造舟楫的技术，水运在金朝已成为一项重要事业。陆路交通有车和畜力，牛驴可以负物，也可以骑乘。同时，还在统治区域内设置了四通八达的驿站以及专供军情奏报的急递铺等。

生老病死和岁时礼俗　女真部落初无医药，有病则请萨满禳治，以驱邪镇鬼。进入中原以后，逐渐了解和使用药物，女真读书人也学会了诊病治剂的方法。女真人实行土葬，早期葬制淳朴，建国以后葬俗奢侈，富者棺椁齐全或石棺木椁、木棺石椁。考古中较为常见的是竖穴土坑石椁墓，但平民墓葬仅土坑木棺而已。金代贵族墓葬随葬品丰富，墓内多有壁画或砖雕、石雕等，墓地内又有石像生、神道碑等。女真人每个家族都有自己的墓地，既葬，亲族会集，用刀划面血泪交流称"送血泪"，以示对死者的深切哀悼。同时，也沿袭了契丹人"烧饭"祭祀的习俗。皇族陵墓在今北京的房山。

女真人初无纪年，没有固定的节日。建国初期，君王大臣皆不知自己生辰节日，为适应与宋交往的需要，遂自行指定中原习俗中的节日为生辰。金朝沿袭辽代凡正旦、寒食、立春、重午、立秋等节例有假日的制度。女真人的元夕，也称上元或元宵，实际上是将辽宋旧俗杂糅在一起，许人张灯庆贺，也许女真、契丹等于正月十六日做贼一天。

女真人旧无仪法，至建国初仍保留较为简朴的方式，如：女真人相见表示亲近、重托或安慰时，即行执手礼；后随女真封建化程度的加深，规定若遇到君王等应示尊敬时，即行"撒速"（即跪拜），跪拜的方式是："先袖手微俯身，稍复却，跪左膝，左右摇肘，若舞蹈状。凡跪、摇肘，下拂膝，上则至左右肩者，凡四。如此者四跪，复以手按右膝，单跪左膝而成礼。"但女真人也保留许多"国风旧俗"，如对山川的大肆封祀及用萨满祈子等等。后来逐渐杂糅了辽、宋礼仪制度，制定了金朝的礼仪。

女真人的娱乐活动，沿袭了辽朝的角觝、射柳、击鞠和围棋、双陆等，也吸收了北宋的"百戏"内容和杂剧等。其中，女真人的"抛雪"活动，是从本民族的生活传统中积累下来的一项庆典活动，终金朝灭亡而不衰，一直影响到元朝。其方式为：入冬后的第一场大雪时，女真贵族便命家人、奴婢等将雪捏成团状，待天明后则率人抛入亲朋好友家中，被抛中雪团之家即设宴，招待抛送雪团者，欢宴终日，并且主人还要组织相关的娱乐活动。

二、辽金时期的经济状况

（一）辽朝的经济发展

辽朝境内各民族的经济结构、生产经营方式不同，对土地的使用、占有方式也不一致。南京、西京地区为农业人口聚居区，以私有制为主。东京为渤海人聚居区，虽也盛行私有制，却受到了来自契丹贵族的冲击。中京和上京地区为牧区或半农区，并存在较多的投下州。随着封建私有制因素的增长，原来部落聚居区内国有土地制度受到破坏，出现了移民垦殖和招民租佃的现象，贵族的头下州和皇帝的斡鲁朵户开始向庄园化经济发展。封建地主经济成为辽朝经济发展的主要形态，但部落的牧业生产也仍在继续，因此，辽代社会经济的发展就呈现了多样化的发展趋势。

畜牧业生产 辽朝的契丹等部族人口主要从事畜牧业生产，从潢水西至阴山南北，东至挞鲁河（今洮儿河）、额尔古纳河流域，分布着大片的优良牧场，生息于此的游牧人口积聚了丰富的生产经验，使契丹社会的牧业生产得到了较大发展。在阿保机刚刚兴起之际，曾以马千匹、牛羊万计相赠李克用，至辽太宗扶立后晋政权后，契丹皇室亲王贵族更是派人驱赶成千上万的牛羊与中原，甚至和江南交易，以其所有，易其所无。羊、马也是契丹向属国属部征收的赋税和贡品，是辽朝重要的经济来源。

契丹旧俗，其富以马。故游牧业牧养的畜产以羊、马为多，牛、驼次之。每一部落均有自己的游牧范围。除了部落民私有的畜群和牧场依年向国家纳税外，辽朝还设置了国有的牧场，称为"群牧"，设官管理，使畜牧业生产保持良好发展的势头，故《辽史·食货志》称，群牧之设，自太宗至兴宗其盛如一。游牧人口在经营畜群的同时，狩猎和采集也是牧业生产活动中的重要内容，钩鱼、捕鹿、射鹅鸭和围猎活动，都已发展为深入人心、兴趣盎然的生产活动。

农业生产 辽朝自火渤海和获得燕云十六州后，农业的发展及其对辽朝经济的作用日益增强，为辽朝的统治提供了更加丰富的食物来源，也为单纯的牧业经济生产提供了重要的补充。因此，辽朝在草原地区也开发出了大量的农田，被人们称之为"插花田"①。"插花田"正是农业补充牧业生产的

---

① 陈述：《契丹社会经济史稿》，生活·读书·新知三联书店1963年版，第8页。

标志。大批契丹等游牧民族人口也加入农业生产之中,在洮儿河畔、在克鲁伦河流域、在阴山以北、在鄂尔浑河畔都开辟了大片的农田,使各种农产品源源不断地直接补充到社会经济生产各个门类,从而极大地推动了其他行业产业结构的发展。中京地区最靠近传统的农业生产区域,所以,到12世纪初期,中京地区已经成为半牧半农的典型区域,北宋使臣描述所见中京生产面貌是,奚人善耕种并以地佃汉人,青羊、黄豕遍山谷,而奚人入山采猎其行如飞①。宋朝使臣看到的现象,鲜明地体现了中京地区农牧兼营的现状。

东京、西京和南京是辽朝农业经济的基本区域。东京道主要居住着渤海人,归附辽朝的时间较早,辽朝的统治者也极为关注东京农业生产,使东京辽阳府成为辽朝屯谷积粟的府库。西京道和南京道,更是辽朝重要的农业区,蔬菜瓜果、稻粱米粟、桑柘麻麦、羊豕雉兔,应有尽有,很快成为辽朝举足轻重的经济发展重心。

辽朝君臣也十分重视农业生产,行军作战之际也以不妨农时,不伤禾稼为先,而且始终如一,保持了良好的政策稳定程度;各级官僚也能以劝课农桑为己任,使农业生产在各地都得到长足发展,如耶律抹只为云内州开远军节度使时,"州民岁输税,斗粟折钱五,抹只表请折钱六,部民便之"②。辽道宗时,命耶律唐古率军士屯田于胪朐河畔,获得大丰收。又命唐古率军移镇州,仍命屯田自给,连续14年获得大丰收,除供军食消耗以外,使镇州积粟至数十万斛,斗米不过数钱③。这些事实说明了辽朝农业生产经济的发展不是局部的而是成为或达到了影响全局的整体性效果。

辽朝不仅借鉴和学习了中原地区先进的生产技术,引进了大量的新品种,也从中亚地区引进了西瓜和回鹘豆等瓜果品种。生产工具种类齐全,使北方经济生产达到了一个新的高峰。

手工业和商业 辽朝牧业、农业经济的大发展,也推动了手工业生产和商业的繁荣。辽太祖于911年曾在汉城置银、铁矿冶,吞服辽东后,马上设立了手山、三黜古斯和柳湿河三大矿冶中心,生产精铁,其地在今辽宁鞍山

---

① 《辽史》卷39《地理志中京道》,中华书局1974年版,第485页。
② 《辽史》卷84《耶律抹只传》,中华书局1974年版,第1308页。
③ 《辽史》卷59《食货志》,中华书局1974年版,第925页。

市首山附近。以后阴山金矿、潢水银矿等都是重要矿冶产地。辽代的金、银、铁器制造技术也达到了相当高的水平。1981 年，内蒙古察右前旗豪欠营契丹墓出土铁器鉴定结果表明，其生产铁钉成分已接近现代沸钢板和纯铁成分。

契丹社会的纺织业也得到迅速发展，辽朝诸京州几乎都设置了绫锦诸作坊，川、锦、贝、宜、霸诸州，号为"绫锦州"。契丹的刻丝技术也已炉火纯青。辽地生产的"蕃罗"，在辽宋贸易及与中亚贸易中都备受青睐，如上述豪欠营契丹墓出土的轻罗薄绢，已达到历史上最高水平。纺织业也基本集中在南京和中京地区。

契丹的皮革加工和木器制造业也非常发达，契丹出产的皮裘及斜褐里皮（又称红虎皮），都备受宋人喜爱。马具制造更是契丹人最拿手的技艺，他们生产的马鞍，流入北宋后，称为"契丹样"，誉为天下第一。契丹人的木器制造也是一绝，如造车、船、桌、椅、床等，许多都在考古发现中得到了实证。宋人俞皓在《营造法式》中图录的木器工艺第一流制作技术的样品"小帐"样式，也在辽墓中出土，20 世纪 80 年代，在今赤峰地区辽墓中发现的"九脊小帐"①，便代表了北宋时先进的"小帐"式样，说明契丹木作工艺水平毫不逊色于中原。

此外，契丹人的陶瓷业和建筑业，都体现了相当高的技艺水准。如建筑业中的中京城②，已成为当时"世界级"的一流城市。辽瓷中的三彩技术以及辽瓷的上釉技艺等也都堪称一绝。

随着社会经济各个行业的发展，契丹商业也十分活跃，许多城市都成为汇聚多方物货的经济贸易中心。如上京城"南当横街，各有楼对峙，下列井肆"，成为汇聚南北东西货物的经济枢纽，城内还专门设置了"回鹘营"，以安置回鹘商贩。南京的商业活动更是活跃，其繁华富庶的程度被列为五京之冠。南京城北有市，海陆物产，汇聚其中，成为亚洲地区一流的商业中心和著名的大都会。其他如中京、东京、西京和一些较大的州镇城市，也莫不

---

① 契丹小帐，在今赤峰市博物馆、巴林右旗博物馆均有陈列。

② 内蒙古文物工作队：《内蒙古文物资料选辑》第 7 编，辽代之贰、叁。内蒙古人民出版社 1964 年版，第 129—140 页。

如此，成为富庶一方的重要经济中心。辽朝在上京、南京、西京都设置了专门管理商业活动的机构"商税院"，上京和东京则设置了"户部司"，西京和东京设置转运使，分别管理诸道的通商、贸易事务，其他的节镇州府则根据不同情况，分别设立了钱帛司、盐铁司和商曲院、征商榷酒司等。

辽朝商业的发展是和统治政策及多种经济形态共存的国策分不开的。契丹皇帝一年四季都要巡幸各地，称为捺钵，捺钵的中心就是皇帝的行宫，行宫所在也都例置市场，任民交易，并设行宫市场巡检使进行管理。同时，辽朝还在沿边各地广置榷场和互市地点，以沟通与周边地区的经济交流。在辽朝大批新建城市中也都辟有专门的市场区域。

商业贸易的繁荣促进了货币经济的发展，辽朝实行年号钱制，前后九帝共有 22 个年号，多数年号钱已被发现。景宗时置铸钱院，岁铸 500 万贯。但辽朝铸币虽种类颇多数量却少，远远满足不了市场的需求，因此，唐宋钱币在辽代成为通用货币，由于巨大的市场经济的作用，曾导致北宋发生了"钱荒"现象，为此苏辙还曾向宋仁宗献上解决货币外流的对策①。

（二）金朝经济的发展

金朝女真人的社会经济状况，在建国前后有着很大的不同。建国前的女真社会有了粗放的农业经营方式和原始的手工业生产，但渔猎和畜牧仍是他们主要的生活来源，农业经济在整个社会经济活动中并没有拥有绝对重要的地位。建国后，随女真人猛安谋克组织的大规模南迁，农业生产逐渐上升为女真社会经济的重要支柱，由此推动了社会经济各门类的共同发展。

农业生产的发展　金初大规模的战乱，使许多农业生产区域遭到不同程度的破坏。金熙宗时，中原等地统治秩序开始恢复，大批人口不断南迁。金世宗即位后，积极致力生产，安定社会秩序，使北方残破的经济开始恢复和发展。最能代表金朝农业生产进步的是先进生产工具的应用和改进，大量的出土文物证明了这一点，如中原的犁铧传到金源故地后，将犁刀接在犁铧刃的一侧，适应了荒地开垦的需要；而中原的洛阳犁，在金朝也被附上了分土器，极大方便了土壤疏松、清除杂草和为苗根培土。工具的进步反映了农耕技术的进展，使得耕地面积大量增加，西京的丰州和东京的婆速府路等地出

---

① （宋）苏辙：《栾城集》卷 42《北使还论北边事札子》，四库本。

现了山田。金世宗时，中原已达"寸土悉垦"的程度，全国垦田数已达近400万顷，在北方的西京、南京这样辽代的基本农业区内，人口总数和户口数目也超过了辽代同地区内的户口总数。种植的作物，基本沿袭了各地区经营的特点。

手工业与商业的发展　农业生产的恢复和发展，推动了手工业的发展，金代的手工业在各个门类中都取得了长足的进步。女真人的冶铁业，在建国前已开始了，建国后，采矿和冶铸业有了明显发展，西京云内州的青镔铁成为北方特产，金源故地的铁矿也得到大规模开发。世宗时，又遣使分察各地铜矿苗脉，使铜矿开采和鼓铸同时发展。据现已发现的金代金属器物研究证明，金代冶金技术已掌握了铸造、锻造和炼钢技术。煤，已成为烧瓷、冶铸的主要燃料。

女真人的纺织业，在建国前已经有了一定的基础，他们生产的布曾是与辽朝贸易的重要商品。金朝继承了辽宋纺织技术和工艺，真定、平阳、太原、河间、怀州等地都有规模较大的官营手工业作坊，并置绫锦院加以管理，其中，东京路辽阳府出产的"师姑布"，是闻名南北的特产。根据出土文物样品的分析，金朝丝织品蚕线质量好，经纬细密柔韧性强，已采用了挖梭技术，而且印染、刺绣、缝纫等各方面的水平均有大幅度提高。川、锦、贝、宜诸州的桑蚕生产和纺织技术也得到进一步发展。

金代的造纸和印刷技术也有了进一步发展，稷山竹纸和平阳白麻纸，都是当时名产，在此影响下使造纸技术传布各地。与造纸技术相呼应的是制炭制墨业的发展，燕山以北著名的"千里松林"，为制炭制墨业提供了优良的原料，元代人袁桷《松林行》诗中说："万井燃松烟似墨"，由于大规模人为砍伐，导致松林"不如昔日当道稠"。对于松林的大肆砍伐，是始于辽而完成于清末民初的。幽州自唐代就素有制墨的传统，元朝初年，山后地区作墨也已成为一绝。造纸、制墨推动了印刷业的发展。刻书业已遍布各地，金朝设立官书局，公私刊刻同时兴起，使金代刻版印刷有了重大发展，其中，平水版书籍镌印精美，已超过了同期的南宋，成为藏书家宝视的精品。东京盛产的"鼠毫"，也是当时受人爱羡的文具。

金代的火器制造有铁火炮、震天雷、飞火枪等。制瓷和制盐、造船也都有不同程度的提高。另外，金朝的木作行业也继承了辽朝的传统，还生产出了一些比较著名的家居生活用品，如北京大定府出产的螺杯、茱萸梳、玳瑁鞍和西京出产的玛瑙珠等都是名闻天下、美轮美奂的艺术品，还有西京生产的安息香、松明、松脂和百药煎、芥子煎等都深受当时南北各族人民的喜爱。

金朝初期，女真内地的商业活动处于交易无钱而用布的原始阶段，女真政权及人口南迁之后，发达的辽、宋故地经济生产，推动了金朝商业经济门类的发展。中都大兴府和南京开封府，都是商旅云集、百物荟萃，成为全国商业活动的中心。北方的庆州城、临潢府、辽阳府和大定府等仍是东北地区商业发展的中心，上京的会宁府和咸平府也成为新的商业活动枢纽。为了管理商业活动，金朝设置了中都市令司和都商税务司、都曲使司、西京和北京盐使司及都曲酒使司等，地方上重要的府州镇都设立了相应的征税酌酤机构。

金朝商业经济发展的重要表现，首先在于货币的发展和需求量的增高。金朝经济活动中仍沿用辽宋旧钱和部分自铸的货币，但商业规模的扩大和货币需求量的增多，使金属货币向轻便易携的纸币转化，海陵王时开始印行交钞，与钱通用，并设置印造交钞库和钞引库，负责印造交钞事务。交钞分大钞小钞，大钞以贯为单位，分为一贯、二贯、三贯、五贯和十贯共5等，小钞分为一百、二百、三百、五百、七百五共5等，交钞流通中，可以凭旧钞换新钞，以保证钞引的通行。同时，金朝也以白银为流通物，规定银每锭（50两）折钱百贯。其次，金代商业活动中出现了专门的典质机构，如南京交钞库，负责出入钱钞兑换事务；中都、南京、东平等地流泉务则是官营质典机构。第三，金代商业经济的发展，还表现在店宅业的出现，如中都和南京的店宅院及散布各地的别贮院和木场等专门掌管货物存贮、发放和拘收事务。此外，金代还在周边地区广置榷场，以推动金朝与各地经济联系。

金朝的畜牧业　金朝建国前即已拥有畜牧业生产，马匹是畜牧业活动中主要产品，征服了辽朝故地后，增加了大面积的草场和数量更多的畜群，使畜牧业生产成为了金朝社会经济生产的重要门类。

金朝将一部分游牧的契丹等各部族人口编入群牧组织，仿辽朝群牧制度加以管理，设置9个群牧，金世宗时又在临潢路等地增置了一些群牧组织，使金代群牧生产有了一定发展。金朝群牧管理机构及官员等称为：群牧官、详稳脱朵、知把，还制定了群牧的畜产滋息损耗的赏罚制度。群牧的生产者，其地位也不同于奴婢，他们拥有自己的畜产。金世宗时，群牧有马47万匹、牛13万头、羊87万只、驼4 000头。这些都充分地满足了金朝国内各个方面对畜产品的需求。

三、辽金时期的文化面貌

（一）辽朝时期北方文化的发展

语言文字　契丹族为古东胡族系的一个分支，契丹语属阿尔泰语系中的一个独立的语言系统。辽朝建国前，并没有文字，军国大事均以刻木为契、传箭为号。辽太祖建立契丹政权后，命耶律突吕不和耶律鲁不古等参酌汉字笔画部首，制定了契丹文字，史称"大字"，用以记写契丹语和军国大事等。契丹大字，创制于920年，是一种模仿汉字的方块字，采用了不拼音的音节文字和拼音的音节文字共同组合的方式，共有原字3 000多个，这是辽契丹人最早创置的"国字"。

契丹大字一直是辽朝的通用文字，直到金朝才被逐渐废弃。现存契丹大字材料不是很丰富，只有近20块碑刻、墓志资料（但契丹大字的原字基本收齐）和器物铭文、钱文等，还在内蒙古科右前旗发现一处辽代墨书契丹大字题记。由于契丹大字是被废弃较早的民族古文字，因此，对其释读工作也正在进行中。

契丹大字创制后，因字数太多，不便掌握和记写，因此，在确保大字的国字地位前提下，辽太祖又命皇弟迭剌参照回鹘拼音文字的方法，对大字的形体进行改造，创制了一种新的文字，以方便部人的学习和掌握。这种新的文字，史称契丹小字，以示与大字相区别。契丹小字系拼音文字，拼音方法受到了回鹘字的启发和汉字反切音的影响，计有原字（或称表音符号）300多个，采用若干原字拼在一起的方法来记录契丹语，极大地方便了契丹语中多音节词汇的记写工作。小字拥有原字总数不及大字的十分之一，使用起来也比较方便。因此，小字和大字一样成为了辽朝的国字。

契丹小字的遗存，目前在国内计有碑刻、墓志20多件，但已将小字原字基本收集齐全。此外，也有一些器物铭文等小字资料，还在内蒙古乌兰哈达阿贵山、大黑山等地的洞壁题记和摩崖石刻中保存了一些辽代墨书契丹小字资料。契丹小字的释读，已经取得了突破性进展，已释读出语词近 500 条，并构拟出原字音值近 200 个。

契丹大字和小字，都是契丹人创制的民族文字，在字形上均属方块字的范畴，主要用来记写契丹（辽朝）各族人民的历史活动，它是契丹语言和文化的载体。在与辽朝同时期的汉字文献中也译写了部分契丹语词汇，但契丹文字并不是辽朝境内唯一通用文字，汉字也是辽朝的一种通用文字。

文学艺术和史学　契丹人善于运用比喻的方式品藻人和事，如用"空车走峻坂"来形容人言语无检和随意而为；用"着靴行旷野射鹑"形容说话言不及义。又如：辽太祖长子耶律倍，以"小山压大山"的诗句形容受到来自弟弟、辽太宗耶律德光的猜疑而又无法辩解的心情。据说元代耶律楚材还用契丹文记录了辽朝寺公大师《醉义歌》，此歌曾是辽代文学的名篇。契丹人不仅善于运用本民族的语言为文作诗，也大量使用汉语文写作，描绘北国风物民情，如辽道宗《题李俨黄菊赋》："昨日得卿黄菊赋，碎剪金英添作句，袖中犹觉有余香，冷落西风吹不去。"在宋代以来，历代文人所作"诗话"、"词话"中，也著录了许多辽人诗句，作为评诗论诗的圭臬。如宋人阮阅所作《诗话总龟》，不仅摘录了一些辽人的诗句，也记录了一些辽代文化轶闻。根据《辽史》记载，许多契丹人都能文善赋，撰作了大量的文集，只是由于历史变迁而未能存留下来。

在辽朝较为发达的文学影响下，契丹人继承和学习了中原王朝修史传统。辽太祖时曾命耶律鲁不古监修国史。辽太宗会同四年（941 年），命史臣编修《始祖奇首可汗事迹》。辽圣宗时，任命了起居注和日历官，修史制度和机构日益完善。统和九年（991 年），监修国史室昉和邢抱朴撰修《实录》20 卷，记载了太祖至景宗五朝史事。辽兴宗时，耶律谷欲、耶律庶成、萧韩家奴等纂修《遥辇至重熙以来事迹》20 卷；辽道宗时，耶律俨受敕编修《皇朝实录》70 卷。此外，还有《辽朝杂礼》《契丹地理图》《契丹会要》《三人行事》及《七贤传》等众多私人史书。

辽代的文化艺术，突出地表现在绘画与雕塑方面。辽代的绘画，有深厚的草原画风的积累，辽太祖长子耶律倍，就是一位著名的画师，由他描摹的草原人物、动物及花卉虫草等画卷，成为北宋秘府的珍品。与耶律倍齐名的另一位草原画风的代表人物，是耶律倍的同时代人，出身于山后契丹部落的胡瓌，他在五代初期只身进入中原，成为五代及北宋时期开中原画学新风的大师，他的作品如《卓歇图》等惟妙惟肖地勾勒出草原生活的真实场面。终辽一代，契丹画家层出不穷，甚至许多无名画师的作品也流传下来，若山西应县佛宫寺的《神农采药图》《释迦牟尼像》《炽盛光九曜图》以及法库叶茂台出土的《山弈候约图》和《竹雀双兔图》两幅绢画，还有大量的壁画作品等，成为研究辽代生产、生活、风俗的重要资料。

辽朝的雕塑作品，有石雕和砖雕两类。石雕艺术，突出地表现在开窟造像方面。在辽上京故址南20公里的真寂寺、开化寺，均属石窟寺，其中真寂寺石雕的佛涅槃像及悲泣的群弟子像，造型典雅；两侧小窟中的菩萨像，堪称佳作。玉石观音像更是石雕艺术精品。辽朝石雕造像在上京和中京遗址均有遗存，大同西郊佛字湾观音堂更保留了一组辽代石佛像。此外，辽墓也布列众多石像生。辽代泥塑佛像在大同华严寺、蓟县独乐寺、应县佛宫寺、义县奉国寺等都有完好的保存。朝阳北塔的砖雕力士、侍者、狮、虎、莲花及五方如来坐佛像，更是生动传神，也是此类艺术作品中上乘之作。

书法也是辽代艺术中的奇葩。辽朝许多皇帝都是能书善画的高手，如天祚帝耶律延禧以亲书"五字之歌"流传于世。道宗皇帝尤好为人书碑赐额，如靖安寺、大昊天寺等均蒙御赐。现今发现的契丹文字样品中，大字书法作品以《北大王墓志》《耶律延宁墓志》为佳，小字作品以《庆陵哀册》《故耶律氏铭石》、《许王墓志》为优，这些都已成为当今书法界爱羡的"法帖"。汉文作品则以《契丹藏》写经最为典雅。契丹文中最有创意的书法作品，是在篆书中将小字"折写"的方法：契丹小字是一种拼读文字，一字中由若干声韵母组成为一，据此特点，小字篆书按先上后下，先左后右的汉字书写原则，将拼成的小字拆开书写，各占一字，释义时再拼读，使书写整齐美观，这是民族文字书法艺术的创举。同时，辽代书法反映在治印作品上，出现了九选篆书印文书法，古拙秀丽，顺畅易读，也是辽代书法艺术的新发展。

乐舞和宗教 辽朝的乐舞吸收了周边地区的乐舞艺术，融入本民族传统文化中，创造了自成特色的乐舞风格。辽朝雅乐，为宫廷盛典所用，有宫悬36架，381人组成，其中乐官1人，协律令2人、乐工246人，舞工128人，领舞者4人，用器有钟、磬（磬）、琴、箫、琶、笙、竽、埙、鼓等。

燕乐，是宫廷宴饮庆典用乐，其中又有大乐和散乐之分，大乐气势宏伟，用乐器 30 余种，舞部至少 20 人；散乐，即各种娱乐乐舞的总称，又融入百戏、手伎、角觝等内容，这在 1989 年发现的萧氏夫人墓出土的"散乐"画像石中有较好体现，中有乐工 12 人，作演奏之状。契丹散乐中的"倒刺"，曾在北方长期流传并影响到宋朝。军乐，即军队出行时高亢嘹亮的壮威音乐，分横吹、鼓吹两部，鼓吹乐多"设而不奏"，为壮威武的仪仗。佛乐，也是辽代乐舞中的重要组成，主要用于佛教仪典。契丹民间的乐舞，有些类似散乐所见的内容，双人舞、三人舞、独舞等。宋人记录的《契丹歌》《臻蓬蓬歌》等，都是传入北宋的契丹乐舞。宋人王安石使辽时，曾留下了"涿州沙上饮盘桓，看舞春风小契丹"的佳句。

契丹人本土宗教为萨满教，敬事天神是部落生活中不可缺少的重要内容，建国初期契丹大巫师神速姑，就曾为辽太祖夺取遥辇氏的汗位立下汗马功劳。此时，佛教在契丹社会也占据了日益突出的重要位置，终于酿成了辽末"佞佛"的现象。辽代佛教采取了兼收并蓄的方式，不分流派和修行主张，号称以"显密圆通"为宗旨，"显"指传入中原的佛教显宗等流派，"密"指佛教流传于中原周边地带的密宗，这本是两个对立的流派，辽朝却要将其圆融为一。因此，佛教寺庙遍布契丹各地，佛教高僧获得司空、司徒、太尉、太保的职衔，佛教徒成为支撑佛法延续、寺观鼎盛的主要支柱。校经、写经、印经活动十分盛行。现今发现留存下来的辽朝最早的手写经卷，是应历十七年（967 年）比丘尼惠深所写《大般若波罗蜜多经》第 76 卷。而现存的辽朝佛教重要资料有：应县佛宫寺发现的《契丹藏》刻经等，是辽圣宗时刻版印刷的精品；庆州白塔发现的大量手写经，内容极为丰富，成为研究辽代宗教发展、礼俗和社会生产的重要资料。同时，北京房山云居寺发现的石刻佛经，计有 14 000 余块，达数百卷，有 420 多万字，分藏在 9 个石洞之中，为研究辽朝佛教提供了丰富的资料，同时也说明了佛教在辽代的盛行状况。

佛教的盛行，也推动了文化的发展。燕京僧人行均撰写的《龙龛手鉴》4 卷，收字达 26 430 个，注字达 163 170，分 424 个部首，以平、上、去、入四声为序，广收异体字、简体字和俗字，甚至少量的契丹大字也收入其中，说明了契丹字与汉字的同源关系。此书雕版印刷后，传入北宋产生了较大影响，北宋重新雕版印刷，成为当时影响面最大发行最广的私人著述。

在辽朝兼容并蓄的宗教政策下，道教也植根于契丹本土，并在那里得到了进一步的发展。五京和州城中出现了许多道观，连辽圣宗也兼习佛道二教，秦晋国王耶律隆庆更是个虔诚的道教徒，"见道士则喜"，莅官所至，广建道院，对道教在一些地区内的流行产生重大影响。道士冯若谷还被辽圣宗授予太子中允的官衔。另有刘海蝉著有《还丹破迷歌》、于阗人进献《内丹书》等。辽朝考古发现中，也揭露出了许多以道教思想为内容的画像石、画像砖和八卦符号，甚至在同一物品上佛教影响与道教影响也同时共存。

医学与科技　辽朝的医学吸收了中原的影响，但也有自己独特的方式。如耶律迭里特就以诊疾无误著称，直鲁古则以针灸见长，曾著有《脉诀》和《针灸书》。切脉审药，也成为契丹人熟悉的医学常识。契丹人还创制了一些独特的方剂，如冻疮膏、鬼代丹等。辽朝人也十分重视饮食营养和卫生保健等，养成了按季节饮用甘草汤、菊花茶（酒）的习惯，还制造了餐刀、匕叉、牙刷等物品。契丹制造的"玫瑰油"曾是令宋人艳羡不已的护肤品。

辽代的天文历法知识，汲取了中原和中亚的先进成果。辽圣宗时使用的大明历，曾颁行高丽。1989年，河北宣化下八里辽墓发现的两幅彩绘星图，绘画了二十八宿与黄道十二宫和十二生肖图案，其中的黄道十二宫图案是学习和借鉴的古巴比伦天文学知识，并对其加以改造的结果。与辽朝官方盛行十二干支方式不同的是，辽朝的民间甚至包括一些贵族之家，还行用着一种以五行（或五色）与十二生肖相配合的纪年方法。这种在天文历法方面出现的官民不同（或实际为两种并用）的纪年形式，实际是辽代政治与文化混合局面的反映，是极具代表性和时代特色的民族文化风貌。

（二）金朝的文化

语言文字　女真人原本没有文字，金朝建立相当长一段时间内，仍借用契丹字和汉字，作为文书往来的主要文字。虽然，金太祖建国后，即命完颜希尹、叶鲁等人，仿照契丹大字的创制原则，取汉字楷书偏旁部首再合以女真语，创制了女真大字，并于1119年颁行。但契丹文和汉文，仍是金初主要的通用文字。

金太宗时，始命叶鲁设学京师，选拔女真贵族子弟入学，教习女真字，即女真大字。金熙宗时，又新制女真字并于 1138 年诏令颁行，称女真小字，大小字与契丹文、汉文共同作为通用的官方文字。现今发现的女真文字只有一种，无法确定其为大字或小字，故只称为女真字。

女真字由汉字的一、丨、丿、乚、丶等笔画组成，多为单音节，用以拼合女真语音节的词汇时，往往由数个女真字组成一个词。因此，女真字的字形为方块字，应属拼音文字的范畴。女真字颁行后，即被运用到官方文书往来系统中，作为新的通用文字得到进一步推广。政府也组织力量，翻译汉文经史著作等，以推动女真字使用范围的扩大，大定四年（1164 年），金世宗颁行用女真字译成的经书，诏令每一谋克选派两人学习女真文字。又在中都（今北京）建立女真字学校，招收诸路学生 3 000 人学习。大定九年（1169 年），选拔各地女真字学习成绩优异者进京（即中都），由国家供给，学习古书、诗词、策论等，培养了女真贵族子弟，为设立女真策论进士科，参加科举考试奠定了基础。

金世宗大定十三年（1173 年），首创古代科举考试的女真策论进士科，然后，以新进士为教授，设置女真国子学于京师，置女真府学于诸路，招收士民子弟入学。使女真文字得到了大力推广和普遍使用。金章宗明昌二年（1191 年），下诏废除契丹大小字，确保女真字的"国字"地位，从此，女真大小字和汉字一起成为金朝官方通用的双文字系统。金朝灭亡后，女真文字也渐被废弃。

现存的女真字，有文献、金石和墨书题记等。女真字文献，仅有一小部分，被分别收藏在陕西省文物管理委员会和俄罗斯彼得堡原东方学研究所分所，均属手抄残页。明人笔记杂谈中也录有数目有限的几个女真字。① 女真字碑石，有《大金得胜陀颂碑》及符牌和印章题款等。女真字墨书题记，在内蒙古呼和浩特市东白塔子万部华严经塔内壁，有数处女真字墨书题记。在内蒙古通辽市科尔沁右翼前旗和中旗境内石崖上，也发现了数处女真字墨书题记。这些，都已成为研究女真文字、了解金代社会生活的重要资料。目前，女真字研究已得到极大进展，金启孮教授编著《女真文辞典》，从文字结构、读音和语法等方面作了全面系统的研究，是学习和认识女真文字的必

----

① （明）王世贞：《弇州山人四部稿》，四库本。

读书目。

文学与史学　金朝继承了辽、宋文化发展的底蕴，经过短短百年的发展，已使其文学艺术水平取得了"上掩辽而下轶（超过）元"的辉煌成就。①

金朝为文学艺术发展奠定良好基础的是完颜希尹，他首创大字，积极推动了政权体制的改革，使女真人社会文化发展水平主动地向辽、宋看齐，促进了女真社会的发展。在经历了短短的二三十年的发展后，金朝便呈现了文学日兴的态势。金人的诗词，上承唐宋，直追李杜苏黄，自海陵王开始，历代帝王均雅好诗文，留下了"大柄若在手，清风满天下"的佳文名句。贵族子弟完颜璹更是一副中原文士的风范，所居无长物，却是琴书满案！晚年自削诗作，仅存诗300首、乐府100首，结集为《如庵小稿》。在这种社会风气的影响下，金代文学蔚然成风并蓬勃发展。党怀英、王若虚、赵秉文、李纯甫、元好问等，都取得了重大成就。故金末人刘祁曾说：以前中国文学的发展，非东（即齐鲁）即西（即关洛），今日合到北方也！②金代赵秉文的《滏水集》，与王寂的《拙轩集》、王若虚的《滹南遗老集》、李俊民的《庄靖集》、元好问的《遗山集》、蔡松年的《明秀集》、段克己与段成己合著的《二妙集》、白朴的《天籁集》等，就是古代文学史上著名的"《九金人集》"。

李纯甫号屏山居士，涉学广泛，触类旁通，嬉笑怒骂，皆成文理，被誉为一代文宗。由于厌恶腐败，而纵情于山水中，流连于诗酒间，终日与禅僧士子携游。其自赞称："躯干短小而芥视九州，形容寝陋而蚁虱公侯，语言謇吃而连环可解，笔札讹痴而挽回万牛。宁为时所弃，不为名所囚。是何人也？吾所学者净名庄周。"③表现了恃才傲物、不与时沉浮的倔朗文士的风度。

元好问，先世出于北方，本为北方游牧民族后裔，但他不仅诗作水平较

---

① （清）赵翼：《廿二史札记》卷28《金代文物远胜辽元》，王树民校正，中华书局1984年版，第623页。

② （金）刘祁：《归潜志》，四库本。

③ （金）刘祁：《归潜志》，四库本。

高，还对诗词理论有独到的见解和阐发，其《论诗三十首》和《杜诗学》等，从诗词创作的艺术宗旨、风格，到诗作的继承和发扬等，都对前人成果作了精辟的总结，并对后世诗作产生重大影响。

金朝史学，自天会六年（1128 年）金太宗下诏求访祖宗遗事以备国史起，至皇统元年（1141 年）完颜勖撰成《祖宗实录》3 卷，这是金朝第一部以文字记载的历史。皇统八年（1148 年），完颜勖又领衔完成《太祖实录》20 卷。金朝修史机构为国史院，设监修国史、修国史、同修国史和编修、检阅官等。世宗时，以纥石烈良弼为监修国史，完成了《太宗实录》《睿宗实录》和《海陵庶人实录》。章宗时，完成《世宗实录》《显宗实录》。宣宗时，完成了《章宗实录》和《卫绍王事迹》。哀宗时，完成《宣宗实录》。同时，其他公私著述还有：完颜勖编《女真郡望姓氏谱》，韩玉《元勋传》，蔡珪《南北史志》30 卷、《晋阳志》12 卷，杨云翼《续通鉴》，张暐作《大金集礼》，还有佚名的《大金吊伐录》以及《诸臣陈言文字》、《圣训》等。

金朝还编修了前朝史。金熙宗时，命耶律固编修《辽史》，萧永祺继之，皇统八年（1148 年）完成，共 75 卷，但未曾刊行，后散佚。章宗时，命移剌履、党怀英、陈大任等再修《辽史》，用功尤勤，最后由陈大任完成，史称"陈大任《辽史》"，未及刊行而金朝灭亡。

书画与乐舞　金朝书画继承了辽宋风格。金朝设有画院，女真贵族多是画中高手，如完颜允恭善画獐、鹿、人、马及墨竹，《七星鹿图》、《衔花鹿图》等成为当时名画。海陵王也善墨画，作品有《方竹》等。其他，如完颜勖、王庭筠都是画中名家，传世作品有《林下清风图》、《淇水修篁图》、《墨竹图》等。契丹人耶律履善画鹿、马和人物，继承了契丹画学传统。而王庭筠的书法，"评者谓其不减米元章（即米芾）"，其草书《博州庙学碑》，风骨磊落。画家任询，更被誉为："书为当时第一，画亦入妙品。"此外，耶律浩然、李仲略、张公佐、李通等人，都是丹青名家、画学楷模；而党怀英、赵秉文、王竞、赵沨等人，也是书法圣手，善草隶楷篆等，他们的字迹都成为当时人们争购的习字法帖。

女真人的乐舞，据说很早就有了《鹧鸪曲》，仅高下长短鹧鸪二声。乐器有鼓、笛。舞蹈中有镜舞，舞女持镜上下舞动，银光闪烁；也有队舞

（或群舞），仅"曲折回旋，莫知起止"。金朝建立后，宫廷舞沿袭了辽宋旧制，拥有了较大的规模，除沿袭了辽宋的雅乐、燕乐、军乐和佛乐外，女真人也保持了自身的特色，如金世宗便雅好"女直词"，常于听政之暇，令歌者唱之。大定二十五年（1185 年），金世宗重返上京会宁府大宴宗室、宗妇于皇武殿时，世宗曾亲歌女真旧曲于宗室子弟，唱至动情，慷慨悲激，泫然涕下。于是，宗室诸夫人迭起更歌女直本曲，世宗又为续词，成为一次女真人的歌舞盛会！除了继承固有传统外，女真人又结合自身特点和南北乐舞的发展趋势，在既有基础上有所创新和发展。

诸宫调是一种有说有唱的文艺形式，但以唱为主。在金代的农村、城镇广为流传。1959 年在山西侯马发掘的金墓中，发现其中砌有仿木结构的舞台和台上 5 个用砖雕成的演员，面部及服装均有颜色，目的在于区分演员在舞台上的角色。现存的金人诸宫调说唱本，有无名氏创作的《刘知远》，董解元创作的《西厢记》。其中，董解元的《西厢记》，在我国戏曲发展史上被称为"北曲之祖"，为元曲的发展以及元代王实甫改编杂剧《西厢记》奠定了基础。

同时，金朝也沿袭了辽宋时期的杂伎、百戏、像生子以及角觝和各种娱乐舞蹈等等。金朝民间的歌舞也更加丰富，能歌善舞是女真人的本色。

宗教和医学、天文历法 金朝承袭了辽宋佛道两教，与自身信仰的萨满教一同流行。随着女真人口的大规模南迁，原始的萨满信仰除在礼仪活动中能找到些蛛丝马迹的存留外，伴随女真汉化程度的深入，已经荡然无存了。

女真统治者也沿袭了辽朝的佛教信仰，除仍修缮和改赐寺庙寺额外，佛教在金朝的发展已失去了昔日的显赫。但金朝也曾经由民间集资、花费 20 多年时间，校对、搜集、整理佛教经典，终于雕版刻刊了举世闻名的"赵城藏"，这是研究金代佛教发展和社会生活的重要资料。

道教在金朝有了长足发展，金朝初期，在河北地区出现了大道教、全真教和太一教等道教新派别，对金朝的统治产生了重要影响。大道教，又称真大道教，熙宗皇统年间（1141—1149 年），沧州人刘德仁所创，自号无忧子，以"玄妙道诀"为人招神劾鬼、以治疾病。刘德仁信徒颇众，以《道德经》为基本教义，并吸收了儒佛的部分思想，提倡"自力耕桑"，教长负责处理信徒词讼纠纷。历代掌教都是读书人，是儒者创建和掌握的传教组织，分布于山东、河北一带，与金朝采取不合作的态度，但直到金朝灭亡也未曾被取缔。

全真教，也称全真道，海陵王正隆年间（1156—1161年），咸阳人王喆所创，自号重阳子，世称重阳真人。后受山东豪富马钰、孙不二夫妇之助，筑观修道，题名"全真"。全真教提倡出家制度，杂糅儒释思想，主张儒、佛、道合而为一。传布山东、河北、陕西、河南等地，有名徒七人，称七真，曾受金朝皇帝尊崇。师徒均有著述，成为影响较大的一派，弟子丘处机曾于金蒙之际，觐见成吉思汗，将全真道影响推广到了大蒙古国。太一教，卫郡人萧抱真创立于天眷年间（1138—1140年），以老子思想为宗旨，以巫祝之术行于世，被金朝赐名为"太一万寿观"，是金朝影响最大的道教派别，历任掌教均出萧门。同时，金朝还有许多小的道教宗派，散布于各地，金源故地即曾出土金代曹道士碑铭。

女真人初无医药，金朝建立后，继承了辽宋故地中医学传统，推动了中医学的发展，出现了刘完素和张元素等名医。刘完素创立寒凉派，善治火热杂症，著有《素问玄机原病式》等多部医书，提出了辛凉解表和清热养阴疗法。张元素创立了"脏腑辨证说"和"遣药制方论"，以脏腑征候的治疗见长，提出了"主性命者在乎人"的辩证观点。张、刘二人的医学理论和医疗实践，也都完整地传承到了元代，是"金元四大家"的翘楚，为中医学的发展做出了重大贡献。

早期的女真人，"不知岁月晦朔"，金朝初期，许多女真人也不懂得日月年岁，唯以草青为记，人有多少岁也只云见草青多少次了。所以，金朝承袭了辽宋历法传统。天会十五年（1137年），金朝颁行《大明历》。世宗时，赵知微用几何方法预测日、月食，修订旧历，于大定二十一年（1181年）颁行了《太乙新历》。随着天文历算的进步，金代的数学知识取得了较高的成就，出现于11世纪末的"天元术"，是古代数学中建立和求解代数方程的方法。金代数学家李冶著《测圆海镜》12卷，用天元术解决了与容圆相关的170个问题，他还写了一本天元术入门书，名为《益古演段》（3卷）。此外，杨云翼还著有《五星聚井辩》和《象数杂说》等天文历算著作。

四、西夏的社会、经济与文化

（一）西夏的社会状况

西夏政治统治家族，在唐朝时期已是闻名遐迩的拓跋氏家族，他们早在唐朝初期，就已经接受了唐朝所赐予的国姓李，并且在唐朝晚期，已经成为成功地割据夏州（治古统万城）的西北藩镇之一。在北宋初期，他们又接受了宋太祖所赐予的国姓赵，当李继迁与北宋政权发生难以排解的政治矛盾的时候，李继迁果断地接受了辽朝藩属的地位，辽圣宗于是命令李继迁恢复李氏。当李元昊建立西夏国专制政权之后，又宣布更改姓氏为"嵬名氏"，但在大多数的政治场合中，也仍然兼称李氏。此时，西夏皇室集团的分布范围，已经达到地斤泽附近的今内蒙古乌海市周围，封建领主制统治原则已经成为西夏政治体制建设的基本特点之一。

西夏的官制主要采纳了部分中原地区的封建组织程序，但也更多地保留了党项羌部落更加习惯的蕃官统治系统。据《辽史》记载：

> 其俗，衣白窄衫，毡冠，冠后垂红结绶。自号嵬名，设官分文武。其冠用金缕帖，间起云，银纸帖，绯衣，金涂银带，佩蹀躞、解锥、短刀、弓矢、穿靴，秃发，耳重环，紫旋襕六袭。出入乘马，张青盖，以二旗前引，从者百余骑。民庶衣青绿。革乐之五音为一音，裁礼之九拜为三拜。凡出兵先卜①。

这依然是一个民族特色十分明显的地方割据政权。在李继迁时代及其以前，党项羌夏州政权还是一个制度相对简朴的部落组织形态，故其外在表现是：皇帝服用的白窄衫、毡冠、冠后自然下垂红色丝结绶带，这本来是吐蕃赞普和回鹘可汗所经常服用的服装样式。可是，在李元昊宣布建立封建君主专制政权之后，党项羌一切故有习俗面对新的政权体制纷纷退后，政治的强制措施使社会政治生活以及服装面貌等都发生了重大改变：党项羌的统治家族自称姓嵬名氏，政权体制内部出现了文、武两班官吏的具体划分，初步确立军

---

① 《辽史》卷115《二国外纪·西夏》，中华书局1974年版，第1523页。

事指挥权与行政管理权的分离，那种故有的军政合一的组织形式和统治办法，开始让位于更加精细的封建统治方略；关于政府官吏的衣饰打扮，如穿着绯衣、顶戴金银装饰的冠帽和乘马张盖等，已经是一种身份与地位的标志，而普通民众则只能穿戴那些颜色或青或绿的服饰；秃发、耳重环则是一种普遍地民族化的制度规定；至于音乐和礼制的改革，也已经上升到了体制文化建设的具体高度。党项羌所建立的西夏政权已经朝着愈益完善的封建政治政体体制方向继续发展。

西夏政权的最高统治者就是皇帝（有时也迫于辽、宋的压力对外自称夏王），党项语称之为"兀卒"，关于其国号历史上习惯称之为"西夏"，但党项语自称为"白上国"；关于西夏中央政权内部官僚机构的具体设置，据《宋史》记载：

> 其官分文武班，曰中书、曰枢密、曰三司、曰御史台、曰开封府、曰翊卫司、曰官计司、曰受纳司、曰农田司、曰群牧司、曰飞龙院、曰磨勘司、曰文思院、曰蕃学、曰汉学①。

也就是说，在皇帝之下则有中书、枢密、侍中等专门负责朝廷内军政事务的"谋议"，也就是政策、制度的制定者；又有官计司、受纳司等诸司机构负责"文书"，其作用相当于中原政权的"六部"承担着国家政策的落实与执行的具体责任；还有御史台承担着纠举违法、忤逆事件以及随时弹劾朝中大臣的职责；西夏政权还设置了专门的教育管理机构——"蕃学"和"汉学"，"蕃学"主要学习西夏文字和使用西夏文字来翻译其他民族文化的优秀成果；"汉学"主要使用汉字，学习和传播中原儒学等优秀文化成果，并为西夏政治统治提供人才储备。此外，在中央禁卫军系统之外，又有国家常备军。西夏的常备军系统，采取了分而治之的管理办法，全国共设置了十二个监军司，每个监军司都作为国家军事管理的主要机构，同时，将十二个监军司分别驻守境内的各个重要位置，布起了一道行之有效的军事防御系统。因此，西夏的常备军组织形态，事实上也赋予了每个监军司的长官都能够直

---

① 《宋史》卷485《夏国传上》，中华书局1977年版，第13993页。

接指挥其下属的军事指挥权。应当说，西夏政权所采取的这种军事部署和分割军事指挥权力的统治方略，应该是受到了北宋王朝军政制度影响的具体结果；但是，值得注意的是：在军事组织程序和军事权力的调整与控制方面，西夏政权除了在统治范围内设立十二个监军司外，在军事组织结构中仍然保留了大量党项羌的旧俗，譬如西夏军事组织程序中的最为基本的单元构成，就是被称之为"抄"的基本单位，同时，还规定了每一位党项贵族所直接率领的具有明显私有性质的种落（相当氏族或家族）之兵，均被称之为"一溜"，具体含义就是一部，但数目的多少皆视封建领主的社会地位、等级差别等来决定。因此，西夏军队中所存在的"一抄"或者"一溜"的单位构成，主要显示出西夏党项羌政权内部国有制因素与封建领主制因素同时共存的基本特点。

西夏对于首都地区的行政管理，则采取划分专门区域的方式（有些类似于后世元朝的"腹里"）、以都城兴庆府为中心，总名之曰"开封府"，以兴庆府为治所，实际负责处理都城兴庆府及其周围大片地区的具体行政事务。

在地方统治机构中，西夏王朝则采取了州衙机构与蕃落组织同时并存的组织原则和兼容共治的统治方略。具体而言，在西夏政权的地方组织结构中，所谓"州衙"即指地方组织系统内最高一级的地方行政建置，也就是相当于州、县制度中的最高级别的地方政府，譬如前面已经引述的夏州、银州、绥州、宥州等；因此，西夏地方统治机构中的"州衙"，实际就是根据民族人口经济成分而设置的城市，是用来专门治理一方农耕人口的地方行政管理机构，它的历史作用也有些与契丹辽朝设置的汉城颇为相似的特点。但是，由于西夏境内居住的民族成分比较复杂，经济生产方式又比较多样，尤其是其中的游牧民族人口并不愿意也不能够居住在城市之内，他们仍需居留于相对宽旷的草原地带、维持着那种因季节变换而随时转徙的游牧生活，这样就形成了西夏统治区域之内许多"蕃落"客观存在的具体事实；由于西夏统治区域毕竟不能与同时存在的辽、宋两大割据政权相比，过于狭小的统治区域就造成了"蕃落"人口包围城市或州衙的独特场景。所谓"蕃落"，其实就是指那些经过西夏政府允准的依然保留了部落组织形态与管理习俗的诸多游牧民族人口；西夏政权为了便于对这些游牧部落的管理，遂采取因俗而治的办法，仍然推行了基本保持部落组织原样的"蕃落"组织形式，同时规定：每一个具体的蕃落组织都要由朝廷委任的都知蕃落使来具体负责，而西夏政权内部的都知蕃落使也就是管理"蕃落"人口的地方机构最高行政长官；蕃落组织的最为基本的社会单元，就是那些被习惯地称之为"帐"的社会基本单位，客观地说，西夏游牧部落组织结构中的"帐"，其实就是相当于"户"的最为基本的社会家庭单位，因此，蕃落组织中的"一帐"，大约就等于当时"州衙"组织系统中的"一户"。

西夏政权实行的封建领主制度，事实上已构成地方组织系统内的重要一环。虽然，因为目前史料限制的基本原因，学界还无法了解西夏领主分封制度的基本内容及其领地划分的具体事实，但西夏封建领主制的具体存在，则是毋庸置疑的具体事实。如前揭"故参知政事碑"的发现，就为西夏封建领主制度的研究提供了一份重要的参考资料。同时，西夏政权内部"御庄"模式的普遍存在，也为我们研究和探讨西夏封建领主制度提供了比较有力的参考。说明西夏政权也是一个特色鲜明的封建割据政权。

此外，西夏政权在法律建设、文化教育等方面都已经作出巨大努力，尤其是在文字创制与普及方面已经取得巨大的文化成果。根据史料记载，李继迁之子李德明，

> 晓佛书，通法律，尝观《太一金鉴诀》《野战歌》，制番书十二卷，又制字若符篆。[1]

现今学界一般都认为西夏皇帝李元昊是西夏文字的制定者，但是，北宋时人沈括也认为西夏文字的制作，实际另有其人，

> 其徒遇乞先创造蕃书，独居一楼上，累年方成。[2]

看来，西夏文字的创造实际已经历了一个相对较长的发展阶段，当李元昊宣

---

[1]　《辽史》卷115《二国外纪·西夏》，中华书局1974年版，第1523页。
[2]　（宋）沈括：《梦溪笔谈》卷25，四库全书本。

布即位为皇帝的时候也将这一文化成果予以颁布。客观地说，西夏文字是根据西夏党项羌语言的基本特点，然后又参照汉字的基本造型结构创制出来的一种新的民族语言文字。西夏文字颁布之后，李元昊在中央政府内部成立了夏字院和汉字院，由党项贵族野利仁荣出任首任夏字院长官，并规定夏字为"国字"即通用文字，而汉字等其他民族文字则处于附属地位，凡是西夏送达北宋的公文，一律采取汉字与夏字并列书写格式，由汉字院来完成；而送达吐蕃、回鹘以及西域各国的公文，则一律采用夏字书写正本、各该国文字书写副本的格式，由夏字院来完成。为了极大地普及和发挥西夏文字的作用，不仅设学普及，而且还相继出版了几种西夏文字典，譬如《蕃汉合时掌中珠》《音同》《文海》等系列字书，使得西夏文字直到明朝中期，还在党项后人中被保存和使用。

（二）西夏的经济生产活动

根据唐朝所保留下来的历史资料记载，唐末五代时期党项羌的社会生活及其经济状况等，与辽宋时期西夏社会的基本状况相比几乎没有明显的差别，如《唐会要》记载：党项羌

　　俗皆土著，有栋宇，织牦牛及羊毛覆之。俗上午，无法令复议。……不事生产，好为窃盗，互相陵劫，尤重复仇，若仇人未得，必蓬头垢面，跣足蔬食。要斩仇人而后复故常。男女并皆衣裘褐，仍被大毡，不知耕稼，土无五谷，气候多风寒。以牦牛、马、骡、羊、豕为食。五月草始生，八月霜雪降。求大麦于他界，酿以为酒。妻其庶母及伯叔母、嫂子、弟之妇，淫秽蒸报，诸夷中最为甚。然不婚同姓。老死者，以为尽天年，亲戚不哭，少死者则云夭枉，而悲哭之。死则焚尸，名为火葬。无文字，但俟草木以记岁时。①

畜牧业经济仍然是党项人传统的经济生产门类，西夏建国后，位于河套南部的银、夏、盐等州和位于河套北部的鄂尔多斯高原及今额济纳旗一带，是盛产马、驼、牛、羊的天然牧场。根据史书记载，西夏境内的今河西陇右地

① （宋）王溥：《唐会要》卷98《党项羌》，中华书局1955年版，第1755—1759页。

区，自古以来就是最为优良的天然牧场，西夏的良马等畜产中的优秀品种，大都出产于这里。

由于畜牧业经济在西夏经济生产门类中的特殊地位，所以，西夏政权也设置群牧司等专门管理机构，管理和负责国有牧场的正常生产活动。同时，在西夏经济生产门类之中，与畜牧业经济始终相辅的是狩猎采集业，西夏对辽、宋政权奉献的贡品中独领风骚的沙狐皮、兔鹘等等，都来自于日常的狩猎活动；而苁蓉、矸石、井盐等，也是西夏经常奉贡于辽、宋的著名土特产品之一。例如，西夏每年向辽朝贡纳的礼品有：

> 细马二十四，粗马二百匹，驼二百头，锦绮三百匹，机成锦褥被五匹，苁蓉、矸石、井盐各一千斤，沙狐皮一千张，兔鹘五只，犬子十只。①

同时，据辽朝史料记载，西夏土产大麦、荜豆、青稞、糜子、古子蔓、地蓬实、苁蓉苗、小芜荑、席鸡草子、地黄叶、登厢草、沙葱、野韭、拒灰藓、白蒿、碱地松实等，均为西夏境内主要食物构成之一②。因此，如此众多的食物种类，如果没有一个更加庞大的食物链结构的基本构成，再如果没有一个更加庞大的基本经济生产门类的及时调整，则很难想象在如此有限的地理范围之内，居然能够支撑起一个庞大封建帝国的巍然耸立。

农业经济作为一个比较新型的经济生产门类，在党项人的社会经济生活中已经具有越来越重要的历史地位。西夏建国之后，农业生产得到了明显的提高，政府设置专门的管理机构——农田司，专门负责农业生产的具体事务，因此，在许多地区内都呈现出牧放生产类型与耕殖生产类型同时并存、共同兼顾的社会生产场景。西夏境内开始出现一些著名的农业生产区域，像宋人吕大忠就曾说过这样的话："东则横山，西则天都、马衔山一带"，已经成为西夏党项人赖以生存的农业生产基地③。其实，像今内蒙古阿拉善盟

---

① （宋）叶隆礼：《契丹国志》卷21，西夏国贡进物件，四库全书本。

② 《辽史》卷115《二国外纪·西夏》，中华书局1974年版，第1524页。

③ （宋）李焘：《续资治通鉴长编》卷466，引录吕大忠奏议，四库本。

境内之额济纳河流域，在西夏时期已经得到比较充分的农业开发，在黑水流域出现的黑城遗迹及其周围地带的佛寺遗址，都共同反映出当时户口云集、农田密布的生动场面！西夏境内的农作物种类，主要以禾、黍类为主，又兼有麦、豆、粟、青稞、荞麦等；菜蔬则以野生为主，所以，宋人曾巩记载说，西夏党项人春食鼓子蔓、碱蓬子，夏食苁蓉苗、小芜荑，秋食席鸡子、地黄叶、登厢草，冬天则有沙葱、野韭等干、鲜菜蔬，就是为了表明西夏党项羌只习惯于相对原始的山林采集活动。其实，辽宋时期的西夏境内已经出现比较发达的园圃种植业，菜蔬瓜果已经不能够满足于山林采集经济的薄弱供应了。

西夏政权为了推动农业生产的良性发展，政府在各地都分别设置了专门负责水利设施兴修与维护的"水工"；在今内蒙古河套地区及其以南鄂尔多斯市境内，西夏政府组织人力维护和修缮农田水利工程，史称：

> 黄河环绕灵州，其故渠五：一秦家渠，一汉伯渠，一艾山渠，一七级渠，一特进渠，与夏州汉源、唐梁两渠毗接，余支渠数十，相与蓄泄河水。[1]

而元朝史料中也记载，

> 至元二年，郭守敬以河渠副使从张文谦行省西夏，视古渠之在中兴者：一名唐徕，长四百里；一名汉延，长二百五十里。他州正渠十，皆长二百里；支渠大小六十。自兵兴后，皆废坏淤浅。[2]

对于这些水渠的维修与扩展，已成为河套地区农业生产的命脉，所以，西夏政府也十分重视。1002 年，李继迁就曾命令蕃、汉民众，兴修水利"引河

---

① （清）吴广成撰：《西夏书事》卷 20，龚世俊等校正，宋嘉祐六年六月条，甘肃文化出版社 1995 年版，第 235 页。

② 参见《续通典·食货四》。

水溉田"①；李元昊时期，还修筑了著名的"吴王渠"；此外，西夏政府还采取各种政策，积极鼓励农田开垦，刺激和推动农业生产的继续发展。据史料记载，西夏贵族、国相没藏讹庞凭借手中权力、动用家兵侵耕北宋鄜州西界屈野河流域的肥沃土地，"令民耕种，以所收入其家"，被开垦的良田，也"宴然以为己田"②；被没藏讹庞盗耕土地的情况，北宋政府也了如指掌，史称：

> ［其］插木置小寨三十余所，于道光、洪崖之间，盗种塞旁之田，放意侵耕。……鄜、延以北，发民耕牛，计欲尽耕屈野河西之田③。

所谓"发民耕牛"，即一种大规模的有组织的农业生产活动。没藏讹庞的发明，自然也引起其他党项贵族的纷纷效仿，甚至在西夏境内的龛谷城（今甘肃榆中）和智固城、胜如城（今兰州附近）等地，也出现了名为"御庄"的皇室庄园。在这些"御庄"之内，除了窖藏着大量谷米之外，同时还储存着数量众多的弓箭、兵刃等武器；"御庄"内的劳动者就是从属于皇室所有的农奴，它平时由军队看守和戍卫。由于西夏境内的农田分布并不集中，而且农业生产人口又往往处于游牧部落的包围之中，所以，西夏官府并没有集中设置的粮仓，粮食储备往往是在当地采取窖藏的方式。据宋人记载，

> 民家只就田中作窖，开地为井口，深三四尺，下量蓄谷多寡，四围展之。土若金色，更无沙石，以火烧过，绞草缠钉于四壁，盛谷多至数千石，愈久愈佳，以土实其口，上仍种植禾黍，滋茂于旧。唯扣地有声，雪易消释，以此可知。夷人犯边，多为所发，而官兵至虏寨，亦用是求之也④。

据说，在宋夏边界附近，就有大量的窖藏谷米曾被北宋军队发现，例如夏州德

---

① 李焘：《续资治通鉴长编》卷54，咸平六年五月壬子条。
② （清）吴广成：《西夏书事》卷19，龚世俊等校证，甘肃文化出版社1995年版，第225页。
③ （宋）李焘：《续资治通鉴长编》卷185，嘉祐二年二月至五月条。
④ （宋）庄绰：《鸡肋编》卷上，四库全书本。

靖镇（今陕西省志丹县西）七里坪山上，就有大小窖藏谷米一百余所，所藏谷米达八万余石；同样，鸣沙州的"御仓"所窖藏谷米更多达百万石①！夏州桃堆坪的"国官窖"更是显示出了一种"密密相排"的壮观景象②。

与此同时，西夏的手工业，在毛织、炼铁、采盐、印刷、陶瓷、金银玉器制造等行业均有长足发展，其中，夏人制造的"对垒"（战车）、"旋风炮"、"神臂弓"和"夏人剑"，都是当时交易辽、宋各国的贸易名品，在与辽、宋两朝相互往来的贡品贸易中，就包括了西夏人自己生产的"绫、锦"等著名的纺织品。而商业贸易活动的空前发展，也使西夏地区运出的货物，除了羊、马和毛织品外，还有苁蓉、枸杞、大黄、麝香、羚羊角及青盐、蜜蜡等著名的特产；为了适应商业活动发展的需要，西夏也开始铸造出自己的钱币，都城兴庆府等几个较大城市逐渐发展成为商业都会，部分城市还出现了专门从事商业活动的高利贷与典当业。

西夏前期社会经济的发展，在各个领域内都得到了不断的提高。

（三）西夏的风俗文化

西夏政权是以党项羌等部落人口为主的多民族共存的区域统一政权，西夏境内广泛地生存着回鹘、吐蕃、吐谷浑、汉族、鞑靼以及其他一些部族人口，由于长期地相互往来，这些民族人口之间已经没有太多的差别；尤其是在部落人口之间，因为长期地相互濡染，使其在风俗习尚方面也已日趋近同。正如西夏统治者所采取的统治态度那样，西夏政权的内部事实上只存在着两种颇有差异的文化形态，即党项族文化传统和汉族文化传统的差异。

虽然，以党项羌部落为主的西夏部落社会中，部民之间姓氏各别，但风俗习惯基本保持一致。史称，夏人风气尚武，善于骑射，妇女更不让须眉；甚至日常生活之中，还保存着许多原始古朴的风尚，譬如遇到与人定约盟誓的场合，则需饮用以骷髅骨盛装着的混合了鸡犬之血的血酒；又，生活之中，尤重复仇，但是最为避忌与仇家的女兵相接；等等。这些都说明以党项羌为主体的部落社会，还沾染着较为浓厚的原始遗风。党项人的居住方式，是构筑一种比较简单的土屋居住，或者是仍然采用那种用毛毡制作的帐篷来

---

① （宋）李焘：《续资治通鉴长编》卷318，元丰四年十月丙寅条、辛巳条。

② （宋）李焘：《续资治通鉴长编》卷319，元丰四年十一月辛巳条。

作为他们的主要生息之所；出行则骑马，也有任载的大车；畜养的主要畜产就是牦牛、骆驼和马、牛、羊以及猪、鸡、犬等，肉类与奶制品是他们的主要食物，但大麦、小麦与谷物等也已经成为其生活中不可或缺的主要食物补充；因此，他们所穿着的衣服，也大多数为皮革制品或毛织品和价格低廉的麻布制品等，只有那些达官贵人才有能力穿着颜色鲜艳的锦绣等丝绸织品；其服装颜色尚白，但西夏政权建立后则规定：白色乃皇帝服用，官服绯衣，即一种红颜色的衣服；民服青绿，即普通百姓只能穿着那些青、绿颜色的衣服。党项人的婚姻习惯，已经拥有了"同姓不婚"的禁律，但并没有关于聘娶的繁文缛节，一般都是"男女相悦，家不之问"，采取年轻男女直接相爱的方式，双方家长并不作出过多的干涉，体现了一种崇尚婚姻自由的习尚。西夏政权内部的汉族人口，大多数都是作为官府或贵族之家的私有人口，虽然他们保存了自己的生活方式，但在某些方面也只能与党项人主动趋同，譬如李元昊发布的"秃发令"就是促使汉族等与党项羌趋同的民族统治政策，另外，"民衣青绿"的规定也同样适用汉族人口。

在西夏党项人的社会生活中，一旦遇到有人病亡的时候，一般都首先采用焚烧尸体的处理方式，然后再将其骨灰进行埋葬，故人死之后，有坟墓，也有岁时从事祭祀的习惯。史称，夏人

质直而尚义，平居相与，虽异姓如亲姻。凡有所得，虽箪食豆羹不以自私，必招其朋友。朋友之间有无相共，有余即以予人，无即以取诸人，亦不少以属意。百斛之粟，数千百缗之钱，可一语而致具也。岁时往来，以相劳问。少长相坐，以齿不以爵。献寿拜舞，上下之情，怡然相欢①。

同时，在党项羌等部落人口的社会生活中，巫术盛行，巫觋集团充斥社会生活的各个角落，巫觋阶层的主要职业就是代人祈祷、为人驱鬼治病以及占卜吉凶、发布预言符咒等，因此，党项羌等部落人口迷信程度极重，凡事离不开巫师的祈禳。这一点，连北宋人也看得十分清楚，据北宋史料记载：西夏

①　（元）余阙：《青阳先生文集》卷4《送归彦温赴河西廉访使序》，四库全书本。

人十分笃信鬼神之说，尤其注重诅咒。凡是兴兵出战都一定选择单日，极为避讳没有月光的日子，认为此时出征会给出征者带来不祥；在作战过程中，不以奔逃为耻辱，反而认为鬼神不助，因此，战败之后三日，一定要回到失败的地方，在那里捕捉到敌方人马后，捆缚起来，然后，众人一齐射杀之，名之曰"杀鬼招魂"；如果在失败的地点，捕捉不到敌方人马，于是，大家就一起扎缚起一个草人，将它牢固树立在地上，大家对准草人一齐射箭，也算是祈禳了灾异①。尤其值得注意的是，西夏政权在与北宋的长期战争中，还起用了一种女兵直接投入作战，名之为"麻魁"。"麻魁"是什么呢？就是前面介绍夏人复仇之际，最为忌讳遇到的那种由"壮妇"组织起来的"女兵"，据宋人曾巩记载：夏人尤重复仇，

> 不能复者，集邻族妇人，烹牛羊，具酒食，介而趋仇家，纵火焚之。其经女兵者，家不昌，故深恶焉②。

西夏政权将女兵投入到与宋朝的作战中来，是企图以此达到使宋朝经此"不昌"的目的，故北宋人对于西夏军事战争过程中的"巫术"也十分注意。

西夏人的文化娱乐生活方式，主要有打猎射箭、唱歌跳舞等，这是因为西夏党项人本来就是一个"以羊马为国"的游牧民族，史书也记载西夏国主李元昊每次出兵作战或者召集首领议事的时候，都要事先组织一次规模较大的围猎活动。因此，狩猎活动既有利于练兵讲武，也是西夏人比较喜好的娱乐活动，甚至于像海东青这类的猛禽，也成为西夏人十分喜爱驯养的狩猎工具。西夏人的岁时节日，原本不多。党项旧俗，以每年十二月为岁首，因此，冬至节就是他们一年中最为隆重的节日，居民都在这一天会聚亲属、举行盛大的宴饮活动；后来，李元昊又特别规定了每年春、夏、秋、冬四季的首月第一日和他本人的生日（即五月初五），都作为国内的盛大节日③。

西夏的文化，深深地植根于所谓"蕃落"生活的民族土壤，从而形成了

---

① 《宋史》卷386《夏国传下》，第14029页。
② （宋）曾巩：《隆平集》卷20《外国传·西夏》，四库本。
③ 《宋史》卷385《夏国传上》，第14000页。

一种既有借鉴又有传承的民族文化风貌。据西夏文字典《文海》反映的现象看，西夏人崇尚多神教，也信仰佛、道之说，尤尚诅咒，成为集自然崇拜与佛道崇拜于一体的宗教发展状态。巫师，在民众的社会生活和统治者的政治生活中无处不在。当西夏人建国的前后，其境内民族的具体文化形态，还是保留着众多的"结绳记事"时期的痕迹。谚语、格言和诗歌，成为西夏时期文化发展的典型特征。许多诗歌，还带有明显的"史诗"的记忆，如"黔首石城漠水畔，红脸祖坟白河上，高弥药国在彼方"等。西夏所行用的历法，受到了辽、宋两朝历法的具体影响，例如西夏政权即采用中原皇帝的年号纪年法，也糅合进了用十二生肖纪年的方式，像虎年、牛年的称谓就在西夏极为盛行。西夏行用天文历法，有司天监和大恒历院等专门机构。此外，法律上颁布了《天盛改旧新定律令》。医药卫生和史地之学，也有相应的发展。

1032 年，李元昊发布"秃发令"，令国人皆秃发。开始从形式和内容上有意识地制造党项族与汉族传统截然有别的文化面貌，譬如前面引述关于李元昊"革乐之五音为一音，裁礼之九拜为三拜"，就是试图在政治统治特点上制造出与中原汉族政权截然有别的新气象。因此，西夏政权所制定的礼乐文字，都截然不同于中原地区。尤其是西夏文字，虽然从形式上来看依然属于汉字的方块字系统，但其音声结构则全然不同于汉字，它属于一种由符号构成的音节文字，故其语法结构完全不同于汉字。据现今统计西夏文字共有6 000 多个，曾被西夏人使用达四五百年之久。西夏字创制后，曾用之翻译了大量的汉文典籍，将中原的儒学思想介绍到西夏。同时，广置学校，招纳生员，习用西夏文字，终于形成了与西夏境内存在的"汉学"传统相对应的"蕃学"规模，从而使"蕃学"发展成为西夏文化的基本载体，如：《番汉合时掌中珠》和《文海》等都已成为当时经常使用的西夏文字书。关于西夏文字的字书，保存下来的就有：《音同》《蕃汉合时掌中珠》以及《文海》《文海杂类》《钦定文海》《杂字》和《五音切韵》《义同一类》等，其中，最为重要的就是《音同》和《蕃汉合时掌中珠》这两部字书，为研究和解读西夏文字提供了准确的参考。《音同》与《蕃汉合时掌中珠》，本是两部已经佚失了的历史文献。1910 年，俄国军官科兹洛夫来到我国今内蒙古阿拉善盟境内的哈拉浩特（即黑城）古城挖掘盗窃历史文物的时候，就掘获了大批西夏文的印钞书籍，其中就包括了已经佚失的《音同》和《蕃汉合时掌中珠》；1914 年，国内学者罗福苌、罗福成从俄国学者伊凤阁手中得到了《蕃汉合时掌中珠》这部西夏文字书，于是开启了国内外学界研究西夏文字的序幕，至今西夏文字的释读问题已经基本解决，学界开始利用西夏文字的遗物，来进一步研究西夏党项族的历史发展。

第二节　契丹人的宗教神权观念

契丹专制政权的建立及其国家规模的确立，是太祖太宗以来数代人共同努力的结果，然而，关于这一过程的历史发展线索，目前尚不清晰。辽太祖的建国时间，虽然集中在 907—916 年之间，但是这 10 年中的历史活动及其策略的实施等具体情况的描写，史籍记载中都过于简略。迄今为止，关于契丹国家草创时期的一些重大历史事件和历史人物活动等，仍缺乏完整的积累与研究；使得契丹辽朝初期的史实，给人以一种既突兀又缺少联系的感觉，让人有一种扑朔迷离的印象，似乎契丹人的建国活动也像水中浮萍一样分不清根底。辽太宗、世宗时期以来，国家规模的发展线索和史料的积累状况，也是如此。这就不免让人怀疑其建国历史中的一些具体现象的真实程度，甚至还否定了一些已有记录的客观描述。

契丹辽史研究，已发展到如今这样一个蓬勃的阶段，应当说，能否揭破契丹辽朝历史中存在的一些疑端，已是摆在学界面前最为迫切的问题。同时，能够揭破契丹辽朝初期的历史真相，也是学界同仁共同的心愿。于此，谨就契丹社会曾经存在的原始宗教[1]及其领袖人物，在契丹建国过程中的影响，以及在契丹国家的确立过程中政权与神权的结合等问题，作些粗线的描摹，示其轮廓，以微见著。

、神速姑其人其事

前述神速姑是辽太祖前期创业活动中，声名煊赫的大巫。他利用原始信仰的神权力量，对辽太祖的建国活动，建功既伟，破坏也巨。

---

① ［日］蒲田大作：《释契丹古传说——萨满教研究之一》，王承礼主编：《辽金契丹女真史译文集》第 1 集，吉林文史出版社 1990 年版，第 292—319 页。

他与辽太祖为同部同族同姓氏之人，神速姑与耶律阿保机之间的亲族关系，也不应该划定为同祖范围内的堂（或从）兄弟之间的关系。

神速姑等人，在阿保机建立政权过程中的作用，就是充分地运用了宗教神权的神奇力量！

阿保机夺取了遥辇氏世选可汗的权力，是在痕德堇可汗病殁之际，又与心腹之人反复权衡之后，才决定即契丹汗位。但是，阿保机能够夺取汗位，主要还是因为他的追随者和支持者的帮助，他们以遥辇氏可汗不能任事、天命已去为由，取消了遥辇氏的世选可汗的特权，认为只有阿保机才能够当此大任。从曷鲁的叙述来看，阿保机能够当此大任的理由是：第一，自始祖时已经被部民拥戴，只是因"不当立"而任部落夷离堇的职务；到了阿保机之时，这种"不当立"的形势已经转变为"应天顺命"的新局面。这就是既有痕德堇可汗的遗命，又是众望所归，"兴王之运，实在今日"。第二，福瑞屡现。首先，阿保机出生时，已经"神光属天，异香盈幄"；其次，阿保机在部落任事时，又"梦受神诲"，为部落事务做出了重要贡献；其三，天降大任，"龙锡金佩"予阿保机，表达的意志就是天命的安排："生圣人"以救部落生民。"龙锡金佩"，这个建立在神权意义上的社会舆论，确实收到了实效，而且，还可能收到了远远超过原来期望的更大的社会效果。因此，这个具有社会舆论性质的神话般的传说，才成为阿保机取代遥辇氏出任契丹可汗的最有利的理由之一。那么，这个社会舆论的制造者，在阿保机夺取政权过程中的作用，不是也昭然若揭了吗?!

通过对于神速姑其人其事的分析，我们还可以了解到这样的历史现象，即神速姑等人制造的神学意义上的社会舆论，能够轻易地骗取部落民众的信任，说明当时的契丹社会原始宗教信仰的崇拜程度。正是因为民众对于天地崇拜的极度迷信，才给神速姑、铎骨札和阿保机等人以可乘之机。

二、原始宗教信仰在契丹社会的萌芽与发展

契丹人的原始宗教信仰，严格地说还没有真正达到一种宗教化的程度，充其量也不过是属于一种泛宗教的范畴；契丹人的信仰世界，严格地说，还属于一种泛自然崇拜的状态，许多现象还具有因为民族好尚而形成传统的特点，但是，它毕竟代表了契丹人了解世界和认识世界的基本手段和基本观念，因此，分析和了解契丹人的原始信仰世界，也有助于我们全面地研究和认识契丹辽朝的历史发展，更好地把握契丹辽朝历史文化的基本线索。

契丹人的历史，始于公元4世纪末，或者确切地说应该是始于北魏登国三年（388年）①。据《魏书》记载，"其俗嫁娶之际，以青毡为上服"②。这是关于契丹人好尚的最早的记载。以后，唐朝初年的时候，魏徵曾经在劝阻唐太宗对北方游牧民族用兵时说，契丹人的习尚也像室韦等部族一样，好以赤珠为饰③。契丹人的习尚，与其生活环境以及地域特点等条件密切相连，还与周边民族的接触和联系中，相互濡染，共同借鉴。譬如，与契丹人密迩相连的白霫部落，其生活风俗被记载为：

> 好以赤皮为衣缘，妇人贵铜钏，衣襟上下悬小铜铃，风俗略与契丹同。④

契丹人是否好以赤皮为衣缘，现在尚不清楚。但是，契丹人的社会生活中重视铜铃，却已为考古学发现所证明，像耶律羽之墓及吐尔基山辽墓等，都发现了许多大小不等、种类不一的铜铃，其中许多铜铃的作用如何，至今也是未明的话题。

到隋朝时，中原史官记载了契丹人祭祀祖先时的祝词："冬月时，向阳食（夏月时，向阴食——此据《通典》补入——笔者）；使我射猎时，多得猪鹿"⑤。这篇祝词，反映出契丹人的观念世界，已形成一个多元的宇宙，即起码是由生活者的世界和死亡者的世界所构成。并且，在契丹人的观念世界中，认为已经逝去的祖先们，仍然还会像他们活着的时候一样照拂着自己的后代，这也是祝词中所以强调先祖们注意季节变化而引起就食地点不同的

---

① 任爱君：《契丹史实揭要》第1章《契丹初起之形态》，哈尔滨出版社2001年版，第1—5页。
② （北齐）魏收：《魏书》卷100《契丹传》，中华书局1974年版，第1882页。
③ （唐）魏徵：《魏郑公谏录》，四库本。
④ 《册府元龟》卷961《外臣部·土风三》，第11313页。
⑤ （唐）杜佑：《通典》卷200《契丹传》；（唐）魏徵：《隋书》卷84《契丹传》，中华书局1973年版，第1881页。

原因，祈望先祖们在享用完后人的奉献时，还要帮助后人们获取更多的生活资源。这样，契丹人的祝词，实际是无形中描绘出了当时的社会生活场景，所谓"冬月时"、"夏月时"与"射猎时"的陈述，也正是契丹人四时转徙生活的生动写照，为我们揭示出契丹人现实世界与观念世界的两重天地。或许正是这个时期或是在这样的背景下，契丹人的原始信仰世界才形成了以"敬天拜日事鬼神"的基本轮廓。

学界一般都承认契丹人继承了古代东胡部落崇拜祖先及天地山川鬼神的传统，实际上契丹人也有自己的发展。在契丹人的祖先崇拜内容中，还有比奇首的传说更为复杂和丰富的祖先故事的流传，据《契丹国志》记载：奇首之后，又有三主，

> 后有一主，号曰廼呵，此主特一骷髅，在穹庐中，覆之以毡，人不得见。国有大事，则杀白马灰牛以祭，始变人形，出视事，已，即入穹庐，复为骷髅。国人窃视之，失其所在。复有一主，号曰喎呵，戴野猪头，披猪皮，居穹庐中，有事则出，退，复隐入穹庐如故。后因其妻，窃其猪皮，遂失其夫，莫知所如。次复一主，号曰昼里昏呵，惟养羊二十口，日食十九，留其一焉。次日，复有二十口，日如之。是三主者，皆有治国之能名，余无足称焉①。

此处记载中，所谓"是三主者，皆有治国之能名，余无足称焉"，显示出古东胡人皆"祭其大人之勇健者"的古朴之风（也是一种传统）。这是人类社会从远古时期的泛自然崇拜到更加注重人类自身的祖先崇拜的发展，说明契丹人的原始宗教信仰观念，已经发展成为一个独立的精神世界（即观念系统）。

但是，关于"三主传说"的怪异形象，历来受到研究者的评判和阐释。南宋人叶隆礼在记述了这个传说之后，曾经感慨地评议说：

---

① （宋）叶隆礼：《契丹国志》卷首《契丹国初兴本末》，贾敬颜，林荣贵点校，上海古籍出版社1985年版，第1—2页。

异夫哉！毡中枯骨，化形治事；戴猪服豕，罔测所终。当其隐入穹庐之时，不知其孰为主也，孰之为副贰也。荒唐怪诞，讹以传讹，遂为口实，其详亦不可得而诘也①。

叶隆礼表示难以置信，但又认为这是契丹人口耳相传、信之不疑的历史传说，所以，才在史书中记录下来。但是，这个所谓的"三主传说"，却始终遭到后人的怀疑。元朝末年，著名文士杨维桢，见到这个传说之后，发表了与叶隆礼相同的看法，并认为契丹人之有国乃自灰牛氏部落始渐广大，但"枯骨化形，戴猪服豕"等，此乃"中国之人所不道也"②。据说只有乾隆皇帝对此传说予以肯定，如因为四库馆臣曾经对《契丹国志》中的这个记载也表示出了极大的怀疑，所以，乾隆皇帝在批谕中指出：

虽迹涉荒诞，然与书、诗所载，简狄吞卵、姜嫄履武，复何以异。盖古神道设教，以溯发祥，义正如此，又何信远而疑近乎③？

嗣后，学界也纷纷发表见解，各抒己见④。笔者认为，陈述先生的观点值得参考。陈先生认为，所谓"三主传说"应是辽代陵寝制度的反映，如《新五代史》等记载契丹人"事死如事生"的态度，就是这种观念的现实体现⑤。陈述先生的观点，实际是将契丹人"三主传说"神话的分析，直接导入到原始宗教信仰的观念世界中去考察，揭示的已是契丹人现实世界中的一部分，也就是契丹人的宗教信仰所赖以存在的精神世界和物质世界。精神世

---

① （宋）叶隆礼：《契丹国志》卷首《契丹国初兴本末》，贾敬颜、林荣贵点校，上海古籍出版社1985年版，第1—2页。

② 陶宗仪：《南村辍耕录》卷3，中华书局1959年版，第34页。

③ 参见永瑢等：《四库全书总目》卷首，乾隆四十六年十月十六日上谕，中华书局1965年版。

④ ［日］白鸟库吉：《东胡民族考》，从"三主"的语义进行分析，认为它们分别是指"头""猪"等，《白鸟库吉全集》卷4，东京岩波书店1970年版，第262—264页；［日］八木奘三郎：《辽金民族古传文化》，将"三主传说"解释为分别指帷幕、武功、兵粮的功臣，"《满蒙》"1935年9月号。清格尔泰等则直接从契丹语考察，认为三汗名号分别为头颅、十二生肖中的亥（猪）和二十只羊。清格尔泰：《契丹语数词及契丹小字拼读法》，《内蒙古大学学报》1997年第4期，第1—9页。

⑤ 陈述：《契丹政治史稿》第3篇之二《旧传三汗神话的新解释》，人民出版社1986年版，第43—47页。

界不仅是人们现实生活中的物质观念的升华，同时还是对于人们现实生活的物质的体现。冯家昇先生则认为，所谓"三主传说"，事实上分别体现了契丹人所经历的生活发展过程①。笔者以为，对于民族历史文化现象的研究，绝不能一概地采取"对号入座"的方式，应该注重其大体与内涵，像"三主传说"这样的神话故事所以能够流行、盛传的原因与根源，就在于契丹人物质社会的具体发展阶段，因为，物质是第一的，精神是建立在具体的物质基础上；也就是说，有什么样的物质世界，就有什么样的精神世界。"三主传说"反映的客观现实，是契丹人原始宗教观念的盛行与契丹社会具体的游牧和狩猎、采集（或原始的粗放农业）并重的经济生活条件相适应的现状。

正是这样的现状与环境条件，才使契丹社会普遍接受了耶律神速姑等人制造的"天降神异"的骗局。因为，目的和手段的结合，才是骗局得以实现的前提，而只有与现实状况的吻合才是骗局得以成立的基础与条件。神速姑等人制造的这种骗人的舆论，能够被阿保机顺利地加以利用，并成为夺取契丹汗位的工具，说明当时契丹社会的具体发展情况是：人们对于自身及周围世界的理解程度，尚未脱离原始神权观念的束缚，还不能脱离神格的力量凭借自己的认识来解决自身与社会的发展问题。因此，史书记载契丹人"好鬼而贵日"②，就是这种现象的写照，标志着契丹人原始信仰观念的发展，已经开始由泛自然崇拜向更加注重自身的方向发展。

三、原始宗教信仰观念对契丹国家发展的影响

所谓宗教，它在一定程度上反映着人类的哲学思维能力，是认识自己及周围世界并与之密切联系的一种能力、手段和方法。因此，一定条件下宗教与人类的生活密切相关，宗教信仰依附于人类的社会生活而存在，同时又指导和制约着人们的生活行为、价值趋向，甚至还成为人类生活中一定阶段的社会法则。宗教信仰的惰性，即在于总是试图牢固地束缚住人们的社会行为和思维规范。相对而言，在大多数的情况下，一定状态下的人们也往往不能

---

① 冯家昇：《契丹祀天之俗与其宗教神话风俗之关系》，《史学年报》1932年6月第1卷第4期。
② （宋）欧阳修：《新五代史》卷72《四夷附录第一·契丹》，中华书局1974年版，第888页。

或不敢逾越宗教的樊篱，这是宗教或宗教信仰的权威性，即人类社会的发展曾经历了这样的阶段，人们离不开宗教，宗教是人们社会生活的精神支柱。契丹人也是如此。耶律阿保机当然更为熟知其中的道理与奥秘。据说，阿保机曾经射过好多次龙，而每次射龙的效果，都总是使部民表现出五体投地般膜拜的宗教狂热。

遥辇氏汗国时期，原始的天命观念已植入契丹人的意识形态领域。阻午可汗等制定的礼仪制度，都与契丹人崇奉的原始宗教信仰暗合，礼仪的主持者都是负责人间与神界沟通的巫觋。这些巫觋阶层分布于契丹社会生活的各个层面，大者称"太巫"，是整个神职人员阶层中地位最高、最有号召力的人物，专门与最高统治阶层相联系，张扬天命观的主旨，将一切人事的及神事的活动统统纳入神意或神示的程序，演绎并勾勒人间的一切是如何在神界的作用下产生着无法更改的必然结果。巫觋阶层一方面广泛地宣扬天命的意志和自然界不可抗拒的神力与法则；同时，也假借神的启示和帮助，承担起祛病治疾、驱鬼伏魔的法术，将巫术与医疗知识合而为一，成为解决人间疾苦的最有效的手段之一。在契丹建国前后的很长时间内，原始巫教的力量无所不在。一些学者认为，契丹人社会中曾经广泛存在的这种原始巫教，其实就是自古活跃在北方游牧社会中的"萨满"信仰（或称萨满教），在历史发展过程中留下的清楚印痕[①]。

耶律阿保机生活在世里氏家族"变难多故"的动荡时代。世里氏家族的动荡，正是契丹社会动荡变迁的缩影，构成了契丹社会动荡的核心。耶律阿保机利用巫觋阶层的帮助，完成了人事方面的准备，遏制了部民社会顽固保守的心态，打破固有的世选习惯，并在天授神权的幌子下，顺利地夺取了契丹汗位，不仅获得了崇高的政权，也利用原始宗教力量的支持获得了崇高的神权。其间，人事与神事发挥了同等重要的作用，二者缺一不可。907年，阿保机依契丹故俗，举行隆重的柴册、再生仪，"燔柴告天"，即汗位于龙化州之奇首可汗故壤；一方面利用宗教手段，晓谕部民，因"君臣之

---

① ［日］蒲田大作：《释契丹古传说——萨满教研究之一》，王承礼主编：《辽金契丹女真史译文集》第 1 集，吉林文史出版社 1990 年版，第 292—319 页。

分乱，纪纲之统隳"①，已不适应新的变迁和发展的需要，以"天命"来消弭部众的逆反心理，凭神事的力量来达到人事的目的。另一方面，积极地运用人事的手段弥缝已经到手的汗权，"始置腹心部，选诸部豪健二千余充之"②，加强了个人的卫队。同时，不忘安慰旧族，所谓"辽太祖有帝王之度者三，代遥辇氏，尊九帐于御营之上，一也"③。《太祖纪》称，"诏皇族承遥辇氏九帐为第十帐"④，即保留了遥辇汗族的部分特权。

阿保机完成契丹汗权的转移后，诸弟因世选问题与阿保机发生汗位的争夺。其中，还包括阿保机的母亲宣简皇太后萧氏、妹妹余卢觌姑⑤、养子涅离衮等。附逆大臣有地位崇高的于越耶律辖底、夷离堇涅里衮阿钵和极具号召力的人物——神速姑⑥。这些都说明世里氏家族内部的个体家庭间的斗争仍然在继续。虽然，反叛被平息，但原始宗教信仰的神力却从此依附于汗权之上。

耶律阿保机在平叛过程中，借宗教的手段大造舆论，凝结部属意志，并亲自巡视祖先奇首的遗迹。宗教的神奇正在于它能成为引导众人的工具。916 年，阿保机重演故伎，举行隆重的柴册大礼，

> 群臣及诸属国筑坛［龙化］州东，上尊号曰大圣大明天皇帝，后曰应天大明地皇后。大赦，建元神册。初，阙地为坛，得金铃，因名其地曰金铃冈。坛侧满林曰册圣林⑦。

金铃，是巫觋的法器。所谓"神册"，即神授国柄。"大圣大明天"和"应天大明地"也体现着天命观念的张扬。此后，契丹国家的政权便与"天授神权"紧密地结合在一起。

---

① 《辽史》卷 73《耶律曷鲁传》，中华书局 1974 年版，第 1221 页。
② 《辽史》卷 73《耶律曷鲁传》，中华书局 1974 年版，第 1221 页。
③ 《辽史》卷 45《百官志一·北面诸帐官》，中华书局 1974 年版，第 711 页。
④ 《辽史》卷 1《太祖纪上》，中华书局 1974 年版，第 3 页。
⑤ 关于余卢觌姑的考证，参见任爱君：《契丹史实揭要》，《余卢觌姑应即宣简皇后之女》，哈尔滨出版社 2004 年版，第 147—148 页。
⑥ 《辽史》卷 1《太祖纪上》，中华书局 1974 年版，第 6—9 页。
⑦ 《辽史》卷 1《太祖纪上》，中华书局 1974 年版，第 10 页。

史称，天赞三年（924 年）六月，阿保机又召见群臣说出一番"乩语"：

> 自我国之经营，为群方之父母。宪章斯在，胤嗣何忧？升降有期，去来在我。良筹圣会，自有契于天人；众国群王，岂可化其凡骨？三年之后，岁在丙戌；时值初秋，必有归处。然未终两事，岂负亲诚？日月非遥，戒严是速。闻诏者皆惊惧，莫识其意①。

阿保机的这番道白，正是对巫者形象逼真的模仿。天显元年（926 年）七月，阿保机死后，其继承者又在阿保机陵园内，修建两明、二仪、黑龙、清秘诸殿与明殿，并设立"明殿学士"负责传达来自冥界中的阿保机的意志与诏命。

四、宗教信仰的民俗学勘验

契丹人的原始宗教信仰观念，在太祖、太宗时期被广泛地加以利用，既标志着契丹文化传统的基本色彩，也反映着当时观念世界的基本认识能力。它所表现出的"好鬼而贵日"的基本特征，在契丹辽朝的历史发展中留下诸多痕迹。无独有偶，与契丹人关系极为密切的蒙古人的历史发展中，原始宗教信仰观念在创建"大蒙古国"时期也同样发挥了重要作用。两相对照的结果，无论是对原始宗教信仰内容的利用，还是对原始宗教信仰形式的利用，都存在着极大的类同，而且，其具体的历史表现也是那么惊人地相似；只不过，"大蒙古国"的创立者是铁木真，"大契丹国"的创立者是耶律阿保机，时代不同，两人的生存环境、条件也稍有差异；但是两人的经历很接近，他们的历史表现也是惊人的相似。故丁此不妨将铁木真创建"大蒙古国"时，对原始宗教信仰观念的依赖与借重，举例如下：

史称，当铁木真与札木合分营而去之后，曾经有巴阿邻部（氏）的豁儿赤，自札木合部落来归，并告诉铁木真说：

---

① 《辽史》卷 2《太祖纪下》，中华书局 1974 年版，第 19 页。

　　"同胞生了札木合并俺的祖。与札木合行，不合分离的是来。因神明告的上头，教我眼里见了。有个惨白乳牛来札木合行，绕着将他房子车子触着折了一角。那牛于札木合处，扬着土吼着说道：札木合将我角来。又有个无角犍牛，拽着个大帐房下桩，顺帖木真行的车路吼着来说道：天地商量着国土主人教帖木真做，我载着国送与他去。神明告与我，教眼里见了帖木真，我将这等言语告与你。你若做国的主人呵，怎生叫我快活。"帖木真说："我真个做呵，教你做万户。"豁儿赤说："我告与你许多道理，只与我个万户呵，有甚么快活。与了我个万户，再国土里美好的女子，由我拣选三十个为妻。又不拣说甚言语，都要听我"①。

豁儿赤，应是当时蒙古人社会中巫觋阶层的人物，他以牛角触札木合毡帐房车折断一角，及犍牛载负着札木合的大毡房、沿铁木真走过的路而逸奔的现象，作为天地神祇已将铁木真视为国主的"神示"，眩惑了部民的意识，为铁木真称汗制造舆论。豁儿赤也得到了铁木真对他的许诺。但是，铁木真也要付出代价，即凡是豁儿赤所讲的话语，铁木真都要毕恭毕敬地"不拣说甚言语，都要听我"。这就是原始宗教信仰的力量，神权的观念总是无所不在，而且，在某种特定的环境状况下，它还高居于部落社会的政权组织观念之上。

　　史料记载，还有一位原始宗教信仰的大巫——帖卜·腾格里，曾经为大蒙古国的建立作出了重要贡献。帖卜·腾格里，原名阔阔出，乃晃豁坛部老人蒙力克父的七子之一，他与铁木真的关系，是原始宗教信仰的大巫师与部落社会的大首领之间的合作关系，阔阔出与铁木真关系的结局，犹如神速姑与阿保机关系的结局一样，最终发展为直接对立的两个方面，成为君主专制政体建设的绊脚石而被铲除。由于蒙力克老人对于铁木真一家的恩德，故被铁木真尊称为"蒙力克父"，本人及诸子都得到铁木真的尊重与信任。当铁木真成为蒙古大汗时，蒙力克父成为九十五千户之一。据拉施特丁的史书中

---

　　①　额尔登泰、乌云达赉校勘：《蒙古秘史》（校勘本）卷3第121节，内蒙古人民出版社1981年版，第959—960页。

记载，铁木真在斡难河源的部落大会上，能被尊奉为"成吉思汗"的唯一有权力的建议者，就是这位蒙古部落社会的宗教大巫师——帖卜·腾格里①，即阔阔出，又被译为"通天巫"。但是，据《蒙古秘史》记载，此后不久，阔阔出已经成为铁木真的对手和死敌。

　　晃豁塔歹种的蒙力克有七人。第四子名阔阔出为巫，唤做帖卜·腾格里。其兄弟七人彼恶，将太祖弟合撒儿打了。来告太祖，太祖正因他事怒间，说你平日说人不能敌，如何却被他打。于是合撒儿垂泪起去，三日不见太祖。帖卜·腾格里来说："长生天的圣旨神来告说，一次教帖木真管百姓，一次教合撒儿管百姓。若不将合撒儿去了，事未可知。"太祖听了这话，就那夜去拿合撒儿。有古出等，将这缘故对太祖母亲客额仑说。客额仑用白驼驾车，连夜起行，日出时到合撒儿处，正见太祖将合撒儿衣袖拴住，去了冠带，问的中间。见母亲到，好生惊恐。母怒下车，将合撒儿解了，与了冠带。盛怒盘坐②。
　　在后有九等言语的人，都聚在帖卜·腾格里处，多如太祖处聚的人。有斡惕赤斤的百姓，也去投了。斡惕赤斤使莎豁儿去取，被帖卜·腾格里打了，鞴着马鞍在他身上，回来。次日斡惕赤斤自去，其兄弟七人围着……欲要捶打。斡惕赤斤恐惧说："我不当差人。"他说："你既不是，当伏罪。"令于后面跪了。斡惕赤斤次日清早，太祖未起时，入去跪着说这缘故，说罢哭了。

帖木真与合撒儿之间的关系，是微妙的类似政治对手的关系，并在"大蒙古国"创立前后的历史中，总能经常地表现出来。但是，合撒儿、斡惕赤斤等，均为成吉思汗诸弟，却遭通天巫欺侮。当斡惕赤斤向成吉思汗哭诉时，

---

　　①　［波斯］拉施特丁：《史集》第 1 卷第 2 分册，余大钧、周建奇译，商务印书馆 1983 年版，第 283 页。
　　②　额尔登泰、乌云达赉：《蒙古秘史》（校勘本）卷 10 第 244 节，内蒙古人民出版社 1981 年版，第 1032 页。

（孛儿帖兀真夫人）垂泪着说："他是如何的晃豁坛？在前将合撒儿打了，如今又要斡惕赤斤跪，是何道理？你今见在，他尚将你桧柏般长成的弟每残疾，久后你老了，如乱麻群鸟般的百姓，如何肯服你小的歹的儿子每管？"说罢哭了①。

铁木真见到夫人和弟弟的表现，听到他们的话语后，对斡惕赤斤说：通天巫来议事时，任你所为！斡惕赤斤便预伏三个力士，阔阔出一到，斡惕赤斤便与他厮打，让力士们折其腰而杀之；成吉思汗为掩人耳目，命令用"帐房遮了死尸，便起营去了"。史称：

帖卜·腾格里死尸遮的帐房门与天窗，初皆厌盖了，令人看守。至第三日将晚，天窗开着，死尸自出去了。审视果然。太祖说："帖卜·腾格里将我弟每打了，又无故谗谮的上头，天不爱他，连他身命都将去了。"遂责怪蒙力克道："自的子不能教训，要与我齐等，所以将他送了。我若早知您这等德性，只好教你与札木合、阿勒坛、忽察儿每一例废了来。"②

史书中说，"自帖卜·腾格里死后，蒙力克父子每的气势，遂消减了"③。看来，1206 年，成吉思汗建立大蒙古国之后，很快便陷入君权与神权的抗衡，最终由君权囊括神权的职能，使天授神权与君主专制紧密联系在一起。

通过铁木真先后与以豁儿赤、阔阔出为代表的宗教信仰领域的联系，可体会出这样一些情况：（一）铁木真与豁儿赤的联系，是"心有灵犀一点通"，两者间只可意会不可言传；相互都理解制造舆论的重要性。因此，豁儿赤提出满足享乐的要求时，铁木真也是以预言的实现为前提应允他的条

---

① 额尔登泰、乌云达赉：《蒙古秘史》（校勘本）卷 10 第 245 节，内蒙古人民出版社 1981 年版，第 1033—1034 页。

② 额尔登泰、乌云达赉：《蒙古秘史》（校勘本）卷 10 第 246 节，内蒙古人民出版社 1981 年版，第 1035 页。

③ 额尔登泰、乌云达赉：《蒙古秘史》（校勘本）卷 10 第 246 节，内蒙古人民出版社 1981 年版，第 1035 页。

件。（二）阔阔出与神速姑颇相似，他们所分别发生的历史作用，均可用一句成语来概括，那就是"成也萧何，败也萧何"，都是将自己的合作者推上最高的权力宝座，然后，又想将那位密切的合作者再从权力宝座上拉下来。（三）《辽史》记载的权力翻覆的政治斗争中，阿保机的对立面囊括了母亲及诸弟、妹在内（妻子当然也被卷入争斗中）。成吉思汗呢？似乎也是如此！合撒儿的不得志，就在于他和兄长间的权力争夺。阔阔出所说：圣旨神传达的天命中，"一次教合撒儿管百姓"，也绝不是空穴来风，反映了当时部落社会习惯及生活规例的约束。只是与铁木真相联系的宗教人物大约有两位，而阔阔出则是一位道地的大巫。当通天巫扰乱大蒙古国的时候，似乎出于迷信而使成吉思汗对之诚信有加，但是成吉思汗的母亲、诸弟、妻子都先后成为宗教神权的直接受害者时，才导致了斡惕赤斤与阔阔出之间的"人神较量"，因为须维护"人权"的尊严而最终消灭了阔阔出代表的神权，说明人的意志已经能够主宰自己的主观世界。但是，在当时的部落社会中，这是惊心动魄的一幕，是足以耸动天下、引起无穷事端的大事件，所以铁木真对于阔阔出的死因也采取了宗教的处理方式——天取之矣。

在中国古代北方民族的历史发展过程中，有时会在前后不同时间出现的政权结构中发现一些相同或相近的历史现象，人们往往也把这种相同或相近的现象，喻之为一种"共生"的关系（或现象）。通过这种"共生"关系，可以由此及彼、由表至里，相互勘验，反复检查和审视所涉及问题的时代特点、文化特征及其习惯规例与社会心理等各方面的因素，从而了解或阐释一些基本的问题与疑难。所以，通过契丹与蒙古历史的勘验比证，可以获得以下一些有益的结论：

第一，神权高于政权的现象，是一定条件下的人们的观念世界的直接反映。这也是契丹人和蒙古人，在创立君主专制政体国家的道路上所遇到的共同问题，也是一种特定的人类文化现象。相互对比，阿保机的舆论，是他个人的神异与天赐金带；铁木真的舆论，是家族的辉煌与天赐神意。这都是他们建国过程中，对部落社会及部民心理的洞察与利用，借助天地神灵的帮助，成为创立君权统治的共同手段和方法。

第二，辽太祖与元太祖个人际遇方面存在的一致性的特征，反映着当时游牧人社会的具体情况和基本面貌；这种情况或面貌，也正是他们所创立政权的社会基础。易言之，耶律阿保机与成吉思汗创立民族政权的过程中所表现出来的惊人的历史相似性，证明古代北方游牧民族的历史发展存在着一定的规律性和共同的发展特征。

第三，有必要从宏观上回顾 20 世纪以来关于大蒙古国及大契丹国研究的主体认识与共同看法，尤其是关于政权性质的认识，历来存在着很大的争议①。但是，认真反思这些认识及其观点，不由使人质疑：这些认识是否将眼界的凝望点建立在相应的研究领域之内。北方民族的历史，在古代史学传统中即被轻视，古人总是习惯用中原传统观点或思维方式来对待之，他们深知南、北方分别存在着"城国"与"行国"两种体制的区别，却在认识上完全纳入中原体系之内，造成认识的误判，贻害无穷。基此，笔者认为，经济生活方式的不同，也同时决定着观念世界内部思维方式的不同，这些基本形态上的差异，决定了社会发展方式的差异。值此之故，有必要对民族的历史进行仔细排查，寻找规律，把握特点，揭示其历史发展的真正内涵。对北方游牧民族历史的认识，必须建立在消除古人影响的基础上，才能得到发展。

第三节 辽金时期内蒙古地区的
聚落形态与城镇建设

契丹辽朝的历史发展，对于祖国北方地区的经济开发而言，具有开天辟地的重要作用，陈述先生对其意义从三个方面作出精辟的评述，即"草原上建城置寨，沟通了长城南北"；"开发建设了祖国东北、北方，稳定了祖国边疆"；"政治思想和制度的承袭及其发展"②。笔者附丽高明，试作续貂之论，并对契丹辽朝前期的政权性质问题作些探讨。

---

① 关于契丹人社会发展性质的认识，江应樑：《中国民族史》中册，持奴隶制说，民族出版社 1990 年版，第 302—361 页。对于大蒙古国时期社会性质的认识，可参见亦邻真：《中国北方民族与蒙古族族源》，持封建说，《内蒙古大学学报》1979 年第 3—4 期；参见高文德：《蒙古奴隶制研究》，内蒙古人民出版社 1980 年版。

② 陈述：《契丹社会经济史稿》，生活·读书·新知三联书店 1963 年版，第 5 页；《辽金两朝在祖国历史上的地位》，陈述主编：《辽金史论集》第 1 辑"代前言"，上海古籍出版社 1987 年版，第 1—9 页；杨树森、王承礼：《辽朝的历史作用初论》，陈述主编：《辽金史论集》第 2 辑，书目文献出版社 1987 年版，第 1—13 页。

一、契丹本土出现的聚落和城市

本节所要研讨的"契丹人的聚落组织"，是指那些在公元 10 世纪前后，曾经大量存在于契丹本土的、低于城市生活以外的居住形式，这是一些无论在规模上还是在组织管理体系上，都大大低于城市建筑的一般性的居住设施，也就是指那些普通的民居形式。这种普通的民居形式，也就是契丹人的聚落组织，大约早在唐朝晚期就已经存在。据五代及北宋初期纂著的各种史书的记载，契丹人在建立君主专制政权前的 9 世纪末至 10 世纪初之际，其社会组织系统就已经存在着所谓"四十一县"的具体形式，虽然这种形式还仅是效步于唐朝的羁縻制度的结果，但是这已经证明：契丹社会中一种具体的与部落组织形式不同的聚落，已然存在。易言之，契丹部落也曾经存在过游牧人社会常见的氏族个体中的成员共同生活居住的形式，但是在接受了唐朝以地缘关系为基准、以州县组织为内容的羁縻制度影响后，部落成员共同生活居住的形式发生了质的变化，就是由地缘关系逐渐取代了血缘关系，州县制度逐渐影响到游牧人的部落组织形式。

（一）唐朝羁縻制度对契丹部落组织的影响

唐朝对于契丹部落采取的羁縻政策，开始于唐时期，史称贞观二十二年（648 年），

> 十一月庚子，契丹帅窟哥、奚帅可度者并帅所部内属。以契丹为松漠府，以窟哥为都督，又以其别帅达稽等部为峭落等九州，各以其辱纥主为刺史。……辛丑，置东夷校尉官于营州①。

这是关于唐朝羁縻制度在契丹部落社会推行的唯一记载。但是，值得注意的是唐朝的这种羁縻制度，起码在契丹人的部落社会中得到了形式上的贯彻和执行。据两唐书《契丹传》和《资治通鉴》等记载，唐朝政权在契丹部落设置的羁縻州，统属唐朝营州都督府管辖。但据《唐会要》记载：

---

① （宋）司马光：《资治通鉴》卷 199《唐纪十五》，太宗贞观二十二年十一月庚子条，中华书局 1956 年版，第 6263 页。

营州都督府　贞观二十二年十一月二十三日，契丹酋长窟哥、奚帅可度者，并帅其部内属。以契丹部为松漠都督府，拜窟哥为持节十州诸军事松漠都督。又以其别帅达稽部置峭落州，纥便部置弹汗州，独活部置无逢州，芬问部置羽陵州，突便部置日莲州，芮奚部置徒河州，坠斤部置万丹州，出伏部置匹黎、赤山二州，各以其酋长辱纥主为刺史，俱隶松漠焉。……二十三年，于营州兼置东夷都护，以统松漠饶乐之地，罢置护东夷校尉官①。

可见，契丹松漠都督府在隶属关系上，是由设立在营州都督府的东夷都护（即前引之"护东夷校尉官"）具体负责。但东夷都护一职，则多由出任营州都督者兼领。所以，上述两种史书记载均属不误。后来，自高宗朝至玄宗朝的百年时间内，在唐朝与契丹部落关系的发展中，虽然先后爆发阿布固之乱、李尽忠孙万荣之乱、可突于之乱和涅里之乱等契丹部落反抗唐朝的战争②，但是在时断时续的双方关系发展中，唐朝政权施用于契丹部落的羁縻政策，其效果非但没有减弱，反而不断加强。唐玄宗初年，随着对于契丹统属关系的重新恢复和营州都督府重返旧治，唐王朝不仅恢复了契丹松漠都督府等旧制，而且对于契丹部落首领的封授还增加了将军、郎将等称号，松漠都督府还被增加了"静析军"的军号，契丹部落首领除了享受唐朝政权授予的松漠郡王、都督的职权外，同时还兼领静析军大使的职务。这是唐朝对于契丹部落实行羁縻统治，并且不断加强这种统治方式，试图达到对于契丹部落完整控制的历史体现。

在契丹部落与唐朝政权的往来关系中，关于羁縻统治的组织形式，唐朝初期的资料已经没有记载，但是唐玄宗时期的往来公文中则保留了部分记录，这也使得施用于契丹人的羁縻统治的组织形式，在特定的历史客观环境中得到了部分的体现。如：唐玄宗在《赐奚契丹等绢帛诏》中说，

---

① 《唐会要》卷73《营州都督府》，中华书局1955年版，第1319—1320页。
② 《旧唐书》卷199（下）《北狄·契丹》，中华书局1975年版，第5349—5353页；《新唐书》卷219《契丹》，中华书局1975年版，第6168—6172页。

> 公主出降蕃王，本拟安养部落。请入朝谒，深虑劳烦；朕知割恩，抑而未许。思加殊惠，以慰远心。奚有五部落，宜赐物三万段，其中取二万段，先给征行游奕兵及百姓；余一万段与东光公主、饶乐王、衙官、刺史、县令。契丹有八部落，宜赐物五万段，与燕郡公主、松漠王、衙官、刺史、县令。其物杂以绢布，务令均平。给讫奏闻①。

这段公文，较为详细地表现出唐朝羁縻统治的内部组织形态，也表现出了唐朝官制对于契丹部落组织的影响。诸如此类的文牍，还有许多，而且对于契丹官号及人物的记载也更加详细逼真。如《敕契丹王据埒可突于等书》：

> 契丹王据埒及衙官可突于、蜀活刺史郁捷等，顺道则吉，惟智能图。……百姓之间，不失耕种，丰草美水，畜牧随之，更无外虞。……部落初归，应须安置，可与守珪审定，务依蕃部所欲想其沃饶之所，适彼寒暑之便，无令下人有所不惬也②。

又《敕松漠都督泥礼书》：

> 敕松漠都督右金吾卫大将军泥礼，得张守珪表知卿等破贼。且突厥此来也，其心毒害，又甚轻敌；人事之与神道，可得不有伤残。③

以上所列，均属唐玄宗时期的文牍记事。其实，玄宗时期的对契丹政策也为晚唐时期所继承。如唐武宗时（840—846年）的《与契丹王鹘戍书》，即记录了唐朝政权对于契丹部落首领的封授，同时也记载了一些契丹部落组织所固有的官号（或官职称谓），都是珍贵的资料，故移录如下：

> 敕契丹王鹘戍大首领末荷得等至省所朝贺及进马具悉，卿英雄挺

---

① 《全唐文》卷29，上海古籍出版社1990年版，第138—139页。
② 《全唐文》卷285，上海古籍出版社1990年版，第1276—1277页。
③ 《全唐文》卷285，上海古籍出版社1990年版，第1277页。

出，忠信生知；威令可固于封疆，诚素必彰于礼义。……元辰称贺……今赐卿少物，至宜领之；妃以下及男等并兵马使、屯敖史，梅落达磨县令等各有赐物，具如别录；末荷等各赐官告，想亦知悉。①

此外，元稹所作《授入朝契丹首领达于只枕等二十九人果毅别将制》②，杜牧所作《契丹贺正使大酋领等授官制》③ 等具体的文牍记录，都是盛唐文化影响于契丹的客观体现，从中也可以获得部分这种历史影响的反馈信息。

唐朝对契丹部落采取的羁縻统治方式，对于契丹人历史发展的影响，可以从《辽史》中看到它的余绪，如：

太祖大圣大明神烈天皇帝，姓耶律氏，讳亿，字阿保机，小字啜里只，契丹迭剌部霞瀬益石烈乡耶律弥里人。④

某石烈。石烈，县也。夷离堇。本名弥里马特本，改辛衮，会同元年升。麻普，本名达剌干，会同元年改。牙书。会同元年置。某瓦里内族、外戚、世官犯罪，没入瓦里。抹鹃。某抹里。闸撒狨。某得里，官名未详。⑤

某石烈。某石烈夷离堇。某石烈麻普，亦曰马步，本名石烈达剌干。某石烈牙书。某弥里。弥里，乡也。辛衮，本曰马特本⑥。

石烈，乡名。弥里，乡之小者。⑦

怀州，奉陵军，上，节度。本唐归诚州。太宗行帐放牧于此。

饶州，匡义军，中，节度。本唐饶乐府地。贞观中置松漠府⑧。

惠州，惠和军，中，刺史。本唐归义州地。

高州，观察。唐信州之地。万岁通天元年，以契丹室活部置。

① 《全唐文》卷728，上海古籍出版社1990年版，第3326页。
② 《全唐文》卷647，上海古籍出版社1990年版，第2905页。
③ 《全唐文》卷750，上海古籍出版社1990年版，第3444页。
④ 《辽史》卷1《太祖纪上》，中华书局1974年版，第1页。
⑤ 《辽史》卷45《百官志一·北面宫官》，中华书局1974年版，第718—719页。
⑥ 《辽史》卷46《百官志二·北面部族官》，中华书局1974年版，第724—725页。
⑦ 《辽史》卷116《国语解·石烈弥里》，中华书局1974年版，第1534页。
⑧ 《辽史》卷37《地理志一》，中华书局1974年版，第443、448页。

　　武安州，观察。唐沃州地。

　　川州，长宁军，中，节度。本唐青山州地。①

　　（顺州）怀柔县。唐贞观六年置，治五柳城，改顺义县。开元四年置松漠府弹汗州。天宝元年改归化郡。②

　　通过以上三个方面的记录，可以看到唐朝羁縻制度的州县制内容，对于契丹部落组织形式的影响，已经深入到了契丹人的观念世界及其意识形态领域；这种影响是巨大的甚至达到了无孔不入的程度。这种影响所反馈出的契丹部落组织形式的深刻变化，也正是契丹社会聚落形态发展的主要内容。

　　关于契丹人聚落形态的研究，目前仅见到日本学者岛田正郎在其著作《辽代社会史研究》中公布的20世纪前期契丹故地考古纪实资料，及国内学者陈述先生《契丹社会经济史稿》的相关论述；还有当代学者韩茂莉的《辽金农业地理》及张国庆先生关于辽代城镇聚落形态的论述等，数量不多，专门探讨契丹人聚落的内容有限、研究的力度也不够深入。

　　契丹人的聚落形态，目前所见资料，文献记载相当零散，但是一一撷取，仍可见其梗概。所谓契丹聚落研究，就是对于契丹人曾经有过的居住方式及其组织形态的分析和探讨。契丹人的居住方式，耳熟能详的是契丹人"车马为家"的生活方式，似乎与稳定性的居住方式无关；其实，这是一种误解。契丹人确实保留了极大的民族性，但也吸纳和接受了许多中原地区的影响。契丹人的生活方式，是将北方的游牧生产和古代东北亦农亦牧生产相混合，又接受了中原地区的某些影响。因此，一种相对稳定的居住方式，早在唐朝时期就已形成，除前面征引的文献资料外，在契丹考古资料中也有实质性的发现。例如，林东镇北山发现的契丹人早期生活遗址。这是一处有着50多个文化堆积的生活遗存，每个文化堆积点的间距都有20余米；其中，散布着大量的牛、羊、猪、狗等动物骨骼以及契丹人早期使用的典型的印纹陶器残片等③，时间属于公元7世纪以后。说明这里曾经是契丹人长期生活

---

①　《辽史》卷39《地理志三》，中华书局1974年版，第483、488页。

②　《辽史》卷40《地理志四》，中华书局1974年版，第496—497页。

③　项春松：《辽代历史与考古》，内蒙古人民出版社1996年版，第24页。

和居住的地方。同时，在通辽市、赤峰市和朝阳市境内发现的契丹人早期墓葬，都属于唐代时期的遗存，著名的如：20世纪80年代在通辽市境内发现的"舍根文化"墓葬、封山屯契丹早期墓葬①；90年代在赤峰市巴林右旗发现的塔布敖包石砌墓②等，也说明契丹人的生活方式具有了一定的稳定性。这些，都说明契丹人的部落组织形式发生了较大的改变。

契丹人早期的生活方式，一般而言属于古史记载的游牧人逐水草的生活方式，如前引《敕契丹王据埒可突于等书》所言：安置方式：可与守珪审定，"务依蕃部所欲……适彼寒暑之便"。证明唐玄宗时期的契丹部落仍然是以游牧生活为主。但是，其游牧生活方式已经包含了一些中原文化影响下所发生的新内容，如玄宗朝《敕契丹都督泥礼书》：

> 敕契丹都督泥礼，往者屈烈、突于凶恶，无心忧矜百姓，背叛于我，终日自防，丁壮不得耕耘，牛马不得生养。及依附突厥而课税又多，部落吁嗟，卿所见也。李过折因众人之忿，诛顽凶之徒，诸部酋豪相率归我，已令随事赏赐，亦云且得安宁。过折封王，岂直赏功而已，亦为百姓众意赖其抚存。不知近日以来，若为非理，亦闻杀害无罪，棒打又多，众情不安，遂致非命。然卿彼之蕃法，多无义于君长，自昔如此，朕亦知之③。

在这篇文牍中，可以了解到契丹人的生活内容已经增加了农业生产门类④，部落组织也存在被征收赋税的情况。同时，部落组织首脑成员的不断更换，

---

① 所谓"舍根文化"，指属于唐代中前期的契丹考古学文化，见张柏忠：《契丹早期文化探索》，《考古》1984年第2期；《科左后旗呼斯淖契丹墓》，《文物》1983年第9期，第18—22页；哲里木盟博物馆：《内蒙古哲里木盟发现的几座契丹墓》，《考古》1984年第2期；并见《契丹史论著汇编》（下），第150—153、880—884、885—888页。封山屯唐朝晚期契丹墓，见王志友：《扎鲁特旗封山屯契丹墓葬清理简报》，《北方文物》1990年第3期，第28—30页。

② 齐晓光：《巴林右旗塔布敖包石砌墓及相关问题》，《内蒙古文物考古文集》第1辑，中国大百科全书出版社1994年版，第454—461页。

③ 《全唐文》卷285，上海古籍出版社1990年版，第1277页。

④ 《全唐文》卷352《为幽州长史薛楚玉破契丹露布》云："所焚藜车帐农具器械储粮老小灰焰烬灭者，不知涯极。""因寇粮以赡军用。"说明当时契丹已具备一定程度的农业生产。上海古籍出版社1990年版，第1578—1579页。

也说明古老的部落组织形态正面临巨大的变革和挑战。文牍所言"杀害无罪，棒打又多"云云，正是一种向专制权力演变的渐进过程。因此，契丹人部落组织的变化，始于唐玄宗时期（712—756 年）是毫无疑问的事情。只是由于唐朝时期关于契丹人的记载流传不多，而无法得其详细。所以，关于契丹人聚落状况的疑问，也只能从契丹人建立专制政权之后的公元 10 世纪的历史活动及相关记载中寻求答案。

《辽史》记载，辽太祖耶律阿保机为迭剌部霞濑益石烈乡耶律弥里人。而同书《国语解》称：霞濑益石烈，乡名；弥里，乡之小者。前引《百官志》中则记载：石烈，县；弥里，乡。《地理志》则说"分州建官"之制，始于唐朝羁縻制度的影响，

> 迨于五代，阙地东西三千里。遥辇氏更八部曰旦利皆部、乙室活部、实活部、纳尾部、频没部、内会鸡部、集解部、奚嗢部，属县四十有一。每部设刺史，县置令①。

那么，结合唐朝的影响及上述记载的分析，应该说关于契丹人县乡制度的记载，以《百官志》的记录为确。也就是说，关于契丹人县乡制度的记录中，导致《太祖纪》《国语解》等出现的记载差误，是元朝修史的讹误（或笔误）。因此，辽太祖的籍贯，应是霞濑益石烈（县）耶律弥里（乡）。所以，石烈和弥里，是契丹语言对"县""乡"的称谓，也是契丹社会组织结构中的基本单元。因此，在契丹人部落组织结构中也同样存在着大于、等于或者是小于这个基本单元的具体的社会组织形式。

据《辽史》记载，位于石烈（县）之上的社会组织结构，如"大迭烈府，即迭剌部之府也"；"五石烈，即五院。非是分院为五，以五石烈为一院也。六爪：爪，百数也。辽有六百家奚，后为六院，义与五院同。二院，即迭剌部析之为二者是也"②。唐朝的羁縻制度是以八部分别为"州"，州之下又列置 41 个县；由此看来，所谓契丹部落组织的"府"与"院"等称

---

① 《辽史》卷 37《地理志一》，中华书局 1974 年版，第 438 页。
② 《辽史》卷 116《国语解》，中华书局 1974 年版，第 1534、1547 页。

呼，其实可以与"州"的意义相若；这在《辽史》中可找到证明，如著名的品部，就有"品府"或"西品府"的称谓，许多属部也称府，像黑车子大王府等。既然五院、六院的意义相同，则五石烈与六爪，其意义也基本平行。说明契丹人在唐朝文化的影响下，其组织结构的编制主要是依据十、百、千这样的十进位制为基准。同时，有了县、乡这样规模的社会组织结构，自然也应具备更为完整的社会组织程序，即构成乡的基本内容的村社或是类似村社的最基本的社会单位。据《百官志》记载，石烈（县）之下，依次有弥里（乡）、瓦里、抹里、得里等各种组织机构；而《营卫志》则记载，得里之下尚有闸撒。这些位于石烈之上、下的各级社会组织，在辽太祖建立政权之前就已经存在于契丹社会组织结构中，是毫无疑义的。因此，作为契丹人社会组织序列的最基本的社会单位——也是所要阐述的最低的聚落形态，就是指低于石烈（甚至是低于弥里）的那些基本单位。那么，这些基本单位，在公元 10 世纪的历史环境中，其客观的外在体现如何呢？不妨作些钩稽。史称：

> 部落曰部，氏族曰族。契丹故俗，分地而居，合族而处①。

这是涉及契丹人聚落形式的相关写照。因此，所谓

> 唐世大贺氏仍为八部，而松漠、玄州别出，亦十部也。遥辇氏承万荣、可突于散败之余，更为八部；然遥辇、迭剌别出，又十部也。阻午可汗析为二十部，契丹始大。至于辽太祖，析九帐、三房之族，更列二十部。②

这说明自遥辇氏确立统治之日起，契丹人的氏族组织结构开始发生巨大的变化，那种以往由血缘关系维系的氏族群团的生活方式（即所谓的"合族而处"），已逐渐被地缘关系为主的新的聚落组织形式所取代。这是因为，从

---

① 《辽史》卷 32《营卫志中·部族上》，中华书局 1974 年版，第 376 页。
② 《辽史》卷 32《营卫志中·部族上》，中华书局 1974 年版，第 376 页。

"阻午可汗二十部"到"太祖二十部"，地缘关系纽带逐渐确立，原始氏族关系开始被家族或家庭关系所取代，致使许多重新建立的部落源流都根本无法寻觅。这种状况，就是《辽史》所说的：

> 其氏族可知者，略具《皇族》、《外戚》二表。余五院、六院、乙室部止见益古、撒里本，涅剌、乌古部止见撒里卜、涅勒，突吕不、突举部止见塔古里、航斡，皆兄弟也。奚王府部时瑟、哲里，则臣主也。品部有挐女，楮特部有注。其余世系名字，皆漫无所考矣①。

所谓"皆兄弟也"、"臣主也"等具有明确关系的人物名字记载，其实就是对于这些部落有无血缘关系的历史记忆。当公元 10 世纪初，"太祖二十部"组建之际，其中部分尚能记忆 8 世纪中叶的部落源流及始祖渊源，而有些部落已经回忆不出自己的确切来历了。所以，契丹人自己在记述这段历史时，也仅能笼统地说"阻午二十部"的构成是：

> 分三耶律为七，二审密为五，并前八部为二十部。三耶律：一曰大贺，二曰遥辇，三曰世里，即皇族也。二审密：一曰乙室已，二曰拔里，即国舅也。其分部皆未详；可知者曰迭剌，曰乙室，曰品，曰楮特，曰乌隗，曰突吕不，曰涅剌，曰突举，又有右大部、左大部，凡十，逸其二。大贺、遥辇析为六，而世里合为一，兹所以迭剌部终遥辇之世，强不可制云。②

阻午可汗时期的契丹八部，至辽太祖重新整顿为二十部时，几已无存。仅仅 150 年的过程，就让契丹人的记忆完全丧失了吗？这是完全不可能出现的历史现象。其解释只有一个：那就是这些被契丹人自己都遗忘的部落渊源，原本就是由一些毫无血缘联系的流民或战俘所组成，这就像是元朝蒙古人常说的"无根脚"或没有来历的人。这就是连契丹人自己都不知道部落来历的

---

① 《辽史》卷 32《营卫志中·部族上》，中华书局 1974 年版，第 377 页。
② 《辽史》卷 32《营卫志中·部族上》，中华书局 1974 年版，第 381 页。

根本原因，也是契丹人聚落形态得以出现的历史前提。

（二）契丹人的聚落形态

契丹人的聚落组织，即史书记载"分地而居"的管理形式；只不过形成聚落的基本单元，多是以家族或家庭为基本单位。如《辽史》中所记载：

> 懿祖庄敬皇后萧氏，小字牙里辛。肃祖尝过其家，曰："同姓可结交，异姓可结婚。"知为萧氏，为懿祖聘焉。①

在游牧民的社会生活中，不论其部落社会所拥有的地域范围之广狭，能够直接用于社会生产活动中的草场面积都是有限的，而且围绕部落、氏族、家族或者家庭单元的牧场分配都十分明确。所谓"肃祖尝过其家"的记载，就是这种"各有分地"状态下的聚落形式的具体描述。又，

> 玄祖简献皇后萧氏，小字月里朵。玄祖为狠德所害，后孀居，恐不免，命四子往依邻家耶律台押，乃获安。②

玄祖，乃辽太祖的祖父，名匀德实，为契丹大夷离堇；匀德实胞兄，即辽朝皇族先辈中著名的蒲古只，尝数任迭剌部夷离堇。史称，匀德实被部人狠德所杀，过了相当一段时间之后，蒲古只才集中力量消灭叛乱，并再次出任了迭剌部夷离堇的职务③；其中的蹊跷，就如前面已论述那样，契丹社会家庭聚落形态的突出，即使如匀德实、蒲古只这样的同胞兄弟，也因各自分地而居，几乎没有正常的来往，这也是救援迟迟的原因所在。

当913年，辽太祖平定诸弟之乱后，责令从逆者：

> 所掠珍宝、孳畜还主，亡其本物者，命责偿其家；不能偿者，赐以

---

① 《辽史》卷71《后妃传·懿祖庄敬皇后萧氏传》，中华书局1974年版，第1198页。
② 《辽史》卷71《后妃传·玄祖简献皇后萧氏传》，中华书局1974年版，第1198—1199页。
③ 《辽史》卷75《耶律铎臻传》，中华书局1974年版，第1239页。

其部曲。①

"家"是契丹人社会的基本单位，家庭的地位十分突出。虽然，契丹人仍保留着"车马为家，转徙随时"的生活方式，但是以家庭为基础、以县乡为主要结构的社会组织形式，已明确昭示出以地缘关系为准则的行政管理方式。

辽太祖建立君主专制政权之前，契丹社会已经存在大量的战俘等私有人口，即史称的"部曲"，像韩知古即为太祖家的媵臣②。这种现象，在 10 世纪的契丹（辽）王朝政权中表现得十分突出。这些家庭的分布状况，实际体现了契丹人聚落形态的一般情况。据《胡峤陷北记》：

> 自上京东去四十里，至珍珠寨，始食菜。明日东行，地势渐高，西望平地松林，郁然数十里。遂入平川，多草木，始食西瓜，云契丹破回纥得此种，以牛粪覆棚而种，大如中国东瓜而味甘。
>
> 已而（萧）翰得罪被锁，峤与部曲东至福州。福州，翰所治也。峤等东行，过一山名十三山，云此西南去幽州二千里。又东行数日，过卫州，有居人三十余家，盖契丹初虏中国卫州人筑城而居之③。

胡峤的记载，既有契丹人聚落的描述，也有定居契丹本土的汉族人口聚落形态的描述。其中所云"珍珠寨"，大约属聚落之大者；有园艺、菜圃之类，也就应有农耕种艺之事，更有适宜的牧场。据 11 世纪初，奉使契丹辽朝的北宋大臣王曾所亲见：

> 柳河馆，河在馆旁。西北有铁冶，多渤海人所居，就河漉沙石，炼得成铁。（中略）所居室，皆就山墙开门。过松亭岭，甚险峻，七十里

---

① 《辽史》卷 1《太祖纪上》，中华书局 1974 年版，第 8 页。

② 《辽史》卷 74《韩知古传》，中华书局 1974 年版，第 1233 页；又见《韩匡嗣墓志铭》，盖之庸：《内蒙古辽代石刻文研究》，内蒙古大学出版社 2002 年版，第 64—83 页。

③ （宋）叶隆礼：《契丹国志》卷 25，贾敬颜、林荣贵点校，上海古籍出版社 1985 年版，第 238 页；《全唐文》卷 859，胡峤：《陷北记》，上海古籍出版社 1990 年版，第 3994 页。

至打造部落馆，惟有番户百余，编荆为篱，锻铁为军器。

　　自过古北口，即番境。居人草庵板屋，亦务耕种，但无桑柘；所种皆从垄上，盖虞吹沙所壅。山中长松郁然，深谷中多烧炭为业。时见畜牧，牛、马、橐驼，尤多青羊、黄豕，亦有挈车帐，逐水草射猎。食止麋粥、秒糒①。

王曾所见，正是对于10世纪契丹社会聚落状况的真实表现。稍后，奉使契丹辽朝的薛映则认为，从中京向北150里即今赤峰市英金河流域以南之山系，唐朝时曾为契丹与奚的分界②。但事实却是，在10世纪初期奚王牙帐的周边地区，已经成为契丹皇族与外戚的封地，已详《契丹的分封制度》一节，此不赘述。又据《辽史》记载，圣宗时期许多新建部落都是由太祖时期的一些聚落演变、发展而来。如：

　　特里特勉部　初，于八部各析二十户以戍奚，侦候落马河及速鲁河侧，置二十详稳。圣宗以户口蕃息，置为部，设节度使。
　　稍瓦部　初，取诸宫及横帐大族奴隶置稍瓦石烈，"稍瓦"鹰坊也，居辽水东，掌罗捕飞鸟。圣宗以户口蕃息置部。
　　曷朮部　初，取诸宫及横帐大族奴隶置曷朮石烈，"曷朮"铁也，以冶于海滨柳隰河、三黜古斯、手山。圣宗以户口蕃息置部③。

这样看来，北宋使臣所见的契丹聚落中有一部分，其实就是《辽史》记载的这样一些聚落。太祖以160户部民，分为20个基本单位，形成了20个小的聚落；又以"鹰坊"和"铁冶"等为目的建立了一些较大的聚落集团。《辽史》记载，"太祖二十部"，每部皆有石烈组织，少则一个，多则五六个；石烈之下，又有弥里、抹里、得里以及闸撒等。辽太宗会同二年（939

　　①　（宋）叶隆礼：《契丹国志》卷24《王沂公行程录》，贾敬颜、林荣贵点校，上海古籍出版社1985年版，第230—232页。
　　②　《辽史》卷37《地理志一》上京临潢府条引薛映《记》曰："自过崇信馆乃契丹旧境，其南奚地也"。中华书局1974年版，第442页。
　　③　《辽史》卷33《营卫志下·部族下》，中华书局1974年版，第389页。

年），以乌古部水草肥美，诏北、南院徙三石烈户居之①。此事，据《食货志》记载：

> 以乌古之地水草丰美，命瓯昆石烈居之，益以海勒水之善地为农田。三年，诏以谐里河、胪朐河近地，赐南院欧堇突吕、乙斯勃、北院温纳河剌三石烈人，以事耕种。②

其中，"瓯昆石烈"乃南院部（即五院部）所辖；所谓"欧堇突吕"者，乃是对"瓯昆石烈"的异称，二者为一。《食货志》的记载有颠倒、复出或漏录的嫌疑。但是，不管怎样，像这种动辄以整石烈人户为单位，实行大规模耕种的策略，毕竟是太宗时期开始的，涉及的地域范围，应以《食货志》为确，绝不会局缩于一地。那么，这种大规模的从事农业生产活动，是否意味着已经放弃了牧业的经营呢？肯定不是的。这种石烈人口农牧两业兼营的生产生活方式，正是代表了公元 10 世纪以至 11 世纪以来契丹人的经济生产内容。也正是因为他们从事着农牧兼营的活动，使得农田与牧场交错辉映，从而创造了中国古代北方经济发展领域中所形成的著名的"插花田"现象。陈述先生认为"插花田"的历史作用，在于其开垦了生荒，发展了农业生产，促进了农作物的迁移和推广，推动了契丹社会的发展③。其实，"插花田"所以产生的背景，就在于当时契丹辽王朝政权所统治下的农耕和游牧人口的聚落组织的迅速膨胀和发展。

关于农业人口的聚落组织形式，其最高组织形态就是所谓的"头下军州"。据《辽史》记载：

> 头下军州，皆诸王、外戚、大臣及诸部从征俘掠，或置生口，各团集建州县以居之。横帐诸王、国舅、公主许创立州城，自余不得建城郭。朝廷赐州县额。其节度使朝廷命之，刺史以下皆以本主部曲充焉。

---

① 《辽史》卷 4《太宗纪下》，中华书局 1974 年版，第 46 页。
② 《辽史》卷 59《食货志上》，中华书局 1974 年版，第 924 页。
③ 陈述：《契丹社会经济史稿》，生活·读书·新知三联书店 1963 年版，第 17—24 页。

官位九品之下及井邑商贾之家，征税各归头下；唯酒税课纳上京盐铁司①。

在这类州城的组织和管理体系中，《百官志》则记载：

> 辽东、西，燕、秦、汉、唐已置郡县，设官职矣。高丽、渤海因之。至辽，五京列峙，包括燕、代，悉为畿甸。二百余年，城郭相望，田野益辟。冠以节度，承以观察、防御、团练等使，分以刺史、县令，大略采用唐制。其间宗室、外戚、大臣之家筑城赐额，谓之"头下军州"；唯节度使朝廷命之，后往往皆归王府。不能州者谓之军，不能县者谓之城，不能城者谓之堡。其设官则未详云。②

这里尤其强调了头下制度的类型和管理程序，即其组织序列大约为：头下州、军、县、城、堡，等差有序。但是，除了头下州的官员称为节度使外，其余头下军、县、城、堡的官职则缺载。同时，根据契丹辽朝的考古资料、文献资料所共同显示的结果，在聚落组织中还有"庄""寨""司""务"一类的建制。如"真珠寨""梁鱼务"等；辽朝皇族陵园（怀陵）附近发现的《崇善碑》铭文中，也记录有此类的庄、寨、司、务等30余个，如：

> 下三家寨、上杨家寨、五家寨、苏家寨、金家寨、赵家寨、桦皮寨、沙岚寨、上后妃寨、下后妃寨、果园寨、南山杨墨里寨、西陡岭寨、营作寨、长坐寨、教坊寨；六院司、十左司、八作司；兴中府庄、南新庄子、宜州庄、瞿州庄、官庄、西寺家庄；粮谷务、杵作务、南灰务、上麦务、下麦务、西麦务③。

等等。除所移录者外，尚有名称难以辩驳的两个庄以及不知类型的"团子

① 《辽史》卷37《地理志一·头下军州》，中华书局1974年版，第448页。
② 《辽史》卷48《百官志四·南面方州官》，中华书局1974年版，第812页。
③ 《黑山崇善碑题名》，盖之庸：《内蒙古辽代石刻文研究》，内蒙古大学出版社2002年版，第423—430页。

山"、"蝇子崖"等未录。此方碑文，虽然刻写于辽道宗时期，但是大批聚落的形成，早在太祖、太宗时期即已出现。因此，对于了解契丹辽朝初期的聚落形态，尤其是了解聚落的组织序列，无疑具有重要的参考价值，故移录于此。同样，在辽景宗保宁十一年（979 年）刻写的《耶律琮神道碑铭》，也记录了两所庄园即"马盂山庄"和"凌河山庄"；且记载"庄"的最高长官，称为"主首"。① 这些，都无可辩驳地证明契丹辽朝社会组织系统中有着完整的聚落组织程序。

考古发掘材料的集中披露，首先是岛田正郎刊布的十余处遗址资料②。岛田氏将调查时尚可见到的契丹辽朝时期的聚落遗存称之为"村落"。这些在随处可见的"村落"遗址，被当地农、牧民称为"老房身"。当时许多居民房屋就是直接建立在这些"老房身"的故垒之上。这样的"老房身"，岛田氏所见尤其以乌尔吉木伦河流域沿岸的存在"值得注意"。因此，岛田氏详细罗列了 11 组遗存中的数十个遗址点，并记录了其所调查地区的具体状况：

> 所谓老房身是用高 70 厘米，宽 1 米余的石围墙形成的区划集团。多有现代家屋利用其一边、二边或三边作壁脚。这些区划的平面原则上是矩形或正方形，偶有因地势而呈不等边多角形，其中边长 10 米至 20 米的最多。在围墙的一边有门址的地方与道路相通，道路幅度无一定准则。积石中有陶瓷器片混杂在这些围墙内，其上限为辽代，（中略——引者）。但在散乱的遗物中，属于辽代的很多，还不能断定是辽代的居住址。金代的遗物量远不如辽代那样多。我们在这里作了许多发掘，至地表下仅 20 厘米即为原土层③。

---

① 《耶律琮神道碑铭》，盖之庸：《内蒙古辽代石刻文研究》，内蒙古大学出版社 2002 年版，第 45—63 页。

② ［日］岛田正郎：《辽代社会史研究》，岩南堂书店昭和五十三年（1978 年）四月再版，第 3 部第 3 章《村落的形态——以巴林左翼旗境内调查为例》，第 276—297 页。

③ ［日］岛田正郎：《辽代社会史研究》，岩南堂书店昭和五十三年（1978 年）四月再版，第 278 页。

岛田的记录，与至今在契丹故地随处可见的契丹人聚落遗址的自然状况是符合的。但是，岛田氏认为所谓契丹或者辽朝的村落遗址，也同时应该包括了那些占地面积在5万平方米左右的小型城镇，因此，他认为王安池小城子遗址（东西宽150米，南北长175米）"是所谓老房身中比较大的"。他还发现在乌尔吉木伦河西岸分布的辽代"老房身"遗址相当密集，间距多为1公里左右。他还披露：在牧区发现的"老房身"的特点，是聚落大多分布在寺院遗址和特定制造场的附近（如窑址等）；也有特殊意义的聚落遗址，

> 如白塔子骆驼井子老房身。在这里，旁有砖窑三十八座，窑址在对应居住地的西向斜面而置。这里位于罕山山麓，薪炭供给方便。窑址旁散乱的砖和白塔子用砖一致，庆州的土木工程并从这里供给。这个老房身比一般的规模大，还有础石和建筑址的发现①。

岛田氏的调查是以地表遗迹的勘察为主，虽然也在辽代祖州城遗址附近进行过发掘，但所揭示的内容已非普通聚落而是属于城关居民的居住遗址。但是，岛田氏的调查毕竟具有筚路蓝缕之功，为契丹聚落研究积累了宝贵资料。

自20世纪80年代以后，赤峰市当地政府组织力量修订了一批志书，如：《巴林左旗志》《宁城县志》《喀喇沁旗志》《克什克腾旗志》和《克什克腾旗文物志》等数十种地方志书。这批志书的出版，也相继地公布了一批关于契丹辽朝时期的聚落遗迹；这些遗迹，都是指那些在当时没有围墙保护设施的一般性的居住遗址，在这些志书中被称为"居住遗址"。这种居住遗址，就是契丹辽朝时期的聚落构成，而且这些聚落遗迹，迄今在赤峰市各地的分布依然很密集，有些地区的遗址点甚至超过了现代民居的分布程度，表现出当时辽朝境内普通居民聚落组织的繁荣程度。

考古调查资料所见契丹辽朝时期的聚落遗迹，虽然丰富，但是迄今为止，尚未公布任何相关调查分析结果；性质不明，无法进行相关的时代对

---

① ［日］岛田正郎：《辽代社会史研究》，岩南堂书店昭和五十三年（1978年）四月再版，第290页。

比。因此，上述征引的全部考古资料，属于契丹辽朝时期居民聚落全貌的反映，只能作为探索契丹辽朝初期居民聚落状况的参考。即使如此，也仍然可以窥见 10 世纪契丹社会聚落组织的迅速发展状况。

二、契丹人的城市建筑

唐朝时期关于契丹人的记载，几乎没有城市的记录，即使偶尔有如孙万荣等将老弱妇女置于"新城"①，但关于"新城"的记载也严重缺略，它是如何修筑的、其修筑时代、建筑布局等都难得其详。只有到公元 10 世纪时，随着契丹辽朝政权的建立，契丹人的城市建筑开始走向了繁荣，各种资料也相对丰富。

契丹人城市建筑的起源，与唐朝文化的影响有着密切的关系，已知辽朝时期的怀州、饶州、惠州、高州、武安州、川州与怀柔县等，就是分别建立在唐朝时期几个羁縻州的旧址，是否利用了唐朝的基础？或者说唐朝时期在这几个羁縻州也都建立过城池？都已是无法解开的疑问。但是作为唐朝统治时期的重要标志——"松漠都督府"，肯定存在过具有象征意义的建筑设施则是毫无疑问的。在契丹人修筑的新城中，建筑时间较早的应属"越王城"，又名"于越王城"；此城隶属辽朝祖州管辖，属于辽代的宫卫州系统。据《辽史·地理志》记载：越王城，"太祖伯父于越王述鲁西伐党项、吐浑，俘其民放牧于此，因建城"。② 按：述鲁即释鲁，曾担任契丹部落大夷离堇、大于越，是世里氏家族夺取契丹汗位的奠基人，被杀于公元 9、10 世纪交替之际，他死后，阿保机于 901 年，出任本部夷离堇和契丹大夷离堇的职务，并在 903 年兼任于越之职，"总知军国事"③；故《辽史》记载，

> 德祖之弟述澜，北征于厥、室韦，南略易、定、奚、霫，始兴版筑，置城邑，教民种桑麻，习织组，已有广土众民之志。而太祖受可汗

---

① （宋）司马光：《资治通鉴》卷 206《唐纪二十二》，则天后神功元年六月甲午条，孙万荣"于柳城西北四百里依险筑城，留其老弱妇女、所获器仗资财，使妹夫乙冤羽守之"。突厥发兵取契丹新城，万荣因此失败。中华书局 1956 年版，第 6521 页。
② 《辽史》卷 37《地理志一》，中华书局 1974 年版，第 443 页。
③ 《辽史》卷 1《太祖纪上》，中华书局 1974 年版，第 1—2 页。

之禅，遂建国①。

在辽朝皇族家史中，释鲁与阿保机是前后相继的历史人物。到907年，阿保机便以和平方式（即"禅让"手段）攫取契丹部落统治权。因此，释鲁的越王城就是他本人的私地私城。越王城的建立，在时间上与契丹辽朝君主专制统治的确立基本同步，是公元10世纪契丹草原城市繁荣的发端时刻。越王城故址，位于祖州城故址东南约10公里处，今赤峰市巴林左旗查干哈达苏木伊斯营子东侧查干哈达中学所在，城垣及建筑遗迹尚存，无防御设施。当地称为"四方城"，即其平面呈方形；遗址面积仅2万平方米，规模低于契丹辽朝时期的普通县城②。但是，这是有明确记载的契丹人城市建筑的开始。

释鲁死后，阿保机以本部夷离堇和大迭剌府夷离堇身份，攻略各地，俘虏其人口筑城于潢河流域。根据《辽史》记载，公元10世纪前后，契丹人除了沿用唐朝时期（包括渤海国时期）的一些既有城市建筑，如辽阳城、营州城（柳城）等；同时也在草原地区兴建了一批颇具规模的新型城镇，如：

> 龙化州，……契丹始祖奇首可汗居此，称龙庭。太祖于此建东楼。唐天复二年，太祖为迭烈部夷离堇，破代北，迁其民，建城居之。明年，伐女直，俘数百户实焉。天祐元年，增修东城，制度颇壮丽。③

唐天复二年即公元902年；天祐元年即904年。太祖建城，初本无名（或称"龙庭"）。太宗时，因此地乃太祖潜龙之所、化家为国的发祥地，故名"龙化"，升为节度州。龙化州的地点，尚未查明，故无法确证原貌究竟如何。此外，阿保机又在炭山附近建城，名为羊城；此城，《辽史·地理志》失载，乃辽太祖三年己巳909年五月甲申始建④，目的为了商业交流；具体而

---

① 《辽史》卷2《太祖纪下·史臣赞》，中华书局1974年版，第24页。
② 政协巴林左旗委员会编：《临潢史迹》，内蒙古人民出版社1999年版，第62页。
③ 《辽史》卷37《地理志一》，中华书局1974年版，第447页。
④ 《辽史》卷1《太祖纪上》，中华书局1974年版，第4页。

言主要是为了与中原汉族建立正常的贸易往来。此羊城，即中原史书中所说的"汉城"（或称"炭山汉城"）；在阿保机任契丹可汗的时候，羊城（即"汉城"）的地位和作用，不可忽视。羊城的具体位置，因为辽金元时期都续有建筑已情况不明①。912 年，阿保机又在西楼之地，以俘虏的僧人建立了天雄寺，说明辽朝上京旧址，最早建立的龙眉宫，亦应为此年或此前所建立，《辽史·地理志》记载：

> 上京临潢府，……太祖取天梯、蒙国、别鲁等三山之势于苇甸，射金龊箭以识之，谓之龙眉宫。神册三年城之，名曰皇都。天显十三年，更名上京，府曰临潢。②

这也就是说，辽朝上京城之地，其地本名"苇甸"，是靠近河边而长满芦苇的平坦之处，辽太祖阿保机于此选择地势高的地方建设了自己的居住点，他用射箭来标志占地范围的具体时间，应该不晚于公元908 年，因为《太祖纪》记载此年10 月"建明王楼"于此地；这应是与龙眉宫同时期的建筑设施。说明在神册三年（918 年）建立皇都以前，这里已经存在着契丹人的聚落，而且由于这种聚落是契丹可汗的居住地，其意义就绝非普通的居民聚落可比。它的建立标志着契丹政权的统治中心开始从龙化州（即古代的龙庭）向后来的皇都（即苇甸）地区倾斜；开创了契丹草原大兴土木、修筑城市的发端。虽然，辽太祖耶律阿保机称帝之前（即916 年之前）修建的城镇，数目上明显少于称帝之后的兴建；然而，这些城市在他建立君主专制体制的过程中却发挥了巨大作用，譬如中原史料记载，阿保机遭到部落贵族的反抗时，曾经率领其个人拥有的汉族等人口，在炭山汉城自为部落，积聚力量卷土重来，夺取了契丹部落社会的最高领导权③。就是说明这些城市，在具体的社会发展中产生的独到的历史作用。

---

① ［日］箭内亘：《辽代的汉城与炭山》，《东洋学报》1921 年1 卷3 号。
② 《辽史》卷37 《地理志一》，中华书局1974 年版，第438 页。
③ 《新五代史》卷72 《四夷附录第一》，中华书局1974 年版，第886—887 页；《资治通鉴》卷266 《后梁纪一》，太祖开平元年，中华书局1956 年版，第8678—8679 页。

契丹辽朝城市建筑的大发展，是在公元916年阿保机称帝建元之后，尤其是经历了辽太宗时期的发展，使契丹本土的城市建设进入了繁荣的发展阶段。据《辽史》记载：10世纪初，契丹人的版图已是东西三千里，成为继突厥、回鹘汗国之后又一个强大的草原帝国。但是，这个新崛起的草原帝国，已经越来越呈现出与以前明显不同的新特征，它拥有了数目众多的草原城市建筑，这是前所未有的新气象。拥有大量的城市建筑，也是契丹辽朝有别于此前北方游牧民族政权的标志；而且，这种特征在契丹辽朝得到了很大的发展。《辽史》记载：

> 太宗以皇都为上京，升幽州为南京，改南京为东京，圣宗城中京，兴宗升云州为西京，于是五京备焉。又以征伐俘户建州襟要之地，多因旧居名之；加以私奴置投下州。总京五，府六，州、军、城百五十有六，县二百有九，部族五十有二，属国六十。东至于海，西至金山，暨于流沙，北至胪朐河，南至白沟，幅员万里。①

即，终契丹辽朝一代（西辽政权未计）其城市有300余座。但目前契丹辽朝的考古发现则证明：还有大量的城市在史书中被漏记，契丹辽朝所拥有的城市数目已查明的达五六百座②。这些城市，都因地域条件和建筑时间的不同而存在着相互不同的特点；具体地说，它们可以分为三类，有些沿用了中原政权故有的城堡建筑，有些利用了渤海国时期的旧城；只有潢河及土河流域以北出现的城市，大多数属于契丹辽朝政权时期修筑的草原新城（部分的也可能沿用了回鹘汗国在漠北草原修筑的城市），并与中原和渤海城市相比具有明显不同的建筑风格。

　　阿保机时期修建的城镇，存在着数量少和规模小的特点，而且大部分都是沿用了中原和渤海的城镇规模，或是在这些故有城镇基础上的恢复与利用；真正属于阿保机时期自建自创的城市数量很少，且规模有限，大者不过后来的中、下等节镇州，如皇都和龙化州，就是如此。今天所见的上京城遗

①　《辽史》卷37《地理志一·序》，中华书局1974年版，第438页。

②　项春松：《辽代历史与考古》，中华书局1974年版，第25页。

址，其实是在太宗时期不断扩建的结果①（《康默记传》云仅百日完工）。虽然如此，契丹辽朝城市建筑的基本风格和特点，则奠基于太祖时期。史称，辽太祖即可汗位，命曷鲁总军国事，

> 太祖宫行营始置腹心部，选诸部豪健二千余充之，以曷鲁及萧敌鲁总焉②。

耶律海里则被太祖托为耳目，

> 始置遥辇敞稳，命海里领之③。

一切蕃汉相涉事，属康默记折中之，悉合上意④；韩延徽，

> 树城郭，分市里，以居汉人之降者。又为定配偶，教垦艺，以生养之。⑤

因此，契丹境内汉族等农耕人口基本定居下来。又命韩知古，

> 总知汉儿司事，兼主诸国礼仪。时仪法疏阔，知古援据故典，参酌国俗，与汉仪杂就之，使国人易知而行。⑥

契丹社会复杂的部落政治局面和经济类型以及复杂的社会人口的构成，还有各种关系相当复杂的北方草原局势等，都共同决定了耶律阿保机时代，契丹

---

① 现存上京城故址，周长 27 华里。此城，虽太祖所建造，然据《辽史》卷 74《康默记传》记载：百日而完工；知其规模有限。中华书局 1974 年版，第 1230 页。故知现今所见上京城故址，乃太祖之后续建的结果。
② 《辽史》卷 73《耶律曷鲁传》，中华书局 1974 年版，第 1221 页。
③ 《辽史》卷 73《耶律海里传》，中华书局 1974 年版，第 1227 页。
④ 《辽史》卷 74《康默记传》，中华书局 1974 年版，第 1230 页。
⑤ 《辽史》卷 74《韩延徽传》，中华书局 1974 年版，第 1231 页。
⑥ 《辽史》卷 74《韩知古传》，中华书局 1974 年版，第 1233 页。

统治者所要面对和必须作出慎重决策的时局与方略；契丹辽朝的创立者们，也不得不小心翼翼地去面对社会组织的基本情况，不得不去思考树立和巩固所创立政权的统治。这是辽太祖确立所谓"因俗而治"统治策略的现实的与社会的唯一基础，也是当时契丹社会心理的具体表现。

上述征引的资料，正是揭示了契丹迭刺部与遥辇部、契丹人与奚族以及契丹同汉族渤海人口采取分别治理的基本方式。但后世研究契丹辽朝"因俗而治"统治政策时，总是过分强调游牧民族同农耕民族之间的分治作用与意义，而忽视了这种政策所以出现的时代条件和具体背景。《辽史》对太祖统治体系的确立曾有精到的评述，即太祖的"帝王之度"和"英雄之智"①。其实历史的记录者所强调的就是当时存在于契丹政权内部的强烈的对抗，面对这种情况，辽太祖采取的策略就是区分对待、分别治理；其"帝王之度"与"英雄之智"，就是对这种强烈对抗状况所采用的分别治理与抑制措施。这既是一种临时性的手段，也演绎成为一种永久性的策略；是契丹社会君主专制政权所以建立的重要途径。所以，契丹辽朝政权初期的"分治"统治策略，势必会影响到契丹人的城市建筑的风格与特点。

辽太祖时期的城市建筑，如龙化州和羊城等②，都因为历史的发展等种种原因而无法查明其原貌，而太祖时期修建的皇都，本属西楼地，908年于此建明王楼，史称太祖以金龊箭为标志设立龙眉宫即是此年；912年，又建天雄寺；913年，明王楼被焚（龙眉宫则得以保全），914年，于明王楼基修建开皇殿。很有意思的历史现象是：虽辽太祖有意识地将西楼地经营为新的统治中心，但他的两次即位典礼都是在龙化州举行，说明"龙庭"的地位仍发挥着作用；918年，辽太祖"城皇都，以礼部尚书康默记充版筑使"，"人咸劝趋，百日而讫事"③，一座新的城市就这样神速地建造起来，这是北方草原地区的创举。皇都的建成，标志着契丹统治重心的转移，龙化州从此失去中心的位置。然而，可以想见的是：只在短短的3个月内建造起来的皇

①　《辽史》卷45《百官志一·北面诸帐官》，中华书局1974年版，第711页。
②　［日］箭内亘：《辽代的汉城和炭山》，《东洋学报》1921年1卷3号。
③　《辽史》卷74《康默记传》，中华书局1974年版，第1230页。

都，其规模和容量一定有限，现今所见辽上京故址，就是在这个基础之上又经过屡次增修的结果。辽太祖时期所修筑的皇都的规模及其内存、配置等，因资料的缺乏和屡经增修的扰乱，无论是文献或考古手段都已无法辨明。

太祖时期修筑的城市，尚存资料较为完整者，还有饶州、惠州等城市，

> 饶州，……本唐饶乐府地。贞观中置松漠府。太祖完葺故垒。……伐渤海，迁其民，建县居之。①

这条史料疑有脱漏，"饶乐府"即唐朝设立的饶乐都督府的省称；"松漠府"即唐朝设立的松漠都督府的省称。两者一在西南，一在东北，分别属于统辖契丹和奚族的羁縻州；而此条史料将两者置于同一地点，显然是错误的。饶州乃是利用唐朝饶乐都督府故址，又有所修建，是毫无疑义的，也已经被考古资料所证明②。现今所见饶州城故址，即内蒙古自治区赤峰市林西县小城子乡西樱桃沟古城址，它位于西拉木伦河上游北岸的山谷中，城墙轮廓尚清晰可辨，故址平面长方形，东西 1 400 米，南北 700 米，总面积近百万平方米；城垣均夯筑，周长达 4 公里有余；城内分为东、西两部分，其中东城较大，且遗迹密集，应属辽代增建，是安置渤海等民族人口的"汉城"所在。西城遗迹相对稀疏，且规模小于东城，应是所谓辽代州城常见的"内城"。城垣遗迹中，城门的位置仍清晰可见，门外有瓮城。整座城市的建筑遗迹中，尚存有大量的唐代建筑构件。因此，可以断言，辽代的饶州城是太祖时期在饶乐都督府的基础上扩建而成，是契丹辽朝早期城市建筑中的代表③，它所存在的将城市划分为东、西两城的特点，正如《辽史》记载的那样：

---

① 《辽史》卷 37《地理志一》，中华书局 1974 年版，第 448 页。
② 林西县文化馆：《辽饶州故城调查记》，《考古》1980 年第 6 期，第 512—514 页。
③ 《辽饶州故城调查记》，城中的夯筑基础夹杂着唐朝典型的莲花纹瓦当，属于唐朝时期曾经有过的砖瓦结构建筑的遗存。《考古》1980 年第 6 期。至于唐朝时期设立的松漠都督府故址，有学者怀疑其地点应该就是曾出土"大唐营州都督许公德政之碑"碑额的地方，即今赤峰市阿鲁科尔沁旗巴彦花乡乌兰苏木，那里曾经遗存着一个高大的方形土筑台基，碑额就出土于此台基中，但未见城垣遗迹。冯永谦：《契丹都督府地考》，《辽金史论集》第 4 辑，书目文献出版社 1989 年版，第 116—124 页。

龙化州也分为东、西两城①，这是太祖时期的特点，也是契丹辽朝早期城市建筑的风格和特征。

惠州城，是一个被收归国有的宫卫州，据《辽史》记载：

> 惠州，……本唐归义州地，太祖俘汉民数百户兔麋山下，创城居之，置州。……圣宗迁上京惠州民，括诸宫院落帐户置。②

据《新唐书》，归义州本属唐朝以新罗、契丹、奚族等杂置的羁縻州，隶属奚族羁縻州系统③。辽太祖利用其旧地，设立州城；其实这是一个直到 10 世纪末才发展成形的国有州城，在 10 世纪 80 年代以前，惠州还仅是一个没有属县的孤立州城。根据考古资料显示，惠州城故址位于今辽宁省建平县八家子乡政府北墙外侧古城址，其地理位置，四面环山，东、北两面均濒临河流，周围地势相对平坦。故址平面呈方形南北边长 592 米、东西边长 638 米，幅员约 5 华里；城墙夯筑，约 70 米设置一座敌橹（即马面），东南西三面城门均有瓮城，门洞进深 20 米；城墙外侧 8 米处，为宽达 20 米的护城河。在城内东南角，还有一个正方形的内城，每边长度为 85 米。内城与外城的四角都有圆形角楼建筑遗存。在惠州城外，还有两处相关的遗迹，即惠州城北 500 米的王子坟山城遗迹，东西长 235 米、南北宽 200 米，建筑结构与惠州相仿；再向北 2 500 米的塔子山巅，有一处辽代古塔的塔基。古塔、山城与惠州城，处于自北而南的同一个建筑轴线之上。惠州城内类似"回"字结构的建筑布局以及城外山顶遗存的塔基等，都说明此地在辽代中期仍然续有建设④。

太宗时期及其以后修建的城市遗存中，仍可窥见早期城市建筑风格的强烈影响，像把整座城市划分为两部分的建筑特点就被始终保留下来。如：辽

---

① 《辽史》卷 1《太祖纪上》云："广龙化州之东城"是知其有东、西两城，中华书局 1974 年版，第 2 页。

② 《辽史》卷 39《地理志三》，中华书局 1974 年版，第 483 页。

③ 《新唐书》卷 43（下）《地理志七下·羁縻州》，中华书局 1975 年版，第 1126 页。

④ 辽宁省文物管理委员会编：《辽宁文物古迹大观·八家子城址》，辽宁大学出版社 1994 年版，第 235 页。

太宗时期修建的上京城和祖州城，就是如此。

辽朝的上京城，是在太祖时期修建的皇都基础上扩建而成。对于皇都的第一次增修，乃是天显元年（926年），史载：

> 天显元年，平渤海归，乃展郭郛，建宫室，名以天赞。起三大殿：曰开皇、安德、五鸾。中有历代帝王御容，每月朔望、节辰、忌日，在京文武百官并赴致祭。又于内城东南隅建天雄寺，奉安烈考宣简皇帝遗像。……应天皇后于义节寺断腕，置太祖陵。即寺建断腕楼，树碑焉①。

这次增修的主持者，应是应天皇后述律氏，因为辽太祖死于征服渤海国的班师途中，故所谓"平渤海归"云云，乃是指应天皇后或者辽太宗（太祖薨于天显元年七月，太宗即位于天显二年十一月），而非指辽太祖；又有"断腕"之事等记载，则确指应天皇后无疑。所以，皇都的第一次增修，实际是应天皇后主持（或者就是执行太祖的遗命），而且通过史书记载可知，此次增修已使皇都初具规模，建设的重点仍是在皇城。第二次增修，是辽太宗时期。天显六年九月"诏修京城"②，再次增建城市规模，修筑大批寺院等附属设施。天显十三年即会同元年（938年），又将皇都更名为上京，府名临潢③。至此，辽朝上京的建设基本完成。辽上京的建筑风格，仍保留着整座城市一分为二的特点，但不是划分东、西城而是城分南、北，今赤峰市巴林左旗林东镇南所见之上京城故址，整体由郭郛、皇城和汉城三部分组成，现存城垣的总周长达27华里，是现存辽代古城中较大的类型。北城由郭郛与皇城两部分构成，郭郛城为外城，是衙署、寺院及营幕、作坊的分布区，街道状况尚可寻觅；皇城即大内，位于北城中央偏北，属于宫殿区。在北城与南城之间，由一道长度为1601米的高大界墙分隔。南城为汉城，是民居、街市和作坊分布区，也有官署、寺庙及馆驿、回鹘营等。上京城故址的平

---

① 《辽史》卷37《地理志一》，中华书局1974年版，第440页。
② 《辽史》卷3《太宗纪上》，中华书局1974年版，第33页。
③ 《辽史》卷4《太宗纪下》，会同元年（938年）十一月条，中华书局1974年版，第45页。

面，基本呈现着一种不规则的长方形，尤其是在南、北两城的衔接处，往往是两者间的城墙折曲相接。就遗址平面而言，南、北两城大小不一。在南北纵向的分布上，两城基本处在同一中轴线；但在东西横向的分布上，北城西侧明显超出南城，北城的西城墙在与南城西墙相接处向内斜收；同样，南城东侧也明显超出北城，南城的北城墙（即南北两城的界墙）呈现向东突出的状况，西城墙则呈现北宽南窄的倾斜走向，在与北城相接处也出现斜收状况。在南、北两城的西城墙衔接处形成一个明显的墙外三角地。这说明上京城确实不是一次性修筑的事实①。北城为皇城（其中又分内外）、南城为汉城的建筑格局，也是契丹人城市建筑的主要传统，表现了契丹辽朝政治"分治"的态度及其影响。

辽代祖州城，本属太祖西楼之地，其地原属契丹右大部世没里（即世里没里的简称，又名世里或耶律）之领地，

太祖秋猎多于此，始置西楼。后因建城，号祖州。以高祖昭烈皇帝、曾祖庄敬皇帝、祖考简献皇帝、皇考宣简皇帝所生之地，故名。……天显中太宗建，隶弘义宫②。

又据《太宗纪》记载，天显二年（927 年）秋季，修治祖陵墓室完毕，葬太祖于此③。故祖州城的草创，也应该在此年完工，但祖陵及祖州的内部建设，却还要在此后延续数年。祖州之地，是契丹辽朝皇族的世代领地，也是契丹皇族祖先的坟茔所在。祖州城，就是辽太宗为太祖建立的奉陵邑，是看守坟墓、以时洒扫和祭祀的地方，也是后来安置太祖斡鲁朵的重要地点，为契丹宫卫州之一。现赤峰市巴林左旗西南 20 公里之哈达英格"石房子"古城址，即辽朝祖州城故址，整体由内城与汉城构成，在汉城之外又有类似关厢的建筑。故址平面，仍然呈现不规则的长方形，内城居北，汉城居南，在

① 内蒙古文物考古研究所：《辽上京城址勘察报告》，《内蒙古文物考古文集》第 1 辑，大百科全书出版社 1994 年版，第 510—536 页。

② 《辽史》卷 37《地理志一·祖州》，中华书局 1974 年版，第 442 页。

③ 《辽史》卷 3《太宗纪上》，中华书局 1974 年版，第 28 页。

南北两城仍遗有巨大建筑台基，街道形状仍历历可寻。北宋大中祥符九年（1016 年），薛映奉使辽朝的记录中曾说：长泰馆"西二十里有佛舍、民居，即祖州"①。所述上京与祖州间的方位、距离等，都与今"石房子"古城址相当。

辽太宗时期拥有的城市数量，已经远远超越了太祖时期，尤其是天显十三年即会同元年（938 年）燕云十六州的归属，既增加了农业生产的比例，也激活了契丹辽朝统治体系的全面发展。辽太宗时期创建的城市数量不断增加，除直接由皇帝主持修建的各种规模和类型的城市外，一些由贵族大臣修建的私城（州）数目也不断增加，这种投下州城的属性与皇帝个人拥有的斡鲁朵州城相同。此时修建的投下州，有榆、欢、白川、义诸州，其中义州故址位于今赤峰市元宝山区小五家满族乡塔山脚下，是辽太祖次弟剌葛之子耶律拔里得（即五代史料中的麻答）及其后人的投下州，建筑时间应在太宗时期。义州，《辽史》等失载，即使有些史书中曾有提及，也语焉不详。今据考古资料得知其准确方位，但其地表遗存已被现代农田毁坏无余，原貌不明②。欢州城，也在《辽史》等资料中漏载（或无准确记录），故址位于今辽宁省阜新县大巴乡半截塔村，城垣夯筑，平面正方形，边长 400 米，有角楼、敌橹（又名马面），每面墙敌橹四座，间距 50 余米。建筑时间应在太宗时期。从城西山冈上出土《大辽国欢州西会龙山碑铭》题记中有"大横帐五郎君必孝"等字样来看，城主也是契丹皇族成员③。白川州，据《辽史》记载：

> 川州，……本唐青山州地。太祖弟明王安端置。会同三年，诏为白川州。安端子察割以大逆诛，没入，省曰川州。④

①　《辽史》卷 37《地理志一》上京临潢府条引薛映《记》，中华书局 1974 年版，第 442 页。
②　王云龙：《契丹大字〈耶律昌允墓志〉考释》，高延青主编：《中国古都研究》（下），国际华文出版社 2001 年版，第 50—62 页。
③　冯永谦：《辽代欢州顺州考》，纪兵等主编：《阜新辽金史研究》，阜新市辽金元契丹女真蒙古族历史考古研究会铅印本 1991 年版，第 169—182 页；同书附录《欢州西会龙山碑铭》，第 388—389 页。
④　《辽史》卷 39《地理志三》，中华书局 1974 年版，第 488 页。

此事，《太宗纪》中也有相同记载，会同三年（940年）八月戊申，

> 以安端私城为白川州。……乙卯，置白川州官属。①

察割谋逆，是辽世宗天禄五年即辽穆宗应历元年（951年），白川州被没收并省名为川州，应是应历元年前后的事情。白川州故址与川州故址有所区别，因为，白川州省名为川州后，治咸康县；金、元两代，虽沿用川州旧名，已迁治于宜民县。宜民县故址，即今辽宁省北票市东北80里黑城子村古城，城墙夯筑，平面正方形，边长1 000米，周长达8华里，其规模超过了一般的州城；辟四门，有角楼、敌橹等设施。咸康县故址，则在今北票市南八家子乡四角板村附近，这也是太宗时期建立的白川州，其规模小于黑城子村古城②。榆州，据《辽史》记载：

> 榆州，……唐载初二年，析慎州置黎州，处靺鞨部落，后为奚人所据。太宗南征，横帐解里以所俘镇州民置州。开泰中没入。③

其地本位唐代靺鞨羁縻州，唐朝后期被奚族据有，太祖建国收为契丹皇族属地。这是一座建立于太宗时期的投下州，圣宗开泰年间（1012—1021年），因故收归国有。根据此州，统和二十二年（1003年）曾增加了永和县的建置④来看，曾经得到迅速发展。它的主人也是出身"横帐"的契丹皇室成员。据《张建立墓志铭》和《宋匡世墓志铭》记载，榆州早在天显五年（930年）之前，就已经存在⑤。张建立病死于天显五年，死前曾担任榆州刺史。榆州城的故址，位于辽宁省凌源县西十八里铺之南大河北岸。故址平

① 《辽史》卷4《太宗纪下》，中华书局1974年版，第48页。
② 《辽宁文物古迹大观·黑城子城址》，辽宁大学出版社1994年版，第236页；冯永谦：《辽宁地区辽代建置考述·中京道川州》，《辽海文物学刊》1987年第1期，第108—120页。
③ 《辽史》卷39《地理志三·榆州》，中华书局1974年版，第484页。
④ 《辽史》卷39《地理志三·榆州》，中华书局1974年版，第484页。
⑤ 向南：《辽代石刻文编》，河北教育出版社1995年版，第42—44、180—183页。

面呈方形，现存城垣东西长535米、南北长496米，有瓮城及角楼、敌橹等设施。①

世宗、穆宗、景宗三朝，也都续有城市修筑之事，而且城市数目不断增加，但这些城市的类型、规模与风格等，都没有超出太祖太宗时期的基本范围。各代兴建的大批城市，既增加了国家州郡，也扩大着城市的私有数目和范围；每位皇帝为前任帝王后妃修建新的奉陵邑，增加着宫卫州的数目，如怀州、显州、乾州等；皇族、外戚、公主和世官之家（即享受世选官职的家族），续建了大量的私城，如丰州、全州等。这些私城，是以这样的规模存在并产生着：不能州者谓之军，不能军者谓之县，不能县者谓之城，不能城者谓之堡②，以下还有庄、寨、司、务等等。但是，这些在公元10世纪后期出现的城市，与前期的城市相比，除了在规模上存在着大小有别的差异之外，在建筑风格和特点上并没有出现超出前期的新发展。因此，对其建筑规模和布局等，可以略而不述。但是，在辽圣宗统和年间（983—1011年）及其以后，即自11世纪起，契丹城市建筑风格开始发生很大的变化：原来的那种主要模仿幽州建筑布局和基本结构的建筑思路，改为主要学习北宋汴京城市建筑结构的基本方式；将原来的那种城分东西或城分南北的"日"字形建筑结构、风格与特点，变为城分内外、以"回"字形结构为主的新风格与新特点，像前面介绍的惠州城的整体结构就是如此。而属于公元11世纪时期，契丹人城市建筑的典范当首推辽圣宗时兴建的中京城。中京城即今赤峰市宁城县大名镇古城址，史称：

　　　　幅员千里，多大山深谷，阻险足以自固。③

11世纪初，奚王献牙帐之地，供圣宗建立新的京城。据《辽史》记载：

　　　　圣宗尝过七金山土河之滨，南望云气，有郛郭楼阙之状，因议建

---

① 冯永谦：《辽宁地区辽代建置考述·中京道榆州》，《辽海文物学刊》1987年第1期。
② 《辽史》卷48《百官志四·南面方州官》，中华书局1974年版，第812页。
③ 《辽史》卷39《地理志三·中京大定府》，中华书局1974年版，第481页。

都。择良工于燕、蓟，董役二岁，郛郭、宫掖、楼阁、府库、市肆、廊庑，拟神都之制。……实以汉户，号曰中京，府曰大定。……城池湫濕，多凿井泄之，人以为便。①

北宋王曾、路振等人，都曾在中京建成不久，便以使者身份光临并留下记录②。此处史料记载修建中京城，用工两年；其实，中京城的建设经历了辽圣宗后半期和辽兴宗初期，持续二十余年。建筑工匠均从燕云地区选拔，城市结构模仿中原都市建筑经验，所谓"城池湫濕，多凿井泄之"，即指用旱井吸纳地表水的地下排水设施，应该说这是将中原地区习见的方法适用于草原的城市建筑，无疑是一项伟大的创举。而城内各种建筑整齐划一、分布有序的建筑格局，使中京城走在了当时世界城市建筑的前列。中京城故址，平面基本呈"回"字形，它由外城、内城和皇城组成，幅员30华里。外城平面方形，东西长4 000米，南北长3 500米。内城位于外城中央，平面长方形，与外城构成一个"回"字形；内城城墙东西长2 000米、南北宽1 500米，城垣周长14华里。外城、内城多民居、市肆建筑，规划整齐，纵横有致。皇城位于内城北墙正中央，以内城北墙为皇城北墙，在内城北墙东西两侧各剩余500米；皇城平面正方形，边长1 000米，幅员8华里。外城中央主干道，为全城建筑的中轴线。这个主干道，自外城南门抵达内城南门，长1 500米，宽64米，主干道两侧为石板作盖的排水沟，直通城外。这条主干道，再由内城南门抵达皇城南门，长500米、宽40米，与皇城内部主干道相连；皇城内部主干道，直通宫殿区，宽20米。因此，从各个方面而言，辽朝的中京城是当时世界的超级城市，表现了契丹辽朝在城市建筑方面的高超技艺。③

　　综如上述，契丹辽朝的城市建筑，大约经历了这样的几个阶段：第一，

　　①　《辽史》卷39《地理志三·中京大定府》，中华书局1974年版，第481—482页。
　　②　《辽史》卷39《地理志三》引王曾《上契丹事》，云："城垣卑小，方圆才四里许"有误，第485页；《契丹国志》卷24《王沂公行程录》，贾敬颜、林荣贵点校，上海古籍出版社1985年版，第230—232页；（宋）路振：《乘轺录》，记录接近实际，且早于王曾来到中京，贾敬颜：《五代宋金元人边疆行记十三种疏证稿》，记中京制度，较为实际，中华书局2004年版，第60—61页。
　　③　张郁：《内蒙古宁城县辽中京及西城外出土的文物》，《考古》1959年第7期，第372—373页；内蒙古文物工作队编：《内蒙古文物资料选集》第7编"壹、林东的辽上京遗址"、"贰、宁城的辽中京遗址"、"叁、辽中京城址发掘的重要收获"，内蒙古人民出版社1964年版，第128—139页。

起步于 9 世纪末期和阿保机称帝建元之前的 10 世纪初期，此时城市建筑的特征是规模较小，但也出现像龙化州那样城分东、西的建筑结构；第二，发展于太祖时期，并延续了 10 世纪的历史时间或空间状态。太祖朝城市建筑的发展，虽然数量少、规模小，但是通过饶州、惠州等城市特点的排比以及契丹社会发展特点的分析，可知契丹城市建筑受政治"分治"（即因俗而治）的强烈影响，造成契丹等游牧部落人口与汉族等农业人口，在城市聚落等居住范围的分隔局面；第三，太宗及其以后诸帝统治时期，城市建筑的特点基本保留了太祖时期形成的"分治"的建筑结构、风格和特点，使契丹城市建筑出现平面略呈"日"字形的结构特征。这种城分南、北的现象，和契丹政权采取"官分南、北"的统治策略有着密切的联系；第四，自圣宗统和年间（983—1021 年）暨 11 世纪，契丹城市建筑进入鼎盛阶段。此时，出现了当时具有世界意义的超级城市——中京城，也形成了契丹城市建筑的新特点即其建筑结构平面呈"回"字形的结构特征。这种城中有城、城中套城的建筑风格，一直影响到金、元两代政权，如金中都、元大都和元上都的建筑结构都基本如此[①]。这种建筑特征的形成，在古代城市建筑史上的标志性意义，就是在北方地区的城市发展中逐渐形成了重要的关厢制度。关厢制度的雏形，在辽朝祖州城、上京城等出现了早期的萌芽。

契丹人的城市建筑具有前后承继、互为贯连的发展特征，譬如降圣州的建立，本在穆宗时，因太宗诞生于龙化州某地，乃分土建州取名"降圣"，以示纪念；但降圣州建立之前，此处已有太祖以渤海人"置寨"居住的聚落——寨。如前所述，庄、寨等是当时契丹聚落形态中的较小的社会单元，但在太祖时期以后的历史发展过程中，许多这样的较小的聚落单元，都逐渐发展为较大的聚落结构——城市；这是契丹辽朝时期城市建筑的发展特征。而且，契丹城市建筑中保留的"门屋东向"传统，也是太祖时期迄于辽朝灭亡，都始终一脉相承的基本风格和特点。因此，契丹辽朝的城市建筑，对于古代北方地区的历史发展具有重要的开创意义和承前启后的先导之功，这也是后世研究古代北方开发史时不应忘记的重要历史过程。

---

① ［日］东方考古学丛刊乙种第 2 册：《上都——关于蒙古多伦诺尔元代都城遗址的调查》，东亚考古学会 1941 年（昭和 16 年）版。

第 十 六 章

地区经济文化交流与对外联系

第一节　辽金时期与东亚的经济文化交流

　　契丹辽朝与中国古代诸割据政权间的经济文化往来，在圣宗朝以前，由于史籍资料的匮乏，主要表现为一种经济贸易往来关系。这种关系，又总是以"通贡"的形式表现出来，并与当时政治局势的发展密切相关。

　　10世纪初期，契丹人模仿中原封建制度也建立起君主专制的封建政权之后，即迅速地将与北方幽州地区的经贸往来关系，推进到黄河中下游地区，先后与后梁、后唐等割据政权建立了密切的"通贡"关系，即双方以"贡献"、"还赐"方式确立的直接实现物质交换的经贸关系。双方互相派遣的朝贡或还赐使团，实际是一个携带大批货物的庞大商团。与此同时，契丹人已经组织起庞大的商队，并利用一切可能提供的陆地交通便利以及海上交通形式等，充分调动起草原地区经济贸易交流的一切物品，使商业经济已经成为契丹封建政权不可或缺的重要经济门类之一。据说，辽太祖时期就已经与"十国"割据政权中的吴、吴越、前蜀等政权有了相互往来关系，或走水路或绕道陆地，以契丹本土物产多方交换其他地区的经济特产；虽然《辽史》没有留下契丹人如何从水、陆两途实现与南方十国割据政权经济交流的记载，尤其是关于契丹人如何通过水路进入江南地区的记载，但是当时的历史记录中却留下了吴国或吴越政权分别"来贡"契丹的记录。所以，辽太祖时期契丹政权与中原地区的经济贸易往来，主要是面向割据黄河中下游地区的后梁政权与李克用控制的今山西太原地区、刘仁恭盘踞的幽州地域。

但在当时中国的北方，契丹军政势力已经深入克鲁伦河流域及外贝加尔地区，并与生活在那里的早期蒙古诸部发生了深刻的军政关系和经贸关系，虽然这些关系中携带浓重的征服意味与民族压迫的特征，但毕竟开通了一种基于经济文化往来关系的经济流动，这对于开发蒙古高原北部及经济文化发展起到重要作用。同时，契丹人的军政势力也已经深入到活动在额济纳河（即古代合罗川）流域及其以西凉、瓜、甘、沙诸州的回鹘及其他民族实体之中，辽太祖对回鹘、党项、吐浑部落推行的渐次征服的方针，也将契丹商队引入这些地区。这样，不但使契丹本土成为草原丝路的东端枢纽，而且契丹政权也稳固地控制了分布在阴山南北的草原丝路的所有重要通道，使得古代中国同中亚、西亚甚至包括欧洲在内的"丝绸之路"的连接点，开始被人为地导引至契丹本土中来，致使契丹的皇都（即上京）、庆州和松州（今赤峰市西南土城子）等地，已经分别成为当时沟通草原南北的商贸会冲之地。契丹的物产被源源不断地转售于中原、甘沙诸州和中亚地区，而诸方的物产也被纷纷引入到契丹本土中来，使契丹本土已经成为"四方辐辏"的重要商贸枢纽，东亚古国高丽、日本以及北亚草原诸部对于契丹辽朝经济文化的依赖关系，一如曾经辉煌无比的大唐盛世一样！辽太祖晚年，又倾契丹国力征服了渤海政权，将渤海故地完全纳入契丹政权的版图，从而彻底完成了对东亚地区来自草原丝路的商贸垄断，奠定了后世契丹辽朝在丝路贸易中的"商业巨子"的地位。

承继辽朝余绪建立起来的女真金朝政权，也一如契丹人那样，完全垄断了古代东亚地区与草原丝路之间的经济贸易联系，不断地将北方地区经济文化发展推向新的高峰。那么，契丹辽朝以及女真金朝时期与亚洲甚至世界意义的经济文化交流关系究竟如何？以下不妨一一分析之。

一、契丹辽朝与中原诸割据政权的经济文化往来

根据《辽史》记载，太祖时期契丹政权与中原割据政权的联系，已经不绝于书。例如，902 年阿保机以兵四十万伐河东代北，攻下九郡，获生口九万五千，驼、马、牛、羊不可胜计。①

903 年，阿保机又率领军队攻克河东怀远军等军镇，并趁势进攻蓟北诸州县纵兵俘获而还；904 年 9 月，又进攻分布于今锡林郭勒盟东部的黑车子室韦部落（即幽州内附部落），结果与幽州藩镇发生激烈交锋，史称：

讨黑车子室韦，唐卢龙军节度使刘仁恭发兵数万，遣养子赵霸来拒。霸至武州，太祖谍知之，伏劲兵桃山下。遣室韦人牟里诈称其酋长所遣，约霸兵会平原。既至，四面伏发，擒霸，歼其众，乘胜大破室韦。②

906 年又举兵进攻幽州刘仁恭集团，是年，

汴州朱全忠遣人浮海奉书币、衣带、珍玩来聘。③

907 年，朱全忠仍遣使来告；阿保机继续征伐黑车子室韦八部，幽州刘仁恭之子平州刺史刘守奇率部数千人降契丹、安置于平卢城（即今山海关附近）；908 年，又筑长城于镇东海口（即今辽东半岛大连市北部）；909 年，修筑汉城于羊城之炭山，以为契丹部民与幽州、代北、云州、太原贸易之所。911 年，阿保机派遣使节出使后梁政权，这是《辽史》关于阿保机与中原割据政权通使的第一次记录；但据中原史料记载，后梁开平二年（908 年）五月，

契丹国王阿保机遣使进良马十匹，金花鞍辔、貂鼠皮、头冠并表。男口一，名苏，年十岁。女口一，名譬，年十二。契丹王妻亦进良马一

① 《辽史》卷 1《太祖纪上》，中华书局 1974 年版，第 2 页。
② 《辽史》卷 1《太祖纪上》，中华书局 1974 年版，第 2 页。
③ 《辽史》卷 1《太祖纪上》，中华书局 1974 年版，第 2 页。

匹，朝霞锦、金花头冠、麝香。

从契丹"贡献"后梁的物品来看，当时契丹的物质文化生产已经颇具水平。贡献的目的在于以物易物的形式获得回赐，从而加强自身制度文化的建设。自此以后，契丹政权与中原割据政权的经济文化联系便不绝如缕。如：神册元年（916 年）四月，后梁使臣郎公远来聘，六月，吴越王使臣滕彦休来聘，而且这两位中原割据政权的使臣都在契丹政权停留达半年之久；是年，阿保机完全征服燕北八军（又名山后八州或山北八军）之地①。神册三年（918 年）二月，

> 晋、吴越、渤海、高丽、回鹘、阻卜、党项及幽、镇、定、魏、潞等州各遣使来贡。②

神册四年（919 年），吴越王仍遣使滕彦休来贡犀角、珊瑚等物，授官遣还；后梁仍遣使臣郎公远携礼物来聘③。天赞二年（923 年），后梁、吴越仍遣使来聘；天赞四年（925 年），回鹘、后唐、日本、高丽、新罗等国遣使携礼物入贡。④

辽太宗时期，进一步发展了契丹商贸经营的市场和商贸活动的具体范围。如中原史料记载，后唐明宗天成二年（927 年），

> （十月）契丹遣使持书求碑石，欲为其父表其葬所。（十二月）遣飞胜指挥安念德使于契丹，赐契丹王锦绮、银器等，兼赐其母绣被缨络。⑤

此事，据《册府元龟·外臣部》记载：

---

① 《辽史》卷 1《太祖纪上》，中华书局 1974 年版，第 11 页。
② 《辽史》卷 1《太祖纪上》，中华书局 1974 年版，第 12 页。
③ 《辽史》卷 2《太祖纪下》，中华书局 1974 年版，第 16 页。
④ 《辽史》卷 2《太祖纪下》，中华书局 1974 年版，第 18—21 页。
⑤ （宋）薛居正：《旧五代史》卷 38《唐明宗纪》，中华书局 1976 年版，第 528 页。

天成初（926年），阿保机死，其母令次子德光权主牙帐。明年，德光遣其使梅老等三千（十）余人来修好，又遣使为父求碑石，帝许之，赐予甚厚，并赐其母璎珞、锦彩。

天成二年（927年）十二月，宣飞胜指挥使安念德使于契丹，赐契丹王锦绫罗三百五十匹，金花银器五百两，宝装酒器一副，其母绣被一张，宝装璎珞一副。

像这样以制作精细著称的"宝装"器服等回赐契丹的事例，应是有求而赐的，绝不是后唐皇帝泛泛的随意行为。如天成三年（928年）夏四月，

幽州上言，契丹有书求乐器。①

就和上一年的"持书求碑石"一样，都是为专门的需求，才致货物于后唐而意在鬻买的互换。因而，所求"碑石"和"乐器"都不是泛泛的物品，而是有讲究、有组合的"礼仪"建制的东西。故《辽史》称：

天显三年（928年）八月庚辰，诏建应天皇太后诞圣碑于仪坤州。

天显五年（930年）八月丁酉，以大圣皇帝、皇后宴寝之所号日月宫，因建日月碑。冬十月癸卯，建太祖圣功碑于如迂正集会埚。

天显七年（932年）六月戊辰，御制太祖建国碑。七月壬辰，唐遣使遗红牙笙。癸巳，（唐）使复至，惧报定州之役也。②

以上辽太宗所制的太后诞圣碑、日月碑、太祖圣功碑和太祖建国碑等，都应是当时用碑制度中的极致，故契丹持书向后唐求碑石的目的，不在于石料的索取，真正意图在于帝王用碑的尺寸大小和规模仪制的需求。故后唐因惧怕契丹再兴兵争，而遣使赠送的"红牙笙"，也不应是一件单纯的乐器，而是指以红牙笙为主的乐器组合及其配套应用的方法。这一切，就概略地描摹出

---

① 《旧五代史》卷39《唐明宗纪》，中华书局1976版，第537页。

② 《辽史》卷3《太宗纪上》，中华书局1974年版，第28—34页。

了契丹国家初期，统治者们欲图模仿中原再造一个北方的"泱泱大国"的雄心壮志和问鼎中原的宏大目标。

929 年（后唐天成四年，辽天显四年），后唐名将王晏球收复定州，尽歼契丹援军后，献捷于朝廷的战利品中，有：

> 王晏球又获契丹绢书二封，来进，明宗命宣示群臣，莫有识其文字者①。

及 930 年，东丹王耶律倍叛入后唐时，携来书籍数千卷中多为中原所罕见，而东丹王所进本国印三纽朝廷也罕有识其文字者②。与此同时，当时"契丹样装服"和"金、银装胡禄"等物，也以制造工巧、精美，走俏于中原③。契丹族画家胡瑰、耶律倍（即李赞华）的画作，也已成为当时中原美术绘画中的"神品"，而为收藏者收拾不暇。这一切，说明当时契丹国家的制度建设，基本上脱离了"草创"时期并已初具规模。

天显六年（931 年），

> 西南边将以慕化辖戛斯国人来［入贡］。

天显七年（932 年），

> 拽剌迪德使吴越还，吴越王遣使从，献宝器。复遣使持币往报之。④

契丹与周边地区的商贸活动呈现日益扩大的发展趋势。契丹人在同其周边地区及中原各割据政权的经济贸易往来过程中，每一次都涉及大宗的互贸的物

①　（宋）王溥：《五代会要》卷 29《契丹》，四库本。
②　《旧五代史》卷 42《唐明宗纪》，中华书局 1976 年版，第 575 页。
③　（清）董诰等：《全唐文》卷 854，许敬迁撰：《请禁断契丹样装服奏》，上海古籍出版社 1990 年版，第 3973 页。
④　《辽史》卷 3《太宗纪上》，中华书局 1974 年版，第 33 页。

品。例如：辽太宗时与后唐等国的贸易往来，

> 长兴三年（932 年，辽天显七年）正月，契丹遣使拽骨等来朝。三月，契丹遣使都督起阿钵等一百一十人进马一百匹及方物。又契丹遣使铁葛罗卿献马三十匹。九月，契丹国遣使都督述禄卿进马四十匹①。

同年十一月，后唐遣使：

> 赍书国信，杂彩五百匹、银器二百两，往赐契丹王②。

辽天显九年（934 年），又遣使后唐，

> 献马四百、驼十、羊二千③。

天显十一年（936 年），辽太宗以兵助石敬瑭，灭亡后唐政权，扶植后晋政权成为中原共主。后晋天福二年（937），契丹送晋礼物：

> 马二百匹、人参、貂鼠皮、走马、木棍等物④。

又，会同元年（938 年）与南唐通使时，

> 契丹主耶律德光及其弟（兄）东丹王各遣使以羊马入贡，别持羊三万口、马二百匹来鬻，以其价市罗纨茶药⑤。

契丹人在大肆贸易、以商赢利的同时，也积极地注重和投入自身的文化建设

---

① （宋）王钦若等：《册府元龟》卷 972《外臣部·朝贡五》，四库本。
② （宋）王钦若等：《册府元龟》卷 980《外臣部·通好》，四库本。
③ （宋）王钦若等：《册府元龟》卷 976《外臣部·褒异三》，四库本。
④ （宋）王钦若等：《册府元龟》卷 972《外臣部·朝贡五》，四库本。
⑤ （宋）王钦若等：《册府元龟》卷 971《外臣部·贡献四》，四库本。

及与其他民族的文化交流活动。

及后晋为契丹附庸，契丹的制度建设也臻于完善。《辽史》称，天显十二年（937年），

> 十一月己未，遣使求医于晋。十二月己丑，医来。①
>
> 会同元年七月戊辰，遣中台省右相耶律述兰迭烈哥使晋，临海军节度使赵思温副之，册晋帝为英武明义皇帝。九月，边臣奏晋遣守司空冯道、左散骑常侍韦勋来上皇太后尊号，左仆射刘昫、右谏议大夫卢重上皇帝尊号，遂遣监军寅你已充接伴。②

而据《旧五代史·晋高祖纪》记载：

> 天福元年十二月，诏封故东丹王李赞华为燕王，遣前单州刺史李肃部署归葬本国。
>
> 天福二年六月，幽州（已割隶契丹）赵思温奏："瀛、莫二州，元系当道，其刺史常行周、白彦球乞发遣至臣本府。"
>
> 天福三年（938年）八月庚寅，（遣官为契丹皇帝、皇太后册礼使）。辛丑，镇、邢、定三州奏：奉诏共差乐官六十七人往契丹。九月己未，宣遣静鞭官刘守威、左金吾仗勘契官王英、司天台鸡叫学生商晖等，并赴契丹。

在后晋政权存在的10年之内，为契丹国家的体制建设提供了诸多的方便。因此，天显十二年（937年），立国江南的吴政权宰相徐知诰（即李升），

> 欲结契丹以取中国，遣使以美女珍玩泛海修好，契丹主亦遣使报之③。

---

① 《辽史》卷3《太宗纪上》，中华书局1974年版，第41页。
② 《辽史》卷4《太宗纪上》，中华书局1974年版，第44页。
③ （宋）司马光：《资治通鉴》卷281《后晋纪》，天福二年，中华书局1956年版，第9173页。

此事，《辽史》记曰：天显十二年（937 年），

> （八月）庚寅，晋及太原刘知远、南唐李昪各遣使来贡。（九月）
> 庚申，遣直里古使晋及南唐。①

按，李昪即徐知诰；是年十月，徐知诰更名李昪，改国号为唐，结好契丹的
目的在于恢复李唐王朝的旧域。辽太宗命直里古此次出使，先至后晋汴都完
成与后晋使命后，再起程南下抵达金陵（今江苏南京），并以契丹羊马等土
产致取江南锦绫丹砂等物而归。直里古的这次奉使，历时年余，打破了北国
契丹自古以来与江南地区无陆路沟通的局面。此后，辽太宗便置"回图务"
于汴京，负责契丹与诸国的贸易，并任命乔荣为回图使来管理"回图务"
的事务。这是见之于史籍记载的契丹皇帝设在其本国境外的商业管理机构，
类似此类的经贸组织，契丹人在其他地域或国度中，也屡有建置。

辽太宗会同二年（939 年），立国于今福建境内的王氏闽政权遣使人郑
元弼，携带大批货物并借道南唐、后晋，欲经陆路直达契丹，但却引起了后
晋君臣的不满，于是"劫其货物，籍没其赍"断其通路，囚其使人。闽主
闻知后，即遣使

> 越海聘契丹，即将籍没之物为贽（见之礼）。

辽太宗即使人传命后晋：

> 闽国礼物并付乔荣（即契丹在汴京的回图使），放其使人还本国。

后晋不敢违抗契丹的命令，遂一一遵从并释放了闽使郑元弼等②。可见，回
图务的设置，已成为发达的商贸往来活动中的转运站，使得契丹的商业活动

---

① 《辽史》卷 3《太宗纪上》，中华书局 1974 年版，第 41 页。
② （宋）司马光：《资治通鉴》卷 282《后晋纪》，天福五年正月条；《考异》引《洛中纪异》语，
中华书局 1956 年版，第 9210 页。

已成为社会经济中的重要组成。辽太宗大同元年（947年），耶律德光扑灭后晋饮马黄河时，立国湖北的荆南高从诲，也

> 遣使入贡于契丹，契丹遣使以马赐之。①

随之，耶律德光闻知立国今湖南境内的楚政权"丹砂委积如丘陵"，乃遣使册封楚主马希范为尚父，同时商讨购买丹砂事宜②。所以，当947年，耶律德光进入汴梁时，语与晋臣曰："中国之事，我尽知之！吾国之事，汝曹不知也。"又与晋臣语曰："我今日得与此殿坐，岂非真天子耶?!"因此，大会蕃汉臣僚于崇元殿。当年二月，

> 丁巳朔，建国号大辽，大赦，改元大同。三月壬寅，晋诸司僚吏、嫔御、宦寺、方技、百工、图籍、历象、石经、铜人、明堂刻漏、太常乐谱、诸宫县、卤簿、法物及铠仗，悉送上京。③

是故，《辽史·礼志序》曰：契丹

> 自其上世，缘情制宜，隐然有尚质之风。……太宗克晋，稍用汉礼。

又《辽史·乐志》曰：雅乐，

> 大同元年，太宗自汴将还，得晋太常乐谱、宫悬、乐架，委所司先赴中京。

《辽史·仪卫志》也说：

---

① 《资治通鉴》卷286《后汉纪》，天福十二年条，中华书局1956年版，第9337页。
② 《五代史补》卷3，四库本。
③ 《辽史》卷4《太宗纪下》，中华书局1974年版，第59—60页。

辽太祖奋自朔方，太宗继志述事，以成其业。于是举渤海，立敬塘，破重贵，尽致周、秦、两汉、隋、唐文物之遗余而居有之。路车法物以隆等威，金符玉玺以布号令。是以传至九主二百余年，岂独以兵革之利，士马之强哉。文谓之仪，武谓之卫，足以成一代之规模矣。

所以，契丹旧俗，事简职专，官制朴实，制度文化未遑深究。至于太宗，兼制幽蓟，官分南北，因俗而治，成一代大法。"以国制治契丹，以汉制待汉人"的分治措施，体现在制度建设上，即形成北面官和南面官制度，南面官即"汉制"的体现。而"汉制"的完善，据《辽史·百官志·南面》记载：

契丹国自唐太宗置都督、刺史，武后加以王封，玄宗置经略使，始有唐官爵矣。其后习闻河北藩镇受唐官名，于是太师、太保、司徒、司空施于部族。太祖因之。大同元年，世宗始置北院枢密使。明年，世宗以高勋为南院枢密。则枢密之设，盖自太宗入汴始矣。天禄四年，建政事省。于是南面官僚可得而书。

南面官体制备矣。由此看来，辽太宗在位20年间，彻底奠定了契丹为中国北方"泱泱大国"的现实的人文基础，塑造了自10世纪以来中国南北方文化既有独立又有兼容、既有冲突又有融合的发展趋势，这是造就了辽宋100年间长期对立共存的历史人文基础。

辽圣宗朝"澶渊之盟"的确立，不仅使契丹政权每年可以坐享北宋政权馈赠的岁币银绢30万匹、两（后又增至50万匹两），而且契丹辽朝还与北宋政权确立起正常的"通贡"贸易与"互市"贸易，史称：

雄州、高昌、渤海亦立互市，以通南宋、西北诸部、高丽之货，故女直以金、帛、布、蜜、蜡诸药材及铁离、靺鞨、于厥等部以蛤珠、青鼠、貂鼠、胶鱼之皮、牛羊驼马、毳罽等物，来易于辽者，道路辐属。圣宗统和初燕京留守司言，民艰食，请弛居庸关税，以通山西籴易。又令有司谕诸行宫，布帛短狭不中尺度者，不鬻于市。明年，诏以南、北府市场人少，宜率当部车百乘赴集。开奇峰路以通易州贸易。二十三年，振武军及保州并置榷场。①

辽朝与周边地区的经济文化交流，至此达到鼎盛阶段。

金朝建立后，基本沿袭了辽朝开辟的经济文化交流局面。金朝同周边地区各民族直接进行贸易活动，主要是通过榷场进行。金朝初期，应西夏政权的要求，在绥德、保安、兰州、东胜、环州等地设置了榷场，金朝对榷场货物的限制也有所放宽，甚至连铁等物品也不加限制，商业活动中金人只凭唯利是图一策。金初，甚至还与西夏、蒙古等进行人口交易，以掳得的汉族人口到西北市场上出售，以赢得利益。当时的云中，就是人口贩卖和集聚的主要地方。金代中期以后，人口贩卖的现象虽有所减少，但并没有完全禁止。一般地说，金夏贸易中，都是以物易物，西夏所购买的是中原的马具、丝织品和粮食、食盐等货物，而金朝得到的主要是西夏的马匹、珠玉、香料、镔铁、毛织品等各种土产，甚至还到西夏的榷场买马。金夏贸易还存在贡使贸易形式，不过货物交流量较少。

在金朝与中原割据政权间的经济贸易活动中，最主要的项目还是金宋之间的往来。在金宋相持的过程中，主要贸易活动是走私，双方的商人一般经由海路，进行私下的民间贸易，交易的物品也极其丰富，如燕京府印刷的各种书籍、生产的各种物品，都曾不断传入江南，金朝急需的胶、砂和茶也不断输入。金太宗时，山东灾荒，米帛之价腾贵，于是商人乘机多买江、浙米帛，经海道而入山东，有时一匹细绢出售后即能轻松地赚取钱30千。因此，走私贸易的暴利，也促使商人们干起了铤而走险的买卖，对于双方禁止外流的物品，也不断地输送到对方的地区内，从中获得更高的暴利。

在"通南北之货"的商业发展的趋势下，南宋在1135年于濠州、泗州、楚州、庐州、寿春府等地都开设了市易务，专门管理南北贸易，借以改善淮南经费不充的窘境，结果，取得了良好效果。据《三朝北盟会编》记载，当南北商路堵塞之时，江南无甘草，价至1两为钱1贯200钱，市上也

① 《辽史》卷60《食货志下》，中华书局1974年版，第929页。

没有此货出售；同样，生姜、陈皮之类，北方也非常稀缺。所以，12世纪中期时，设置榷场以通货易，已成为金宋双方共同的需求。

但是，经济活动往往受到政治因素的影响。金熙宗时，与南宋达成了暂时的和平后，双方的经济文化交流达到了一个新的阶段，双方各在沿边设置了榷场。金朝置榷场于寿、蔡、泗、唐、邓、秦、巩、洮诸州及凤翔府，宋朝在光州、枣阳、安丰军、花厌镇、盱眙军置场通商，双方维持了数年的正常贸易。由于海陵王伐宋，金朝除泗州外其他榷场全部关闭，南宋也关闭了除盱眙军外的所有榷场。至战争爆发，榷场都自动关闭，私人贸易也无法正常进行。金世宗再次与宋议和后，榷场贸易重新恢复。金章宗时，南宋发动"开禧北伐"，使榷场又遭中断。即使通商时，也仍伴随双方的经济、文化禁止政策，不断阻挠和破坏正常的贸易活动，致使民间走私仍在悄悄进行。

南宋向金朝输出的货物有：茶、象牙、犀角、乳香、檀香、生姜、陈皮、丝织品、木棉、钱、牛、米等；金朝向南宋输出的有：皮革、人参、甘草、松子、蕃罗、干果、绫绢、貂鼠皮、珠玉、果脯、药材等。南宋禁运物品有：茶、米、银货、铜钱、书籍等，金朝禁运物品有：盐、麦、马、铁、书籍等，但双方禁运的物品，也恰是走私活动中的"赚钱货"，所以，禁运也只是做到了市场的排查，而真正官私勾结的走私活动并未能禁止。例如：茶叶一项，例由南宋官办，禁止民间私行交易，但金朝每年茶叶的涌入量却多得惊人，据《金史》称：茶，饮食之余，非必用之物，比岁上下竞啜，农民尤甚，市井茶肆相属。商旅多以丝绢易茶，岁费不下百万，耗财为巨。又宣宗时，省臣奏议中说，今河南、陕西凡50余郡，郡日食茶率20袋，每袋价值银2两，是一岁内耗财达白银70余万两，由此益见走私之盛。

金代榷场制度，基本沿袭辽宋旧制，史称：

　　自南北通和，始置榷场。凡榷场之法，商人货百千以下者十人为保，留其货之半在场，以其半赴南边榷场博易，俟得南货回，复易其半以往。大商悉拘之，以俟南贾之来。①

---

① 《大金国志》卷17《世宗纪》，四库本。

金朝对北来交易的南方商人，还征收各种税钱，如宋人称：

> 襄阳府榷场，每客人一名入北界交易，其北界先收钱一贯三陌，方
> 听入榷场。所将货物，又有税钱，及宿舍之用，并须见钱。大约一人往
> 彼交易，非将见钱三贯不可①。

榷场税入，成为金朝重要的财政收入，尤其是章宗时期，每处榷场的年度税
收总额都在 10 万贯左右。丰厚的税收来源，促使政府日益重视榷场事务管理，
为了加强商贸活动的集中管理，金朝中期以来开始限制和打击私商贸易活动。

在宋、金贸易过程中，禁私和走私的斗争也相当激烈。所谓榷场贸易，
并不是由双方商人之间直接进行的交易，而是由牙人从中斡旋，双方商人并
不见面。因此，榷场限制了贸易中供求双方的自由，也影响了商业活动的利
益。所以，私商现象（即走私活动）始终不能杜绝。据《宋会要辑稿》"食
货、互市"目所载，南宋

> 奸民豪户，广收米斛，贩入诸蕃。每一海舟，所容不下二千斛，或
> 南或北，利获数倍。

但这种走私贩运却引起了本地粮荒和米价踊贵，因此，政府一再

> 敕所属县境，籍定海舟，应有买贩入蕃，先具名件，经官给据，委
> 员检实，方得出海。

又称，私茶贸易贩入北方，引起榷场通货中茶量需求的锐减，等等。这些，
都是政府要致力打击走私商人的重要原因。但是，私商贸易仍无法禁止，

> 冒利之人或假托贵要，或作军中名目，往来买卖②。

---

① 《大金国志》卷17《世宗纪》，四库本。
② （宋）李心传：《建炎以来系年要录》卷183，绍兴二十九年七月乙亥条，四库本。

走私贸易，一直是禁而不绝的南北经济活动中一条半明半暗的线索，金朝也同样如此。但是，金宋之间双方走私贸易活动禁而不绝的重要原因，还在于双方都总是想尽量多地勾致对方商人过境到自己境内进行交易。这种表现主要集中在"双方对货币的争夺"和"对对方禁运物资的兴趣"这两个方面。金朝禁止向南宋贩运的物品，主要为马和兵器，也包括当朝大臣的文集等等；南宋向金朝禁运的物品，主要是牛、兵器、书籍和人口等。因此，客观地说双方的禁运限制了南北方文化的互动与沟通，走私贸易不仅供应了社会生活的需要，对生产发展起到了重要作用，也在一定程度上加强了南北方文化的交流。关于金宋对货币的争夺，是金宋双方都想将对方的铜钱吸引过来又能禁止自己的铜钱不向对方流动。金朝为吸收铜钱北流采取了许多措施，首先是发行交钞，以纸币作为现钞使用，借机大量回笼铜钱；其次是制定短陌钱政策。宋以钱 77 或 75 枚为陌，金朝以 80 枚为陌。但在双方贸易中，金朝最多以 60 枚为陌，最少则以 20 枚为陌，故称短陌钱，因此，宋钱一贯（770 文）到了金朝可抵两三贯钱使用，对于商人来说无疑是高利，均愿携现钱至金朝贸易，使金朝成功地吸引了宋钱的北流。其三是套购宋钱，宋朝盐税很高，致使盐价上涨很大，金朝即压低盐价向宋朝倾销，借机收购宋钱。同时，金朝限制北方商人抵宋榷场贸易，吸引宋朝商人过境贸易，以征取商税。金朝通过以上这些途径，就使得南宋铜钱通过公开的或秘密的、合法的或非法的渠道，源源不断地涌入北方。面对这样的铜钱外流现象，南宋则采取了严厉的禁防政策，结果，导致走私贸易的泛滥。这也是金宋之间经济文化交流中的一个较为突出的特点。

二、辽金时期与东亚地区的经济文化交流

契丹与东亚地区的经济文化交流，在辽太祖吞并了渤海国之后，主要通过以草原丝路的商业流通方式，建立并垄断了草原地区同东亚古国日本与高丽的经贸联系。这种联系，虽然在很大程度上仍然是以"通贡"的形式体现出来的，但也应该看到当时的经济文化联系，客观上已经脱离了区域间的物质交换，而是更大程度地体现着一种具有世界意义的经济贸易关系。史称：太祖初元二年（908 年）十月，

筑长城于镇东海口。

这个镇东海口长城，就是今辽东半岛境内大连市以北之辽代长城遗址。辽太祖于此修筑长城的目的，显然是为了有效地控制由此登陆的高丽、日本与江南人口，由此登陆的外方人口主要的是那些从事商业活动的商人阶层等。因此，镇东海口长城的建立，标志着当时东亚地区与契丹本土之间商业活动的频繁状况。915 年，辽太祖曾亲自钩鱼于鸭绿江，于是，

新罗遣使贡方物，高丽遣使进宝剑，吴越王钱镠遣滕彦休来贡。

从此开始，东亚古国新罗、高丽、日本等纷纷与契丹辽朝建立密切的经济文化交流。根据《辽史》记载：

神册三年二月，梁遣使来聘。晋、吴越、渤海、高丽、回鹘、阻卜、党项及幽、镇、定、魏、潞等州各遣使来贡。[1]

按道理说，这些东亚古国既然已经与契丹政权确立通贡关系，那么，契丹政权在接受了高丽等古国的朝贡之后，应该要有"还赐"形式的等价物品数额的回赠，《辽史》中没有清楚的记录，但高丽古代史料中则留下一些蛛丝马迹，例如高丽太祖王建时期，

壬午五年春二月，契丹来遗橐驼、马及毡[2]。

这里记载的壬午五年，即公元 922 年（辽天赞元年）；史料中使用的"遗"字，乃遗赠之遗，即赠送之义；契丹政权赠送高丽政权的橐驼、马及毛毡等，应该就是契丹接受高丽贡品之后的"还赠"或"还赐"的礼品，其价值应该要略高于贡品的价值。据《辽史》记载：

---

[1] 《辽史》卷 1《太祖纪上》，中华书局 1974 年版，第 12 页。
[2] ［高丽］郑麟趾：《高丽史》世家卷第 1《太祖纪一》，壬午五年条，1958 年版。

天赞四年（925年）十月庚辰，日本国来贡。辛巳，高丽国来贡。十一月己酉，新罗国来贡。

天显元年（926年）二月，高丽、濊貊、铁骊、靺鞨来贡。

虽然，这些东亚古国或部族与契丹贡献的程度和内容或有所不同，但联系往来的原因只能是经济文化沟通。在亚洲东部，除了远离亚洲大陆的日本国外，契丹始终是以一种征服的方式来确立与其他地区及其政权的通贡联系的。契丹辽朝的近邻高丽，也是如此。契丹政权分布于东北亚地区的渤海、靺鞨、新罗、高丽、铁骊、女真、室韦、兀惹等诸族人口，虽然早已建立了经济往来联系，但随着契丹国家势力的不断壮大，这种联系也日益紧密。在太祖、太宗时期，这些分布于东北亚地区的弱小部族或弱小政权，就已经相继同契丹政权确立起经常性的经济文化往来，如辽太祖初元九年（915年）十月，新罗遣使贡方物，高丽遣使进宝剑；神册三年（918年），渤海、高丽相继入契丹"贡献"，其后，濊貊、铁骊等也随之"入贡"。辽太宗即位后，契丹政权也日益注重对这些部落的经济文化联系，如天显十二年（937年），

遣使高丽、铁骊①。

会同五年（942年），

铁骊来贡，以其物分赐群臣。……女直、阻卜、乌古各贡方物。②

随着双方经贸关系的发展，政治、文化联系也日益加强，尤其是契丹政权对于弱小政权采取的"属国属部"政策，也往往激起这些弱小部族或政权的直接反抗。据高丽古代史料记载，高丽太祖王建二十五年（942年，辽朝会同五年）冬十月，

---

① 《辽史》卷3《太宗纪上》，中华书局1974年版，第41页。
② 《辽史》卷4《太宗纪下》，中华书局1974年版，第51—52页。

> 契丹遣使来遗橐驼五十匹，王以契丹尝与渤海连和，忽生疑贰，背盟殄灭，此甚无道，不足远结为邻。遂绝交聘，流其使三十人于海岛，系橐驼万夫桥下，皆饿死。①

这是一次被《辽史》遗漏了的契丹、高丽关系史的重大事件，虽然，郑麟趾的记载也有些模糊不清，但是验证于具体史实之后，应该说高丽王王建的此番举动是受到后晋政权影响的直接结果，王建话语中所说的"尝与渤海连和，忽生疑贰，背盟殄灭，此甚无道"云云，其实就是指称契丹与后晋关系破灭的暗语。高丽政权世代尊奉中原政权为正统，因此，后晋与契丹关系破裂不能不影响到契丹、高丽关系的具体变化。据说直到高丽太祖王建病殁之前，仍谆谆嘱托后人曰：

> 惟我东方，旧慕唐风，文物礼乐，悉遵其制。殊方异土，人性各异，不必苟同。契丹是禽兽之国，风俗不同，言语亦异，衣冠制度，慎勿效焉。②

这是发生在辽太宗朝时期的事情，但《辽史》中却没有丝毫的记载痕迹。据高丽史料记载，王建之子武即位（943 年）之后，次年（944 年，辽会同七年）即

> 遣广平侍郎韩玄珪、礼宾卿金廉如晋，告嗣位，遂贺破契丹。③

因此，晋末帝石重贵回赐敕书曰：

> 省所上表，贺去年二月一日，亲幸澶渊，杀败契丹事具悉。朕以契丹显违信义，辄肆侵凌，亲御戎车，往平桀虏，灵旗一举，狂寇四奔。

---

① ［高丽］郑麟趾：《高丽史》世家卷第 2《太祖纪二》，壬寅二十五年条。
② ［高丽］郑麟趾：《高丽史》世家卷第 2《太祖纪二》，癸卯二十六年条。
③ ［高丽］郑麟趾：《高丽史》世家卷第 2《惠宗纪》，甲辰元年条。

卿远听捷音，颇摅愤气，载驰章表，来庆阙庭。嘉乃忠诚，不忘于意。①

由此可见，当时高丽古国与后晋政权之关系。据高丽史料记载，直到 994 年（高丽成宗甲午十三年、辽统和十二年），高丽乃正式奉行辽朝正朔，成为辽朝属国之一。故辽圣宗时期，高丽与辽朝之间这种原本作为经济关系体现的"朝贡"形式，实际上已经变成为政治附庸关系的直接体现。史称：

统和六年（988 年）八月，滨海女直遣厮鲁里来修土贡。②

修，即商定；说明贡献也不是随意性的经济交换了，它也要受到一定的"条制或章程"的限制。所以，兀惹首领乌昭度，在统和十四年（996 年）归附辽朝后，辽圣宗遂规定其每年例须"朝贡"的主要内容以及朝贡时间如下：

统和十五年（997 年）三月庚寅，兀惹乌昭度以地远，乞岁时免进鹰、马、貂皮。诏以生辰、正旦贡如旧，余免。③

因此，活动在东北亚地区的大多数部落，已成为契丹辽朝势力笼罩下的"属国属部"，他们必须在接受和遵守辽朝政令的同时，才能与牢固控制丝路贸易的最大垄断者——契丹辽朝确立起一定形式的经济贸易联系和文化往来。

开泰元年（1012 年）正月癸未，长白山三十部女直酋长来贡，乞授爵秩。

是年八月丙申朔，铁骊那沙等送兀惹百余户至宾州，赐丝绢。是

---

① ［高丽］郑麟趾：《高丽史》世家环第 2《惠宗纪》，甲辰元年条。
② ［高丽］郑麟趾：《高丽史》世家环第 2《惠宗纪》，甲辰元年条。
③ ［高丽］郑麟趾：《高丽史》世家环第 2《惠宗纪》，甲辰元年条。

日，那沙乞赐佛像、儒书，诏赐护国仁王佛像一、易、诗、书、春秋、礼记各一部。

同年十二月，归州言其居民本新罗所迁，未习文字，请设学以教之，诏允所请。①

至辽圣宗开泰四年（1015 年）四月，

> 曷苏馆部（附国女直）请括女直王殊只你户旧无籍者，会其丁入赋役，（诏）从之。②

开泰七年（1018 年），契丹辽朝又制定了对兀惹诸部的征贡数额，

> 三月辛丑，命东北越里笃、剖阿里、奥里米、蒲奴里、铁骊等五部岁贡貂皮六万五千，马三百。③

原本出于经贸往来的"朝贡"关系，至此，随着辽朝的强大，已经成为政治归属的象征，标志着辽圣宗时期对东北亚诸部的政令的统一。

同样的，对于东亚古国，如高丽等，辽朝也采取了一如对于东北亚诸部的同样政策。据《辽史·外记·高丽》记载，圣宗统和年间（983—1021 年），随着辽朝对东北亚诸部的征服，朝鲜半岛也成为辽朝推行扩张的重要方向。统和十一年（993 年），高丽王治遣朴良柔奉表谢罪，契丹

> 诏取女直鸭渌江东数百里地赐之。

高丽依年入贡契丹，开始沦为契丹政权的附庸。史称：

---

① 《辽史》卷15《圣宗纪六》，中华书局 1974 年版，第 170—172 页。
② 《辽史》卷15《圣宗纪六》，中华书局 1974 年版，第 176 页。
③ 《辽史》卷16《圣宗纪七》，中华书局 1974 年版，第 183 页。

统和十二年（994 年）十二月戊子，高丽进妓乐（于辽），（诏）却之。

统和十三年（995 年）十一月辛酉，遣使册王治为高丽国王。戊辰，高丽遣童子十人来学本国（契丹）语。

统和十四年（996 年）三月，高丽王治表乞为婚，许以东京留守、驸马萧恒德女嫁之。庚戌，高丽复遣童子十人来学本国（契丹）语。

自此，高丽或遣使问契丹帝后起居，或吊慰越国公主（即恒德之妻）之丧；岁时朝贡更是依例而至，不敢漏缺。迄于辽亡，始终臣属辽朝，在长达 100 余年的时间内，双方可谓"休戚与共"，为东亚经济文化的发展作出了重要贡献。

当时，东亚的另一个重要的古国日本，虽早在辽初就已与辽朝建立了"通贡"的关系，但远阻大洋，凡一切与契丹辽朝的经济文化往来，也经常仰需于高丽的支持，因此，高丽成为了契丹辽文化输入日本的重要中转站。史称，在辽道宗时，契丹与高丽的文化交流已突出地体现在宗教哲学的范畴中：

咸雍八年（1072 年）十二月庚寅，赐高丽佛经一藏。[1]

大康九年（1083 年）十一月甲寅，诏僧善知雠校高丽所进佛经，颁行之。[2]

双方在这种相互往还的佛学著作的整理、赠送与校对的过程中，成功地创造出了当时中国古代著名的《大藏经》。依据目前对佛学《大藏经》的研究结果可知，当时在东亚计出现了 3 套收集佛学著作的《大藏经》，这 3 套经书的整理和刻印者，分别是辽朝、高丽和北宋。而就目前对这 3 套经书的比较研究的结果是：契丹《大藏经》的质量最佳，高丽次之，北宋又次之。这些经书也无一遗漏地输入到了日本。史称，辽道宗大安七年（1091 年），

---

① 《辽史》卷 23《道宗纪三》，中华书局 1974 年版，第 274 页。
② 《辽史》卷 24《道宗纪四》，中华书局 1974 年版，第 289 页。

> 九月己亥，日本国遣郑元、郑心及僧应范（即明范）等二十八人来贡。①

应范即明范，为避辽景宗名讳，故《辽史》更改"明"字为"应"字，应范僧即日本古代著名的明范和尚，大约他也像居住于高丽、北宋的日本僧人一样，来到契丹并居住下来学习契丹的佛学著作和哲学思想。契丹，已经成为当时东亚地区重要的经济贸易中心和文化传播枢纽。

及女真兴起，金朝灭辽之际，高丽又以"事辽之礼"款附金朝。从此，高丽成为了金朝的藩属。高丽与金朝官方的经济文化交流，有贡使贸易和榷场两种。贡使贸易，即高丽以纳贡的形式，进献纸、墨、米、铜、人参、粗布和玉石带具，金朝则以"回谢"或"横赐"的形式，给以相应数量的鞍马、弓箭、皮毛和丝织品等。金朝与高丽之间的榷场贸易，在《金史》中有开远军榷场等。说明金与高丽的经济交流有了较为顺畅的渠道。辽朝时期，高丽、日本等东亚古国，都与辽朝建立了密切的经济文化往来，尤其是日本常常先登陆于高丽，然后再转道至辽，与高丽人一起学习先进的辽文化。这种现象，在金朝存在的 100 余年的时间内，也未曾中止。据说在 14 世纪初，高丽境内已经流传着一部与中国北方地区进行经济贸易活动的指南手册，名为《乞大书》。乞大，即契丹的译音。说明 14 世纪以前，高丽等东亚古国与中国的经济文化交流还是较顺畅的。

金朝与东北亚地区的经济贸易，主要是买进东珠、貂鼠皮及各种土产。天德四年（1152 年），

> 买珠于乌古迪烈部及蒲与路，禁百姓私相贸易，仍调两路民夫，采珠一年。②

这种贸易，主要是为了满足金朝宫廷奢华生活的需要。

---

① 《辽史》卷25《道宗纪五》，中华书局1974年版，第300页。
② 《金史》卷5《海陵》，第99页。

第二节　辽金时期与北亚外高加索
地区的经济文化交流

　　与契丹辽朝建立的同时，在中国北方大漠迄至西伯利亚、高加索一带，仍居住着数目众多的游牧部落。在西起阿尔泰山，东迄贝加尔湖流域，囊括了现在内、外蒙古地区，甚至北至西伯利亚一带，广泛地分布着室韦—达怛系统的诸部落，他们不相统一，各自过着随水草畜牧的游牧生活。所以，辽太祖建国之初，便将打击的方向时不时地指向室韦—达怛诸部，使得当时的中央亚细亚地区成为刚刚兴起的契丹政权势在必争的战略重点。史称：

　　　　时小黄室韦不附，太祖以计降之。伐越兀及乌古、六奚、比沙狨诸部。①

室韦、于厥、乌古、突厥、党项、沙陀等蕃部，成为辽初致力征服的主要目标。天赞三年（924 年），

　　　　大举征吐浑、党项、阻卜等部。……九月丙申朔，次古回鹘城，勒石纪功。庚子，拜日于蹛林。丙午，遣骑攻阻卜。……是月，破胡母思山诸蕃部，次业得思山，以赤牛青马祭天地。回鹘霸里遣使来贡。②

此次战役，兵锋直指阿尔泰山，"六百余里且行且猎，日有鲜食，军士皆给"，基本上征服了漠南漠北的大部分地区。及辽太宗时，漠北的土拉河、鄂尔浑河、色楞格河和克鲁伦河流域，已尽在契丹势力的控制之下。会同三年（940 年），

　　　　以乌古之地水草丰美，命瓯昆石烈居之，益以海勒水之善地为农

---

① 《辽史》卷 1《太祖纪上》，中华书局 1974 年版，第 1 页。
② 《辽史》卷 2《太祖纪下》，中华书局 1974 年版，第 19—20 页。

田。三年，诏以谐里河、胪朐河近地，赐南院欧堇突吕、乙斯勃、北院温纳河剌三石烈人，以事耕种。①

胪朐河，又作胪朐儿河，即克鲁伦河。而今外蒙境内的色楞格河等三河流域则已成为辽朝的公主封地了。史称，

> 天显十一年（936年）秋七月辛卯，乌古来贡。壬辰，蒲割宁公主率三河乌古来朝。②

说明蒲割宁公主是以三河乌古部落的宗主身份朝觐太宗的。辽太宗会同三年（940）二月，

> 乌古遣使献伏鹿国俘，赐其部夷离堇旗鼓以旌其功。

证明此时乌古诸部已经臣属于契丹。会同九年（946年）七月，太宗诏令"以阻卜酋长曷剌为本部夷离堇"，辽朝的政令，在辽太宗时已推行到了漠北。所以，至辽圣宗统和年间，漠北诸部已经顺理成章地接受契丹政权的"条制"约束了。因此，

> 统和六年（988年）闰五月甲寅，乌隈于厥部以岁贡貂鼠、青鼠皮非土产，皆于他处贸易以献，乞改贡。诏自今止进牛马。③
>
> 开泰八年（1019年）七月癸亥，诏阻卜依旧岁贡马千七百，驼四百四十，貂鼠皮万，青鼠皮二万五千。④

随着漠北区域被一步步地划入契丹版图，双方严重对立的状态也发生了彻底

---

① 《辽史》卷59《食货志上》，中华书局1974年版，第924页。
② 《辽史》卷3《太宗纪上》，中华书局1974年版，第38页。
③ 《辽史》卷12《圣宗纪三》，中华书局1974年版，第130页。
④ 《辽史》卷16《圣宗纪七》，中华书局1974年版，第186页。

的改变。

> 统和二十二年（1004 年）八月庚申，阻卜酋铁刺里来朝。戊辰，
> 铁刺里求婚，不许。①

而此事，在《辽史·属国表》中则记载许其婚。

> 统和二十九年（1011 年）六月，置阻卜诸部节度使。②

不久，像阻卜、乌古、敌烈等漠北部落，便正式设置契丹官员进行管理了，契丹还经常遣使出巡岭表（即外兴安岭）。③ 在辽朝对漠北的严密控制之下，其"声"已远播中亚北部及其以北区域。

> 天显六年（931 年）春正月甲子，西南边将以慕化辖戛斯国人
> 来。④ 天禄二年（948 年）春正月，（王子）天德、萧翰、刘哥、盆都
> 等谋反。诛天德，杖萧翰，迁刘哥于边，罚盆都使辖戛斯国。⑤

从此，辖戛斯与辽朝经常保持经济文化往来。史称，太祖初元三年（909年）十月，

> 西北嗢娘改部族进辕车人。

嗢娘改，后亦写作"斡朗改国"，这是一个生活于叶尼塞河流域附近的游牧民族部落，并且已经与契丹辽朝建立起比较密切的经济文化联系。

---

① 《辽史》卷 14《圣宗纪五》，中华书局 1974 年版，第 159 页。
② 《辽史》卷 15《圣宗纪六》，中华书局 1974 年版，第 169 页。
③ 《辽史》卷 16《圣宗纪七》，太平四年四月有马世弘出使岭表事。中华书局 1974 年版，第 192页。
④ 《辽史》卷 3《太宗纪上》，中华书局 1974 年版，第 32 页。
⑤ 《辽史》卷 5《世宗纪》，中华书局 1974 年版，第 64 页。

应历十三年（963）五月壬戌，视斡朗改国所进花鹿生麚。①

至辽天祚时，斡朗改国仍与辽保持密切的通贡的关系。天庆三年（1113）六月

斡朗改国遣使来贡良犬。

在这种局面的影响和带动之下，11 世纪时，吐蕃及萌古（即蒙古）也与辽朝相继确立起"通贡"联系，

开泰七年（1018）闰四月戊午，吐蕃王并里尊奏，凡朝贡，乞假道夏国，（诏）从之。②

大康十年（1084）二月庚午朔，萌古国遣使来聘。三月戊申，远萌古国遣使来聘。③

这一切都说明，10—12 世纪初期的东亚、北亚地区已经与契丹辽朝确立起密切的经济文化交流关系，契丹辽文化也一直影响着这些地区民族历史文化的不断发展。

辽朝天祚帝被俘以后，耶律大石成为了漠北诸部的"宗主"，但客观地说，这种宗藩关系的确立，已不是像辽朝初年那样建立在武力征伐的基础上。耶律大石与漠北诸部的宗藩关系，更多的是建立在先进经济文化的长期潜移默化的过程中。因此，当耶律大石率部西征时，漠北游牧部落成为掩护或维护大石政权、抗击金军的主要力量。即使辽朝末年已经衰弱的乌古、敌烈部落，也与金朝采取了担卜合作的态度。1123 年，在女真政权调发力量戍守泰州以北地带时，乌虎里（即乌古）、迪烈底（即敌烈）面对大兵压境只好向金朝屈服，但三个月后，乌虎里等部旋即叛走。边疆局势的不稳，使

---

① 《辽史》卷6《穆宗纪上》，中华书局1974年版，第78页。
② 《辽史》卷16《圣宗纪》，中华书局1974年版，第183页。
③ 《辽史》卷24《道宗纪》，中华书局1974年版，第289页。

金初频繁用兵。1130 年，命耶律余睹等进军乌纳水流域，彻底征服乌古、敌烈部落，并将之迁徙到黑龙江流域。不久，又命宗翰出兵漠北，追击耶律大石，结果与漠北地区契丹留守力量进行三昼夜的激战，失败而还。

漠北诸游牧部落与金朝进行官方的大规模的榷场贸易，大约自金世宗时期（1161—1189 年）开始。史称，大定八年（1168 年）世宗遣使诏谕阻卜诸部，逐渐与漠北各部建立了宗藩关系。大定十二年（1172 年），阻卜入贡于金朝。但金代的阻卜已不是一个部落的名称，而是指活动于漠北的蒙古诸部。1175 年，地近西辽的粘八恩各部也与金朝建立了宗藩关系。1176 年，金朝置秃里官（即部族官），对吾都宛部进行管理。此后，粘八恩部首领撒里雅寅特斯、吾都宛部首领体土胡鲁雅里密斯相继入觐朝贡。1191 年，金章宗赐拖括里部羊 30 000 只、重币 500 端、绢 2 000 匹，以救其饥乏。使金朝与漠北诸部的榷货贸易和文化交流活动，达到了鼎盛的局面。但这种局面，也仅仅维持了不到 20 年的时间，便随着南北方势力均衡局面的打破而走向终结。1196 年，金朝向广吉剌、汪古诸部发动猛烈的进攻，虽然使斜出等弱小部族降附了金朝，但也使金朝彻底丧失了对漠北的控制，被迫将防线向南收缩，与内附诸部的榷货地点也退缩到燕子城、北羊城、辖里尼要，即今河北省张北县至锡林郭勒盟太仆寺旗九连城淖尔一线。

第三节　辽金时期与中西亚的经济文化联系

契丹与当时中亚地区的回鹘、西域诸国也建立了密切的联系，并且有着不断遣使回鹘等地的记载流传下来。《辽史》称，

> 天显八年（933 年）六月甲子，回鹘阿萨兰来贡（即阿萨兰回鹘）。
>
> 天显十二年（937 年）冬十月庚辰朔，皇太后永宁节，晋及回鹘、燉煌诸国皆遣使来贺。壬午，诏回鹘使胡离只、阿剌保，问其风俗。丁亥，诸国使还，就遣蒲里骨皮室胡末里使其国（回鹘）。①

---

① 《辽史》卷 3《太宗纪上》，中华书局 1974 年版，第 35—41 页。

胡末里，《辽史》又写作"鹘末里"。此次奉使，大约经历了甘州、沙州回鹘部落，最后到达西域地区，始至阿萨兰回鹘。故胡末里往返近 3 年，方完成了使命。《辽史》称：会同三年（940 年）二月辛亥

> 墨离鹘末里使回鹘阿萨兰还，赐对衣劳之。

这大约也是辽朝对阿萨兰回鹘的第一次遣使。此后，辽朝对甘、沙诸州回鹘推行了羁縻统治，会同二年（939 年）

> 回鹘单于使人乞授官，诏第加刺史、县令。

及辽景宗时，

> 保宁三年（971 年）二月壬午，遣铎遏使阿萨兰回鹘。①
> 统和八年（990 年）二月丁未朔，于阗、回鹘各遣使来贡。六月，阿萨兰回鹘于越、达刺干各遣使来贡。②
> 统和十四年（996 年）十一月，回鹘阿萨兰遣使为子求婚，不许。③
> 重熙二十二年（1053 年）二月丙子，回鹘阿萨兰为邻国所侵，遣使求援。④

同时，甘州、沙州回鹘及归义军政权也纷纷奉辽为宗主，与辽保持密切的往来。辽朝置"互市"于高昌，设立了回图务。

> 会同三年（940 年）正月，回鹘使乞观诸国使朝见礼，从之。五月

---

① 《辽史》卷 8《景宗纪上》，中华书局 1974 年版，第 91 页。
② 《辽史》卷 13《圣宗纪四》，中华书局 1974 年版，第 139 页。
③ 《辽史》卷 13《圣宗纪四》，中华书局 1974 年版，第 148 页。
④ 《辽史》卷 20《兴宗纪三》，中华书局 1974 年版，第 245 页。

庚午，以端午宴群臣及诸国使，命回鹘、燉煌二使作本俗舞，俾诸使观之。①

统和十九年（1001 年）正月甲申，回鹘进梵僧名医。②

开泰八年（1019 年）正月，封沙州节度使曹顺为燉煌郡王。③

册封曹顺（即曹贤顺，《辽史》避讳"贤"，故去之）的使人，就是辽朝的汉人望族韩橁，韩氏因在官犯罪，

遂以笞刑断之，仍不削夺在身官告，念勋旧也。明年奉使沙州，册主帅曹恭顺为燉煌王④。

恭，亦是贤字避讳的转写。开泰九年（1020 年）辽朝所遣使人还自沙州，史称，

十月，郎君老使沙州还，诏释宿累。国家旧使远国，多用犯徒罪而有才略者，使还，即除其罪。⑤

看来，辽朝对于沙州（敦煌）的重视程度，不亚于对阿萨兰回鹘的注重，双方间的关系，不仅在于经济文化交流，还在于经济文化建设的互补。咸雍三年（1067 年）

十一月壬辰，夏国遣使进回鹘僧、金佛、梵觉经。⑥

关于契丹与诸国的联系，主要的是由于丝绸之路的影响而建立起来的。

---

① 《辽史》卷 4《太宗纪下》，中华书局 1974 年版，第 47—48 页。
② 《辽史》卷 14《圣宗纪五》，中华书局 1974 年版，第 156 页。
③ 《辽史》卷 16《圣宗纪七》，中华书局 1974 年版，第 185 页。
④ 《辽代石刻文编》，兴宗编：《韩橁墓志铭》，河北教育出版社 1995 年版，第 203—210 页。
⑤ 《辽代石刻文编》，兴宗编：《韩橁墓志铭》，河北教育出版社 1995 年版，第 203—210 页。
⑥ 《辽史》卷 22《道宗纪二》，中华书局 1974 年版，第 267 页。

契丹与西亚的联系，主要是通过当时立国中亚和西亚的萨曼王朝与伽色尼王朝来实现的。史言天赞二年（923 年），"波斯国来贡（于契丹）"，次年"大食国来贡（于契丹）"。所谓波斯国，即伊朗古代的萨曼王朝；大食，即阿拉伯古代的伽色尼王朝。史称，

> 　　统和二十四年（1006 年）八月，沙州燉煌王曹寿（即曹贤寿）遣使进大食国马及美玉，以对衣、银器等物赐之。①

自此，大食国逐渐建立了与契丹的联系。

> 　　开泰九年（1020 年）十月壬寅，大食国遣使进象及方物，为子册割请婚。
> 　　太平元年（1021 年）三月，大食国王复遣使请婚，封王子班郎君胡思里女可老为公主，嫁之。

此时，辽朝与中亚、西亚建立了顺畅的联系，使契丹辽文化也远播于中亚地区，加之后来的西辽在中亚地区的历史活动，使契丹辽文化在中亚、西亚得到了迅速的传播。即使在辽朝灭亡之后，阿拉伯史学家及欧洲史籍中也都一直以"契丹"来称呼中国。

契丹同中亚、西亚、东亚各地区及民族政权、部落社会的经济文化交往，采取"近则治（制）之，远则羁縻"的办法，不断地扩大版图。即使在圣宗以后进入了封建化的过程中，也仍然保持着契丹和其他诸族属部落组织的基本形态，使部落社会的畜牧业经济在辽朝的社会发展中不绝如缕地保持下来，为中国古代的经济发展创造了农牧兼济的新样板。这种形式不但更有利于民族的融合，也有利于古代诸地区之间经济发展程度的调整和改善，有利于打破南北方地区之间经济发展不平衡的局面，从而形成一个更大范围、更大幅度的南北方人口融合发展的趋势。畜牧经济的突出特征在于重视商业和商品的流通，农业经济的主要特征在于自给自足，这既形象地描绘了

---

① 《辽史》卷 14《圣宗纪》，中华书局 1974 年版，第 162 页。

公元 10—12 世纪中国南北方社会的发展现象，也突出地体现了契丹辽朝在推进民族融合过程中的独到的历史作用，那就是南北兼济体制的实行。因此，契丹辽朝在"近则治之，远则羁縻"的策略下，有效地提高了自身的威望，扩大了自身在国际间的影响，使得契丹辽朝统治的腹地（即契丹本土）成为当时东亚与中亚、西亚及欧洲、非洲经济文化交流的一个相当重要的枢纽。

金朝时期与古代中亚、西亚地区的联系，则远不如契丹辽朝时期那样密切，这是由于耶律大石建立的西辽政权所发挥的阻断作用，致使金朝与中亚、西亚地区的联系也几乎被完全中断，甚至与漠北地区的交流也受到很大的影响。虽然《金史》太宗纪中有：天会三年（1125 年）"谟葛失来附"，天会五年（1127 年）"回鹘喝里可汗遣使入贡"、"沙州回鹘活剌散可汗遣使入贡"，天会九年（1131 年）"回鹘隈欲遣使入贡"和"和州回鹘执耶律大石之党撒八、迪里、突迭来献"等记录，但大部分都是对辽朝通贡贸易关系的惯性作用的沿袭，随着天会九年（1131 年）耶律大石在中亚统治秩序的确立，《金史》中便再也找不到与西域以西地区有任何"贡使贸易"的记载。金朝与回鹘人的经济文化交流也仅能抵达河西走廊北部的沙州回鹘，如《金史》熙宗纪与世宗纪中，关于回鹘"来贡"或"贡献"的记录，均指沙州回鹘而言。

第 十 七 章

契丹辽朝史料整理与研究

第一节　从舍利到帝王：阿保机"化家为国"的历史背景与时代内涵

随着世选习惯的确立，契丹社会内部特殊的贵族家庭也因此形成。这在《辽史》关于契丹社会早期"三耶律"、"二审密"的相关记载中①已隐约地透露出相关信息。其后，在世选制盛行的历史年代中，则赫然昭示着部落贵族阶层的存在，并且，契丹贵族已经成为统治全体部落的主人。只不过，一般的贵族家庭，都是由有着共同血亲联系构成的相当庞大的家族式大家庭。在契丹人早期的历史活动中，不但贵族自身享受着部民的普遍尊敬，即使贵族子弟也拥有不同于普通部民的优越地位。在契丹社会中，凡贵族子弟均拥有"舍利"的尊称。舍利，意即郎君。耶律阿保机就出身于契丹社会的大贵族家庭，同样拥有着"舍利"的称号。自他参与管理契丹部落事务始，地位便不断上升，由众多的"舍利"中脱颖而出。最初被擢任为"挞马狘沙里"，《辽史》称："挞马，人从也，沙里，郎君也。"即管理众人之官。②沙里，即舍利的异写。由于耶律阿保机在担任这一职务时，功绩卓著，所以

---

① 《辽史》卷32《营卫志·部族上》，中华书局1974年版，第381页。
② 《辽史》卷末《国语解》，中华书局1974年版，第1534页。

被部民尊称为"阿主沙里",《国语解》谓：契丹语"阿主，父祖称"。即众舍利之尊，是无与伦比的大舍利。自此阿保机开始一步步地走上了契丹社会政治的前台，发展成为契丹社会的主宰者。本节欲揭示阿保机在由舍利至帝王的发展过程中几个尤应重视的问题。

一、特殊的部落结构与部落组织的变迁

在耶律阿保机建立政权之前，契丹社会耶律大姓已有三支，即大贺氏家族、遥辇氏家族和世里氏家族。前两支家族曾经或已经是契丹部落最高权力的拥有者。大贺氏家族，在公元 8 世纪之前，曾建立了显赫的大贺氏联盟，因反叛唐朝而遭到削弱；遥辇氏家族，自公元 8 世纪初，在世里氏家族的支持下，确立了遥辇氏汗国的统治形态，既是对大贺氏组织形态的继承，也是对契丹组织机构的发展。史称，大贺氏有八部，大帅曲据与契丹首领窟哥两部别出，实际为十部。无独有偶，当 8 世纪初，"辽始祖涅里立迪辇祖里为阻午可汗"时，"即故有族众分为八部。涅里所统迭剌部自为别部，不与其列。并遥辇、迭剌亦十部也"。① 也就是说，大贺氏家族及遥辇氏家族先后确立的契丹社会组织机构中，总有两支部众特立独行地别出于部落组织机构之外，这两支部落的统治家族掌握着部落社会的绝对领导权。

所谓"辽始祖涅里"，又写作雅里，即耶律阿保机八世祖，是世里氏家族在契丹社会中拥有特殊地位的实际缔造者。史称："涅里相阻午可汗，分三耶律为七，二审密为五，并前八部为二十部。"析分部落又如何呢？"大贺、遥辇析为六，而世里合为一，兹所以迭剌部终遥辇之世，强不可制云"。② 雅里在帮助阻午可汗治理契丹部落事务时，其中最重要的内容就是确立了世选习惯，核心内容是遥辇氏享有世选契丹可汗的特权，世里氏则享有世选契丹部落最高军事首领——夷离堇的特权，其他显贵家族则只能分享部落组织机构或其他诸部的各种权力，如南、北府宰相，阿扎割只，刺史，县令等。这种统治制度或统治方式，自 8 世纪初一直延续下来，到九世纪中叶以后，契丹社会中已经培植和出现了一批显赫的家族。这些家族，在契丹

---

① 《辽史》卷 32 《营卫志·部族上》，中华书局 1974 年版，第 380 页。
② 《辽史》卷 32 《营卫志·部族上》，中华书局 1974 年版，第 381 页。

部落社会正负两面的作用也日益凸现。

　　大约从辽太祖的祖辈和父辈起，连绵不断的部落战争，征服了周围的一些部落，俘获了大量的人口、畜产和财物，使军事首长（即夷离堇）的地位和权力不断提高，私有观念及其形态急剧膨胀，如：辽德祖撒刺的曾俘获奚人七千户，成为世里氏家族的财产，903 年编为奚迭刺部，纳入迭刺部的组织程序内①，析分为十三个县，正式成为家族的附庸。于越释鲁在位时，也曾将自己俘获的党项、吐浑人口迁入契丹腹地，置城以居，从事牧业生产，编入世里氏家族的附庸系列②。世里氏家族拥有日益显赫的权势、威望和巨大的利益，不可避免地产生了权力的争夺或基此之上的残酷仇杀。9 世纪末，辽太祖的祖父匀德实在位时，发生了"部人"狠德争夺夷离堇的血案③。10 世纪初，又发生了其他家族勾结杀害于越释鲁的事实。内部争斗的血雨腥风，使原有部落组织程序荡然无存。军事首长权力的加强使契丹可汗（或遥辇氏汗权）日渐变得徒具其表。部落社会残存的原始的平均观念，也越来越被新兴的独立个体家庭观念为主的私有制观念所取代，集权制的社会组织形式已经处于呼之欲出的预备阶段。

二、大家族的家庭形式与独立的个体家庭意识的形成

　　从《辽史·皇子表》所反映的实际内容来看，自辽太祖五世祖耨里思始，世里氏家庭享有的世选夷里堇的权力，仍然是所有家族成员中共享的，"合族而处"的大家族形态较为普遍。虽然个体小家庭的形态，在 9 世纪中叶后的契丹社会中已经存在，但并未能发挥重要的作用。

　　契丹内部的频繁冲突，始自 9 世纪中叶回鹘汗国灭亡后，当时，辽太祖阿保机的祖辈和父辈们，对周边部族发动了一次又一次的战争，拓展了生存空间，俘获了大量人口畜产，攫取了巨大的家族利益。也正是这种私有观念的刺激，伴随着契丹社会事实上已经存在的深刻变革，显贵家族之间以及显贵家族内部家庭之间展开了疯狂的权力和利益的争夺，导致了大家族形态向

---

　　① 《辽史》卷 1《太祖纪》卷 33《营卫志·部族下》，中华书局 1974 年版，第 2 页。

　　② 《辽史》卷 37《地理志一·越王城》，中华书局 1974 年版，第 443 页。

　　③ 《辽史》卷 71《后妃传·简献皇后》，中华书局 1974 年版，第 1198 页。

小家庭形式的过渡。世选的权力也越来越多地掌握在少数家族成员的手中，如辽太祖耶律阿保机的四世祖萨剌德的次子帖剌，就曾经九任契丹夷离堇；辽太祖的伯父岩木，也曾三为夷离堇。① 社会权力的日益集中和个别家庭对全体家族利益的日趋垄断，造成了许多兄弟阋墙的残酷争夺。辽太祖的祖父匀德实（追谥为玄祖）在位时，由于同遥辇氏等显贵家族之间不可调和的矛盾，最终爆发了"狼德之乱"，匀德实被杀，其妻月理朵只好携带四个儿子逃入部人耶律台押家以避难。强大的世里氏家族有着若干的个体家庭，唯有匀德实家罹此大难，也很能说明契丹社会内部大家庭（家族）向小家庭形式过渡的鲜明事实。

据《辽史》卷75，耶律铎臻传："祖蒲古只，遥辇氏时再为本部夷离堇。耶律狼德等既害玄祖，暴横益肆。蒲古只以计诱其党，悉诛夷之。"② 此蒲古只，即是前述帖剌，为匀德实次兄，此言"再任"，指其第二次担任此职之际，发生了"狼德之乱"，但匀德实遇害，最初对帖剌似乎没有任何触动，只是当乱党"暴横益肆"（对世里氏斩草除根）时，才一举消灭了乱党。此后他又七任夷离堇之职，成为匀德实之后世里氏家族中新的强有力人物，证明了争夺是朝着有利于个体小家庭的方向发展着。

此后，世里氏家族中世选夷离堇的特权，在阿保机夺取汗位之前，便由帖剌与匀德实的子孙共享，其他家庭（或房系）的后代则无权参与。帖剌有三子：罨古只、辖底、偶思，均曾出任夷离堇。匀德实四子中，除长子早卒情况不明外，次子岩木、三子释鲁、季子撒剌的（追谥德祖）都曾出任或多次出任此职。帖剌及匀德实子辈中的这六个人，均是耶律阿保机继任夷离堇职任前的重要历史人物，而且，辖底、偶思二人及其子辈迭里特、曷鲁、觌烈、羽之等人，还有释鲁之子滑哥、绾思及岩木之子胡古只、末掇、楚不鲁等人，均曾出任过夷离堇的职务，说明世选的权力虽然已经自大家族向小家庭的方面转化，但仍然是一种无序的继承方式，游移于几个特殊的小家庭之间，原始的大家族式的家庭已经解体。这种无序的传续方式，在深刻的社会变革之中，不可避免地会上演一幕又一幕的悲剧。悲剧的形成，就在于部落社会的权力（也就是利益）的

---

① 《辽史》卷64《皇子表》，中华书局1974年版，第962—963页。
② 《辽史》卷75《耶律铎臻传》，第1239页。

诱惑，只不过，当契丹国家形成的前夜，契丹部落内部冲突的范围日益扩大，而冲突的核心则聚集到了世里氏家族中的个别家庭间进行。

《辽史》中记载的耶律辖底抢夺夷离堇职务事件及耶律释鲁遭暗杀事件，这两次在契丹社会发生极大震动的重要事件，都同时发生在遥辇氏痕德堇可汗即位那一年。唐昭宗天复元年（公元901年），"遥辇痕德堇可汗时，（辖底）异母兄岩古只为迭剌部夷离堇。故事，为夷离堇者，得行再生礼。岩古只方就帐易服，辖底遂取红袍、貂蝉冠，乘白马而出。乃令党人大呼曰：'夷离堇出矣！'众皆罗拜，因行柴册礼，自立为夷离堇。与于越耶律释鲁同知国政"。① 辖底之父，即是曾九任夷离堇的帖剌。这种发生于家族内部个体家庭间的权力争夺，说明世选习惯已经不再具有初始阶段的公正公允的特征。这种公开的权力夺取方式，使痕德堇可汗听之任之毫无办法，说明汗权已徒具其表，世里氏已经掌握了契丹社会的绝对权力。辖底事件后不久，又发生了滑哥勾结蒲古只、萧台晒等三族刺杀于越释鲁的事件。滑哥为释鲁之子，史称这种弑父的行为仅是为了对一名女子的争夺。其实，这不过是导火索，真正的原因还是权力和地位的诱惑，也是辖底事件的翻版。据说，释鲁生前曾对阿保机说："儿犹龙，吾有蛇也。"将创就大业的寄托放到了阿保机的肩上。因此，释鲁事件的发生，可能也是针对阿保机的。

总之，契丹社会的血雨腥风，急切地呼唤英雄出现，拯救民生，制止内乱。刚刚崭露头角的耶律阿保机，便适逢机遇充当了契丹社会企盼的创世英雄，使契丹社会发展从一个阶段进入到了另一个阶段。

三、特定的时代背景和历史的机遇

8世纪初期，刚刚组建的遥辇氏行国组织机构，很快成为了当时草原霸主——突厥汗国及其后回鹘汗国的附庸。在突厥汗国及回鹘汗国与唐王朝对峙的过程中，契丹同唐王朝及其地方州郡之间爆发了多次大规模的战争，契丹社会分别受到了来自北南两方面的政治和军事压力，迫使刚刚确立的遥辇氏政权不得不忙于分别对汗国和唐朝乞和。但是，契丹势力的发展也是一个不容置疑的事实，此时的营州已基本为契丹所控制，唐朝在东北地区的实际

---

① 《辽史》卷112《耶律辖底传》，中华书局1974年版，第1498页。

控制区域已收缩至平州以西。8世纪中叶，"安史之乱"的爆发，使唐朝彻底放弃了对东北地区的经营。其后，幽州藩镇虽曾多次用兵于契丹，但防守甚于进攻，契丹来自南面中原政权的压力顿时减轻，基本进入了一个相对安定的休养生息阶段。9世纪中叶，回鹘汗国的崩溃，使北方大漠草原又陷入了政治"真空"的状态。此时，唐王朝军政实力曾经出现的短暂强盛，也因为藩镇割据的阻碍无力制约北方草原地区，更无法恢复对草原诸部的控制。这样，就为北方草原地区重新统一创造了历史的机遇。

回鹘汗国破灭后，伴随唐王朝忙于内乱，大漠南北主要汇聚了三种力量的渗透，他们在回鹘人西撤和黠戛斯人北退后，相继向蒙古高原地区发展。这就是：室韦—达怛人自外兴安岭向克鲁伦河流域直至杭爱山地区的大规模迁徙，至10世纪初已经基本控制了漠北草原，使阴山以北的辽阔区域成为室韦—达怛人繁息生居之地，其中的黑车子室韦部落甚至已进入阴山以东的漠南草原地区。契丹人则自兴安岭以南向阴山及燕山地带发展，活动范围已深入到内蒙古高原的东南部，并不时穿越兴安岭向北进攻。与此同时，一支由突厥遗族混合其他部族人口而成的沙陀部落，也从今新疆的东部不断向漠南迁徙，至9世纪末已经和党项、吐浑部落等一起定居于阴山以南至今山西北部一带，占据了漠南地区，并在9世纪末，帮助唐朝镇压"黄巢起义"的战争中发展壮大，成为了当时北方游牧部族中一支崭新的政治力量。

在三支力量的对比中，室韦—达怛人最弱，他们还处于"不相总一"的分散发展阶段，虽占据了漠北草原，但尚无力参与草原霸主地位的争夺。契丹人虽已经开始向周围扩张，但契丹社会内部频繁的武力冲突，致使其最终落后于沙陀人，而失去了占据漠南或漠北的机遇。沙陀人则很快占据了漠南及河东地区，并积极地卷入了中原角逐之中，10世纪初在黄河流域建立了后唐、后晋、后汉、后周四个相继嬗替的割据政权，并且，在军阀角逐的激烈争斗中无力北顾。这样，草原霸主的地位，才重新回落到契丹和室韦—达怛人的掌控中。

四、宗教也是手段　阿保机对契丹传统的继承与发展

在遥辇氏汗国时期，阻午可汗等制定的礼仪制度，都与契丹人崇奉的原始宗教信仰暗合，巫觋阶层分布于契丹社会生活的各个层面，他们假借神的启示和帮助，承担起祛病治疾、驱鬼伏魔的责任，成为解决人间疾苦的最有效的手段。

在耶律阿保机就任契丹大汗的前前后后，曾经发生过一些与原始巫教有关的事情。据《耶律曷鲁传》记载，曷鲁以天命、人事、君主遗命劝阿保机即汗位，阿保机询以天命，曷鲁以"闻于越之生也，神光属天，异香盈幄。梦受神诲，龙锡金佩"来回答。所谓"神光"和"异香"两件事俱载《太祖纪》中，唯后一件事需作剖析。查"龙锡金佩"，《辽史》国语解云："太祖从兄铎骨札以本帐下蛇鸣，命知蛇语者神速解之，知蛇谓穴傍树中有金，往取之，果得金，以为带，名'龙锡金'。"结合"梦受神诲"来领会，获龙锡金的人是阿保机，而不是铎骨札。因为，阿保机已在梦中得到了神的启示，命知蛇语者神速姑破解蛇鸣的意思（即神示），获得了龙锡金，表示阿保机已经受到了神人的眷佑。那么，神速姑又是何许人？同书《国语解》云："神速姑，宗室人名，能知蛇语。"能知蛇语，又能帮助阿保机完成与神沟通的职责，说明神速姑正是一位契丹大巫。由于巫觋阶层的帮助，充分完成了人事方面的准备后，利用巫觋的神事职能，遏制了部民社会顽固保守的心态，打破了固有的世选习惯的格局，剥夺了遥辇氏的汗权。

阿保机于907年即契丹汗位，908年，任命皇弟剌葛为惕隐，督理皇族事务，试图整理皇族内部的混乱局面。同时，立明王楼，建纪功碑，大肆张扬宗教手段的神事职能。911年，诸弟因汗位世选问题，与阿保机发生冲突，阿保机只好依故俗，"与诸弟登山刑牲，告天地为誓"。912—913年，诸弟剌葛等人夺取大汗神帐，焚毁阿保机的行宫，展开了对汗位的公开争夺。参与这次武力争夺的主要人物都是世里氏家族成员，包括阿保机的母亲宣简皇太后萧氏、妹妹余卢睹姑、养子涅离衮和契丹大巫神速姑等。据新旧《五代史》记载，这次武力冲突事件，因阿保机拒不受代引起，这是颇中肯綮的记录。汗权的争夺，仍然是世里氏家族内部个体家庭间对世选权力争斗的延续。神速姑曾经是耶律阿保机夺取汗位过程中的有力支持者，几年之后，拥护者变成了敌人，既有社会变化因素的影响，也存在着传统因素的作用。笔者曾将神速姑与成吉思汗时的阔阔出（即贴卜·腾格里）作过简单的比较，以为游牧民族的历史也存在着惊人的相似性①。但是，毕竟神速姑的倒戈，标志着契丹社会原始宗教手段对于阿保机建国的支持作用，有着戛然而止的危险。因此，家族事务及谋取宗教手段的资助作用，这些问题该如何处理，成为阿保机建国路途上亟须解决的重大问题。

耶律阿保机在平息反叛过程中，一方面最大限度地剥夺了对垒阵营中贵族的权力，如：三弟迭剌的军队被解散分隶于阿保机的军事组织中；籍没叛乱者的资产与人口；对从叛者进行了严厉彻底的惩治。一方面，多次利用燔柴告天，凝结部属意志，借宗教的手段，大造舆论，并亲自巡视祖先奇首的遗迹，"徘徊顾瞻而兴叹"。嗣后，祠木叶山，建开皇殿，又因"君基太一神数见，诏图其像"。君基太一，本天体星宿，其数有五，总名为太一，君基为其一。君基太一神，传说五福神之一，尤为契丹所崇敬。残酷的战争之后，福神竟然降临人间，又被亲见并绘像传世，这个消息昭告于契丹社会的结果，无疑使阿保机成为"天命攸归"的真主。宗教的神奇，有时也正在于能将人为的谎骗化作引导众人的工具。因而，顺理成章，916 年，在龙化州，筑坛行柴册大典。筑坛过程中掘出了金铃，这是巫觋至上的法器；这种法器的出现，标志着阿保机获得了与天地沟通的工具，成为集大汗和大巫于一体的新君主。因此，阿保机宣布称皇帝，尊号为大圣大明天皇帝。所掘得的金铃，被建阁收藏，奉为神物。年号"神册"，意义就在于秉天命而立的神事功能的张扬。《辽史·太祖纪》中处处弥漫着原始巫教的色彩，天赞三年（924 年），阿保机发布的谕皇后皇太子大元帅及二宰相诸部头等诏，就完全是一派似人似神的乱语，隐含了一种冥冥之中的神人的光辉。阿保机死后，墓前的明殿，成为他自阴间与嗣君沟通的圣殿，说明原始宗教的作用已发挥到了极致。

阿保机利用宗教手段来维护和巩固政权的同时，最主要的是抛开了来自神速姑的支持与束缚，演绎成了汗权与神权的结合。

五、耶律阿保机"化家为国"的历史内涵

耶律阿保机生活在世里氏家族"变难多故"的动荡时代。世里氏家族

---

① 任爱君：《神速姑暨原始宗教对契丹建国的影响》，《北方文物》2002 年第 3 期。

的动荡，正是契丹社会动荡变迁的缩影，构成了契丹社会动荡的核心。901年，阿保机凭世选习惯，成为契丹部落夷离堇，手中掌控着军权，成为遥辇氏最后一代可汗——痕德堇可汗最有实力的辅臣。903年，加封为于越、总知军国事。总知军国事的意义，犹如中原史料习见的"总百揆"的权臣（即相当于摄政王）。说明传统世选格局中的汗权职能已经包容到了夷离堇的权限之中。906年，痕德堇可汗病殁，遗命阿保机即汗位。907年，耶律阿保机成为打破世选传统的契丹大汗。

在契丹汗权从遥辇氏家族转换到世里氏家族的过程中，人事与神事发挥了同等重要的作用，二者缺一不可。契丹汗权转换的过程是相当艰难的。太祖出任夷离堇时，耶律曷鲁"常佩刀从太祖，以备不虞"，"太祖为于越，秉国政，欲命曷鲁为迭剌部夷离堇，（曷鲁）辞曰：'贼在君侧，未敢远去'"。① 及即契丹汗位后，"属籍比局萌觊觎，而遥辇故族尤觖望"②。形势十分严峻。阿保机依契丹故俗，举行隆重的柴册、再生仪，"燔柴告天"，即汗位于龙化州之奇首可汗故壤。一方面利用宗教手段，晓谕部民，因"君臣之分乱，纪纲之统毁"，已不适应新的变迁和发展的需要，自己是秉天命而立的契丹大汗，以消弭部众的逆反心理，凭神事的力量来达到人事的目的。一方面，也积极地运用人事的手段弥缝已经到手的汗权，"始置腹心部，选诸部豪健二千余充之"，加强了个人的卫队。同时，不忘安慰旧族，所谓"辽太祖有帝王之度者三，代遥辇氏，尊九帐于御营之上，一也"。这是一种明显地对于契丹故俗（即传统）的保留和继承。所以，《太祖纪》称，"诏皇族承遥辇氏九帐为第十帐"，即保留了遥辇汗族的地位并给予了部分特权。

耶律阿保机即契丹汗位后，"属籍比局萌觊觎"，就是说汗权完成了从遥辇氏向世里氏的转换后，大家族内部小家庭间的争夺重新泛滥。因为，世选格局虽然打破，世选习惯仍然保留，家族成员都有争取世选的权力。"属籍"，即指皇族，是世里氏大家族。"比局"，即接踵而至，一个跟一个的都泛起了新的欲望。"萌觊觎"，即萌生了窥探汗位的暗想。如：耶律辖底对

---

① 《辽史》卷73《耶律曷鲁传》，中华书局1974年版，第1220页。
② 《辽史》卷73《耶律海里传》，中华书局1974年版，第1227页。

阿保机所说的那样：最初不知道天子的尊贵，所以没有非分之想；及见陛下即位，卫从甚严，与凡庶截然不同，曾因奏事之时心动企羡，于是有了窥觊大位的想法。①　就是说，矛盾与斗争的焦点，在世里氏与遥辇氏的抗衡瓦解后，重新回聚到世里氏家族内部。

916 年，立长子耶律倍为皇太子，标志世选的资格已从世里氏家族（即皇族）的共同享有浓缩到了个体家庭，即阿保机的家庭，剥夺了其他个体家庭世选资格，这是社会发展的必然结果。所谓辽太祖"有英雄之智者三：任国舅以耦皇族，崇乙室以抗奚王，列二院以制遥辇"，其中两条，均与迭剌部的划分相关。迭剌部，即世里氏家族及其聚集的人口集团，因此，迭剌部的划分，便是世里氏家族的划分。所谓二院，又称二院部，指五院部和六院部（部又称司）。922 年，辽太祖将迭剌部一分为二，规定：肃祖（三世祖）长子洽眘之族隶五院司，三子葛剌、四子洽礼及懿祖（二世祖）二子帖剌、四子裹古直之族隶六院司，称两院皇族；玄祖（一世祖）二子岩木之后称孟父房，三子释鲁之后称仲父房，四子撒剌的（即德祖，太祖之父）之后称季父房；而季父房中，辽太祖一房又别出称横帐，此一帐三房统谓之四帐皇族，也是真正的皇族，它们与国舅相耦即世代通婚。而二院相分则用以约制已经失势的遥辇氏，可以说，对迭剌部的划分，蕴涵了一定的政治内涵和等级序列。但从耶律曷鲁、耶律辖底这两个正反面人物共同建议太祖析分迭剌部以绝动乱之源的建议来看，所谓二院皇族及横帐、三父房的析分，标志着契丹社会以法令的形式，将原始大家族式家庭完全予以分化瓦解，彻底确立以个体家庭为社会的基本单元。这种家庭形式的过渡与集权化政体的形成紧密结合。因此，《辽史》称太祖的建国过程为"化家为国"，其源概出于此。

第二节　契丹"盐池宴"、"诸弟之乱"与夷离堇任期问题

契丹辽朝前期的历史发展，因史料系统的缺陷而导致认识程度的模糊，

---

①　《辽史》卷 112《耶律辖底传》，中华书局 1974 年版，第 1498 页。

是导致当前学界对一些基本史料认识仍存在分歧的主要原因；有鉴于此，本节试图对契丹辽朝初期的"盐池宴"等一些基本史实，阐幽引微，匡讹纠谬。

一、南、北史料关于"盐池宴"与"诸弟之乱"的记载

所谓"盐池宴"，即阿保机创立契丹政权之际，对内部反对势力所采取的镇压策略。学界的认识观点颇多，但专门论述此问题者仅肖爱民先生一人，并对研究状况作了具体回顾①，介绍了目前存在的五种观点，即舒焚先生认为"盐池宴"不是历史事实，华山、费国庆先生认为纯系中原地区的谣传，蔡美彪先生认为应与"诸弟之乱"事件相关，岛田正郎认为纯系辽朝的润色与加工，还有学者认为反映了辽太祖用暴力夺取政权的形式②。但他们又都没有对此进行专门的分析与论证。故本文谨就"盐池宴"的内容、性质等方面作些附丽之谈。

（一）中原史料关于"盐池宴"的记载与分析

"盐池宴"的记载，主要见于《新五代史》，但其史源，则来自五代时期的史料描述。

> 《汉高祖实录》《唐余录》皆曰："僖、昭之际，其王邪律阿保机怙强恃勇，拒诸族不受代，自号天皇王。后诸族邀之，请用旧制。保机不得已，传旗鼓，且曰：'我为长九年，所得汉人颇众，欲以古汉城领本族，率汉人守之，自为一部。'诸族诺之。俄设策复并诸族，僭称皇帝，土地日广"。③

---

① 所谓"盐池宴"的提法，乃肖爱民所提出，本文谨沿用此称呼；肖爱民：《耶律阿保机"盐池宴"考辨》，《北方文物》2003 年第 4 期，第 53—37 页。

② 舒焚：《辽史稿》，湖北人民出版社 1984 年版，第 125 页；华山、费国庆：《阿保机建国前契丹社会初探》，转引自华山：《宋史论集》，齐鲁书社 1982 年版，第 276—295 页；蔡美彪：《契丹的部落组织和国家的产生》，转引自孙进己等主编：《北方史地资料之四》，《契丹史论著汇编》上册，辽宁省社会科学院历史研究所，1988 年 6 月，第 965—994 页；［日］岛田正郎：《辽代社会史研究》，三和书房，1952 年（昭和27 年），第 14—15 页；白寿彝总主编、陈振主编：《中国通史》第 7 卷《中古时代——五代辽宋夏金时期》（下），上海人民出版社 1989 年版，第 1243 页；并参见前揭肖爱民文章。

③ 《资治通鉴》卷 266《后梁纪一》，太祖开平元年五月条，引《考异》注，中华书局 1956 年版，第 8677 页。

贾纬《备史》云："武皇会保机故云州城，结以兄弟之好。时列兵相去五里，使人马上持盂往来，以展酬酢之礼。保机喜，谓武皇曰：'我蕃中酋长，旧法三年则罢，若他日见公，复相礼否？'武皇曰：'我受朝命镇太原，亦有迁移之制，但不受代则可，何忧罢乎！'保机由此用其教，不受诸族之代"。①

所谓"僖昭之际"，即唐僖宗至唐昭宗时期（873—904 年），但这个时间与《辽史》记载的 907 年为阿保机夺取汗位、916 年自称契丹皇帝的时间，存在二三十年的差距。故《唐余录》等之记载，在史料真实性上就存在疑问。但是，应说明的是，上引《唐余录》等史料，皆属当时官、私修史书之一，所记契丹史事，虽因原书已佚、史源不清，但这也不能直接否定其史学价值，只能对其史料渊源详细斟酌。那么，《新五代史》关于"盐池宴"的记载又如何？它怎样利用了五代时期的历史记载呢？《新五代史》的相关记录如下：

阿保机乘间入塞，攻陷城邑，俘其人民，依唐州县置城以居之。汉人教阿保机曰："中国之王无代立者。"由是阿保机益以威制诸部而不肯代。其立九年，诸部以其久不代，共责诮之。阿保机不得已，传其旗鼓，而谓诸部曰："吾立九年，所得汉人多矣，吾欲自为一部以治汉城，可乎？"诸部许之。汉城在炭山东南滦河上，有盐铁之利，乃后魏滑盐县也。其地可植五谷，阿保机率汉人耕种，为治城郭邑屋廛市如幽州制度，汉人安之，不复思归。阿保机知众可用，用其妻述律策，使人告诸部大人曰："我有盐池，诸部所食。然诸部知食盐之利，而不知盐有主人，可乎？当来犒我。"诸部以为然，共以牛酒会盐池。阿保机伏兵其旁，酒酣伏发，尽杀诸部大人，遂立，不复代。②

---

① 《资治通鉴》卷266《后梁纪一》，太祖开平元年五月条，第8677页。

② 《新五代史》卷72《四夷附录第一·契丹》，中华书局1974年版，第886—887页。同时于此应加以说明的是：后来的许多史书也都沿用了如此意义的描述，此不重录。

欧氏《新五代史》"四夷附录"对五代史料的承袭之迹十分明显，五代史料确属欧氏"契丹传"的主要史源。而欧氏关于"盐池宴"记录的要点，就在于：阿保机"九年不肯代立"所牵涉的职务、契丹首领"三年任期"的选举方式、贵族社会关于代立与否的争论与争夺等；同时，还遗留如下疑问：即阿保机的代立者是谁？阿保机交出的"旗鼓"是可汗的仪仗，还是夷离堇的标志？阿保机"尽杀诸部大人"，是八部之长，还是与阿保机身份地位等同的部落贵族？这都是没有明确记载的缺憾。

五代史料的史源，已经无从搜索了。但从《新五代史》的记载来看，"盐池宴"已经成为耶律阿保机建立政权的重要步骤和直接手段，甚至是契丹君主政权建立的标志，那么，它就应该是契丹社会发展中的一项重大事件。而这样重大的事件，在《辽史》的相关记载中能够找到直接的对应材料吗？这还应结合契丹人的历史陈述作出探讨。

（二）《辽史》关于"诸弟之乱"的历史记录

契丹人关于辽朝政权创立过程发生事件的记录，即"诸弟之乱"；它始于太祖初元五年（911 年），大规模爆发于初元七年（913 年），基本平息于初元八年（914 年）。史称：

> ［五年］五月，皇弟剌葛、迭剌、寅底石、安端谋反。安端妻粘睦姑知之，以告，得实。上不忍加诛，乃与诸弟登山刑牲，告天地为誓而赦其罪。出剌葛为迭剌部夷离堇。①

所谓"不忍加诛"，其实别有隐情！诸弟的此次（也是首次）谋反，以次弟剌葛获得迭剌部夷离堇职务而结束，显示谋反的止息乃是因为权力的分配；初元六年（912 年）十月，再次"谋反"，次年三月，"弟迭剌哥图为奚王，与安端拥千余骑而至"②，迭剌哥即迭剌，为阿保机三弟。这则史料的价值在于：再次说明"谋反"系索要官职（权力）而引发！这种公然索要也正是首次剌葛等谋反的翻版，说明原本那种大家族利益为上的传统观念已让位于简捷有

---

① 《辽史》卷 1《太祖纪上》，中华书局 1974 年版，第 5 页。
② 《辽史》卷 1《太祖纪上》，中华书局 1974 年版，第 6 页。

力的个体家庭观念，个体家庭意识已成为契丹社会意识发展的主流。因为行国政权与专制政体的矛盾以及家庭观念、权力平均分配意识的影响，成为当时客观而复杂的意识形态领域的直接表现，阿保机母亲支持诸弟的要求①，就是这种意识观念在社会生活中的直接反映。故诸弟索要官职的活动升级为叛乱的时候，既有家族内部的矛盾，也有受人指使与利用的嫌疑。史称，

> 辖底诱剌葛等乱，不从者杀之。车驾还至赤水城，辖底惧，与剌葛俱北走，至榆河为追兵所获。太祖问曰："朕初即位，尝以国让，叔父辞之；今反欲立吾弟，何也？"辖底对曰："始臣不知天子之贵，及陛下即位，卫从甚严，与凡庶不同。臣尝奏事心动，始有可窥觊之意。度陛下英武，必不可取；诸弟懦弱，得则易图也。事若成，岂容诸弟乎。"太祖谓诸弟曰："汝辈乃从斯人之言耶！"②

叛乱者并非失势的遥辇氏贵族，而主要是已经得势的世里氏家族内部的分裂，这是否可以用新、旧势力的对抗来衡量？是值得深思的问题。蔡美彪先生认为，阿保机的宽宥策略，不是因其"仁厚"，"而是再一次说明所谓诸弟之乱，是有着支持他们的强大社会势力，并且有传统的旧制度作为他们举行叛乱的根据"。③ 如果说"诸弟之乱"体现着诸多故俗的影响亦差强人意；因当时的社会状况先是可汗家族的平稳转移、尔后经历了剧烈的动荡，这是次序递进的发展过程。④

辽太祖惩治罪犯时采取了杀戮与权宜立法，"闲民使不为变耳"⑤。所谓"权宜"即临时立法；"闲民"即通告，告知叛乱或谋反的结局。但辽太祖立法仅为惩治诸弟逆党吗？《辽史》记载的"遥辇故族尤触望"其意何在？

---

① 《辽史》卷1《太祖纪上》记载，剌葛"具天子旗鼓，将自立，皇太后阴遣人谕令避去"。中华书局1974年版，第6页。

② 《辽史》卷112《逆臣上·耶律辖底传》，中华书局1974年版，第1498页。

③ 参见蔡美彪：《契丹的部落组织和国家的产生》第四部分之《两种势力的斗争》。

④ 任爱君：《契丹史实揭要》第四章，《〈辽史〉脱载皇族早期人物资料辑述》之剌葛，哈尔滨出版社2001年版，第149—153页。

⑤ 《辽史》卷61《刑法志上》，中华书局1974年版，第937页。

史称，神册三年（918 年）迭烈哥阴谋南逃，自料必死，但结果却

> 诸戚请免，上素恶其弟寅底石妻涅里衮，乃曰："涅里衮能代其
> 死，则从。"涅里衮自缢圹中，并以奴女古、叛人曷鲁只瘗其中。遂
> 赦迭烈哥①。

令人费解的是：三弟迭烈哥欲逃往何处？为何四弟寅底石之妻被抵罪？这是
《辽史》遗留的诸多谜团之一。中原史料关于西部奚的记载，或可为解开部
分谜团起到醒示作用。

> 奚人常为契丹守界上，而苦其苛虐，奚王去诸怨叛，以别部西徙妫
> 州……赂刘守光以自讬……去诸卒，子扫剌立。庄宗破刘守光，赐扫剌
> 姓李，更其名绍威。……初，绍威娶契丹女舍利逐不鲁之姊为妻，后逐
> 不鲁叛亡入西奚，绍威纳之。……耶律德光以己晋北归，……乃发其
> 墓，粉其骨而扬之。②

按：刘守光据有幽州，乃唐天祐四年（907 年）四月至天祐十年（913 年）
十一月；这正是契丹社会"诸弟之乱"及其余波未靖之际，逐不鲁叛亡西
部奚当在此时，则奚王去诸及逐不鲁之"叛亡"均针对辽太祖而言，他们
大约代表了部分契丹失势贵族的势力，故辽朝修史时，对西部奚采取隐饰和
回避，而西部奚返回契丹本土后的基本情况，史书也没有记载。

综如上述，（一）"诸弟之乱"使契丹社会经历了一次贵族家庭内部的
血腥杀戮，但也扫清了建立君主专制政权的障碍③。史称，耶律曷鲁病重之

---

① 《辽史》卷 1《太祖纪上》，中华书局 1974 年版，第 12 页。
② 《新五代史》卷 74《四夷附录第三·奚》，中华书局 1974 年版，第 909—910 页。
③ 对此问题的认识，蔡美彪先生曾有精确的评论，他在叙述"诸弟之乱"时将《新五代史》等
"汉人教阿保机不受代"的记载放在一起来考虑，并指出："这些传说反映出唐朝和后梁封建国家的存在
对契丹所必然产生的影响，是值得重视的。但是阿保机建国显然并不是决定于偶然的建言，而是决定于
契丹历史发展中的那些必然因素。"前揭蔡美彪：《契丹的部落组织和国家的产生》之四"两种势力的斗
争"之注释，见孙进己等主编：《契丹史论著汇编》，辽宁省社会科学院历史研究所铅印本，1998 年，
第 987 页。

际，建议析分迭剌部、遏其难制之势①；辖底临刑前，也建议析分迭剌部②。于是，阿保机将迭剌部分割为南、北两院部和孟、仲、季三父房族③，辽史因此称之为太祖具有"帝王之度"与"英雄之智"④。（二）迭剌部的"强大难制"有两层含义，一是对遥辇氏汗族而言；二是汗权过渡到世里氏家族之后，引发了内部个体家庭间的争夺，"诸弟之乱"即典型例证之一。故迭剌部的划分，形式上是部落组织的重构，实际是个体家庭势力的胜利和氏族大家族形态的瓦解。（三）世选权力在私有制观念的推动下，已经被那些日益富有的个体家庭所垄断，如"夷离堇房"的出现等，也揭开了疯狂内争的序幕。学界已注意到辽太祖时期的某些世选方式的改变，蔡美彪先生认为这个改变过程，就是破坏旧的传统准则建立新的统治秩序⑤。正是新的统治秩序的确立，使得原本拥有世选南、北府宰相权的那些贵族家庭已经在阿保机夺取政权的胜利进军中相继被剥夺了已有的权力或被消灭⑥。

契丹社会积聚的矛盾和斗争，也随着个体家庭势力的上涨一股脑释放出来，不仅造成氏族大家庭形态下个体家庭势力的纷纷自立，也造成了个体家庭间的重新组合，而某些"世选"权力的重新调配就是这种错位与变动的直接表现。像突吕不部人耶律欲稳那样："太祖始置宫分以自卫，欲稳率门客首附宫籍"，将自己的家庭依附到阿保机的家庭之列；还有遥辇部人耶律海里，"太祖传位，海里与有力焉"，是以遥辇氏家庭背叛者的身份投靠阿保机的阵营⑦。因此，在这个具体的社会背景下，契丹社会在经历着深刻的

---

① 《辽史》卷73《耶律曷鲁传》，中华书局1974年版，第1222页。

② 《辽史》卷112《逆臣上·耶律辖底传》，中华书局1974年版，第1499页。

③ 《辽史》卷45《百官志一·北面皇族帐官》，中华书局1974年版，第707页。

④ 《辽史》卷45《百官志一·北面皇族帐官》，中华书局1974年版，第707页。

⑤ 蔡美彪：《契丹的部落组织和国家的产生》之三《遥辇氏后期的社会变动和氏族部落组织的逐步革新》、之四《新旧制度的斗争和阿保机的建国》，《历史研究》1964年第5—6期。

⑥ 《辽史》卷1《太祖纪上》记载，太祖四年"以后兄萧敌鲁为北府宰相，后族为相自此始。"其实，这是剥夺了另一个家庭世选权力的结果，因为，《辽史》卷85《萧塔烈葛传》记载其八世祖曾因大败安禄山军队而享受世选北府宰相的权利，但到辽朝时期萧塔烈葛家族已经成为迭剌部成员，后来隶属五院部，失去了自己的部落组织。又据《太祖纪下》记载，神册五年以皇弟苏为南府宰相，"南府宰相，自诸弟构乱，府之名族多罹其祸，故其位久虚，以锄得部辖底里、只里骨摄之。府中数请释任宗室，上以旧制不可辄变；请不已，乃告于宗庙而后授之。宗室为南府宰相自此始。"这段记载，就明确指出权力争夺过程中部分贵族家庭势力的下降，从而造就了一批新的贵族家庭。

⑦ 《辽史》卷73耶律欲稳传、耶律海里传，中华书局1974年版，第1226—1227页。

变革，即从相对简单的游牧形态下的行国政治向君主专制的封建政治方向的移位。从简单的行国政治向君主专制形态的过渡，是 9 世纪末期至 10 世纪初期契丹社会发展的本质特征。但是，应当注意的是，契丹人的社会变迁并不是一场从下到上的深刻的社会革命，而是一种从上到下的社会变革过程。这一切变化的根源，都来自于 8 世纪中期遥辇氏汗国政权确立的"世选"制度及其行政权与军事权的分立原则。这种分离，正是耶律阿保机夺取契丹汗权，重新统一军、政权力和再造君主专制政权的根本前提。

二、关于"盐池宴"与"诸弟之乱"的史料对应关系

学界对"盐池宴"的态度往往脱离不开"新、旧势力斗争"这一模式①，或将注意点着落在首领任期问题的基础上作出相应的评析②，或加以简单的论述③。然而，否定者既无根据，推测者又乏力证，究其症结恰在于史料的辨析与考据。笔者认为"盐池宴"事件，其实是对阿保机创立专制政权过程的渲染与附会，但它绝不是凭空杜撰。

阿保机处置"诸弟之乱"的罪犯，主要在初元八年（913—914年），如：

> 八年春正月……于骨里部人特离敏执逆党怖胡、亚里只等十七人来献，上亲鞫之。辞多连宗室及有胁从者，乃杖杀首恶怖胡，余并原释。

① 日本学者松井认为，阿保机由于汉文化的影响，采取诱杀诸部酋长、破坏部落选举制度的办法建立君主专制政权。[日] 松井著，刘凤翥译，邢复礼校：《契丹勃兴史》，中国社会科学院民族研究所《民族史译文集》1981 年第 10 辑；陈述：《契丹世选考》，也基本持与松井相同态度，见《历史语言研究所集刊》1947 年 12 月第 8 期；蔡美彪：《契丹的部落组织和国家的产生》，《历史研究》1964 年第 5—6 期。以上，又并见孙进己等主编：《契丹史论著汇编》（上），辽宁省社会科学院历史研究所铅印本，1988 年，第 93—141、1002—1009、965—994 页。
② [日] 岛田正郎：《辽代社会史研究》，认为此事不过是历史传说的润色与加工，第 12—13 页；舒焚：《辽史稿》也认为不是事实，湖北人民出版社 1984 年版，第 125 页；华山、费国庆：《阿保机建国前契丹社会初探》，认为纯属子虚乌有，《文史哲》1958 年第 6 期；华山：《宋史论集》，齐鲁书社1982 年版，第 276—295 页。
③ 白寿彝总主编，陈振主编：《中国通史》第 7 卷《中古时代——五代辽宋夏金时期》（下），第1243 页；赵振海：《辽太祖阿保机"以家代国"的斗争》，《华中师范学院学报》1985 年第 3 期；孙进己等主编：《契丹史论著汇编》（上），辽宁省社会科学院历史研究所铅印本，1988 年，第 230—234 页。

于越率懒之子化哥屡蓄奸谋，上每优容之，而反覆不悛，召父老群臣正其罪，并其子戮之，分其财以给卫士。有司鞫逆党三百余人，狱既具，上以人命至重，死不复生，赐宴一日，随其平生之好，使为之。酒酣，或歌、或舞、或戏射、角抵，各极其意。明日，乃以轻重论刑。……秋七月丙申朔，有司上诸帐族与谋逆者三百余人罪状，皆弃市。①

这其中便包含了与宴饮情况相关的描述②。它与中原盛传的"盐池宴"是否有着直接联系？从具体的处理方式来看，无论是方法还是事件发生的时段、特征等都十分吻合，是对同一事件的不同叙述。那么，"诸弟之乱"与"盐池宴"之中哪个才是最贴近史实的记录呢？

《辽史》关于阿保机处置逆党而"赐宴一日"，已显示出隐饰其中的某些痕迹。这在叛乱的主犯耶律辖底的传记中可以觅到线索。史称辖底策划并参与叛乱而被擒获，"囚数月，缢杀之"③；其子《迭里特传》亦载："从剌葛乱，与其父辖底俱缢杀之"④；而《太祖纪》则稍有含糊，"前于越赫底里子解里、剌葛妻辖剌已实预逆谋，命皆绞杀之"，似乎被杀者仅解里（即迭里特）及剌葛妻辖剌已两人，其实是辽史的润色与隐饰⑤，也是元朝修史的疏略；"赫底里"正是"辖底"名字的译写。那么，阿保机何以将首犯辖底拘押数月再行处置？又何以要饮宴一日、再论决刑律？笔者认为，这或许说明契丹社会存在的一种惩治罪犯的习惯⑥，或是经历了一次重大的转变⑦。

---

① 《辽史》卷1《太祖纪上》，中华书局1974年版，第9页。

② 任爱君：《契丹人的"讲事之风"与"论死之刑"》，东亚历史文化研究会：《东亚文史论丛》，2007年日本，第107—119页。

③ 《辽史》卷112《逆臣上·辖底传》，中华书局1974年版，第1498页。

④ 《辽史》卷112《逆臣上·辖底传附迭里特》，中华书局1974年版，第1499页。

⑤ 《辽史》卷1《太祖纪上》载："前于越赫底里子解里、剌葛妻辖剌已实预逆谋，命皆绞杀之。"其记载含糊之处有三：第一、此赫底里、解里，即辖底、迭里特。却未言及对辖底的处置方式，容易使人生误；第二、辖底时任于越之职，其官号记载不当，有"前"字。第三、同时记载前于越率懒（即释鲁）之子化哥（即滑哥）时，官号之前又失去一"前"字。中华书局1974年版，第9页。

⑥ 任爱君：《契丹人的"讲事之风"与"论死之刑"》，东亚历史文化研究会：《东亚文史论丛》，2007年日本，第107—119页。

⑦ 《辽史》卷61《刑法志上》记载，"治诸弟逆党，权宜立法"，刑名之多，无以复加。这也是契丹社会首次形成"成文法"，标志着许多特权得到了法律的保护，专制时代已经来临。中华书局1974年版，第936—937页。

综合《辽史》与《新五代史》的记载，阿保机时期，契丹社会从前和以后都没有发生如太祖八年这样大规模惩治罪犯的记录。同时，据前分析可知，所谓"盐池宴"的记载，其实正是太祖八年惩治叛乱罪犯实况的另种版本与解说。《辽史》与《新五代史》在具体史事记载方面存在的差异，正隐含着契丹辽朝初期史事的一个相当隐秘的情节，即辽太祖对于既有的遥辇氏汗国政权的全面颠覆。因此，所谓"诸弟之乱"或"盐池宴"事件，也完全可以视为是契丹专制主义政权对于遥辇氏汗国政治体系的彻底荡涤。

因此，关于南、北史料系统存在的客观对应关系，仅以"盐池宴"记载可以作出这样的譬喻，即辽朝史料的记录应属"源"，即事实的主流；而中原地区的记载则属"流"，即事实的枝干。当然，辽朝的记录或许还存在许多人为的掩饰，但拂去迷雾可以见到合理的民俗习惯影响及其痕迹；而中原的记载主要采择于"听闻"，本来就存在流传中诧异与夸大的假象，甚至还有着理解的差异以及建立在观念差异基础上的判断和推测；这些，都是处理"盐池宴"与"诸弟之乱"史料对应关系时，必须审慎注意的重要问题。

以上分析已经表明"盐池宴"所揭示的诸要素的基本性质。那么，"尽杀诸部大人"的记录又该怎样理解？笔者认为，《辽史》关于太祖八年处理"诸弟之乱"从犯的记载，与《新五代史》关于"尽杀诸部大人"的记录，都是对于同一事件的不同描述，如，

> 有司所鞫逆党三百余人，狱既具，上以人命至重，死不复生，赐宴一日，随其平生之好，使为之。酒酣，或歌、或舞、或戏射、角抵，各极其意。明日，乃以轻重论刑。

关于量罪论刑时采取的赦免或除罪议程以及执行死罪的刑名等①，《辽史》中记录颇详。存在其中的共同之处，譬如"赐宴一日"说明辽太祖确实采用宴饮的方式作为清除反对势力的手段。这就是《新五代史》记载的"尽杀诸部大人"的事实真相，这些被杀的人都是契丹社会个体家庭势力的代表人物，阿保机的胜利就建立在反对阵营覆败的基础之上。故所谓"尽杀

---

① 《辽史》卷1《太祖纪上》，中华书局1974年版，第9页。

诸部大人"，不过是对这些反对阵营成员的统称，并非是指简单意义的契丹八部首领，而是包括一些部落首领在内的所有反对阵营内契丹贵族家庭的代表人物。《辽史》没有记载太祖八年处置罪犯的地点，《新五代史》则明确记载在"北魏滑盐县"故地——汉城，即阿保机私人部落所在地。但北魏无滑盐县，滑盐县乃汉代所设，汉滑盐县应当包括今"潮河流域，但北及多伦县境"①。潮河上游及多伦县一带，位于今河北省境内大马群山北端及以东以北地区。这个汉代滑盐县的辖区，与阿保机的汉城即《辽史》太祖三年（909年）"置羊城于炭山之北以通市易"②的"羊城"所在地，基本吻合。炭山汉城，是《辽史》失载的阿保机拥有的私城（投下）之一。炭山，即今河北北部大马群山脉北端。据《金史》记载：辽朝秦国大长公主私城抚州，就建立在今河北省张北县境内的喀喇巴尔哈孙古城，金代称抚州，又名"燕子城"或"燕赐城"，女真语又称"吉甫鲁湾城"③，据说燕赐城即宴赐城的别写，"当初因宴赐蒙古、鞑靼等部头领于此，城因而得名"④。其实，"燕子城"一名，早已见于《辽史》的记载中⑤。因此，燕子或燕赐城之得名，同辽景宗朝以前存在的历史胜迹有关，它与炭山汉城及"盐池宴"地点相合，故"盐池"，应即辽代的狗泊（即今内蒙古自治区锡林郭勒盟太仆寺旗西南的九连城淖尔）或即元代著名之察罕脑儿（即今河北省沽源县平安堡东北之囫囵淖尔）。

三、关于本部夷离堇与大迭烈府夷离堇的任期问题

综上所述，"诸弟之乱"的爆发，是家庭成员内部权力平均分配观念的作祟；而南、北史料记录系统存在的差异，应以《辽史》为准，中原史料也表达出如下基本问题。

---

① 参见王仲荦：《北周地理志》下册，《北魏〈延昌地形志〉北边州镇考证·安州密云郡》，中华书局1980年版。

② 《辽史》卷1《太祖纪上》，中华书局1974年版，第4页。

③ 《金史》卷24《地理志上·抚州柔远县》，中华书局1975年版，第566页。

④ 周清澍主编：《内蒙古历史地理》，内蒙古大学出版社1993年版，第102页。

⑤ 《辽史》卷8《景宗纪上》，保宁五年七月"驻跸燕子城"。中华书局1974年版，第93页。

（一）关于本部夷离堇与大迭烈府夷离堇的区别与联系

夷离堇，据《国语解》记载："统军马大官。会同初，改为大王。"①
即作为官职和官称，在会同元年（938 年）时，其作用与属性已发生变更。
但于此需要讨论的是：《国语解》的解释存在着将不同级别或职位的官号等
同看待的缺陷。早在辽太祖之前，契丹社会无论部之大小其首领都称为
"夷离堇"，即中原史料记载中的"大人"（或部长）②。如《新五代史》
记载：

> 当唐之世，其地北接室韦，东邻高丽，西界奚国，而南至营州。其
> 部族之大者曰大贺氏，后分为八部，其一曰但皆利部，二曰乙室活部，
> 三曰实活部，四曰纳尾部，五曰频没部，六曰内会鸡部，七曰集解部，
> 八曰奚嗢部。部之长号大人，而常推一大人建旗鼓以统八部。③

这里记载的"部之长号大人"，正是契丹语称呼的夷离堇。故"夷离堇"适
用范围较为广泛。史称：五院、六院部各置夷离堇，会同元年更名为大
王④；史称"太祖更诸部夷离堇为令稳。统和中，又改节度使"⑤。所谓太
祖将"夷离堇"官号改为"令稳"，应是太宗官制改革的内容，即会同元年
十一月的事情⑥。此外，契丹社会还曾存在一个级别更高的夷离堇，即阿保
机建立政权前世里氏家族享受的世选夷离堇职务，也就是《国语解》中的
"统军马大官"；但《国语解》"会同初，改为大王"的说法则是指迭剌部
而言，即相当于中原史料中的"部之长"或"大人"。这就是《国语解》
在说明"夷离堇"称号时，具体释词中存在的将不同级别的相同官号完全
混淆的问题。

辽太祖建立专制政权之前，社会组织结构已存在两种夷离堇的职务，目

---

① 《辽史》卷 116《国语解》，中华书局 1974 年版，第 1534 页。

② 韩儒林：《突厥官号考释》认为："夷离堇乃 Irkin 之辽代音译"，本起源于鲜卑人的"俟斤"官
号，后又为金朝所沿袭。载《穹庐集》，上海人民出版社 1982 年版，第 314—316 页。

③ 《新五代史》卷 72《四夷附录第一·契丹》，中华书局 1974 年版，第 886 页。

④ 《辽史》卷 33《营卫志下·部族下》，"五院部"目，中华书局 1974 年版，第 384 页。

⑤ 《辽史》卷 33《营卫志下·部族下》，"品部"目，中华书局 1974 年版，第 385 页。

⑥ 《辽史》卷 4《太宗纪下》，中华书局 1974 年版，第 45 页。

前学界也已经注意到这个问题①，但鲜少发掘与研究②。据《辽史》记载：

> 唐天复元年，岁辛酉，痕德堇可汗立，以太祖为本部夷离堇，专征讨，连破室韦、于厥及奚帅辖剌哥，俘获甚众。冬十月，授大迭烈府夷离堇。③

即是两种夷离堇职务具体存在的明确记录。韩儒林先生在论述突厥语官号"俟斤"时，曾指出"俟斤"乃契丹"夷离堇"称谓的始源，并认为：

> 契丹曾臣属于突厥，故其君长大贺氏亦膺"俟斤"之号。厥后历代沿用，迄辽太宗始有所改易。……夷离堇乃 Irkin 之辽代音译，是耶律阿保机初起时即居是官。……《辽史·国语解》："夷离堇：统军民大官。"则其职位较唐代大异④。

韩先生关于"夷离堇"官号起源的论证非常精准，但关于"夷离堇"职能的论述也有所混淆。因为，辽太祖担任的夷离堇职务实际分为两个不同系统的兼任，而韩先生据《国语解》之解释就产生了"其职位较唐代大异"的感慨。其实，关于契丹社会存在的各部夷离堇与大迭烈府夷离堇，只要稍加分析就可以将它们区别出来，如：蔡美彪先生将契丹社会 10 世纪前后出现的标志性事件，列举为三次夷离堇职位的争夺。第一次争夺，即唐朝咸通年间（860—874 年）爆发的夷离堇匀德实被杀事件，时值遥辇氏鲜质可汗时期，后来被"再为本部夷离堇"的耶律蒲古只平息。⑤ 此次争夺的是迭烈府夷离堇即大夷离堇。第二次争夺，即耶律辖底窃取其兄

---

① 李锡厚：《耶律阿保机传》，吉林教育出版社 1991 年版，第 7—14 页。
② 陈述：《头下考》（上），认为世里氏乃遥辇氏之头下；孙进己等主编：《契丹史论著汇编》（上），辽宁省社会科学院历史研究所铅印本，1988 年，第 1261—1271 页。
③ 《辽史》卷 1《太祖纪上》，中华书局 1974 年版，第 1—2 页。
④ 韩儒林：《突厥官号考释》，载氏：《穹庐集》，中华书局 1974 年版，第 315—316 页。
⑤ 《辽史》卷 71《后妃传·玄祖简献皇后萧氏传》，中华书局 1974 年版，第 1198—1199 页；同书卷 73《耶律欲稳传》，第 1226 页；蒲古只事迹，见同书卷 75《耶律铎臻传》，第 1239 页。

罨古只夷离堇职位，时值遥辇氏痕德堇可汗时期，辖底遂成为夷离堇①，这次是本部夷离堇的争夺。第三次争夺，即于越释鲁被害，耶律阿保机在平叛过程中获得两种夷离堇职务并控制了部落领导权。笔者认为，蔡先生的分析实有筚路蓝缕之功，只是还没有将迭剌部夷离堇与大迭烈府夷离堇完全区别开来。② 笔者认为，对世里氏家族成员出任迭剌部（即本部）夷离堇与迭烈府夷离堇的记载，理应加以区分并利用考古资料弥补其缺陷。史称，肃祖（即辽太祖之高祖）四子，仅懿祖和牙新出任迭剌部夷离堇，牙新"有德行。分五石烈为七，六爪为十一"③，对部落人口的增殖作出很大贡献。而懿祖也曾九任迭剌部夷离堇④，其次子帖剌（即蒲古只，又译匣马葛，乃一人三名⑤）也两次出任本部夷离堇⑥，这在《耶律羽之墓志铭》已得到验证⑦。辽玄祖次子岩木也曾"三为迭剌部夷离堇"⑧。那么，本部夷离堇与大迭烈府夷离堇是否存在等同的关系？笔者认为，两者不能等同，这有前引《太祖纪上》的记录为证，说明本部夷离堇与大迭烈府夷离堇具有品级与职权的差异。

但是，迭剌部夷离堇与大迭烈府夷离堇的关系，却是有区别又有联系；区别就在于迭剌部夷离堇只是等同于八部夷离堇的"部"之首领称号；大迭烈府夷离堇则是一个能够统领八部在内所有契丹诸部的最高军事首长称号。而两者之间的密切联系就在于：能够出任迭剌部夷离堇者才有机会成为大迭烈府夷离堇，这是其他诸部夷离堇所无法比拟的条件和地位。在契丹部落的早期，可能存在着所有迭剌部夷离堇同时出任大迭烈府夷离堇的事实，但后来就不存在这种必然联系了，像耶律辖底、剌葛就没有成为大迭烈府夷离堇。但随着权力集中现象的日益发展，那种将迭剌部夷离堇与大迭烈府夷

---

① 《辽史》卷112《耶律辖底传》，中华书局1974年版，第1498页。

② 蔡美彪：《契丹的部落组织和国家的产生》，《争夺夷离堇的斗争和氏族部落组织的革新》，《历史研究》1964年第5—6期。

③ 《辽史》卷64《皇子表·肃祖四子》，中华书局1974年版，第962页。

④ 《辽史》卷64《皇子表·误记帖剌九任夷离堇》，中华书局1974年版，第962页。据《耶律羽之墓志铭》九任夷离堇者，乃帖剌之父懿祖勤德，帖剌本人仅两次出任夷离堇。

⑤ 《辽史》卷66《皇族表》校勘记（4），中华书局1974年版，第1025页。

⑥ 《辽史》卷75《耶律铎臻传》，中华书局1974年版，第1239页。

⑦ 盖之庸：《内蒙古辽代石刻文研究》，内蒙古大学出版社2002年版，第2页。

⑧ 《辽史》卷64《皇子表》，中华书局1974年版，第963页。

离堇集于一身的现象，也司空见惯，这就更加突显出大迭烈府夷离堇与迭剌部夷离堇的重要与尊贵。

于此将契丹社会客观存在的本部夷离堇与迭烈府夷离堇之差异与联系揭示出来①，目的是为了更加便利下文的讨论与阐释。

（二）关于契丹部落首领的"任期"问题

迄今为止，学界对契丹首领的任期问题，大多从肯定立场予以描述②，但也有学者从否定立场加以评论。如张去非认为：隋唐时期的历史记载，清楚表明契丹汗位由特定家族世袭并无相代之事，并列举史实否定三年更代之说，认为纯系将契丹曾有之旧俗植入阿保机事迹而倒置年代的结果③。那么，契丹首领任期问题的来龙去脉究竟如何？不妨作些回顾。

关于正史中存在契丹首领任期的记载，始于《旧五代史》"契丹传"，成型于《新五代史》"四夷附录第一"，后又被元修《辽史》所吸纳。《旧五代史》明确提出"三年任期"，

> ［契丹］分为八部，每部皆号大人，内推一人为主，建旗鼓以尊之。每三年第其名以代之④。

《新五代史》着重强调"替代"（任期限制）问题，而忽略确切年限的记载，

①　何天明：《辽代政权机构史稿》第5章《辽太祖析分迭剌部》，曾论两夷离堇之不同，见解与此略同。内蒙古大学出版社2004年版，第141页。关于契丹大迭烈府夷离堇是否存在任期问题，论述中曾经疏忽，经吉林大学程妮娜教授予以提示，故深表谢意！

②　姚从吾：《说辽朝契丹人的世选制度》，《台湾大学文史哲学报》1954年12月第6期，见孙进己等主编：《契丹史论著汇编》（上），辽宁省社会科学院历史研究所铅印本，1988年，第1010—1099页；舒焚：《辽史稿》，湖北人民出版社1984年版，第123—126页；前揭华山、费国庆《阿保机建国前契丹社会试探》，华山：《宋史论集》，齐鲁书社1982年版，第276—295页；［日］岛田正郎：《辽代社会史研究》，三和书房1952年（昭和27年）版，第13—15页。白寿彝总主编、陈振主编：《中国通史》第7卷《中古时代——五代辽宋夏金时期》（下），上海人民出版社1989年版，第1240—1245页；冯家昇：《辽史证误三种》，也认为古史关于契丹可汗相代立的记载，近乎实际，中华书局1959年版。

③　张去非：《关于契丹汗位的承袭制度》，《历史教学》1964年第3期；《契丹史论著汇编》（上），辽宁省社会科学院历史研究所铅印本，1988年，第1000—1001页。

④　《旧五代史》卷137《契丹传》，中华书局1976年版，第1828页。

部之长号大人，而常推一大人建旗鼓以统八部。至其岁久，或其国有灾疾而畜牧衰，则八部聚议，以旗鼓立其次而代之。被代者以为约本如此，不敢争。某部大人遥辇次立，时刘仁恭据有幽州，数出兵摘星岭攻之，每岁秋霜落，则烧其野草，契丹马多饥死，即以良马赂仁恭求示牧地，请听盟约甚谨。八部之人以为遥辇不任事，选于其众，以阿保机代之。阿保机亦不知其何部人也，为人多智勇而善骑射。……其立九年，诸部以其久不代，共责诮之。阿保机不得已，传其旗鼓。①

欧氏《新五代史》没有明确"三年任期"是否属实的问题。同时，根据其他史书记载，可知正史系统关于契丹首领更代的记载，皆源于五代史料的影响，据《资治通鉴考异》：

> 苏逢吉《汉高祖实录》曰："契丹本姓大贺氏，后分八族……管县四十一，县有令。八族之长，皆号大人，称刺史，尝推一人为王，建旗鼓以尊之。每三年，第其名以相代。"

> 《汉高祖实录》、《唐余录》皆曰："僖昭之际，其王邪律阿保机怙强恃勇，拒诸族不受代，自号天皇王。后诸族邀之，请用旧制。保机不得已，传旗鼓。"

> 赵志忠《虏庭杂记》："太祖讳忆，番名阿保谨，又讳斡里。太祖生而智，八部落主爱其雄勇，遂退其旧主阿辇氏归本部，立太祖为王。"又云"凡立王，则众部酋长皆集会议，其有德行功业者立之。或灾害不生，群牧孳盛，人民安堵，则王更不替代；苟不然，其诸酋长会聚部别选一名为王；故王以番法，亦甘心退焉，不为众所害"。②

---

① 《新五代史》卷74《四夷附录一·契丹》，中华书局1974年版，第886页。
② 《资治通鉴》卷266《后梁纪一》，太祖开平元年五月条引注，中华书局1956年版，第8677—8678页。

因此，所有关于契丹首领"任期"的记载，皆源于五代的传闻及北宋降人的陈述①。欧阳修采纳了降人赵志忠的说法，并对后世史学产生极大影响，这也是迄今亟待解决的问题。

笔者赞成张去非先生的否定态度，但是并不同意其源自契丹旧俗及年代倒置的结论，即将契丹人曾有的故俗加到阿保机时期的结果②。对此问题的探讨，还要回到"本部夷离堇与大迭烈府夷离堇"的角度来理解，才能得到较为贴近事实的答案。笔者认为，上述史料客观存在着将可汗职位的产生与诸夷离堇选举现象相混淆的问题，即将"契丹王"与"契丹大人"的产生经过笼统地加以汇总和记录，结果就会造成相应的错误认识。其实，这种记录的错误，也早被古人所注意，但他们也未能进行深入的探讨和分析，如：

> 《新唐书》载契丹八部名，与《汉高祖实录》所载八部名多不同，盖年祀相远，虏语不常耳，其实一也。阿保机云"我为长九年"，则其在国不受代久矣，非因武皇之教也。今从《汉高祖实录》。③

《资治通鉴考异》已经注意到上述史书记载中出现的年代混淆问题，但思考的角度仍然牢系在阿保机担任契丹可汗的任期问题上，结果，基本问题已经发现，却作出史料予夺的裁决，正所谓南辕北辙。若仔细研读则可体味其中蕴蓄的基本情况，譬如，《辽史》摘录，

> 契丹王钦德，习尔之族也，是为痕德堇可汗。光启中，钞掠奚、室韦诸部，皆役服之，数与刘仁恭相攻。晚年政衰。八部大人，法常三岁代，迭剌部耶律阿保机建旗鼓，自为一部，不肯受代，自号为王，尽有

---

① 赵志忠据说乃契丹翰林学士，北宋庆历年间（1041—1048年）自契丹逃归北宋，时当辽兴宗朝时期。其时，契丹人对于国初史事实已经基本修订完毕，赵志忠所得知的契丹史事必来源国史，故此说亦不可尽信。

② 张去非：《关于契丹汗位的承袭制度》，《历史教学》1964年第3期。

③ 《资治通鉴》卷266《后梁纪一》，太祖开平元年五月条注引文，中华书局1956年版，第8678页。

契丹国，遥辇氏遂亡。①

此段史料不知元朝修史采自何书，明确记载八部大人三年替代的习惯，即八部夷离堇三年任期的选举现象。本来出任部长和自称为王，是两个不同层次的权力概念，而这段史料即提供了这方面的证据，譬如《辖底传》的夷离堇选举情况②。又据《皇子表》也可得到迭剌部夷离堇通过选举产生的事例，如九任夷离堇的辽懿祖勤德和三为夷离堇的岩木③，说明契丹夷离堇确实经过选举产生并存在具体的"任期"。由此可以得出结论，即诸史关于契丹首领"三年任期"的传说，绝非空穴来风，而是误将部落夷离堇的选举和任期与可汗的世选混为一谈，并在叙事中又误列为阿保机出任可汗的选举与任期，这与利用部落旧俗夺取汗位的事实有着千丝万缕的联系。

此外，还有一个与契丹首领"任期"相关的问题，即前文已提出的疑问：就是迭里特事迹中存在的抵牾现象。前文中推论：迭里特所任夷离堇必非迭剌部夷离堇而是大迭烈府夷离堇，既然如此，所谓"帝以其亲，每加赐赍，然知其为人，未尝任以职"的记载，就不是记载的讹误，而是蓄意为之！道理很简单，前文已指出世里氏家族世选契丹大迭烈府夷离堇，但能够获得此职者只能是担任迭剌部夷离堇的人；随着夷离堇职位的不断加强，世选也呈现出向世袭发展的趋势，像辖底那样以迭剌部夷离堇身份与于越释鲁同知国政，就说明大迭烈府夷离堇仍操纵在释鲁的手中，故有人称辖底为耶律释鲁的"同党"是有一定道理的。④ 而阿保机时期，诸弟是以"谋反"手段得到迭剌部夷离堇的职位，意味着迭剌部已经被阿保机诸弟所控制；而大迭烈府夷离堇的职权则需要依靠迭剌部的作用才能发挥，二者须臾不可分离，否则会使大迭烈府夷离堇之职，如同虚设。阿保机正是将本部夷离堇与大迭烈府夷离堇的职能分离开来，让剌葛和迭里特分别担任，既限制了迭剌部首领对部落事务的干预，也限制了大迭烈府夷离堇与契丹可汗的权力纷

---

① 《辽史》卷63《世表》，中华书局1974年版，第956页。
② 《辽史》卷112《逆臣传·耶律辖底传》，中华书局1974年版，第1498页。
③ 《辽史》卷64《皇子表》，中华书局1974年版，第962—963页。
④ 蔡美彪：《契丹的部落组织和国家的产生》，《历史研究》1964年第5—6期；肖爱民：《耶律阿保机"盐池宴"考辨》，《北方文物》2003年第4期。

争，从而有效地控制了部落社会的各种组织机构，促成契丹社会军、政权力的重新集中。这样，担任大迭烈府夷离堇职务的迭里特，就彻底失去了以前作为大迭烈府夷离堇的一切基本权力。这就是迭里特被推选为"迭烈府夷离堇"而又"未尝（被）任以职"的缘由所在①，因为他的职权已经被担任迭剌部夷离堇的剌葛所分离，这真是釜底抽薪！同时，自"诸弟之乱"以后，契丹政权组织结构中再也没有出现大迭烈府夷离堇的记载，说明它已经在专制主义政治体制的过程中被完全废弃，这也是大迭烈府夷离堇曾经选举与取消的基本辙迹。与其景况相映衬的就是"大于越"，它作为一种官称虽然被辽朝政权继承下来，但已处于"贵官，无所职"②的尴尬境地，彻底失去了昔日的荣耀和光辉！

第三节　契丹人的社会习俗与文化现象

一定的社会习俗对于一定的社会的影响，可能表现在同时期的社会政治、经济、文化等各个方面，但更常见的往往是以一种约定俗成的方式且直接作用于人们的日常生产生活之中，从而产生一些为人们所必须遵守的习惯或规约，等等。但是，当一些原本属于一定时期的社会风俗习惯的具体事象，从人们的日常生活中日渐脱离出来，并最终发展成为一定时期的政权机制中的某些内容或者制度的时候，它所体现出来的社会文化现象，则是由简单的文化事象向内涵更广泛的社会现象的递升。简单的习俗变成一种统治的手段或者说一种制度，这样的现象，有时由于历史的原因或者数据的限制等，或者会让人浮想联翩，或者会使人百思不解其详，从而留下一桩桩永远的悬案。如果能够破解一些历史的悬疑，对于解释或揭示历史的本真，无疑是有益而又必要的。以下将根据史书记录的具体史实，发复阐微，揭示一些契丹辽朝前期社会政治面貌的本真。

①　蔡美彪：《契丹的部落组织和国家的产生》，认为迭栗底（即迭里特）担任迭部夷离堇，显然失实。但蔡先生此文已注意到夷离堇职务在契丹社会的重要作用，并进行专门考述，特具独创之功。《历史研究》1964 年第 5—6 期。

②　《辽史》卷 116《国语解·于越》，中华书局 1974 年版，第 1535 页。

一、契丹人的"讲事"习俗

10 世纪前后，契丹人的社会生活中曾经存在着一种类似民俗学中常见的"讲事"① 习俗（或现象）。这种习俗（或现象），主要运用于排解人际纠纷、评论胜负或者赏功罚罪的定议与决策的场合；迄今所见各种史料关于契丹人的记载中，往往以究治罪责的方式，应用的更多一些。这种现象，其实就是从简单的文化事象发展为一种更为宽泛、或具有更高程度的制度文化的形式表现出来。因此，揭示这种现象的具体内涵，无疑有利于契丹辽朝历史研究的深入发展，有助于解决这一学术领域内所存在的诸多疑难问题。本节所涉及的这个话题，也只有笔者曾经作出过尝试②，故有必要将其推向深入和彻底的研究层次。兹缕述如下：

（一）景延广案例

所谓"景延广案例"，即辽太宗时期由于契丹与后晋的联盟关系被人为地破坏，而采取的一项处置主要罪犯的刑事案件。景延广，本后晋大臣，是襄助晋末帝对契丹政权"称孙而不称臣"的重要人物，他曾经摧毁契丹政权设立在汴梁的商业机构——"回图务"，捕杀契丹商人并没收其商业资产，放还契丹回图使乔荣告诫契丹政权，若不接受后晋"不称臣"的要求，则"有十万横磨剑，足以相待"，还将这些话语写在纸上付于乔荣为证。③结果导致后晋与契丹联盟关系的破裂，946 年 12 月，辽太宗亲率大军消灭后晋政权，并惩办战争主犯景延广的罪状，史称：

> 将军康祥执景延广来献，诏以牙筹数其罪，凡八，执送都，道

---

① "讲事"一词，笔者借用汪宁生先生 20 世纪六七十年代在我国西南地区从事民俗调查时使用的民俗术语。见汪宁生：《从原始记事到文字发明》，《考古学报》1981 年第 1 期，第 1—44 页。

② 任爱君：《辽代契丹生活中"用筹决事"的习俗》，《北方文物》1997 年第 4 期，第 64—69 页；《契丹史实揭要》第 4 章《世宗即位反映出的契丹传统文化信息》，哈尔滨出版社 2001 年，第 130—145 页。本文在此基础上，又作较大补充、调整与修改。

③ 《旧五代史》卷 88《景延广传》，中华书局 1976 年版，第 1144 页；《新五代史》卷 29《晋臣传·景延广》，中华书局 1974 年版，第 322 页；《资治通鉴》卷 283《后晋纪四》，高祖天福七年十二月条，中华书局 1956 年版，第 9242—9243 页；同书同卷，齐王天福八年九月条，第 9253—9254 页。

自杀。①

辽太宗审理景延广案时，值得注意的是："以牙筹数其罪，凡八"的记载，那么，用"牙筹数罪"的详情如何？《辽史》中没有明确的记载。但《资治通鉴》等有详细的记录，如：

> 先是，契丹主至相州，即遣兵趣河阳捕景延广，延广仓猝无所逃伏，往见契丹主于封丘。契丹主诘之曰："致两主失欢，皆汝所为也。十万横磨剑安在！"召乔荣，使相辨证，事凡十条。景延广初不服，荣以纸所记语示之，乃服。每服一事，辄授一筹，至八筹，延广但以面伏地请死，乃锁之。②

据此，景延广一案的审理程序，除辽太宗为主审外，还有乔荣为"主诉"或"证人"，景延广是"被告"并被"起诉"十项罪状。整个程序采取逐条审理的方式，景延广每承认一条，就给一支牙筹为证，给到第八支牙筹时，景延广表示全部接受已被起诉的罪状，使审判程序全部结束。

"景延广案例"，看似一种普通的审理程序，但是，审理过程中所运用的审讯器具——牙筹，则在许多类似场合同时存在，而且，这种逐条审理罪状的方式，也在契丹社会长期存在，它与中原地区的司法程序似乎相当，但量刑的标准和量刑的方式等则存在着很大的差异，因此，在中原人看来它明显属于"契丹法"的范畴。如《旧五代史》记录景延广案例时说：

> 延广始以他语抗对，荣乃出其文以质之，延广顿为所屈。每服一事，则授牙筹一茎，此契丹法也。延广受至八茎，但以面伏地，契丹遂

---

① 《辽史》卷4《太宗纪下》，中华书局1974年版，第58页。
② 《资治通鉴》卷285《后晋纪六》，齐王开运三年十二月己卯条，中华书局1956年版，第9325—9326页；《新五代史》卷29《晋臣传·景延广》所记略同，唯语稍异，谨录于此："德光责延广曰：南北失欢，皆由尔也。召乔莹质其前言，延广初不服，莹从衣领中出所藏书，延广乃服。因以十事责延广，每服一事，授一牙筹，授至八筹，延广以面伏地，不能仰视，遂叱而锁之。"按：其中，乔荣被写为乔莹，乃是避周世宗讳。中华书局1974年版，第324页。

咄之，命锁延广臂，将送之北土。①

薛居正的记录当有所本。所谓"契丹法"，不是指契丹成文法而是说契丹人惩治罪犯的习惯法，它并不属于后来辽朝时期成文法的范畴而是出于契丹人社会习惯法的范畴。所谓习惯法，即那些从社会生活习俗中约定俗成的社会规约或生活守则提炼出来、人人遵守的规例或制度，这是人类社会处于成文法尚未诞生之前的必经阶段，标志着人类社会的发展开始进入一个相对特殊的历史阶段。契丹社会的发展，在耶律德光时期，就是如此，景延广案例，就是一个很好的启示。那么，这种所谓的"契丹法"是否真正的存在呢？

（二）景延广案例相同的审理方式

《旧五代史》记载的"契丹法"，也就是辽太宗处理景延广案时，采取的执其人、数其罪、行其罚的审讯方法，在契丹辽朝刑事案件的处理中是否具有普遍性的存在特征呢？这个疑问，《辽史》《刑法志》中并没有具体的答案。但是，在其他方面的相关记载中，却可以找到几个类似的处理方式。于此，仅将这几个类似的案例，依年代顺序列举出来，以供参考。

其一，据《新五代史》记载，耶律德光病殁栾城，永康王兀欲受契丹将领拥护，将即位于镇州时，大丞相、枢密使、位列"契丹左右相之上"的燕王赵延寿，也同时"下教于诸道，称权知南朝军国事"，与兀欲集团形成公开的争夺和分裂。在此情况下，兀欲采取果断措施，拘押赵延寿，并召集汉族将领、大臣，宣谕"燕王谋反，锁之矣"。并说："先帝在汴州与我算子一茎，许我知南朝军国事，昨闻寝疾，无遗命，燕王安得自擅邪？"②明确表示赵延寿没有具备"权知军国事"的明证，然后，兀欲又召集契丹将领会议处置措施，

召延寿延立而诘之，延寿不能对。乃遣人监之，而籍其家赀。兀欲宣德光遗制曰：永康王，大圣皇帝之嫡孙，人皇王之长子，可于中京即

---

① 《旧五代史》卷88《景延广传》，中华书局1976年版，第1146页。
② 《新五代史》卷73《四夷附录第二·契丹》，中华书局1974年版，第901—902页。

皇帝位。①

此处，虽未说出诘问赵延寿的题目，但分析可知，"诘"有案问、追索的意义，案问或追索的问题就是"权知军国事"的证据。从永康王自称"先帝与我算子一茎"的语气推测，应当是与赵延寿"对证"的口气，或者是受到追问的答辩，因此，才有了伪造的太宗遗诏的宣读。兀欲，即辽世宗。辽世宗的即位，其实是契丹贵族集团阴谋策划的结果，带有明显的"非法"特征。他与赵延寿的对决，既有阴谋得逞的侥幸，也是蕃、汉两大阵营强弱分明的必然结果；同时，也显示出契丹贵族政治生活对于既有的排解纠纷方式的利用。这种政治斗争的紧张气氛和阴谋得逞的结果，在《辽史》的记载中同样可以得到印证②。所以，辽世宗与赵延寿的对决，也可以算作契丹人排解纠纷方式的惯用手法之一。其中，提到的"算子一茎"，就是一只牙筹。因为牙筹是当时用来计算的主要工具，故又被称为"算子"或"算筹"。

其二，据《辽史》记载，太祖初元五年（即可汗位第五年，911 年）五月，诸弟谋反，"安端妻粘睦姑知之，以告，得实"③；既已揭发，又得真实，这其中必有按问、追查的过程，但史书已经省略了这个具体过程的记载。从所谓"得实"（即得其真实）的记录看，首告诸弟谋反的粘睦姑必然举出其证据，按问时就要依照证据来追查，只有被证明首告不是诬告，才是即真（也就是"得实"）。因此，估计太祖时期的审讯方式，也是像景延广案例一样的逐条案问。又，太祖八年（914 年），"于越率懒之子化哥屡蓄奸谋，上每优容之，而反复不悛，召父老群臣正其罪，并其子戮之，分其财以给卫士"④。所谓"召父老群臣正其罪"，就是按照部落生活习惯来处理罪犯的传统，其中"正其罪"的形式，也是要颇费一番"讲论"或"评说"的工夫，否则无以定立确切的罪名。因为，从记载的场面来看，没有确切的罪

---

① 《新五代史》卷 73《四夷附录第二·契丹》，中华书局 1974 年版，第 902 页。
② 《辽史》卷 77《耶律安抟传》、《耶律吼传》、《耶律洼传》，中华书局 1974 年版，第 1258—1261 页。
③ 《辽史》卷 1《太祖纪上》，中华书局 1974 年版，第 5 页。
④ 《辽史》卷 1《太祖纪上》，中华书局 1974 年版，第 9 页。

名就不能进行处罚，不处罚就达不到召集父老宣布罪状的目的；这一切都是从部落社会的习惯出发，而达到解决问题的基本目的。所以，景延广案例的处理方式，其渊源要上溯到太祖朝及其以前的契丹部落生活之中，才能找到答案。

那么，景延广案例处理方式的影响，还要延伸到哪个时期呢？这里不能遽然给出答案。但是，通过史料的检索可以证明，它在那个时期或历史阶段是一个客观的事实存在。

其三，据《辽史》记载，景宗乾亨元年（979 年）十月，因满城之战失利，"诏数韩匡嗣五罪，赦之"①；韩匡嗣是此次战役的主帅，但何以会既数其罪又予以赦免呢？答案就在《韩匡嗣传》的记载中，

> 帝怒匡嗣，数之曰："尔违众谋，深入敌境，尔罪一也；号令不肃，行伍不整，尔罪二也；弃我师旅，挺身鼠窜，尔罪三也；侦候失机，守御弗备，尔罪四也；捐弃旗鼓，损威辱国，尔罪五也。"促令诛之。皇后引诸内戚徐为开解，上重违其请。良久，威稍霁，乃杖而免之②。

韩匡嗣所犯罪状该当处斩。但由于承天皇后等"内戚"人员的反复祈请，才免除死刑③。应该说，韩匡嗣的罪状是"失军律"，自然应该按军法处置，但景宗仍然以逐条问罪的方式量刑，说明契丹习惯法的影响深而且巨大。

同样，辽圣宗统和四年（986 年）时，也发生了一起类似景延广案例的民事纠纷案件，这是一起下属状告上级的案件，其处置方法也颇为有趣，

> 北大王帐郎君曷葛只里言本府王蒲奴宁十七罪，诏横帐太保核国底鞫之。蒲奴宁伏其罪十一，笞二十释之。曷葛只里亦伏诬告六事，命详

---

① 《辽史》卷9《景宗纪下》，中华书局1974年版，第102页。
② 《辽史》卷74《韩知古传附匡嗣传》，中华书局1974年版，第1234页。
③ 《辽史》卷9《景宗纪下》，中华书局1974年版，第102页。

酌罪之。知事勤德连坐，杖一百，免官。①

蒲奴宁，《辽史》有传，即耶律勃古哲，字蒲奴隐（蒲奴宁的同名异译），记载的差异只是本传中将他称为"南大王"②。《耶律勃古哲传》记载其主要罪名，乃是"曲法虐民"。同时，在已引录的记载中，可以看出被揭发的罪名大多数成立，但主要当事人仅被杖责二十，而因此连坐的知事官却被处以杖责一百的严刑。从记录中使用的"伏罪"、"诬告"和"连坐"的审讯结果来看，已经颇有"深文峻法"味道了；说明此时契丹社会习惯法的运用已经受到封建法典的严格支配。

以上列举诸案例，大多都属于就事论事、并不过分涉及他人（有显著证据者例外），唯独统和四年的民事诉讼案件，说明没有显著证据者也一样要承担"诬告"的罪罚，这是契丹社会习惯法已经逐渐融入成文法，或者正在被成文法取代的重要时刻。③

但这些案例表现的都是量罪处罚的具体方式，从"景延广案例"到统和四年的民事案件，说明了契丹政权刑律建设的基本方向与发展趋势。因为，一切习惯而成的社会规约和行为准则等，最初都不是以取人性命为目的，而是以社会惩劝或赏功伐异的教育形式为原则，易言之，一切习惯法的东西或内容，其实都直接来源于社会正常生活的习惯（或习俗的）积累，原本是用来调节社会发展中出现的非正常或异样的现象，排解生活中的矛盾与纠纷，只是随着社会的不断发展，其中的部分内容已经成为统治者利用的工具。契丹人的习惯法，也是如此。

（三）"横渡之约"的历史文化内蕴

所谓"横渡之约"，是发生在公元 947 年 7 月，契丹贵族集团为皇位争夺而达成的一项"和约"，其中也包含了一些尚未发现的习俗内容。因此，有必要予以揭示，探其微妙。

① 《辽史》卷 11《圣宗纪二》，中华书局 1974 年版，第 125 页。
② 《辽史》卷 82《耶律勃古哲传》记载："会有告勃古哲曲法虐民者，按之有状，以大杖决之。"也是逐条审理的方式。中华书局 1974 年版，第 1293 页。
③ 陈述：《辽代（契丹）刑法史论证》，《辽金史论集》第 2 辑，书目文献出版社 1987 年版，第 14—51 页。

　　史称，兀欲（即辽世宗）即位镇州后，因为没有得到应天皇太后的允准，结果遭到叔父李胡军队的拦截，虽然在泰德泉击败了李胡的军队，但战败的李胡残部与应天皇太后的留守军队相合，退守于潢水石桥，拘押世宗皇帝及其支持者的家属，并摆出决战的架势。在这种情况下，经过"智者"耶律屋质的筹划，双方开始议和。史载：

　　　　屋质借谒者筹执之，谓太后曰："昔人皇王在，何故立嗣圣？"太后曰："立嗣圣者，太祖遗旨。"又曰："大王何故擅立，不禀尊亲？"帝曰："人皇王当立而不立，所以去之。"屋质正色曰："人皇王舍父母之国而奔唐，子道当如是邪？大王见太后，不少逊谢，惟怨是寻。太后牵于偏爱，托先帝遗命，妄授神器。如此何敢望和，当速交战！"掷筹而退。太后泣曰："向太祖遭诸弟乱，天下荼毒，疮痍未复，庸可再乎！"乃索筹一。帝曰："父不为而子为，又谁咎也。"亦取筹而执。左右感激，大恸。

　　　　太后复谓屋质曰："议既定，神器竟谁归？"屋质曰："太后若授永康王，顺天合人，复何疑？"李胡厉声曰："我在，兀欲安得立！"屋质曰："礼有世嫡，不传诸弟，昔嗣圣之立，尚以为非，况公暴戾残忍，人多怨讟。万口一辞，愿立永康王，不可夺也。"太后顾李胡曰："汝亦闻此言乎？汝实自为之！"乃许立永康。①

　　这里描写的"议和"场面，是由调停人手执一筹、忠告双方须有"释怨"的诚意，尔后，根据双方的问答，作出公正的评价。但是，当事人双方之间开始并没有解决问题的"诚意"，导致调停人耶律屋质作出"掷筹而退"的激烈反应。调停人的过激反应，反而感动了皇太后，她从调停人那里索取了第一只算筹；世宗皇帝紧接着也从调停人那里索取了第二只算筹。当事双方各执一筹，表示各自的"理由"对等，已经构成和局，无法决出胜负。和局的形成，使契丹社会避免了一场大规模的内战，使议和现场的所有参与人等都喜极而泣，并和平地解决了帝位的归属问题。因为，应天皇太

　　① 《辽史》卷77《耶律屋质传》，中华书局1974年版，第1256—1257页。

后与辽世宗分别代表的军事集团之间，是在潢水石桥附近解决了契丹国内的皇位归属问题，又因为潢水石桥又被习惯地称为"潢水横渡"①，故此次约和被称为"横渡之约"。

"横渡之约"的内容及其特点，与前述"景延广案例"相比，有着很多相同之处。例如：双方都手执一茎算筹（也称筹或算子），也有主持者（或主审者）与各自陈述（或认罪）的过程，最后由主持（主审）者作出结论（或结案），它们都是运用契丹社会的习惯方式来解决具体问题。"横渡之约"与"景延广案例"存在的最大不同，就是"景延广案例"属于刑事案件的处理程序，而"横渡之约"则更多的体现出民事纠纷的特点。"横渡之约"所运用的排解纠纷的方式，应是直接来源于契丹社会日常生活中的习俗或规约，即当时契丹社会比较惯用的解决纠纷的习惯法则。

二、关于契丹人的"论死之刑"

习惯法的使用，在契丹辽朝初期的历史中，几乎无处不在，影响着方方面面。诸如"景延广案例"那样，正是契丹辽朝前期处理"罪犯"的一种量罪方式，反映的是审理和处罚的程序。但是，相关数据的记载中，还表现出这种程序也适用于"论死之刑"的判决。于此，仅举事例，发其端绪。

（一）"李毂案例"

据《宋史》记载，李毂，本后晋大臣，辽太宗入汴，成为辽朝的属官。当刘知远掌握后汉政权时，他与刘知远联系，准备脱离契丹，因事情泄露遭到辽朝拘捕，史称：

> 契丹主先设刑具，谓之曰："尔何背我归太原？"毂曰："无之。"契丹主因引手车中，似取所获文字，而毂知其诈，因请曰："如实有此事，乞显示之。"契丹国制，人未伏者，不即置死。自后，凡诘毂者六

---

① 《辽史》卷5《世宗纪》，中华书局1974年版，第64页；卷71《后妃·太祖淳钦皇后述律氏》，第1200页；卷77《耶律屋质传》，中华书局1974年版，第1255页。

次，縠词不屈。①

就当时"情理"而言，李縠既属辽朝官吏而暗中与后汉联结，"量罪"应属"叛逆"，"论罪行罚"该当死刑。辽太宗既知李縠与刘知远"交结"，但缺乏实证，故数次审问仍无法定罪。李縠也深知契丹法律，坚不服罪，终于获免。

当时，堪与"李縠案例"相提并论的，还有张彦泽、张砺二人被辽太宗审讯及结案的记录。

据《辽史》记载，张砺，本后唐大臣，936 年，从赵延寿援助太原，遂与延寿俱降契丹。不久，张砺"南逃"，为契丹追骑擒获，

> 契丹主怒曰："尔何舍我而去？"砺曰："砺，汉人也，衣服饮食与此不同，生不如死，请速就刃。"契丹主顾通事高唐英曰："我常戒尔辈善待此人，致其逃去，过在尔辈。"因笞唐英一百。②

张砺叛逃，受到处罚的却是通事高唐英，应该说这也是"权宜立法"的例证，但辽太宗显示出的对待张砺的态度，则是一种令人感念的诚信。因此，张砺事件与"李縠案例"相比，虽均属"叛降"之罪而处理形式不一，李縠因案问无状而获免，事属侥幸；张砺则因直言而豁免，事属诚信。两人罪状相同，法律程序基本相同，唯独结果有别。其中体现的是辽太宗时期，对于习惯法的利用已经不是简单的照办、照搬，而是懂得了对于法律程序"调整"的奥秘，即"权宜"或"权变"之术的运用。从而说明此时习惯法的使用已经进入向成文法过渡的阶段③。此后，在辽太宗对于张彦泽的惩治方式中，也同样表现出契丹习惯法与封建法典相混合的历史痕迹。

---

① 《宋史》卷 262《李縠传》，中华书局 1977 年版，第 9052 页；《资治通鉴》卷 286《后汉纪一》，高祖天福十二年三月辛亥条，记载与此略同。中华书局 1956 年版，第 9351 页。

② 《旧五代史》卷 98《张砺传》，中华书局 1976 年版，第 1316 页；《辽史》卷 76《张砺传》，略同，中华书局 1974 年版，第 1252 页；叶隆礼著，贾敬颜、林荣贵点校：《契丹国志》卷 16《张砺传》，上海古籍出版社 1985 年版，第 162 页；均略同。

③ 《辽史》卷 75 记载，耶律突吕不赞成太祖造字之功后，明年（921 年）"受诏撰决狱法"。中华书局 1974 年版，第 1240 页。

据《旧五代史》记载，开运三年（946 年），契丹军队迫降晋军于中渡寨后，张彦泽奉辽太宗指派首先进入汴梁城，入城之后，张彦泽恣意勒索、杀害无辜，引起民愤。947 年正月，辽太宗至汴梁城外，高勋首告彦泽暴虐违法，

> 契丹帐泊于北郊，勋诉冤于戎王，时戎王已怒彦泽剽掠京城，遂令锁之。仍以彦泽罪恶宣示百官及京城士庶，且云："彦泽之罪，合诛与否？"百官连状具言罪在不赦，市肆百姓亦争投状，疏彦泽之罪，戎王知其众怒，遂令弃市，仍令高勋监决，断腕出锁，然后刑之。①

所谓"疏"其罪即逐条标列罪状、宣示罪恶，将高勋首告的罪名和已经掌握的"剽掠京城"的罪状等，向百官及民众予以公布，征询其罪名是否成立以及应该叛处的刑名是否得当。结果，得到后晋百官和汴梁百姓的一致拥护和支持，遂判处张彦泽"弃市"的刑罚。辽太宗对张彦泽的处理方式，其实仍然沿用了契丹社会习惯法的处罚方式，只是史料的记载，漏掉了高勋首告之后，逐条案问的审讯程序。对于张彦泽的审判，发生的地点是中原地区的汴梁城，审理过程包含了一些契丹社会的习惯法因素，但也参照了一定程度的中原法律准则，这也是一次契丹习惯法与封建法典结合的例证。

（二）契丹人的"论死之刑"

前述"李穀案例"，所谓"契丹国制"云云，即"景延广案例"所说的"契丹法"，契丹人习惯的处理方式。若将"景延广案例"所表现出来的"契丹法"，同"李穀案例"所表现出来的"契丹国制"相参照，就可以看出契丹辽朝前期惩治犯罪的完整"律条"，它基本囊括了从立案、审理到具结的全部过程。那么，契丹辽朝前期的刑事处罚（或死刑）制度，是否如此呢？不妨从《辽史》的记载中，继续寻求明确的答案。

据《辽史》记载，辽太祖时期，有些看起来在中原地区应该处以死刑

---

① 《旧五代史》卷 98《张彦泽传》，中华书局 1976 年版，第 1307—1308 页；《新五代史》卷 52《张彦泽传》，记载略同，中华书局 1974 年版，第 599—600 页；《资治通鉴》卷 286《后汉纪一》，高祖天福十二年正月：契丹主以彦泽之罪宣示百官，问："应死否？"皆言："应死。""百姓亦投牒争疏彦泽罪。己丑，斩彦泽。"中华书局 1956 年版，第 9328 页。

或禁锢终身的罪犯，却在 10 世纪初期的契丹社会能够得到宽大的处理，如：辽太祖初元五年（911 年）五月，诸弟刺葛、迭剌、寅底石、安端等"谋反"，被安端妻粘睦姑告发，经过案问属实之后，

> 上不忍加诛，乃与诸弟登山刑牲，告天地为誓而赦其罪。出刺葛为迭剌部夷离堇，封粘睦姑为晋国夫人①。

似乎事情就这样不了了之。但是，仔细分析又有内情。既然将诸弟谋反之事，法外施恩，登山盟誓而结束，何以又将"首犯"刺葛任命为迭剌部夷离堇呢？众所周知，迭剌部世为契丹强部，本辽太祖所以夺取契丹汗位的基本力量。辽太祖怎能将自己的主要依托，委付于一位"谋反"的首要人物？其中必有隐情②。这也是太祖诸弟"谋反"而又"罪不至死"的主要原因。此事姑且不论。但次年（912 年），诸弟再次谋反，太祖以大兵临之，"诸弟各遣人谢罪，上犹矜怜，许以自新"③。913 年，诸弟终于掀起一次大规模的内乱，历时年余，给契丹社会造成"民间昔有万马，今皆徒步"的严重影响④。那么，此次叛乱的罪犯，辽太祖又是怎样处理的呢？最具典型意义的记录，莫过于初元八年（914 年）春正月的记载；为了叙述及分析的方便，笔者根据个人理解分为以下两个段落⑤，加以介绍：

> 于骨里部人特离敏执逆党怖胡、亚里只等十七人来献，上亲鞠之。辞多连宗室及有胁从者，乃杖杀首恶怖胡，余并原释。

所谓"于骨里部"，又名于厥，即乌古、敌烈部，位于契丹北部，今呼伦贝尔草原西北一带。于骨里部来献"逆党"，乃是战败北逃于骨里部者；"首

---

① 《辽史》卷 1《太祖纪上》，中华书局 1974 年版，第 5 页。
② 任爱君：《"盐池宴"与"诸弟之乱"史料辨证》，日本东亚历史研究会：《东亚文史论丛》2007 年，第 107—119 页。
③ 《辽史》卷 1《太祖纪上》，中华书局 1974 年版，第 6 页。
④ 《辽史》卷 1《太祖纪上》，中华书局 1974 年版，第 10 页。
⑤ 《辽史》卷 1《太祖纪上》，中华书局 1974 年版，第 9 页。

恶怖胡"，应该是位级别较高的契丹贵族。太祖审讯时，怖胡交代的从逆人员，无论首犯或胁从，大多都是太祖家族（即宗室）成员。所以，杖杀首恶怖胡之后，即对"宗室"成员进行审理，

> 于越率懒之子化哥屡蓄奸谋，上每优容之，而反覆不悛，召父老群臣正其罪，并其子戮之，分其财以给卫士。

"于越率懒之子化哥"，即辽太祖伯父耶律释鲁之子耶律滑哥。据滑哥本传记载：

> 滑哥，字斯懒，隋国王释鲁之子。……太祖即位，务广恩施，虽知滑哥凶逆，姑示含忍……滑哥预诸弟之乱，事平，群臣议其罪，皆谓滑哥不可释，于是与其子痕只俱凌迟而死，敕军士恣取其产。①

重要的是对滑哥（化哥）的处理方式，"召父老群臣正其罪"或"群臣议其罪"，似乎都是一种讨论的形式，这样的"议罪"方式，仍然属于契丹社会习惯法的范畴，与前述"景延广案例""李毂案例"体现出的"量罪、具结"形式，不谋而合，说明它们皆属习惯法中同一内容的"量罪"、"具结"方式，是契丹辽朝初期刑法的主要执行方法，或者说是刑事案件的主要处理方式。同时，辽太祖在处理滑哥案件时，又处理了诸弟之乱的余党，其方式为：

> 有司所鞠逆党三百余人，狱既具，上以人命至重，死不复生，赐宴一日，随其平生之好，使为之。酒酣，或歌、或舞、或戏射、角抵，各极其意。明日，乃以轻重论刑。

这种处理"逆乱余党"案件的方式，其实是辽代史臣的"曲笔"或"粉饰"②，而元朝修史时不了解情况，对史实没有作出详细考证，即加以抄录，

---

① 《辽史》卷112《逆臣上·滑哥》，中华书局1974年版，第1503页。
② 任爱君：《"盐池宴"与"诸弟之乱"史料辨证》，日本东亚历史文化研究会：《东亚文史论丛》2007年，第107—119页。

也算为研究和探讨契丹辽朝初期历史"真相"保留了一丝痕迹。

总之，这些具体事例证明，诸如"景延广案例""李穀案例"及"横渡之约"等体现的民族民俗现象，及其递升为社会现象或者说是一种政治现象时，也正是表明了契丹社会所处的具体发展状况，代表了契丹辽朝刑法制度发展的一个具体阶段。关于契丹辽朝时期的刑法建设，元朝人在修史时说：

> 辽以用武立国，禁暴戢奸，莫先于刑。国初制法，有出于五服、三就之外者，兵之势方张，礼之用未遑也。……太祖太宗经理疆土，擐甲之士岁无宁居，威克厥爱，理势然也。子孙相继，其法互有轻重；中间能审权宜，终之以礼者，惟景圣二宗为优耳。①

元朝人的看法是，契丹辽朝前期的刑法建设，严格地说并不属于规范的法律程序，只有景宗、圣宗时期才认真审视刑法的缺陷，将法制建设纳入礼制的轨道。笔者认为，将法制与礼制联系在一起，正是中国古代农耕社会政治制度的主要特点，这也是古代中原封建制度的精髓所在，元朝史臣就是运用了这个基本框架来框定契丹刑法建设的基本成果。但是，契丹人的经济、社会形态都同中原地区存在着本质的差异，绝不可以用同一条标准来衡量。陈述先生认为，契丹辽朝"因俗而治"，形式上是牧区与农业区各行其是，但在具体的管理过程中，处于同一政权内部的各民族间的交往难免会发生各种各样的问题，统治者处理起来也势必存在着相互紊乱的现象，但这正代表了南、北结合的过程，体现了契丹社会发展的复杂性。② 也就是说，契丹社会的民俗现象，递升为社会的或政治的现象时，反映的是契丹社会发展的具体时段问题。那么，当它还仍然兼备着一种社会俗约或社会规例的职能时，又应该体现出怎样的社会文化发展特征呢？

三、相应的民俗现象与客观阐释

记得长期从事民俗研究的汪宁生先生，在其撰写的一篇关于国内西南民

---

① 《辽史》卷61《刑法志上·序》，中华书局1974年版，第935页。

② 陈述：《辽代（契丹）刑法史论证》，《辽金史论集》第2辑，书目文献出版社1987年版，第14页。

族习俗调查的文章中①，所陈述的具体的民俗现象，或许会为解答契丹政权初期存在的具体现象，提供一定的参考。

（一）"讲事"习惯的民俗背景

汪先生的文章记录了一些有趣的民俗现象，其中，有这样的一种现象，

> 云南景颇族解决纠纷，称为"讲事"。"讲事"时，双方手持苞谷粒，每讲出一条"道理"，则在己方地上放一粒。最后看谁的苞谷粒多，就表示"道理"多，即为胜方。若再计算赔偿，亦是如此。每讲到对方哪件事做错了，应赔一条牛，即在地上放一粒。最后看共有几粒苞谷，即知应赔偿几条牛。……贵州等地苗族历史亦有此俗，称为"讲歹"：他们以草为筹，出面谈判多为能言善辩者，称为"行头"。②

汪先生在对"讲事"或"讲歹"习俗作出介绍时，也同时指出，所谓"讲事"之俗，须由三方构成，即证人和纠纷双方；并认为，无论是云南景颇族的"讲事"之风，还是贵州苗族历史的"讲歹"之俗，都反映出这些民族的发展过程或历史经历的"从原始记事到文字发明"阶段的某个具体阶段。像景颇族"讲事"时使用的苞谷粒，乃是代表着一种"记事"的习惯，而"记事"又总是和"计数"联系在一起，这是该民族历史发展尚未脱离"原始记事"阶段的明证。③ 笔者认为，汪先生的介绍及其解释，对于研究和揭示 10 世纪前后契丹社会存在的一些民俗现象，具有一定的启发和指导作用。因此，鉴于前面"景延广案例"、"横渡之约"等所表现出的共同现象及特点，与"讲事"习俗存在一定的类似性，故不避前人嫌疑，且将契丹社会存在的这种现象，称之为"讲事之风"。

契丹人社会生活所存在的讲事之风，已经成为一种较为牢固的社会俗约或者说是一种规例，正是因为它被整个社会所信守和依赖，所以才成为契丹

---

① 汪宁生：《从原始记事到文字发明》，《考古学报》1981 年第 1 期，第 1—44 页。
② 汪宁生：《从原始记事到文字发明》，《考古学报》1981 年第 1 期，第 1—44 页。
③ 汪宁生：《从原始记事到文字发明》，《考古学报》1981 年第 1 期，第 1—44 页。

辽朝政权初期，推行"因俗而治"政策的"国制"中的一项重要内容。这标志着：它从一个普通的社会现象递升为政权机制的一种政策形式，即由一种社会惯例而发挥出政权管理的职能；从一个社会俗约或规例转变为统治机构的"条制"，即充当法律或法令的手段；从仅仅是为了解决社会生活中民事纠纷等问题的习惯处理方式，演变为能够代表权力机构行使刑事处罚权的暴力手段，即完整的刑事诉讼与结案程序，其中体现出了契丹社会从习俗到习惯法、再到成文法之间的递升或过渡的具体阶段。但是，在这个递升或过渡的过程中，"讲事之风"不仅为契丹政权担当着"刑事"的责任，还为社会生活充当着"民事"的手段。这样，就使得原本相对简单的习俗现象，具有了较为复杂的两种面目，即政治面目和社会面目。陈述先生在论述 10世纪契丹社会的习惯法向成文法转变时，剖析了契丹政权的阶级结构或体制建设的发展轨迹，从而证明了契丹社会成文法出现的必然因素。① 但是，他并没有阐述契丹习惯法存在的人文背景及其时代意义，或者说对于契丹习惯法所以存在的社会面目并没有充分的认识。笔者认为，揭示契丹人"讲事之风"的背景和意义，正如景颇族等存在的"讲事"习俗一样，反映了从简单的"记事"向文字形成时期迈进的某个时段的具体内容。

　　"记事"是文字出现的源头，"计数"则是文字出现前后又会持续很长时期的文化现象。在"景延广案例"及"横渡之约"等具体事例中，使用的"算筹"或"算子"，其实正是社会生活中常用的"计数"或者"计算"的工具。而且，这种专门的计算工具的利用，已经不像景颇族或者贵州苗族历史曾存在过的现象那样，随便用生活中任何物质的东西作为简单的计数工具，契丹人已经习惯用"算筹"这类固定的工具来"计数"（及计算）。例如，"横渡之约"的调解人耶律屋质，就是一位既"知天文"又善筹策计算的杰出人物②。

　　（二）契丹筹策之士

　　所谓"筹策之士"，是指一定条件下的社会知识精英阶层，他们主要活

---

　　① 陈述：《辽代（契丹）刑法史论证》，《辽金史论集》第 2 辑，书目文献出版社 1987 年版，第14 页。

　　② 《辽史》卷 77《耶律屋质传》，中华书局 1974 年版，第 1255 页。

跃于我国古代封建社会的前期与中期时代，在封建社会的前期他们主要活跃于前、后汉时期，在封建社会的中期则主要活跃于唐五代及辽朝、西夏与北宋初期。"筹策之士"代表了当时社会文化发展的先进领域，因为它们的业务范围还经常地涉及天文、地理和算学等重要内容。耶律屋质就是一位生活在契丹辽朝前期的善于筹策的"策士"，虽然文献记载中并未留下他"好学读书"的记录，但他除了在"横渡之约"前后表现出力挽狂澜的气魄之外，还在世宗朝时将号称狡黠难治的皇亲耶律刘哥、耶律天德和外戚萧翰①等一网打尽，分别处以不同的刑律，并在穆宗朝混乱的局面中始终保持政治不倒的崇高地位，景宗朝时官至于越，甚至还享受到死后树碑立祠的荣誉②。应该说，耶律屋质是一位典型的土生土长的契丹"智者"，他接触了汉文化，但吸收的并不多，行为处世都透散着本土文化的基本特征，代表着典型的契丹本土文人的风采。

说耶律屋质代表契丹"智者"的形象，是因为他与当时其他一些深受汉文化影响的历史人物的境遇明显不同。在辽太祖朝之后，那些后起的贵族子弟为代表的契丹文化新锐阶层受到了许多挫折与磨难，譬如：萧思温，出身辽朝皇后家族，"通书史"、习知中原文化典籍，又娶公主为妻，可谓风流倜傥、富贵已极，但在辽太宗朝，却给人留下了"握觿修边幅，僚佐皆言非将帅才"的强烈印象，直到辽景宗朝才得到重用。③ 此外，当时曾经深受耶律屋质赏识的耶律贤适，也是一位出身于皇族孟父房帐的贵族子弟，

> 嗜学有大志，滑稽玩世，人莫之知。惟于越屋质器之，尝谓人曰："是人当国，天下幸甚。"应历中，朝臣多以言获谴，贤适乐于静退，游猎自娱，与亲朋言不及时事。……景宗在藩邸，常与韩匡嗣、女里等游，言或刺讥，贤适劝以宜早疏绝，由是穆宗终不见疑，贤适之力也。景宗立，……多疑诸王或萌非望，阴以贤适为腹心。④

---

①　《辽史》卷77《耶律屋质传》，中华书局1974年版，第1255页。
②　《辽史》卷77《耶律屋质传》，中华书局1974年版，第1257—1258页。
③　《辽史》卷78《萧思温传》，中华书局1974年版，第1267页。
④　《辽史》卷79《耶律贤适传》，中华书局1974年版，第1272—1273页。

此人堪称较早接触与学习汉文化的典范，在穆宗朝受到政治冷遇后，以"静退"之象为遮掩，用"言不及时事"以避难，暗中与尚未即位的辽景宗过从甚密，意图制造更大的政治建树，故景宗即位后，便因耶律贤适能够为朝廷伺察动静而扬名于世、成为一代良臣。还有耶律琮，也是皇族子弟，

> 故发愤忘食，夜不遑寐，乃师古以立身，讨六经而修德，敦书阅礼……又锱铢戏狎流俗莫亲，俨然有不可弃之志……公方龄十有五祀，适偶嗣圣皇帝……擢公为先军监师……逮至天授、天顺二帝之朝，优游自得，不拘官爵，恒乐以琴棋歌酒，玩之以八索九丘……自天赞皇帝嗣位二年秋七月，以公鳌柱材高，龙宫种贵，……崇禄大夫、检校太保、右羽林军大将军兼御史大夫、上柱国。①

这位既有家学渊源、又颇受中原文化影响的契丹贵族，登仕于太宗朝，却在世宗和穆宗朝落得个"优游自得"的结局。辽世宗及穆宗时期因政治原因而被排斥在朝堂之外，甚至身家性命难保者②，确有人在。像耶律贤适、耶律琮等人所遭遇的舛运，更不排除政治方面的因素，但凭积极的文化融合者身份而遭受政治方面的冷遇，确属事实！说明那时文化融合还存在着极大阻力。据《辽史》，穆宗朝之后社会文化的转变趋势日益明显③，如萧思温等人已成为朝野趋奉的目标和追求的典范，他们代表着一种时尚！而那些顽固

---

① 盖之庸：《内蒙古辽代石刻文研究》，内蒙古大学出版社 2002 年版，第 46—47 页；耶律琮即：《辽史》有传之耶律合住，传称："幼不好弄，临事明敏，善谈论。"见《辽史》卷 86 本传，中华书局 1974 年版，第 1321 页。

② 《辽史》卷 76《耶律朔古传》，耶律朔古因支持应天皇太后而被世宗免去官职。中华书局 1974 年版，第 1246 页；卷 77，耶律安抟、耶律何鲁不、耶律颓昱等皆因与世宗关系密切，或杀或免官或际遇欠住。中华书局 1974 年版，第 1259—1262 页。他们都是契丹辽朝前期政治斗争的牺牲品，很难与文化现象相联系。

③ 《辽史》卷 82《耶律勃古哲传》记载，勃古哲为景宗、圣宗两朝时期的历史人物，既有"勇悍"的体魄，也是善于"治生"（营商）的高手，且又出任朝官，说明契丹社会经济结构发生重大变化。中华书局 1974 年版，第 1293 页；而生活于辽圣宗、兴宗时期的萧蒲奴，本奚王后代，"幼孤贫，佣于医家牧牛。伤人稼，数遭笞辱。医者……异之，教以读书，聪敏嗜学。不数年，涉猎经史，习骑射。既冠，意气豪迈"，登仕于圣宗末年；但记载中出现的"医者"之富庶与贵族之孤贫形成对比，还有"禾稼"与"读书"构成的村野田园风光等，与契丹辽朝前期判然有别。《辽史》卷 87《萧蒲奴传》，中华书局 1974 年版，第 1335 页。

坚守契丹传统文化特征者则受到社会舆论的普遍嗤鄙①。故笔者认为耶律屋质确为契丹辽朝前期本土智者的典型，并非那时还没有接触或吸收更多的文化成果，而是契丹文化还没有受到中原文化的强烈影响。

（三）文字的发明及其文化意蕴

契丹文字的创作，是 10 世纪初期的事情。神册五年（920 年），太祖命突吕不、鲁不古等人制作文字，数月而成，称契丹大字②；其后，皇弟迭剌（字云独昆）又创制"数少而该贯"③ 的契丹小字，标志着契丹社会已经从无文字时代跨入有文字时期。但文字制作完成之后，也必然要经历一个学习、掌握和发展的过程，故 10 世纪前期契丹社会对于文字的使用情况，也还仅限于中央政府转发的部分文牍④，尚未达到普及的程度。例如撰刻于会同三年（940 年）的《耶律羽之墓志铭》和应历九年（959 年）的《驸马赠卫国王娑姑墓志铭》⑤，都仅使用汉字来刻写，而不是像辽朝中晚期的契丹贵族那样，用契丹文或契丹与汉两种文字刻写墓志铭。耶律羽之与卫国王娑姑的安葬年代，距离契丹文字颁布已经有 20—40 年的历史了！而相关的文献记载中，也同样显示出契丹辽朝前期所具有的民族特点与习惯特征。如《旧五代史》后唐天祐十三年（913 年），李存璋为蔚州节度使，辽太祖"遣使驰木书求赂"⑥，即索要一定份额的财物作为"不攻城"的补偿；又，晋少帝开运元年（944 年）三月，"契丹主帐内小校窃其主所乘马来奔，云：

---

① 受欢迎者，不胜枚举，如出身国舅族的萧朴，其父"善属文，为圣宗诗友"，朴幼秉家学，博学多智。登仕于开泰年间，圣宗夸为"得人"，即选拔官吏获得才能之士的意思。《辽史》卷 80 本传，中华书局 1974 年版，第 1280—1281 页。堪与萧思温境遇对比的是：六院部人耶律室鲁"魁岸，美容仪"，不仅深得圣宗信赖，还成为朝野敬仰的典范。《辽史》卷 81 本传，中华书局 1974 年版，第 1283 页。受到嗤鄙的人物也很多，如景宗朝官至政事令、守太尉的宠臣女里，是一位具有高超的游牧民素养的契丹人，能够在郊野辨别马蹄足迹而知良驽优劣，但其性格"素贪"，与"好贿"的朝官萧阿不底相得甚欢，"人有毡裘为枭耳子所著者，或戏曰：若遇女里、阿不底，必尽取之！传以为笑。其贪猥如此。"见《辽史》卷 79《女里传》，中华书局 1974 年版，第 1273—1274 页。圣宗时期遥辇氏贵族耶律阿没里，"性好聚敛"，"时议鄙之"。《辽史》卷 79 本传，中华书局 1974 年版，第 1275 页。

② 《辽史》卷 2《太祖纪下》，中华书局 1974 年版，第 16 页；卷 75《耶律铎臻传附突吕不》，中华书局 1974 年版，第 1240 页；卷 76《耶律鲁不古传》，中华书局 1974 年版，第 1246 页。

③ 《辽史》卷 64《皇子表》德祖系、迭剌目，中华书局 1974 年版，第 967—969 页。

④ 《五代会要》卷 29《契丹》记载，后唐政权在与契丹爆发的定州之役，所获战利品中有无人能识的"绢书文字"，即契丹文字，中华书局 1976 年版。

⑤ 盖之庸：《内蒙古辽代石刻文研究》，内蒙古大学出版社 2002 年版，第 2、33 页。

⑥ 《旧五代史》卷 53《李存璋传》，中华书局 1976 年版，第 720 页。

契丹已传木书，收军北去"。① 所谓"木书"，即契丹军队使用的契、牌之类②。这种使用"木书"的情况，说明与文字的流行还存在着一定的差距，因为，913 年太祖使用"木书"之际，恰是契丹文字还没有创制的时候，而944 年太宗使用"木书"的时候，文字创制与颁布已经 24 年了！或许太宗沿用了太祖时期的形制，但 928 年定州之役，后唐的战利品中出现"契丹绢书二封"、"莫有识其文字者"，此必契丹字无疑。③ 这说明契丹文字对社会的作用还不明显，就像早期使用的"木书"一样制度形式依然没有改变（即使有也是"换汤不换药"的微量变化），故《辽史》记载，

> 辽起松漠，……礼文之事故所未遑。及太宗入汴，取晋图书、礼器而北，然后制度渐以修举。至景、圣间，则科目聿兴，士有由下僚擢升侍从，骎骎崇儒之美。④

学界将契丹辽朝前后变化的临界点，锁定在景、圣两朝之间的过渡期。而前期文化基础则是：

> 流风遗俗，盖有存者。自其上世，缘情制宜，隐然有尚质之风。……其情朴，其用俭。敬天恤灾，施惠本孝，出于悃忱，殆有得于胶瑟聚讼之表者。⑤

所谓"缘情制宜"即以传统习俗或规例为原则；"敬天恤灾，施惠本孝"即习俗或规例皆来源于对"天"的敬畏和人类抵御灾害、赡养老幼的能力；"有得于胶瑟聚讼之表者"即由生活获得的启示与经验，这是当时契丹社会

---

① 《旧五代史》卷82《少帝纪二》，中华书局 1976 年版，第 1088—1089 页。
② 《辽史》卷57《仪卫志三·符契》：太祖初沿用木契，不过刻木为胖合。及"太祖受命，易以金鱼"，"长六寸，各有字号，每鱼左右判合之"，但此符由于征集兵马。又有"银牌"，上书契丹字"宜速""敕走马牌"之意，国有重事，授使者行之；但此牌又非太祖时期制作。中华书局 1974 年版，见第 915 页。
③ 《五代会要》卷 29《契丹》，四库本。
④ 《辽史》卷 104《文学上》，中华书局 1974 年版，第 1445 页。
⑤ 《辽史》卷 49《礼志一》，中华书局 1974 年版，第 833 页。

文化的基本面貌和主要内容①。因此，我们有理由相信契丹社会普遍存在的习惯法现象，正是其从无文字时代向有文字转变过程所存在的具体现象，是当时发展过程所揭示予后人的基本特征，是契丹人已脱离"原始记事"阶段而迈入文明门槛的直接表现，虽然"原始记事"遗风仍存，但"筹计"之学也已蓬勃发展，否则契丹社会也不会出现像耶律屋质这样的"善筹"之士。筹，又名策，本是计算工具，也是方士、伎者之流与巫觋阶层惯用的工具，契丹人也是如此，相关考古资料也证明了这一点②。因筹算功能的发展，而促使天文学的进步。耶律屋质就是一位既通天文、又善筹算的技能之士，而这样的人还有很多③！这表明天文学与算学是一对永不分离的连体姊妹，而算学与天文学的同时存在和发展，再次记录了契丹社会在文字发明之后，由习惯法向成文法过渡的蹒跚步履。虽然，有一点可以作为当今学界的共识，即游牧民族封建时代的起步与农耕民族封建时代的起步，因经济形态不同而呈现出明显差异；但这种差异的具体表现，就游牧民族本身而言，目前尚缺乏具体与实证的研究和分析，故本文也只能暂付阙如。

---

①　契丹辽朝沿用和承袭了契丹社会的礼俗体系，如祭山仪等。太宗以后的发展，将祭山仪增加"诣菩萨堂仪一节"等以及封建礼仪制度的确立。见《辽史》卷49—53《礼志一——六》，中华书局1974年版，第833—880页。（宋）龙衮：《江南野史》卷下记载，辽太宗时期，契丹使者与南唐主对答关于契丹制度内容："征兵率以箭为号，每一部落，传箭一双。曰：何以限多少？曰：以皮为约。曰：何为皮约？曰：筑陋巷，以一皮藉之，兵骑驰过而践焉，以糜坏为度。征多则以骆驼，次以羊以兔为准。"四库本。笔者认为，记载虽有夸大之嫌，但契丹辽朝前期基本状况也与此相去不远，因为"传箭为号"（即以箭为信物）确属北方游牧民族传统，"以皮为约"也是"质朴、尚简"的特征。这些并不影响契丹社会"筹计"之学的发展。

②　李庆发：《建平西窑村辽墓》所述出土"木箸，1只，完整，木制，圆柱体，上雕八道凸弦纹。长25.6、圆径0.5—0.8厘米。"其实，所谓"木箸"即是契丹辽朝时期惯用的算具。《辽海文物学刊》1991年第1期，第120—123页。

③　如圣宗仁德皇后萧氏，就是一位精于计算的"技巧"之士。见《辽史》卷71《后妃·圣宗仁德皇后萧氏》，中华书局1974年版，第1202页。幼年即归太祖的韩知古，"善谋有识量"，也应是位善筹之人。见《辽史》卷74本传，中华书局1974年版，第1233。还有："善治生"的耶律勃古哲，也是算学之士。《辽史》卷82本传，中华书局1974年版，第1293页；同卷《萧阳阿传》，辽代末期人，"识辽、汉字，通天文、相法"，中华书局1974年版，第1293页；卷85《萧挞凛传》，景、圣时人，"有才略，通天文"，中华书局1974年版，第1313页；兴宗朝有"善卜者胡吕古"，见《辽史》卷89《耶律庶成传》，中华书局1974年版，第1350页；《辽史》卷108记载，太祖太宗时，有善医的吐谷浑人直鲁古；及圣宗时善医的耶律敌鲁、善卜者耶律乙不哥等；而在世宗至景宗朝时，尚有太宗从汴梁城"取回"的"明天文，善卜筮"而名动中原的王白、魏璘二人，他们凭自己的"技业"，在契丹社会"名满天下"。设想：如果没有适宜的环境，王、魏二人，何以立足于契丹？中华书局1974年版，第1475—1477页。

最后，借用《辽史》的一段话作为本节的结束：

> 契丹故俗，便于鞍马。随水草迁徙，则有毡车，任载有大车，妇人乘马，亦有小车，贵富者加之华饰。禁制疏阔，贵适用而已。帝后加隆，势固然也。①

这就是契丹辽朝前期社会文化发展的基本面貌！

第四节 耶律琮神道碑：贵族家世与辽初的分封制度

耶律琮，《辽史》又称耶律合住，或作耶律昌尤，乃辽朝初期皇室重要人物耶律迭剌之孙。

耶律迭剌，即辽太祖三弟，因古代译音无定字，故又被写作"迭剌哥"或"迭烈哥"。耶律迭剌的生平，基本与太祖朝相始终，他也是次兄剌葛的忠实追随者，史称：迭剌参与了剌葛掀起的谋反活动——即著名的"诸弟之乱"，并且为其中的骨干成员。"诸弟之乱"，不仅是皇室家族内部冲突的总爆发，也是对以往传统的延续和对初见轮廓的君主专制制度的"违逆"。因此，辽太祖与诸弟的关系留下难以弥缝的裂隙。

一、耶律琮的家世兴衰

神册二年（917年）六月，剌葛"南奔"后唐，次年，

> 皇弟迭烈哥谋叛事觉，知有罪当诛，预为营圹，而诸戚请免。上素恶其弟寅底石妻涅里衮，乃曰：涅里衮能代其死，则从。涅里衮自缢圹中，并以奴女古、叛人曷鲁只瘗其中。遂赦迭烈哥②。

---

① 《辽史》卷55《仪卫志一·国舆》，中华书局1974年版，第900页。
② 向南：《辽代石刻文编》道宗编上《创建靖安寺碑铭》，河北教育出版社1995年版，第360—363页。

其后，天赞年间（922—926 年）制定契丹文字时，

> 回鹘使至，无能通其语者，太后谓太祖曰"迭剌聪敏可使。"遣迓
> 之。相从二旬，能习其言与书，因制契丹小字，数少而该贯。①

迭剌制作了著名的契丹小字，所谓"数少而该贯"的评价，这是相对大字
的"繁复"而言。大字的制作年代，在神册五年（920 年）正月到九月间，
故小字的制作不早于神册五年九月。当辽太祖灭亡渤海国、建立东丹国的时
候，迭剌被太祖任命为东丹国左大相，为东丹国四大宰相之首，综理东丹国
政务，成为东丹国的主要执政大臣，但不久，迭剌便因疾"病殁"。

迭剌的后人，《辽史》中没有系统的记载，仅收录了其孙《耶律合住
传》，且记事相当简略，仅知其出仕于辽景宗朝，并为辽宋媾和作出重要贡
献。20 世纪初期，在今赤峰市喀喇沁旗境内发现的《耶律琮神道碑》，则使
学界对于耶律合住的事迹有了较为详细的了解。耶律合住，即耶律琮，琮乃
其汉语名字，合住为其契丹语名字的译写。

据《耶律琮神道碑》碑文记载：

> 公讳琮，字伯玉，姓耶律氏，世为漆水郡人也。与国同宗，（中
> 阙）烈祖讳云睹衮，乃大圣皇帝之同母弟也，……夙夜匪懈，戮力勤
> 王，……厥后大圣皇帝封建兄弟，赏异众臣，……宠以元良，拜为东丹
> 国左宰相。……烈考讳允，与嗣圣皇帝为从昆弟……分茅裂土，东郊未
> （阙二字）于伯禽；木落花雕，西日俄沉于回也。②

是知，耶律琮（即合住）乃迭剌之孙，其中"封建兄弟"与"分茅裂土"
云云，表明了契丹辽朝初期实施分封的基本情况，说明在辽太祖、太宗时

---

① 《辽史》卷 64《皇子表·德祖六子》，中华书局 1974 年版，第 968—969 页。
② 李逸友：《辽耶律琮墓石刻及神道碑铭》，《东北考古与历史》1982 年第 1 辑，第 174—183 页；
郑瑞峰等整理：《辽耶律琮墓及其碑铭》，《喀喇沁旗文史资料》第 2 辑，1985 年 12 月，第 116—118 页；
盖之庸：《内蒙古辽代石刻文研究》，内蒙古大学出版社 2002 年版，第 45—50 页，均录有《辽耶律琮神
道碑铭》全文。

期，都相继推行封建皇亲贵胄、勋臣的政策；而且，耶律琮的父亲耶律允，并未受到太宗朝赐封，原因是未及太宗推行"分茅裂土"的封建政策时，耶律允已经染病身亡。那么，太宗推行"封建"群臣的政策，又在何时呢？笔者认为只能是在会同年间（938—946 年）初期。而且，契丹辽朝初期曾经推行有步骤的分封政策，这在《耶律琮神道碑》的碑文记载中，也可以得到印证。

碑文记载，耶律琮父母早亡，幼失怙恃，当此之时，

> 多难排忧，唯天是託。家臣仆（隶），各无同（念）；奴婢货财，尽属他人之手。……公因静日，泣而自勖，知祖考之德不可怠而辱（之），祖考之家世不可久而隳之；三事不终，殆为不孝。……公以心藏巨岳，量纳四溟，弱而持霓，众返归辅，招携逆散，家道赫然①。

其中所谓"祖考之家世不可久而隳之""祖考之德不可殆而辱"，即指迭刺系的封地和政治优遇，不能够因为候嗣者的幼弱而毁弃；"家世"和"功德"云云，这是迭刺在世时，就已经获得的家庭权益。

据碑文和传文的记载，耶律琮曾因"近族入侍"而踏入仕途，并随辽太宗饮马黄河，灭亡了后晋政权，成为当时崇慕中原文化的代表人物，但当辽世宗和穆宗两朝时，却落得个"优游自得，不拘官爵"的闲散光景。直到辽景宗朝时，才再度出任涿州刺史、西南面招安巡检使，并积极主动地与北宋政权媾和，终于促成了辽宋双方持续十余年的"开宝议和"阶段，为南北双方赢得了一次短暂的和平时期。后因宋太宗灭亡北汉、进攻幽州而使"和议"彻底破裂，大约也因此又连累了耶律琮，使他再次退出辽朝的政治舞台。但《耶律琮神道碑》关于他晚年生活的记载中，则显示出了其封地内部的一般状况，如：

> 喜归私地，逸乐自娱，然公长以释教为事。……亲领门生故吏，退游岭外；点检牧（阙一字）以资亲付儿男（下阙）。

---

① 李逸友：《耶律琮墓石刻及神道碑铭文》，《东北考古与历史》第 1 辑，1982 年。

夫人便与二三孝子门生故吏部曲人员，亲往（阙字）马盂山。

随使（阙四字）故魏王府契丹都提举使田亚思、随使契丹都提（阙四字）马盂山庄主首李琼美、凌河庄主首李琼莹（阙四字）。

以上记事内容包括耶律琮的私地（如庄园）、私属（如门生故吏部曲、随使等）及其领地内的机构设置（如魏王府等）、远离居住地域的私有牧场等等，由此可以窥见契丹辽朝初期贵族分封状况的一般景象。

笔者认为，碑文记载的"马盂山庄"，即今内蒙古赤峰市喀喇沁旗马鞍山乡鸽子洞沟口附近，此处西距耶律琮墓地约 1 公里，在进入墓地的山口处，至今仍有面积庞大的石建筑遗存，当为"马盂山庄"故址；而"凌河（山）庄"，其地当在今大凌河水系上中游地区寻找①。耶律琮一家自祖考以来，拥有面积辽阔的封域。《耶律琮神道碑》撰写的时间，碑文明确记载"保宁拾壹年玖月叁拾日建丹"，是耶律琮神道碑的刻写和矗立的确切时间。所以，《耶律琮神道碑》也是明确记载契丹辽朝初期贵族分封制度的较为完整的历史资料之一。

同时，根据碑文和传文的记载，可以了解到在辽太祖晚年或者辽太宗时期，辽太祖的四（五）个弟弟中，只有安端一系堪称是硕果仅存，其他诸支已经是鲜花凋零、家道中衰，迭剌的后代正是剌葛、迭剌、寅底石以及苏等诸人后代的缩影。耶律琮幼年时期的悲酸身世，可以看作辽太祖时期兄弟阋墙之争的余响！

二、耶律琮郑国夫人萧氏家世考证

《耶律琮神道碑》记载了他的两位夫人，即郑国夫人萧氏和虢国夫人萧氏，其中郑国夫人及其家世的记载较为详细，故移录如下，略作辨正。

适有郑国夫人，（阙一字）凤凰之（阙二字）哀琴瑟以韵（阙二字）礼奉终，于义适中。以令公在病，夫人之视疾也，亲奉汤药，朝不暇食，体唯温凉，夜不解衣，终始两年，其心若（阙文）也，是大

---

① 李逸友：《辽耶律琮墓石刻及神道碑铭》，《东北考古与历史》第 1 辑，1982 年。

圣皇帝之侄女也；皇帝以祥（阙一字）蛇虺，视若殊（阙一字），幼长皇宫，以为己女。乘龙下嫁于诸侯，班制欲（礼）于王后。夫人之父，乃有国之后也。世为大契丹国皇亲，由齐鲁与秦晋之（好）也，（阙四字），尚公主为驸马都尉，后锡以极品。封建（阙二字），以袭先人之（阙一字），用彰（阙二字）之荣。夫人之姊，实助天顺皇帝内治，六宫化冷，万姓德标，彤管（阙一字）播（阙二字）乃妻姊后妃之伦也。夫人之宗，世联褋房以贵，姓宫（阙一字）亲故，（阙四字）氏之化也①。

是知郑国夫人的家世，也是"木大根深、枝叶繁茂"的名门之后。上引第三行（阙文）"也"字前一字应为"母"字，即郑国夫人之母，"是大圣皇帝之侄女也"，大圣皇帝即辽太祖，郑国夫人之母是辽太祖某弟的女儿，姓耶律氏。而"皇帝以祥（阙一字）蛇虺，视若殊（阙一字），幼长皇宫，以为己女"，此段文字较为晦涩，但根据太祖时期的政治状况不难理解。

第一，从郑国夫人之母耶律氏"幼长皇宫"的记载来看，知其幼年，已父母皆失，故为太祖收养；再参照所谓"蛇虺"之说推论，太祖诸弟中具备条件者，仅有剌葛。故郑国夫人之母，应为剌葛之女。

第二，所谓"蛇虺"之说，盖指"诸弟之乱"的首祸剌葛而言。据《契丹国志》记载，剌葛屡次兴乱，太祖尝数之曰："汝为吾手足，而汝兴此心，吾若杀汝，则与汝何异？"故因而释之②。这里记载的大约是剌葛等人屡次叛乱后，太祖处理从逆人员时所说的话。因为，《辽史》记载此事时说："首恶剌葛，其次迭剌哥，上犹弟之，不忍置法，杖而释之。"③但是，对剌葛的态度已经变化，

时大军久出，辎重不相属，士卒煮马驹、采野菜为食，孳畜道毙者十七八，

---

① 盖之庸：《内蒙古辽代石刻文研究》，内蒙古大学出版社2002年版，第48页。
② （宋）叶隆礼：《契丹国志》卷1《太祖大圣皇帝》，贾敬颜、林荣贵点校，上海古籍出版社1985年版，第3—4页。
③ 《辽史》卷1《太祖纪上》，中华书局1974年版，第9页。

物价十倍,器服资货委弃于楚里河,狼藉数百里,因更剌葛名暴里①。

"暴里"是什么意思呢? 据《国语解》记载:"暴里,恶人名也。"② 据清格尔泰等对契丹小字研究表明,契丹人用以标记年历的方式,有凭十二生肖纪年的习惯以及天干五色纪年的方法,其中用以标记蛇年或巳蛇年就是用蛇来命名。契丹语称呼蛇的暂拟音值,参照蒙语可构拟为 mogo 或 moro③,契丹小字写作𠈏④。根据民族语文学的认识,上述史料中的"暴里",与已经取得的契丹小字研究结果相比较,还不能得出两者等同的结论;但文献记载太祖将剌葛更名为"暴里",而耶律琮神道碑关于"蛇虺"的记载,又确实指剌葛而言,则"暴里"与"蛇虺"之间是否存在语义的联系,只能等待契丹文字研究的进展才能解决。

综上诸端,郑国夫人之母,必为剌葛之女无疑,她是剌葛投降后唐政权时,抛弃在本土的家人之一。郑国夫人之母耶律氏,因为得到伯父的照顾,才得以成长并以皇族之女的身份(公主或翁主)下嫁后族萧氏为妻。

郑国夫人的家世,据碑文记载,其父亲"乃有国之后""锡以极品,封建(阙二字),以袭先人之(阙字为业?),用彰(阙二字)之荣"云云,其中的"封建"、"袭"等字样,无疑表明郑国夫人的父亲,作为后族萧氏的后裔,也承袭了祖考以来获得的封地和产业,这是关于契丹辽朝初期,后族也得到"封民封疆土"建立侯伯威权的文字描述。同时,碑文中记载:"夫人之姊,实助天顺皇帝内治,六宫化冷,万姓德标"云云,即郑国夫人之姊,乃天顺皇帝(辽穆宗)妃嫔,说明郑国夫人萧氏确实是出身于契丹世代妃后之家的国舅帐族。

---

① 《辽史》卷1《太祖纪上》,七年五月条,中华书局1974年版,第7页。
② 《辽史》卷116《国语解》,中华书局1974年版,第1535页。
③ (清)格尔泰编著,吴英喆协助:《契丹小字释读问题》,东京外国语大学国立亚非语言文化研究所发行,2002年(平成十四年),第10页。
④ 表示蛇的契丹小字由三个原字构成,其中后两个原字的音值已知为 go,故根据蒙古语暂拟为 mogo,见清格尔泰:《契丹小字释读问题》,东京外国语大学国立亚非语言文化研究所发行,第10页。于此提出"暴里"的读音,或者可以作为释读契丹小字"蛇"的音值的线索。

第 十 八 章

契丹辽文化研究的历史定位与评价问题

第一节　契丹辽朝文化的总体整合

从公元 4 世纪起，契丹族就生活于中国北方草原地带，虽然，各种文献资料仅留下了它们部分的断续的记录，但通过这些零散的记载，也可勾勒出一部有骨有肉、有始有终的契丹族兴亡史。透过历史的面纱，足以使我们领略契丹人那种若隐若现又日趋丰满的文化发展趋势。宏观地考察从北魏到辽朝契丹文化发展的总体性特征：就是广博的多源性，因与多民族杂处而使其文化别具一种新特质，即草原文化与农耕文化同存共处，并在不断地汲取、汇聚、再造的机制中，将自身的文化运动推入了新的整合程序之中。

一、契丹族文化始源地

契丹之名，最早见于 5 世纪初（即 405 年）。但契丹部族的历史发端，则应上溯到 4 世纪中叶宇文部的灭亡（即 345 年）、契丹与奚的先世始见于松漠时期。契丹人，最初是与奚部族等共同生活于松漠之间，尔后向南扩展到今辽宁省大凌河流域。当北朝、隋唐时期，契丹部落的分布范围，西起今河北围场县、东至今通辽市扎鲁特旗、南逾老哈河流域、北抵大兴安岭南麓，在这方广十余万平方公里的范围内，有着大片的草原稀疏松林，其间，茂草与松林相衬，沙原与河水交辉，"弥望平漠，无尽如海"，故时人形象地将这里称为"松漠"。这里的草原植被状况，直到辽金时期仍保持着完好的状态，草场平坦，原隰绵延，泉水密布，溪流纵横，故又称之为"平地松林"或"千里松林"。

契丹部族始终生活在以今赤峰市为中心，北起西拉木伦河流域、南到大凌河流域之间的广阔地带。这一区域，自古以来就在中国文化地理环境中占有引人瞩目的位置，不但酝酿了古老的农耕经济为主的"红山文化"，也孕育过以青铜曲刃短剑为代表的古老的游牧文化；不仅为农耕文明的产生作出重要贡献，也使游牧文化在此得到充盈的发展。由于独特的地理位置，即南与中原农耕文化区相连，东与农耕形态为主的古肃慎族系相邻，北与游牧文化区相接，构成了其在中华地域文化发展中的双向作用，即中原文化由此向北渐及，而游牧文化也于此向南传递，形成北及阴山、南达幽燕的南、北文化交融区域。北方民族借鉴和汲取了农耕文化成果，中原地区也晕染了浓厚的"胡风胡俗"影响，汉代如此，隋唐以降亦如此。据大量考古资料证明，这里还是草原丝路的东端枢纽，它沟通了辽河上下、白山黑水之间与阴山南北、西域中亚的文化交通。这里又是多种文化汇聚、冲突、融会的重要场所。这是历史发展所赋予这一区域的重要的人文现象。

自4世纪中叶迄于12世纪初，契丹部族的文化发展秉承了地理环境造成的区域文化发展优势，呈现出多源汇聚的文化整合的发展形式。

《魏书》言，契丹本宇文别部，宇文乃匈奴远属；《旧唐书》言，契丹本东胡之鲜卑；而《新唐书》、两五代史言，契丹本匈奴之种；至今，关于契丹族属仍无统一认识。问题的症结在于游牧文化的共通性及其极易融合的特征，混淆了人们对族属问题的认识。

游牧民族的文化共通性，首先是由游牧民族共同的生活方式所决定的。所谓人人善骑射、男女习鞍马的生活方式，是游牧社会经济生活的主要特征，而在此基础上形成的基本文化形态，也具有鲜明的个性，

> 宽则随畜，因射猎禽兽为业，急则人习攻战以侵伐，其天性也。其长兵则弓矢，短兵则刀铤。利则进，不利则退，不羞遁走。[1]

----

[1]　《史记》卷110《匈奴列传》，中华书局1959年版，第2879页。

这是游牧民族文化的基本特点，也是它们的共同特征。其次，部族之间驻牧范围的接近、强大的政治群体的更替等客观原因，也决定了风俗文化的相互传递与融合，这是造成共同性的又一个重要因素。如北方民族文化中习见的"蹛林拜日"现象，始于匈奴，主要内容即是大会聚，祭天地，宴饮作乐。其后，鲜卑人如此，契丹人也如此①。这种共同的文化特征，绝非外在的表现而是体现着观念系统的精神存在。又如以金银为器物、冠饰，这是游牧民族中普遍的现象，也是共同心态直接作用生活的结果，或许这种结果中也允许不同群体间各具特色的器物型式与艺术表现方法，但也仅是大同小异而已。匈奴人的鹰形冠饰和鲜卑人的步摇冠、契丹金银冠，造型或许各不相同，但表现的确是一种共同的好尚。因此，游牧民族的文化共通性是多层次、多方面的共同反映，它促成了古往今来多少部族之间无条件的共同融合。

游牧民族间的相互融合，是伴随着力量消长等具体原因进行的。东汉时，北单于遁逃后，

　　　　　余种十余万落，诣辽东杂处，皆自号鲜卑兵。②

这些匈奴人毫不犹豫地使自己变成鲜卑人，正如13世纪初蒙古社会中也曾发生过的现象一样，

　　　　　因为他们的外貌、形状、称号、语言、风俗习惯和举止彼此相近（尽管在古代，他们的语言和风俗习惯略有差别），现在甚至连乞台、女真、南家思……等民族，一切被俘的民族，以及在蒙古人中间长大的大食族，都被称为蒙古人。所有这些民族，都认为自称蒙古人，对于自己的伟大和体面是有利的。③

---

　　① 《史记》卷110《匈奴列传》，颜师古注，中华书局1959年版；《辽史》卷2《太祖纪下》，中华书局1974年版，第20页。

　　② 《三国志·魏书》卷30《乌丸鲜卑东夷列传》注引王沈：《魏书》，中州古籍出版社1969年版，第837页。

　　③ ［波斯］拉施特丁：《史集》第1卷第1分册第2编，余大钧、周建奇译，商务印书馆1983年版，第167页。

这是北方游牧民族中固有的人类文化现象，这种现象随着游牧民族之间政治力量的消长而呈现着不断融合的规律性运动，鲜卑文化不但包含了众多的匈奴文化因素，蒙古族文化也势必遗留它所融合的其他民族的文化的痕迹。当然，不同的族属与时代的游牧民族之间的文化现象，毕竟是不能尽如一致的。然而，族属的问题，归根结底则是因为某一群体的称号所产生的历史作用的问题。易言之，在一定的人类生活群体之间，可以由于共同的经济利益和风俗习惯的相同或相近，而促成它们在一定程度上的联合。这样的联合体，就形成了以某个部族称号为总体的兼具政治与地域意义的共同概念，包容在这个整体概念下的所有人口，也许其最初的文化形态并不完全相同，但随着它们共同生活的结果，也必然形成一个具有相同文化形态的总的群体，匈奴、鲜卑及蒙古，莫不如此。故族属的问题，实际上还反映着文化的传承问题，反衬着诸民族文化融汇发展的趋势。在这总的整体性的运动发展过程中，许多被人类群体所共同接受的东西，便作为传统的东西而得以保留下来，这就是共同的人类文化观念与文化传统。

契丹以宇文部溃余之众"匿居于松漠之间"，而宇文部与匈奴的关系事实上构成鲜卑文化与匈奴文化的交互传递。因此，关于契丹族属问题，就文化现象而言，其绝非为某一单纯的部族的问题，而是构成一种特有的文化心态或者所以用之"认识自身及周围世界"的观念系统，反映了某种主导文化的遗传基因的作用问题。在弄清了这样的一层具体含义之后，就可以去认识与了解契丹族文化的始源及其得以勃兴的精神的和物质的力量。

契丹与奚皆脱胎于宇文部，它们最初的文化面貌，都与鲜卑宇文部存在密切联系。史称，宇文部

> 出于辽东塞外，其先南单于远属也，世为东部大人。其语与鲜卑颇异。人皆剪发而留其顶上，以为首饰，长过数寸则截短之。妇女被长襦及足，而无裳焉。秋收乌头以为毒药，以射禽兽①。

这是史籍仅存的宇文部风俗文化记载。需指出的是：宇文部乃鲜卑诸部之一，

---

① （北齐）魏收：《魏书》卷98《匈奴宇文莫槐传》，中华书局1974年版，第2304页。

其驻牧范围即今老哈河流域一带，由于地域的界隔形成了其与鲜卑诸部间既有联系又有区别的文化特征，北齐人魏收在《魏书》中记载，契丹与奚

> 其民不洁净，而善射猎，好为寇抄……其俗嫁娶之际，以青毡为上服。

契丹与奚人的这种毛织工艺技术，无疑继承了鲜卑人的传统生产项目，而服饰尚青则又是与拓跋鲜卑相同的一种生活好尚。契丹人与奚人的畜牧生产，也是以马、牛、羊、豕等"杂畜"为主，这正是生活在古松漠地域内所有游牧人族团所共同具有的经济生产特征之一。

但契丹与奚同鲜卑部落明显不同的文化现象，是体现在丧葬制度的继承与变异上。崇山是鲜卑人的传统习俗，以大山为人类灵魂的归宿所，契丹与奚人也同样如此；但鲜卑人送死则埋葬、用棺，而契丹与奚人却是

> 死者以苇箔裹尸，悬之树上①。
>
> 父母死而悲哭者，以为不壮，但以其尸置于山树之上，经三年之后，乃收其骨而焚之。②

可见，契丹与奚族最初的文化面貌，虽呈现了与鲜卑文化的某些共同之处，但也有着明显的差异，这种差异就是由他们生存的环境和条件所决定的。

契丹以宇文溃众之余，而能于半世纪内自成族团、崛起松漠，并在北魏打击下，非但未萎缩，反而势力南迈、呈现坐大的发展趋势，这是一个值得思考的重要历史与文化现象。检查史籍，可以发现，自公元 1 世纪鲜卑人称雄大漠南北以来，东胡族后裔便成为北方草原的主人，史称；

> 室韦，契丹之类也。其南者为契丹，在北者号室韦③。

---

① （唐）魏徵：《隋书》卷 84《北狄传·库莫奚》，中华书局 1973 年版，第 1881 页。
② 《隋书》卷 84《北狄传·契丹》，中华书局 1973 年版，第 1881—1882 页。
③ 《隋书》卷 84《北狄传·室韦》，中华书局 1973 年版，第 1882—1883 页。

此外，尚有奚、地豆于、乌洛侯等东胡族后裔，散布在古松漠区域及其周边地带，在其东方则有古肃慎系的靺鞨（勿吉）、豆莫娄等部族。发生在这些不同系统的民族之间的交往形式，是一种总体融通的文化发展趋势。它们之间在经济生活方式、风俗习惯方面形成的大同小异的基本特征，使自古以来所谓肃慎系与东胡系的区别已经成为过去，民族系统之间所存在的基本政治含义也几乎消失殆尽。它们之间所存在的剧烈的吞并战争形式，若契丹与奚"常相侵盗"、契丹与靺鞨"每相劫掠"等，说明吞并战争已经成为一种维持生存必须的经常的手段，致使许多部族的歌舞习惯也都充满了战争的影响，即"曲折多战斗之容"，表明兼并战争已经在古老的东胡族系与肃慎族系之间完全展开。因此，史载，魏太祖与隋文帝，对古松漠区域内诸游牧部族的共同印象，都是

　　　　此群狄诸种，不识礼义，互相侵盗。[①]

这种客观存在的历史现象，首先是具体的生活环境和条件直接作用于其头脑的反映，是观念系统对外界感觉作出判断的物化形式；其次表明自北魏至隋朝，古松漠地域正在经历着一次规模较大的部族融合过程。据考古资料表明，自东汉末年以来，鲜卑人在古松漠地域内，已经从简单的游牧生活方式发展到具有一定程度的定居的生活形式。[②] 因此，北魏太祖与隋文帝等人感觉到的古松漠地域与中原地区大相径庭的文化现象，正是当时民族文化相融、再造过程的直接反映。

　　契丹之先，以"宇文残众"身份遁逃松漠之后，与其他诸族邑落又重新组合成一个新的族团，这是符合民族融合与发展趋势的。当登国三年（388），北魏太祖大破库莫奚部，"获其四部，杂畜十余万头"后，当地族团不仅未能因此衰落下去，反而将驻牧范围推进到托纥臣水流域（即今赤

---

　　① 《隋书》卷84《北狄传》契丹、奚及卷81《东夷传·靺鞨》，中华书局1973年版，第1881—1882页、1821页。

　　② 参见中国社会科学院考古研究所：《新中国的考古发现与研究》，文物出版社1984年版；中国社会科学院考古研究所东北工作队：《内蒙古巴林左旗南杨家营子的遗址和墓葬》，《考古》1964年第1期。

峰市境内的老哈河）①，形成反败为胜的发展趋势，说明 4 世纪末的古松漠诸部族已经逐渐发展强大起来。近年来，考古工作者初步揭示了一种属于早期东部鲜卑遗存的考古学文化类型——舍根文化，其典型器物小口直腹陶罐与陶壶上的连续箆点纹饰，都表现出与早期契丹文化同类器物相同的因素②，说明契丹人与东部鲜卑文化确实存在着源流的关系。

因此，契丹文化始源，是在特有文化心态基础上，使自身文化与其他文化形态在运动中完成初步整合。要言之，是以"契丹"为族称的社会群体在特定的生存环境、生产实践中形成的群体共同观念的表现形式，它汇聚了当时当地诸族团文化的精华（即适应其群体的生产、生活的部分），是一个多源合流的文化凝结体，形成了只能代表"契丹"色彩的草原文化风貌。

二、北魏至唐代契丹族文化多源汇聚的继续发展

这一时期，契丹族的文化发展，除仍然保持了与东胡各族团、靺鞨诸部的密切交往外，还与中原汉族及北方草原先后兴起的突厥、回纥各族存在密切的文化交流。这一时期契丹文化的主要内容，就是体现出更为复杂的多源汇聚的基本特征。史载，魏世祖太平真君年间（440—450 年），契丹

> 求朝献，岁贡名马。显祖时，使莫弗纥何辰奉献，得班飨于诸国之末，归而相谓，言国家之美，心皆忻慕，（于是）诸部莫不思服……各以名马文皮入献天府，遂求为常，皆得交市于密云、和龙之间，贡献不绝。③

正是这种文化的吸引力、忻慕先进文化的心态，遂使契丹族"朝贡至齐受禅常不绝",④ 证明双方间物质与精神的密切交流。契丹人以"名马文皮，入献天府"，著为定式，转化为北魏皇室物质消费资料，而北魏作为酬答形

---

① 《魏书》卷 100《契丹传》，中华书局 1974 年版，第 2222 页。
② 张柏忠：《契丹早期文化探索》，《考古》1984 年第 2 期；哲里木盟博物馆等：《哲里木盟发现的鲜卑遗存》，《文物》1981 年第 2 期。
③ 《魏书》卷 100《契丹传》，中华书局 1974 年版，第 2223 页。
④ 《魏书》卷 100《契丹传》，中华书局 1974 年版，第 2224 页。

式赏赐给契丹人的物品，也是有明确数额规定的。若北魏熙平年间（516—517 年），契丹使人祖真等三十人还，灵太后作为回报形式的赏赐品，除仍因"旧式"（即一定的回报规格）外，又额外"人给青毡两匹"①。北魏皇室对周边按时"朝贡"部族的赏赐内容包括铠甲、刀盾、槊矛、弓箭、鼓角、眊幡、帐幕、丝织品、粮食、生活器具及佩饰、毛制品、杂畜、奴婢等。② 至孝文帝时，契丹与内地的交易，仍是无官府监视的民间"互市"形式。③ 这些对契丹社会文化的发展，无疑有着重大的资助作用和一定的吸引力。因此，自契丹与北魏之间实现经济、文化交流以来，契丹人逐渐走出松漠腹地，南移白狼水（今大凌河）流域以东地区。现存辽宁省义县万佛堂洞窟，北魏景明三年（502 年）"慰谕契丹使韩贞"题记表明，北魏晚期，契丹与中原的文化交往，已极其频繁并日趋深化。

契丹人南徙白狼水流域后，也与高句丽、靺鞨诸族有了较多的接触。随着东、西魏的分立，契丹与中原的交往受到了阻隔，因此，北齐至隋初，契丹人主要与靺鞨等部族存在较为深刻的文化交流。此时靺鞨族（古肃慎系）的经济生活方式，已兼具农耕与畜牧的双重色彩，史载，

> 人皆射猎为业，角弓长三尺，箭长尺有二寸。常以七八月造毒药，傅矢以射禽兽，中者立毙。④

这与契丹人及宇文部毫无二致！《隋书》云契丹习俗颇与靺鞨同，这是它们存在的共性特征。靺鞨人相与耦耕、嚼米为酒的生活方式，又是契丹人学习的主要内容。故契丹人丧葬习俗中也已形成特定的祭奠仪式：即收骨焚葬时，

> 因酹（酒）而祝曰：冬月时，向阳食；夏月时，向阴食。若我射

---

① 《魏书》卷 100《契丹传》，中华书局 1974 年版，第 2224 页。
② 《魏书》卷 103《蠕蠕传》，中华书局 1974 年版，第 2289 页。
③ 《魏书》卷 100《库莫奚传》，中华书局 1974 年版，第 2223 页。
④ 《隋书》卷 81《东夷传·靺鞨》，中华书局 1973 年版，第 1821 页。

猎时，使我多得猪鹿。①

这套仪式很简略，内容也只有酒食与祝文，但它却揭示了契丹人思维意识领域中客观存在的那个"鬼神的世界"。

6世纪中叶，由于突厥族的兴起，导致契丹与柔然关系的恶化。553年，北齐为维护柔然而出兵大破契丹，获其人众十余万口，分置河北诸州县；突厥遂乘虚而入，迫使契丹部民三千余家成为突厥牧奴，另有余众"万余家寄附于高丽"。隋文帝时，对契丹实施招徕政策，使分散的部众逐渐重新统一，并在隋朝庇护下

> 依托纥臣水而居，东西亘五百里，南北三百里，分为十部。兵多者三千，少者千余，逐寒暑，随水草畜牧……有征伐，则酋帅相与议之，兴兵动众合符契。②

但是，这个联盟组织依然是比较松散的，这是因为

> 他们以少数的人口占有辽阔的地面。亲属部落间的联盟，常因暂时的紧急需要而结成，随着这一需要的消失即告解散。③

契丹人的部族联盟组织无疑是面对突厥人——这个虎视眈眈的"紧急的需要"而形成。隋代至唐初，契丹文化与突厥文化的交汇是契丹文化发展的主要特征。史载，突厥之俗，"男子好樗蒲，女子踏鞠"，其葬俗则具有"尝杀一人，则〔于墓前〕立一石，有至千百者"的文化特征。④ 契丹人本来是"死者不得作冢墓"，但此期内也出现了比较普遍的墓葬制度，或为土

---

① 魏徵：《隋书》卷84《北狄传·契丹》，中华书局1973年版，第1881页；杜佑：《通典》卷200《契丹》。

② 《隋书》卷84《北狄传·契丹》，中华书局1973年版，第1881—1882页。

③ 恩格斯：《家庭、私有制和国家的起源》，《马克思恩格斯选集》第4卷，中共中央马克思、恩格斯、列宁、斯大林著作编译局译，人民出版社1972年版，第89页。

④ 《隋书》卷84《突厥传》，中华书局1973年版，第1863—1879页。

坑墓，或为石室墓，葬式虽然不同，葬俗却有着共同的文化因素，譬如：遗骨葬者，下垫桦树皮数层，上铺毡子和皮张；火葬者，圹内堆放骨灰及木炭或灰烬，上盖纵横叠置的几层桦树皮。① 唐末的契丹人墓葬，葬式仍较简陋，但出现了一些新的葬俗与内容，譬如金、银、铜、铁器物以及生活器具、马具的随葬等。② 尤具代表性的是双井沟火葬墓，墓地地表铺砌石块作成方形茔垣，茔垣中部砌成方形石堆，石堆之下即是墓室，墓内随葬以羊距骨作的"博具"③，并已形成了普遍的石筑墓习惯。现今发现的辽早期墓葬如：水泉沟辽墓、驸马赠卫国王墓等均为石室墓或砖券墓圹内设置石室的安葬形式④，而"樗蒲"也仍是辽代贵族生活中的娱乐形式。这些现象，说明契丹文化受到北方突厥等民族文化的深刻影响，并保留了自身的传统风格。

7 世纪中叶，随着唐朝对突厥、高丽诸族的屡屡打击，中原文化对契丹社会的影响也日益深刻。唐朝设松漠都督府，以大贺氏联盟首领为使持节契丹诸部十州诸军事、松漠都督、无极县男，并赐国姓；但唐王朝对契丹的统治政策，并不是建立在平等基础上，而是以"羁縻"为主，即便如此，契丹诸部也由此获得了窥探唐朝政治、文化以及社会生活风貌的机会。因此，696 年，当松漠都督李尽忠与归诚州刺史孙万荣联合反唐时，也移檄唐朝幽、营诸州县，公开打出反对武则天专制的旗号。⑤ 697 年，孙万荣还在柳城西北四百里依险筑城，号称"新城"，以安置部落老弱妇孺与器仗资财等⑥，

　　　　契丹将李楷固，善用缳索及骑射、舞槊，每陷阵，如鹘入鸟群。

　　① 哲里木盟博物馆：《内蒙古哲盟发现的几座契丹墓》，《考古》1984 年第 2 期。
　　② 项春松：《上烧锅辽墓群》之 M2、M3 号墓，即唐晚期契丹人墓葬，《内蒙古文物考古》第 2 期，1982 年 12 月。
　　③ 中国社会科学院内蒙古考古工作队：《内蒙古昭盟巴林左旗双井沟辽火葬墓》，《考古》1963 年第 10 期。
　　④ 内蒙古文物考古工作队编：《内蒙古文物考古资料选辑》，内蒙古人民出版社 1964 年版，第 153—154 页；郑绍宗：《赤峰县大营子辽墓发掘报告》，《考古学报》1956 年第 3 期。
　　⑤ 《资治通鉴》卷 206，则天后神功元年十二月条，中华书局 1956 年版。
　　⑥ 《资治通鉴》卷 206，则天后神功元年十二月条，中华书局 1956 年版。

这些现象，若非对中原文化极为熟悉者绝难办到。故自盛唐开始，大批契丹人分别以各种方式入仕中原政权，尤著名者如李楷固、骆务整、李光弼、王武俊等人，都是唐朝边将中的佼佼者。随着唐文化对契丹社会的介入，契丹文化有了长足发展，并推动着部落内部政治力量的重新组合，即遥辇氏取代大贺氏的政治地位，使契丹社会发展沿着国家制的轨道不断前进。

8 世纪时，契丹与中原的联系主要是朝贡关系，史载：

> 契丹在开元、天宝间，使朝献者无虑二十。故事，以范阳节度使为押奚、契丹使，自至德后，藩镇擅地务自安，鄣戍斥候益谨，不生事于边，奚、契丹亦鲜入寇，岁选酋豪数十入长安朝会。每引见，赐与有秩，其下率数百，皆驻馆幽州。至德、宝应时再朝献，大历中十三，贞元间三，元和中七，太和、开成间凡四①。

如果说，唐玄宗时期契丹部落朝献仍然是唐朝威服与挟制的结果，那么，自唐肃宗朝以后，来自契丹部落的朝献活动则只能视为经济、文化吸引的结果。开元十三年（725 年），契丹主李邵固亲自入朝贡献，当时，正值玄宗举行泰山封禅大典，邵固因而随行至泰山，参与典礼活动②，目睹了唐朝礼乐制度的盛况。开元十八年（730 年），契丹重臣可突于入贡③，意义都远在政治服属之外。故契丹族在约博、雄浑的盛唐文化影响下，自身文化形态也日益丰富和充盈起来。首先，具有了粗放的农业经营形式，

> 稼多穄，已获，窖山下，冬来就食。④

《辽史》亦言，"至始祖雅里，始究心农工之事"。其次，参酌并效仿唐代仪典和契丹本俗，制定了一套适宜于契丹社会的礼俗仪制，

---

① （元）马端临：《文献通考》卷 345《契丹》，中华书局 1986 年版，第 2701 页。
② （五代）刘昫：《旧唐书》卷 199（下）《契丹传》，中华书局 1975 年版，第 5352 页。
③ 《旧唐书》卷 199（下）《契丹传》，中华书局 1956 年版，第 5352 页。
④ （宋）欧阳修：《新唐书》卷 216《奚传》，中华书局 1975 年版。

遥辇胡剌可汗制祭山仪，苏可汗制琴瑟仪，阻午可汗制柴册、再生仪。其情朴、其用俭。①

自大贺氏八部用兵，则合契而动，不过刻木为牌合。②

遥辇氏之世，受印于回鹘，至耶澜可汗请印于唐，武宗始赐奉国契丹印③。

自大贺氏摩会受唐鼓纛之赐，是为国仗，其制甚简。④

契丹人虽转徙水草间，但经济生活方式已兼备部分农耕生产形式，故食肉饮酪的食物结构发生变化，服饰方面也已成为"衣用裘褐，兼以华服"的具体形式；又从奚人和室韦人那里学会了造车技术，

契丹故俗，便于鞍马。随水草迁徙，则有毡车，任载有大车，妇人乘马，亦有小车，贵富者加之华饰。⑤

契丹人经济文化生活发生的悄然变化，即不断地兼容北方及中原文化的优秀结果，但终不为任何一种文化所融化，而是最终丰富了自身的文化形态。

检查关于契丹族的史料记载，可以发现自北魏至唐代，契丹社会"诸部"数目不断增加，又不断衰变；部落或者氏族的名称，有的延续下来，有的则已湮没无闻，形成许多新的部落或氏族组织。究其原因，这是由部族内婚制即胞族通婚形式所决定的，

这种胞族大抵是当初由部落分裂成的最初的氏族；因为在氏族内部禁止通婚的情况下，每个部落必须至少包括两个氏族才能独立存在。随着部落的增殖，每个氏族又分裂成两个或两个以上的氏族，这些氏族如今也作为单个的氏族而存在；而包括一切女儿氏族的最初的氏族，则作

---

① 《辽史》卷49《礼志一》，中华书局1974年版，第833页。
② 《辽史》卷57《仪卫志三·符契》，中华书局1974年版，第915页。
③ 《辽史》卷57《仪卫志三·符印》，中华书局1974年版，第913页。
④ 《辽史》卷58《仪卫志四·国仗》，中华书局1974年版，第918页。
⑤ 《辽史》卷55《仪卫志一·国舆》，中华书局1974年版，第900页。

为胞族继续存在。[①]

如耶律阿保机析分迭剌部之后，作为原名的"迭剌部"已经不存在，它已被划分为五院与六院两个新的部落（或氏族）；同样，当涅剌部析分出一个子部落——乌隗部后，作为原部名的"涅剌部"则仍然存在并发挥着类似鲜卑人"世传主部落"即胞族的历史作用。[②] 与这种现象相适应的是，契丹人宗教意识的发展，从隋代的"焚骨咒"发展到唐代使用桦树皮、整畜、陶器和金银器随葬，甚至火葬罐上刻意凿出的孔窍等，都体现出朴素的万物有灵观念的形成、存在与发展过程。这些，都构成了深刻的文化印记。

因此，契丹文化对其他民族文化的汲取、融会与整合，是北魏迄唐代契丹文化发展的全貌，契丹文化的发展，是伴随着与邻族间政治冲突、经济文化沟通，并汲取了诸多有益的成果，从而完成了自身积蓄、发展的主要过程。

三、辽代前期的社会文化内蕴及其指导思想

9 世纪中叶，回鹘汗国的迅速崩溃，契丹部族成为北方草原强大的政治集团，唐王朝的解体又为契丹部落的发展释去了"羁縻"的绳索。此时，契丹社会呈现出明显不同以前的新现象：首先，出现大批由战俘沦为奴婢的社会生产人口；其次，贵族之间的政治斗争已成为社会发展的主要内容；其三，许多社会现象与生活现象都体现出浓厚的契丹文化因素。

后梁朱温篡夺唐朝政权时，割据太原的李克用集团主动与阿保机会盟云州东城，约为兄弟，相约共击后梁；但阿保机的志趣此时已经不再满足于金玩器物的占有，而是积蓄起试图吞并天下的雄心。史载，阿保机

　　　　常得中国所赐缯锦，以其尤精致者籍地，使牧竖污践之，亲近者或

---

①　恩格斯：《家庭、私有制和国家的起源》，《马克思恩格斯选集》第 4 卷，人民出版社 1972 年版，第 85 页。

②　《辽史》卷 33《营卫志下·部族下》，中华书局 1974 年版，第 386 页；《魏书》卷 103《高车传》附鲜卑诸部落，即叱突邻部、解如部、纥突邻部、纥奚部，并曰："牵屯山鲜卑别种破多兰部世传主部落"，即此所谓之胞族。中华书局 1974 年版。

问其故，曰：我国家他日富盛，此等固当践之。①

阿保机从云中返归本土之后，旋即毁约，遣使后梁"以求封册"，即欲以"天子"之尊与中原列强抗衡，反映出契丹统治阶层的部分政治心态与文化修养。当时，契丹人观念系统已形成稳定而深刻的对汉文化认识及学习态度，这可从新、旧五代史俱载的三事为证：其一，唐明宗即位后，遣姚坤出使契丹，阿保机责问擅自即位的曲直，姚坤辩解时，太子突欲谴责姚坤曰，"汉使勿多谈"，遂引《左传》"牵牛蹊田"之事以折之；其二，阿保机曰："我亦有诸部家乐千人"，但我之设乐"非公宴未尝妄举"，"我若所为似我儿（指庄宗），亦应不能持久矣，从此愿以为戒"；其三，阿保机又曰："吾能汉语，然绝口不道于部人，惧其效汉而怯弱也。"这些说明契丹贵族阶层已熟悉并掌握大量汉文化典籍的要领，若突欲

市书至万卷，藏于医巫闾绝顶之望海堂。②

契丹贵族正是在熟习汉族文化典籍，洞悉汉族社会基本状况之后，方深明"治国之道"。但当时契丹贵族阶层的整体文化状态，却并非清一色的"汉文化通"，而是有蕃有汉、"蕃、汉"兼容；因此，契丹辽朝前期的政治观念系统也是一种多元的文化构成，并经常地以契丹人自己的思维方式和处世原则表现出来。若姚坤所见阿保机仪容，"被锦袍，大带垂后"③，可谓十足的汉人打扮，但行事原则仍以契丹为主！当时，契丹贵族也自认：契丹与汉皆为"中国人"。阿保机建国之初，即以"佛非中国教"而孔子为累世大圣之故，命皇太子突欲（即耶律倍）修建孔庙于皇都，并行春秋释奠之礼。但阿保机自号"天皇王"，营设四楼"一如车帐之法"，连皇城的殿屋也一律遵守契丹人东向之俗；④ 阿保机会见使者时，也仍居穹庐，"与妻对榻引见"；隐藏于这种现象背后的文化因素，无疑充溢着契丹人自身的草原文化

① （清）厉鹗：《辽史拾遗》卷1引田况：《儒林公议》，四库本。
② 《辽史》卷72《宗室传·义宗倍》，中华书局1974年版，第1211页。
③ （宋）薛居正：《旧五代史》卷137《外国传一·契丹》，中华书局1976年版，第1830页。
④ 《辽史》卷37《地理志一·上京道》，中华书局1974年版，第438—443页。

色彩。又如耶律德光即位后，虽接受后晋册礼以"皇帝"自居，但丁未年（947年）正月，仍对后晋大臣们说：

> 中国事，吾皆知之；吾国事，汝曹不知也。①
> 汉家仪物，其盛如此，我得于此殿坐，岂非真天子邪！②

似乎显示出对于中原文化的无限崇拜，但千万不要忽视耶律德光的基本思维方式仍然是以契丹传统文化为出发点。史载：当耶律德光进入汴梁宫城时，便立即"磔犬于门，以竿悬羊皮于庭为厌胜"，被除不祥；德光病殁后，契丹臣僚遂"剖其腹，实盐数斗，载之北去"，这都是契丹传统文化特有的基本内涵。

学界一般认为，由于契丹人不断汲取周边民族的文化成果，并有机地融于自己的文化形态之中，而又不忘自身的传统，这才形成宽广、约博的契丹辽文化的基本内涵，造就了契丹人当时当世豪放的文化品格！如耶律德光驻跸汴梁时，一日，忽闻子规啼，遂问大臣李崧曰："此是何物？"崧曰："杜鹃，"并背诵几句唐诗，"西川有杜鹃，东川无杜鹃；涪万无杜鹃，云安有杜鹃"，借以说明杜鹃的分布地域，而耶律德光则说

> 许大世界，一个飞禽，任他拣选，要生处便生，不生处种也无。佛经中所谓观自在也。③

这是何等豪迈的精神！益见契丹人自有其接收外来文化的基本方式。

纵观契丹辽朝前期文化建设的主要内容，即以"中国人"自居、主动加强典章文物建设，这种现象，一直持续到辽世宗、穆宗时期。据《辽史拾遗》所录，自穆宗应历二年（952年）至应历三年（953年），多有北臣南逃事件发生，大小累计22起，总人数达617人，其中53人疑似契丹、吐

---

① 《资治通鉴》卷286，后汉天福十二年正月条，中华书局1956年版，第9334页。
② 《新五代史》卷72《四夷附录第一·契丹》，中华书局1974年版，第438—443页。
③ 《辽史拾遗》卷3，引陶谷：《清异录》，四库本。

谷浑人之外，余皆汉族，且为契丹国家职事人员。这些汉人所任契丹官职分别为镇将、军使、军将、羽林校士、殿直、殿头供奉、仪郎、刺史、船务使、通事舍人、银院使、绣院使、麴院使等。这种叛附现象的发生，可能与注重学习汉文化的辽世宗被害有关，但通过这些人的任职情况来看，也印证了太宗以来全盘接受、保留幽燕地区汉文化体制的"先朝定制"以及契丹统治者对汉文化等其他文化形式的认可与维护程度。

契丹建国后，生活方式仍以飘忽不定的游牧生活为主，但社会生活不失为多姿多彩，宋人姜夔《契丹歌》曰，都下闻契丹萧总管自说其风土如此：

> 契丹家住云沙中，嗜车如水马如龙。春来草色一万里，芍药牡丹相间红。大胡牵车小胡舞，弹胡琵琶调胡女。一春浪荡不归家，自有穹庐障风雨。平沙软草天鹅肥，胡儿千骑绕打围。皂旗低昂围渐急，惊作羊角凌空飞。

音乐、舞蹈及"籍草围棋、双陆"① 等娱乐形式，随时可以点染人们的生活、消除身体的疲劳。而与春水捕鹅、秋冬射猎的经济生活现象相适应的是：贵东拜日好鬼神、青牛白马祭天地的宗教活动形式，构成部族精神生活的重要文化现象。在此基础上，契丹人的生活观念形成许多的法则，像日常生活中使筹用筹的"讲事"习惯，据《通鉴》卷285载，耶律德光按问景延广失和之罪时，"每服一事，辄受一筹"；辽世宗与述律太后横渡议和时，也是各执一筹。筹又称算子，它主要起着判定是非过程中的"计事"作用。这是因为契丹本无文字，故"使筹用筹"习惯与"刻木为楔"、传箭为令习俗有着共同渊源，反映着契丹人从具体生产实践活动中积累经验、构成共同观念系统，而又表现于生活之中的完整过程。任何民族的习惯法则的东西都是传统文化的积累，它以突出的文化现象体现出来，并反映着人的观念系统的客观存在形式，是生产实践活动作用于头脑的直接反映。契丹人的宗教意识和一般生活法则，实际上是在生产实践活动中产生的，人们在认识自然和改造自然的过程中形成许多"神化"了的观念化的认识系统。如辽太祖时，大巫师神速

---

① （宋）叶隆礼：《契丹国志》卷23，渔猎时候，上海古籍出版社1985年版。

姑是一位善知蛇语的人；蛇，可以作为龙的化身，解蛇语的神速姑当然也就是介于神（天）、人（地）之间的重要人物，说明巫术在契丹社会生活中起着相当重要的作用。契丹辽朝的"神帐"之设，其实也是契丹人家居必备的主要礼祭内容之一。与这种泛自然崇拜意识相适应的是，契丹人生活习俗中遗留的众多陋习，如神册三年（918年）皇弟寅底石妻涅离衮以罪赐死，"并以奴女古、叛人曷鲁只生瘗其（圹）中"；会同三年（640年）诏"除姊亡妹续之法"，这些顽固的人殉、媵妾制度，随着契丹封建化程度的加深才逐渐消亡。但作为文化内涵的观念系统，总是随着人类经济生活方式的变更而不断变更、完善和表现出来。宋人苏颂熙宁十年（1077年）使辽时，

> 契丹马群，动以千数，……而蕃汉人户亦以牧养多少为高下……耕种甚广，牛羊遍谷，问之皆汉人佃奚土。

即使普通部族人口也逐渐脱离单一的畜牧经营方式，转而兼事农、商经营活动。据宋人王曾《使辽行程录》记载，过松亭岭七十里至打造部落馆，唯有番户百余，编荆为篱，锻铁为军器。这种契丹、汉族人口生活方式渐趋一致，反映在国家形态上造成了契丹、汉族贵族地主的政治合流。宋人苏辙《北使还论北边事札子》记载：

> 北朝之政，宽契丹、虐汉人，盖已旧矣，然臣等访闻山前诸州祇候公人，止是小民争斗杀伤之狱，则有此弊，至于燕人强家富族，似不至如此①。

由于统治者利益的一致性，使契丹辽朝境内的一切社会人口都变成这个新的统治集团直接统辖的役使人口，无论契丹还是汉人，他们作为民族识别的标志已经消除，不但为封建化改革开拓广阔前景，也奠定了各民族文化交融、再造、自由发展的广阔前景，进而赋予契丹辽文化继续发展的新内容。

契丹建国前后，社会内部已存在大批的其他民族人口，这些外来人口中

---

① （宋）苏辙：《栾城集》，四库本。

对契丹社会文化发展起过重大作用的主要是突厥系统的回鹘人，东胡系统的室韦人和中原系统的汉、渤海人等，前者与契丹同属北方游牧民族种群，故生活、文化的沟通是很自然的事情。契丹建国后，仍保留许多突厥、回鹘官号及语言表达习惯，这是与游牧民族文化共通性和极易融合特征密切相关的，但契丹文化毕竟是一种很具体的草原游牧文化，它与渤海、汉人具有的农耕文化形态存在着明显的区别。因此，游牧文化传统与农耕文化因素的同存共处，便构成了契丹辽代前期复杂的社会文化发展面貌与基本内蕴。

《辽史·食货志》云：始祖雅里始究心农工之事。雅里，即盛唐时期契丹部落酋长，所谓其能"究心农工"，必以一定之农耕及手工业生产知识为前提，说明自唐代以来，契丹文化已与中原农耕文化有了密切接触。至 10 世纪初，这种文化接触逐步扩大，除亡入契丹的汉族人口外，阿保机又

乘间入塞，攻陷城邑，俘其人民，依唐州县，置城以居之。①

902 年，阿保机筑城龙化州于潢河之南，这是阿保机建立时间最早的汉城。嗣后，随着大规模征战和俘掠人口数目的不断增加，汉城数目也逐渐增多，

又以征伐俘户建州襟要之地，多因旧居名之；加以私奴置头下州。②

渤海国灭亡后，更是原封不动地保留了其原有的政治、经济形态；辽太宗又完整地接纳了燕云十六州的封建政治制度、经济生活方式和文化形态。这些，都为以后契丹社会文化发展，创造了更为深厚的物质基础与发展前景。但草原游牧文化与农耕文化在契丹国家内部的同存共处，势必会引发双方间相互接触与碰撞、冲突与矛盾、适应与不适应等一系列不平静的社会文化现象。这种文化间冲突的最突出的表征，就是游牧民族与农耕民族之间相互施以侮辱性的蔑称：汉人称契丹等为"胡""虏""蕃""戎"等，契丹则称

---

① 《新五代史》卷 72《四夷附录第一·契丹》，中华书局 1974 年版，第 886 页。
② 《辽史》卷 37《地理志一·序》，中华书局 1974 年版，第 448 页。

汉人为"汉儿""汉子"或"十里鼻（即奴婢）"①等。因此，契丹辽朝初期，陷入契丹社会的汉族人口日思逃亡之术、期盼能够回到家乡，若胡峤、韩延徽、李瀚等人都是如此，究其原因：一方面是父母妻子皆在故乡；另一方面则是不能适应契丹草原的生活习惯。既不堪于非人的驱使，又很难与草原文化相容，故许多中原人士虽在契丹位列显宦，仍常思南归之策。史称，冯道北使契丹，辽太宗久闻其名、颇欲留之，冯道遂以

> 受赐悉市薪炭，云北地寒，老年不堪，……赐锦袄貂袄羊狐裘各一，每入谒，悉披四袄，夜宿馆中并覆三裘。诗曰：朝披四袄专藏手，夜盖三裘怕露头。②

同样，张砺初入契丹，

> 未几，谋亡归，为追骑所获。上（太宗）责曰：汝何故亡？砺对曰：臣不习北方土俗、饮食、居处，意常郁郁，以是亡耳。③

这些都是在契丹辽朝位列显宦的重要人物，而那些数目更多的陷于契丹社会的汉族人口，毕竟不能像以上几位这么幸运，他们陷落异乡的艰难生活程度也是可想而知的，史称：

> 幽蓟数州，自石晋败戎后，怀中华不已。

甚至奉命北使契丹的中原使节，也经常见到燕京传舍的墙壁上，

> 画墨鸦甚精，旁题诗曰：星稀月明夜，皆欲向南飞。④

---

① 《辽史拾遗》引王易：《燕北杂记》"北界汉儿多为契丹凌辱，骂作十里鼻，十里鼻，奴婢也"，四库本。

② 《辽史拾遗》卷3引文，四库本。

③ 《辽史》卷76《张砺传》，中华书局1974年版，第1252页。

④ 《辽史拾遗》卷3引文，四库本。

虽然，契丹统治者对归附人口采取相对宽松的统治政策，但源于文化心理的冲突，毕竟很难平复。当这些人口一旦意识到某些打击或危险将至时，便会形成逃亡的趋势，像穆宗朝初期出现的大规模逃亡现象，即如此。

总的来说，辽代前期因实际存在的两大文化系统之间的矛盾冲突以及契丹人口与其他民族人口的客观冲突、契丹贵族与部民的文化对比、汉族士人与契丹贵族的心理抵触、汉人与渤海人之间实际存在的差异等，都构成当时繁杂的社会历史文化内蕴。这些不同文化之间形成的冲突与共存的发展趋势，在社会生活的各个方面都充分地表现出来，或政治的，或经济的，或生活的，或思想文化意识的，冲突的诱因不同，表现形式也各有差异。若

> 晋天福三年，与戎和，晋祖曰：当遣辅相为使。赵莹、桑维翰皆未言，以戎虽通好，而反覆难测，咸惧于将命。冯道与诸公中书食讫，分厅，堂吏前白道，言北使事，吏入，色变手颤，道索纸一幅书云：道去。即遣写敕，属吏泣下。[1]

或云晋高祖尝遣兵部尚书工权使契丹，

> 权自以累世将相，耻之，谓人曰：吾老矣，安能向穹庐屈膝！[2]

造成人口种群冲突的直接原因，实以文化隔阂造成的心理因素为要。然而"入乡"就要"随俗"，那些陷入契丹的汉族人口，也不得不主动按照契丹人的生活规范约束自己的饮食起居、思想行为等。史载唐庄宗淑妃韩氏、德妃伊氏，

> 契丹入中原，陷于虏廷。宰相冯道尊册契丹王，虏帐宴席，其国母后妃，列坐同宴，王嫱、蔡姬之比也。[3]

---

① 《辽史拾遗》卷3引文，四库本。
② 《资治通鉴》卷281晋高祖天福三年条，中华书局1956年版，第9191页。
③ 《辽史拾遗》卷3引文，四库本。

但是，由于文化原因造成的严重心理抗拒，也往往会发展成一种相互仇杀的现象，如947年，契丹攻克相州城后，

> 悉杀城中男子，驱其妇女而归。胡人（契丹人）掷婴孩于空中，举刃接之以为乐。①

928年后唐击败契丹于定州后，契丹兵败走幽州，即遭到幽州军民的聚歼，

> 余众散投村落，村民以白梃击之，其得脱归国者不过数十人。自是契丹沮气，不敢轻犯塞。②

这些都不止是战争的仇杀，而是深刻体现出南、北方文化冲突的基本现实。

但是，文化毕竟是深层次的精神现象，而精神现象之间的剧烈冲突，势必会促进双方观念系统的相互认知与理解的加深，观念系统又毕竟是作用于物质之后的实际体现。因而，文化的冲突，实际构成了当时两大民族文化系统间群体观念的强烈反差。当这些反差，在群体的经济生活方式发生变革时，也会相应的进行必要的调整与变通。辽代前期丰富的社会文化内蕴，也正是因游牧民族、农耕民族不同生活方式的共同存在所决定的，并由此为双方间观念系统的变通与兼容提供了一个更为广阔的发展前景。

草原游牧文化与农耕文化之间的差异，除了观念系统的差异外，造成歧异的根源又是什么呢？《后汉书》录蔡邕语云：

> 天设长河，秦筑长城，汉起塞垣，所以别内外，异殊俗也。

《辽史》亦云：

---

① （宋）司马光：《资治通鉴》卷286，《后汉纪一》，高祖天福十二年四月己未条，中华书局1956年版，第9351页。

② （宋）司马光：《资治通鉴》卷275，后唐明宗天成三年条，中华书局1956年版，第9022页。

长城以南，多雨多暑，其人耕稼以食，桑麻以衣，宫室以居，城郭以治。大漠之间，多寒多风。畜牧畋渔以食，皮毛以衣，转徙随时，车马为家。此天时地利所以限南北也。①

游牧文化与农耕文化的质的不同，在于环境与生活方式的不同。孔颖达云：

《汉书·地理志》云："凡民禀五常之性，而有刚柔缓急音声不同，系水土之风气，故谓之风，好恶取舍动静无常，随君上之情欲，故谓之俗。"是解风俗之事也。风与俗对则小别，散则义通。

由自然条件形成的习尚叫"风"，由社会环境形成的习尚叫"俗"，它含有一定政治、经济生活价值趋向的意义。故古人有"十里不同风，百里不同俗"之说，它具有一定的文化意蕴，将风俗合为一体便具备了文化的事象。是故，风俗可以作为区域文化的界定手段，而习俗的形成发展是与统治者倡导的某些行为分不开的。那么，当契丹社会包容了南、北两种文化形态之后，统治阶层又表现了怎样的文化行为呢？

若前引阿保机不与部人言汉语，而又为孔子建庙，似乎显示了极为矛盾的心态，但事物的发展本来就是矛盾的运动过程，文化运动也是如此。当契丹国家初起之时，阿保机虚心学习汉族的文化知识，并提拔汉族士人来管理汉族等农耕人口，《辽史》言：

太祖初元，庶事草创，凡营都邑，建宫殿，正君臣，定名分，法度井井，延徽力也②。

他除了仿效汉族文化体制外，也促进了南北文化的交融发展。神册初年，以韩知古"兼主诸国礼义"，

---

① 《辽史》卷32《营卫志中》，中华书局1974年版，第373页。
② 《辽史》卷74《韩延徽传》，中华书局1974年版，第1232页。

　　　　时仪法疏阔，知古援据故典，参酌国俗，与汉仪杂就之，使国人易知而行。①

而"凡一切蕃汉相涉事"，

　　　　则属（康）默记折衷之，悉合上意。②

又命臣下参酌汉字，造契丹大字数千；又参取回鹘文字制定契丹小字。这种文化现象的背后，就是当时契丹统治者勇于汲取其他民族先进文化成果的心态。但无可讳言的是，自阿保机时起，契丹国家已形成了"旧制：凡军国大计，汉人不与"的定制，③ 因此，"蕃不治汉，汉不治蕃"的行政措施，也是辽朝前期行之有效的统治策略。在这种有主有次、有兼容又有保留的基本政治前提之下，无论是契丹本土文化，还是汉族渤海等其他民族文化，都能够获得比较充分的发展条件。所谓"蕃汉不同治"的"祖宗定制"，也只是在契丹辽朝境内保持平稳的政治形势下灵活运用的一种统治方略或基本思想。

　　辽太宗时期，诏令契丹人任汉官者，可以穿汉服，说汉话，娶汉人为妻，④ 这是在当时契丹国内农耕经济比重和人口数目急剧增加前提下，采取的更为开明、有效的统治方法。世宗和穆宗时期，政治体制已形成"蕃汉兼制"的基本形态；景宗时，韩德让以汉官身份受赐皇族姓氏后，兼任南、北面官系统之要职。此后，汉人出任北面官的事例层出不穷。这些都直接或间接地促进了南、北方文化的沟通与兼容。从统治阶层极力维护和促进南、北方文化交融，到辽晚期发出"华夷同风"的历史绝唱，正是契丹境内各种文化融汇发展的总趋势与总结局。从"蕃汉分治"的政治态度转变到"南北兼治"的政治策略，反映了社会文化发展中的具体指导原则。

---

① 《辽史》卷74《韩知古传》，中华书局1974年版，第1233页。
② 《辽史》卷74《康默记传》，中华书局1974年版，第1230页。
③ 《辽史》卷102《张琳传》，中华书局1974年版，第1441页。
④ 《辽史》卷4《太宗纪下》，中华书局1974年版，第49页。

四、南北文化的交融再造是契丹辽文化发展的总体趋向和主要特征

任何时代（或条件）下的任何民族的文化现象，都总是以精神现象为主要形式表现出来，而这种时代条件下的全民的群体共同观念系统，又总是构成了它的主要根源以及主要内容的直接表现。辽代的文化运动，实质是诸民族文化在观念系统的表现上从相互抵触走向共同认可的交流、融会的过程。

契丹族建国后，始终保持游牧民族飘忽不定、车马为家的生活方式，宋人苏颂所作《契丹帐诗》云：

> 行营到处即为家，一卓穹庐数乘车，千里山川无土著，四时畋猎是生涯。

这种"无土著"的生活方式，自然与土著的农耕生活方式构成鲜明对比。故《辽史》言：

> 有辽始大，设制尤密。居有宫卫，谓之斡鲁朵；出有行营，谓之捺钵；分镇边围，谓之部族。有事则以攻战为务，闲暇则以畋渔为生。无日不营，无在不卫。立国规模，莫重于此。[1]

其中所谓斡鲁朵，可以从有关蒙古等其他民族的史料中得到一个具体的借鉴：它是大汗的毡帐，尊言之曰行宫，它的存在，事实上构成了一个游动着的社会生活组织。史言辽太祖营设"四楼"：东楼龙化州，西楼大部落之地（即祖州），南楼木叶山（即新州与永州），北楼黑山（即黑河州）。"四时游猎，往来四楼之间"，而东楼之地，即契丹始祖之"龙庭"所在。龙庭，或称龙城，是汉文译语，按北方民族语言之意为"聚会所"，字虽不同，义皆一指。可是，终辽一代，在契丹人的观念中都将"龙庭"或大汗的聚会所称之为"斡鲁朵"。是知，契丹四楼亦即辽太祖四时行猎的斡鲁朵营盘所

---

① 《辽史》卷31《营卫志上·序》，中华书局1974年版，第361页。

在。又，捺钵，《元史》中作"捺拨"，今蒙古语中为行射、狩猎之意。而无论斡鲁朵，还是捺钵，都是当时契丹国家政治、经济生活中的大事。《辽史》言，捺钵"每岁四时，周而复始"，行猎即要因四时变换而确定其不同的狩猎对象，捺钵即如此，

> 五月，纳凉行在所，南北臣僚会议，十月，坐冬行在所，亦如之。

斡鲁朵是契丹皇帝大帐所在（即宫卫组织），也是重要的社会生活组织；故二者相辅相成。契丹皇帝于冬、夏行在所举行涉及军国大事的议政会，其营盘设制是：

> 皇帝牙帐以枪为硬寨，用毛绳连系。每枪下黑毡伞一，以庇卫士风雪。枪外小毡帐一层，每帐五人，各执兵仗为禁围。

内有视事及议政的行殿，"皆木柱竹榱，以毡为盖"，次有鹿皮帐、八方公用殿及长春帐，皆卫以硬寨；禁围外，又卓枪为寨，

> 夜则拔枪移卓御寝帐。周围拒马，外设铺，传铃宿卫。[1]

这些都是按契丹人特有的生活方式设计和安排的。但是，随着南、北文化的剧烈碰撞和融合，到辽代中晚期，契丹族的社会生活发生巨大的变革，仍以皇帝行在所的营盘设置为例，公元 1075 年，沈括使辽所见辽道宗营盘，

> 有屋，单十（道宗）之朝寝、萧后之朝寝凡二，其余皆毡庐，不过数十，悉东向。庭以松干表其前，一人持牌，立松干间，曰阁门。其东，相向六七帐，曰：中书、枢密院、客省。又东，毡庐一，旁驻毡车六，前植纛，曰：太庙。皆草莽之中，东数里有潦洄，洄东原隰十余

---

① 《辽史》卷32《营卫志中·行营》，中华书局1974年版，第375页。

里，其西与北皆山也。其北山，庭之所依者曰：犊儿。过犊儿北十余里曰：市场。小民之为市者，以车从之于山间。①

这时，帝后所居已不再是毡帐而是真正的宫殿，宫殿之前乃各级政权机构之衙署，又有可以移动、搬迁的太庙，宫殿区之北又有市场，从而构成了与中原皇城"左祖右社，面朝后市"建造结构大体类似的设制布局。又据《皇子表》载，"天祚践位，弛围场之禁"，兴宗次子、宋魏国王和鲁斡谏曰：

> 天子以巡幸为大事，虽居谅阴，不可废也。上以为然，复命有司，促备春水之行。

但是，终天祚之世，"耽于畋猎"却是后人意识中辽朝所以失国的顽症。又据萧孝忠传记载：

> ［重熙］十三年，（孝忠）入朝，封楚王，拜北院枢密使。国制，以契丹、汉人分北、南枢密院治之。孝忠奏曰：一国二枢密院，风俗所以不同。若并为一，天下幸甚。

此时，契丹国家实现"风教化一"的最终目标，经过了近一个半世纪南北文化的浸淫与变通，已经成为可能。辽道宗清宁三年（1057 年）以

> 《君臣同志华夷同风诗》进皇太后。②

道宗又命其妻懿德皇后应制属和之，皇后属和之词曰：

> 虞廷开盛轨，王会合奇琛。到处承天意，皆同捧日心。文章通谷

---

① （宋）沈括：《熙宁使虏图钞》，贾敬颜著：《五代宋金元人边疆行纪十三种疏证稿》，中华书局 2004 年版，第 168—169 页。

② 《辽史》卷 21《道宗纪一》，清宁三年八月条，中华书局 1974 年版，第 255 页。

　　蠹，声教薄鸡林。大宇看交泰，应知无古今。

　　契丹统治者自太祖、太宗以来，又一次志得意满地宣布了大宇交泰、前无古今之"华夏正统"的心声。他们自称华夷同风又同宗、"虞廷盛轨"、文教远播的历史贡献，是契丹人自视为"中国"之观念，在长期实践中获得的理论建树。

　　契丹民族毕竟不是一个慊慊自满、固步自封的民族，在南北文化的矛盾运动过程中，他们有保留、坚持自己民族特色的一面，也有主动吸取中原文化优秀成果、扬弃自身部分习俗观念的一面。天祚践位，始欲罢弃巡狩旧习，就是在南北文化已形成整合状态的前提下，古老巡狩习惯已无所适从的表现。游动不定的传统生活已开始向固定的房屋方式转化，道宗寿隆三年（1097 年）六月丙戌，

　　　　诏每冬驻跸之所，宰相以下构宅，毋役其民。①

　　原始而古老的巡狩游牧生活、传统的车帐为主的居住方式，开始被土著民族"宫室以居"的居住方式所吸引，并结合地区特点与传统床榻形式而形成了"火炕"居住方式，并已在观念系统中经历了接受、验证与再造的基本过程。考古资料也证明，火炕这种居住方式已在契丹人生活中普遍流行开来，如 1988 年发表的黑山祭祀遗址资料，就有多例火炕实物。②

　　如果说，南、北文化的交融、再造是契丹辽文化发展的总体趋势和主要特征的话，那么，能够具体入微地揭示这一现象的主要根据，就在于南北方民族观念系统的融会与变通。

　　首先，以宗教信仰为例，中原信奉的宗教思想主要有佛、道、儒三种，三教之中儒为上。契丹自建国起，兼有这三种宗教形式，但契丹人信奉的主要对象，是以自身固有的萨满崇拜为主。若太祖时期的"神速

---

　　①　《辽史》卷 26《道宗纪六》，中华书局 1974 年版，第 310 页。
　　②　内蒙古文物考古工作队巴林右旗文物管理所：《内蒙古巴林右旗罕山辽代祭祀遗址发掘报告》，《考古》1988 年第 11 期。

姑"，就是一位著名巫师，其地位完全可以与成吉思汗时期的"通天巫"相提并论。在这些巫师主持下的泛自然崇拜现象，如天显十一年（936年），

> 有飞鸮自坠而死，南府夷离堇曷鲁思得之以献。卜之，吉。上曰："此从珂（后唐末主）自灭之兆也！"

又会同四年（941年）

> 有司奏神纛车有蜂成蜜，史占之，吉。

等等，皆属古老的巫史文化内容。这些泛自然崇拜现象及其发展现状，与佛教的偶像崇拜形式很接近，尤其是佛教诸派中的密宗一支。故契丹建国伊始，契丹群臣便以建立佛教庙宇为"敬天事神"之首务，[①] 并且在很长一段时间内，辽朝的宗教政策实际上形成了儒、释、道三教与契丹原始信仰同时并存的局面，而以契丹巫史文化内容为主的木叶山祖庙，其布局设制为：

> 设天神、地祇位于木叶山，东向；中立君树，并植群树，以像朝班；又偶植二树，以为神门，……神主树木，悬牲告办，班位莫祝，致殿饮福，往往暗合于礼，……诣祭东所，巫衣白衣，惕隐以素巾拜而冠之。

祭祀祖先仪式与拜日相联系，是祖先崇拜与自然崇拜完整结合的体现。其后，耶律德光将幽州大悲阁白衣观音像迁至木叶山"奉为家神"，使契丹皇族祭祖仪式不仅增加了"诣菩萨堂"仪式，又将祖先崇拜与偶像崇拜结合

---

① 《辽史》卷72《宗室传·义宗倍》记载："太祖曰：受命之君，当事天敬神，有大功德者，朕欲祀之，何先？皆以佛对"，即此。中华书局1974年版，第1209页。

在一起;① 这是契丹巫史文化与佛教文化合流的明证。但是，佛教进入契丹社会，是在经过契丹人观念系统的接受与改造后表现出来的，契丹佛像与中原佛像的明显区别，就在于原本赤脚的佛像在契丹草原被穿上了长靴，广铸金铜佛像的同时也出现了木主或草纸扎造佛像的新内容。② 辽代中晚期，境内的宗教信仰习惯渐趋一致，儒、佛、道三教呈现合流发展趋势，儒以释佛、佛以说儒，已经成为契丹辽朝晚期宗教信仰习惯的主要表现形式，所谓"显密圆通""性相合一"等，即是三教合流的明证。契丹辽朝的丧葬观念，由于受到佛教荼毗仪式（即火化）的影响，自辽朝中期始便流行火葬习俗，这也是宗教信仰观念趋于一致的有力证明。

其次，以风俗习惯、文化教育为例，契丹人生活于大漠草原，除必要的移徙外，也往往视草情水源状况而移徙不定，一般除春、秋季节的诸部会聚外，并无任何"节日"庆典活动。农耕人口则不同，他们依据农时的忙闲形成了一套调节疲劳、舒畅身心的各种"节日"庆典活动。这一现象，在契丹辽代中晚期也开始出现合流的趋势，一方面上层社会形成固定的邀集宴乐的节日，影响到整个部族社会形成以"祭山"为内容的"岁时杂仪"；另一方面各个社会阶层不同人士的命名习惯，也标志着群体间文化意识的某种认同感。汉人有着完整的姓氏制度和命名法则，这与他们自幼接受经史教育密不可分。契丹人本无姓字，尊卑之间称名无讳，太祖建国后形成的耶律与萧两姓，也是与胞族内婚形式紧密相连，直到辽朝中期，契丹人开始以汉人方式为自己命名，若耶律义先

　　　　常戒其族人曰：国中三父房，皆帝之昆弟，不孝不义尤不可为。

故弟兄三人依次命名为：孝先、义先、信先。③ 而国舅部的萧孝穆，其弟兄

---

① 《辽史》卷49《礼志一》吉仪，祭山仪、诣菩萨堂仪，中华书局1974年版，第834—835页。

② 向南：《辽代石刻文编》天祚编，《永乐村感应舍利石塔记》曰："或雕木像，依法阇维，亦获舍利。……永乐村嬴钺邑靳信等，宿怀善根，同奉佛乘，于大安三年二月望日，建圆寂道场三昼夜，以草为骨，纸为肉，彩为肤，造释迦涅槃卧像一躯，具仪荼毗。"即此。河北教育出版社1995年版，第679页。

③ 《辽史》卷90《耶律义先传》，中华书局1974年版，第1356页。

间依次取名为：孝穆、孝先、孝忠、孝友。但值得注意的是，在契丹人学习汉人取名习惯的同时，辽朝汉族士家子弟也同时采用契丹人的命名习惯。若韩知古后裔韩制心，小字可汗奴，同辈弟兄中又有名涤鲁、谢十者，说明当时南北文化交融的发展趋势已蔚然成风。

太祖建国之初，仅部分契丹贵族有选择地接受了汉文化的影响，并创造了自己的民族文字。景宗朝以后，契丹人便以习读中原典籍相尚，形成一种较为普遍的社会风气。史载，统和元年（公元983年），枢密院兼北府宰相、南京人室昉，

> 告老，不许。进《尚书·无逸篇》以谏，（承天）太后闻而嘉奖。①

虽然国家有严格的书禁制度，但毕竟不能及于思想意识行为深处的执著追求，"书卷气息"也已在契丹下层社会日益蔓延，据天祚长子敖鲁斡传记载：

> 敖鲁斡尝入寝殿，见小底茶刺阅书，因取观。会诸王至，阴袖而归之，曰：勿令他人见也。一时号称长者。

像茶刺这样冒禁习书的契丹下层人士，绝非契丹社会之特例。因此，最初仅限南京一隅的科举制度，自景宗时便已及于境内的所有农耕人口，甚至契丹人冒禁应科的事例也层出不穷，若耶律庶箴之子蒲鲁，

> 甫七岁，能诵契丹大字。习汉文，未十年，博通经籍。……重熙中，举进士第。

结果兴宗皇帝以擅就科举为名，责罚庶箴"鞭之二百"。像蒲鲁这样的契丹

---

① 《辽史》卷79《室昉传》，中华书局1974年版，第1271页。

贵族子弟，也是有家学渊源的，史称蒲鲁常与父赋诗属和，时人引为美谈。① 辽中期以来，契丹贵族的教育制度已蔚为大观，科举禁令已形同虚设，科举入仕也成为契丹人的荣耀之举，若耶律大石

> 通辽、汉文字，善骑射，登天庆五年进士第，擢翰林应奉……辽以翰林为林牙，故称大石林牙。②

这些都反映了当时南北文化相互渗透、发展的层次性过程。

在南北两种观念系统日趋接近、统一发展的过程中，统治者极力提倡学习优秀的汉族等文化成果，广采兼收，几达惊人地步。史载：

> 和凝少时，好为曲子词，布于汴洛，洎入相，专托人收拾焚毁不暇。契丹入夷门，号为曲子相公。③

再如，辽人尝因使者向北宋求取处士魏野之《草堂集》，而魏野其人竟是宋帝所未闻！④ 至于三苏的诗文，更是在契丹辽朝境内开印、传唱不已。前代文化成果，契丹人亦广为弘扬，如白乐天诗文便极受圣宗皇帝崇重并手译白氏《讽谏集》，以契丹文形式流布社会，并以"乐天诗集是吾师"为题与群臣酬唱。契丹人在学习其他民族文化成果提高自身文化素质的同时，也并未废弃本民族的文化传统，具有契丹民族特点的官制与"汉制"一样，终辽不废；诗文与碑碣，多用本民族语言文字书写，若寺公大师的《醉义歌》，皆用契丹字书写，直到元初，仍然流布西域地区，后经耶律楚材转译为汉文仍长达八百四十余字，至今仍为罕见的珍贵文化遗产；而极具契丹民族色彩的姓氏制度、国乐、角觝、祭仪、巡狩之制及饮食文化传统等，至今仍在某些地区世代沿袭……

契丹考古相继发现一批仿大木作结构的小木作器具，如"覆尸小帐"

---

① 《辽史》卷89《耶律庶成传附庶箴并蒲鲁传》，中华书局1974年版，第1351页。
② 《辽史》卷30《天祚帝纪四附耶律大石传》，中华书局1974年版，第355页。
③ 《辽史拾遗》卷3引文，四库本。
④ 《宋人轶事汇编》卷5引《玉壶清话》，四库本。

等显然借鉴了五代、北宋的某些先进成果，《宋史·礼志二十五》载，北宋安陵即"有铁帐覆梓宫"。但辽代墓葬的主要色彩仍以契丹传统文化为主要表现内容，墓室形制，无论圆、方或多角形，均一律为穹庐顶，无论怎样变化，毡帐是其基本参照物；墓内壁画，多以表现游牧生活、宴饮射猎、原野风光、出行卓帐等内容为主。同时，由于佛教文化的影响，契丹火葬墓出现了"真容偶像"的葬俗：即墓内安放据死者身材长短雕刻的柏木真容像，骨灰则分置偶像躯干与四肢中，① 如辽宁萧袍鲁墓有类似"真容偶像"的石雕人像。此外，辽墓习见的金银面具、网络衣饰等更体现出浓厚的民族色彩。

综此而言，辽朝是契丹人建立的政权，契丹人主掌辽政，在文化上广采兼收却并未废弃自身的文化传统，并在南、北方文化相互碰撞、接触的过程中，使两种文化走向交融、再造的新阶段。辽朝衰落后，契丹辽文化不仅在金、元时代北方文化中多有遗余，甚至继汉唐文化之遗绪，远播中亚，在中外文化交流中留下阵阵清响。元代统治者曾将契丹辽文化作为一种遗产加以整理和弘扬，并将契丹文化典制奉为足以"垂鉴后世"的"一代盛典"。

辽自太祖建国，至天祚失御，中历九主，传祚219年。但契丹族的文化发展却是一个漫长的过程。自4世纪中叶，迄于西辽灭亡，近千年的历史过程，契丹人创造了一个全新的文化面貌。自古以来，中原与大漠草原之间的对抗与区别，即在于"行国"政体与"城国"政体的冲突与差异。然而，契丹辽朝浸包长城南北，形成城、行"兼而有之"，游牧文化与农耕文化同时并存的局面，这是中国此前未曾有过的现象。"遥想汉人多少闲放"，然而汉、唐帝国的统治者，比之于大辽，在气势上不免短了一截！契丹人以豪放的情怀，容纳汲取了四面八方诸多民族的文化成果，契丹统治者更以"中国自居"，蔑视五代政权，与赵宋划地为界，号称"南北朝"，决不以胜败为得失，以"谦谦君子"之风，勇于学习、积极进取，终于创造了一种全新的文化形态，即"蕃汉"交融的辽政权下的全民文化。辽中晚以来，帝王大臣、后妃嫔主，莫不通晓"汉、辽文章"，逮乎平民百姓，亦多能诗

---

① 真容偶像，迄今已见三例，若北京市郊的马直温夫妇合葬墓、张家口市宣化区辽墓和赤峰市巴林左旗林东镇北山辽墓，皆有发现。

善属文之辈，《全辽文》收录多条契丹民歌和民谣，其中一首云：

> 垂杨传语山丹，你到江南艰难，你那里讨个南婆，我这里嫁个契丹。

许多民间诗人的作品，也像这一首一样至今还闪熠着独特的思想光彩！

辽之所以形成如此恢宏的文化盛况，简而言之，客观上农耕经济与游牧经济的相互掺合是促成其文化整合的根本原因，马克思在《政治经济学批判》序言中指出：

> 物质生活的生产方式制约着整个社会生活、政治生活和精神生活的过程。不是人们的意识决定人们的存在，相反是人们的社会存在决定人们的意识。

辽初，不但有大批的农耕民族人口沦为牧奴，从事原始的畜牧经营生产活动，相反地统治者也以部族经营农业，若会同二年（939 年），太宗以

> 乌古部水草肥美，诏北、南院徙三石烈户居之。

后又将"海勒水之田"也一并赐给了三石烈人口，[①] 以部族形式经营农业生产遂成为契丹辽朝的奇特现象。贵族的头下州，也多以农业经营为主，汉人韩德让也效仿契丹皇帝之制拥有自己的"文忠王府"，汉人梁廷嗣还获得景宗赐给的"大水添之侧地四十里，契丹人凡七户"以经营畜牧生产。[②] 这些现象，是促使当时南、北民族观念系统发生改变，并相互融通的根本原因。主观上统治者采取的兼收并取政策，若阿保机视渤海为"世仇"，而灭其国后却容纳其制度文化不变，突厥文化亦不废于辽等等，正是这种不仇仇者、不亡亡者的态度，才使荒芜的辽文化取得前所未有的发展。

---

① 《辽史》卷 59《食货志上》，中华书局 1974 年版，第 924 页。
② 薛景平、冯永谦：《辽代梁援墓志考》，《北方文物》1986 年第 2 期。

因此，契丹辽文化的总体性发展，构造了一种全新的文化形态。这是契丹辽文化所以在中华文化史据有重要地位的原因，也是其所以具有强大生命力的动力源泉，后人曾有诗凭吊辽之故迹，文曰：

> 建国旧碑明月暗，兴王故地野风干。回头笑向王公子，骑马随京上五銮。①

契丹亡国有着种种现实的原因，已经成为历史的沉余，一如过眼云烟，唯留断垣残瓦、风絮喁喁。但文化的发展，毕竟不同于那种不得不采用"被征服者的语言"和为"征服者所同化"的情况，它未因辽之灭亡而中断，甚至连燕云这片汉文化故土也留下契丹辽文化的痕迹。前人曾有"一代风俗自辽金"之说，更反映出契丹辽文化的发展，已非囿于一时一地的文化成果，而是将其主要成分都深深植入长城内外诸民族文化之中，从而成为中华全民族文化的有机组成部分。

第二节　辽宋共存共亡的政治格局及其文化意义

马克思曾经这样说道：黑格尔在某个地方说过，一切伟大的世界历史事变和人物，可以说都出现两次。

而每一次的重复，都将其前一次的那种具体的社会历史形态，引向了深入发展的里程。因为人们自己创造自己的历史，但是他们并不是随心所欲地创造，并不是在他们自己选定条件下创造，而是在直接碰到的、既定的、从过去继承下来的条件下创造。②

公元 10 世纪初，中国历史上便出现了这样的现象：崛起于北方大漠地区的契丹族，迅速完成了对北方草原地区的统一，建立了一个"东至于海，西至于金山，暨于流沙，北至胪朐河，南至白沟，幅员万里"的强大的集

---

① 陈述：《全辽文》卷 11《上京》，中华书局 1974 年版，第 322 页。

② 参见中共中央马克思、恩格斯、列宁、斯大林著作编译局编：《马克思恩格斯选集》第 1 卷，人民出版社 1972 年版，第 603 页。

权制国家，并时刻威胁着割据中原地区的五代政权的安危。公元960年至公元983年，北宋政权统一中原地区和江南地区以后，辽、宋政权间对立的矛盾遂成为当时历史发展的主要特征。公元1004年，辽军屯聚黄河北岸，迫使北宋皇帝在澶渊订立"城下盟约"，约为兄弟之国，承认对方政权的合法地位，并划定国界"世世遵守，永不渝盟"。嗣后，双方便以南朝、北朝称之，开创了中国历史上又一次南北对立的局面，这是对首次出现于公元4—6世纪的南北朝局面的历史重复和继承发展。

但辽、宋之际，在重复与继承发展了南北朝政治格局的历史形态下，却赋予了它更新的历史含义和文化意义。首先，一变以往的前南北朝时期那种累年征伐不休的局面，而创造了一种"百年和好"为氛围的和平共处的新环境，使对立的双方相始相终、共存共亡，走向了一个共同的结局：使中国南北方之间的民族关系，由相仇到相近并塑造了一幅休戚与共、谁也离不开谁的立体画卷。其次，在南北两国和好如兄弟的精神指导下，不论南朝还是北朝，都充分发挥了自己的作用，使原本不同的两种社会组织形态都充分释放出自己的能量，从而使中华文化的发展由自古以来存在的南北两种文化冲突、碰撞、汇合、兼蓄的历程，迈入了一个更加深入的圆融发展的新时期。

在这种属于恢复发展的南北对立的政治格局中，一切见之于史籍记载的和人们亲身感受到的，那些自然的和人为的历史景观，都似乎给人留下一种目不暇接的感觉。从落后的到先进的，从简单的到繁缛的，从形式的到内在的，由主观判断到客观理解，由片面的感应到理性的认识，由宏观把握到微观指导，凡是这一时期的一切历史现象，都是那样的杂乱纷呈，使人眼花缭乱，至今仍留给人们一些由一串串的问号所构成的重重困惑。但是，这种格局的形成条件如何？怎样认识它的政治作用，它在中华文化史上具有怎样的意义？这些一直都是困惑人们思绪的焦点，也是本节的中心议题。

一、辽宋对峙格局的形成是历史发展的必然结果

辽宋对峙局面的形成，不是由历史发展的偶然因素决定而是必然结果。

当魏晋南北朝的历史局面结束以后，崛起了强大的隋唐帝国。隋唐帝国的出现，仅是南北方民族融合过程中段落性的小结，而不是南北方民族融合过程的总结性成果。这就决定了它们的存在期内，南北方民族之间对立统一

的矛盾运动，仍然是中国历史发展的主流。错综复杂的既对立又求同的斗争过程，仍然是此期内中华历史的主线索。

虽然唐朝凭借强大的军事实力，分别瓦解了先后崛起于北方草原的突厥部落与回纥部落形成的汗国势力，但对于东北"两番"（契丹与奚）的治理，已是无所适从，号为难治。唐玄宗时，设立强大的军事重镇，以控扼契丹与奚，称为范阳节度使。此时，契丹部落的大贺氏联盟组织已被新兴的遥辇氏汗国政权所取代。在这个新兴的政权中，出现了一些以前的北方部族政权中不曾见的新现象：首先，汗权被分割为民权与军权两大块系，分别由遥辇氏与迭剌氏两大家族掌握；其次，治民系统中增设南、北府宰相，分别治理部众，以辅佐汗室统治。这些，显然是借鉴和模仿了中原地区的统治方式，标志着契丹部族联盟组织已向"国家制"的轨道迈出可喜的一步！此后，契丹可汗又亲自"朝觐"于唐，开元十三年（725年），契丹主李邵固入朝贡献，时

> 车驾东巡，邵固诣行在，因从至泰山。

参与了玄宗封禅大典。[1] 以后，契丹入朝，屡屡不绝，

> 开元、天宝间，使朝献者无虑二十。至德后，岁选酋豪数十入长安朝会，每引见，赐予有秩，其下率数百，皆住馆幽州，相与互市。[2]

在宽博、浑厚的盛唐文化影响下，契丹部族的生活方式与观念形态都发生了深刻的变革。首先，具备了粗放的农业经营方式，始祖雅里始"究心农工之事"；其次，效仿唐代仪典，参酌本族习俗，制定适宜契丹社会的礼俗仪制，

> 遥辇胡剌可汗制祭山仪，苏可汗制琴瑟仪，阻午可汗制柴册、再生

---

[1] 《旧唐书》卷199（下）《契丹传》，中华书局1975年版，第5352页。
[2] 《文献通考》卷245《契丹》，中华书局1986年版，第2701页。

仪。其情朴，其用俭。①

随着契丹人生活方式与观念形态的深刻变革，促进了部族社会生产的迅速发展。史载，遥辇氏初立，所领部众不过十部；但终阻午可汗之世，契丹部众已有二十部之数②。至唐末，契丹已是"疆土稍大"，

乘中原多故，北边无备，遂蚕食诸部，鞑靼、奚、室韦之属，或被驱役，族帐寝盛，有时入寇。

开始向南面的幽蓟地区扩张势力。③ 故奚之部族，为契丹代守边土。由于当时中原地区混乱的政治形势，给契丹部落的迅速发展提供了一个契机，也从此塑造了契丹在唐末五代乱局中，处于中国割据政权间首强的历史地位。

当魏晋之际，西北各少数民族呈现大规模地向内迁徙的特点，并直接促成了4—6世纪中国南北对峙、分立的历史格局。隋唐帝国的出现，西北各少数民族人口的内迁，仍不绝如缕、绳绳以入。这样，便形成了沿唐朝北方边界所在皆有的附塞部族，同时由于幽州地区突出的地理位置和优越的交通条件以及该地区自古以来社会风俗中便兼具南北两种特色的人文地理优势，使得这一地区自唐初以来便成为容纳和安置北方"归化"部族人口的较为集中的场所。如安禄山，"营州柳城杂种胡人也"，父本西域胡人，母是突厥，故史称"杂胡"，生营州；史思明，"营州宁夷州突厥胡人也"，"与安禄山同乡里"，唯父是突厥，母为胡人；④ 王武俊，"契丹怒皆部落也"，父路俱，开元中与奚部长一同率族帐南归，从居蓟；⑤ 李宝臣，"范阳城旁奚也"；⑥ 张孝忠，"本奚之种类。曾祖靖，祖逊，代乙失活部落酋帅。父谧，开元中以众归国"，"孝忠义勇闻于燕、赵"⑦ 等等。由此可见，当唐中晚之

① 《辽史》卷49《礼志一·序》，中华书局1974年版，第833页。
② 《辽史》卷32《营卫志中·部族上》，中华书局1974年版，第380—381页。
③ 《旧五代史》卷137《外国传》，中华书局1976年版，第1827页。
④ 《旧唐书》卷200《安禄山传、史思明传》，中华书局1975年版，第5367、5376页。
⑤ 《旧唐书》卷142《王武俊传》，中华书局1975年版，第3871页。
⑥ 《旧唐书》卷142《李宝臣传》，中华书局1975年版，第3865页。
⑦ 《旧唐书》卷141《张孝忠传》，中华书局1975年版，第3854页。

世，仅幽州一道，已是"胡人弥布"，则其他边郡之地，亦可由此略知。在
这些地区，由于西北人口的极度掺糅，便形成了与中原地区判然有别的人文
现象：首先，这里渐染胡风，务以好勇斗狠相竞，无论风俗习惯及生活方式
上，都逐渐脱离了农耕文化体制的约束；其次，政治统属上逐渐呈现出与唐
中央"脱节"的现象。因此，至后晋史臣刘昫修《唐书》时，也不禁感叹
而言：

> 彼幽州者，列九围之一，地方千里而遥，其民刚强，厥田沃壤。远
> 则慕田光、荆卿之义，近则染禄山、思明之风。二百余年，自相崇树，
> 虽朝廷有时命帅，而土人多务逐君。习苦忘非，尾大不掉，非一朝一夕
> 之故也。①

唐自安史之乱后，河北之地遂为藩镇。穆宗初年，幽州藩帅刘总上表归土，
幽州之地始还王封，朝廷择名帅张弘靖镇之，史载：

> 弘靖之入幽州也，蓟人无老幼男女，皆夹道而观焉。河朔军帅冒严
> 寒，多与士卒同，无张盖安舆之别。弘靖久富贵，又不知风土，入燕之
> 时，肩舆与三军之中，蓟人颇骇之。

其风土人情有别于中原已如此。然而，弘靖处事不当，使幽州又得而复失，

> 弘靖以禄山、思明之乱始幽州，欲于事初尽革其俗，乃发禄山墓，
> 毁其棺柩，人尤失望。

加之从事文臣等人，又以势凌辱吏卒，遂激成蓟人之乱，夺弘靖之权，而自
相拥立朱洄为兵马留后。② 幽州一道又复沦为藩镇。综此而言，至唐穆宗
朝，幽蓟之地已同中原地区形成颇有差别的"两个世界"或显然不同的两

---

① 《旧唐书》卷180卷末《史臣论》，中华书局1975年版，第4683页。
② 《旧唐书》卷129《张延赏传附子弘靖》，中华书局1975年版，第3611页。

种区域文化形态。自从张弘靖失去幽州后，幽州之地再也未曾稳固地归入中原政权的统治之下。至唐文宗时，已是"范阳非国家所有"。①而幽蓟、云、代一线之区域内风俗文化的"自由"发展状况亦如是。这大概便形成了10世纪初，幽州地区契丹能得之，而中原政权数欲归复而不能复得的主要原因。

结果促成了自古以来南北民族对峙、分立的政治边际区域的进一步南移。自秦汉至隋唐，南北方民族间对立冲突的主要焦点地带，大体上沿秦汉长城的走向而作为农耕文化与游牧文化两大区系分野的标志。但至10世纪初，这种"常规性"的格局已被彻底打破，作为长城以南中原地区北方重镇的云朔地区，已形成为以太原为中心，由沙陀部落所割据的基本区域。幽燕地区，也正为勃兴于北方草原的契丹族所蚕食，当幽燕地区的最后一代藩镇势力——刘仁恭父子之时，具有重要军事意义和优越地理位置的营、平二州，已为契丹部落所占夺。契丹族首领耶律阿保机时刻准备举兵南窥中原。结果，隋唐以来设置的幽州重镇，便先后被契丹人、刘守光及后唐政权分割得七零八碎，并随着后唐政权的解体而全部沦入北方的契丹人手中，甚至还附带了幽朔地区的大批州镇。936年，后晋政权作为"报答"的礼物，便将燕云十六州地区顺水推舟地割让给契丹。从此确立了契丹辽朝政权以燕云地区为界，与南方中原割据政权不断对立的局面。长城一线，也从此成为北方民族政权控制区域之内的历史景观。

关于燕云地区的归属问题，宋末元初的历史学家胡三省曾做出比较中肯的论断，②因此，石晋之世，割地之约，大半已属于对既成事实的许可，更大程度上还意味着中原政权与契丹政权采取的疆界划分。从此，双方各有所守，目的在于结束军事纷争的乱局。但它标志着中原地区政治势力从此退出了燕云十六州及其以北地区，反映了当时中国南、北双方政治势力的消涨状况，呈现出北方强盛而中原衰弱的基本态势。这在中国历史的发展中具有决定性的意义，它从此扭转了那种在南、北民族关系中，自古以来就形成的以南方中原政权为主导的局面，开启了南北民族关系中北方民族为主并由北方

---

① 《旧唐书》卷180《杨志诚传》，中华书局1975年版，第4675页。
② 《资治通鉴》卷280《后晋纪》，高祖天福元年十月条胡注，中华书局1956年版，第9154页。

民族政权操控盟约的新时期。

所以，燕云地区归属契丹，对契丹国家的历史发展产生了深远的影响：

首先，取得了契丹政权与南方中原政权交往中的主导地位。

其次，大批农耕人口的归附，极大地丰富了契丹国家的历史内容，为实现部族社会向封建化形式的过渡，创造了必要的经济前提和实验基础。同时，也改变了契丹国家经济单一化的面貌。

再次，增加了契丹国家与中原政权抗衡的砝码，为形成南北对立的格局奠定了基础。由于经济领域的扩大及其发生的变革，也同时刺激了北方民族人口观念的变革、思想更新以及政治结构的充实与调整。因此，也从此创造了契丹政权与中原政权关系发展中获得政治优胜地位的基本条件。诚如金人梁襄所言：

> 燕都地处雄要。背倚山险，南压区夏，若坐堂陛，俯视庭宇，本地所生，人马勇劲，亡辽虽小，止以得燕，故能控制南北，坐致宋币。①

燕云之地归属契丹，这是辽、宋之际形成"南北朝"局面的根本环节，它标志着辽金元时代，所谓"夷夏之别"观念正不断被民族求同意识所取代，农耕文化区系与游牧文化区系间牢固的政治防线和地理防线在不断地被突破。北方民族政治力量的不断南渐，显示着北方民族文化的不断南进及其与中原农耕文化循序渐进的融合过程；而中原政治力量的向南退缩，中原农耕经济重心向东南沿海转移的倾斜性发展，标志着农耕文化系统中固有的保守成分的顽固存在，及其正在被不断地突破重重防线、有效地削弱其抵抗能力的客观事实，迫使农耕文化区系面对游牧文化区系南进之际，不得不主动实现对话与圆融的发展过程。

二、辽宋对峙格局中双方的相互观察与思考

大凡两个政权的对立，也体现着两个集团间观念的差别，人们在意识观念系统所呈现的排斥与相容，无疑是文化事象的某种特征。辽宋对立格局

---

① 《金史》卷96《梁襄传》，中华书局1975年版，第2134页。

中，在一切政治、军事、经济方面的对立与冲突，无不体现着为各自文化机制服务的因素。

当宋太祖之世，便有与契丹谋和的设想。而宋太宗即位后，弃太祖所创和局于不顾，屡欲兴兵夺取燕云地区。端拱二年（989年），尝欲北讨，宰相宋琪遂上书历陈利弊，据《宋史》载：

> 琪本燕人，以故究知蕃部兵马山川形势。俄又上疏奏：国家将平燕蓟，臣敢陈十策：一、契丹种族，二、料贼寡众，三、贼来布置，四、备边，五、命将，六、排陈讨伐，七、和蕃，八、馈运，九、收幽州，十、灭契丹。……（并建议）若精选使臣，不辱君命，通盟继好，弭战息民，此亦策之得也。①

宋琪的求和建议代表了北宋朝野的共同心愿，太宗于是息念。此前，因北伐失利，太宗诿责主将，自视为"匪黩武"之君，② 从此更不言战事。北方防务悉授何承矩规划，将边地开为陂塘，试图以池沼之利安民息兵，

> 由是自顺安以东濒海，广袤数百里，悉为稻田，而有莞蒲蜃蛤之饶，民赖其利。③

及真宗嗣位，乃诏知雄州事何承矩曰：

> 朕嗣守鸿业，惟怀永图，思与华夷，共臻富寿。而契丹自太祖在位之日，先帝（太宗——笔者）继统之初，和好往来，礼币不绝。其后克复汾、晋，疆臣贪地，为国生事，信好不通。今者圣考上仙，礼当讣告。汝任居边要，洞晓诗书，凡有事机，必能详究，轻重之际务在得

---

① 《宋史》卷264《宋琪传》，中华书局1977年版，第9109页。
② 《宋史》卷256《赵普传》，中华书局1977年版，第8931页。
③ 《宋史》卷273《何继筠传附子承矩》，中华书局1977年版，第9328页。

中。……承矩贻书契丹，谕以怀来之旨，然未得其要。①

真宗咸平三年，何承矩上疏，请于缘边建榷场，以通货易。② 当时议者以为

> 承矩意在继好，……自守边以来，尝欲朝廷怀柔远人，为息兵
> 之计。③

从这些史实中，可以看出，战而不胜是促使宋朝君臣走上"和议"之途的根本原因，此时中原地区对于契丹政权仍缺乏全面的了解，仅有止于外表特征的浅显体会。故当"和议"于 1004 年达成之后，宋人仍不免于语气、行为方面对契丹人表示出"轻视"的心理特征，若澶渊盟好方结，辽使韩杞至，宋以赵安仁为接伴，史载：

> （韩）杞既受袭衣之赐，且以长为解，将辞复左衽。安仁曰："君
> 将升殿授还书，天颜咫尺，如不衣所赐之衣，可乎？"杞乃服以
> 入。……及姚柬之至，又令安仁接伴。柬之谈次，颇矜兵强战胜。安仁
> 曰："老氏云佳兵者不祥之器，圣人不得已而用之。胜而不美，而美之
> 者，是乐杀人也。乐杀人者，不得志于天下。"柬之自是不敢复言。④

通和之初，凡辽之使臣入宋或宋使入辽，宋人皆以"大国之尊"自居，动辄以"气"夺之。甚至，当苏颂出使辽国，辽人以宋历法误算相告时，颂亦强言遮辩，讳言其误，归国后，一一禀明，仍受仁宗奖谕；⑤ 更有如王旦者，"契丹奏请岁给外别假钱币"，属于明显的勒索，而

> 旦曰："东封甚近，车驾将出，彼以此探朝廷之意耳……止当以微

---

① 《宋史》卷273《何继筠传附子承矩》，中华书局1977年版，第9329页。
② 《宋史》卷273《何继筠传附子承矩》，中华书局1977年版，第9331页。
③ 《宋史》卷273《何继筠传附子承矩》，中华书局1977年版，第9332页。
④ 《宋史》卷287《赵安仁传》，中华书局1977年版，第9657—9658页。
⑤ 《宋史》卷340《苏颂传》，中华书局1977年版，第10863页。

物而轻之。"……乃以岁给三十万物内各借三万，仍谕次年额内除之。……次年，复下有司："契丹所借金币六万，事属微末，今依常数与之，后不为此"。①

正是这种以堂皇中国、地大物博而自居的心态，遂使大多数朝臣陷于歌舞升平、不理事务，在辽宋关系中处于外强中干、恬不为耻、虽败犹荣的精神虚无境界。像前引赵安仁所谓"胜而不美"的思想论调，就整整影响了两宋以来中原士大夫的思想，将"力屈"附会于"爱民"思想中，不图恢复，完全抛弃了儒学的进取性内容，终于酿成不图进取的颓废的政治局面。

但北宋一朝，也不乏远见卓识之士。仁宗庆历年间崛起的一批较有影响的政治人物，在官风腐败的环境中，注入一股新鲜空气。其代表人物即范仲淹、韩琦、富弼、欧阳修、余靖等人，他们以图强自救为目的，试图革新政治，增强国力，以调整宋、辽、夏关系中的屈辱地位。若宋祁上书云：

> 天下根本在河北，河北根本在镇、定，以俱扼贼冲，为国门户也。……臣窃虑欲兵之强，莫如多谷与财；欲士训练，莫如善择将帅；欲人乐斗，莫如赏重罚严；欲贼顾望不敢前，莫如使镇重而定疆。夫耻怯尚勇，好论事，甘得而忘死，河北之人，殆天性然。……臣料朝廷与敌相攻，必不深入穷追，殴而去之，及境而止，此不待马而步可用矣。臣请搁马益步，故马少则骑精，步多则斗健，我能用步所长，虽契丹多马，无所用之。②

边臣贾昌朝亦上书言：

> 今四夷荡然与中国通，在北则臣契丹，在西则臣元昊，二国合从，有掎角中国之势。借使以岁币羁縻之，臣恐不可胜算，古之备边，西有金城、上郡，北则云中、雁门。今自沧至秦，绵亘数千里，无山河之

---

① 《宋史》卷282《王旦传》，中华书局1977年版，第9547页。
② 《宋史》卷284《宋祁传》，中华书局1977年版，第9596—9597页。

阻，独恃州县镇戍尔，岁所供赡，又不下数千万，一谷不熟，或至狼狈。契丹近岁兼用燕人治国，建官一同中夏。

宜因此而"募人往使"，诱归西北诸蕃，削弱二虏之势。① 而布衣张洞，

> 时天下久安，荐绅崇尚虚名，以宽厚沉默为德，于事无补，洞以为非朝廷福，……致书欧阳修极论之。②

庆历二年（1044年），契丹遣横使邀求关南十县地，于是，遣富弼出使辽国，结果又以岁给外增加银、绢二十万两、匹成盟；使还，拜为枢密副使，富弼坚辞不受，在其所上《辞枢密副使疏》中云：

> 臣自知所干增币事，只是且救目下奔突之患，未是长久安宁之策，……北朝通和四十年来，蕃、汉官未尝见者，臣尽见之。而理乱兴亡，无不讲贯。……以臣所见，契丹委实强盛。奚、渤海、党项、黑水鞑靼、回鹘、元昊尽皆臣伏。一一贡奉，惟与中原一处为敌国。兵马略集，便得百万，需然余力，前古不如。非是不敢南牧，只是不来而已。来，实无以枝梧。臣所以谓未是长久安宁之策者，臣知其子细故也。③

这些来自方方面面的详细报道和经过深思熟虑得出的结论，是促成宋仁宗皇帝一朝范仲淹等人推行"庆历新政"的根本原因之一。新政夭折之后，一些朝臣强烈的改革意识并未彻底泯灭。史载，田况于仁宗晚年，

> 尝面奏事，论及政体。帝颇以好名为非，意在遵守故常。

此时的仁宗皇帝已经丧失初始阶段的进取心，于是，田况上书论之，

---

① 《宋史》卷285《贾昌朝传》，中华书局1977年版，第9616—9617页。
② 《宋史》卷299《张洞传》，中华书局1977年版，第9934页。
③ 《宋文鉴》卷45，富弼：《辞枢密副使疏》，四库本。

　　方今政令宽弛，百职不修，二虏炽结，凌慢中国。……朝廷予契丹金帛岁五十万，削生民，输将道路，疲敝之势，渐不可久。……如前岁萧英、刘六符始来，和议未决，中外惶扰，不知为计，此臣所目睹也。和议既定，又复恬然，若无事者，是岂得为安哉？……愿因燕闲，……访逮时政，专以虑患为急。……今不以此为务，而日以委琐之事，更相辩对，议者羞之。①

至神宗朝，这股志在更新的潮流日益壮大。于是，王安石、苏轼等人大胆提出"祖宗不足法"的口号。苏轼云：

　　契丹自五代南侵，乘石晋之乱，奄至京邑，睹中原之富丽、庙社宫阙之壮而悦之，知不可以留也，故归而窃习焉。山前诸郡，既为所并，则中国士大夫有立其朝者矣。故其朝廷之仪，百官之号，文武选举之法，都邑郡县之制，以至于衣服饮食，皆杂取中国之象。……而中国之人，犹曰今之匈奴非古也，其措置规画，皆不复蛮夷之心，以为不可得而图之。……而中国未之思焉，则亦足惜矣。

故建议神宗内求政治清明，外治军纪严肃，庶可一鼓而规复燕云故疆。② 苏辙亦在使辽之后，报告所见云：

　　北朝之政，宽契丹、虐汉人，盖已旧矣。然臣等访闻山前诸州祇候公人，止是小民争斗杀伤之狱，则有此弊，至于燕人强家富族，似不至如此。③

因此，宋神宗在与大臣廷对时，亦感慨而言：

---

①　《宋史》卷292《田况传》，中华书局1977年版，第9781页。
②　《苏东坡全集》卷5《应诏集·策断二十五》，四库本。
③　苏辙：《栾城集·北使还论北边事札子》，四库本。

　　　　二虏（指辽、夏）之势所以难制者，有城国，有行国；古之夷狄
能行而已，今兼中国之所有矣。比之汉唐，最为强盛①。

这些，大概是宋神宗鉴于内政不修、外政不举而起用王安石主持变法的重要
原因之一。而《宋史》评价"变法"时云：

　　　　安石为人，悻悻自信，知祖宗志吞幽蓟、灵武，而数败兵，帝奋然
将雪数世之耻，未有所当，遂以偏见曲学起而乘之。②

若此，则王安石已成为投机钻营的小人，而云所持之"偏见曲学"为何？
这在宋神宗与王安石的一段对话中，似可管窥全豹，史载：

　　　　（熙宁）二年二月，拜参知政事。上谓曰："人皆不能知卿，以为
卿但知经术，不晓世务。"安石对曰："经术正所以经世务，但后世所
谓儒者，大抵皆庸人，故世俗皆以经术不可施于世务尔。"上问："然
则卿所施设以何先？"安石曰："变风俗，立法度最方今之急也"。③

可见，王安石变法，还是试图倡导儒学的进取性内容以解决北宋社会最根本
的问题，开创北宋晚期朝廷政治的新局面。王安石变法过程中，也同样采取
了"庆历新政"加强边防、整肃军政的措施。然而，变法始行便受到朝臣
的攻击，如任用赵滋知雄州后，朝臣便纷纷指斥赵滋"生事"④。变法的内
容也因此遭到世俗习惯势力的恶意诽谤与攻击，在强大的反对派势力面前，
神宗皇帝政治立场的动摇，决定了王安石变法的夭折。
　　仁宗、神宗时期，先后出现的两次社会改革的要求，是同北宋政权的荣
辱成败紧密相连的，主要目的都是为改变北宋政权在当时南北关系中所处的

---

① 《道山清话》，转引自《辽史拾遗》，四库本。
② 《宋史》卷 16《神宗皇帝纪三·史臣赞》，中华书局 1977 年版，第 314 页。
③ 《宋史》卷 327《王安石传》，中华书局 1977 年版，第 10544 页。
④ 《宋史》卷 324《赵滋传》，中华书局 1977 年版，第 10496 页。

屈辱地位，迫使当时北宋君臣从多方面、多渠道来认识和了解北方民族建立的辽、夏政权，认真分析它的内部结构，研究探讨其所以强大的原因。但是，改革势力在传统势力面前的失败，使传统势力重新控制并把握了国家发展的命脉，面临辽、夏政权的强大，也只能望洋兴叹！于是，原本那种颇为自得的"胜而不美"的以大国自居的盛气凌人的架势，便一下子彻底地泄了"气"，从此变得更加萎靡不堪，只好靠盛赞和维持辽宋盟好来自慰其心，靠维持和盟、大唱赞美诗来弥补内心的空虚与失落。这种以麻木的政治思想来维持麻木的政治局面的做法，是北宋晚期政治的一大特色，也标志着北宋时期思想文化的发展呈现出退缩、消极与日渐狭隘的发展趋向。正是这样的一种趋势，促使北宋君臣在分析、判断对峙格局的发展趋向时，采取了一种消极的墨守成规的态度，形成了"和好之局不可轻废"的观点，而对边防事务采取缄默态度，以不失邻国之欢为先。如司马光，

> 赵滋为雄州，专以猛悍治边，光论其不可。……近者西祸生于高宜，北祸起于赵滋；时方贤此二人，故边臣皆以生事为能，渐不可长。宜敕边吏，疆场细故辄以矢刃相加者，罪之。①

司马光本人曾是反对变法最有力的人物，因而，他这种关于时局发展的看法便极具代表性了！在司马光看来唯是一切含容，务为安静，维持辽宋双方既得现状，才是北宋政权"长治久安"的良策，否则，凡稍思振作者都是徒劳"生事"，更无他益。这种论调，便成为当"思兴利去害而有为"者之流，在朝廷被挤陷、打击而沉寂之后，宋朝君臣的主要观点了。这些人为弥补自己政治虚弱的心理，而强调"夷夏之别"的思想，作为维持和盟观点的理论基础。因此，北宋晚期人士总是极力制造"夷夏有别"理论，若王辟之《渑水燕谈录》中津津乐道于兹的"夷狄不可校义理"的说词。② 而南宋人邵博更不厌其烦地在《邵氏闻见后录》中强调

---

① 《宋史》卷336《司马光传》，中华书局1977年版，第10760—10761页。
② 王辟之：《渑水燕谈录》卷4《才识》，中华书局1981年版。

盖谓之华夷者，天也，有或反此，非其福也。①

并续引北宋时人的言行，以证其说：

中国与夷狄较胜负，不唯不可胜，兼亦不足胜，虽胜，亦非也。……范文正公曰："吾遇夜就寝，即自计一日食饮奉养之费及所为之事，果自奉之费与所为之事相称，则鼾鼻熟寐。或不然，则终夕不能安眠，明日必求所以称之者"。②

如此这般的"君子"之国，自不必与契丹这样的"夷狄"之国相较量，即韩粹彦所谓

国家奄有四海，宁少此一弹之土邪（笔者按：指取幽燕之地）。③

即如是，则群臣唯是日计"自奉养"之事，便是国之"能吏"、华夏之栋梁，否则如王安石、蔡京之流者便是徒劳生事、奸利败盟的小人了！

北宋中晚期颓废局面的形成，决定了中原文化的发展势必在中华文化重构的大潮中，发出极不协调的伴奏、产生不和谐的现象！因此，北宋时期政治思想文化的发展，便具鲜明的保守性特征和浓厚的形式主义色彩。反映在学子取仕的科举制上，北宋中期以来，"为险怪奇涩之文"的"太学体"泛滥于当时。④ 而欧阳修等人厉行禁止的结果，又导致另种形式的教条主义的泛滥，故苏轼云：

昔祖宗朝崇尚词律，则诗赋之士曲尽其巧。自嘉祐以来，以古文为贵，则策论盛行于世，而诗赋几至乎熄。⑤

---

① 邵博：《邵氏闻见后录》卷8，中华书局1983年版。
② 邵博：《邵氏闻见后录》卷22，中华书局1983年版。
③ 参见方勺：《泊宅编》卷1，中华书局1983年7月版。
④ 《宋史》卷319《欧阳修传》，中华书局1977年版，第10378页。
⑤ （宋）苏轼：《苏东坡全集·拟进士廷试策表》，四库本。

于是，陈襄、周希孟等"四先生"之流，遂致力于"知天尽性之说"。① 及王安石进行变法，倡言于神宗曰：

> 尧、舜之道，至简而不烦，至要而不迂，至易而不难。但末世学者不能通知，以为高不可及尔。

遂倡行新学。② 史载

> 安石训释诗、书、周礼，既成，颁之学官，天下号曰"新义"。……一时学者，无敢不传习，主司纯用以取士，士莫得自名一说，先儒传注，一切废不用。③

这种不问青红皂白、矫枉过正、唯利是举的僵化的思想文化形态，至南宋人陆游时，犹扼腕叹息，他说：

> 国初尚《文选》，文人专意此书，故草必称王孙，梅必称驿使，月必称望舒，山水必称清晖。至庆历后，恶其陈腐，诸作始一洗之。方其盛时，士子至为之语曰："文选烂，秀才半"；则齐、梁余风，宋初犹大扇也。④

由是可知，腐朽、颓废和积重难返，是有宋一代阻碍文化发展之桎梏。

然而，契丹辽朝对于格局发展之态度以及思想文化之发展景观，与宋人相比，却有着极大的不同。当辽太祖阿保机始建国之时，因据有大量农耕人口的居住区，遂推行"汉自汉、蕃自番"各依生活习惯进行统治的方式，在契丹政治体制首开"分治"的先河，以后经过太宗、世宗两朝的努力，遂使"蕃汉分制"臻于完备，走向了成熟发展的历史阶段。

---

① 《宋史》卷 321《陈襄传》，中华书局 1977 年版，第 10419 页。
② 《宋史》卷 327《王安石传》，中华书局 1977 年版，第 10544 页。
③ 《宋史》卷 327《王安石传》，中华书局 1977 年版，第 10550 页。
④ （宋）陆游：《老学庵笔记》卷 8，四库本。

如前所述，辽宋对峙格局的形成是长期以来滋生于民族心理意识中的"求同"意识发展的结果。这种民族求同意识的发展，在辽朝初期便表现得十分强烈，史载，太祖建国，因问侍臣曰：

> 受命之君，当事天敬神。有大功德者，朕欲祀之，何先？群臣皆以佛对。太祖曰："佛非中国教。"太子倍曰："孔子大圣，万世所尊，宜先。"太祖大悦，即建孔子庙，诏皇太子春秋释奠。①

这种气度和见识，便远远超越"前南北朝"时期那种自求佛教为思想理论、尊奉佛为"胡天神"的狭隘的"胡汉分治"意识。契丹人以"中国人"自居，将中国文化之发展勇敢地置于自己的肩上。因而，契丹辽朝"蕃汉分治"的原则，是在民族求同意识发展过程中采取的基本措施，"分治"是统治的手段，"分治"的目的是为了实现"一治"的完整结局。②

契丹统治者在与中原地区对立过程中的基本态度，是为了创造自古以来北方民族力量发展中从未获得的，与南方政权在政治、经济、文化各个方面平分秋色、共同发展的结局。综观契丹与中原政权达成"和解"的客观效果，无非是为了改善长期以来被中原人士轻蔑的地位，以双方的谅解、承认与建立各方面的交流与共同发展为主要目的。因而，辽、宋订盟之后，契丹首倡"南朝、北朝"之说，甚至宋真宗也不得不接受这一说法，③ 这无疑是民族求同意识发展的直接结果。所以，当辽中晚期之时，南、北方文化的交流、融会与再造的发展趋势，已成为契丹社会文化发展的主流。④ 契丹辽朝社会思想文化发展的鲜明特征，与北宋时期相比就是彻底摈弃教条主义"形而上学"的消极形式，而积极倡导与发展以实用为原则的儒学思想。他们注重实际，要求效果，摆脱北宋"心性"之学的困扰，抛弃"虚无"主义的色彩，如《辽史》之《能吏传》便说明了这

---

① 《辽史》卷 72《宗室传·义宗倍》，中华书局 1974 年版，第 1209 页。
② 任爱君：《应当重新认识契丹辽朝的"一国二制"》，《昭乌达蒙族师专学报》1992 年第 2 期。
③ 参见《宋史》卷 310《王曾传》，中华书局 1977 年版，第 10182 页。
④ 任爱君：《契丹辽朝文化总体整合说》，昭蒙师专学报增刊：《北方民族文化》1991 年。

一基本现象。

在辽宋和盟的过程中，契丹人采取主动方式维持和盟局势的稳固与发展。当宋神宗朝历行变法之时，契丹辽朝便派遣横使至宋，要求重新划定天池附近之边界，迫使北宋"悉以所争地与契丹"，史论：凡东西七百里，论者惜之。① 契丹辽朝就是采用以强力维持和盟的手段及以优势制和平的策略，这与宋人委曲求全态度判然有别，从而在心理上气势上给予宋朝君臣以极大威慑，甚至连自救图强也不敢过分伸张。政治上如此，文化发展也十分神速，且有远过宋人而"比迹于汉唐"的气势。史载，辽道宗时，侍臣讲史，至有"夷狄"之文而不敢读，道宗曰：

> 上世獯鬻、严犹，荡无礼法，故谓之夷。吾修文物彬彬不异中华，何嫌之有？卒令讲之。②

就道宗皇帝看来，所谓"夷夏之别"，只是一种文化属性上的差异而已，在人种上并无任何优劣之分；因此，也正是道宗皇帝本人，首先在中华大地的正北方演出了"华夷同风"的历史绝唱！在契丹统治者的积极倡导下，契丹群臣也纷纷以"中国人"自居，如契丹大臣刘辉，便自称辽朝为"中国"；③ 而耶律大石等人更自称辽朝上京、中京之地为"中原"。④ 这是民族求同意识发展中一种何等雄浑的气象！就契丹辽人看来，"今契丹、汉一家"，已同是"中国人"。因此，他们便强烈反对宋人修史时，将契丹置于"四夷"的做法，并上书契丹皇帝"请以赵氏初起事绩，详附国史"，坚决以其人之道，还治其人之身！契丹大臣的这种愤愤不平心理，也得到了辽朝皇帝的认同与嘉奖。⑤

这便是契丹辽朝在与北宋对峙格局中的基本态度和历史作为。

---

① 《宋史》卷312《韩琦传附韩缜传》，中华书局1977年版，第10228页。
② 参见（宋）洪皓：《松漠纪闻》卷上，转载《辽海丛书》，辽沈书社1985年版。
③ 《辽史》卷104《刘辉传》，中华书局1974年版，第1455页。
④ 《辽史》卷30《天祚纪附耶律淳纪》，中华书局1974年版，第352页。
⑤ 《辽史》卷104《刘辉传》，中华书局1974年版，第1455—1456页。

三、辽宋对峙格局破灭的文化意义

关于辽、宋亡国的原因，辽宋遗臣均众口一词地责难宋徽宗。认为徽宗宠用奸臣、弃辽宋百年盟好不守而约金攻辽的"不义"之举，是促使北宋与辽朝先后灭亡于金的重要原因，甚至靖康二年（1127 年），徽、钦二帝尚拘押于金营之时，留守汴京的北宋群臣也在给金军统帅的书状中，直言

> 赵氏祖宗以至嗣君，百七十余载。顷缘奸臣败盟，结怨邻国，谋臣失计，误主丧师，遂至生灵被祸，京都失守，主上出郊，求和军前。①

言外之意，仍在指斥徽宗宠用权宦、轻肇兵端的错误举动。认为徽宗不重盟约而招致亡国之辱。南宋时人庄绰把话说得更加明白，他认为，景德二年誓书中有"质于天地神祇，告于宗庙社稷，子孙共守，传之无穷。有渝此盟，不克享国"之语，

> 自是，两国百有余年坚守盟书，民获休息。而宣和中与大金结好，亦有"不克享国"之言，后先渝之，至以失信为责，改立伪楚，四海之人，肝胆涂地②。

庄氏之言，大有一副"天乎？人乎？"悲天悯人的味道，但从此亦可看出宋之遗臣及其后裔，对于前朝徽宗时期政治状况强烈不满的情绪。

这种看法是如何产生的呢？自北宋中期的政治改革运动失败之后，宋朝的政治现状便又回到"荐绅崇尚虚名，以宽厚沉默为德"的无所事事的沉闷局面中来。正如欧阳修所云：

> 国家自数十年来，士君子务以恭谨静重为贤。及其弊也，循默苟

---

① 《宋史》卷 473《奸臣传·秦桧》，中华书局 1977 年版，第 13748 页。
② 参见（宋）庄绰：《鸡肋编》卷中，中华书局 1982 年版。

且，颓堕宽弛，习成风俗，不以为非。①

甚至当出现思有为而兴利去害之贤者时，则

众皆指为生事，必嫉之沮之非之笑之，稍有差失，随而挤陷。②

故当任用赵滋主持雄州边事时，

会契丹民数违约，乘小舟渔界河中，吏惮生事，累岁莫敢禁，……
[而滋]一切禁止之；……知瀛州彭思永、河北转运使唐介、燕度，皆
以滋生事，请罢之。③

宋之群臣务以安默无过为持重而以进取图强为生非。更有甚者，英宗朝大臣
胡宿仍不遗余力地攻击赵滋实为惹是生非、破坏盟好之徒，仍献言曰：

今缙绅中有耻幽蓟外属者，天时人事未至而妄意难成之福。愿守两
朝法度，以惠养元元，天下幸甚。④

于是，胡宿这种维持盟好、以待"天时人事"之至的态度，基本成为北宋
末年朝野之士的普遍心态。因此，当徽宗起用童贯、赵良嗣规复燕蓟故土
时，几乎多数朝臣皆起而反对，因为他们习惯了辽宋对峙的政治环境，不希
望再见到兵火交融的险恶场面，只图维持既得的"安定与和平"的宝贵生
活。像刘正夫、郑居中、安尧臣、沈积中、程振、朱胜非、范致虚、宇文虚
中、王庶、胡松年等一大批朝臣，皆以"边隙不可轻开"为由，反对规复
燕云。这些崇尚精神虚无的"道统"之士，或直斥规复燕云为"辄造事

---

① 《诸臣奏议》卷14，四库本。
② （宋）李焘：《续资治通鉴长编》卷143，仁宗庆历三年九月条。
③ 《宋史》卷324《赵滋传》，中华书局1977年版，第10496—10497页。
④ 《宋史》卷318《胡宿传》，中华书局1977年版，第10368页。

端"；① 或以败盟干赏为"万死不足谢责"；② 或威胁参与复燕之议的人员"当思异时覆族之祸"③ 等等。他们的论调同归于一种说法即待时而动"取之当以渐"；④ 这也正是后来程朱理学的主要论调，它反映了宋末颓废、堕落的士风。当徽宗收复燕云的行动失败之后，这些"道学"之士乘时而起，坚决打击、排斥那些主持伐燕的人员，若和诜、赵良嗣等或流或杀，并逼迫徽宗退位、拥立钦宗，一方面公开排陷主战人士，不惜花费重金巨资，重新开启与金人议和的途径；另一方面又积极联络辽朝的亡族遗臣，试图恢复以前辽宋对峙的故态，以利用辽人牵制金人南下之势。其实，这无异于与虎谋皮！

因此，由以上论述可以看出，当辽宋对峙格局形成之后，中原地区思想文化之发展开始转入消沉、狭隘的轨道，这种趋势发展的直接结果便造成了程朱理学思想体系的确立。由于它毒化了有宋一代几辈人的思想，所以众口一词，视徽宗规复燕云的举动为惹是生非，指斥徽宗"败辽宋百年盟好"为亡国之祸根！这情景颇与南宋时期韩侂胄伐金的遭遇有些相像，韩侂胄伐金之准备不足与徽宗复燕之料事不周，几乎相同而其结局又是何其相似！

至于辽人关于辽朝灭亡原因的认识，史料中仅见那些入金的降臣，归罪于宋朝的"毁盟弃约"，并持有一种强烈的复仇心理。史称，及金、宋运作"燕山之议"时，辽朝降臣左企弓便献诗于金太祖曰：

> 君王莫信捐燕议，一寸山河一寸金。⑤

及至张觉事件发生后，辽之亡族遂诿责于北宋，时

> 刘彦宗、时立爱为金国相，二人皆燕人也，以坟垄、田园、亲戚之故，愈劝金人南侵。兼契丹旧臣降金人者……已得用事……各阴间可

---

① 《宋史》卷351《郑居中传》，中华书局1977年版，第11104页。
② 《宋史》卷350《赵隆传》，中华书局1977年版，第11091页。
③ 《宋史》卷354《沈积中传》载程振语，中华书局1977年版，第11164页。
④ 《宋史》卷356《任谅传》及卷371《宇文虚中传》，中华书局1977年版，第11221页。
⑤ 《金史》卷75《左企弓传》，中华书局1975年版，第1724页。

入，内外劝之南侵，阴报宋朝助兵攻辽之隙。①

这些，遂为"道学"之士所利用，以证成复燕之举"必有意外之祸"的推断。

其实，关于辽朝匆匆而亡的原因，《辽史》已记录得非常明白。由于道宗以来，国势江河日下；及天祚朝，又无丝毫振兴的迹象，主上猜忌日重，遂使统治集团内部分崩离析。计天祚在位，前后不过 26 年，统治集团内部便爆发 4 次大规模的叛亡事件，除乾统二年（1102 年），萧海里叛逃女真原因不明外，其余 3 次叛亡事件，皆有详细记载。如：天庆五年（1115 年），耶律章奴反叛，欲废黜天祚、谋立魏王淳为帝，

> 至祖州，率僚属告太祖庙云："……今天下土崩，窃见兴宗皇帝孙魏国王淳道德隆厚，能理世安民，臣等欲立以主社稷。……迩来天祚惟耽乐是从，不恤万机。强敌肆侮，师徒败绩。加以盗贼蜂起，邦国危于累卵。臣等预族属，世蒙恩渥，上欲安九庙之灵，下欲救万民之命，乃有此举"。②

参与此事的"贵族二百余人"。又，保大元年（1121 年），耶律余覩叛逃事件，因谋立晋王敖卢斡事泄，"即引兵千余，并骨肉军帐叛归女直"，参与此次叛亡者亦多为贵戚子弟。③ 保大二年（1122 年）耶律大石、萧幹、李处温等留守燕京之际，废黜天祚帝、拥立魏国王淳（时淳为秦晋国王）为帝，尊号天锡皇帝，改元建福元年，

> 以燕、云、平、上京、中京、辽西六路，淳主之；沙漠以北、南北路两都招讨府、诸蕃部族等，仍隶天祚，自此辽国分矣。④

---

① 《大金国志》卷 3，金太宗天会三年条，中华书局校证本 1986 年版，第 44 页。
② 《辽史》卷 100《耶律章奴传》，中华书局 1974 年版，第 1430 页。
③ 《辽史》卷 102《耶律余覩传》，中华书局 1974 年版，第 1442—1443 页。
④ 《辽史》卷 30《天祚帝纪四附耶律淳事记》，中华书局 1974 年版，第 353 页。

及金平燕京之后，耶律大石遂于保大四年（1124 年），再与天祚分裂，率领所部北走、转而西去，在今中亚托克马克附近建立西辽政权。史称，大石在分析天祚皇帝失国原因时，曾说：天祚帝

> 自金人初陷长春、辽阳，则车驾不幸广平淀，而都中京；及陷上京，则都燕山；及陷中原（引者注：即上、中两京之地），则幸云中；自云中而播迁夹山，向以全师不谋战备，使举国汉地皆为金有。①

耶律大石认为辽之失国，在于天祚皇帝的一意退守、不谋战备之罪。其实，辽之灭亡，在道宗时已露端倪，天祚继位仅存一副大国框架而已。长春一役，辽倾全国之师土崩瓦解。其后，内政不稳，叛乱迭起，更无力再整师备战。而燕京魏国王淳势力被金兵消灭后，天祚皇帝曾经一度呈现振兴迹象于碛北，正是当时辽朝内部矛盾消失、内政军令暂时统一的直接效果。

辽朝自道宗晚期以后，日渐丧失前期的进取姿态，君臣上下务贪安逸，唯以固守盟好为事。辽兴宗朝，君臣尚以"国家大敌，惟在南方。今虽连和，难保他日"为警诫；② 而道宗朝时，遂以固守辽宋盟好为主，遣使邀求宋帝画像，以"今同家人，理当瞻拜"为由，固请宋帝画像以尽瞻拜之礼，企图营造"契汉一家"的和盟之局。这一点，北宋君臣也明显地感觉出来。如苏辙在使辽后，报告所见云：

> 北朝皇帝（指道宗）年颜见今六十以来，然举止轻健、饮啖不衰，在位既久，颇知利害。与朝廷和好年深，蕃汉人户，休养生息，人人安居，不乐战斗。加以其孙燕王幼弱，顷年契丹大臣诛杀其父，常有求报之心，故欲依倚汉人，託附本朝，为自固之计。……（接伴使臣等）言及和好，皆咨嗟叹息，以为自古所未有，又称道北朝皇帝所以馆伴南

---

① 《辽史》卷 29《天祚帝纪三》，保大四年七月条，中华书局 1974 年版，第 349 页。
② 《辽史》卷 103《文学传上·萧韩家奴传》，中华书局 1974 年版，第 1447 页。

使之意极厚。①

强大的契丹辽王朝，在其向下坡路滑落的时候，开始露出了某些"疲态"的征象，这时它一改以往对待宋人的凌厉气势而转用好语慰抚，以图与虚弱的北宋王朝永保盟好、传祚万年。但是，辽人也同样清楚地感觉到了北宋王朝虚弱的国力状况。因此，当女真攻辽，宋人欲图恢复燕蓟之际，燕京辽人非但以背盟谴责于宋朝，亦遣使于军前亢言曰：

> 女真之叛本朝，亦南朝之所甚恶也。今射一时之利，弃百年之好，结豺狼之邻，基他日之祸，谓为得计可乎？救灾恤邻，古今通议，惟大国图之。②

同样是基于这样的一种认识，北宋群臣在反对收复燕云政策时，也提出了一条"存亡继绝策"，主要内容是：

> 今契丹之势，其亡昭然，取之当以渐，师出不可无名。宜别立耶律氏之宗，使散为君长，则我有存亡继绝之义，彼有瓜分辐裂之弱，与邻崛起之金国，势相万也。③

这样，在辽宋末年群臣的意识中都基本产生了这样的错觉：即只要辽宋和盟关系存在，疲惫的辽朝与虚弱的北宋便都能够延续下去。这便决定了疲惫的辽朝与虚弱的北宋政权，在维持了百有余年的"和盟"局面之后，而又最终如枯树那般同归于凋零的历史结局了。

公元 12 世纪初，女真族崛起于我国东北地区，并于 1125 年灭亡辽朝，1127 年再灭北宋；标志着中国历史上自 10 世纪初以来，由辽宋双方苦心经

---

① 《辽史拾遗》卷 10，引苏辙《栾城集》，四库本。
② 《宋史》卷 335《种世衡传附师道传》，中华书局 1977 年版，第 10741 页。
③ 《宋史》卷 356《任谅传》，中华书局 1977 年版，第 11221 页。

营、共同维持160余年的南北对峙、分立的政治格局，在金朝政权的武力攻击下彻底瓦解。因此，当时无论辽国的亡族，还是北宋的遗臣，都力图根据自己切身的体验，继续判明未来政治格局变幻的基本前景，以便为处身于其中的政治利益集团的维持与发展，谋求最佳的保障与延伸的前景。

就辽朝亡族而言，萧海里、耶律余睹等人因不满意天祚朝的政治局面，愤而投入女真阵营并积极引导女真军队攻略辽朝州城。待辽朝灭亡后，余睹等人发觉试图凭借女真力量重整契丹辽朝的幻想已难以实现时，仍欲起兵反金，恢复大辽王朝，[①] 甚至金海陵王时期，犹有萧裕、耶律朗等契丹亡族，试图拥立天祚裔孙，恢复大辽帝国的统治，[②] 但他们均未获得成功。金海陵王末年爆发的契丹撒八、窝斡之乱，曾经企图率领金朝境内的契丹人口，脱离金国，西投耶律大石政权。[③] 契丹亡族，入金之后，复国企图始终未能泯灭，直到金朝末年，契丹人仍然襄助蒙古人向女真政权施以沉重的一击。

此外，辽天祚帝被俘前后，漠北草原地区同时出现了两个亡辽遗族建立的政权，一个是以天祚之子梁王雅里为首，活动于漠北"沙岭"之地的后辽政权，建元神历，它基本上沿用和承袭了辽朝的文化体制。史称：梁王雅里

> 每取唐《贞观政要》及林牙资忠所作《治国诗》，令侍从读之。[④]

而其统治人口，大多为阻卜、乌古、迭烈等诸部族人口。这个政权仅维持数年的统治，其后便不知所终。另一个是以耶律大石为首在中亚地区建立的西辽政权，维持近一个世纪的统治，其政权机构仍然沿用辽朝的南、北面官体制与斡鲁朵制度，并将中原及辽文化整体移植到中亚地区，最终与中亚地区的各族人口融为一体。

而1125年，当金军直抵北宋汴京城下之际，宋徽宗遂禅位于钦宗，并在群臣强烈要求制裁造祸主谋的呼声中，将童贯、王黼、赵良嗣及诸执政大

---

① 《金史》卷133《耶律余睹传》，中华书局1975年版，第2848—2849页。
② 《金史》卷129《萧裕传》，中华书局1975年版，第2791页。
③ 《金史》卷133《叛臣传·移剌窝斡》，中华书局1975年版，第2850页。
④ 《辽史》卷30《天祚帝纪四附耶律雅里事记》，中华书局1974年版，第354页。

臣纷纷予以流放，大敌当前之际，仍限制主战派力量的发展。此时，朝廷的政治态度，也从徽宗时期"不顾盟好"的立场转变到"存亡继绝"的态度上来。当北宋朝廷从金人手中收回燕山府之后，遂屡遣间使北上，欲与辽之旧臣、遗族相约伐金，企图恢复辽宋故局；但因行事不慎，"宋少帝诱萧仲恭贻书余覩，以兴复辽社稷以动之，萧仲恭献其书"于宗翰。结果宗翰、宗望复伐宋，执二帝以归，① 使宋人又遗"败盟"口实于金朝。

北宋灭亡后，女真统治者感到直接统治中原地区的机会尚未成熟，遂于北宋靖康二年（即金朝天会五年，1127 年）三月，选择北宋大臣中的主和派人物张邦昌，立为大楚皇帝，总治中原诸事，以取代北宋政权。但金军退回燕山以北之后，张邦昌不敢公然以皇帝自居，遂劝进北宋皇族、康王赵构即帝位于归德军（今河南省商丘县南王坟古城遗址）。赵构即位后，首先诛杀张邦昌集团，以切断金朝与中原的联系，随后派遣"王师正举表，密以书诏诱契丹、汉人"，结果又被宗翰截获，于是金朝"下诏伐康王"。② 1129 年，赵构南逃扬州。次年（宋建炎四年，金天会八年，即 1130 年）九月，金人又立刘豫为大齐皇帝，总治中原之事。偏安江南的南宋政权，也开始与金人"解仇议和"，宰臣秦桧献策赵构曰：

> 如欲天下无事，南自南、北自北。③

即倡言以河北归金国而以河南归宋国，并积极打击刘豫伪齐集团，为实现金、宋和盟创造先决条件。绍兴七年（金天会十五年，1137 年），金朝废伪齐，以河南、陕西地划归南宋政权。但不久，金军统帅宗弼毁约、统兵南下，尽复河南、陕西之地，并于 1141 年（宋绍兴十一年，金皇统二年），重新订立盟约，相约"以划淮水为界"。④ 这样，自金太祖 1113 年起兵以来，经历近 30 年铁血相争的发展过程，最终打破了一种旧的政治格局，而

① 《金史》卷 74《宗翰传》，中华书局 1975 年版，第 1697 页。
② 《金史》卷 74《宗翰传》，中华书局 1975 年版，第 1696—1697 页。
③ 参见《宋史》卷 473《奸臣传·秦桧》，中华书局 1977 年版。
④ 《金史》卷 77《宗弼传》，中华书局 1975 年版，第 1755 页。

建立了一种更为广阔的南北对峙的新局面。

应当说，辽宋之际的政治格局破灭之后，曾对当时的社会发展和人类的社会生活都产生了极大的震动。首先，一种新的政治统治秩序——金朝，毫无保留地囊括了契丹辽国的旧有版图，同时，又将北宋统治的重心地区——黄河流域，也置于其控制之下，并逐渐地过渡为自己的统治重心。其次，作为辽朝政权与北宋政权的延续，其残余部分纷纷呈现了大规模退缩的趋势，作为辽朝延续的雅里后辽政权与大石西辽政权，在保有辽朝政治、经济、文化体制前提下，分别后撤至蒙古高原北部及西域地区；而作为北宋政权延续的南宋政权，则在保留了各项北宋旧制的前提下，退出中原而偏安于江南地区。在这种形势下，原来生活于辽、宋故地的大部分人口，不但经历了一次冗长的血与火的"洗礼"，同时也经历着异族文化侵入的痛苦煎熬，像契丹辽朝人口被重新绳以"猛安谋克制"的束缚，北方汉人也被强行推行"剃发令"等同化措施，等等，无不猛烈地撞击着当时辽、宋故地所有区域内社会生活的各个领域。但是，这种痛苦的历程，伴随着历史步伐的前进，客观上演变为民族间最终融合的积极效果。因此，金代历史文化发展的直接结果，是将辽朝多源汇聚的社会文化内蕴推向成熟、一体的发展过程。

关于南宋、后辽与西辽政权的延续，笔者认为，一定程度上的政治统一，实际意味着一定的政治集团所采用的对相同或相近文化区域实行的统一措施。虽然，某种程度上说，强大的政治力量也可以对相异的文化区域实行某种程度的占领，但最终必将随着文化同一性的出现而达成对占领区域的真正统一的过程。辽、金文化同属于起源于北方地区的中华文化发展的奇葩。辽、金文化的基础具有极大的相近性，这也是北方民族文化的特点之一。但是，就12世纪初期，辽、金、宋三种区域内分别所处的文化发展阶段而言，相互之间都存在着很大的差异。因此，金朝在灭亡了辽、北宋政权之后，却不能灭亡辽、宋各自的文化机制。当一种新的或者说相对落后的文化体制侵入了辽、宋故地之后，势必会产生巨大的撞击力而形成新的政治抗衡集团。由于区域文化发展所决定的人们在意识观念系统上的差异，促使其演变为政治斗争的方式而表现出来，这就是南宋、后辽、西辽政权所以延续下来的重要原因，当然也是其他各种因素共同作用的结果。但是，归根结底，人类社会发生的一切政治上的抗衡，都最终是一种文化抗衡的直接表现方式。

接下来，我们可以引用一段史料作为本节的结束语。南宋初年率部投降伪齐的大将郦琼，曾与人语曰：

> 每见元帅国王（指宗弼——笔者）亲临阵督战，矢石交集，而王免胄，指麾三军，意气自若。……江南诸帅，才能不及中人，每当出兵，必身居数百里外，谓之持重。或督召军旅，易置将校，仅以一介之士持虚文谕之，谓之调发。制敌决胜，委之偏裨，是以智者解体，愚者丧师。……颇闻秦桧当国用事，桧，老儒，所谓亡国之大夫，兢兢自守，惟颠覆是惧，……不即覆亡，已为天幸，何能振起耶。①

郦琼之论，大约道出了许多南宋初年降金将领、臣僚的共同心声，也基本道出了当时南、北方两种文化体制之间"形"与"质"的基本区别。因而，金朝统治者在任贤与能的方面，尤重于儒的鉴别。如海陵王直以"老儒"为百废而无一用的"废物"！金人完颜守贞，因其祖希尹之故，家富书史，博达典籍，为金中期之著名学者，而金章宗则论曰：

> 守贞固有才力，至其读书，方之真儒则末也。②

金朝所持有的这种主动与"老儒"划清界限的态度，可以反衬出辽代倡行实用原则之儒学思想体系的发展，至金犹拾用不辍，北方文化的延续性呈现了与南方道学思想越来越清晰的文化分野。

四、辽宋对峙格局的基本思考

论者一般都承认辽宋之际的政治对立，事实上重构了中国历史上的"后南北朝"的局面，这以辽、宋分别以"南朝、北朝"相指称即可证明。同时，由于双方在经济、文化领域的相互掺糅与互换，而达成南、北两国"和好如兄弟"的特殊关系，也显示了自北魏鲜卑人以来创造的"南北朝"

---

① 《金史》卷79《郦琼传》，中华书局1975年版，第1782页。
② 《金史》卷73《完颜希尹传附孙守贞传》，中华书局1975年版，第1689页。

形态的重现。但是，论者一般都局限于辽宋两国关系的研究，而在时间与空间上忽略了对于西夏政权所应作出的必要阐释。因而，有的西夏史学者便不无感慨地认为：在辽宋对峙的历史格局中，还要注意到他们与西夏的这重关系，它应该是反映了中国历史发展过程中的"后三国"的局面！以上两种看法，基本上代表了目前史学界对于辽宋时期整体性研究的主要观点，其理论依据的出发点都是一致的，都是在遵循了"多元一体"发展规律的基础上提出的。因而，目的也是相同的，都在于将辽宋时期的历史发展形态置于一个整体化的研究体系中。这个整体化的研究体系，就是坚持"中华民族多元一体"的理论共识，将辽、宋、夏政权视为中国历史发展中出现的几个相互抗衡的政治实体，它们共同构成了"中国"，而不是由某一个代表了"中国"。但是，由于它们之间的相互对立而造成的政治割据化、民族区域化和文化多中心化等具体形态，事实上构成了当时中国历史发展的基本内容。我们的任务，就在于理清这一时期的基本发展特征，了解其整体的发展趋向。

因此，关于辽宋对峙的政治格局，其主要的表现形式，就是一种政治区域的划分，就是由辽和西夏这些北方民族建立的政权，在西起黄河、北起云代、燕蓟地区一线，与南方中原政权所形成的政治抗衡、分立的基本态势。这一时期中国历史发展的主要特征，就在于南北之间的政治对峙，具有许多深层的意义，大约可以从社会组织形态、经济生活方式、文化的对应形态等许多领域内来区分。① 此不赘述。

由于辽宋时期南北对峙格局的形成，决定着双方随着政治对立及相互联系的发展，也呈现出愈来愈多的不同文化区系间的碰撞、交流与融合的过程。如果我们可以将眼光向后看一下，直到金元时期为止，那么会发现：辽宋之际的对峙，事实上开始将中国南、北方文化的发展置入一个等同的氛围之中，双方在平等的前提下逐步融汇、交流、归一，并重构中华文化的基本发展线索，塑造了南北方文化同构的历史趋势。因此，我们对这一时期的历史活动及其具体形态的研究，便不能分割为一个个孤立的个体现象，而要视

---

① 笔者认为，按古史的划分，南北朝是指南、北两个民族集团建立的相互对立的政权；而三国则是由汉族地主阶级内部豪族地主势力发展的直接结果；因此，试图作出历史形态的比较与对应，还不能够脱离它的本质。

为文化同构过程中必要的政治、经济调整以及民族与文化重新组合的同一整体。也就是说，应当去探究其共同构成这一整体格局的历史动因，及其整体发展的共同效果等，这才是我们认识这一格局的基本出发点。

应该说，辽宋之际南北对峙的政治格局，存在着很大的民族性。民族间的差异，在这个南北同构的历史格局中，无时无刻不强烈地表现出来。作为辽朝政治主体的契丹人以及建立西夏政权的党项人，在各个方面都与北宋政权的汉族人口存在着明显的差异，这是受到各自所处的特定自然与人文环境影响的结果，南北之间所存在的强烈的地域互差，即

> 长城以南，多雨多暑，其人耕稼以食，桑麻以衣，宫室以居，城郭以治。大漠之间，多寒多风，畜牧畋渔以食，皮毛以衣，转徙随时，车马为家。此天时地利所以限南北也。①

正是由于受到"天时地利"等具体环境的影响，才塑造了中国自古以来南、北方民族人口不同的民族性格，以及由此体现出来的不同的区域文化特征。由于中国南北之间，事实上存在的各种差异，便给南北方人群间的各种交往与沟通造成了重重阻碍，特别是先秦以来"夷夏之辨"观念的形成，使长城一线成为传统意义上界隔南北的重要标志。但是，文化毕竟呈现着动态的性状，南北文化的交流与相互影响，是任何人为力量无法封锁住的。中国南北方民族及其文化形态，这个对立统一的矛盾整体不屈不挠地蹒跚于"中华一体"的艰难历程中。北方民族的整体性发展，也始终与中国封建政体的发展，在实力上保持着均衡与平行的态势。综观中国北方民族此消彼长、东盛西衰、屡仆屡起的发展历程，无疑是将自身的政权意识与同时存在的秦汉、隋唐这样规模的汉族政权紧密联系在一起，并逐渐地走向自我意识的成熟的过程。自匈奴到契丹，逐渐地摆脱了最初的政权盲目性而体现了愈来愈强的自主独立性。这种自我意识的觉醒，反映着北方民族理性意识的光辉。在北方民族屡仆屡起的发展长河中，众多的民族人口与汉族人口走向了同构与融合的发展阶段，中国南北方的民族关系、政治关系也不断地进行着有机

---

① 《辽史》卷32《营卫志中·行营序》，中华书局1974年版，第373页。

的调整，从而使植根于民族同构基础之上的南北方文化同构产生了深刻的社会效果。首先是促进了南北方民族的相互理解，引起了双方观念系统的深刻变革，譬如辽宋时期以前，"南人不信有千人之帐，北人不信有万斛之舟"，这种认识当辽金之际一旦被付诸现实之中，便被分别接受下来①，进一步开启了人们的认识思路。其次，促进了相互间实物结构的互换，这种互换也可以说是发生在人们意识形态领域内的变革被物化地表现出来，所以，其意义就绝不仅限于"互市"范围内的一切交换了。像宋神宗所云

> 朝廷汲汲然左枝右梧，未尝一日不念之。二虏（指辽、夏——笔者注）之势所以难制者，有城国，有行国；古之夷狄能行而已，今兼中国之所有矣，比之汉唐，最为强盛。

这就是当时南北社会人口走向同构的直接结果，是在观念变革基础上产生的实物结构互换的重要表现形式。而南北方文化同构的直接效果，则是在逐步改善着南北方民族间政治敌视、军事仇杀的局面下，最终使南北方民族政治、经济、文化体制的发展共同纳入交流、对话与圆融的发展轨道。故辽宋之际政治对立的历史格局，便是这一历史发展趋势的直接反映。

因此，民族自我意识的觉醒，势必刺激着更加理性的民族求同意识的发展。辽朝建立了强大的多民族统一的政权，不仅包容了诸多游牧人口，也包容了大量的农耕人口。在这种基本形势下，统治者采取了区别对待、因俗而治的政策，"以国制治契丹与诸蕃，以汉制治汉人与渤海"的双轨政治体制，到辽朝中晚期之后，开始形成一套兼容并蓄的南、北兼制的政治体制。农耕人口改变了单一的耕作经营方式，充实了牧业与副业的经营；游牧人口也开始摆脱艰苦而单一的畜牧业经营方式，不仅走向定居化，而且采取了兼营农业等多元化的经营方式。辽朝政权内部的知识分子，在辽国统治者"南北如兄弟，永为一家"的思想感召下，积极地为统治集团寻求必要的正统与道统依据，进而提出了"今契、汉为一家"，"吾修文物彬彬不异中华"的观点，并自视为"中国人"，辽朝也是"中国"。如《辽史·刘辉传》

---

① （宋）洪迈：《容斋四笔》卷9，四部丛刊续编本。

载，刘辉于大安年间上书道宗时，即自称辽国为"中国"，并反对宋人修史时，附辽朝于四夷的做法。又，耶律淳记事中，亦称契丹故地之上、中、东三京之地为"中原"。这些无不代表了当时各族人口求同意识的具体发展过程，这种植根于契丹辽文化之中、久盛不衰的民族求同意识，才是最终激发和产生了辽、宋之际抹却民族仇杀性质而表现出浓厚的民族求同意识的真正历史缘由。

辽、宋之际，不但造成了当时历史上存在着多元的政治中心，也相应地存在着多元的文化中心。由于当时各自本身的文化体制与政治体制垂直交叉的多重关系以及政权与政权间平行交叉的边际关系等等，不仅会引起各自社会组织结构的错位变动，如辽朝的"一国二制"；也常常会引起双方政治边际的错位变动，如辽、宋之际，长城一线已丧失了作为南、北分界线的作用，农耕民族在无法防御北方游牧民族南渐的形势下，其防线被迫内收于燕云以南及黄河流域附近，从而重新划分了南、北政权之间的政治分野。值得注意的是，这种北方政治边际区域的大幅度南移，直接影响着当时中原地区经济重心向东南沿海地区的倾斜与转移，标志着北方民族已操纵了南、北民族关系的主动权，而汉族人口则越来越陷入一种更加被动的防御地位。这种社会组织结构的错位变动和南、北政治边际的变动，都不断地刺激和改变着当时人们现实的生活信念，它愈益激发了南、北双方社会观念形态的深刻变革。当金灭辽、宋之后，辽和北宋的亡臣便在"择主而仕"的问题上，既呈现了极大的自觉性（或忠贞性），也呈现了很大的游离性，如赵构南迁、大石西走、雅里北去、余覩复国、刘豫建齐、岳飞抗金等等，造成当时政治形势的极度混乱。毋庸说，这也是南、北两种文化在同构过程中，因相互渗透而引起的必然结果。

像辽朝与北宋政权的共存共亡，而又同时保有各自的政权延续形式，如北宋之有南宋、辽之有后辽、西辽等，就不是一种孤立的历史现象而是一种必然的历史结局。它反映出辽宋之际一种极为深邃的历史文化主题：即植基于当时南北方人口观念变革基础上的文化同构。它向我们展示了当时中国南、北方文化关系发展过程中一幅宏阔的历史场景：在南、北方政治对峙的明丽光圈中，仍隐现着一条南、北方文化不断交融、再造的主线索，有如长绳般蔓延、伸张开来，从而维系住了北方山地与中原黄河流域内一切历史的和人文的景观。也正是在这一辽阔的历史舞台上，中华文化才得以在南、北方文化共同作用的熔炉中，重新俏丽地走出。

因此，关于辽、宋对峙格局的基本认识，概括而言，主要有以下几点：

第一，辽、宋之际的历史发展，并非是任何一方政权的逐渐演变过程，而是属于中华历史有起有落发展过程中的一个特定阶段。

第二，辽、宋之际的历史发展，以其相互间政治对立与军事抗衡为表象特征，而隐寓在这些外表背后的文化同构发展的线索，则构成了这一历史阶段特定的重要内涵。

第三，南、北方民族求同意识的发展，刺激了辽、宋之际政治对峙格局的发展，并由此产生许多不同于以前的历史发展的新现象。如契丹辽朝立国之后，北方草原地区涌现了大批的城池，从而沟通了中国南、北方的经济文化交流，开启了南、北方社会历史发展中政治体制同构发展的先河。

第四，辽、宋对峙的历史格局，生动地体现了"中华民族多元一体格局"的客观发展规律。由于客观存在的两大敌对政治集团的抗衡，结果使双方社会文化的发展产生了两极分化的现象，如程朱理学的出现与当时崇重实用的北方儒学思想体系的发展。这是由相互对立的政治势力客观存在及其影响的必然结果。在这一深刻的历史发展阶段中，北方地区首先肩负起了中华民族求同发展的重任，并将中华文化的发展推向了一个更新、更广阔的阶段。

第三节　宋辽夏与宋金夏鼎立局面的形成及其历史意义

记得 20 世纪初，在明显不同于封建史学的新史学体系刚刚树立和起步之际，人们就对新史学的研究方式和方法问题，提出了种种建议和主张。尤其是整理研究那些不但史料匮乏且又资料混乱零散的边疆史地、神话传说、民族民俗等诸学科时，人们永远不会忘记胡适先生曾经倡导的"大胆假设，小心求证"的思维方式，对于现代学科发展所产生的巨大助推作用。虽然，时光荏苒，迄今已经历了数十个春秋，但就契丹辽史研究而言，人们在新史学观念的种种启发之下，摸索和总结了经验，喊出了"站在契丹人的立场，来研究契丹人历史"的口号。并且，至今仍使我们在运用、体会和发展前人的这些优秀史学成果的同时，也形成了一套更具有科学精神与时代特点的完善合理的新方法，这就是将宏观指导与微观把握相结合的治学原则。在这个方法的操作过程中，要求我们不仅要"了解中国北方的契丹辽朝"，还要"了解中国的契丹辽朝"以及"世界的契丹辽朝"。不仅要研究契丹辽朝的政治史、经济史、文化史等等，还要研究契丹辽朝的社会史、习俗史及宋辽对抗史、契丹文字史等一系列曾经产生和出现过的一切历史事象的来龙去脉，从而架构起一个立体的全方位的综合研究结构，这也是当前学界努力发展的日益清晰的主流。人们置身于其中，自然会有各自内心生成的相同或不同的历史体会与历史感受，但是，最终都归纳为一条：即如何去真实地再现契丹历史的原貌。

长期以来，人们在史料的认识和区分中仍承受着诸多"迷雾"的困扰，那就是由古代史学观念的误导和史实叙述不清所造成的认知能力的不足与感觉意识的模糊。综观两千多年来中国封建时代史学的发展，可以说，儒学"华夷之辨"观念的影响，使得"中原正统论"观念长期成为封建史学发展的核心内容。两千多年的封建史学，始终坚持以记录中原王朝的世统延续为"经"，以记录当时的社会、人事、经济、制度、文化、习俗、物产和哲学、科技及民族关系、对外往来诸事为"纬"，而诸事（或诸目）中又总有轻重浓淡的层次区分。这样的"经纬"其事，结果就构织了一张漫无边际的意识网络，并长期影响着人们在史学认知领域的发展。尤其是对于中国古代北方民族历史状况的记载，不但史实疏略，更以"中原的意志"来描述，结果更加重了当时及以后的认识上的严重扭曲，甚至还造成了某些方面积重难返的趋势。

现在，史学界已形成一套更加完善、更加合理的认识体系，即"中华多元一体格局"理论，[①] 它强调中华民族自占以来文明与文化的发展，始终是以"多元"和"一体"为本质，那些原本由多区域、多民族间分别发源创造的文化成果，构成了中华历史近万年以来发展的文化多元特征，但这些多元的文化成果最终又走向了一个共同汇蓄、熔炼的发展过程，并凝聚为一

①　张博泉：《"中华一体"论》，《史学集刊》1990 年第 2 期。

个完整的统一体，这是中华历史自文明发生以来就存在并继续发展着的一体化趋势。所以，"多元"和"一体"，是同一运动形态中的两个方面，是历史发展的对立统一的规律性运动。因此，苏秉琦先生曾经指出：

> 中华民族传统文化的形成，可以概括为：一是超百万年的文化传统根系；二是近万年以来的文明启步；三是国家起源的模式（即中原的和北方的两种类型的统一），涵盖了中华民族多元一体格局形成的历史。①

所以，"多元一体"的形成与发展线索，贯穿了中国古代南、北方民族共同的历史发展过程。因为，任何地方或民族的历史发展都不是纯粹孤立的存在，它势必与邻近或周边区域民族的发展呈现着相辅相成的特征。我们坚持"多元一体"理论为指导，并将之运用于史料的认识和区分系统中来，肯定有助于对史料的认识和思考能力的提高。

如果说，封建时代史学中以"中原为重，四裔为轻"的记录方法，直接削弱和掩饰了许多民族共同发展创造的历史事实的体现，那么，封建史学在具体事实的记录过程中坚持"中原为主"的记录史观，则无疑又掩盖和混淆了人们对少数民族历史的正确认识，如南北朝时期的"行台"和五代契丹的"打草谷"。因此，对传统的史籍资料关于北方少数民族历史的记载，就不能不详细地加以区分和认真对待。譬如汉朝史籍中对匈奴"三龙祠"的记载，关于其分别举行时间的规定月份，是汉朝历法的月份？还是匈奴历法的月份？还有，宋人传录的契丹四时捺钵的时间，稽查《辽史》也多与中原传录不合。这些，都是应当加以认真对待的。古代中原人以自己的思维模式、价值标准和习惯感受来记录和猜度北方民族历史发展中的具体事象，如隋文帝恶东夷舞蹈"多战斗之容"，唐玄宗称契丹首领"彼之群臣，多无义于君长"，等等。这样做，除了将中原人自己的意志有意无意地掺糅进对北方民族历史的认识和记载中，造成无形的观念系统的混淆外，甚

---

① 参见苏秉琦：《走向 21 世纪的中国考古学——〈中华考古文物之美〉序》；《国家起源与民族文化传统（提纲）》，《华人·龙的传人·中国人》，辽宁大学出版社 1994 年版。

至也人为地渲染和夸大着他们所感受的一些具体事象的历史诧觉所引起的骇怪程度，如五代时期的卢文进，从中原到江南所津津乐道的契丹"笪却日"①，几乎成为契丹天空常有白昼化为黑夜的奇特现象！这需要我们在读史治史过程中仔细剔除并匡正一些容易给人造成误解的史料。千万不要小看了古代史籍中存在的这些现象，所谓差之毫厘，谬以千里，认识上的一些不经意的疏忽往往导致总体研究成果的功败垂成。因此，这些明显属于认知领域或操作系统的技术处理问题，也是我们了解把握契丹历史发展脉络时必须掌握的史态、史法的问题。

古代史籍中叙述不清的现象，在关于北方少数民族历史的记载中，更是比比皆是。如两汉时期的"瓯脱""犀毗带""乌丸帽"及辽代契丹人的"如迁正集会埚""扶余之变""奇首""阴山七骑"和"赤娘子"等等，更是值得我们大力钩稽的重要的史料和史实，它们对于通盘地了解当时的历史活动，会起到十分重要的有时甚至是举足轻重的研究价值和历史作用。

现在，以"中华多元一体格局"的理论为指导，辅之以公正的史态和史法，无疑为我们公正而充分地认识契丹辽朝以及女真金朝的历史地位和作用，提供了必要的前提条件，兹作论述如下。

一、契丹辽朝在中国古代北方民族发展史中的地位

纵览中国古代封建社会南北方民族关系的发展过程，可以清楚地看到：在整个汉唐盛世，前后蔓延了一千多年的时间内，中国古史发展的基本线索，主要是致力于南北方民族群体间的碰撞、掺糅与整体求同的过程。其中，所谓北方臣附于中原，或中原被北方所征服等种种现象，实际上构成了中华大一统的前奏曲。在这个历史发展过程中，纷繁不已的南北抗争的历史表象背后，已积蓄着极为深厚的基于民族平等的潜意识而致力于汇蓄和凝聚的发展。譬如秦汉时期对中原地区及江南区域的空前统一，是在伴随着匈奴贵族完成对中国北方地区的空前统一后，才最终形成的。这样说，并不是宣扬"天命论"，而是依唯物主义的辩证法原则，充分认识和看待地理环境在人类社会发展中的重要作用。公元前221年，秦始皇统一中国，为了维护空

---

① 陆游：《南唐书》卷9《卢文进传》，四库本；又，《辽史拾遗》，四库本。

前规模的大帝国的有效统治，广修驰道，并在四通八达的驰道的北端终点，修造了帝国的"围墙"——长城；又在东端的终点，修造了帝国的"门户"——碣石宫。此时，中国的北方地区自东而西地分布着东胡、匈奴、月氏等割据政权，他们的生活习惯、政治体制等方面都与中原帝国存在着明显的不同。但仅仅经历了十余年的发展，中原帝国的主人被汉朝所取代，而北方地区呢？东胡与月氏也先后被匈奴所灭亡，出现了统一的匈奴"行国"体制下的"分部（区）"统治方式，即将北方草原划分为东、中、西三大区划，并最终与汉朝形成以长城为界的对峙局面，规定：

> 长城之北，引弓之民，单于领之；长城以南，冠带之室，汉则有之。①

同时，双方统治者又"约和亲，止征伐"，规定汉朝每次或每年以公主下嫁匈奴单于时，赠送的"陪嫁之资"不得少于金 1 000 斤，每年还要奉送一定数量的絮、缯、酒、米、食物（后改为秣蘖、金帛、丝絮），还要满足匈奴人"关市"的要求。这是汉初双方关系的实质性内涵，它开启和酿造了自武帝迄宣帝长达百年之久的征战局面。汉朝自汉武帝以来渐居主导地位，汉朝统治者内部就"和""战"问题展开旷日持久的议论，最终还是要求匈奴"臣附汉朝"的主战派居上风。然而，匈奴贵族在连年失利的局面下仍然坚持"南有大汉，北有强胡"的立场，要求建立平等的和平关系。直到"五单于之乱"的发生，呼韩邪等匈奴贵族意识到：附汉则可获安存，不附汉则终将危亡！但仍有匈奴贵族认为：匈奴之俗，本尚气力而下服役，今臣服汉则是卑辱先单于，且何以复为北方之雄长！② 如此看来，匈汉之间漫长的"和战"关系发展历程，始终是以平等发展为主题！

　　匈奴与汉朝的交流往来，不仅影响了匈奴农业技术的发生与发展，而且，如卫律所说的"筑城、穿井，治楼，以藏谷"，就经济上的影响也是多方面的。同时，一个相对较长的和平发展局面的到来，无疑又对巩固和发展

---

① 《史记》卷 110《匈奴列传》，中华书局 1959 年版，第 2902 页。
② 参见《史记》卷 110《匈奴传》，中华书局 1959 年版。

这些社会成果奠定了良好的基础。和平发展局面对汉朝而言，意义也十分重要，如《盐铁论》所言："驴赢、駼驼，衔尾入塞；騲騱、駃马，尽为我畜。"和平与发展的意义与影响，也在匈、汉双方之间蔓延和展开。

　　公元 4 世纪初，"五胡乱华"局面的出现，给一向自得的魏晋统治集团画上一个重重的休止符。游牧民族的政治军事力量不断涌入中原，

　　　　至乃连骑百万，南向而斥神华，胡旆映江，穷帐遵渚，京邑荷檐，士女喧惶。①

"永嘉南渡"已成为士族门阀集团百思莫解的"玄妙"：他们不明白天下大势怎有"胡人"的参与？东晋时，世族人士依然认为：

　　　　若谓毡裘之民，可以决胜于荆越，必不可矣。而曰楼船之夫，可以争锋于燕冀，岂或可乎。虞诩所谓"走不逐飞"，盖以我徒而彼骑也，因此而推胜负，殆可以一言蔽之。②

似乎大江南北形成的"分立"态势已是一个不了之局。然而，历史的发展总是给那些"智者"们的预测以无情的戏弄。5 世纪末，北魏孝文帝南征刘宋政权时，致书于宋曰：

　　　　我今荡一六合，与先行异。先行冬去春还，不为停久；今誓不有所获，终不还北，停此或三、五年。

北魏的南征中，还出现了"列长围以困敌，而白屯田于野以赡军食"的新的战争方式。③ 此时，"北胜于南"的历史天平已高高翘起。南梁萧子显

---

　　① 沈约：《宋书·索虏传·史臣论》，中华书局 1983 年版，第 2359 页。
　　② 沈约：《宋书·索虏传·史臣论》，中华书局 1983 年版，第 2359 页。
　　③ 萧子显：《南齐书·魏虏传》，中华书局 1972 年版；魏收：《魏书·高祖纪》，中华书局 1973 年版。

曾说：

> （北朝）自佛狸（太武帝拓跋焘——笔者）以来，稍僭华典，胡风
> 国俗，杂相糅乱。①

南朝人始终想认识北朝的强大，但终究未能了解其强大的原因。先是，江陵
城变成了"北人"的前哨；继之，陈后主也在北人万马齐鸣、号角连天的
凯歌声中，稀里糊涂地被俘虏而亡国。历史，又走向了新的统一，即隋唐
帝国。

　　所以，在这样的基础上发生发展起来的契丹辽朝，在中国古史发展中，
就更具有极为重要的阶段性作用。

　　首先，在不断发展的中华民族一体化趋势中，契丹辽朝结束了大一统的
准备而进入体验时刻，它集合了当时北方诸民族及其文化成果，建立了一个
轰轰烈烈的草原政权，将南北方实际共存的农耕与游牧两大系统的文化发展
状态，直接导入以兼容并蓄为主要特征的"文化整合"过程。契丹人继承和
发展了中国古代北方民族文化传统，也吸收、蕴蓄、融汇和发展了中原农耕
文化成果，并在交流先于碰撞之际，将农耕文化与游牧文化纳入整体的共同
发展机制之中。这便成为宋神宗朝经国议事的主题，据《道山清话》记载：

> 裕陵（即神宗——笔者）尝因便殿与二三大臣论事，已而言曰
> "尝思唐明皇晚年，侈心一摇，其为祸有不胜言者。本朝无前代离官别
> 馆，游豫奢侈非特不为，亦不暇为也。盖北有强邻，西有黠羌，朝廷汲
> 汲然左枝右梧，未尝一日不念之。二敌之势，所以难制者，有城国，有
> 行国。自古以来，未有敌国外患如今之强盛者，比之汉唐，奚啻十
> 倍。"大臣皆言："陛下圣虑及此，二敌不足扑灭矣。"上曰："安有扑
> 灭之理！但用此以为外惧则可"。②

---

① 萧子显：《南齐书·魏虏传》，中华书局1972年版，第990页。
② （宋）道山公子：《道山清话》；李焘：《续资治通鉴长编》卷328，元丰五年七月乙未条，均为
四库本。

这也是苏轼所说的：

> 今之匈奴（指契丹——笔者）非古也，其措置规画，皆不复蛮夷之心（即兼有中原体制——笔者），以为不可得而图之。①

正是南北文化的整合，奠定了宋辽百年抗争中辽朝始终处于有利位置的基础。

其次，契丹族自 10 世纪初崛起于北方草原地带，建立了北方割据政权（即契丹辽朝），这是继"世界帝国"——唐王朝的衰落之后，迄于 12 世纪初，中国境内实力最为强大的割据政权。它不仅陵轹"五代十国"诸割据政权之上，还继承了唐朝文化典制的余绪，成为 10—12 世纪中国对外经济文化交流的主要代表，其影响不但囊括了盛唐文化所及的陆上层面，而且有了进一步的扩大和发展，并成为东亚政治、经济、文化交流的中心。自契丹辽朝建立起，几乎所有阿尔泰语系的北方诸民族及相邻地区以及远至中亚的阿拉伯——伊斯兰世界，都逐渐以"契丹"一词，指称中国的北方，"契丹"也从此成为一个具有世界意义的地理名词。及至 13 世纪初，蒙古诸部仍称割据中原的金朝皇帝为"契丹皇帝"、金朝丞相为"契丹丞相"；欧洲的古代东方行记中仍将中国北方和中原称为"契丹"。15 世纪初，明成祖朱棣（1403—1424 年在位）也仍被西方世界称为"契丹皇帝"。如此巨大的声名远播的影响，若没有一个强大的社会机制及其正常的运作，不但难以达到也难以如此悠久地延续下来，它标志着古代北方民族的发展已进入了一个极为重要的发展阶段。

其三，契丹辽朝的建立与发展，不但改变了中国北方的政治经济结构，也使文化结构的发展朝着注重实效的纵深方向不断深入。由于当时中国南北方割据政权中，各自本身的文化体制与经济体制垂直交叉的多重关系以及诸割据政权间平行交叉的边际关系等等，不但会引起各自社会组织结构的错位变动，如契丹辽朝的"一国二制"，也常常会引起政权间边际关系的变化，如辽宋之际长城已失去了南北界隔的作用，中原抵御西北方的政治边际线，

---

① 参见《苏东坡全集》卷 25《策论五》，北京中国书店 1986 年版。

已收缩至燕云以南和黄河西岸一带。这种现象，直接影响了南北方经济结构的变化，刺激和改变了人们现实的生活信念，激发了南北方社会观念系统的深刻变革，从而塑造了中国南北方两种文化形态兼容并蓄、同构发展的新阶段。正是由于这样的一些深刻的发展内涵，从而使契丹辽朝政权在与五代、北宋政权的对峙过程中，构成了这样的一个独特的现象：在中华民族及其文化汇蓄融合的发展过程中，结束了一个旧的发展时代而开始了一个新的发展阶段，即自古以来南北民族长期对抗、纷争不已的形态，转入圆融共活的新时期，并最终奠定了中华民族大一统的历史基础。历史是多姿多彩的，历史也是最客观实际的，剖析这个现象，可以使我们了解中华民族当时发展的主线索，窥知民族融合的精神领域内的潜意识活动和物质世界中的结构调整与不断组合。所以，公元10—12世纪形成的这种以契丹人为主的历史发展现象，无疑为我们标识了契丹辽朝在中国历史发展中的独特地位。[①]

其四，研究契丹辽文化，对于探讨中国北方古代民族文化发生发展脉络，及其在中华文化多源汇蓄的发展过程中的作用和影响，都无疑具有承前启后的重要作用。关于中华民族传统文化的形成，已故考古学家苏秉琦先生曾概括为：一是超百万年的文化传统根系；二是近万年以来的文明起步；三是古代国家起源的模式（指中原的、北方的）涵盖了中华民族多元一体格局形成的历史。[②] 综是而言，契丹辽史无疑是揭示和阐述北方民族历史发展面貌及中华民族南北文化容蓄汇合过程的最佳突破点，也是我们探索和研究古代北方民族"通史"中的一个重要阶段，它总结了汉魏南北朝以来北方历史发展的经验，将整体发展趋势置入南北同构的新的体验阶段，并为金元时期的历史同构局面的再发展，积累了经验，奠定了基础。

二、关于契丹辽史与女真金史研究的相关思考

认识是人们对客观的感觉与体会的集中表现，对于历史现象的认识，当

---

① 任爱君：《中国古史发展中的"契丹现象"透视》，昭乌达蒙族师专学报增刊《北方民族文化》1998年第3期。

② 参见苏秉琦：《走向21世纪的中国考古学——〈中华考古文物之美〉序》，《国家起源与民族文化传统（提纲）》，《华人·龙的传人·中国人》，辽宁大学出版社1994年版。

然是来源于资料的掌握和理解（也包含着许多微观的工作）的程度。但就契丹辽史研究而言，认识态度是否适当，将会决定总体效果的深入与否。契丹辽朝的历史作用，不仅在于对祖国北方经济文化的开发和建设，而且是开启和影响着中国古史发展过程中的一个完整"时段"，即自10世纪初至15世纪初近500年的历史过程。所以，辽、宋、夏或金、宋、夏时期的作用和影响，持续近500年，使古代历史发展基本上形成了一个层波迭继的连续发展阶段。

（一）契丹辽朝与五代、北宋的对峙——古史发展中的作用问题的思考

9世纪末，随着回鹘汗国的破灭，古突厥遗裔的沙陀部复兴，并在助唐剿灭黄巢起义的过程中得到了进一步发展。当907年，朱温取代唐朝建立后梁政权后，割据太原的沙陀李克用政权，便与之在黄河流域形成了分裂割据的局面，并因此引发政局的不断嬗变。江淮流域的诸节镇，也纷纷自立，致使黄河、长江流域再次陷入持续半个世纪的大分裂大动荡状态，这就是古史中著名的"五代十国"乱局。当时，与整个农耕区域混乱局面形成鲜明对照的是，在北方草原"世代称雄"的契丹部落，开始走向统一草原的新阶段，耶律阿保机使契丹国家走上了强雄发展的道路。

这样，在中国历史上由"五代十国"和契丹辽朝构成主要内容的发展阶段，就呈现着多层割据或重重对立的政治现象。这一时期存在的多元的政治中心，客观上引发了一次复杂的社会组织结构的变动，特别是南北互异的经济、文化和社会组织结构的冲突与有机掺入，使沙陀的、契丹的、中原的和江南的，既呈现严重的政治对立，又具有局部的意识模糊的特征，从而构织了一道多维的立体交叉的对立与冲突的历史场景，结果引发了南、北方各自内部的区域性裂变，如五代与江南的对峙以及五代与幽州的分离、契丹的部落调整等；同时也引发了综合南、北方共同力量的整体性聚变，如契丹与幽州的结合而引起的双轨制的发展特征；沙陀人向中原的殖入和融会，对中原习俗文化和体制文化产生的重大影响等。这一切都在预示着：无论是五代十国或契丹中的哪一个，在完成了最后归一或区域性凝聚的过程后，其社会机制的发展再也不会呈现比过去更单一的方式，无论农耕文化还是游牧文化的再发展都将携带更多的双方文化长期濡染、互渐与融合的效果，并使之转

化为各自机体组织中再生的新鲜血液。① 这是迄今我们在总结前期认识基础上，对契丹、五代对立过程中总体发展趋势的判断与推测，是符合客观的历史发展规律的。但这种整体发展趋势是持续的漫长的，它始渐于五代，却不因五代的终结而画上句号。它随着当时古史发展的归一局面的出现，浸润了自五代而历经金元 500 年的发展结果。正因为如此，这种归一局面才显得愈发牢不可破。

综观契丹辽朝与五代、北宋的对立冲突与不断发展的历史过程，每个阶段都有着各不相同的历史内容。但总体而论，契丹辽朝的建立和发展，事实上在中华古史发展中构拟了一条有起有落的发展曲线，这就是体现在古代南北方民族关系上的（或是政治对抗上的）将汉唐以前不平等的局面推进到一个超平等的发展氛围，最终又回落到基本对等的状态。所谓"超平等的发展氛围"，是对契丹辽朝与五代十国及宋初形成的割据、对峙局面的总括，这也是一个渐变的发展过程。主观而论，朱温与李克用的角逐，导致双方分别拉拢和勾结契丹军事贵族直接参与中原抗衡的行为，成为耶律阿保机以军事力量介入中原的开端。自后唐始，契丹国力空前壮大并以其强大的政治军事实力逐渐凌轹于诸割据政权之上，燕云地区实已岌岌可危。自后晋始，燕云十六州划入契丹版图，而且每年后晋须向契丹纳岁币折合银绢 30 万两、匹，并即时奉朝请。自后晋折服后，后汉、北汉也相继处于契丹辽朝的照拂之下，北周初也不得不以"岁币十万"与契丹约和。在长达半个多世纪的契丹不断南渐和中原诸割据政权间不断嬗变的发展过程中，终于奠定了契丹辽朝同中原诸割据政权交往中的"霸主"地位，并以此直接干预和插手中原政权的废立活动。应当说，中原诸割据政权向契丹的"折服"，有着多方面的原因。史称，契丹商队可以自北方草原驱赶成千上万的羊马南下，穿越中原，跨过江淮，深入江南进行贸易活动……试想，如此行为若没有一个强大政权的支撑是万难达到的，这体现着超平等局面的实际内涵。然而，隐迹其中的却是南北方人口文化观念系统内或多或少的缓慢沟通。因此，契丹辽朝对中原地区维持了近一个世纪的强大局面后，于 1004 年，在黄河北岸的澶渊城下与宋缔结"和约"，使南、北方

---

① 任爱君：《阿保机时期契丹国家历史特点》、《辽朝国家体制研究》，分别刊载《昭乌达蒙族师专学报》1991 年第 1、2 期。

社会机制的发展进入了一个相对均衡的状态。所谓相对均衡，因为世界事物的发展根本没有绝对的均衡，何况辽宋"和约"之初双方争雄之心未泯。

综观宋初的历史，无论太祖对江南的兼并，还是太宗对河东的统一，始终都围绕着辽宋双方的政治军事较量而展开。《宋史》中津津乐道地记载了许多宋兵击破契丹的战例，如开宝二年（969年）田钦祚指挥的"三千打六万"的遂城破围战等。但详细分析的结果是，这些局部战争的胜利并不能表明整体抗衡的成功。宋初的军事实力实在不及契丹。故宋太祖与赵普等人对于幽州的"和买"之策，标志着宋朝试图从与辽朝对峙中解脱出来。及宋太宗时期（976—997年在位），对契丹3次征伐的失败，标志着10世纪后期南、北方政治割据局面的基本走向，即宋朝复振希望的破灭和契丹强雄地位的回落。因此，辽宋和盟之后的势力均衡，便体现在双方国力的互有增长与回降上。辽宋和盟的重要条件是宋朝每年予辽朝岁币折合银绢30万两、匹，这个数字如果与石晋的贡纳不是巧合的话，那么，《宋史》中关于和盟条款的详细记载，也应如宋初的"烛光斧影之谜"一样，其中必掩藏了重要事实。直到40年后，契丹辽朝重提"关南十县"的归属权时，宋朝不仅将岁币银绢数增至50万两、匹，还要称为"纳"，即以下事上或以小事大的行为。直到辽兴宗末年（1031—1055年在位），随着契丹先后受挫于高丽、女真和西夏，辽宋双方的和盟也进入了一个名实相符的发展阶段，双方提出并认同了"南北和好，兄弟一家"的观念，两国皇帝也互赠画像以慰对方瞻念渴想之情。虽然其中也存在着一些辽夏交恶、宋夏交恶和耶律乙辛当权、王安石变法以及河东地界之争等一系列小插曲，毕竟未能妨害辽宋和好关系的发展，从而使古代南、北对立局面的发展进入一个相对平静的持久的均衡状态。其后，在这种客观均衡态势的作用下，由于历史发展的主导趋势所必然产生的客观效果，即民族认同和南北方社会机制的同构发展等等，以及辽宋统治者在对时局把握所采取的相宜或不相宜、积极或消极的态度和措施的主观局限等，使辽宋对峙的发展局面进入了"共存共亡"的历史状态。所谓"共存共亡"的政治格局，是指辽宋对峙的局面达到了这样一种难解难分的程度，譬如古史发展像一盘完整的棋势，辽宋对峙则犹如棋势中形成的"共活"：如果哪一方因贪得而想在"共活"中争取"先手"，结果会使共同缔造的"共活"局面彻底终结，它将左右满盘棋势的继续发展。

当然，棋势是唯主观的智力的产物，而辽宋对峙局面却是主客观共同作用的结果，是历史偶然性寓于必然性之中，是特性存在于共性之中。因此，辽宋"共存共亡"的格局，其存在是顺应历史发展趋势的产物；其消失并不意味着整体发展趋势的终结，而是以区域性或阶段性终结将古史发展转入一个新的发展阶段。辽宋"共存共亡"的政治格局，在中国古史发展中产生的作用及其引导的必然发展趋势，即南北交融的大一统局面并未因辽宋政权的破灭而终结，却因辽宋政权的破灭而顺序地过渡到了下一个发展过程，保持着固有基础上的继续发展，这也是契丹辽朝的重要历史作用之一。

但是，客观地认识历史，五代之于契丹的理解尚存在着太多的懵懂，掌权者们不知计之所出，唯有争权夺利、逐弱屈强之一途。虽然自朱温而下已是沙陀政治独擅于中原割据的历史舞台，但强烈的北方民族文化特征和极度放纵的权力追逐，不但未予中原的政治文化创造出明显的建树，反而因频繁的政权嬗变而使社会动荡不安。许多世受中原传统文化影响的豪门大户、士大夫之家，纷纷举族南下，形成了历史上又一次"永嘉南渡"的场面，对中原社会的发展造成了一次严重的危害。即使少部分留居故地的门阀大族及其封建知识分子们，也以忐忑的心情和迷惑的目光对待着世事的发展，他们不理解，所以，他们内心感受是"五胡乱华"的局面又已到来！于是乎，清高者流，避世以苟安，故五代之士多隐逸，缁道之门多高士；浊情趋时者，则不得不更改自身的价值观念，静默处世，寄禄俸养……故当时所谓南北社会观念之显现，一定程度上已非仅契丹之于中原，中原之于江南亦如是。或者说南北之对立与相克相生，应当是从以北方包括中原与契丹在内的唐、晋、汉、周、辽（契丹）诸政权与江南诸割据政权的对立中去寻求。这时，历史向我们显示了中华文化多源汇蓄发展中，又一重要时刻的梯级的多层的文化发展波漾，即北方的、中原的和江南的发展形态，它们各自的经济构成是游牧的、农牧结合的、农耕的，它们有各自独立的发展，但整体上又形成了环环相扣的发展趋势，并伴随着各自之间区域发展的不断起落而起落，最终造成了农耕经济重心向东南的倾斜和转移。

五代时期，中原文化发展的历史表征是：由于沙陀人实际操持着意识形态领域中的上层建筑，故当时能以"文学"仕至显贵者多是幽燕之士。而历史背景是，自唐中期以后幽州及云、朔等北方边州之地，已成为"附塞"民族的聚居之地，及至晚唐，这一带已经是"胡人"的天地了。家居于此的士族、士人，皆或多或少地濡染了北方的习俗和价值观念，于有形或无形之中较中州文士更能与北方民族文化接近，故五代宋初，所谓名臣学士多出自北方（即燕云一带），亦自有其特定之根源。五代时期，中州文士，亦能仕至显贵，如李崧、桑维翰等，却均晚景不良，其中原因，恐怕只能从意识观念中去寻求，如契丹萧翰之于张砺，或可视为五代时期中州文士厄运的相同注解。

由于沙陀部族和契丹政权同时向中原地区的不断渗入，导致了中原传统文化与北方游牧文化之间的必然抵触，使得中原传统的世学高第，一时无以自持，或举家南徙，寻求适宜之发展；或遁入山野，混迹道流作避世之观；或更弦易辙，俯首事之，禄养性命而已。在这种情况下，幽燕及云朔地带的文学之士，则得到了一次充分发扬才能的契机，或许他们并不自知究竟沾染多少北方习惯，然而，他们为人处世的价值观念、气质与才调，肯定符合或接近统治集团的品鉴与要求，故而形成了"幽燕多名士"的时代特征。

如果，我们将契丹辽朝与五代、宋初及江南诸割据政权作一分析比较的话，从价值观念的角度衡量，契丹同五代之间的差异弱于他们同江南的差别；若再将五代、宋初与江南地区作一比较的话，则他们之间的差异又弱于五代宋初同契丹之间的差别。这就是我们前述的：梯级式的多层次的文化发展波漾。北宋事实上继承了五代时期的发展状态，故宋初的历史发展仍然继承了"名臣学士多出北方"的特点，凡科举皆谪压吴人。但自和盟之后，相对安定局面的形成，使宋代文臣学士往往分布于南方。这种结局，在文化传承系统上，使五代以来中原与江南的文化差距消弭为一体，使宋与契丹辽朝的差距进一步拉大，并最终构成了基本对等的分立局面，形成"共存共亡"的格局。但梯级的多层次的文化发展状态，并未有丝毫的消弭，而是转入一个有主有次、主次分明的发展程序中，即由辽、金、元构成的承前启后、递进发展的实际状态，在不断冲破固有圈系与樊篱的前提下组成新的比以前更为扩大的同一文化圈系，具体表现就是辽、金、元时期"北人""南人"和"汉人"概念与成分的不断充实、组合与大规模的南渐发展。[①]

---

① 陈述：《汉儿汉子说》，《社会科学战线》1986 年第 1 期；贾敬颜：《辽金之汉人与南人》，《民族历史文化萃要》，人民出版社 1990 年版，第 130—131 页。

综上所述，或许能使我们看出"中华多元一体"的发展过程中，契丹辽朝与五代、北宋的对立勾勒了一条文化融合的汩汩汇入的流迹。契丹辽朝与五代、北宋的对峙过程，是当时中国古代历史的整体性发展，并非是任何一方的孤立的政权演变过程，是中华历史有起有落的发展过程中一个特定阶段，它生动地体现了中华民族多元一体格局的客观发展规律。

（二）契丹辽朝与金元时期的联系：关于古史发展脉络的思考

前面论述了辽宋共存共亡的政治格局的终结，不是当时历史发展趋势的结束，而是将历史发展趋势引入了一个新的发展阶段。下面将要涉及"链接"问题，绝非指单一的政治经济联系，而是指历史发展脉络和文化传承线索上的相互关联。

一般谈到辽宋政权的灭亡原因时，自宋人始就归结到北宋君臣的"庙谟无谋"（指弃契丹而约女真），其中尤以南宋初的北宋遗臣为甚。其实，这是将历史孤立地割裂开来看待的态度，在认识上将契丹辽朝与北宋视为孤立的政权存在，而忽视了其所发挥的历史作用和人类社会不断进步的运动规律。及至元朝，才开始形成较为客观的认识，如关于辽宋的历史作用问题，刘因在《易台》诗中吟道：

> 万国山河有燕赵，百年风气尚辽金。[1]

而刘因的《渡白沟》则对契丹与五代、北宋的发展作了"横流一缕"的概括：

> 东北天高连海屿，太行蟠蟠如怒虎。一声霜雁界河秋，感慨孤怀几千古。只知南北限长江，谁割鸿沟来此处？三关南下望风云，万里长风见高举。莱公洒落近雄才，显德千年亦英主。谋臣使臣强解事，枉着渠头污吾鼓。十年铁砚自庸奴，五载儿皇安足数。当时一失榆关路，便觉燕云非吾土。更从晚唐望沙陀，自此横流穿一缕。

---

[1]　（元）刘因：《静修集》，四库本。

并又述及辽、金的兴衰和身逢"大元盛世"的安逸。① 但是，刘因提出的"横流一缕"，指的是沙陀、契丹、女真、到元朝才终结，概括了北方的历史发展面貌。刘因站在"中朝"的立场有意偏袒宋、元，这是时代的局限，但关于北宋灭亡的原因，刘因也能客观地感觉到历史的发展趋势，如：

> 宝符藏山自可攻，儿孙谁是出强雄。幽燕不照中天月，丰沛空歌海内风。赵普元无四方志，澶渊堪笑百年功。白沟移向江淮去，止罪宣和恐未公。②

应当说，刘因对历史感觉的把握还是准确的，虽然思想中未免掺杂时代的局限，也仍不乏其认识的正确性。尤其是将沙陀、契丹、女真视为一线贯穿的发展状态，更是难能可贵。

客观地说，12世纪初女真政权的崛起，使中国古史发展又构拟了一副多重对立的局面，即辽、金、宋的对峙共存，寿命仅10年。尔后，继起的金、楚（齐）、南宋共存局面，时间更短，可以视为前者的延续或过渡。结果，在前后不及30年的时间内，便重构了古史发展中金与南宋、西夏对立的局面。辽、宋对立局面的形成是经过百余年发展的结果，又维持了百余年的存在；而金、宋对立局面的形成又何其迅速？若无辽宋对峙为基础是难以达到的。因此，辽与金相比，在古史发展中的作用应分别是开创与发展；金与南宋的对峙，将双方的政治边际线从白沟推进到淮水中流，从而打破了一种旧的政治格局，建立了一种更为广阔的南北文化交融发展的空间。因而，刘因将辽金时期的历史发展作一线贯穿看待，元人修端也主张金朝承继辽朝之序统。③ 这些都是以历史发展的脉络来把握问题并认识问题，都是很正确的认识观。那么，辽金之间文化发展线索上的联系又如何呢？幽燕地区入辽，促使契丹社会的机体产生了"裂变"，即以南京、中京和东京相贯穿的文化重心的形成（尤以南京为重），呈现了这一发达区域同沿边女真、鞑靼

---

① （元）刘因：《静修集》，四库本。
② 刘因：《静修集》，四库本。
③ （元）修端：《辨辽宋金正统》，《元文类》卷45，四库本。

等落后区域的鲜明对比；也进一步导致了契丹辽朝中晚期以来整体性裂变的发生，即契丹辽朝腹地人口越来越呈现了同生女真、鞑靼等属国部落的严重对立。今日之契丹同往日游牧之契丹，已不可同日而语。南北方的文化同构，仅就南渐北渐的线索而言，既是进入了一个实质性的发展阶段，也是进入了一个日益复杂的发展过程。由于文化的互渐，从而使发生在契丹辽朝域内的文化同构，在以燕京为重心的发达地区首先展开，并辐射到中京和东京一带，及至辽朝晚期，西京地区也已得到有力的介入，这是与五代宋初时期"幽燕多名士"的发展面貌相联系的。及至金朝，不管其都城怎样迁徙，文化发展的重心仍保持在辽故地范围内，并使西京具有了几乎与南京不分伯仲的地位，并自海陵王以后逐渐发展成为一条完整的中心线，即东起东北平原末缘的医巫闾山，中经华北平原北缘的燕山，西及华北平原西北方太行山以西的恒山，三点成一线，它们共处于东经113—122度，北纬39—42度之间，横跨地球10个经度，纵逾3个纬度，并呈现了自北而南几乎每点之间都递减一个纬度的一条斜线，沿着这条线分别构成了以白雷（即辽代中京及东京之地）和燕京（辽南京）、应蔚（辽西京地区）为重心的北方极为发达的文化区系。其中所创造的人类文化成果，曾使当时人士沾沾以自喜，如浑源人刘祁所述，

> 金朝名士大夫多出北方，世传《云中三老图》，魏参政子平，宏州顺圣人；梁参政甫，应州山阴人；程参政晖，蔚州人。三公皆执政世宗时，为名臣。又，苏右丞宗尹，天成人；吾高祖南山翁，顺圣人；雷西仲父子，浑源人；李屏山，宏州人；高丞相汝砺，应州人，其余不可胜数。余在南州时，尝与交游谈及此，余戏曰："自古名人出东、西、南三方，今日合到北方也"。①

无独有偶，金人元好问的两首自题诗中，也显示出与刘祁的观念相吻合的痕迹，曰：

---

① 参见刘祁：《归潜志》卷10，中华书局1983年版。

　　邺下曹刘气尽豪，江东诸谢韵尤高。若从华实评诗品，未便吴侬得锦袍。

　　陶谢风流到百家，半山老眼净无花。北人不拾江西唾，未要曾郎借齿牙。①

故清人在评判元好问的金代诗论集时，也说，

　　其选录诸诗，颇极精审，实在宋末江湖诸派之上。②

一管可以窥全豹。由是而言，金代社会文化之发展，实得力于契丹辽朝之奠基，而元代北方文人学士之层出无穷，更离不开辽金时期之开创和发展。

　　金朝建都燕京后，经历了半个多世纪的发展，中国古史发展的格局再次构成多重对立的交叉关系，即控制了蒙古高原的蒙古汗国、控制中原的金朝与控制江淮以南的南宋，其相互间的递嬗演变与破灭，几乎同辽金宋对峙时期毫无二致，发展的轨迹也大体类同。尤其是金朝的灭亡又同北宋极为类似，如北宋中晚期的政治颓废，

　　士君子务以恭谨静重为贤，及其弊也，循默苟且，颓堕宽弛，习成风俗，不以为非。③

甚至当出现欲思有为而兴利去害者时，

　　众皆指为生事，必嫉之沮之非之笑之，稍有差失，随而挤陷。④

故庆历新政、王安石变法皆不得竟其功而夭折。金朝呢？史称：

---

① 元好问：《中州集》卷末附录之《自题诗》，四库本。
② 元好问：《中州集》编前提要，四库本。
③ 《诸臣奏议》卷14，四库本。
④ （宋）李焘《续资治通鉴长编》卷143，庆历三年九月条，四库本。

南渡之后，为宰执者往往无恢复之谋，上下同风，止以苟安目前为乐。凡有人言当改革，则必以生事抑之。每北兵压境，则君臣相对泣下，或殿上发叹吁。已而敌退解严，则又张具会饮黄阁中矣。每相与议时事，至其危蹙辄罢散。曰："俟再议"。已而复然。因循苟且，竟至亡国。①

前后相似竟如此，所不同的是，以金朝与南宋的破灭为起点，"中华多元一体"的格局被置入了最后的发展阶段，即完成了中国南北方的统一。因此，自1260年建立的元朝政权，便以"大"为标志，对中国古代南北方的文化积累及其成果作出了总结和提高，并得到了进一步的继承和发展，使南北方的社会机制进入了相融合一的发展阶段。从此，由元朝所致力总结和发扬的中国南北方社会的各项文化成果，也成为中华优秀文化系统中的重要组成部分，如体制文化中的行省制度、经济生活中的农牧兼营、习俗文化中的北方因素的介入……又从此影响了中国古史的继续发展；奠定和铸造了中华传统文化的基本内涵：南北相容，缺一不可；形成了民族整体的坚韧不拔、勤劳勇敢的性格特征。

由是而言，五代、辽、宋、金、元时期的历史发展以一体化的趋势为主要特征，各地区（或民族群体）无不笼罩在这一总的发展趋势之中。

---

① 参见刘祁：《归潜志》卷7，中华书局1983年版。

第四编

人　物

第 十 九 章

辽代历史人物

一、耶律阿保机的先辈们创造的历史

关于耶律阿保机祖先们的历史活动，文献资料的记录比较缺乏，目前仅见的相关记载也都非常零散地夹杂在今本《辽史》"世表"、"太祖纪赞"、"百官志序"及"地理志"相关条目的记录中。但是，综合唐代契丹部族发展的历史状况以及契丹辽朝所保留下来的部分史料记录，我们还是能够比较真实地感知到其中一些相关历史人物，对于契丹部落社会以及耶律阿保机家族发展的具体贡献。

契丹部落自6世纪末期开始，就已形成以大贺氏家族为首的部落贵族统治局面，史称"大贺氏部落联盟"或"大贺氏为王时期"。在大贺氏家族统治契丹部落的历史时期内，契丹部落相继受到来自中原唐朝政权与漠北草原突厥、后突厥政权与回鹘汗国的政治压迫与军事打击，导致他们不断作出投依唐朝或突厥政权的艰难选择。对于这种情况或部落处境，就是两唐书《契丹传》记述的：自武则天时期契丹部落不断发生脱离唐朝控制的历史现象，他们甚至还与唐朝发生严重的冲突①。譬如，7世纪末期，由于唐朝政权与后突厥政权之间难以弥合的矛盾及其对草原地区的激烈争夺，使得处于两者之间的契丹部落不得不采取委蛇于双方之间的"结好"策略。结果，

---

① （五代）刘昫：《旧唐书》卷199（下）《契丹传》，中华书局1975年版，第5349—5354页。

不仅未能较好地维护自身的发展利益，反而又遭到了来自唐朝与后突厥政权的不断处罚与打击，使部落社会的发展面临着重要的抉择。因此，万岁通天元年（696年），在唐朝与契丹部落关系发展史上，爆发了一次声势浩大的反唐大起义，起义的领导者就是唐朝政府任命的松漠都督、无极县男、总契丹十部诸军事李尽忠以及契丹归诚州刺史孙万荣。战争的结局是：唐朝与契丹部落形成的羁縻统治形式彻底崩溃，契丹部落从此成为后突厥汗国的附庸。8世纪初期，由于后突厥汗国的严酷统治，契丹部落又以反叛方式摆脱后突厥汗国束缚，并于开元四年（716年），重新与唐朝政府接洽、恢复原有的统治形式，但此时雄心勃勃的唐玄宗在重新恢复东北统治局面之后，对重新归附的契丹部落也采取了更加严密的统治措施，派出军事力量随时监视契丹部落的活动。故开元八年（720年），以契丹衙官可突于为首的部落贵族又重新掀起反唐战争，最终使唐朝、后突厥与契丹部落这三股政治力量纠缠在一起，使契丹草原经历了近半个世纪的血与火的战争洗礼！耶律阿保机的先祖们就是在这样一个充满战争火焰的生活环境中，艰难创业并最终奠定了辽朝皇族声威的历史基础。

1. 雅里及其所创造的政治统治形式

根据目前资料系统所能检索到的耶律阿保机的先祖，就是那位名叫雅里（或涅里）的人，这是一位曾经改写了契丹人历史发展过程的重要人物。雅里即辽太祖耶律阿保机之七世祖[①]。

雅里生活的时代，是8世纪的中后期。当时契丹部落的发展尚处于大贺氏家族的末期统治阶段，此时，后突厥汗国发生严重的政治混乱，回鹘汗国趁机崛起，北方草原处于新旧两种政治势力的交替时期，地处大兴安岭以南西端的契丹部落暂时摆脱了来自漠北草原的政治压力，唐朝政权也处于唐玄宗时代即将结束之际。当时，契丹部落组织的领导权已旁落于衙官（即契丹部落军事长官）可突于的手中，大贺氏家族的继承人已经成

---

① 《辽史》卷34《兵卫志上》序曰：有耶律雅里者；同书《太祖纪下》史臣赞曰："雅里生毗牒，毗牒生颏领，颏领生耨里思"，耨里思生萨剌德，萨剌德生匀德实，匀德实生撒剌的，撒剌的生阿保机；则谓雅里为太祖六世祖，显误。中华书局1974年版，第395、24页。

为可突于挟制下的傀儡。可突于采取利用唐朝或突厥（回鹘）的任何一方来抵御另一方的政治军事策略，基本扭转了契丹部落委蛇于两大强权政治之间的被动地位，甚至多次打破来自唐朝或突厥汗国的军事征服活动，使部落社会走向独立自主的发展轨道。雅里，也正是此时部落组织的贵族成员之一，并且从相关史料的记载来看，雅里还曾经是可突于的主要支持者，是当时契丹部落社会握有一定实权的实力派人物之一。随着唐朝政治军事实力的迅速恢复以及分化瓦解政策的实施，开元二十二年（734年），唐朝幽州节度使张守珪在军事征服无法控制契丹部落的前提下，派遣属官王晦深入契丹部落，收买与可突于政见不同的另一位契丹衙官李过折，由李过折率领自己的部众利用一个月黑风高之夜，突然袭击了可突于的营帐，不仅杀死了可突于及其随从，也杀死了由可突于扶立的最后一位契丹可汗——屈烈。于是，唐朝政权在积极准备重新配置契丹部落组织机构的时候，才猛然发现此时契丹社会内部原有的大贺氏家族统治序列已经呈现出"绝嗣"的现象！在没有合适继承人可以选择的条件下，只好颁布诏命：加封李过折北平郡王、静析军大使、松漠都督府都督并赐姓李氏，以李过折充任契丹部落社会的最高统治者。这样，就使契丹部落社会的发展面临一个新的转折时刻，即大贺氏家族统治的结束与新的统治形态的重新组合。

李过折依靠唐朝幽州军政实力支持而重新树立的契丹部落统治局面，意味着契丹部落的继续发展将与唐朝政权之间结成更加亲密的状态，使得唐王朝也重新看到了完全控制与掌握东北政局的新曙光。但是，契丹部落社会毕竟还不是由清一色的李过折的支持者们来掌握，更多的契丹贵族家庭也因此要重新衡量家族利益与部落权益之间的协调发展问题。因此，李过折政权建立不久，便因为没有及时地解决好部落内部贵族之间的利益冲突，而促使那些原本就不愿在政治倾向上过分亲近唐王朝的契丹贵族纠结在一起，重新形成了以雅里为首的新的政治抗衡集团。其实这个集团，也就是可突于政治势力的延续。史称，雅里乃可突于之余党，即这些可突于的余党们不仅对李过折杀害可突于心存芥蒂，更不满于李过折依赖唐王朝的施政方针。所以，他们便在雅里的率领下，采取了与李过折袭杀可突于同样的方式：成功地偷袭了李过折的营帐，一举击杀深受唐朝倚重的契丹王李过折及其追随者，重新恢复了可突于时代已经确立的统治方式，即在政治上采取游离于唐朝与回鹘汗国政权之间的统治方略。

雅里发动的军事政变，不仅改变了契丹部落社会发展的基本方向，也同时打乱了唐朝东北边疆地区的统治部署，对于契丹部落、回鹘汗国与唐王朝这三股政治力量而言，都无疑产生了极其重大的历史影响。首先，雅里摧毁李过折政权，意味着契丹部落完全丧失了可能来自于唐王朝的支持与扶助的发展途径，它完完整整地改变了契丹部落发展的历史方向。不仅文献资料提供了李过折与唐朝关系密切的证据，考古资料也充分地证明了李过折政权的覆亡，对于唐朝政权来说是一个沉重的打击。根据目前已经掌握的考古资料显示：当李过折殒命之后，唐朝便将李过折的遗骸搬运回关中地区，并严格遵照"契丹王"的礼仪予以隆重的安葬①。其间，不知唐王朝又经历了何等的艰难才将李过折的遗骸弄回关中！其次，雅里摧毁李过折政权也使契丹部落彻底摆脱了来自于唐王朝的政治束缚，但又将契丹部落纳入了回鹘汗国的统治序列。史称，契丹为回鹘牧放牛羊，就是如此。直到回鹘汗国灭亡之后，契丹部落才真正地走上了独立发展的道路。其三，雅里发动的军事政变，无形之中拉近了契丹部落与回鹘汗国之间的历史距离，也从此奠定了回鹘历史文化与契丹历史文化的相互影响及滋补作用，基本奠定了后世契丹人与部分回鹘遗民在松漠草原联手创造历史奇迹的社会基础。

雅里的历史贡献是表现在多个层面之上的，但总的来说还是奠定了耶律氏皇族称雄北方草原二百余年的历史基础。史称，雅里杀死李过折之后，并没有直接就任契丹可汗，而是让位于迪辇俎里。据《辽史》记载：

> 李怀秀，唐赐姓名，契丹名迪辇俎里，本八部大帅。天宝四年降唐，拜松漠都督。②

① 葛承雍：《对西安市东郊唐墓出土契丹王墓志的解读》，《考古》2003 年第 9 期。
② 《辽史》卷 63《世表》，中华书局 1974 年版，第 955 页。

据此可知，迪辇俎里本八部首领之一，因雅里推举为契丹可汗。而迪辇即遥辇之不同时代的音译，迪辇俎里也不是遥辇氏第一任可汗，据后世辽人萧韩家奴所言：

> 先世遥辇可汗洼之后，国祚中绝，自夷离董雅里立阻午可汗，大位始定。①

据《辽史·百官志》记载：遥辇氏九世可汗之排序，亦以洼可汗为第一位，阻午可汗为第二位②。故元朝人修订《辽史》时也断言：遥辇氏第一位可汗洼，应该就是可突于时期所拥立的契丹可汗屈列③。元朝人的这个判断是准确的。根据唐代契丹部落发展的实际状况而言，应该说是可突于彻底地否定了大贺氏家族的统治地位，而雅里又将这种政权形式的否定机制予以延续。因此，仅就这种意义来看，所谓雅里"让阻午而不肯自立"的记载④，本来就是修史过程中的曲文、讳言，其实际情况乃是：雅里遵循可突于拥立可汗的习惯，重新选定或推举屈烈家族的迪辇俎里为新可汗，则屈烈与迪辇俎里皆为契丹遥辇氏家族之历史人物。所以，雅里无疑是将可突于时期确定的契丹部落的新的可汗家族，重新稳定下来。

雅里重新安定契丹社会统治秩序之后，又采取了哪些维护统治的基本措施呢？根据史料记载：首先，确立了契丹部落社会内部各级组织管理系统的职务世袭世选制度，将契丹可汗、大夷离董、南北两府宰相、八部帅等具体职务都作出明确的家族世袭世选的承诺，这样就在行政、军政与司法制度等各个方面全面推行世袭世选制度⑤，从而将契丹部落社会的基本组织形态纳

---

①　《辽史》卷63《世表》及卷103《文学上·萧韩家奴传》，中华书局1974年版，第956、1449页。

②　《辽史》卷45《百官志一·北面诸帐官》，遥辇九帐大常衮司条，中华书局1974年版，第711页。

③　《辽史》卷63《世表》，中华书局1974年版，第955页。

④　《辽史》卷2《太祖纪下·史臣论赞》，中华书局1974年版，第24页。

⑤　《辽史》卷73《萧敌鲁传》，自其五世祖胡母里开始，世选遥辇氏之决狱官；同书卷85《萧塔列葛传》亦记载，自其八世祖只鲁开始，世选遥辇氏之北府宰相。中华书局1974年版，第1222、1318页。

入了一个更加高级的发展状态。其次，重新整顿原有的基本部落形态，在原有大贺氏八部残余的基础上，重新整顿八部组织，又"分三耶律为七，二审密为五，并前八部为二十部。三耶律：一曰大贺，二曰遥辇，三曰世里，即皇族也。二审密：一曰乙室已，二曰拔里，即国舅也"①，即将传统的八部组合形态发展为二十部，应该说比较具象地反映了部落社会发展的历史实际。其三，树立强权意识，加强对部落社会的管理能力。史称：雅里确立的世选制度，不仅规定了遥辇氏家族世代享有选举契丹可汗的最高行政权，也规定了雅里家族（即世里氏）世代享有选举大夷离堇的最高军事指挥权；而且，为了保证这些权力结构的正常运作与权力平衡，雅里还将大贺氏与遥辇氏的家族势力作出具体的划分，即"大贺、遥辇析为六，而世里合为一"②，即从部落组织规模方面树立了世里氏家族绝对的军事领导权威；并规定遥辇氏可汗与世里氏家族都同时享有"升帐"的特权，即契丹可汗可以拥有自己私属的斡鲁朵（又名为宫分），而雅里领有的迭剌部则"自为别部"，不在契丹部落的组织管理程序之内，属于世里氏家族的私有财产。其四，在可汗与大夷离堇之下，又分别设置南、北两府，对部落社会实行分割管理方式；两府长官称为宰相，南、北府宰相之下，又有八部首领（即部落大帅）、决狱官以及达剌干、常衮、详稳、吐里、弥里马特本等各级属官，也都统统实行世选制度。其五，制定相应的礼仪制度，如："阻午可汗制柴册、再生仪"③，即与契丹世选制度紧密结合的典礼仪式的具体规范。同时，"受印于回鹘"④，又"刻木为契，穴地为牢"⑤，树立了相应的军事、司法制度，从而将契丹部落社会的政治（或政权）组织形态推向更加接近于国家形态的发展方向。其六，《辽史·百官志》曰："辽始祖涅里究心农

　　① 《辽史》卷32《营卫志中·部族上》；又同书《兵卫志上》称："大贺氏中衰，仅存五部。有耶律雅里者，分五部为八，立二府以总之，析三耶律氏为七，二审密氏为五，凡二十部"。中华书局1974年版，第381、395页。

　　② 《辽史》卷32《营卫志中·部族上》，中华书局1974年版，第381页。

　　③ 《辽史》卷49《礼志一·序》，中华书局1974年版，第833页。

　　④ 《辽史》卷57《仪卫志三·序》，中华书局1974年版，第913页。

　　⑤ 《辽史》卷2《太祖纪下·史臣赞》；又同书《兵卫志上》亦言：雅里"刻木为契，政令大行"。中华书局1974年版，第24、395页。

工之事"①,"自涅里教耕织"② 等,涅里即雅里。这些记载说明契丹社会已经开始发生比较大的变化,起码在经济结构方面正在发生着比较明显的演变与融会。同时,雅里颠覆李过折政权之后,曾经在相当长一段时间内与唐朝及后突厥汗国展开了殊死搏斗,史称,开元二十三年(735 年),

> 是岁,契丹王过折为其臣涅里所杀,并其诸子,一子剌乾奔安东得免。涅里上言,过折用刑残虐,众情不安,故杀之。上赦其罪,因以涅里为松漠都督,且赐书责之……突厥寻引兵东侵奚、契丹,涅里与奚王李归国击破之。③

开元二十四年(736 年)三月,唐朝幽州节度使张守珪又发兵讨伐契丹,史称:

> 张守珪使平卢讨击使、左骁卫将军安禄山讨奚、契丹叛者,禄山恃勇轻进,为虏所败。④

由此揭开了唐朝幽州节度关内大规模征伐契丹的军事战争,开元二十五年(737 年)

> (二月)乙酉,幽州节度使张守珪破契丹于捺禄山。⑤

开元二十七年(739 年)

> 幽州将赵堪、白真陁罗矫节度使张守珪之命,使平卢军使乌知义击

---

① 《辽史》卷46《百官志二·北面坊场局冶牧厩等官》,中华书局 1974 年版,第 730 页。
② 《辽史》卷48《百官志四·南面财赋官》,中华书局 1974 年版,第 822 页。
③ (宋)司马光:《资治通鉴》卷214《唐纪三十》,玄宗开元二十三年条,中华书局 1956 年版。
④ (宋)司马光:《资治通鉴》卷214《唐纪三十》,玄宗开元二十四年三月条,中华书局 1956 年版。
⑤ (宋)司马光:《资治通鉴》卷214《唐纪三十》,玄宗开元二十五年二月乙酉条,中华书局 1956 年版。

叛奚余党于横水（即潢水之误）之北。知义不从，白真陁罗娇称制指以迫之，知义不得以出师，与虏遇，先胜后败。守珪隐其败状，以克获闻。①

于是，朝廷以御史大夫李适之代替张守珪为兼幽州节度使，开元二十八年（740 年）

> 秋八月甲戌，幽州奏破奚、契丹。

开元二十九年（741 年）八月，以安禄山为营州都督、充平卢军使，两蕃、渤海、黑水四府经略使；两蕃即指奚与契丹。天宝元年（742 年）正月壬子，分幽州平卢为节度，以安禄山为节度使；三年，以平卢节度使安禄山兼任范阳（即幽州）节度使。安禄山在任之际，乃唐朝与契丹部落关系最为紧张时刻。

雅里作为契丹历史上比较有作为的历史人物，其生卒年已经不详，但他在开元二十三年（735 年）前后崛起于契丹政治舞台，从他辅佐契丹阻午可汗所作出的具体贡献来看，其政治生命应该延续到了唐玄宗天宝四年（745 年）前后。因为，在这一年，阻午可汗率领契丹部落重新归附唐朝。故天宝四年三月壬申，

> 上以外孙独孤氏为静乐公主，嫁契丹王李怀节；甥杨氏为宜芳公主，嫁奚王李延宠。②

似乎唐朝与契丹部落的双边关系又重新恢复到以前的相安状态。关于雅里的了嗣，史书中仅记载：雅里生吡牒，即辽太祖之六世祖。

（任爱君　撰稿）

---

① （宋）司马光：《资治通鉴》卷 214《唐纪三十》，玄宗开元二十七年六月癸酉条，中华书局 1956 年版。

② （宋）司马光：《资治通鉴》卷 215《唐纪三十一》，玄宗天宝四年三月壬申条，中华书局 1956 年版。

2. 毗牒与颏领

史称雅里生毗牒，毗牒生颏领，是为耶律阿保机之六世祖与五世祖。关于毗牒与颏领的事迹，史料中并没有留下丝毫记录，但从史料关于契丹与唐朝关系之记载来看，似乎也可以推测与了解到毗牒时期契丹部落经历的具体发展状态。

天宝四年，迪辇俎里即阻午可汗率领契丹部落投降唐朝，不久就接受了唐朝松漠都督的任命，唐朝还以公主下嫁迪辇俎里并赐名为李怀节（即《辽史》记载的李怀秀）。但好景不长，同年九月，

> 安禄山欲以边功市宠，数侵掠奚、契丹；奚、契丹各杀公主以叛，禄山讨破之。

刚刚开始的双方关系复原状态，还未来得及度过蜜月期便立即中止了！于是，唐朝颁布了目的在于孤立、打击奚族与契丹部落的策略。天宝五年（746 年）夏四月癸未，册立奚酋娑固为昭信王、契丹酋楷落为恭仁王，企图由此达到瓦解与孤立奚、契丹部落的目的。楷落，即后来著名的中兴名将李光弼之父[1]。同时，自天宝四年至天宝九年，身为范阳节度使的安禄山不断展开针对奚与契丹的军事征服活动，并因此而荣膺唐朝天宝九年（750 年）地方官政绩考核的"上上考"[2]。天宝十年（751 年）八月，安禄山集中河东、平卢、范阳三道精兵 6 万人，大举讨伐契丹，

> 以奚骑二千为向导，过平卢千余里，至土护真水，遇雨。禄山引兵昼夜兼行三百余里，至契丹牙帐，契丹大骇。时久雨，弓弩筋胶皆弛，……［初战不胜］奚复叛，与契丹合，夹击唐兵，杀伤殆尽。射

---

① （宋）司马光：《资治通鉴》卷 215《唐纪三十一》，玄宗天宝四年九月条及五年四月癸未条、六年十月条，中华书局 1956 年版。

② （宋）司马光：《资治通鉴》卷 216《唐纪三十二》，玄宗天宝九年十月条，中华书局 1956 年版。

> 禄山，中鞍，折冠簪，失履，独与麾下二十骑走；会夜，追骑解，得入
> 师州。①

天宝十一年（752 年）三月，安禄山欲发兵二十万讨击契丹，以雪去年秋季之
耻，会突厥阿布思反叛归漠北，遂收兵未进。十三年（754 年）四月，"安禄
山奏击奚破之，虏其王李日越"②。天宝十四年（755 年）四月，"安禄山奏
破奚、契丹"③。短短的十年之内，安禄山集中唐朝河东、范阳、平卢三道兵
力，对契丹部落采取大规模征服活动，给契丹部落的历史发展造成重要影响。

据《辽史》记载，契丹与唐朝安禄山之间所展开的战争，确实予契丹
部落以极大影响。如：萧塔列葛八世祖只鲁，

> 遥辇氏时尝为虞人。唐安禄山来攻，只鲁战于黑山之阳，败之。以
> 功为北府宰相，世预其选。④

笔者以为，虞人者即契丹可汗斡鲁朵内之人口，只鲁以近似私人奴婢之身
份，因为战功而荣膺契丹北府宰相之职任，说明这次战争对于契丹部落的影
响，确实具有极其重大的历史意义。而《辽史》将此次战争发生的具体时
间，置于辽太祖四世祖耨里思名下，如：

> 耶律俨《纪》云，太祖四代祖耨里思为迭刺部夷离堇，遣将只里
> 姑、括里，大败范阳安禄山于潢水，适当怀秀之世。⑤

这里的记述恐怕与实际年代不符。因为，自雅里至辽太祖先后共八代人，若
以每代人承当的时限为 20 年左右计，自开元二十三年（735 年）雅里崛起

① （宋）司马光：《资治通鉴》卷 216《唐纪三十二》，玄宗天宝十年八月条，中华书局 1956 年版。
② （宋）司马光：《资治通鉴》卷 217《唐纪三十三》，玄宗天宝十三年夏四月癸未条，中华书局
1956 年版。
③ （宋）司马光：《资治通鉴》卷 217《唐纪三十三》，玄宗天宝十四年夏四月条，中华书局 1956
年版。
④ 《辽史》卷 85《萧塔列葛传》，中华书局 1974 年版，第 1318 页。
⑤ 《辽史》卷 63《世表》，元朝人修史引耶律俨之语，中华书局 1974 年版，第 959 页。

至 907 年阿保机建国，其间共为 172 年，诸代累计得出的具体时间也大致相合。若将与安禄山军事对抗的具体行动，完全着落在辽太祖四世祖耨里思的名下，则自开元二十三年（735 年）始至天宝十四年（755 年）十一月安禄山反唐止，其间总共经历了 20 年的时间，而辽太祖先世祖先们的具体发展过程就已经历了四代人，即自七世祖雅里、六世祖毗牒、五世祖颏领而至四世祖耨里思，即仅仅 20 年的时间就消磨了四代人的历史命运，这在事实上存在着很大的悖论！而自天宝十五年（756 年）至阿保机 907 年建国，其间又 152 年的历史时间，却要由阿保机的曾祖、祖父、父亲及其本人共四代人来完成，平均每代人要独立承担 40 年的历史时限，这完全是不可能的！并且《辽史》中还明确地记载：辽太祖阿保机的祖父就在阿保机出生的那一年（872 年）被部落贵族杀害，这也就是说最后四代人共同拥有的 152 年中，自 872 至 907 年由阿保机父辈及其本人共同承当；而自天宝十五年（756 年）至咸通十三年（872 年）共 117 年的时间，要由阿保机的曾祖与祖父两代人来承当，即平均每代人承当约 60 年的时限，这更是一个悖论！

因此，笔者认为，在辽太祖先世祖先中，与安禄山进行军事对峙的人，只能锁定在其六世祖毗牒时期来完成。而且，辽太祖六世祖毗牒与五世祖颏领在位的具体时代，应该是自天宝四年（745 年）左右开始直到公元 800 年前后（即唐德宗朝的末年）。而辽太祖六世祖毗牒在位的历史下限，应该是在唐代宗朝（762—779 年）之内，其间，唐王朝已经再无力干预契丹部落事务。由于"安史之乱"，强大的唐朝已经走向分裂与衰败，而此时契丹部落的发展也只存在着回鹘汗国这一个势必会对其发生直接影响的外部政治力量。这与唐玄宗朝时期相比，契丹社会发展无疑已进入一个相对平稳的发展阶段。在这个发展阶段中，部落社会的礼仪建设又有了新的内容，

遥辇胡剌可汗制祭山仪，苏可汗制瑟瑟仪。①

毗牒在位时期，契丹部落与唐朝关系的恢复经历了一个逐渐的发展过程，因为"安史之乱"及河北割据状态的形成，一定程度上限制了契丹与

---

① 《辽史》卷 49《礼志一·序》，中华书局 1974 年版，第 833 页。

唐朝中央政府的联系。据两唐书及《辽史》记载，自天宝年间之后，契丹部落组织与唐朝政府之间的朝贡关系有所起伏，这是由当时政治军事形势的具体变化所决定的，如：

> 至德、宝应间再至，大历中十三至，贞元九年、十年、十一年三至，元和中七至，太和、开成间四至。①

这种部落社会与中原王朝之间的朝贡关系，不仅反映着双方之间经济文化交流状况的密切与否，也体现着双方之间政治从属关系的基本状态以及双方之间的具体基本态度，一定程度上还体现着部落社会实际领导阶层基本政治主张的具体作用。因此，我们在没有更好的参考材料可以了解契丹先祖们的历史活动状况的时候，则不妨将这种通贡关系的疏密程度作为划定其"代沟或代界"的参考条件。根据上引史料，自至德元年（756年）至永泰二年（766年），这十年之内，正是"安史之乱"的活跃期，唐朝政府忙于镇压安禄山与史思明领导的反叛势力，另一方面幽州及河北地区又是乱军的老巢，因此，此期之内契丹与唐朝的通贡关系仅有两次，也是可以理解的事情了。

辽太祖五世祖颏领在位的时期，应该是在唐代宗朝末年至德宗朝末年，相当于大历元年（766年）至贞元二十一年（805年）之间。当"安史之乱"的余孽蛰伏于唐朝与回鹘汗国的双重打击之后，虽然形成了藩镇割据状态，但事实上仍然接受唐朝的政令，这就造成了大历年间（766—779年）契丹朝贡次数增加到13次的历史新高。应当说，契丹部落与唐朝经济文化交流次数的增多，代表着部落社会发展程度的具体进步。

但是，唐德宗朝重新掀起的志在蒯除藩镇势力的大规模军事战争，一方面造成了河北、淮河流域政治局势的继续动荡，另一方面也重新阻塞了契丹部落与唐朝政府之间的陆路交通。如上引契丹通贡史料所表现的那样，大历年间（766—779年），契丹与唐朝的通贡关系已经达到每年一次的紧密程

---

① 《辽史》卷63《世表》，中华书局1974年版，第955页；参见《新唐书》卷216《契丹传》，中华书局1975年版。

度，但是从大历最后一年开始包括德宗建中、兴元年间（780—784 年）在内却呈现出完全断绝的现象，个中原因，除了客观存在的藩镇割据势力及德宗削藩行动的直接影响之外，恐怕契丹部落内部人事更迭等具体变故的存在，也是造成双方通贡关系破裂的基本缘由，这也就是唐德宗朝时期所以出现契丹入贡唯有"贞元九年、十年、十一年三至"的历史原因。

据唐朝史料记载，8 世纪末期与 9 世纪初期的时候，契丹与奚族等曾经与幽州藩镇发生较长时间的军事冲突，如幽州卢龙节度副大使刘济墓志铭记载：

> 贞元初，乌桓诱北方之戎，幸吾阻饥，大耸边鄙，公先计后战，陈兵于郊，乃遣单车使者，诱掖教告，由是诸戎皆为公用，干不庭方厥猷茂焉。明年，鲜卑墨乙之犯古渔阳，其后，啜利寇右北平，公分命左右军，异道并出，然后以中坚衡击，士不离（罹）伤，师不留行，深入其阻，抵青都山下，捕斩首虏以万计，或橐驼牛羊以万数。十九年，林胡率诸部杂种，浸淫于檀蓟之北，公亲统革车，会九国室韦之师以讨焉，饮马滦河之上，扬旌冷陉之北，戎王弃其国遁去，公署南部落刺史为王而还，登山斲石著北伐铭以见志。①

刘济墓志铭记载的"乌桓"、"鲜卑"与"林胡"等，其实皆指当时分布于松漠草原附近，以契丹、奚族为核心的游牧部落集团。其中，所谓"诱北方之戎"即引导回鹘汗国的军事力量向幽州地区进犯；墨乙之与啜利，或为黑车子等室韦部落集团首领名号，但从青都山地理名称来看，又应该是契丹部落首领名号；林胡之名与冷陉地名，则准确无误地标指契丹部落。刘济在德宗贞元年间与契丹、奚族等所进行的密度较大的战争形式，表明当时契丹部落已经在幽州地理领域附近活动，并且不断骚扰幽州境内。这个时期，应该就是辽太祖五世祖颏领在位阶段。

（任爱君　撰稿）

---

① （清）董诰：《全唐文》卷505，权德舆撰：《故幽州卢龙节度副大使知节度事管内支度营田观察处置押奚契丹两蕃经略卢龙军等使开府仪同三司检校司徒兼中书令幽州大都督府长史上柱国彭城郡王赠太师刘公墓志铭》，上海古籍出版社 1990 年版，第 2275—2276 页。

3. 高祖耨里思和他的儿子们

耨里思即辽太祖的四世祖（即高祖），耨里思在位的历史时间应该在 9 世纪初期，即相当于唐顺宗时期至唐文宗开成年间。前引契丹通贡史料记载："元和中七至，太和、开成间四至。"元和，乃唐宪宗年号，自公元 806 至 820 年；太和与开成，均为唐文宗年号，分别为 827 至 835 年、836 至 840 年。自顺宗朝至文宗朝共计 35 年，此期内，北方回鹘汗国的政治势力得到了迅速发展，并在帮助唐朝平叛过程中逐渐凌驾于唐朝之上，生活在松漠草原地区的契丹部落等，也都彻底地沦为回鹘汗国的附庸。据唐朝史料记载：

> 先是，奚、契丹皆有虏使监护其国，责以岁遗，且为汉谍。[1]

这段记载的意思就是说，奚与契丹部落都已经进驻了回鹘汗国派来的监护使者，监护使者的任务即督责这些部落每年必须向回鹘汗国赠遗的大宗贡品及部落人口必须承担的为回鹘汗国刺探唐朝各种情报的任务。这是基于政治与经济两方面的盘剥与压榨，其对契丹等部落社会的统治程度也比较严密。因此，在这种情况之下部落社会的具体发展也很难取得明显的进步。所以，《辽史》记载：太祖四世祖"耨里思大度寡欲，令不严而人化"[2]，也就是一种类似"无为而治"的统治形态，在强大的政治压力面前也只好采取听之任之的政治态度，也许这就是所谓耨里思时期"令不严而人化"的最好的诠释。

耨里思在位时期，恰好值回鹘汗国势力鼎盛之际，契丹部落社会的继续发展受到了一定程度的限制，甚至与唐朝及幽州藩镇的通贡关系也受到较大的历史影响。据《辽史》记载，萧敌鲁五世祖胡母里，

> 遥辇氏时尝使唐，唐留之幽州。一夕，折关遁归国，由是世为决狱官。[3]

---

① 《全唐文》卷 711，李德裕撰：《幽州纪圣功碑铭并序》，上海古籍出版社 1990 年版，第 3235 页。
② 《辽史》卷 2《太祖纪下·史臣赞》，中华书局 1974 年版，第 24 页。
③ 《辽史》卷 73《萧敌鲁传》，中华书局 1974 年版，第 1222—1223 页。

而欧阳修《新唐书》也记载说：当时，契丹部落已经断绝与唐朝的政治羁属关系，"天子恶其外附回鹘，不复官爵渠长"①。因此，当时已经升任为幽州节度副大使知节度事的张仲武，其在任期间作出的巨大贡献就是：

> 破獯鬻之众，帐盈七千；拓鲜卑之疆，地开千里。②

回鹘汗国覆亡之后，张仲武又将契丹部落重新收归为唐朝的羁属。这些具体史料说明，8世纪前期，由于回鹘汗国政治势力的影响，双方之间早已形成的"互市"贸易及通贡关系等也基本断绝，契丹部落与唐朝幽州藩镇之间已经陷入一种相当紧张的敌对关系与战争状态之中。

《辽史》中关于耨里思的资料不是很多，但有一条资料弥足珍贵，即：

> 懿祖庄敬皇后萧氏，小字牙里辛。肃祖尝过其家曰："同姓可结交，异姓可结婚。"知为萧氏，为懿祖聘焉。生男女七人。③

肃祖即耨里思，懿祖即辽太祖之曾祖萨剌德。这则史料说明，起码在耨里思在位期间契丹世里氏家族已经与后来的萧氏家族确立了部族内婚制度。而关于耨里思诸子历史活动的记载也很少，目前仅知：辽朝建立之后，随着封建化程度的不断加深，契丹皇帝们也像中原王朝那样追封自己的先祖为皇帝，耨里思被追封为肃祖昭烈皇帝。耨里思有四个儿子，即长子洽眘（字牙新）、次子萨剌德、三子葛剌（字古昆）、四子洽礼（字敌辇）。其中，长子洽眘曾经担任过迭剌部夷离堇职务，并为迭剌部的历史发展作出过巨大的历史贡献；次子萨剌德则曾经九次担任迭剌部夷离堇职务，萨剌德即辽太祖阿保机之曾祖，后被追封为懿祖皇帝；第三子葛剌与第四子洽礼，也都是当时威名显赫的重要历史人物。根据史料记载他们都享有与后来契丹贵族子弟一

① 《新唐书》卷216《契丹》，中华书局1975年版。

② （唐）李俭撰：《大唐故赠工部尚书清河张公神道之碑》，附见张鸿脂、吕冬梅：《唐张仁宪神道碑考》，《文物春秋》1997年第2期。

③ 《辽史》卷71《后妃传·懿祖庄敬皇后萧氏传》，中华书局1974年版，第1198页。

样的荣誉称号，即舍利（沙里）。舍利或沙里乃北方民族语言，汉译的意思就是郎君，故又称为沙里郎君或舍利郎君。关于耨里思及其儿子们历史活动的具体情况，目前也仅此而已，除此以外，一无所知。只不过，有一点应该注意的是：耨里思与他的儿子们的历史事迹，应该是分别代表了前后两个相继承接的历史时代。因此，牙新等兄弟三人的历史事迹，应该是与阿保机曾祖萨剌德在位时期的历史内容为一致的。

（任爱君　撰稿）

4. 曾祖萨剌德

辽太祖的曾祖萨剌德，其在位时限应该是处于回鹘汗国崩溃前后，即大约相当于唐文宗开成年（836—840 年）末至宣宗大中年间（847—859 年），即遥辇氏可汗屈戍在位时期。在这个历史时期内，契丹部落的社会发展又彻底地摆脱了来自于回鹘汗国的政治束缚，从此进入了一个相当长时期的自由发展阶段，契丹部落不仅修复了与中原地区的经济文化交流，而且逐渐呈现出与幽州藩镇分庭抗礼的局面。据《辽史》记载：

> 遥辇氏之世，受印于回鹘。至耶澜可汗请印于唐，武宗始赐"奉国契丹印"①。

此事，即回鹘汗国覆亡后，唐武宗会昌二年（842 年）试图重新羁縻契丹部落所采取的主要措施之一，据《新唐书》记载：

> 会昌二年，回鹘破，契丹酋屈戍始复内附，拜云麾将军、守右武卫将军。于是幽州节度使张仲武为易回鹘所与旧印，赐唐新印，曰"奉国契丹之印"②。

---

① 《辽史》卷 57《仪卫志三·符印》，中华书局 1974 年版，第 913 页。

② 《新唐书》卷 216《契丹》，中华书局 1975 年版。又据《旧唐书》卷 196 记载："会昌二年九月，制：'契丹新立王屈戍，可云麾将军，守右武卫将军员外置同正员。'幽州节度使张仲武上言：'屈戍等云契丹旧用回鹘印，今恳请闻奏，乞国家赐印。'许之，以'奉国契丹之印'为文。"中华书局 1975 年版。

若依据《辽史·百官志一》"北面诸帐官"——遥辇九帐大常衮司条之记载，耶澜可汗在行文序列中乃遥辇氏之第七位可汗，于历史年代来看也比较接近①，故屈戍在位时间亦应该至唐宣宗大中年间，并且在大中年间（847—859年）晚期结束。这也与辽太祖曾祖萨剌德在位时限基本吻合，即遥辇氏耶澜可汗与萨剌德不仅为君臣关系，也应为同代人。

根据《辽史》记载，萨剌德长兄、即辽肃祖耨里思的长子洽眘（字牙新），曾经担任过迭剌部夷离堇的职务，并在其担任夷离堇期间被奉为当世"有德行"的部落首领之一。洽眘为世里氏家族作出的最大贡献，就是将雅里时期独立出来的迭剌部进一步地充实和壮大。史称其"分五石烈为七，六爪为十一"，而洽眘本人及其兄弟们也都在这个组织序列之内②。其实，迭剌部就是世里氏家族，迭剌部势力的增长就代表着世里氏家族实力的增加。因此，洽眘在继承了父辈开创的局面之后，又进一步地为契丹世里氏家族的发展奠定了坚实的基础。大约在洽眘之后，便开始了萨剌德九任迭剌部夷离堇的历程。

关于萨剌德的历史功绩，《辽史》记载：

> 萨剌德，尝与黄室韦挑战，矢贯数札。③

所谓"矢贯数札"的含义，即称其射术惊奇，夸赞其发出的箭矢非常有力。萨剌德就是辽太祖与耶律羽之共同的曾祖。据耶律羽之墓志铭记载：萨剌德又名勤德，曾经九次出任迭剌部夷离堇职务④，并为迭剌部的强雄发展作出了巨大的历史贡献。上引史料也说明，萨剌德在位期间的重要作用，就是为后来耶律阿保机彻底征服大、小黄室韦部落奠定了比较坚实的历史基础。因为，萨剌德"矢贯数札"的壮举，已经为契丹部落降服室韦诸部在武力上

---

① 《辽史》卷45《百官志一》，遥辇九世可汗的排序值得怀疑，《世表》又经过元朝人的加工。其实，《新唐书》记载的习尔之（或习尔）可汗应即鲜质可汗之对译，则起码排序应为耶澜、鲜质、巴剌可汗才对。

② 《辽史》卷64《皇子表·肃祖四子》，中华书局1974年版，第962页。

③ 《辽史》卷2《太祖纪下·史臣赞》，中华书局1974年版，第24页。

④ 盖之庸：《内蒙古辽代石刻文研究》上编《耶律羽之墓志铭》，内蒙古大学出版社2002年版，第2—7页。

塑造了一个光辉的典范！同时，也说明当时契丹部落的首要征服对象，就是已经分布于今大兴安岭西南端以南以北的室韦、奚族诸部落族团。史书中关于契丹人从黑车子室韦部落学习造车技术的记录，也揭示了当时室韦部落族团密迩契丹及其相互影响的历史状态。又如《新唐书》记载：

> 大中元年，北部诸山奚悉叛，卢龙张仲武禽酋渠，烧帐落二十万，取其刺史以下面耳三百，羊牛七万，辎贮五百乘，献京师。①

应该说，此时奚族对于唐朝幽州藩镇所采取的任何军事行动，都是与契丹部落的发展密切相关。所以，《辽史》关于太祖曾祖萨剌德寥寥数语之记载，事实上为我们提供了契丹部落开始对外扩张之路的历史证据。

根据《辽史·后妃传》记载，萨剌德共有子女七人（即儿子四人、女儿三人），其中，第二子帖剌（又名匣马葛、蒲古只、曷鲁匣麦），即耶律羽之祖父；第三子匀德实，即辽太祖之祖父，后被追封为玄祖皇帝；长子叔剌与第四子裹古直皆以舍利身份幼年早卒；其余三个女儿则没有留下任何记录，估计应该下嫁与世里氏家族通婚的后来之萧氏家族。萨剌德的第二个儿子帖剌也曾经两次出任迭剌部夷离堇，但帖剌两任夷离堇的时代则还要延长到其三弟、阿保机祖父匀德实在位时期甚至要延长到匀德实去世之后，故帖剌的事迹于此暂不赘述。

（任爱君　撰稿）

5. 匀德实时代

辽太祖的祖父匀德实在位的起始时间，大约自唐宣宗大中末年开始至懿宗咸通十三年（872 年）结束，此时，在位的遥辇氏契丹可汗名为习尔之（或作习尔，即遥辇氏九世可汗之鲜质可汗）②。匀德实在位时期，契丹部落

---

① 《新唐书》卷 216《奚族》，中华书局 1975 年版。

② 元朝人修订《辽史·世表》时，将习尔之拟定为遥辇氏巴剌可汗，这是没有认真考证。《太祖纪上》"唐天复元年岁辛酉，痕德董可汗立"以及《兵卫志上》序曰："遥辇耶澜可汗十年"云云，遂误将鲜质、巴剌可汗混淆。笔者认为，鲜质与痕德董可汗之间应该还有一位可汗，或者就是巴剌可汗吧！而习尔之非巴剌可汗则事属确凿。

发展取得较大进展，部落社会内部个体家庭力量不断增长，原有的氏族大家庭形态逐渐被个体家庭势力所取代，契丹部落社会形态的具体进展已经临近专制政权的门槛。据《新唐书》记载：

> 咸通中，其王习尔之再遣使者入朝，部落浸强。①

咸通，乃唐懿宗年号，共十五年（960—974 年）。咸通元年，距离回鹘汗国之瓦解已有 20 年的历史了。契丹部落在 20 年的时间内已经发展成为北方草原势力强大的部落集团之一。由此可见，咸通年间（860—874 年），契丹部落已成为继回鹘汗国之后北方草原的新霸主。

习尔之可汗在位的历史时限，大约始自唐懿宗咸通年间至僖宗光启元年（885 年）。习尔之，即《辽史》中记载的"鲜质可汗"②，鲜质可汗在位时期，契丹部落已经逐渐征服周围地区的室韦及奚族诸部，因此，所谓"部落浸强"的记载，实际上标志着契丹部落已经展开对周围弱小部族的吞服与统一的过程。又据《新唐书》记载：自宣宗大中年间（847—859 年）开始，

> 是后契丹方强，奚不敢亢，而举部役属。③

此时，契丹部落也创造了唐代以来的社会发展的新高度，据《辽史》记载：

---

① 《新唐书》卷 216《契丹》，中华书局 1975 年版。
② 《辽史》卷 63《世表》，中华书局 1974 年版，第 956 页；卷 45《百官志一·北面诸帐官》，"遥辇九帐大常衮司"记九可汗名称，有"鲜质可汗"，即"习尔之"，第 711 页；《营卫志下》记载："迭剌迭达部，本鲜质可汗所俘奚七百户，太祖即位，以为十四石烈，置为部"，第 388 页；此事，《太祖纪上》，"先是德祖俘奚七千户，徙饶乐之清河。至是创为奚迭剌部，分十三县"，第 2 页。按：契丹语称县（或大乡）为"石烈"，"七千户"为"七百户"的讹误。因此，两相比照，涉及的主要人物或时代并不冲突；《营卫志》所说的"鲜质可汗"，即是时代；"德祖"即辽太祖之父撒剌的，是后人追赠的庙号。说明撒剌的与鲜质可汗（即习尔之可汗）系同时代人，而且，从《辽史》记载太祖出生于咸通十三年的记录来看，太祖父亲的生活时代正在唐懿宗咸通年间（860—874 年）前后。
③ 《新唐书》卷 216《奚族》，中华书局 1975 年版。

匀德实，始教民稼穑，善畜牧，国以殷富。①

部落社会的经济生产方式的具体变化，反映到部落社会组织结构的具体层面之上，就是唐朝末年以来已经形成的氏族大家族形态开始发生显著的变化，首先是个体家庭势力逐渐呈现出愈来愈强的自主独立的发展性格；其次是原本依附于部落大家庭形态的社会政治结构开始发生具体的变化，譬如原本由大家庭形态共同承当的部落组织职位的世袭世选制度，愈来愈呈现出强烈的个体家庭的世袭趋势。匀德实次兄曾经担任迭剌部夷离堇职务，其后，匀德实以大夷离堇身份兼任迭剌部夷离堇，这种集数种权力于一身的做法，在大家族内部的诸多个体家庭之间引起剧烈的权力争夺，据《辽史》记载：

玄祖为狼（狼）德所害，后嫠居，恐不免，命四子往依邻家耶律台押，乃获安。太祖生，后以骨相异常，惧有阴图害者，鞠之别帐。②
耶律狼德等既害玄祖，暴横益肆。蒲古只以计诱其党，悉诛夷之。③

太祖出生年为唐咸通十三年（872 年），是知辽太祖之祖父匀德实被杀害时间，也应该在咸通十三年左右。匀德实被杀原因，即大家族内部对于部落领导权力的争夺。通过以上关于匀德实被害记录，我们还可以了解到这样的一个事实：即匀德实被杀之后，其寡妻并没有携带四子去投靠匀德实的次兄帖剌（又名匣马葛、蒲古只、曷鲁匣麦），而是转移到邻居耶律台押家中躲避，而帖剌也只有到狼德等人"暴横益肆"的时候——即狼德等人将诛杀矛头也指向了蒲古只（即帖剌）及其家庭的时候，蒲古只才挺身而起并召集部民共同铲除了狼德集团。个中缘由只有两种解释方式：一是匀德实兄弟二人居住比较分散、来不及相互照应，二是兄弟二人之间也存在着严重冲突。但不管答案究竟是哪一个，它都同时反映出这样的一个事实，即个体家庭势力此时已经成为契丹社会最基本的社会单元。

---

① 《辽史》卷 2《太祖纪下·史臣赞》，中华书局 1974 年版，第 24 页。
② 《辽史》卷 71《后妃传·玄祖简献皇后萧氏》，中华书局 1974 年版，第 1198—1199 页。
③ 《辽史》卷 75《耶律铎臻传》，中华书局 1974 年版，第 1239 页。

辽太祖祖父匀德实被杀死了，但与他同时代的鲜质可汗依然发挥着可汗的权威。那么，匀德实之死，究竟是一次彻头彻尾的契丹贵族大家庭内部的权力争斗，还是一次涉及其他贵族大家庭在内的派系之争？由于史料缺乏，至今已经无法得到一个正确而标准的答案了！但是，有两点内容必须了解，即：

第一，当辽太祖的祖父匀德实在位期间或者说遥辇氏鲜质可汗在位时期，契丹部落社会发展的具体内容，已经包含着两个方面的基本事实，即体现在部落社会内部的社会变革与体现在部落社会外部的吞并与扩张。

第二，当辽太祖之祖父匀德实被杀之后，匀德实本人虽然已经不存在了，但是以匀德实为代表的发展时代并没有结束，如前引蒲古只所以能够扑灭狼德反叛势力，其原因就在于此时蒲古只（即帖剌）又重新担任迭剌部夷离堇，即所谓"再为本部夷离堇"。因此，帖剌再任夷离堇时期的历史活动，也应该属于匀德实时代的基本内容之一。据中原史料记载：

> 习尔之死，族人钦德嗣。光启时，方天下盗兴，北疆多故。

云云。据此可知遥辇氏鲜质可汗时代，应该是结束于唐僖宗光启元年（885年）以前。也就是说，当匀德实于公元872年左右被杀之后，鲜质可汗仍然继续延续到公元885年。因此，鲜质可汗时期的末年，应该是代表了匀德实死后、由其次兄帖剌等继续延续迭剌部发展的基本事实。

匀德实共有四子：即长子麻鲁、幼年早卒；次子岩木，曾经三次出任迭剌部夷离堇；三子释鲁，更是多次出任迭剌部夷离堇并担任部落大夷离堇、升任遥辇氏时期的部落大于越职务；四子撒剌的，即辽太祖之父，后被追封为德祖皇帝。

（任爱君　撰稿）

6. 撒剌的时代

关于辽太祖父亲撒剌的生卒年及其在位时间等，今本《辽史》始终都没有提供明确的记载，甚至如今也仍然是一个难以索解的历史之谜。但有一点可以确认：即契丹部落发展的历史线索，在匀德实时代结束之后，实际上是由匀德实次子岩木、三子释鲁、四子撒剌的等人构成了一个完整的过渡时代，故岩木兄弟三人的历史事迹，其实共同构成了这个特殊历史时期的基本内容。因此，虽然到目前为止我们对撒剌的历史活动仍一无所知，但这并不妨碍我们利用今本《辽史》提供的先祖世系顺序，将这个完整而特殊的历史时代，命名为"撒剌的时代"。但是，于此必须说明的是：所谓"撒剌的时代"，除了包含着撒剌的两位兄长的历史事迹之外，事实上还包括了在阿保机之前，曾经分别担任过迭剌部夷离堇职务的其他世里氏家族成员。例如：与撒剌的为同代人之鼋古只、辖底与偶思（即帖剌三子），与撒剌的为下辈人之胡古只、末掇、楚不鲁（即岩木三子）及滑哥（即释鲁之子）等。所以，我们也将这些人的历史事迹，统统纳入"撒剌的时代"——这个完整而又特殊的历史阶段之内。

据《辽史》记载：辽太祖耶律阿保机之二伯父即撒剌的次兄岩木，曾经三次出任迭剌部夷离堇职务，岩木在位期间同样是以军功而建立起不世之功勋。史称，岩木：

> 身长八尺，多力，能裂麕皮。语音如钟，弥里本岭去家数里，尝登岭呼其从，家人悉闻之。①

麕，即牡鹿，故麕皮就是躯体庞大而又质地坚硬的公鹿皮。由此可以了解到岩木是一位孔武有力的契丹武士，这在部落社会是备受部人敬仰的英雄人物！史称，岩木四十五岁时病殁，这也正说明岩木是生活在 9 世纪末期的契丹历史人物。

辽太祖耶律阿保机之三伯父即撒剌的三兄释鲁，也应该是一位曾经多次担任迭剌部夷离堇职务的人，因为释鲁后来不仅担任契丹部落大夷离堇职务，还因为事实上已经控制了部落领导权而被推举为大于越，成为总领契丹部落军政大权的真正统治者，被部落人口称之为"于越王"。据《辽史》祖州于越王城条记载：

> 太祖伯父于越王述鲁西伐党项、吐浑，俘其民放牧于此，因建城。

---

① 《辽史》卷 64《皇子表·玄祖四子·岩木》，中华书局 1974 年版，第 963 页。

在州东南二十里，户一千。①

也就是说，释鲁在位期间曾经俘获党项、吐浑部落人口千余户，就安置在后来辽朝建立的祖州境内，说明这些战争俘获人口已经成为世里氏家族的私有财产。同样，据《辽史》记载：

> 先是德祖俘奚七千户，徙饶乐之清河，至是创为奚迭剌部，分十三县。②

将奚族被俘人口分置为十三县，已经是辽太祖担任迭剌部夷离堇及大部落夷离堇时期的事情了，确切地说是 903 年的事情；而《营卫志》则将此事置于鲜质可汗时期③，笔者认为还是置于耶澜可汗时期比较恰当。但不管怎么说这些奚族被俘人口都是撒剌的对外扩张的战利品。

此外，其他曾经担任迭剌部夷离堇的世里氏家族成员，也大都因势利导地作出了自己的历史贡献，因为资料缺乏关系此不赘述。

但是，历史研究除了钩稽补充历史资料之外，同时还要不断地整理与研究历史资料。譬如《新唐书》关于 9 世纪末期契丹部落发展实际的历史描述，就因为参考资料的缺乏而在具体撰写中，不仅表现出强烈的臆度与猜测等非严谨性的描述，甚至还体现出缺乏严格考校而造成的"张冠李戴"现象，例如下面的一段描述就体现了这一点：

> 习尔之死，族人钦德嗣。光启时，方天下盗兴，北疆多故，乃钞奚、室韦，小小部种皆役服之，因入寇幽、蓟。刘仁恭穷师逾摘星山讨之，岁燎塞下草，使不得留牧，马多死。契丹乃乞盟，献良马求牧地，仁恭许之。复败约入寇，刘守光戍平州，契丹以万骑入，守光伪与和，帐饮具于野，伏发，禽其大将。群胡恸，愿纳马五千以赎，不许。钦德

① 《辽史》卷 37《地理志一·祖州于越王城条》，中华书局 1974 年版，第 443 页。
② 《辽史》卷 1《太祖纪上》，中华书局 1974 年版，第 2 页。
③ 《辽史》卷 33《营卫志下·部族下》，中华书局 1974 年版，第 388 页。

输重赂求之，乃与盟，十年不敢近边。①

如前所述，习尔之可汗即遥辇氏时期的鲜质可汗②，契丹部落的崛起就肇始于鲜质可汗时期，这应该是不存在任何疑问的。但是，上述引录史料所存在的严重错误，就在于它将鲜质可汗的继嗣者完全混淆！事实上，鲜质可汗的继嗣者是耶澜可汗而非痕德堇可汗，耶澜可汗的继嗣者才是钦德可汗（即痕德堇可汗）。故唐朝光启年间（885—888 年）在位的契丹可汗，应该是耶澜可汗而非痕德堇可汗。又，刘仁恭割据幽州始于唐朝乾宁二年（895 年），结束于后梁乾化三年（913 年），故与刘仁恭父子订立盟约者正是钦德可汗，这是发生于公元 10 世纪初期的事情。又据《辽史》记载：

> 唐天复元年，岁辛酉，痕德堇可汗立，以太祖为本部夷离堇。③

是知，痕德堇可汗即位于唐天复元年（901 年）。则由此可以推知：耶澜可汗在位的历史时间，应该是始于光启元年以前而结束于天复元年（901 年）；而"撒剌的时代"也正好是结束于这一年。在这个历史时期内，契丹部落社会又经历了诸多历史风雨的冲击与洗礼。如前面所引史料，

> 光启时，方天下盗兴，北疆多故，乃钞奚、室韦，小小部种皆役服之，因入寇幽、蓟。

---

① 《新唐书》卷 216《契丹》，中华书局 1956 年版。
② 《辽史》卷 45《百官志一》"遥辇九帐大常衮司"具列遥辇九可汗名称：洼、阻午、胡剌、苏、鲜质、昭古、耶澜、巴剌、痕德堇，中华书局 1974 年版，第 711 页。然而，在《世表》中，仅列出四位可汗，即阻午、耶澜，并以习尔之当巴剌可汗、以钦德当痕德堇可汗，第 955—956 页。这种对应方式除钦德与痕德堇在对音上不存在问题外，习尔之与巴剌则在对音和史实两方面都存在问题。而痕德堇，《太祖纪》明确记载，"唐天复元年，岁辛酉，痕德堇可汗立"，第 1 页。而耶澜可汗：《兵卫志上》记载"遥辇耶澜可汗十年，岁在辛酉"云，第 396 页。中华书局标点本：《辽史》对此校勘曰："按《世表》，耶澜可汗在唐会昌间"，与此不合云云；又曰：《太祖纪》述痕德堇可汗事，"较近实际"，第 400 页。故笔者认为天复元年或是耶澜可汗与痕德堇可汗的交替之际，鲜质可汗后，为耶澜可汗；再后，为痕德堇可汗。
③ 《辽史》卷 1《太祖纪上》，中华书局 1974 年版，第 1 页。

这里所说的"天下盗兴"，乃是指唐朝境内而言；"北疆多故"则是指北方草原地区发生的翻天覆地变化，沙陀突厥部落由西向东迁徙，并连带影响到吐谷浑部落向今内蒙古中南部及陕西、山西北部与甘宁地区的转徙；还有大量的突厥、回鹘部落从漠北草原向河西走廊、西域地区以及中亚草原转移，并由此引发了数目众多的室韦部落纷纷从大兴安岭东端森林草原地带向漠北草原地区的迁徙。所有这一切，使得当时北方草原地区呈现出一派全新的部落集合与融会的庞杂场面与蔚然气象。就在这种历史氛围之中，契丹部落已经悄然崛起，奚、霫、室韦等"小小部种皆役服之，因入寇幽、蓟"，开始成为幽州藩镇的强大对手。根据唐末五代时人回忆，

> 距幽州北七百里有榆关，东临海，北有兔耳、覆舟山。山皆斗绝，并海东北，仅通车，其旁地可耕植。唐时置东西狭石、渌畴、米砖、长扬、黄花、紫蒙、白狼等戍，以扼契丹于此。戍兵常自耕食，惟衣絮岁给幽州，久之皆有田宅，养子孙，以坚守为己利。自唐末幽、蓟割据，戍兵废散，契丹因得出陷平、营，而幽、蓟之人岁苦寇钞。自涿州至幽州百里，人迹断绝，转饷常以兵护送，契丹多伏兵盐沟以击夺之。①

也就是说，自9世纪后期开始，更恰当地说就是在"撒剌的时代"，契丹部落与幽州藩镇的接触已经以侵略或扩张的形式出现了，而且这种接触也日益频繁。所以，这才造成了幽州东部及其周围地区不断受到契丹部落"侵凌"的严重灾患。

那么，"撒剌的时代"究竟包括了怎样的历史内容呢？首先，迭剌部夷离堇与部落夷离堇（即大夷离堇或大迭烈府夷离堇）职务，已经完全掌握在世里氏家族部分权贵家庭的手中，如帖剌及其子孙在部落社会荣膺"夷离堇房"的称誉，就说明了本部夷离堇职务集中于其家庭的历史现象，据说帖剌之子偶思就是罨古只之前出任本部夷离堇的重要人物。因此，就契丹部落社会内部而言，社会变革的不断发展，造成了个体家庭力量的不断增长。于是，部落贵族之间尔虞我诈、争权夺利的现象，便不断地发生。

---

① 《新五代史》卷72《契丹》，中华书局1974年版，第892页。

譬如：

> 辖底，字涅烈衮，肃祖孙夷离堇怗剌之子。幼黠而辩，时险佞者多附之。遥辇痕德堇可汗时，异母兄罨古只为迭剌部夷离堇。故事，为夷离堇者，得行再生礼。罨古只方就帐易服，辖底遂取红袍、貂蝉冠，乘白马而出。乃令党人大呼曰："夷离堇出矣！"众皆罗拜，因行柴册礼，自立为夷离堇。与于越耶律释鲁同知国政。①

这种部落社会内部自然形成的权力争夺现象，标志着契丹部落社会的发展已经面临着一种全新的社会发展形态的抉择，即专制主义政治体系的即将诞生！这是部落社会发展形态的重要进步，也是部落社会基本组织与管理形式的不断提高。所以，"撒剌的时代"的第二个历史内容，就是表现于部落社会之外的侵略与扩张。契丹部落此时不仅征服了周围地区的奚族、室韦部落群团，而且还将自己的征伐对象向西推及于党项、吐谷浑——这些主要分布于今内蒙古中西部地区的部落群团，向东又将征服地区扩展到早于契丹立国近200年的渤海封建王朝。

但是，就在契丹部落对外扩张一片凯歌之际，幽州藩镇势力的重新崛起，为契丹部落南下及其与中原地区的经济文化交流等，横立起一道强大的屏障，据《新五代史》记载：

> 某部大人遥辇次立，时刘仁恭据有幽州，数出兵摘星岭攻之，每岁秋霜落，则烧其野草，契丹马多饥死，即以良马赂仁恭求市牧地，请听盟约甚谨。②
>
> 刘守光戍平州，……禽其大将。群胡恸，愿纳马五千以赎，不许，钦德输重赂求之，乃与盟，十年不敢近边。③

---

①　《辽史》卷112《逆臣上·辖底》，中华书局1974年版，第1498页。
②　《新五代史》卷72《四夷附录第一·契丹》，中华书局1974年版，第886页。
③　《新唐书》卷219《北狄·契丹》，中华书局1975年版，第6172—6173页。

契丹人应该如何消除这道不利的政治屏障与自然屏障？这已是部落社会必须予以解决的重要问题。因此，伴随着这个重要问题的解决过程，在契丹部落社会内部便又上演了一幕颠覆遥辇氏政治统治核心地位的历史戏剧，从而在遥辇氏政治统治基础上诞生了第一个比较彻底的封建专制主义政权，即耶律阿保机建立的皇府统治机构。

（任爱君　撰稿）

二、耶律阿保机的亲族

1. 阿保机的堂叔辖底父子与"诸弟之乱"

耶律辖底，乃辽懿祖萨剌德次子帖剌之子。萨剌德即辽太祖之曾祖，帖剌与太祖祖父匀德实为兄弟行，故辖底与辽太祖阿保机乃为堂叔侄关系。辖底的父亲帖剌，曾经两次担任迭剌部夷离堇职务，其中第二次担任夷离堇的时间，就在唐朝咸通十三年（872 年）前后。当时，辽太祖阿保机之祖父、后来被追赠为玄祖皇帝的匀德实，已经被部人狼德等人杀害，这是由于世里氏家族内部争权夺利斗争而引起的契丹部落政治动荡。就在这充满了血雨腥风的动荡之际，匀德实之次兄、辽太祖阿保机的伯叔祖帖剌，又第二次顺利地当选为迭剌部夷离堇，并以夷离堇身份重新纠集起世里氏家族的政治军事实力，在其他部落贵族家族支持下，彻底平息了狼德等人掀起的部落反叛势力。不仅稳定了契丹部落社会的平稳发展状态，同时也再一次地稳定了世里氏家族的军事领导地位。这在辽朝先世祖先的功绩中，应该说帖剌之功具有不可替代的历史作用。大约也正因如此，帖剌的子孙们从此也拥有了世代选举迭剌部夷离堇的权力。

帖剌，在辽太祖的先世祖先中不仅是一位响当当的历史人物，也是一位妻妾成群的大贵族，起码在《辽史》中就记载了他的两位异母所生的儿子：罨古只与辖底。如史载：

> 辖底字涅烈衮，肃祖孙夷离堇怗剌（即帖剌——笔者，下同）之子。幼黠而辩，时险佞者多附之。遥辇痕德堇可汗时，异母兄罨古只

（当选）为迭剌部夷离堇。故事，为夷离堇者，得行再生礼。罨古只方
就帐易服，辖底遂取红袍、貂蝉冠，乘白马而出，乃令党人大呼曰：
"夷离堇出矣！"众皆罗拜，因行柴册礼，自立为夷离堇。①

这则史料不仅说明贵族帖剌确实拥有许多妻妾，而且也说明帖剌的妻妾之子
也都拥有世选迭剌部夷离堇的权力。姑且不论辖底出任夷离堇是否属于正当
选举范畴，起码表明在契丹部民乃至迭剌部社会人口中共同存在着帖剌诸子
皆有可能当选夷离堇的认同意识。其实，这种认同意识也正是当时部落人口
对于耳熟能详的部落选举习惯的最后一道心理底线（即基本认同意识），否
则当时的部落社会也不会顺利地承认或者接受辖底所获得的夷离堇职务。

那么，辖底究竟做了些什么？他又是怎样的一个人呢？根据《辽史》
的记载，我们对于辖底其人可以有一个大致的了解。

辖底乃世里氏家族的主要成员之一，在痕德堇可汗即位的当年（即901
年），凭借着欺诈的手段从异母兄罨古只手中夺取了迭剌部夷离堇职务，
"与于越释鲁同知国政"②。辖底之父帖剌，乃辽朝先祖玄祖皇帝匀德实之次
兄，释鲁乃玄祖皇帝匀德实之第三子，故辖底与释鲁之间乃兄弟行。如前所
述，当"撒剌的时代"末期，辽太祖阿保机之父亲、德祖皇帝撒剌的死后，
辽太祖之三伯父释鲁开始以契丹部落即遥辇氏汗国大于越的身份，全面掌握
和控制了契丹部落军政实权。当遥辇氏最后一位可汗痕德堇可汗即位之后，
契丹部落各级社会职务也同时进行重新选举，迭剌部选举罨古只担任本部落
夷离堇，但却造成选举结果被辖底强行篡夺的结局。应当说，辖底能够窃取
与篡夺部落及家族选举夷离堇的权力并最终形成不可改变的事实，其中包含
着三方面的原因：其一，部落内部的选举已经成为一种并非重要的形式，部
落内部的许多社会职务已经演变为被某些强大家族或贵族家庭完全控制的工
具；其二，可汗的权力已经不能够有效地控制与调节部落社会内部的重大事
务，可汗的决策权已经荡然无存；其三，迭剌部代表的世里氏家族利益也逐
渐地被集中垄断于匀德实子孙的手中。释鲁当政时期能够容忍与接纳辖底作

---

① 《辽史》卷112《逆臣上·辖底》，中华书局1974年版，第1498页。
② 《辽史》卷112《逆臣上·辖底》，中华书局1974年版，第1498—1499页。

为垄断契丹汗国军政事务的助手与伙伴，也说明释鲁个人于其中所发挥的微妙作用。因此，学界有人认为辖底其实就是于越释鲁的同党①，这是中的之论。但是，辖底担任迭剌部夷离堇的时间并不长，就在他篡夺本部落夷离堇职务后不久，世里氏家族便又爆发了一次声势极大的争权夺利的斗争，于越释鲁被反对者杀害，而且反对派别的主要成员中就有释鲁本人的儿子滑哥！史称：

> 及释鲁遇害，辖底惧人图己，挈其二子迭里特、朔刮奔渤海，伪为失明。后因球马之会，与二子夺良马奔归国。②

这条史料说明辖底与于越释鲁之间确实存在比较密切的联系，否则于越释鲁被杀也不会导致辖底举家逃亡渤海境内。

如所周知，耶律阿保机是耶律释鲁的衣钵承继人，据《辽史》记载，阿保机能够参与部落事务之后，就成了伯父释鲁最为倚重与信赖的重要成员之一，并成为伯父释鲁随身卫队即"挞马狨沙里"的长官（即"阿主沙里"意即大沙里）。据说释鲁生前曾语于阿保机曰："吾犹蛇，儿犹龙也！"③ 这就意味着释鲁已将更大的振兴世里氏家族期望完全寄托在阿保机身上！因此，释鲁被杀害的直接结果，就造成了痕德堇可汗直接任命阿保机出任迭剌部夷离堇与契丹部落夷离堇的双重职责。阿保机也正是由其所担任的迭剌部夷离堇和契丹部落夷离堇——这两个重要职务而一飞冲天，不仅彻底地控制了契丹部落的领导权，还迫使遥辇氏让出了世代选举可汗的权力，由世里氏家族完全取代了遥辇氏曾经拥有的部落最高领导地位。因此，就这种意义上而言，在耶律释鲁执政时期，耶律辖底与耶律阿保机都是释鲁政治集团的主要人物。所以，当阿保机平息了由剋（部落官号）萧台晒、蒲古只等三族与释鲁之子滑哥相勾结发起的争权夺利的叛乱之后，逃亡渤海境内的辖底父子自然会主动地回归到契丹部落中来。这在《辽史》中也留下了比较清晰

① 唐统天：《契丹疑案——谁是杀害于越释鲁的正凶?》，《辽金契丹女真史研究》1985 年第 1 期。
② 《辽史》卷 112《逆臣上·辖底》，中华书局 1974 年版，第 1498 页。
③ 《辽史》卷 73《耶律曷鲁传》，中华书局 1974 年版，第 1221 页。

的历史记录，即辖底父子后因毬马之会夺良马奔归国，并且在归国之后，依然受到了已经操持契丹部落政治权柄的耶律阿保机的礼遇与优待。据说，当907年正月，阿保机迫使遥辇氏禅让可汗位于世里氏家族之际，阿保机曾经以契丹可汗之权威相让于叔父辖底，辖底辞不受命，阿保机始即可汗位①。并且，阿保机在夺取契丹可汗权位过程中，与辖底之子迭里特关系尤其密切，史称：

> 　　迭里特，字海邻，有膂力，善驰射……太祖在潜，已加眷遇，及即位，拜迭剌部夷离堇。太祖尝思鹿醢解酲，以山林所有，问能取者。迭里特曰："臣能得之。"乘内厩马逐鹿，射其一。欲复射，马跌而毙。迭里特跃而前，弓犹不弛，复获其一。帝欢甚曰："吾弟万人敌！"……帝以其亲，每加赐赉。②

由此亲近而密切之关系而论，假如后来没有发生那样声势巨大的反叛阿保机的部落战争，辖底父子的政治地位恐怕还要远远地高于耶律曷鲁、萧敌鲁诸人！因此，唐天复元年（901年）十月之前，阿保机能够迅速地获得迭剌部夷离堇与大迭烈府（即契丹部落军事最高机构）夷离堇职务，除了机缘巧合的因素之外，恐怕还与耶律释鲁集团的培养与支持密切相关。

史称，辖底等人在政治取向上最终形成与耶律阿保机分道扬镳之局面，原因就在于世里氏家族对于契丹可汗职务的觊觎与争夺。据辖底传记载：

> 　　太祖将即位，让辖底，辖底曰："皇帝圣人，由天所命，臣岂敢当！"太祖命为于越。及自将伐西南诸部，辖底诱剌葛等乱，不从者杀之。③

这里记载的太祖即位，乃指公元907年正月即契丹可汗位。辽太祖阿保机曾

---

①　《辽史》卷112《逆臣上·辖底》，中华书局1974年版，第1498页。

②　《辽史》卷112《逆臣上·辖底附子迭里特传》，中华书局1974年版，第1499页。

③　《辽史》卷112《逆臣上·辖底》，中华书局1974年版，第1498页。

经以契丹可汗的权位相让于堂叔辖底，辖底不受遂封拜为契丹部落大于越职务，成为契丹新可汗耶律阿保机的主要辅佐大臣。辖底与阿保机之间的君臣关系保持约五六年，因为可汗权位的诱惑，辖底最终产生了取代阿保机的反叛心理。据《辽史》记载：辖底反叛心理的形成，其实乃部落社会事实存在的世选观念及家族力量共同影响的直接结果。据辖底传记载：

> 辖底诱剌葛等乱，不从者杀之。车驾还至赤水城，辖底惧，与剌葛俱北走，至榆河为追兵所获。①

根据此段史料记载来看，所谓"辖底诱剌葛等乱"，即指912年10月，契丹国内爆发的第二次"诸弟之乱"以及与之紧密相连的第三次"诸弟之乱"，这是由辖底等直接策动并直接参与的反叛阿保机的部落内部战争。其实，早在第二、三次"诸弟之乱"爆发之前，即912年以前，阿保机诸弟剌葛、迭剌、寅底石、安端等人就已经公开向身为可汗的长兄阿保机索要各种部落社会的职权。如：911年5月

> 皇弟剌葛、迭剌、寅底石、安端谋反。安端妻粘睦姑知之，以告，得实。上不忍加诛，乃与诸弟登山刑牲，告天地为誓而赦其罪。出剌葛为迭剌部夷离堇，封粘睦姑为晋国夫人。②

这是阿保机诸弟集团发动的第一次谋反。此次谋反，仅仅维持了数天的时间，就因为家庭内部成员的彻底揭发而流产。但是，谋反的主谋次弟剌葛则因此获得了迭剌部夷离堇的职务。据耶律曷鲁传记载：

> 太祖为于越，秉国政，欲命曷鲁为迭剌部夷离堇。辞曰："贼在君侧，未敢远去。"③

---

① 《辽史》卷112《逆臣上·辖底》，中华书局1974年版，第1498页。
② 《辽史》卷1《太祖纪上》，中华书局1974年版，第5页。
③ 《辽史》卷73《耶律曷鲁传》，中华书局1974年版，第1220页。

据《辽史》，辽太祖被遥辇氏痕德堇可汗任命为于越，乃 903 年末之事，当时曷鲁辞却迭剌部夷离堇职务之后，在《辽史》的记载中并未发现太祖将此职务轻易委派他人的记录。说明自 901 年被任命迭剌部夷离堇直到 911 年 5 月之前，辽太祖都是同时兼任着数种要职，故诸弟集团的第一次反叛就很轻易地攫取了迭剌部夷离堇职务，这是从耶律阿保机手中直接夺取的权力。诸弟集团发动的第二次谋反，即 912 年秋季，辽太祖亲自率领大军北征蒙古草原诸部，又分兵次弟剌葛等攻略幽州所领平州地区。是年冬，就在两路大军同时取得胜利之际，剌葛又与迭剌、寅底石、安端诸人勾结，再次掀起反叛，并派出军队阻截阿保机回归部落之路。结果，迫使阿保机不得不绕道南下，自平州北境进入契丹本土境内，采取出其不意的战略战术，迂回到了诸弟集团的战略后方，迫使诸弟集团缴械投降。史称：大军迂回而入之后，

> 王师次赤水城，弟剌葛等乞降。上素服，乘赭白马，以将军耶律乐姑、辖剌偅阿钵为御，解兵器、肃侍卫以受之，因加慰谕。剌葛等引退，上复数遣使抚慰。①

此次反叛，自 912 年 10 月至 913 年 1 月，历时近四个月，已经具备了军事攻略的全部条件，主要是因为阿保机采取出其不意的战略战术，才最终避免了双方直接的兵戎对垒。虽然，阿保机打乱了诸弟集团的军事部署，并迫使剌葛等人主动投降，但是阿保机并没有完全彻底地消除反叛势力的武装力量，因此，仅隔一月之后，诸弟集团的第三次反叛便铺天盖地地席卷而来。所以，一定意义而言，诸弟集团所发动的第二、三次反叛活动是紧密联系在一起的，这也是辖底传所以将"车驾还至赤水城"与北逃榆河被追兵俘虏连在一起记载的真正缘由。

那么，辖底父子为何要煽动诸弟集团以武装抗衡方式反叛阿保机？原因只有一个，那就是趁机夺取契丹可汗的权位。那么，辖底父子煽动反叛的具体背景如何，易言之，辖底父子当时是如何估算自己的成功系数的呢？据耶律曷鲁传记载：

---

①　《辽史》卷 1《太祖纪上》，中华书局 1974 年版，第 6 页。

> 耶律曷鲁，字控温，一字洪隐，迭刺部人。……太祖既长，相与易
> 裘马为好，然曷鲁事太祖弥谨。会滑哥弑其父释鲁，……自是，曷鲁常
> 佩刀从太祖，以备不虞。……太祖为于越，秉国政，欲命曷鲁为迭刺部
> 夷离堇。辞曰："贼在君侧，未敢远去。"……即皇帝位，命曷鲁总军
> 国事。时制度未讲，国用未充，扈从未备，而诸弟刺葛等往往觊非望。
> 太祖宫行营始置腹心部，选诸部豪健两千余充之，以曷鲁及萧敌鲁
> 总焉。①

也就是说，通过曷鲁传的记载，可以认识到阿保机自从参与部落事务以来，就时刻提防着反对势力的攻击与报复。而耶律海里传的记载大约就更能说明问题了！

> 耶律海里，字涅刺昆，遥辇昭古可汗之裔。太祖传位，海里与有力
> 焉。初受命，属籍比局萌觊觎，而遥辇故族尤觖望。……以故太祖託为
> 耳目。②

也就是说，阿保机夺取遥辇氏家族世选契丹可汗的权力之后，不仅遥辇氏家族及其追随者表现出了强烈的不满情绪，而世里氏家族内部也由此揭开了新的权力争夺的序幕。据耶律欲稳传记载：

> 耶律欲稳字辖刺干，突吕不部人。祖台押，遥辇时为北边拽刺，简
> 献皇后与诸子之罹难也，尝倚之以免。太祖思其功不忘，……乃命典司
> 近部，以遏诸族窥觎之想。……及平刺葛等乱，以功迁奚迭刺部夷
> 离堇③。

又据《太祖纪》记载：太祖初元七年（913 年）春三月癸丑，

---

① 《辽史》卷 73《耶律曷鲁传》，中华书局 1974 年版，第 1219—1221 页。
② 《辽史》卷 73《耶律海里传》，中华书局 1974 年版，第 1226—1227 页。
③ 《辽史》卷 73《耶律欲稳传》，中华书局 1974 年版，第 1226 页。

次芦水，弟迭剌哥图为奚王，与安端拥千馀骑而至，绐称入觐。上怒曰："尔曹始谋逆乱，朕特恕之，使改过自新，尚尔反覆，将不利于朕！"遂拘之。以所部分隶诸军。①

这则史料说明，已经被阿保机迫降的诸弟集团，由于三弟迭剌渴望获得奚王的职权而对长兄采取骑兵突袭的措施；但因为阿保机防范有力，不仅挫败了迭剌、安端等人的军事阴谋，同时也采取全部没收迭剌、安端等人武装力量的果断措施。史料关于"以所部分隶诸军"的记载，就是说将迭剌等人的军事武装力量予以彻底的剥夺，并纳入阿保机的军事构成之中。这说明当时契丹部落社会内部贵族之家都拥有自己的军事武装力量，而阿保机军政实力的强大也不过是将诸多的军政实力组合到一起的结果。贵族集团凭借手中拥有的实力不凡的军事武装力量，成为当时部落社会内部战乱纷起、兵火频仍的主要原因。剌葛、迭剌等人以及辖底、滑哥等也莫不如此。但是，应当看到由于阿保机采取的剥夺诸弟集团军政实力的严厉措施，最终直接引发了一次部落社会内部大规模的军事冲突；尤其是当迭剌等人被拘押及其军事力量被没收之后，对于剌葛以及辖底等人都产生了极大的影响。史称：

而剌葛引其众至乙室堇淀，具天子旗鼓，将自立，皇太后阴遣人谕令避去。会弭姑乃、怀里阳言车驾且至，其众惊溃，掠居民北走，上以兵追之。剌葛遣其党寅底石引兵径趋行宫，焚其辎重、庐帐，纵兵大杀。皇后急遣蜀古鲁救之，仅得天子旗鼓而已。其党神速姑复劫西楼，焚明王楼。上至土河，秣马休兵，若不为意。……夏四月戊寅，北追剌葛。②

阿保机对于迭剌、安端的严厉惩处，不仅没有达到防患于未然的目的，反而迫使剌葛等人采取了变本加厉的对抗手段，分兵焚毁与扫荡了阿保机的所有根据地，即派遣四弟寅底石焚毁阿保机的可汗行宫——辎重所在的老营盘，

① 《辽史》卷1《太祖纪上》，中华书局1974年版，第6页。
② 《辽史》卷1《太祖纪上》，中华书局1974年版，第6—7页。

使皇后述律氏仅能自保而已；又派出神速姑焚毁阿保机的老巢——世里氏家族所有的西楼之地。剌葛等人的大举进攻，使得绕道而归的阿保机不得不暂时驻军于土河流域，借休兵之名来躲避剌葛叛军的锋芒。值得注意的是，阿保机不仅激起了一次声势浩大的反叛，同时也酿成了一次本集团内部的大分裂。其一是参与此次叛乱的人除了阿保机的四位弟弟剌葛、迭剌、寅底石、安端之外，还有阿保机的母亲萧氏，在剌葛等人采取断然措施之际，皇太后（即阿保机母亲、后追赠宣简皇后萧氏）便悄悄地派人通报阿保机的军事动向，提醒剌葛等人及早从乙室堇淀附近撤离，以躲避阿保机军事力量的突然袭击；同时，阿保机的养子涅里思，也参与了诸弟集团所发动的叛乱。其二是叛乱的参与者，有前北府宰相萧实鲁、夷离堇涅里衮阿钵、大巫师神速姑、于越率懒之子化哥、前于越赫底里之子解里及于越辖底与其子迭里特，还有乙室府（即部）贵族迪里古、迷骨离部贵族特里等，涉及部落内部"诸帐族"贵族人物 300 余人、俘获从逆人口 6 000 余人。在这次声势浩大的反叛活动中，辖底父子发挥了比较重大的历史作用。史称：辖底被俘后，

> 太祖问曰："朕初即位，尝以国让，叔父辞之；今反欲立吾弟，何也？"辖底对曰："始臣不知天子之贵，及陛下即位，卫从甚严，与凡庶不同。臣尝奏事心动，始有窥觎之意。度陛下英武，必不可取，诸弟懦弱，得则易图也。事若成，岂容诸弟乎。"……囚数月，缢杀之。

与辖底同时被处死的还有他的儿子迭里特。史称，辖底临刑之前曾与太祖阿保机有一番意味深长的对话：

> 太祖谓曰："叔父罪当死，朕不敢赦。事有便国者，宜悉言之。"辖底曰："迭剌部人众势强，故多为乱，宜分为二，以弱其势。"①

据说，后来（即918年）辽太祖的股肱大臣耶律曷鲁临终之前，也曾建议

---

① 《辽史》卷112《逆臣上·辖底》，中华书局1974年版，第1499页。

由于迭剌部势力过于强大、应该细分为二以便控制云云①。辽太祖采纳了他的意见，将迭剌部划分为两个部落，即五院部与六院部（又称南、北院部，后升为南、北大王府）。从此以后，契丹专制主义中央政权日益巩固，部落社会内部再也没有发生大规模的流血冲突。这一切都说明了契丹专制主义政权建立前后，部落社会内部的激烈冲突，已经完全地转移到迭剌部内部即辽太祖的亲族集团之间。这是因为，曾经作为迭剌部即世里氏家族主要竞争对手的遥辇氏家族等契丹部落贵族家庭，此时已完全丧失了与世里氏家族抗衡的基本实力，他们已经不是世里氏家族的竞争对手了！如耶律海里这样出身高贵的遥辇氏家族成员都投身到世里氏家族集团之中，这说明部落社会内部发生的深刻变革，已经成功地造就了一批更具实力与发展前途的个体家庭力量，而且它们也正以摧枯拉朽之势不断地打破与粉碎原有氏族大家庭统治部落社会的一切固有的格局，促使契丹汗国政治形态的基本发展朝着集权主义政治方向不断迈进。

因此，913年3月爆发至914年7月最终平息的"诸弟之乱"反叛战争，事实上成为契丹社会变革的一道分水岭与标志性事件，它以新旧势力斗争的方式爆发，荡涤了部落社会内部一切陈旧与保守的东西，推动着部落社会变革的不断进步。时隔一年之后，即公元916年2月，阿保机便郑重宣布即皇帝位，将契丹可汗的世选方式彻底更改为专制主义皇权的父子继承形式。

（任爱君　撰稿）

2. 耶律曷鲁及其家族

耶律曷鲁与太祖阿保机同为辽朝先世祖先懿祖皇帝萨剌德的裔孙，因此，曷鲁与阿保机在亲族血缘关系上的区分乃是：曷鲁之祖父乃懿祖皇帝次子帖剌（又名蒲古只、匣马葛），阿保机之祖父乃懿祖皇帝三子即玄祖皇帝匀德实。帖剌与匀德实为同胞兄弟，故曷鲁与阿保机之间属于堂兄弟关系，而曷鲁之父偶思与辖底俱为帖剌之子，故曷鲁与辖底之亲缘关系较阿保机更为密切。

众所周知，公元872年，当辽朝先祖玄祖皇帝匀德实被族人耶律狼德击

---

① 《辽史》卷73《耶律曷鲁传》，中华书局1974年版，第1222页。

杀之后，耶律狼德等人基本控制了契丹部落的领导权，并派人四处追杀匀德实家人及其支持者。危难之际，玄祖寡妻萧氏率领家人，被迫流亡北边拽剌耶律台押家以避难。而与此同时，玄祖次兄帖剌在迭剌部重新选举本部夷离堇之际，又一次当选迭剌部夷离堇，然后利用已经到手的权力一举消灭狼德集团，重新恢复了世里氏家族统治部落社会的基本局面。此后帖剌的子孙们在较长时间内，较多地担任过迭剌部夷离堇的职务，如帖剌之子罨古只、辖底、偶思等都曾先后担任此职，故在部落社会中帖剌一房获得了"夷离堇房"的美誉，并在以后成为契丹六院部的主体力量之一①。

大约在帖剌死后，帖剌的子孙们就已经基本控制了世选迭剌部夷离堇的权力，但是部落社会最高军事权力，却被帖剌之幼弟匀德实的子孙所掌握。如遥辇氏时代末期，先后出任迭剌部夷离堇职务的帖剌之子偶思与辖底，都已经成为匀德实之子岩木与释鲁的忠实助手。但是，家族人口数目的过于庞大以及争权夺利斗争的不断发展，决定了有团结就有分裂的基本局面。901年前后，契丹部落内部发生的击杀大于越释鲁事件，就是耶律蒲古只家庭、萧台晒家庭与释鲁之子滑哥勾结的直接结果。这一事件迫使时任迭剌部夷离堇职务的耶律辖底举家逃亡渤海境内，阿保机重新稳定世里氏家族统治局面之后，辖底"归国"遂成为阿保机的主要辅佐人员之一。但是，907年阿保机最终剥夺遥辇氏家族世选契丹可汗权力之后，尤其是阿保机像释鲁那样将部落大于越、夷离堇以及本部夷离堇都集中于一身的时候，首先在世里氏家族内部便爆发了一次又一次的权力争斗。据《辽史》记载，阿保机先后将于越让位给耶律辖底、部落大夷离堇让位给辖底之子迭里特、家族事务的最高权力先后由次弟剌葛及释鲁之子滑哥负责（担任惕隐）、本部夷离堇让位于次弟剌葛。这些都应该是发生在911年左右的事情。但是，从此世里氏家族内部的矛盾就日益激化。912年发生试图拒绝阿保机"归国"的反叛事件，913年又发生迭剌与安端企图凭武力夺取奚王职权的政治阴谋。于是，世里氏家族内部也开始了比较剧烈的内部分化，首先是懿祖系统的帖剌家族内部演变为以辖底父子为首的反阿保机集团和以偶思父子为首的忠实阿保机

---

① 《辽史》卷64《皇子表》、卷73《耶律曷鲁传》、卷75《耶律铎臻传》及卷112《辖底传》，中华书局1974年版，第962—965、1219、1239、1498页。

集团，玄祖系统内演变为撒剌的家族剌葛为首的反阿保机集团和异母弟苏为首的忠实阿保机集团、释鲁之子滑哥为首的反阿保机集团以及前北府宰相萧实鲁为首的反阿保机集团与现北府宰相萧敌鲁为首的忠实阿保机集团，等等，由此揭开了阿保机时代唯一一次声势巨大的部落内争的序幕。

在阿保机时代声势巨大的部落内争的前前后后，偶思之子耶律曷鲁为维护阿保机刚刚建立的专制主义政治体制作出了巨大的历史贡献。据《耶律曷鲁传》记载，曷鲁自幼便与耶律阿保机关系密洽，并与阿保机一起得到当时当国任事的伯父释鲁的器重。释鲁被杀之后，曷鲁之父偶思临终之前也特别嘱咐曷鲁曰：

> "阿保机神略天授，汝率诸弟赤心事之。"已而阿保机来问疾，偶思执其手曰："尔命世奇才，吾儿曷鲁者，他日可委以事，吾已谕之矣。"既而以诸子属之。[1]

由于具有如此深厚的渊源关系，因此，阿保机当政任事之后，也以耶律曷鲁为心腹股肱之人，凡是一切军国大事非与曷鲁议论之后不得执行。及阿保机迫使遥辇氏禅让可汗职位之际，又是曷鲁在部落社会之内为阿保机制造了"龙锡金佩"等诸多舆论影响，成为阿保机创立契丹专制主义政权的得力干将。913年3月，"诸弟之乱"爆发之后，耶律阿保机遂任命曷鲁总领军事、负责追讨诸弟集团的主要成员。"诸弟之乱"对于阿保机刚刚建立的专制主义政权是重大的打击，阿保机自己在评论叛乱所造成的危害时，曾经说过这样的一段话：

> 此曹恣行不道，残害忠良，涂炭生民，剽掠财产。民间昔有万马，今皆徒步，有国以来所未尝有。[2]

因此，平定"诸弟之乱"之后即任命曷鲁为迭剌部夷离堇，目的在于控制主要力量、负责恢复社会生产等具体事宜。史称：

---

① 《辽史》卷73《耶律曷鲁传》，中华书局1974年版，第1219页。
② 《辽史》卷1《太祖纪上》，初元八年七月丙申条，中华书局1974年版，第10页。

> 时民更兵焚剽，日以抗敝，曷鲁抚辑有方，畜牧益滋，民用富庶。
> 乃讨乌古部，破之。自是震慑，不敢复叛。①

"诸弟之乱"造成的契丹部落社会经济生产的大倒退，在曷鲁的精心管理与引导之下很快得到了恢复与发展。而"诸弟之乱"所造成的周边属部集团的分离现象，也在耶律曷鲁的运筹与经略之下重新稳固。不仅如此，曷鲁还率领群弟共同辅佐耶律阿保机，如耶律觌烈"兄曷鲁典宿卫，以故觌烈入侍帷幄，与闻政事"②，耶律羽之"太祖经营之初，多预军谋"③。由于曷鲁倾心支持与扶助辽太祖阿保机创立契丹皇权政治，故被阿保机誉为开国二十一功臣之首，被譬喻为阿保机之"心"，二弟觌烈、羽之也名列功臣集团之中。918 年 2 月丙戌朔，迭剌部夷离堇耶律曷鲁等率群臣上尊号，于是，阿保机宣布更改契丹可汗号为皇帝，正式建元称制，将契丹社会纳入封建发展的轨道，开创了契丹部落社会发展的新局面。这一切，耶律曷鲁都居功甚伟！因此，曷鲁生前不仅被阿保机任命为迭剌部夷离堇，同时还任命为契丹国大于越并加封尊号为阿鲁敦于越；死后不仅被立嗣上京以时祭享，而且还赐名其坟墓所在山名为于越峪、墓道所在名为宴答。耶律曷鲁病殁之后，阿保机立刻宣布"命觌烈为迭剌部夷离堇"，继承其兄未竟的事业，全力负责南面进攻幽州事务。

由此可见，耶律曷鲁及其家族在契丹部落社会发展过程中具有独到的地位与历史作用。

但是，叙述至此，有些似乎游荡于主题之外的引申话头，也不能不提及。如果我们仔细地检索《辽史》中的相关记载，就会发现这样一个基本事实，即辽太祖专制主义政权建立前后，几乎所有契丹部落社会内争权夺利斗争的主战场，都已经转移到世里氏家族内部来进行。而世里氏家族内部争权夺利的斗争，某种程度上又呈现出懿祖系统与玄祖系统之间的抗衡，争端或者在两大派系之间展开或者就在某一派系内部进行。譬如玄祖匀德实被

① 《辽史》卷 73《耶律曷鲁传》，中华书局 1974 年版，第 1221 页。
② 《辽史》卷 75《耶律觌烈传》，中华书局 1974 年版，第 1237 页。
③ 《辽史》卷 75《耶律觌烈传附耶律羽之传》，中华书局 1974 年版，第 1238 页。

杀以及于越释鲁被杀事件等就应是在两大派系之间展开，罨古只夷离堇权位丧失事件则是在懿祖系统内部进行，而"诸弟之乱"则完全牵涉到两大派系并蔓延到整个部落社会之中。议论至此，笔者认为辽太祖析分迭剌部的基本目的，事实上就隐含着9世纪末期以来部落社会内部政治见解分歧的基本元素。据《辽史》记载，太祖划分迭剌部为两部分时，是按照一定的规程进行的，即

> 肃祖长子洽睿之族在五院司；叔子葛剌、季子洽礼及懿祖（长子叔剌无后）仲子帖剌、季子裹古直之族皆在六院司。此五房者，谓之二院皇族。玄祖伯子麻鲁无后，次子岩木之后曰孟父房；叔子释鲁曰仲父房；季子为德祖，德祖之元子为太祖天皇帝，谓之横帐；次曰剌葛，曰迭剌，曰寅底石，曰安端，曰苏，皆曰季父房。此一帐三房，谓之四帐皇族。二院治之以北、南二王，四帐治之以大内惕隐，皆统于大惕隐司①。

辽太祖对于迭剌部所采取的这种划分方式，初看似乎根据亲缘关系的远近而作出不同形式的具体处理，其实不然。以肃祖长子洽睿之后为五院司（即五院部），乃是因为洽睿对于迭剌部所作出的巨大贡献以及洽睿后人实力的强大；而以肃祖三子葛剌、四子洽礼以及懿祖次子帖剌（即夷离堇房）、四子裹古直（此非与帖剌同名，即舍利房）等四房人众，合并为六院司，说明以上这四房人口的基本数目，只与洽睿之后人所具有的基本数量大体相等。那么，这就产生了一个疑问，即号称夷离堇房的帖剌子孙及号称舍利房的裹古直子孙，缘何如此寡弱？个中缘由，就在于他们的势力已经在部落析分之前就被削弱了！例如，"诸弟之乱"所造成的直接后果，据《辽史》记载：

> 于越率懒之子化哥屡蓄奸谋，上每优容之，而反覆不悛，召父老群

---

① 《辽史》卷45《百官志一·北面皇族帐官》，中华书局1974年版，第707页。

臣正其罪，并其子戮之，分其财以给卫士①。

这里记载的是913年3—6月，曾经参与"诸弟之乱"的前于越释鲁之子滑哥的最终下场，而作为此次叛乱活动主谋的于越辖底父子的下场，也同样如此。所以，辽太祖将以上四房系统人口合并为一个新的部落集团，就向我们透露出了夷离堇房也被无情削弱的基本信息！但应该说明的是，四帐皇族曾经在很长一段历史时间内，都是以三父房的基本形式共同保存下来，他们共同构成辽朝前期的"横帐"机构，只是到了辽朝中后期之后尤其是兴宗、道宗两朝时期，辽太祖的子孙们才又从三父房系统中脱离出来，形成了单独的大横帐机构，并最终形成了四帐皇族。认识到辽太祖建国过程中，其亲族集团所发挥的不同作用及其呈现出来的不同的历史目的，有助于加深我们对于契丹辽朝历史的理解与掌握，尤其是对唐朝末年至辽朝前期历史的把握，更应该时刻注意到这种原始的大家族利益与社会变革过程中形成的个体家庭利益之间的冲突，这或许就是重新理解与认识契丹辽史的唯一的历史钥匙！

（任爱君　撰稿）

3. 让国皇帝耶律倍

耶律倍是辽太祖阿保机的长子，原本应该是辽太祖百年之后的第一顺序继承人，但是由于"阿保机时代"特定的历史发展特征，却最终造成了耶律倍"失位"以及失位之后泛海流亡到中原后唐政权的历史事实，也因此造成了耶律阿保机建立的封建专制主义政权，在相当长的历史时间内皇位继承制度极其紊乱的现象。尤其是在契丹辽朝前期的历史发展过程中，围绕着皇位继承问题发生的诸多历史问题，都是当今辽史研究中无法回避的重要问题，甚至迄今仍是影响着契丹辽史研究进展的焦点性问题。

根据《辽史》记载，耶律倍出生于唐昭宗光化二年（899年），当时，其父阿保机28岁、其母述律平21岁，正值"撒剌的时代"之末期，耶律释鲁等人已经完全控制了契丹部落在遥辇氏汗国时期的所有军政大权，世里氏家族已经进入如日中天的发展阶段。耶律倍出生两年之后，因为部落社会内

---

① 《辽史》卷1《太祖纪上》，中华书局1974年版，第9页。

部发生大于越释鲁被害事件，其父阿保机遂出任迭剌部夷离堇与大迭烈府夷
离堇等军政要职，也从此揭开了阿保机"化家为国"——建立专制主义政
权的历史序幕。当时，契丹部落社会事实上还存在着两个基本政治中心，即
以遥辇氏汗庭驻地为代表的"契丹龙庭"（后来的龙化州）和以世里氏家族
所在地为代表的霞濑益石烈（又名辖赖县，即后来的契丹西楼地）。耶律倍
的幼年生活，主要是随着其父母帐房的移动，而辗转于"龙庭"及辖赖县
周围的草原地区。

耶律阿保机与妻述律平共育子女四人，即长子耶律倍（小字兀欲）、次
子耶律德光（小字尧骨，生于唐天复二年即 902 年）、三子耶律李胡（小字
奚隐，生于后梁乾化二年即 912 年），一女名质姑（生卒年不详，估计或者
年长于兀欲或年幼于德光）。公元 907 年正月，阿保机迫使遥辇氏家族之痕
德堇可汗让出契丹可汗位，并在时任契丹北、南府宰相之萧辖剌、耶律欧里
思等贵族追随者的支持下，宣布即契丹可汗位于契丹龙庭，并举行了隆重的
即位典礼。时年耶律倍年仅 9 岁，其弟德光年仅 6 岁。公元 916 年 2 月丙戌
朔，阿保机在彻底平息以"诸弟之乱"为代表的反叛势力之后，宣布即皇
帝位于龙化州（即龙庭），国号契丹，建元神册元年，自称大圣大明天皇
帝，妻曰应天大明地皇后；3 月丙辰，册封长子兀欲为皇太子，时年耶律倍
年仅 18 岁、弟德光年仅 15 岁、李胡年仅 5 岁。据说，当辽太祖在三子中选
择太子人选的时候，就与应天大明地皇后述律平意见相左，史称：

> 太祖（即阿保机）尝观诸子寝，李胡缩项卧内，曰："是必在诸子
> 下。"又尝大寒，命三子采薪。太宗（即尧骨，耶律德光）不择而取，
> 最先至；人皇王（即兀欲，耶律倍）取其干者束而归，后至；李胡取
> 少而弃多，既至，袖手而立。太祖曰："长巧而次成，少不及矣。"而
> 母（即述律皇后）笃爱李胡①。

阿保机依照游牧社会品鉴人物的基本传统，所以要对诸子作出反复观察与检
验的基本目的，就在于能够从中选定一个未来皇帝权位的合适继承人。阿保

---

① 《辽史》卷 72《宗室传·李胡》，中华书局 1974 年版，第 1213 页。

机从三个儿子的具体考察中，最终赋予了长子耶律倍皇太子的身份，并在以后涉及契丹国内一切军政事务时，总是不忘时刻提携与培养长子的参政、理政能力，例如自916年至922年底，期间凡是阿保机亲自征讨周边部落皆以耶律倍为先锋都统①。918年，阿保机放弃了原有龙庭地区的政治中心地位，将契丹政治中心集中于西楼之地，并在那里建立了契丹政权的都城——皇都（即辽上京）。于是，契丹专制主义政权的管理问题，已经成为统治者必须予以重视的头等大事。因此，天赞元年（922年）年底，阿保机任命次子德光为天下兵马大元帅，负责征讨事务，皇太子耶律倍则主要经略幽燕地区并主管皇都事务，这是阿保机对于契丹政权战略思考的直接结果，从中可以看出阿保机政权建设中寓意深刻的政治目的。但是，以后随着契丹版图范围的迅速扩张，使得丝毫没有"大政体"管理经验的契丹统治集团，最终又倒向了突厥回鹘汗国"裂土分封"的老路。史称：

> 太祖西征，留倍守京师，因陈取渤海计。天显元年，从征渤海。拔扶余城，上欲括户口，倍谏……太祖从之。倍与大元帅德光为前锋，夜围忽汗城……太祖破之。改其国曰东丹，名其城曰天福，以倍为人皇王主之。②

这样，辽太祖阿保机自称契丹国之大圣大明天皇帝，述律后册封为应天大明地皇后，于是，遂有了与契丹国存在差别的东丹国和东丹国的君主——人皇王。差别虽然存在，但是体制则为一体，因为"天、地、人"本来就是古人观念中的一个完整的整体，所以，东丹国不是一个独立的政权，而是契丹政权统辖之下的一个非常具体的封国，它应该代表了辽太祖及太宗、穆宗时期契丹封国的基本形态。辽太祖将渤海故地分封给长子耶律倍，既是作为对其攻克渤海建议与军功的奖赏，又是在经济形态与生活习俗都不同于本土地区的新占领区实行统治的一种尝试。史称，阿保机任命三弟迭剌为东丹国左

---

① 《辽史》卷72《宗室传·耶律倍》，"数从征乌古、党项，为先锋都统"，即此。中华书局1974年版，第1209页。

② 《辽史》卷72《宗室传·耶律倍》，中华书局1974年版，第1209—1210页。

大相、原渤海国宰相为右大相、原渤海国司徒大素贤为左次相、堂弟耶律羽之（即曷鲁之弟）为右次相，以辅佐人皇王耶律倍管理东丹国。于是，阿保机与皇后述律平班师并驻夏于混同江流域，仍留大元帅尧骨（即德光）与皇弟安端等率军平息渤海境内反叛势力。而耶律倍、迭剌等人在护送太祖大军出境后，也都迅速返回各自封地、搬取家眷即刻赴任。但时隔数月之后，一件意想不到的事情发生了——辽太祖突然病殁！

据《辽史》记载，自天显元年正月丁丑，攻破渤海都城忽汗城之后，辽太祖于此居留月余，并于二月丙午始册立东丹国君臣，直到三月乙酉才押送渤海国王族等班师回归本土。四月丁亥朔人皇王率僚属于伞子山与太祖辞别。同年七月，东丹国左大相、皇弟迭剌染疾病殁，驻夏于扶余府附近的辽太祖接到讣闻后，即刻派遣皇弟寅底石前往东丹国接替迭剌之职，以辅佐东丹王。是月甲戌，辽太祖进驻扶余府，始染疾，七天之后即辛巳日晚薨逝。于是，应天大明地皇后述律平"称制，权决军国事"，她一面派人发送讣闻于契丹诸路大臣将领，一面派遣司徒划沙等人追杀太祖弟、东丹国左大相寅底石于途中。同年八月乙巳，人皇王耶律倍赴丧至皇都；九月壬戌，太祖异母弟、南府宰相苏暴毙；十月，卢龙汉军节度使卢文进率所部投降后唐政权；十一月，契丹南院部夷离堇耶律迭里及郎君耶律匹鲁等人被杀。史称：

> （迭里，孟父房岩木之孙）幼多疾，时太祖为挞马狘沙里，常加抚育。神册六年，为惕隐，从太祖将龙军讨阻卜、党项有功。天赞三年，为南院夷离堇，征渤海，攻忽汗城，俘斩甚众。太祖崩，淳钦皇后（即应天大明地皇后述律氏）称制，欲以大元帅嗣位。迭里建言，帝位宜先嫡长，今东丹王赴朝，当立。由是忤旨，以党附东丹王，诏下狱，讯鞫，加以炮烙；不伏，杀之，籍其家。①

可以说，耶律迭里等人可谓辽太祖阿保机忠心不二之股肱大臣，他们不仅忠于太祖未竟之事业，更加会忠心耿耿地执行太祖生前已定之大计等一切涉及军国事务的擘画。但是，此时当政执事之人毕竟已不同于太祖时期，应天大

① 《辽史》卷77《耶律安抟传》，中华书局1974年版，第1259—1260页。

明地皇后述律平个人性格及其政治野心的充分展示，决定了太祖时代一切政治擘画的戛然而止，也宣示了辽太祖时期的彻底终结。因此，在应天大明地皇后述律平的具体布置与安排之下，自天显元年（927年）七月至次年十一月，经历一年多时间的反复商讨后，终于完成了太祖之后契丹皇位的延续与传承，即太祖次子耶律德光战胜其兄长成为契丹政权的第二代皇帝。这就是《辽史》中著名的耶律倍丢掉皇位即"失位"事件。

所谓耶律倍"失位"的历史事件，应该说，与其母应天大明地皇后述律平的个人作为存在极大关系。据中原史书记载：

> 后（即述律平）任智用权，立中子德光，是为太宗，后称太后。左右有桀黠者，后辄谓曰："为我达语于先帝。"至墓所，即杀之。前后所杀以百数，最后平州人赵思温当往，思温不行，太后曰："汝事先帝亲近，何为不行？"对曰："亲近莫如后，后行，臣则继之。"太后曰："吾非不欲从先帝于地下，顾诸子幼弱，国家无主，不得往耳。"乃断一腕置墓中，思温亦得免，朝野号为断腕太后。后上京置义节寺，立断腕楼，且为树碑。①

此事，最早在《资治通鉴》中即有相同之记载，并云述律太后大杀功臣及其妻子等②。同时，在今本《辽史》中亦可得到一定程度的印证，如上述寅底石、耶律迭里事迹等在耶律安抟及耶律刘哥传中都有记载之外，关于述律太后断腕之事《辽史》也留下了相关的记录：

> 是岁太祖崩，应天皇后于义节寺断腕，置太祖陵。即寺建断腕楼，树碑焉。③

①　参见（南宋）叶隆礼：《契丹国志》卷13《后妃传·太祖淳钦皇后述律氏》。贾敬颜、林荣贵点校，上海古籍出版社1985年版。

②　（宋）司马光：《资治通鉴》卷275《后唐纪四》，明宗天成二年（927年）条，中华书局1956年版，第9001页。

③　《辽史》卷37《地理志一》，上京条，中华书局1974年版，第440页。

由此可见，这是应天大明地皇后称制期间，血雨腥风的政治争斗之部分剪影，所以，辽朝修史时将这一过程描述为"扶余之变"。而归根结底"扶余之变"究竟改变了什么呢？就是改变了辽太祖生前确定的皇位继承人！应天大明地皇后运用政治高压手段，迫使契丹大臣集团不得不改变自己的初衷，违心地抛弃了太祖确立的继承人耶律倍，重新推选了耶律德光为新皇帝。据中原史料记载：

> 契丹述律后爱中子德光，欲立之。至西楼，命与突欲（即兀欲，耶律倍）俱乘马立帐前，谓诸酋长曰："二子吾皆爱之，莫知所立，汝曹择可立者执其辔。"酋长知其意，争执德光辔欢跃曰："愿事元帅太子。"后曰："众之所欲，吾安敢违。"遂立之为天皇王。突欲愠，率数百骑欲奔（后）唐，为逻者所遏；述律后不罪，遣归东丹。[1]

由此看来，耶律倍"失位"确实是由述律太后一手造成的。那么，述律太后为何要处心积虑地剥夺长子耶律倍的皇位继承权呢？今本《辽史》中仅给后世留下两点值得参考的线索：第一，辽太祖的诸位弟弟（除安端一人之外）皆已成为此次"扶余之变"的直接受害者；第二，述律皇后尤其喜欢自己的次子德光与幼子李胡。史称辽太宗天显五年（930 年）三月，册立皇弟李胡为寿昌皇太弟兼天下兵马大元帅[2]。其实，善于阅读历史的人都知道，这无疑是述律皇后对契丹皇位继承方针的具体调整与擘画，基本宣告了耶律倍与契丹皇位的永久分离。通过这些线索以及上述史实，可以得出这样的一个结论：述律皇后并不看好耶律倍的个人能力，她更欣赏并寄厚望于次子尧骨和幼子李胡，并且应天皇太后与长子耶律倍之间的个人矛盾，似乎已经掺杂了诸多与太祖诸弟集团之间的恩恩怨怨。直到公元 947 年"横渡之约"的具体缔结，才使这种积郁很久的恩怨，最终以应天皇太后及李胡集团的政治失败而完全化解开来。

---

① （宋）司马光：《资治通鉴》卷 275《后唐纪四》，明宗天成元年（926 年）条，中华书局 1956 年版，第 8993 页。

② 《辽史》卷 3《太宗纪上》，中华书局 1974 年版，第 31 页。

因此，辽太宗天显五年（930年）册立皇弟李胡为天下兵马大元帅，标志着耶律倍皇位继承人资格的永久性剥夺，这就在契丹辽朝早期历史中演绎出了一个比较奇特的历史现象，即930年11月，人皇王耶律倍从今辽西沿海地区乘船渡海，直达山东半岛上岸（古登州），直接流亡中原后唐政权并得到后唐政权的隆重欢迎与优厚待遇。据说，耶律倍乘船之前曾经给家人留下一首告别诗：

> 小山压大山，大山全无力；羞见故乡人，从此投外国。①

通过这样的留言，可以察觉出当时以述律太后为首的阿保机家庭内部难以弥合的裂隙。耶律倍从此居留于后唐政权的都城洛阳，直到936年契丹帮助后晋灭亡后唐。耶律倍遂为后唐皇帝李从珂杀害，时年38岁。但是，耶律倍对于契丹辽朝历史发展的影响并没有结束。当930年耶律倍流亡后唐政权之后，耶律德光并没有完全削除其封王地位，而是诏令人皇王妃摄领东丹国事务。此后，如947年爆发的"栾城之变""横渡之约"，也正是契丹辽朝政权内部耶律倍系统与述律皇后、李胡系统激烈斗争的直接表现；而发生于951年的"祥古山之变"与发生于969年的"黑山之变"，又恰好呈现出了耶律倍系统与耶律德光、甚至李胡系统交叉斗争的具体状况。除此以外，据《辽史》记载，辽世宗（耶律倍长子耶律阮，小字兀欲）天禄元年九月，追谥人皇王耶律倍为让国皇帝②，即主动让出皇位的皇帝。同时，又将述律皇后蒲速碗斡鲁朵（即长宁宫）予以削弱、析分其民户成立归属耶律倍名下的"让国皇帝宫院"；而辽太宗耶律德光孤稳斡鲁朵似乎也遭到破坏，直到951年德光长子耶律璟即位之后，又重新整顿并改名为国阿辇（意即收国）斡鲁朵（即永兴宫）。这些，都已经显示出耶律倍系统对于曾经失去皇位的深刻记忆。故《辽史》记载：

> 太宗改葬于医巫闾山，谥曰文武元皇王。世宗即位，谥让国皇帝，

---

① 《辽史》卷72《宗室传·义宗倍》，中华书局1974年版，第1210页。
② 《辽史》卷5《世宗纪》，中华书局1974年版，第64页。

陵曰显陵。统和中，更谥文献（皇帝）。重熙二十年，增谥文献钦义皇帝，庙号义宗，及谥二后曰端顺，曰柔贞。①

耶律倍系统辽世宗耶律阮夺取皇位之后，又因为宫廷内部发生事变而导致皇位重新落入太宗耶律德光系统，19 年之后，又是因为宫廷事变而使皇位重新回到耶律倍嫡孙耶律贤（即辽景宗）手中。此时，耶律倍的个人"宫院"（即斡鲁朵）依然存在，只是到了圣宗朝才将耶律倍的"宫院"由圣宗弟、天下兵马大元帅、孝文皇太弟耶律隆庆全部继承，并改名曰"赤寔得本（意即孝顺）斡鲁朵"（即敦睦宫）。因此，可以说契丹辽朝政权的皇位继承，曾经在较长时间内游移于耶律倍与耶律德光两大支系之间，但至辽景宗即位之后，尤其是辽圣宗统治期间，契丹皇位继承不仅完全转移到耶律倍系统中来并且逐渐得到稳定。

所以，耶律倍及其所引发的契丹辽朝的历史问题，已经成为研究契丹辽史不可避免与无法回避的重大历史问题。这也导致耶律倍及其后裔，成为目前研究和解读契丹辽史必须研究的重要历史人物。

（任爱君　撰稿）

4. 耶律拔里得、耶律琮、耶律斡特剌与耶律察割

耶律拔里得，即辽太祖次弟剌葛之子，故与辽太宗为兄弟行。剌葛即太祖时期爆发的"诸弟之乱"的首脑人物。虽然辽太祖并没有对剌葛及诸弟采取严厉的杀戮手段，但从《辽史》的相关记载来看，太祖阿保机与剌葛之关系已经失去信任的基础。剌葛也没有切实的悔过表现，反而于神册二年（917 年）六月携带其子赛里保，趁机从幽州前线逃亡入晋王李存勖集团。其后，又自晋王集团逃入后梁政权并受到后梁皇帝的欢迎。923 年，晋王李存勖攻克后梁都城开封之后，剌葛父子成为晋土的俘虏而被处以极刑。但是，剌葛逃亡之后，遗弃家中的其他子女并没有受到牵连，反而由伯父阿保机将他们一一予以收留、抚养，这在已经发现的辽代墓志铭中即有记载，如：

---

① 《辽史》卷72《宗室传·义宗倍》，中华书局1974 年版，第1211 页。

（夫人之母）是大圣皇帝之侄女也，皇帝以祥×蛇虺，视若殊×，幼长皇宫，以为己女，乘龙下嫁于诸侯，班制欲（拟）于王后。①

这里记载的"夫人"，乃辽太祖三弟迭剌之孙耶律琮之妻郑国夫人。郑国夫人的母亲就是剌葛之女，自幼受到伯父阿保机的养育与照拂，并依照辽朝皇族婚嫁传统，下嫁国舅家族而成为拟于王后的"诸侯之家"。郑国夫人的母亲与耶律拔里得，即为同父兄妹或姊弟关系，因此，拔里得也应该是自幼养育于伯父家中的另一位成员。据《辽史》记载：

耶律拔里得，字孩邻，太祖弟剌葛之子。太宗即位，以亲爱见任。②

也就是说，在太祖朝之际，拔里得因为年幼而未能更多地参与、承担契丹军政事务，直到太宗朝时，拔里得才逐渐得到提拔与任用，并成长为契丹辽朝初期的一代名将。故耶律拔里得的事迹，主要彰显于辽太宗朝时期。根据今本《辽史》记载，耶律拔里得从辽太宗会同年间（938—947 年）开始显名于当时，不过在历史记载中留下了两个名字，即今本《辽史》中记载的耶律拔里得与当时中原史料系统中关于拔里得音译而来的"麻答"。元朝人在重新编订今本《辽史》时并未对相关人名进行认真审定，所以形成了两种名字同时著录今本《辽史》的特殊现象。例如：

（会同七年）二月甲辰朔，攻（后晋）博州，刺史周儒以城降。晋平卢军节度使杨光远密道辽师自马家口济河。晋将景延广命石斌守麻家口，白再荣守马家口。未几，周儒引辽军麻答营于河东，攻郓州北津，以应光远。晋遣李守贞、皇甫遇、梁汉璋、薛怀让将兵万人，缘河水陆俱进。……守贞等至马家口，麻答遣步卒万人筑营垒，骑兵万人守于

① 《耶律琮神道碑》，载盖之庸编著：《内蒙古辽代石刻文研究》，内蒙古大学出版社 2002 年版，第 48 页。

② 《辽史》卷76《耶律拔里得传》，中华书局 1974 年版，第 1246 页。

外，余兵屯河西。……五月癸酉，耶律拔里得奏破德州，擒刺史尹居璠及将吏二十七人。①

又，今本《辽史》"兵卫志"大首领部族军条记载有"麻答军"，等等。这里记载的耶律拔里得、麻答，其实记录的都是耶律拔里得一人。耶律拔里得为何又有"麻答"的别名呢？这是当时中原地区音译拔里得名字所造成的，只是后来元朝人重新编修《辽史》时，在史料取材方面包容了中原与契丹两方面分别积累的具体资料，但并未对这些资料进行认真排查与核实，故而形成了一人二名或一事两记的抵牾现象。

但从今本《辽史》记录"大首领部族军"中有"麻答军"的记载来看，所谓"麻答军"即当时中原五代人士关于契丹贵族私家军队的记录，而"麻答军"即耶律拔里得的军队。耶律拔里得能够拥有自己的军队，绝不可能是其本人自太祖、太宗两朝受到赏赐累积的结果。因为，即使太祖太宗的子孙中当时也并非所有人都能够拥有一支如此著名的军队，这说明"麻答军"，只能是拔里得继承乃父财产的直接结果，它反映出太祖时期曾经存在贵族阶层实行财产、土地与人口分封的基本信息，也证明了太祖太宗朝及其后相当长一段时间内，契丹部落社会内部贵族家庭确实拥有庞大私人势力（财产与军队）的具体事实。因此，《辽史》记载：

> 辽亲王大臣，体国如家，征伐之际，往往置私甲以从王事。大者千余骑，小者数百人，著籍皇府。国有戎政，量借三五千骑，常留余兵为部族根本。②

耶律拔里得，就是生活在这个只有出身高贵的家庭才能够拥有庞大的私人武装力量的时代。拔里得个人所拥有的军队在辽太宗朝时期，完全可以与太子军（即李胡的军队）、伟王军（即安端的军队）、永康王军（即人皇王之子耶律阮的军队）和于越王军、五押军等著名私人武装力量相媲美，从而成

---

① 《辽史》卷4《太宗纪下》，中华书局1974年版，第54页。
② 《辽史》卷35《兵卫志中·大首领部族军》，中华书局1974年版，第409页。

为契丹辽朝初期一支著名的军事力量。在辽太宗朝的后期，拔里得就是统率着属于自己的这支军队，不仅追随着太宗南征北战立下赫赫战功，也凭借着这支军队在"弱肉强食"的贵族政治氛围中脱颖而出，尤其是在辽太宗亲自发动的讨伐后晋政权的战争中，拔里得及其所率领的"麻答军"，为大辽王朝的建立作出了巨大的历史贡献。辽太宗灭亡后晋之后，拔里得及其"麻答军"成为控制契丹草原通向汴梁城的交通枢纽——镇州城的唯一主干力量，并且在中原扰攘、契丹政治势力严重衰退之际，也仍然充当了掩护契丹政治势力完整退出中原地区的最后一道军事屏障。因此，拔里得或麻答的名字，在五代后期的历史中对中原地区产生了巨大影响，也在后世的历史中留下了十分深刻的痕迹。耶律拔里得在辽世宗即位后，曾被任命为中京留守，中京（即镇州）陷落后汉政权之后，病殁（中原史料称天禄元年（947年）被辽世宗所杀）。拔里得之子耶律海里仕显于世宗朝，穆宗即位后，因海里与世宗关系密切而被削官，闲居家中，及景宗即位之后，耶律海里遂重新得到任用，官位累至南大王。据已发现的拔里得后人的墓志铭记载：

> 太祖天皇帝，绍百世之正统，开万世之宝系，公族衍盛，枝叶芬茂。故南大王讳璟，即帝之房孙也。故左金吾卫上将军讳宁，即公之长子也。协辅王室，许国之勋即著；并启土宇，烈壤之锡斯在。天邑之北，仅余百里，则公之故地焉。岚凝叠翠曰佛山，山之足民屋聚居，若郡邑之大曰义州[①]。

这里记载的南大王璟，即耶律海里；上将军宁即海里之子。而拔里得家族的世袭领地，即《辽史》失载的义州城，其遗址就在今赤峰市元宝山区小五家回族乡半截塔山之东南侧。也就是说，拔里得家族的世袭领地恰好位于契丹诸部与奚族驻牧范围之间。因此，拔里得家族领地的受封时间，不可能在南大王璟及上将军宁父子时期，而应该在剌葛与拔里得父子时期就已经获得，是辽太祖朝实行分封的直接结果。这样，才有了辽太宗朝时期著名的私

---

① （辽）咸雍八年《创建静安寺碑铭》，载盖之庸：《内蒙古辽代石刻文研究》，内蒙古大学出版社2002年版，第399页。

家军队——麻答军。

耶律拔里得（即麻答）病殁于辽世宗天禄元年（947年），其妻的鲁及子海里遂成为"麻答军"的新领主，并在世宗朝时期仍然发挥着极其重要的政治作用。当天禄五年（951年）九月，太祖幼弟安端之子太宁王察割及燕王述轧等人发动"祥古山之乱"、弑杀辽世宗及其妃后诸子之时，耶律拔里得的妻子的鲁也参与了此次政治阴谋，但察割等派人联络拔里得之子海里共同参与时则遭到海里的拒绝。此后，耶律海里遂积极拥护太宗之子寿安王耶律璟组织军队平定叛乱，并拥立寿安王即皇帝位（即辽穆宗），因此，的鲁也在辽穆宗即位之后被免予追究参与叛乱的罪责。但是，穆宗朝时期耶律海里并没有继续在朝廷内部为官，而是成为一个优游自得的闲居人士，个中原因恐怕也与耶律安抟等人一样，与辽世宗系过分亲密的缘故。史称：至辽穆宗朝时，

> 海里俭素，不喜声利，以射猎自娱。虽居闲，人敬之若贵官然。[①]

但是，当辽景宗即位之后，耶律海里马上得到起用，并逐渐成为景宗朝重要辅弼大臣之一。

> 保宁初，拜彰国军节度使，迁惕隐。秩满，称疾不仕。久之，复为南院大王。及曹彬、米信等来侵，海里有却敌功，赐资忠保义匡国功臣。帝屡亲征，海里在南院十余年，镇以宽静，户口增给，时议重之。封漆水郡王，迁上京留守，薨。诏以家贫给葬具。[②]

保宁，即辽景宗的第一个年号（969—979年）；彰国军，即辽朝西京道应州军号，应州密迩北宋政权，是契丹辽朝控扼今山西北部地区的襟要之地，也是南遏北宋的军事重镇，因此，海里出任彰国军节度使无疑是以皇族贵胄、国之栋梁身份承当；惕隐，即契丹辽朝专门管理皇族事务的重要官员，一般

---

① 《辽史》卷84《耶律海里传》，中华书局1974年版，第1311页。
② 《辽史》卷84《耶律海里传》，中华书局1974年版，第1311页。

非皇族直系亲属不能承担，这些职务也显示出景宗朝时期对于耶律海里的无限信任。海里出任南院大王之职，应该是在辽圣宗朝统和元年（983 年）左右，宋将曹彬、米信等北征契丹是统和四年（986 年，即宋太宗雍熙三年）三月之事，即北宋初期发动的著名的"雍熙北伐"。当时，辽朝名将、于越耶律休哥亲自主持南京幽都府一带的军事反击部署，北院枢密使、名将耶律斜轸则出任山西兵马都统。耶律海里等就是在耶律休哥及耶律斜轸等人的部署与领导下，直接参与了这次规模庞大的军事反击战争。史称：三月甲戌，

> 岐沟、涿州、固安、新城皆陷。……寰州刺史赵彦章以城叛，附于宋。辛巳，宋兵入涿州。顺义军节度副使赵希赞以朔州叛，附于宋。……彰国军节度使艾正、观察判官宋雄以应州叛，附于宋。

直到当年七月，此次反击战争最终以契丹军队的全面胜利而结束。

耶律琮，即《辽史》中记载的耶律合住，乃辽太祖三弟迭剌之孙。迭剌乃"诸弟之乱"的首要分子之一，913 年即因为图取奚王地位，与幼弟安端率领骑兵突袭太祖军营，从而揭开了契丹部落社会内部混战的序幕。叛乱平息之后的 918 年，迭剌又曾因"谋叛"，而遭到长兄即太祖皇帝的切责，断罪当论死刑，但在母亲皇太后等亲族的百端劝说之下，最终被开脱出来、免除死罪。其后，当 920 年太祖皇帝责令大臣制作契丹文字之际，迭剌又趁时参考回鹘等其他民族语言模式而制定出便于记忆的著名的契丹小字，并从此参与到辽太祖创立封建专制主义集权政治活动中来，逐渐恢复并取得了与长兄太祖皇帝之间的相互信赖关系。及辽太祖灭亡渤海国之后，迭剌遂被太祖任命为东丹国左大相，成为东丹国君主人皇王耶律倍的主要辅弼大臣之一。但仅隔五个月之后，迭剌即先于太祖而病殁，于是，四弟寅底石受命接替东丹国左大相的职务。这一切都说明：迭剌生前也应该如同刺葛家庭一样，在太祖朝时期就已经获得了一定程度的分封，并且已经成为契丹辽朝政权初期，客观存在的规模庞大的封建领主集团重要成员之一。但迭剌死后，其子名位不显，故其家庭状况与其他兄弟相比也比较孱弱。这应该与应天皇后述律氏摄政存在着比较重要的关系。据《辽史》记载：

　　耶律合住，字粘衮，太祖弟迭剌之孙。幼不好弄，临事明敏，善谈
论。初以近族入侍，每从征伐有功。保宁初，加右龙虎卫上将军。①

合住，或作曷尤、昌（曷之讹）尤，即耶律琼。所谓"以近族入侍"之记
载，应该是指辽太宗朝时期，大约在世宗及穆宗朝受到政治排挤，直到景宗
朝才重新返回契丹政治舞台。此事，据《耶律琼神道碑》记载：

　　公讳琼字伯玉，姓耶律氏，世为漆水郡人也，与国同宗……烈祖讳
匀赌衮，乃大圣皇帝之同母弟也……恭陪大圣皇帝，待有道而征无道，
改霸图而兴（王）图。富有天下，大崇宗嗣，乃公烈祖之勋也。厥后
大圣皇帝封建兄弟，赏异众臣……烈考讳允，与嗣圣皇帝为从昆弟……
公幼孤独……公方龄十有五祀，适偶嗣圣皇帝按兵观隙，问罪中原……
擢公为先军监师。

这些，与《耶律合住传》记载相同。那么，大圣皇帝封建兄弟之际，迭剌
家庭领地在何处？据《耶律琼神道碑》记载，其家封地既有岭外牧场（即
今燕山以北地带），又有马盂山庄、凌河庄及南院别馆等，即其牧地位于今
燕山以北内蒙古锡林郭勒盟东部及其附近，农庄则位于今内蒙古赤峰市喀喇
沁旗南部马鞍山及其以南大凌河上游一带②。
　　根据《耶律琼神道碑》记载，祖父匀赌衮（即辽太祖三弟迭剌之契丹
小名），生前曾蒙

　　大圣皇帝封建兄弟，赏异众臣；九锡恩深，百辟奉荣；特殊冠冕，
宠以元良，拜为东丹国左宰相。③

　　① 《辽史》卷86《耶律合住传》，中华书局1974年版，第1321页。
　　② （辽）保宁十一年《耶律琼神道碑》，盖之庸：《内蒙古辽代石刻文研究》，内蒙古大学出版社
2002年版，第45—50页。
　　③ 《耶律琼神道碑》，盖之庸：《内蒙古辽代石刻文研究》，内蒙古大学出版社2002年版，第46
页。　　·

东丹国左宰相即东丹国左大相，即东丹国人皇王耶律倍四位主要辅政大臣之首。迭剌病殁于辽太祖天显元年（926年）七月庚午，其时方任东丹国左大相不足半年，而耶律琮家族的封建领地却主要肇始于祖父迭剌时代。其父允，与嗣圣皇帝（即辽太宗）为从昆弟，并曰父允

> 可谓汉水金钟，不是寻常之器；秦川玉玺，诚为命世之符；（能）以富而好礼，贵而不骄；文武弛张，两途俱美；分茅烈土，东郊未××于伯禽，木落花凋，西日俄沉于回也。

也就是说耶律允尚未接受到太宗皇帝即位之后的例行封赏，就已经英年早逝了！这是什么意思呢？按：辽太宗即位于天显二年十一月壬戌，虽自太祖病殁之后，应天地皇后述律平摄政，使契丹国内充满派系斗争或家庭内部政治斗争的血雨腥风，那么，耶律允的辞世是否也因为述律太后政治迫害呢？虽然，《耶律琮神道碑》发现之际便已漫涨不清、许多字迹难以辨认，但关于耶律琮幼年生活状况的记载，也为我们探明耶律允死亡的具体时间，提供了比较有力的佐证。铭文记载：

> 公幼孤独，立亦受艰辛。学趋庭而垂短发，无父何恃；思咶齿而旋回辕，有母谁从；多难排忧，唯天是託。家臣仆（妾）各无同念××，奴婢货财尽属他人之手。公于是年，虽童幼××，戏及之间，长有成家之意。愚蒙侪辈，同得而知。动作有规，闇疑神助；未览典籍，与道无违；公因静日，泣而自勖，知祖考之德不可怠而辱（也），祖考之家业不可久而隳之，三事不终，殆为不孝。××故发愤忘食，夜不遑寐，乃师古以立身，讨六经而修德。敦书阅礼，晋都展轨范可亲；毁纨易纕，鲁昭公童心是悲。卑词下己，见贤思齐，绳晓××，鉴而有立；又锱铢戏狎流俗莫亲，俨然有不可弃之志。公以心藏巨岳，量纳四溟，弱而持鲵，众返归辅，招携逆散，家道赫然。公之尚幼，能行斯道以全先人之基业也如此。①

---

① 盖之庸：《内蒙古辽代石刻文研究》，内蒙古大学出版社2002年版，第46页。

可知，耶律琮之父耶律允死亡后，其妻似也相继死亡，故琮童幼之时，便已成为无依无靠的"孤独"之身，并从此经历了失去父母照抚的苦难生活。又据铭文记载，当父亲亡殁之际，耶律琮仅为矩步趋庭、发始垂额的幼年儿童，而父亲亡殁之后，家庭便遭到了一次重大的历史变故，即"家臣仆妾"纷纷逆散、"奴婢货财尽属他人之手"。这如果不是受到强烈的政治冲击的话，则以其皇族近属的尊贵地位又有谁人敢于染指其家庭事务呢？故耶律琮父母的相继去世，似乎不能够确定为正常的自然死亡，应该是与契丹政权内部发生的重大变故存在着密切的联系，所谓"多难排忧，唯天是託"，即童年时期的耶律琮遭受到无辜的政治打击的真实写照。然而，耶律琮少年之际，家庭地位的重新转换，即"弱而持鲵，众返归辅，招携逆散，家道赫然"的记载，似乎又说明这同样是得到皇朝政治照顾的直接结果。碑铭又记载，耶律琮年届 15 岁之际，适当辽太宗讨伐后晋政权，擢拔耶律琮为先锋军的监军职务，此年当在辽太宗会同五年（942 年）① 左右，此时太宗又对耶律琮比较信任！这其中存在的变故、前后生活现状的巨大反差，等等，这又说明了什么呢？如果确定耶律琮年龄方届 15 岁之时，即辽太宗会同五年的话，则耶律琮生年应在辽太宗天显三年（928 年）左右。那么，自天显三年至会同五年之间，契丹政权内部究竟发生了怎样的政治变故？这些在今本《辽史》中都难以找到任何相关的记载。于此，我们只能了解到耶律琮幼年苦难与少年以来的荣耀，都与辽太宗存在着密切的关系。

据碑铭记载，因为耶律琮与辽太宗之间的密切关系，辽世宗即位之后，耶律琮落得个"优游自得，不拘官爵"的自由身，并从政途中脱离出来，辽穆宗即位之后也同样如此。直到辽景宗保宁二年（970 年），才重新奉诏出任崇禄大夫、检校太保、右羽林卫大将军兼御史大夫、上柱国之职，不久，又升任右龙虎卫大将军，成为戍卫皇帝的宿卫军统帅。景宗癸酉年（973 年，保宁五年）六月，升授推忠奉国佐运功臣、昭武军节度使利巴等州观察处置等使、特进、检校太傅兼涿州刺史、西南面招安巡检使、契丹奚渤海汉兵马都（监）、漆水郡开国伯，食邑七百户，不久又加左卫上将军称

---

① 《辽史》卷 4《太宗纪下》记载，会同五年七月，太宗始有南伐之意。中华书局 1974 年版，第 52 页。

号。昭武军节度使利巴等州观察处置等使，皆属虚衔，属于遥授官系统，实职乃涿州刺史。自保宁六年（974年，宋太祖开宝七年）开始，事实上由耶律琮揭开了北宋与契丹辽朝政权之间持续近六年的"开宝议和"活动。嗣后，由于宋太宗一举灭亡北汉政权，试图建立大一统王朝，而导致辽宋议和的彻底破裂。碑铭云：耶律琮因疾请辞官爵、奉身而退。其实是受到了议和活动破裂的连带责任，而基本结束了自己的政治生涯。

耶律琮退出辽朝政坛之后，除了管理"私地"之内的农、牧业生产活动，剩余时间都倾注到虔诚事佛的宗教活动中。据《耶律琮神道碑》记载：

> 然公长以释教为事，××二年，……改玉馔而为香馔，不辍参禅。公是凤夜斋心慕亲××，欲痯无为之理，大崇有相之因，至咸感神果××公愿××燕台左街资恩寺××××路千里山河来游，凤阙逢缘，使度贵贱，××至霸州延昌寺××秘密传十地戒条，士庶归依，王侯郑重。

从上述记载来看，碑铭残损的"××二年"字迹，应该是天禄、应历或者保宁二年之中的某一个；从上下文意来看，应该是指保宁二年。整段资料的大意是说，从这个"二年"开始，耶律琮便忽然迷信起佛教学说，这时恰好有燕京资恩寺的上人法师来到霸州（即今朝阳市境内）传授大日如来的"十地戒之条"，即佛教密宗的主要成佛信条之一，结果在霸州及其周围地区造成巨大影响，证明霸州及其周围地区佛教的再次兴盛缘起于景宗保宁二年左右。因为，这个上人法师对佛学戒律的传播，使得耶律琮的日常生活发生巨大改变。如下文记载，

> 亲领门生故吏，退游岭外，点检牧×以资，亲付儿男。（公）至自（岭外），公长怏怏耳恨恨耶，未得闻燕台上人之教法，因感神道（贵）善××××田庄南院之别馆，开启灌顶道场，××普提心戒。公寻废××合坛铃杵并道场合要法具，并愿舍施燕台传教上人，公发弘愿未遂行，××××西日易殒，命定短长。×年××××三日而终，公享年五十有一。

耶律琮为了一心向佛，所以率领家丁仆隶等一同前往岭外牧场，清点牧畜资

产，并全部移交给儿男辈管理，将国事家事等一律抛诸脑后，从此开始虔诚事佛的生活方式。这是否代表他的一种厌世心理呢？史料中没有留下清晰的记载。于是，耶律琮准备在自家马盂山庄南院之别馆，开启灌顶道场，讲授普提心戒，初步在其庄园（即今赤峰市喀喇沁旗马鞍山乡境内）兴建起佛教道场，宣扬佛祖教化。及至耶律琮的晚年，他又准备将自己修学佛法的庄园别馆以及所有法具等，全部施舍给燕京资恩寺上人法师，或者是想在庄园内部修建佛寺庙塔等，但因病殁，弘愿未行。

综观耶律琮五十余年的人生旅途，可谓经历了冰火两重天且又反复不定的人生际遇。自从祖、父相继病殁之后，家庭变故、惨象不堪入目，后来经过太宗朝的强力扶植，基本恢复旧日曾有的钟鸣鼎食的富盛气象。但世宗、穆宗两朝皇族内部未曾止息的政治斗争，又将耶律琮排挤出朝廷政治核心之外，成为远离政治漩涡、优游自得的闲云野鹤之士。直到辽景宗保宁二年（970 年），才重新返回政治中心，此时耶律琮已经虚度了 43 个寒暑春秋。莅官燕京之后，因为积极倡议与宋和谈，终于 968 年开启了历史上著名的"开宝议和"阶段，但因 976 年宋太宗即位后的积极进取态度，使"议和"活动陷于破裂的边缘。面对人生际遇的种种坎坷，为官不足十年，耶律琮又开始抛弃世事、掉头事佛，并在郁闷的心理压力下一病不起，转成沉疴，不治而亡。耶律琮的一生，主要做了两件事情，一是及时把握历史大势的发展方向，明智地提出南北议和的政治策略，并且已被历史证明其策略的先见之明；二是竭力弘扬佛法，使得佛学文化成果逐渐走进契丹腹地与贵族之家，为辽朝中期以后佛教文化的大发展作出了历史贡献。

耶律斡特剌。耶律斡特剌是辽太祖四弟寅底石的后裔。今本《辽史》，并无寅底石的个人专传，关于寅底石的历史事迹，也只能在其他相关传、纪资料的零散记录中，得以查见部分内容。寅底石，在辽太祖与遥辇氏家族争夺契丹汗位的斗争中，曾经与次兄剌葛、三兄迭剌、幼弟安端一起追随长兄阿保机，为实现家族利益（即夺取契丹可汗职位）与维护长兄地位而团结奋斗。但当阿保机成功地迫使遥辇氏家族让出契丹可汗职位之后，以次兄剌葛为首的诸弟集团，又为谋取自身利益而与长兄阿保机发生不断的摩擦和利益冲突，甚至不惜兵戎相见、发动起大规模的反叛战争，故《辽史》中称之为"诸弟之乱"。寅底石就是"诸弟之乱"的主要参与者和发起者之一。

当914年辽太祖彻底平息"诸弟之乱"并消除其所造成的诸方面影响之后，没有严厉处罚诸弟所犯的具体罪行，相反地很快又对自己的各位弟弟予以充分的信任。只有次弟剌葛彻底背叛阿保机，投降太原李存勖割据政权及后梁政权。据说，在辽太祖正式建立契丹专制主义政权之后，也曾经推行了"封建兄弟"的分封政策。次弟剌葛家族获得了今内蒙古赤峰市元宝山区小五家回族乡及其附近地区，南距奚王牙帐地仅有不足百里的距离；三弟迭剌的封地，就在今内蒙古赤峰市喀喇沁旗南部及大凌河流域一带；四弟寅底石家族封地，应在今辽宁省阜新市境内；幼弟安端及其家族封地也在今辽宁省大凌河流域上游附近。926年，辽太祖大举讨伐渤海国，攻克扶余城之后，即留寅底石与六院部夷离堇觌烈守之。征服渤海国之后，辽太祖宣布以渤海故地建立东丹国，册封长子耶律倍为人皇王，仍以契丹国太子身份出任东丹国主；任命三弟迭剌为东丹国左大相，渤海国老相为右大相以辅佐人皇王。但不久，担任左大相职务的迭剌因病去世，辽太祖也在班师途中罹染沉疾。值此之际，寅底石又奉太祖命令，即刻动身前往天福城，接替三兄迭剌的职务——东丹国左大相。就在寅底石赴任的途中，契丹国内发生了一系列翻天覆地的变化：先是，辽太祖因病薨逝，举国悲哀；其次，应天地皇后述律平废黜太子耶律倍的继承人身份，宣布自己临朝摄政，暂时接替契丹国内一切军政事务的最高领导权；然后，应天地皇后述律平为排挤耶律倍、消除政治异己，遂遣人追杀寅底石于途中……契丹国内又一次呈现出血雨腥风的政治斗争景象。

寅底石被杀之后，其家族的政治地位也曾经受到严重影响，寅底石子孙们的社会地位与政治前途也遭到沉重打击。但从迭剌之孙耶律琮的个人际遇来看，迭剌死后，迭剌家族即遭到来自契丹统治者上层的沉重打击，甚至家人奴仆等也都纷纷改投新主，只剩下了一个孤零零的孤儿——即迭剌的孙子、幼年时代的耶律琮！直到太宗即位之后，这种情况才得到彻底的改变，迭剌家族原有的皇室贵族身份又重新得到恢复与维护，耶律琮又重新进入统治集团的上层行列之中。寅底石死后，其家族也曾经有如此曲折的遭遇，这从寅底石的儿子耶律刘哥等人的政治际遇中，即可看到。据《辽史》记载：

刘哥，字明隐，太祖弟寅底石之子。……（叔父安端）与刘哥邻居。世宗立于军中，安端议所往，刘哥首建附世宗之策，以本部兵助之。……及和议成，太后问刘哥曰："汝何怨而叛？"对曰："臣父无罪，太后杀之，以此怨耳。"①

可见，寅底石被杀确实出于应天皇后的政治阴谋，故在应天皇后摄政以及太宗朝时期，曾经遭到皇太后集团沉重打击的契丹贵族之家，都已与应天皇太后及其追随者之间存在诸多的历史积怨。因此，当辽世宗趁太宗新丧之际，突然在支持者的拥护下于军前擅自宣布即位为皇帝的时候，许多契丹贵族都纷纷抛弃了应天皇太后及其确立的皇位继承人——幼子李胡，这是契丹贵族集团政治势力反复较量的直接结果。那么，寅底石的儿子们是否也遭受到与耶律琮等同样的遭遇呢？《辽史》中并没有明确的记载。

根据《辽史》，可以了解到寅底石诸子的大体状况。耶律刘哥字明隐，乃寅底石长子，自幼生长富贵环境，性情中不免沾染贵族少爷的脾性，但因性格刚果，故被辽太宗委任以边疆事务，至太宗末年已经官至西南边大详稳（即辽朝西南边军事防务最高统帅的职务）。947 年，辽太宗病殁之后，耶律刘哥因怀忿太后杀父之仇，遂率领诸弟劝说叔父安端，共同响应军中契丹贵族拥立永康王为帝的行动，并率领自己控制的武装力量以及安端所拥有的武装力量，共同承担起辽世宗北还契丹本土的前锋军任务，泰德泉一战，彻底击溃皇太弟李胡率领的太后集团军，并以强大的政治军事声势迫使太后集团接受既成事实，缔结"横渡之约"，巩固了辽世宗的统治地位。耶律刘哥也因此被辽世宗加封为惕隐（即管理契丹皇族事务的最高官员），其弟盆都升任为皮室军详稳（即契丹皇帝的禁卫军统帅）。但在辽世宗即位的第二年（948 年），刘哥即率其弟盆都以及太宗之子天德、后族要员萧翰等人谋反，得到辽世宗的宽容；后因再次谋逆，与弟盆都一起被远谪乌古部落，最终客死异乡。其胞弟盆都，因为参与耶律察割等人发动的"祥古山之变"，而被辽穆宗凌迟处死。此外，刘哥还有两位异母弟：化葛里、奚寨，二人曾经仕显于辽穆宗朝，后因参与李胡之子卫王宛等人不断策划的谋逆事件，而被辽穆宗于应历四年（954 年）处死。大约正是因为这些原因，直到辽兴宗朝的

---

① 《辽史》卷 113《逆臣中·耶律刘哥》，中华书局 1974 年版，第 1507—1508 页。

时候，寅底石才被追封为许国王，并允许其后代世袭嗣封爵位。

20世纪后期，在今辽宁省阜新市境内发现一块已经残破的契丹文字碑，碑额上汉字篆刻明确地标写着"许国王"的字样，残存的碑文内容叙述了这位许国王，在道宗朝时期受命率领辽朝军队数年转战漠北草原，彻底平息阻卜诸部反叛的历史事迹。经过反复研讨，学界已经认定这位许国王，其实就是《辽史》记载的寅底石六代孙——耶律斡特剌。

耶律斡特剌，乃其契丹名字，小名乙辛隐。自幼不喜官禄，直到41岁的时候，才被辽道宗补授为王子班郎君，由于适值权臣耶律乙辛擅权时期，斡特剌一直没有得到朝廷的任用。乙辛失败后，才被提升为宿直官，累迁护卫太保；大安元年（1085年），升授燕王傅、左夷离毕；大安四年（1088年），迁官北院枢密副使；后又升迁为知北院枢密使事、翼圣佐义功臣。

大安五年（1089年），辽朝任命北阻卜酋帅磨古斯为阻卜诸部长，实际是经过辽朝镇州等派驻机构的考核后，允许磨古斯继承其先人北阻卜部长的职位。磨古斯继任部长后，曾经对辽朝遵守藩规极为恭谨。大安八年（1092年），辽朝藩属耶睹刮部叛辽，起兵进攻辽朝北方边郡，西北路招讨使耶律何鲁扫古命令磨古斯率领部众参与镇压耶睹刮部的平叛战争，并一举击败耶睹刮部落，辽军与磨古斯部民都有很多俘获。但当辽朝军队大举袭击耶睹刮部残余部众时，由于侦候不明而误击磨古斯部落，并掠夺了磨古斯部落的大批人口与畜产等。磨古斯激愤之下，遂杀死辽朝派驻的监军吐古斯等人，率领部民起兵反抗辽朝的残暴统治。

大安九年（1093年）春，何鲁扫古与都监萧张九等分军追讨磨古斯部落，结果萧张九率领的辽朝军队，误中磨古斯埋伏，全军覆没，萧张九等率领的二室韦部落兵、拽剌军、北王府军、特满群牧兵以及契丹宫分军等全被磨古斯俘获。辽廷震怒，何鲁扫古被撤职，诏命西南面招讨使耶律挞不也等火速率军应援西北事务，并任命挞不也兼领西北路招讨司事。挞不也抵达辽朝北方重镇——镇州城之后，并不急于对阻卜诸部用兵，而是采用招抚策略，目的在于分化瓦解阻卜诸部的反抗力量。是年10月，磨古斯率阻卜诸部伪降，挞不也中计，被磨古斯袭杀于镇州城南，使北方重镇陷入阻卜围攻的危机之中。于是，西阻卜、西北阻卜各部也相继反叛辽朝，与磨古斯相呼应，共同袭击辽朝军队，掠夺辽朝群牧的马匹等畜产，漠北地区的统治局面完全陷入混乱。是年冬，磨古斯又与乌古札部、达里底部和拔思母部等共同进攻辽朝倒塌岭统军司。倒塌岭统军司，是连接辽朝漠北重镇与西南统治中心西京城的主要枢纽，因此，阻卜诸部进攻倒塌岭统军司，就直接威胁着漠南及西京大同府的安危，辽朝遂急派将军郑家奴率领大军应援。当时，北至胪朐河，南至倒塌岭，阻卜诸部都加入反辽行列。

　　大安十年（1094年）春，拔思母部击溃辽朝四捷军并杀死主帅特抹，漠北地区陷入危机之中。为了挽救漠北危局，辽道宗遂任命知北院枢密使事耶律斡特剌为诸路军都统、夷离毕耶律秃朵为副、龙虎卫上将军耶律胡吕为都监，讨伐磨古斯。同年5月，敌烈部进攻西北路招讨司及统军司守军于倒塌岭附近，敦睦宫太师耶律爱奴及其子战殁，辽道宗遂任命知国舅详稳司事萧阿烈同领西北路行军事，督师进讨。同年7月，磨古斯率部再攻倒塌岭，尽掠西路群牧马匹而去。斡特剌等人遂聚集兵力，趁漫天大雪之际，出其不意，首先击败磨古斯部落的四别部。因此，寿隆元年（1095年），辽道宗任命都统斡特剌为西北路招讨使、漆水郡王、加宣力守正功臣号，全力主持恢复西北局势，并诏令西京炮兵、弩兵等以技法教授西北路汉军，将炮、弩利器装备于镇压阻卜的军队中。寿隆二年（1096年），又采取买牛救助乌古、敌烈、隗乌古等诸部贫民的方式，预防乌古、敌烈部落的反叛；并迁徙乌古、敌烈部于乌纳水流域，以扼守北边冲要。寿隆三年（1097年），中阻卜诸部以及粘八葛、梅里急等部遣使辽朝，请求恢复旧地、确立属部关系，斡特剌遂将辽朝军队的打击范围，集中到几个惯叛部落的身上。辽道宗遂擢升斡特剌为南府宰相，总治漠北军民事务。寿隆四年（1098年），斡特剌奏请迁徙阻卜诸部俘户于阴山以南安置，获得朝廷的允准，从此在阴山南北附近出现了一支世代信仰也里可温教的游牧民族人口。斡特剌又击败磨古斯属下的强部——闸古胡里扒部，被朝廷任命为契丹行宫都部署。次年（1099年），斡特剌升任禁军都统，采取灵活的战略战术，又一举平定了最早掀起叛乱的耶睹刮部落，俘获马、驼、牛、羊各数万头。至寿隆六年（1100年），北阻卜诸部落被一一平息，并俘获磨古斯献于朝廷，诏命对磨古斯处以磔刑，持续9年的北方乱局重新得以稳定，斡特剌作出了巨大的历史贡献。道宗皇帝诏命斡特剌加守太保衔、赐奉国匡化功臣，仍以南府宰相身份兼任西北路招讨使。

耶律斡特剌的历史贡献，不仅在于军功，还在于他所显示出来的杰出理政能力。据《辽史》记载，耶律斡特剌出任南府宰相之后，

> 先是，北、南府有讼，各州府得就按之；比岁，非奉枢密檄，不得鞠问，以故讼者稽留。斡特剌奏请如旧，从之。①

斡特剌直到天祚皇帝即位后，仍被朝廷视为可以依赖的治国能臣，屡次请求致仕之后，天祚皇帝只允许辞去西北路招讨使职务，仍命其以南府宰相兼任南院枢密使，并封授为混同郡王，后又升任北院枢密使、加守太师、赐推诚赞治功臣。

耶律察割。耶律察割，乃辽太祖幼弟安端之子。安端也曾经是辽太祖时期"诸弟之乱"的主要参与者之一，但也是诸弟集团中唯一能够在应天皇后摄政时保全身家性命与崇高社会政治地位的皇室贵胄之一，还是辽太祖兄弟六人能够经历辽初四朝政权（即太祖、太宗、世宗、穆宗四朝）的皇室长辈成员之一。安端在辽太宗朝已经荣获明王的爵位（中原史料中称为伟王），并且在自己的封地内建立起规模较大的头下州城——白川州。在辽太宗扶晋与灭晋的战争中，安端都是镇守方面的军事统帅之一，而且由于辽太宗病殁于班师途中之际，安端曾经以私家军队全力支持永康王耶律阮（即世宗皇帝）夺取契丹皇位的继承权，而受到世宗皇帝的信赖与倚重。因此，《辽史》记载，世宗皇帝即位之后，首先囚禁了应天皇后与天下兵马大元帅、皇太弟李胡，然后封赏皇叔祖安端并任命他主持东丹国事务，使安端的政治待遇在世宗朝达到鼎盛的程度。安端的儿子耶律察割，也被辽世宗册封为泰宁王，并建立了自己的头下州贵德州。但察割等人却在 951 年发动了改变契丹历史命运的"祥古山之变"，杀死世宗皇帝，企图夺取契丹皇位，结果被以辽太宗之子寿安王述律为首的契丹贵族集团击败，寿安王述律登上了契丹皇位——即辽穆宗耶律璟。从此，安端及其家族陷入衰落的景象，先是察割战败被杀，然后是安端被投入牢狱之中，接着安端头下州白川州及察割头下州贵德州也都相继被辽穆宗收归为国家所有，白川州也更名为川州。

---

① 《辽史》卷 97《耶律斡特剌传》，中华书局 1974 年版，第 1407—1408 页。

耶律察割，乃其契丹名字，契丹小名曰欧辛（或作欧里僧）。自幼善于骑射，外表端正恭谨，人们都以为他性格懦弱，但其内心常挟狡黠之术。辽太祖尝见之，遂论其性格曰："此子性情凶顽，并非懦弱之人。"其父安端曾派他前往太祖帐殿汇报事情，事毕，太祖即语于近侍诸臣曰："此子的眼睛就向风邪的骆驼一样，脸上也带有反叛之相。朕如果一人独居的时候，一定不要让他进入我的殿门。"①

当察割的父亲开始仕显于太宗朝的时候，察割就已参与其父亲的一切军政事务。史称，当辽世宗即位于军前的消息，传到安端及刘哥等人在任的西南面官衙的时候，安端曾经想采取既不得罪应天皇太后、也不公开支持世宗称帝的首鼠两端的策略，静观事态的发展，然后攫取更大的政治利益。但察割劝说其父曰：

> "太弟忌刻，若果立，岂容我辈！永康王宽厚，且与刘哥相善，宜往与计。"安端即与刘哥谋归世宗。及和议成，以功封为泰宁王。②

世宗即位之后，察割往往检举父亲安端的细过，悄悄地派人奏闻于世宗，世宗皇帝认为察割比较忠诚，遂任命他兼领女石烈军（即宿卫军）。察割因此得以从容出入世宗皇帝的禁围之中，世宗皇帝也经常赏赐和信任察割。每逢世宗皇帝出外狩猎之际，察割经常表示自己手上有疾，不能拿弓矢，只能随身携带链锤而已，其实，暗中在准备寻找时机谋害世宗并取而代之。察割担任世宗行宫禁卫军统帅，所以比较熟悉世宗行宫的具体布置情况。察割感到世宗行宫之内，由于皇室诸族属的行帐围绕在世宗帐殿的周围，已经形成一道无法逾越的防线，不容易得到杀害世宗皇帝的机会，所以，就将自己的庐帐不断地向前迁徙，以便靠近世宗皇帝的帐殿。结果，察割的图谋被右皮室详稳耶律屋质发现，遂上奏皇帝揭发察割违犯行营规制，并存非分之想，但世宗皇帝并未因此引起注意。951 年 9 月，世宗皇帝准备率领大军南伐后周政权，驻军于奉圣州祥古山，因与太后（即人皇王耶律倍妃）一起祭祀文

---

① 《辽史》卷 112《逆臣上·察割》，中华书局 1974 年版，第 1499 页。
② 《辽史》卷 112《逆臣上·察割》，中华书局 1974 年版，第 1500 页。

献皇帝（即人皇王）于其行宫之中，事毕，遂以福物赏赐群臣、大排筵宴，君臣皆醉。察割遂出宫与耶律盆都等勒兵进犯行宫，大肆屠害世宗皇帝及其眷属，准备次日晨宣布即皇帝位，但大臣耶律屋质等人趁机脱离察割的控制，出外约会太宗皇帝长子寿安王述律等聚拢军队，连夜向察割营帐发动进攻，迫使察割等人弃军投降。寿安王遂令军士将谋反首犯察割、盆都等人，即刻于军前凌迟处死。寿安王即位之后，宣布将察割头下州贵德州收归国有，将察割之父安端投入牢狱之中，并将安端头下州白川州也予以没收，将安端及察割家财分发平乱有功将校。安端家族的政治前途，因为"祥古山之变"的突然发生而彻底终结。

（任爱君　撰稿）

三、辽太祖的功臣集团

1. 辽太祖与他的"那可儿们"

辽太祖姓耶律氏，契丹名字曰阿保机，契丹小名曰啜里只，汉语名字曰亿，本契丹迭剌部霞濑益石烈（石烈，相当于中原地区的县）人，出生于872年。901年，已经29岁的耶律阿保机，通过迭剌部部落贵族会议选举的形式，开始担任迭剌部的夷离堇（即部落最高首领的名号）职务。同年，又被遥辇氏痕德堇可汗任命为统辖全体契丹部落的大夷离堇（即总管契丹八部所有军马事务的最高军事统帅）职务。两三年之后，又被遥辇氏痕德堇可汗任命为契丹部落的大于越（地位仅次于契丹可汗职务的最高行政长官）。至907年正月，又经过契丹部落贵族会议形式，迫使遥辇氏家族以"禅让"方式交出世代选任契丹可汗的特殊权利，当选为契丹新可汗，阿保机的家族也从此获得世代选举契丹可汗的政治特权。

耶律阿保机的成长道路也是充满曲折与惊险的。根据《辽史》记载，阿保机出生后不久，其祖父匀德实就因部民（也是部落贵族）耶律狼德发动的突袭事件，遭到反叛势力的杀害，祖母萧氏也为了躲避仇家的屠害，携带诸子与出生不久的阿保机迁居到北边拽剌耶律台押之家。狼德之乱被平息之后，匀德实诸子开始相继成为迭剌部首领以及契丹部落的军事首长，阿保机的二伯父岩木曾经三次出任迭剌部夷离堇职务，三伯父释鲁曾官至契丹部落大于越的职务，阿保机的父亲也曾经出任迭剌部夷离堇。阿保机逐渐成长之后，开始以贵族子弟身份担任伯父释鲁的亲军侍卫长——即挞马狱沙里。901 年，堂叔耶律辖底在伯父释鲁的支持下，趁机夺取迭剌部夷离堇职务，不久，伯父释鲁之子滑哥即与其他贵族家庭联合共同击杀释鲁，再一次挑起部落内部争权夺利的斗争。此时，已经 29 岁的阿保机，遂毅然决然地采取严厉的平叛措施，并奏请遥辇氏痕德堇可汗同意，将刺杀伯父释鲁的萧台哂等三族籍没入瓦里（即全部罚没为奴婢），阿保机也被迭剌部贵族推选为新任夷离堇，痕德堇可汗也任命阿保机为契丹部落大夷离堇。此时阿保机的身边已经聚集起一批契丹贵族家庭的青年精英，譬如耶律曷鲁兄弟三人、萧敌鲁兄弟二人以及世代与阿保机家庭交好的耶律欲稳一家、来自遥辇氏家族的耶律海里等。也就是说，在阿保机的周围已经形成一批能够决定契丹部落命运的历史人物。

如前所述，耶律曷鲁与辽太祖阿保机为同族兄弟，二人自幼交好，长大后又相互交换裘马结下牢固的盟约，继续维护与发展交好关系，从此曷鲁就非常恭谨地服侍阿保机，阿保机也非常信任和倚重曷鲁，遇有大事，非与曷鲁议不行。当部民萧台哂等袭杀于越释鲁后，曷鲁勇敢地参与平叛行动，并每天佩带刀、箭等利器以保卫阿保机的安全。遇有战争等重大事情发生，曷鲁都成为阿保机的先驱，如阿保机任挞马狱沙里时，曷鲁积极参与筹划管理部族事宜，并率领一小部分骑兵征服小黄室韦部落，又亲自担任前锋出兵征服越兀、乌古部落；阿保机担任迭剌部夷离堇时，讨伐奚部，曷鲁独闯奚营、劝说奚部长降顺；及阿保机担任大于越时，曷鲁已经成为阿保机手下一名战功赫赫的大将，但遇有重大事情，曷鲁仍然亲自为阿保机做警卫，譬如阿保机与李克用会盟云州东城，即由曷鲁担任阿保机的贴身护卫。及阿保机获得契丹可汗位之后，遂"命曷鲁总军国事"，

> 时制度未讲，国用未充，扈从未备；而诸弟剌葛等往往觊非望。太祖宫行营始置腹心部，选诸部豪健二千余充之，以曷鲁及萧敌鲁总焉。①

---

① 《辽史》卷 73《耶律曷鲁传》，中华书局 1974 年版，第 1221 页。

耶律曷鲁所总领的"军国事"的主要内容，其实就是辽太祖的"腹心部"——这是契丹行国政权的核心与精髓。阿保机建立君主专制政体之后，也仍然任命曷鲁为"阿鲁敦于越"，是管理阿保机个人所有斡鲁朵的最高军政官员。辽太祖对于耶律曷鲁的任使达到了何种程度？《辽史》曰："后太祖二十一功臣，各有所拟，以曷鲁为心云。"因此，如果说，阿保机与曷鲁之间构成了一种封建君臣关系，倒不如说构成了一种游牧社会常见的可汗与那可儿之间的关系更为直接和透彻。

史料记载，耶律觌烈字兀里轸，太祖任于越时，因为觌烈性格谨愿宽恕，而得到太祖的器重和使用。太祖即契丹可汗位后，由于觌烈兄长曷鲁总领太祖宫行营的宿卫事宜，所以，觌烈也成为太祖身边比较亲密的侍卫人员之一。兄长曷鲁病殁之后，辽太祖即任命觌烈接掌曷鲁生前担任的迭剌部夷离堇职务。

耶律羽之字寅底哂，契丹小名兀里，也是耶律曷鲁诸弟之一，同样因为兄长曷鲁的关系，而成为辽太祖身边堪当任使的腹心成员之一。也就是说，耶律曷鲁及其家庭已经全部成为辽太祖统治集团的骨干力量与重要成员。

此外，还有萧敌鲁、阿古只兄弟二人。《辽史》曰，敌鲁"在太祖功臣列，喻以手云""功臣中喻阿古只为耳云"。还有，迭剌部人耶律斜涅赤，契丹小字铎碗，自幼追随阿保机，故为其佐命功臣之一，与曷鲁、萧敌鲁等同掌腹心部事宜，太祖称之为"撒剌"（汉语译为酒樽）。又有耶律老古字撒懒，幼养太祖宫中，既长，隶属太祖麾下，屡立战功，遂为右皮室详稳，领太祖行宫宿卫事。

突吕不部人耶律欲稳，字辖剌干，又称辖剌干阿钵，早归太祖帐下，腹心部建，欲稳即率家人、门客等首附宫籍，并任奚迭剌部夷离堇；其弟霞里，则出任奚六部秃里（即监管军马事务），后因"诸弟之乱"而战殁。突吕不部人耶律欲稳一家，为辽太祖创建专制主义政权作出巨大贡献，因此，《辽史》记载：

> 后（辽朝）诸帝以太祖之与欲稳也为故，往往取其子孙为友。宫分中称为"八房"，皆其后也。①

---

① 《辽史》卷73《耶律欲稳传》，中华书局1974年版，第1226页。

迭剌部人萧痕笃，字兀里轸。少年慷慨，常以才能自任，早入阿保机帐下，屡立战功。阿保机即契丹可汗位，遂任命萧痕笃为北府宰相，为政宽猛得宜。

康默记、韩延徽、韩知古等人，则均出自阿保机家族所属汉族私附人口之中，属于阿保机本人的门客、部曲及私属系列，也成为辽太祖佐命功臣之一。

（任爱君　撰稿）

2. 遥辇氏家族的代表人物：耶律海里与耶律敌剌

在辽太祖的佐命功臣之中，还有两位出身遥辇氏家族的历史人物，他们顺应了契丹社会发展的历史潮流，没有像多数遥辇氏家族成员那样试图巩固自身的既有利益，而是赞成与支持耶律阿保机推行的专制主义政治体制的确立与发展。这两位著名的历史人物就是耶律海里和耶律敌剌。

耶律海里，契丹小名曰涅剌昆，乃遥辇氏昭古可汗的后裔。在阿保机谋求窃取遥辇氏世代选任的可汗职位的时候，海里就已经背叛自己的家族，转投到耶律阿保机的阵营中，并为阿保机积极谋划和努力争取，因此，《辽史》曰："太祖传位，海里与有力焉。"耶律海里从中发挥的历史作用，也几乎是其他人难以比拟的。尤其是在遥辇氏家族与世里氏家族严重对立的危急时刻，海里并没有像常人那样仅仅顾及和维护家族的既得利益，而是态度坚决地"归心"阿保机，甚至阿保机家族内争纷起的时候，海里也毫不动摇地坚决尊奉阿保机的号令，因此，得到阿保机的无比信任，在阿保机功臣集团中海里充当着阿保机"耳目"的作用，并屡立战功。在阿保机对遥辇氏家族部落采取具体管理措施的时候，耶律海里成为遥辇氏九营的第一位敞稳。辽太祖率军征服渤海国的时候，耶律海里也率领遥辇氏九营的军兵从征，参与攻破忽汗城的战役。辽太祖病殁后，耶律海里也因故去世。

耶律敌剌，契丹小名为合鲁隐，本遥辇氏鲜质可汗之子。在阿保机积极谋取契丹可汗职位的时候，敌剌即与海里一起脱离自己的家族，转而支持阿保机建立君主专制政权的事业。阿保机即契丹可汗位之后，鉴于当时比较混乱的社会形势，敌剌与海里一起"同心辅政"、帮助阿保机渡过政权转变的危急时刻。阿保机也清楚地了解敌剌等人的"忠实"心态，经常将他们作为可以信赖和能够托付方面之任的心腹。所以,敌剌不但负责起阿保机创立专制主义政权时期的礼仪事务,还承担起大契丹国时期的军事事务,后来因为参与平息"诸弟之乱"的战功,接替战殁的耶律辖里的职务——担任奚六部吐里(即秃里),并经常驻守平州一带,承担起进攻幽州地区的战略任务,敌剌也从此成为辽太祖时期锐意进攻中原地区的先锋将领之一。因为,敌剌与中原地区不断进行军事接触,所以,中原五代史料即以其官称而名之,因讹为"秃馁"或"奚秃馁",其实,敌剌乃契丹人而非奚人,"秃馁"乃其官称"吐里"的不同音译。辽太宗即位之后,天显三年(928年)三月,

> 唐义武军节度使王都遣人以定州来归。唐主出师讨之,使来乞援,命奚秃里铁剌往救之。[①]

天显三年即公元928年;义武军即后唐藩镇定州之军号;铁剌即敌剌,也就是中原史料记载的奚秃馁。当时定州节度使因与后唐政权发生矛盾,遂遣使以定州城投降契丹,企图以契丹制约后唐。于是,后唐明宗皇帝李嗣源采取果断的削藩策略,命大将王晏球率军围攻定州城。定州节度使王都遂再次遣使契丹紧急求援,辽太宗遂命令距离定州城较近的奚六部吐里敌剌(即秃馁),率领所部军兵即刻驰援定州城。同年四月,

> 铁剌败唐将王晏球于定州。唐兵大集,铁剌请益师。辛丑,命惕隐涅里衮、都统查剌赴之。

根据五代史料记载,秃馁率领契丹骑兵突至定州附近,王晏球派出一支军队进行阻截,被秃馁率领的契丹骑兵击败;当秃馁接近定州城下之时,发现唐军数目庞大之后,遂遣人求援的同时率领所部突入定州城内等待援军。结果,辽太宗派出的援军,又遭到唐将王晏球的四面伏击而全军覆没,于是,后唐军攻破定州城。

---

① 《辽史》卷3《太宗纪上》,中华书局1974年版,第28页。

（天显三年秋七月壬子）王都奏唐兵破定州，铁剌死之，涅里衮、查剌等数十人被执。上以出师非时，甚悔之，厚赐战殁将校之家。①

耶律敌剌作为辽太祖创业时期的佐命功臣之一，可能也是应天皇后摄政以来太祖旧臣集团的硕果仅存者之一。辽太宗即位之后，因为与后唐政权盲目争夺定州地区，派遣敌剌出征、涅里衮等人赴援，结果葬送上万名契丹将士的性命，也给当时的契丹政权造成了巨大的损失和沉重的影响。

（任爱君　撰稿）

3. 耶律图鲁窘与契丹世官世选制度

耶律图鲁窘小字阿合隐，本皇族疏属，乃肃祖长子洽眘之孙，后为五院部人。耶律图鲁窘的父亲敌鲁古（或作的鲁），随从太祖东征西讨，屡立战功。在辽太宗时期，敌鲁古已经担任五院部夷离堇职务。天显十一年（936年）九月，敌鲁古率领五院部军随从太宗皇帝，大举南下太原城以应援叛唐自立的石敬瑭政权，并于太原城外一举击溃后唐军队，但敌鲁古本人也在战争中阵亡。当时，图鲁窘也随军于父亲率领的五院部军营之中，辽太宗为了彰表敌鲁古的功劳，即于阵前宣布由图鲁窘继任五院部夷离堇职务。据《辽史》记载，天显十一年（936年）九月己亥，

（辽太宗）次太原。庚子，遣使谕敬瑭曰："朕兴师远来，当即与卿破贼。"会唐将高行周、符彦卿以兵来拒，遂勒兵陈于太原。及战，佯为之却。唐将张敬达、杨光远又阵于西，未成列，以兵薄之。而行周、彦卿为伏兵所断，首尾不相救。敬达、光远大败，弃仗如山，斩首数万级。敬达走保晋安寨，夷离堇的鲁与战，死之。……甲辰，以的鲁子徒离古嗣为夷离堇，仍以父字为名，以旌其忠。②

夷离堇的鲁，即五院部夷离堇敌鲁古；徒离古，即图鲁窘。这则事迹或佚

---

① 《辽史》卷3《太宗纪上》，中华书局1974年版，第29页。
② 《辽史》卷3《太宗纪上》，中华书局1974年版，第38页。

闻，决不能以简单的赏罚现象视之，它反映出契丹辽朝初期世选制度的部分历史痕迹。

众所周知，契丹辽王朝的建立，是辽太祖阿保机以"禅让"方式，全盘接受与继承了唐朝中晚期以来遥辇氏汗国的既有制度和统治方式。契丹辽朝就是在这种历史基础上不断发展壮大起来的。

辽太祖时期，契丹政权的统治方式，基本是对遥辇氏汗国固有统治体制的继承与调整。辽太祖将契丹可汗的世选权利从遥辇氏家族转移到世里氏家族，然后又将原有的家族世选方式调整为父子继承的世选形式；将原有的遥辇氏宫分组织形式，予以完整地保留并成为契丹国家帐制传统的重要内容之一。此外，辽太祖对于遥辇氏汗国体制的主要调整，还在于：将原有的南、北府宰相世选家族重新调整为国舅部萧氏与皇族耶律氏，同时增设管理汉族人口的专门机构——汉儿司以及各种新官号。但是，辽太祖时期有一项重要制度并没有改变，这就是契丹政权的选官制度，仍然沿袭了遥辇氏汗国时期的世袭世选方式。辽太宗即位以后，也基本继承了太祖时期的既有统治方式，起码在天显年间（926—937年）或者确切地说在会同元年（938年）以前，太宗朝的统治方式尤其是选官制度，与太祖朝时期相比并没有发生太大的改变，即各种社会职务尤其是部落管理机构的各种社会职务依然实行世选制度。因此，敌鲁古战死之后，其子图鲁窘接任他生前担任的五院部夷离堇职务，严格地说并非都是出于辽太宗的格外恩赐，而是依照世选方式融入一些需要临时改变的部分内容。

通过《辽史·辖底传》的记载，可以了解到：契丹人的部落首领世选方式，需要召开一定规模和特定人员参加的会议来确定。也就是说，选举是采取固有的议定方式进行，只有与会人员一致或多数议定者才能当选，但辖底的个人行为也说明传统的会议选举方式，也往往会遭到部分强大家族势力的干扰与攘夺。耶律辖底就是采取强行攘夺方式获得迭剌部的夷离堇职务，它表明遥辇氏汗国末期传统的世选方式开始遭到一定程度的破坏。阿保机建立专制主义政权之后，虽然仍沿袭世选制度作为国家职能机构官吏选举的主要办法，但是国家直接干预世选方式的具体措施也已形成，如：神册六年（921年）正月，

> 南府宰相，自诸弟构乱，府之名族多罹其祸，故其位久虚，以锄得部辖得里、只里古摄之。府中数请择任宗室，上以旧制不可辄变；请不已，乃告于宗庙而后授之。宗室为南府宰相自此始。①

说明原本杂乱无章的世选传统开始纳入国家干预的轨道。世选的形式已经不再重要，重要的是皇帝的旨意可以通过世选方式得到保证与延续。因此，辽太宗在军前、事出紧急的情况下，直接任命图鲁窘继嗣其亡父的夷离堇职务，并非当时契丹政权的封建选官形式而是体现出世选制度的主要内容。

图鲁窘继嗣为五院部夷离堇的时间，是在辽太宗天显十一年（936年）九月。两年之后即会同元年（938年）十一月，辽太宗即宣布将五院、六院部夷离堇更名为两院大王，从此，五院部、六院部的部落首领开始向国家官吏方向转化。史称，图鲁窘更号为五院大王之后，日益得到太宗皇帝的器重和信任，辽太宗经常摒去他人与图鲁窘一起秘密协商国家大事。会同九年（946年），辽太宗伐晋，大军与晋军拒战于滹沱河桥附近，图鲁窘从征并献策迫降晋军统率杜重威等人，一举消灭后晋军队主力。于是，随太宗皇帝入汴京，947年春，卒殁于军中。

（任爱君　撰稿）

4. 韩知古、康默记与韩延徽的历史贡献

韩知古本蓟州玉田人，年方五岁时，契丹部落进攻幽州，为应天皇后述律平之兄述律欲稳所俘，遂为述律氏之家奴。及应天皇后述律平下嫁于辽太祖阿保机的时候，韩知古作为陪嫁的媵臣户，随述律平一起来到阿保机家并成为阿保机家庭的奴隶，也是当时阿保机家庭的主要构成人员之一。

韩知古，史称："善谋有识量。"但随从述律平嫔于阿保机家庭之后，并没有得到与阿保机接触的任何机会，只是被作为普通的家庭奴隶承担着家庭内部的一切杂役事务。韩知古觉得自己的才能无法得到展示，不甘心任人驱使而又无法得到解脱，遂与自己家人商议准备逃离这种生活，寻找一个能够展示自己才华的场所。他的儿子匡嗣得知父亲的具体想法后，遂利用自己

---

① 《辽史》卷2《太祖纪下》，中华书局1974年版，第16页。

能够亲近阿保机的机会，趁机向阿保机说明了父亲的才能与境遇。阿保机听说之后，立即召见韩知古，并与他谈论起经国治民的方略，在听到韩知古的一篇宏论之后，阿保机也觉得韩知古的确是一个比较贤能的人，于是，立刻将其从服杂役的家庭奴隶中提拔起来，并让他也参加事关国体的重大谋议。阿保机即皇帝位之后，遥授韩知古为彰武军节度使、总知汉儿司事兼主诸国礼仪，旋即加左仆射。阿保机征渤海，与康默记同领汉军事从征，更渤海国为东丹，因功升中书令。遂为辽太祖佐命功臣之一。知古事太祖，主要确立了契丹国家的礼仪制度和因俗而治的政治体制。史称，

> 时仪法疏阔，知古援据故典，参酌国俗，与汉仪杂就之，使国人易知而行。①

韩知古在辽太祖病殁之后，也随即去世。一子匡嗣，历仕太祖、太宗、世宗、穆宗、景宗五朝，并在圣宗朝时期，由知古之孙韩德让彻底奠定了韩氏家族在契丹辽朝的崇高地位。

康默记，本名照。曾为蓟州衙校，太祖攻蓟州得之，喜其才能，遂隶属帐下，凡是一切蕃汉相涉事务统统交由康默记负责。康默记也非常善于处理契丹部民事务以及契丹部民与汉人之间的各种纠纷，往往都能够根据不同风俗习惯予以妥善的解决，而且许多事务的处理也都令阿保机感到十分满意。这样，康默记与阿保机之间的君臣关系也就逐渐发展到相互信赖与忠诚的程度，双方关系相得益彰，非常默契。因此，康默记也成为辽太祖佐命功臣之一。史称：

> 时诸部新附，文法未备，默记推析律意，论决重轻，不差毫厘。雁禁囹者，人人自以为不冤。②

也就是说，康默记为契丹辽朝初期的法律建设作出了巨大的历史贡献，是辽

---

① 《辽史》卷74《韩知古传》，中华书局1974年版，第1233页。
② 《辽史》卷74《康默记传》，中华书局1974年版，第1230页。

太祖时期统治阶层推行"因俗而治"政策的实际践行者。因此，康默记同韩知古等人一样，很快成为帮助阿保机专治方面事务的主要管理人员之一，辽太祖任命康默记为左尚书。神册三年（918 年），辽太祖选址苇甸准备修建契丹政权的都城，辽太祖任命康默记为筑城总监，"百日而讫事"。神册五年（920 年），辽太祖任命康默记为皇都夷离毕，即管理皇都事务的最高行政长官。不久，辽太祖兴兵经攻幽州、大军由居庸关入塞，命令康默记统领汉军自山海关路入逼长芦水寨，以策应契丹军主力对幽州地区的进攻。辽太祖亲征渤海国，康默记与韩知古共同总领汉军事务，随太祖出征。当大军会攻渤海忽汗城之际，康默记负责进攻东城门，激励将士奋力攻城，率先攻克东城门。渤海国主投降之后，康默记奉命与韩延徽率领汉军循地长岭府，相继占领渤海国重要州府等地。回师天福城（即忽汗城）之后，原本投降的一些重要州府又相继掀起叛乱，辽太祖遂命令康默记与萧阿古只等人率领蕃汉军队，合理平复新叛地区，并向渤海缘边地区发展，一直攻占属于生女真部落的回跋城。由于太祖死讯传到军中，遂与阿古只等还师皇都。

为辽太祖治丧期间，康默记又奉命修筑太祖陵园，安葬太祖之后，应天皇后遂以康默记为殉葬，故康默记卒于 927 年。

韩延徽字藏明，幽州安次人，家世为幽州支郡长吏。延徽自幼英俊，善书史，藩帅刘仁恭擢升为幽都府文学、平州录事参军，与幽都名士冯道等一同祗候帅府前，升迁为幽州观察度支使。及刘守光幽囚其父、自任幽州节度使时，遣韩延徽出使契丹国，欲约契丹为援。延徽至契丹，阿保机怒其不拜，羁留之。后因述律皇后建议，阿保机复召见延徽，与语悦之，立命参军事。后太祖率军征讨党项、室韦诸部时，延徽随军，因间献言、止暴劝柔服，辽太祖悉听其言，结果很快就征服党项、室韦诸部，契丹军队连年征战也未能征服的这些部落被延徽一言予以解决，辽太祖也对延徽更加信任与佩服。于是，韩延徽又向辽太祖建议应该妥善安置已经归附的汉族人口，

乃请树城郭，分市里，以居汉人之降者。又为定配偶，教垦艺，以生养之。以故逃亡者少。①

---

① 《辽史》卷 74《韩延徽传》，中华书局 1974 年版，第 1431 页。

由于韩延徽的到来以及辽太祖能够及时识拔人才的缘故，不仅逐步改变着契丹军队东征西讨的战略战术方式，同时也改善和调节着已归附的汉族人口的安置办法与生活状况，为契丹政权的稳固与发展起到无法取代的重要作用。因此，辽太祖也越发显示出对韩延徽等人的依赖和信任之情。史称，韩延徽在契丹，

> 居久之，慨然怀其乡里，赋诗见意，遂亡归唐。已而与他将王缄有隙，惧及难，乃省亲幽州，匿故人王德明舍。德明问所适，延徽曰："吾将复走契丹。"德明不以为然。延徽笑曰："彼失我，如失左右手，其见我必喜。"既至，太祖问故。延徽曰："忘亲非孝，弃君非忠。臣虽挺身逃，臣心在陛下。臣是以复来。"上大悦，赐名匣列。"匣列"，辽言复来也。即命为守政事令、崇文馆大学士，中外事悉令参决。①

韩延徽之于阿保机，可谓相得益彰，君臣之间的默契也足以成为后世之楷模。但韩延徽本身所表露出来的那种"负才待售"的中原文士作风，使他在幽州刘氏、契丹阿保机与后唐沙陀政权之间反复游移、待价而沽，这种矛盾心理的具体彰显过程，也客观地体现出北方知识分子阶层，在动荡混乱时局下的艰难选择。韩延徽与冯道可谓比肩而立，都是当时人中龙凤，但韩延徽最终选择了阿保机，冯道则在经历不断坎坷之后成为"一身事五主"的不倒神翁！这是历史原因所决定的客观事实。

韩延徽从此即定居契丹国，天赞四年（925 年），随从辽太祖征伐渤海国，与诸将参与攻克忽汗城战役，因功升为左仆射。又与康默记一起出征尚未降服的渤海长岭府，还师之后，太祖崩逝，延徽哀动左右，述律皇后深为感念。因此，太宗即位后，延徽擢升为鲁国公，仍为政事令。太宗立晋，延徽奉命册封石敬瑭为帝，使还，加授南京三司使。

辽世宗即位，迁授南府宰相，又建政事省，"设张理具，称尽力吏"。天禄五年（951 年），河东政权请求给予封册，世宗皇帝召延徽议定仪制，延徽奏请一切遵照太宗皇帝册封石晋故事，世宗纳其议。穆宗即位，延徽仍受崇

---

① 《辽史》卷 74《韩延徽传》，中华书局 1974 年版，第 1431 页。

重，后因病而殁。延徽子孙，世代仕显于辽朝，遂成为辽朝南京地区著名汉族大户之一，韩氏与刘氏、马氏、赵氏一起号称南京汉人"四大家族"。

（任爱君　撰稿）

四、述律平及其家族

1. 述律平及其家世渊源

辽太祖应天地皇后述律氏，汉名讳平，契丹名曰月理朵，本回鹘人，世为契丹右大部贵盛之家。述律平的家世渊源，本于唐朝回鹘汗国。当回鹘汗国强盛之际，契丹部落世代为回鹘汗国牧羊，是回鹘汗国治下的众多部族之一，回鹘汗国不仅在契丹部落设立专门管理机构，也有大批回鹘人口迁居到契丹部落，并在契丹部落之中居留下来。840 年，生活在叶尼塞河流域的黠戛斯部落，因不满于回鹘汗国的残暴统治，遂聚集起部落骑兵向回鹘汗国发动突击，一举攻破回鹘可汗的宫帐，破灭回鹘汗国，迫使回鹘余众分别向西北甘、瓜、凉、沙诸州以及西域，向东北契丹与奚族部落，南向唐朝云朔地区逃窜。结果又遭到世代与回鹘汗国结好的唐朝政府军队的迎头痛击，迫使大批回鹘人口再度流入契丹部落社会之中。于是，唐朝幽州节度使张仲武陈兵契丹、奚族与黑车子室韦诸部附近，强行向契丹诸部索取逃入部落之中的回鹘贵族首领等 800 余人，统统予以处死。述律平的家族就是在此前后入居契丹部落之内，并在契丹部落社会形成一支以回鹘人为主的新部——即契丹右大部。

根据《辽史》记载，述律平五世祖糯思，始居契丹部落，并很快成为契丹部落贵族之一。因为，糯思之子魏宁已经拥有契丹贵族子弟的称号——舍利，魏宁舍利就是述律平家族来到契丹部落之后的第二代祖先，关于魏宁舍利的事迹，《辽史》中并没有留下详细记载。魏宁舍利之子即述律平的第三代祖先，名为慎思，这已经是一位很典型化的契丹式回鹘人了，说明回鹘人已经开始逐渐融入契丹社会，而相对先进的回鹘文化也由此影响着契丹社会的不断发展。根据史料记载：回鹘人慎思此时便以回鹘汗国时期习见的"梅录"官号参与契丹部落事务，说明回鹘官号已经融入遥辇氏汗国的官吏体制之中。"梅录"之名,被契丹遥辇氏汗国采用之后,中原史料系统中又往往译写为"梅里",梅里即梅录,它是契丹右大部部落首领的名号。慎思梅里,在契丹部落社会中应该发挥着比较重大的历史作用。史称慎思梅里在位的时候,为他的儿子婆姑预定了一门婚事。当时,契丹部落大夷离堇匀德实,有一位女儿,下嫁给世代与世里氏家族通婚的审密氏家族后不久,其丈夫就去世了。于是,慎思梅里趁机为自己的儿子婆姑娶了匀德实王的这位寡女为妻,借此与世里氏家族的匀德实家庭建立起婚姻关系,也由此确立了以后两家之间相互通婚的密切联系,进一步扩大了两家在契丹社会的政治联系。婆姑与匀德实寡女结婚之后,又接连生了几个儿女,述律平即其中之一。慎思梅里病殁之后,婆姑继承了他的职位,人称婆姑梅里。婆姑梅里,本名月椀,袭职之后,又被遥辇氏可汗任命为管理契丹部落事务的阿扎割只,成为契丹部落社会上层贵族成员之一。

述律平,879 年冬十月初一日,出生在契丹右大部,自幼性格稳重,颇有临机断事之风,且见识深远,有谋略,深为家人爱重。据说,在述律平年龄很小的时候,曾经因事来到辽水与土河的会合处,有一位乘坐青牛车的女子,看见述律平之后,匆忙地驱赶牛车为她让路,且突然之间就在她眼前消失了!述律平感到很奇怪,回家后便向父母等述说了这件事情,父母也感到很惊奇!因为,当时社会盛传着契丹人的始祖母,就是一位经常乘坐青牛车的女子,这也是一位经常光顾人间的神人,也是契丹社会普遍崇信的土地神。所以,述律平的父母也为女儿的奇遇,感到高兴。不久,部落社会的孩童之中,就流传起一首表示敬羡述律平的童谣:"青牛妪,曾避路。"大意是说,契丹人十分信赖的地母神青牛妪,见到述律平之后,也曾经为她避让道路。不久,世里氏家族就为阿保机预定了与述律平的婚事。大约在 898 年左右,述律平与阿保机完婚,次年其长子耶律倍出生。从此,述律平即开始了与丈夫阿保机一起共同创建契丹专制主义政权的历程,《辽史》中将太祖创建专制政权的历史过程,誉之为"化家为国"。述律平也在这个"化家为国"的过程中作出了巨大的历史贡献。

901 年,阿保机出任契丹迭剌部夷离堇,不久,又被任命为契丹部落大夷离堇。他在率领契丹军队不断东征西讨的过程中,不仅将契丹人的汗庭修筑成一座草原新城(太宗时命名为龙化州),还将自己家庭所拥有的奚族人口为主的游牧民族人口，重新组建为一支隶属于迭剌部的新部落——奚迭剌部，下辖有十三石烈（即汉族的县）。随着战功和家族势力的不断增长，阿保机又被痕德堇可汗任命为契丹汗国的大于越，成为仅次于契丹可汗的最高军政长官。在阿保机私人势力不断发展的过程中，述律平也趁机利用每次战争俘获的各族人口，选择其中有技艺者隶属自己的帐下，为阿保机军政势力的不断扩张提供最强有力的后方支持。907 年，迫使痕德堇可汗让出契丹可汗的职位后，阿保机在支持者的拥护下，宣布自己即天可汗（《辽史》称天皇帝）位、妻子述律氏为地皇后，同时组建了自己的斡鲁朵——腹心部，述律平也成立了一支归属自己的私属军——属珊军。911 年，当辽太祖出征之际，诸弟集团发动大规模反叛，发兵焚毁阿保机的根据地——西楼，又兴兵进攻阿保机行宫企图夺取可汗仪物，述律平指挥自己的私属保护了阿保机行宫的安全，并维护天子旗鼓没有被叛军夺取。述律平在辽太祖平定诸弟之乱的过程中发挥出巨大的历史作用，从此之后，述律平也经常参加军事行动。916 年，阿保机宣布即皇帝位并接受"大圣大明天皇帝"尊号，同时也为妻子述律平册上"应天大明地皇后"的尊号。

神册年间，太祖阿保机曾经率领军队远征碛北党项、阻卜诸部，契丹本土则由应天皇后等眷属居守。于是，岭北黄头室韦、臭泊室韦部落，趁机向契丹腹地发动进攻，应天皇后得知室韦部落的具体攻击方向之后，遂部署留守军兵提前做好埋伏的准备，并向室韦部落军发起突然袭击，大败诸室韦部落，成功地保护了契丹本土的安全。应天皇后述律平也由此名震诸夷部落。后来，太原晋王政权李存勖即位后，遣使契丹，欲与阿保机结盟，以共同对付割据幽州的刘守光集团。刘守光闻讯之后，也立即派出以韩延徽为首的使团携带大批礼物，来到契丹国，向阿保机求援共同进攻太原政权。但阿保机衔怨于刘守光的使臣韩延徽不向自己跪拜，愤怒之下，不仅没有答应刘守光的求援要求，还扣留了刘守光的全部使人，并命令韩延徽去做牧马的苦役。于是，应天皇后遂劝谏阿保机曰，像韩延徽这样能够守节不屈的人，才是真正的贤德之人。你不应该让他去作牧马这样的苦役，而应该很礼貌地把他请回来加以任用，成为你的臣子！述律平的提醒，使阿保机认识到应该首先了解韩延徽的具体才能，于是，立即召见韩延徽，并通过与韩延徽的谈话，了解到韩延徽是一位具有治国理民能力的有用之才，遂令韩延徽回到自己的大帐之内，随时参与国家大事的具体谋划。韩延徽为契丹专制政权的建立作出巨大的历史贡献，这与述律平的知人善任是分不开的。后来，当辽太祖征服渤海国的时候，述律平的战略谋划也起到了很大的作用。

926 年，辽太祖征服渤海国之后，病殁于班师途中。于是，述律平以皇后身份宣布摄政，并立即派人追杀太祖四弟寅底石于赴任途中，以消除皇位继承过程中的任何阻力。同时，诏告各地王侯大臣等迅速返回皇都，共同商议安葬太祖以及遴选皇位继承人问题。虽然，辽太祖生前已经确定长子耶律倍为皇太子，征服渤海国之后，将渤海国更名为东丹国，仍任命皇太子为人皇王主持东丹国事务。但是，述律平并不喜欢长子耶律倍好学汉文典籍的文士之风，更喜欢像次子耶律德光这样叱咤风云的契丹将领。所以，当契丹贵族集团共同聚会议论皇位继承人的人选问题时，凡是表示维护太祖既定方针者，述律平都统统以党附东丹王或者达语于先帝等各种借口，下狱致死或殉葬太祖墓前，前后诛杀阿保机时期大将、功臣、贵族成员等上百人，凭借大肆杀戮的恐怖政策，威逼诸王大臣一致同意拥护天下兵马大元帅耶律德光为嗣圣皇帝，彻底剥夺了人皇王耶律倍的皇位继承人身份。耶律德光即位之后，为了防范耶律倍的不服与反抗，遂命令东丹国左次相耶律羽之，将东丹国迁徙到辽阳府，并更名辽阳府为南京。930 年，人皇王遂泛海投降后唐政权。人皇王的南逃，给契丹政权造成了巨大的政治影响。

辽太宗即位之后，应天皇后以太后身份时刻监视契丹政权的运作状况，因此，太宗皇帝无论事情大小都必须向皇太后请示之后，才能执行。936 年，后唐河东节度使石敬瑭，盘踞太原城，起兵反唐，并不惜以割地为条件请求契丹出兵相助。辽太宗准备出兵之际，却遭到应天皇太后的否决，在没有任何商讨余地的情况下，不甘心放弃燕云十六州地区的辽太宗，遂采取"以其人之道，还治其人之身"的具体办法，即太后常制造神话传说来蛊惑群臣或利用太祖明殿传书达到无可争议的处事目的。所以，辽太宗也向皇太后汇报说：白昼睡梦之中，见到神人携带十二个异兽，告诉自己石郎派人来求救，届时必须应允他。第一次向皇太后汇报时，太后根本不予理会，但辽太宗不久又向太后汇报，又第二次梦见如此相同的梦境了！反复几次之后，太后也觉得事情很微妙，遂招来契丹巫觋请他们推测梦境究竟如何？结果，巫觋们告诉太后说：这是太祖从祖陵派人来传信！于是，太后也只好同意了太宗皇帝出兵援助石敬瑭的策略。辽太宗援助石敬瑭成功之后，后晋果然向契丹政权完整地奉献了燕云十六州之地，同时每年向契丹纳贡银绢30万两、匹。但是，燕云十六州归属契丹政权之后，彻底打破了契丹政权原本以游牧经济为主、以游牧民族为主的基本格局，大量农业人口的归入，与渤海等人口共同构成一片基本相互连属的农耕经济区域，这就为契丹政权的国家管理方式提出新的考验。应天皇太后坚决地主张实行"契丹本位"政策，不允许其他统治方式对此有丝毫的动摇。于是，从会同元年（938年）开始，契丹国家统治方式出现新的变化，即

> 皇帝与南班汉官用汉服，太后与北班契丹臣僚用国服。①

也就是说，因为应天皇太后的顽固坚持结果造成了辽太宗时期"官分南北"的政治分治体系。故会同元年，辽太宗率群臣仍为皇太后奉上"广德至仁昭烈崇简应天皇太后"的尊号。应天皇太后同时明确指示辽太宗，册封幼弟李胡为天下兵马大元帅、皇太弟，并作为太宗之后的皇位继承人。947年，辽太宗病殁后，永康王擅自宣布继承皇位，应天皇太后与李胡遂发兵阻截永康王军队北还，结果被永康王的支持者击败于泰德泉，被迫与永康王订立和约于潢河横渡附近，表示承认永康王已经取得的皇位。嗣后不久，永康王即将应天皇太后拘禁于祖陵之内，应天皇太后的政治生命也从此终结。应历三年（953年），应天皇太后病殁于祖陵囚所内，时年75岁。

　　根据《辽史》记载，述律平有一位同母异父的兄长萧敌鲁，还有一位同胞兄长名曰欲稳，一位同胞姐姐即耶律老古之母，一位同胞弟弟萧阿古只。但其同胞兄姐即欲稳与老古之母的事迹，已经无法查明。

（任爱君　撰稿）

2. 萧敌鲁及其家族

　　萧敌鲁即应天皇后母前夫之子②，小名曰敌辇，乃契丹审密氏家族子

---

① 《辽史》卷55《仪卫志一·舆服》，中华书局1974年版，第900页。
② 《辽史》卷73《萧敌鲁传》，称萧敌鲁与应天皇太后为同胞姊弟关系，根据考古资料证明，二人非同父所生，敌鲁应为应天皇太后母前夫之子，中华书局1974年版，第1222页。

弟，即契丹部落世代与世里氏家族通婚的家族。大约在辽太祖祖父匀德实王在位的时候，匀德实的一位女儿，下嫁给审密氏家族的一位男子，生下敌鲁之后，那位男人死了。于是，匀德实的女儿又改嫁给婆姑梅里为妻，故萧敌鲁所在部落即契丹国舅部。

萧敌鲁的五世祖，名曰胡母里。遥辇氏政权建立的初期，胡母里曾经奉命出使唐朝，被唐朝羁留于幽州。胡母里遂趁一个夜晚的掩护，悄悄地打开关押自己的房门，连夜逃回契丹部落，并向部落首领完整地汇报了幽州之行的具体情况，使部落组织提前做好幽州藩镇断绝交通的各种准备。因此，胡母里被遥辇氏可汗授予世选部落决狱官的特权。萧敌鲁，就出生在这样的一个贵族家庭中。

萧敌鲁性情宽厚，膂力绝人，自幼能详熟军旅之事。阿保机尚未贵显之时，萧敌鲁即与阿保机交好，甘愿任阿保机驱使，每天都侍卫在阿保机的左右，凡是阿保机用兵征讨的时候，萧敌鲁也都同时随从阿保机出征。及阿保机出任契丹可汗后，萧敌鲁与异父弟阿古只、耶律释鲁、耶律曷鲁等一起负责阿保机的宿卫事务，成为腹心部的主要管理者之一。不久，阿保机即剥夺了遥辇氏时期确立的北府宰相世选家族的特权，任命萧敌鲁为北府宰相，并将世选特权一同赋予萧敌鲁家族。其后，辽太祖征讨奚族与幽州刘守光时，萧敌鲁都担任太祖军队的先锋，所向披靡，攻无不克，为辽太祖东征西讨、扩充统治范围建功甚巨。"诸弟之乱"爆发之后，萧敌鲁率领契丹军队北追至榆河，俘虏剌葛等首犯而还。916 年，与大臣诸将一起拥立太祖为皇帝，册上"大圣大明天皇帝"的尊号。

萧敌鲁以军功见长于太祖时期，故在太祖功臣之列中被喻为手云。神册三年（918 年）十二月，萧敌鲁病殁，辽太祖深悼惜之。敌鲁有二子，长即萧翰，幼为萧干，二人的事迹，分别见于《辽史》的记载。

萧翰，契丹名曰敌烈，小名曰寒真。辽太祖时期，萧翰即与父一起效命于太祖军前，父亲病殁之后，叔父阿古只袭任北府宰相，当时萧翰被称为迭烈郎君，迭烈即敌烈之音译。天赞元年（922 年），后唐藩帅镇州张文礼与唐庄宗矛盾激化，遭到唐庄宗的军事围剿，遂遣使契丹请求援助，辽太祖遂委任已故萧敌鲁之子迭烈郎君（即萧翰）与康默记之子康末怛率领契丹军队救援镇州，一举击溃后唐军队，并攻克石城县，后唐大将李嗣昭战殁，遂解镇州之围，张文礼之子张处瑾遣使奉表来谢①。萧翰逐渐承担起父亲的事业与名望。辽太祖病殁之后，萧翰之母因故触动应天皇太后旨意，遭到皇太后的杀害。辽太宗时期，萧翰已经建立起自己家族的头下州，并已经成为契丹辽朝政权初期著名头下主之一，政治上逐渐获得崇高地位的同时，还拥有自己的私家武装力量。会同元年（938年），受命总领汉军侍卫。八年，随太宗伐晋，萧翰击败晋军，追击至望都，晋军势穷，契丹军四面围之，萧翰建言于太宗曰：

> "可令军下马而射。"帝从其言，军士步进。敌人持短兵猝至，我军失利。帝悔之曰："此吾用言之过至此！"②

此事，《辽史》又记曰：

> （三月癸亥）围晋兵于白团卫村。晋兵下鹿角为营。是夕大风。至曙，命铁鹞军下马，拔其鹿角，奋短兵入击。顺风纵火扬尘，以助其势。晋军大呼曰："都招讨何不用兵，令士卒徒死！"诸将皆奋出战。……辽军却数百步。风益甚，昼晦如夜。符彦卿以万骑横击辽军，率步卒并进，辽军不利。上乘奚车退十余里，晋追兵急，获一橐驼乘之乃归。……夏四月甲申，还次南京，杖战不力者各数百。③

此次失利，几乎葬送辽太宗讨伐后晋的大好局面，是故萧翰应属被杖责的诸将之一。次年，辽太宗继续进攻后晋，一路降服后晋主帅杜重威等人，先锋军直抵汴京城。947年，萧翰随太宗入汴，诏授宣武军节度使，当时大臣张砺极力劝谏太宗治理中原不可用契丹人，但太宗没有采纳，因此，萧翰对张砺怀恨在心。及中原混乱，辽太宗匆忙率军北归，留萧翰等人留守汴京城。太宗病死栾城，萧翰闻讯，即率军自汴京城北归，至镇州与辽世宗会合，遂

---

① 《辽史》卷2《太祖纪下》，中华书局1974年版，第18页。
② 《辽史》卷113《逆臣中·萧翰》，中华书局1974年版，第1505页。
③ 《辽史》卷4《太宗纪下》，中华书局1974年版，第55—56页。

逼迫大臣张砺至死①。萧翰遂从世宗皇帝北归，因与应天皇太后以及皇太弟李胡等相持于潢水石桥，后经大臣耶律屋质等人调和，双方订立和约，共同承认辽世宗的合法地位。和盟既成，应天皇太后遂问萧翰曰：

> "汝何怨而叛？"对曰："臣母无罪，太后杀之，以此不能无憾。"②

因为萧翰在支持世宗即位过程中的功劳，辽世宗将自己的妹妹阿布里公主下嫁萧翰，但萧翰仍不满足，遂与太宗之子耶律天德等人共同谋反，事泄被拘狱中，世宗皇帝仍优容之，赦其无罪。次年，又与寅底石之子耶律刘哥、耶律盆都等人谋反，翰伏罪，世宗皇帝又赦之。后又与阿布里公主一起致书皇叔祖安端约会谋反，世宗皇帝遂命杀之。

　　萧翰自汴京北归之际，曾经携带大批战争俘虏北返，并全部安置在自己的头下州城内，以供驱使。其中，有一位后晋郃阳县令胡峤也在其中，胡峤后来逃回到中原，遂将一路所见萧翰以及契丹贵族情况等全部描写出来，定名此书曰《陷虏记》，书中即有关于萧翰的部分描写。

　　萧幹，小字曰项烈，契丹名字曰婆典，乃萧敌鲁之幼子，性格耿直，颇有父风。辽世宗时期，萧幹开始参与国家政事。天禄五年（951 年），耶律察割等发动"祥古山之变"，屠害皇族之际，察割同党胡古只平时与萧幹关系比较亲近，遂派人召引萧幹共谋大事，萧幹曰："吾岂能从逆臣！"遂缚其使者送寿安王处所，因率家人等共诣寿安王处听宣使，及寿安王平息察割之乱，遂委任萧幹为群牧都林牙。后乌古部叛辽，势甚张，穆宗皇帝命萧幹统军镇服之，因功升授北府宰相，改任突吕不部节度使。辽景宗即位，宋太宗汇集兵马进攻幽州城，景宗皇帝命萧幹统兵拒之，遂与宋兵战于高梁河，与耶律休哥等同破宋军，南京城由此获安。景宗皇帝亲颁手诏慰劳，愈加信任，自此之后，每有征伐必使萧幹参决军事，擢授为政事令。乾亨二年（980 年），宋兵围瓦桥关，夜袭辽军营帐，萧幹与耶律匀骨等击退之。当时，皇后常临朝，每见萧幹必以父呼之。统和初年，皇后加尊号为承天皇太

---

① 《辽史》卷76《张砺传》，中华书局1974年版，第1252页。
② 《辽史》卷113《萧翰传》，中华书局1974年版，第1506页。

后，临朝称制，萧幹数次条陈便宜之事，也都被皇太后一一采用。统和四年（986 年），萧幹病殁。有侄萧讨古、萧继先、萧继远等，俱显名于辽朝。

萧敌鲁一系，遂成为辽朝国舅部大父房，并在契丹辽朝历史上发挥巨大的历史作用。

（任爱君　撰稿）

3. 萧阿古只及其家族

阿古只字撒本，乃应天皇太后同胞兄弟，少卓越，自放不羁，骁勇善骑射，每射甲楯辄洞穿，临敌敢前，勇而有谋。及阿保机为契丹部落大于越时，因兄长敌鲁引荐，以才勇充任使，深得阿保机的器重。阿保机出任契丹可汗后，阿古只遂与兄长敌鲁、耶律释鲁、耶律曷鲁一同掌领腹心部事务，成为辽太祖功臣集团中的佼佼者。"诸弟之乱"爆发后，应天皇后率军退保黑山、守险以自固；当时，辽太祖方经略奚族地区，闻讯之后，遂派遣阿古只率领数百骑兵，星夜驰援应天皇后，以保护太祖老营的安全。阿古只所领数百骑兵至黑山附近与应天皇后会合的时候，逆党将领率军也来到黑山附近。于是，逆军将领耶律迭里特（辖底之子）与耶律滑哥（释鲁之子）等人相议曰："阿古只勇猛无敌，是不可以侵犯也！"遂留兵不前，闻听剌葛等人北逃之后，迭里特与滑哥等遂率军随之北走。当阿保机派遣萧敌鲁率领大军北追剌葛等人的时候，阿古只也随从敌鲁北上，并擒获剌葛等逆党首领于榆河附近，阿古只战功尤高。

神册元年（916 年），与诸将大臣等一起尊奉阿保机为"大圣大明天皇帝"。不久，即奉命出讨西南路党项、吐谷浑及突厥诸部，并经略山西诸郡县，大破后唐骁将周德威部于可汗州境内，大俘获而还。神册三年（918 年）十二月，异母兄、北府宰相萧敌鲁病殁，辽太祖遂仟命阿古只依世选传统接任北府宰相职务。天赞年间（922—925 年），又受命与降将王郁共同领兵经略燕、赵地区，攻克瓷窑镇，俘获人口、畜产、财物无数。天赞三年（924 年）六月，太祖皇帝举国西征吐谷浑、党项以及漠北阻卜诸部，遂委托阿古只负责南面边事，继续率领王郁等汉军经略燕、赵地区。天赞四年（925 年），大举讨伐渤海国，阿古只率军从征，攻克扶余城，独将骑兵五百大破渤海老相兵三万于城下，受命与太祖弟寅底石留守扶余城。及渤海国被征服之后，辽太祖更置东丹国，以为契丹国之藩卫，而渤海故地复叛，所在盗贼蜂起。辽太祖遂诏令阿古只与康默记共同率领蕃汉军队讨伐之，相继攻克长岭府等诸州郡，当率军前至叛军据点回跋城时，遇渤海游骑七千余自鸭渌府来援，军威甚盛，诸将皆欲避之，阿古只遂率麾下精锐数百骑，直犯敌军前锋，奋勇击之，敌军溃，诸将共击之，斩首三千余级，余众遂降；遂进军攻克回跋城。辽太祖死讯传之军中，阿古只遂与康默记等人率军还皇都。应天地皇后召集大臣诸王贵族聚议太祖丧事以及契丹皇位人选时，阿古只因忤太后旨意，遂被赐死。

　　阿古只亦为太祖二十一功臣之一，在功臣之列被喻为"耳"。阿古只有一子名曰安团，在太宗朝时期曾官至右皮室详稳。萧阿古只一系，遂成为辽朝国舅部少父房。

（任爱君　撰稿）

五、一代英主耶律德光

1. 从天下兵马大元帅到嗣圣皇帝

从童幼到成人：耶律德光的成长经历　　耶律德光，乃其汉名，契丹名曰德谨，小名曰尧骨，902 年 10 月降生于契丹汗庭（又名龙庭，即辽朝龙化州）附近，为辽太祖次子。当时，辽太祖与应天皇后驻帐于契丹汗庭附近，乃辽太祖出任迭剌部夷离堇与契丹部落大夷离堇的第二年。史称德光出生之际，

> 神光异常，猎者获白鹿、白鹰，人以为瑞。①

作为契丹贵族子弟，耶律德光的出生，不仅为世里氏家族带来人丁兴旺的繁荣热闹景象，也给世里氏家族的不断发展带来新的希望。所以，德光的出生，在这个特殊的家庭中以及这个特殊的历史时刻、特殊的社会环境中，都

---

① 《辽史》卷 3《太宗纪上》，中华书局 1974 年版，第 27 页。

势必会涂抹上一层神秘的色彩。

耶律德光出生之际，正是契丹社会发生翻天覆地的变革的开端时刻。

907 年正月，阿保机在龙化州举行隆重的即位典礼，设立祭坛于如迂王集会埚，焚柴告天，宣布遥辇氏家族的退位。然后，阿保机接受遥辇氏家族的禅让，正式即契丹可汗位，并尊奉阿保机母亲萧氏为"皇太后"、妻子述律氏为"皇后"。群臣为阿保机上尊号为"天皇帝"、述律后为"地皇后"。于是，阿保机诏令保留遥辇氏的九可汗宫帐，世里氏家族直接承接遥辇氏九帐为第十帐，即建立契丹可汗的斡鲁朵。910 年，阿保机任命述律皇后之异父兄萧敌鲁为北府宰相并代袭其世选之制。这一年，耶律德光年方 9 岁。

911 年，阿保机亲自征讨东、西两部奚族之地，平之，遂刻石记功于滦河附近。是年，阿保机诸弟始阴谋作乱，被人揭发之后，兄弟之间登山盟誓而还，阿保机于是任命次弟剌葛为迭剌部夷离堇，契丹国内始置铁冶。次年冬十月，剌葛等大破平州军兵，遂与诸弟再次谋反，适值阿保机率领远征军队还至北阿鲁山（兴安岭西段北侧）附近，剌葛等人闻知阿保机已经还师的消息之后，遂率领诸弟遣使悔过谢罪，阿保机再次免除诸弟罪行并给以自新的机会。913 年正月，阿保机定于赤水城接受诸弟的投降，乘赭白马，以将军耶律乐姑（即耶律老古）、辖剌僆（即耶律欲稳）阿钵（契丹贵族首领名号）为侍卫，命诸弟剌葛等人解除兵器而进，相见之后，严加斥责，并慰勉其自新，然后，命剌葛等各还本部。但至同年三月，剌葛等人又掀起声势浩大的反叛行动，连阿保机的母亲、妹妹等也都全部参加或暗中支持剌葛集团，目的是为剌葛等诸弟获取更多的政治、经济利益。而剌葛则公开宣布自己即位为契丹可汗，制作出完整的可汗仪仗（即所谓"具天子旗鼓"云），分兵由四弟寅底石率领进攻阿保机行宫，又分兵由堂兄、契丹大巫神速姑率领攻击西楼之地，又分兵由迭里特、滑哥等人率领进攻述律皇后率领的留守军队与阿保机的老营。事实上造成契丹部落内部的又一次分裂。914 年秋季，阿保机任命耶律曷鲁为迭剌部夷离堇、忽烈为惕隐，于是，彻底究治剌葛等逆党主犯的罪状，凡三百余人统统处死，这就是契丹政权初期发生的"诸弟之乱"，也就是《新五代史》中记载的"盐池宴事件"。914 年，耶律德光已经 13 岁，他也经历了契丹部落社会的这一次血雨腥风的大振荡。915 年，阿保机亲自经略乌古敌烈诸部，秋末，又来到鸭绿江边钓鱼，意味着阿保机经略周边地带的战略方向，已经开始向渤海国以及高丽、女真诸部等地区转移。

916 年 2 月，阿保机又在龙化州举行隆重的即位典礼，此次典礼的主要内容就是将契丹可汗的名号更改为皇帝，标志着契丹专制主义政权的确立。在这次盛大的典礼活动中，阿保机册立长子耶律倍（契丹名曰兀欲）为皇太子，明确宣布废黜了契丹部落最高统治者的世选方式，确立了父死子继的继承关系。是年秋，出兵漠南征讨吐浑、党项、突厥、小蕃、沙陀诸部，俘虏其酋长以及民户 15 600 人，铠甲、兵仗、器服等九十余万具，宝货、驼马、牛羊不可胜数；是年冬，进攻山北诸州郡，尽有漠南之地，设立西南面招讨司镇抚之，又尽收山北八军。次年，进攻幽州，与后唐骁将周德威会战新州城东，大破之。遂进围幽州，唐将李嗣源率精锐驰援，皇弟剌葛阵前降唐，阿保机遂收军而归。918 年，任命皇弟安端为惕隐，率军经略云州；又命礼部尚书康默记主持修建皇都事宜，百日而毕，诏令修建孔子庙以及佛寺、道观于皇都之内。是年冬，住坐辽阳故城。次年，更名辽阳故城为东平郡，置防御使领之；秋，远征乌古敌烈诸部，以皇太子为先锋，俘获民众14 200 口，牛马车乘、庐帐、器服等二十余万具，从此乌古敌烈诸部遂款服。次年，制作契丹大字，以皇弟苏为惕隐，并亲征党项诸部，皇太子攻克天德军。921 年，以皇弟苏为南府宰相，定法律、正班爵，分兵进攻幽州属郡，与唐军会战望都城下，契丹军大败。是年，耶律德光 20 岁。

起家天下兵马大元帅 耶律德光参与契丹政权的东征西讨，或许在太祖神册年间（916—921 年）就已经开始了，但是在《辽史》中对于德光出任大元帅以前的事迹，并没有明确的记载，只是在中原汉籍史料中偶尔有所描述。所以，关于耶律德光的具体事迹，也只能从他担任天下兵马大元帅之后，钩稽出一些主要的线索。

但是，这里有一个问题应首先予以说明，即辽太祖为何要将次子尧骨加封为天下兵马大元帅呢？辽朝史料记载，太祖与应天皇后两人曾经多次观察和反复揣摩三个儿子的具体品行与个人才能。据说有一年的冬天，太祖与应天皇后突然将三个儿子召集到面前，然后，让兄弟三人分别出外去寻找可以生火的薪柴。不久，次子尧骨即不加选择地弄回了一捆干、湿混合的薪柴，长子兀欲则随后捡回一捆非常整齐的干柴，幼子李胡则是取少而弃多，及至回来的时候已是两手空空、袖手而立。太祖遂对皇后曰："长巧而次成，少不及矣。"也就是说，长子比较善于总结生活经验的积累，次子虽没有经验也能很快完成任务，幼子比不上他的两位兄长。据说太祖又曾经观察三个儿子的睡相，看见幼子李胡缩着头睡在卧榻之内，于是又对皇后说，看到李胡的这番模样，他的人生也一定会在两位兄长之下了。大约也正是因为阿保机夫妇对于三子情况的反复揣摩，而使辽太祖作出了加封长子为皇太子、次子为天下兵马大元帅的决定。

根据《辽史》记载，天赞元年（922 年），辽太祖继续用兵幽州，并不断染指中原地区。是年四月，镇州藩帅张文礼求援于契丹，辽太祖遂分兵救援之；同时，析分迭剌部为南、北两院部（即五院部与六院部）。十一月任命皇子尧骨为天下兵马大元帅，领兵经略蓟北地区。次年正月，大元帅尧骨率军攻克平州，虏获刺史赵思温、裨将张希崇等。二月，辽太祖如平州，遂以平州为卢龙军、置节度使以领之，仍命赵思温等留守平州。三月，进军于箭笴山，讨伐叛奚胡损，击败之，诛其党三百余人，因置奚堕瑰部，以勃鲁恩为奚王领之。四月，以大元帅尧骨率军进攻幽州、六院部夷离堇觌烈率军徇地山西，大元帅尧骨驻军幽州城东，节度使符存审遣将出战，尧骨击败之，俘其将裴信父子，因率军南抵镇州城下，相继攻克曲阳、北平诸镇，尽俘其人民、畜产、财物。五月，尧骨率军还契丹本土，献所获于太祖帐下，太祖大喜，遂大排筵宴以犒赏三军，并以所获分赐军士、将领及大臣等各有差。是年，李存勖自称皇帝，举兵灭梁。

924 年 6 月，辽太祖大举征伐吐浑、党项、阻卜诸部，命皇太子耶律倍以监国身份与皇后称制留守契丹本土；命天下兵马大元帅尧骨从征，大军遂北上漠北。七月，先锋军遂进攻素昆那山以东部族，大击破之。八月，至乌孤山，太祖以所获天鹅祭天，遂至古单于国，登阿甲典压得斯山，因以麋鹿祭山，然后，分遣骑兵进攻阻卜诸部；又派遣南府宰相苏、南院夷离堇迭里等人略地西南诸边部。不久，苏等完成征服，献俘于太祖帐前，而漠北阻卜大多数部落，亦相继征服，辽太祖遂命随军工匠等人削磨故回鹘阙遏可汗碑，分别用契丹、突厥、汉字刻写此次北伐阻卜诸部的功劳，然后，以青牛白马祭天地于压得斯山。冬十月，遂勒兵士大猎于寓乐山，射获野兽数千头，用以补充军兵之食物。因驻军于霸离思山，分兵穿越流沙之地，攻克古浮图城，悉数征服西边诸部，献功于太祖帐前。遂令军士东归，途经甘州地带，先锋军遂与回鹘战，俘其都督毕离遏，太祖遂遣人致书于回鹘可汗乌母主，命其率部落迎降，甘州回鹘遂臣服，太祖射虎于乌拉邪里山，然后，班师东还，"六百余里且行且猎，日有鲜食，军士皆给"。这大约是耶律德光从军以来首次经历的如此大规模的军事行动，但也因此锻炼了耶律德光的军事才能。是年，耶律德光 23 岁。

天赞四年（925 年）正月，阿保机遣使报捷于皇后、皇太子，于是，皇后等派遣郎君康末怛等来军前问起居，并进御服、酒膳等。阿保机分遣大元帅尧骨率军经略西南党项诸部、大将阿古只率军经略燕、赵地区，均获胜而还，献牙旗、兵仗以及人口、财物等于太祖帐前。四月，皇后与皇太子迎谒太祖于札里河，遂与皇后等一同避暑于室韦北陉。是年十一月，辽太祖遂起兵亲征渤海国，皇后、皇太子与大元帅等俱从行。次年正月，遂攻克渤海扶余府，分命惕隐安端与北府宰相萧阿古只率骑兵万人为前锋，击败渤海老相兵。于是，皇太子、大元帅、南府宰相苏、北院夷离堇斜涅赤、南院夷离堇迭里等分别率领军队，连夜包围渤海国都忽汗城，太祖驻军于忽汗城南，渤海国降而复叛，近侍康末怛等十余人被害。遂下诏攻城，康默记等先破东门，大军涌入，尽诛渤海之复叛者，太祖遂入城、祭告天地。然后，分遣众将率军诏谕诸地之未降者，更名渤海国为东丹国，以皇太子为人皇王主之，以皇弟迭剌为东丹国左大相、渤海老相为右大相、渤海司徒为左次相、耶律羽之为右次相以辅佐人皇王，赐名忽汗城为天福城以为东丹国都。三月乙酉，太祖遂班师回归本土，仍命大元帅尧骨等人率领军队继续平定渤海故地之未服者。七月，太祖至扶余城，因感疾，遂崩殂。应天皇后临朝称制、权决军国事，下教诸道，促人皇王、大元帅以及将军、大臣等返皇都。于是，东丹国左大相、太祖四弟寅底石以及南府宰相、太祖异母弟苏与南院夷离堇迭里、郎君耶律匹鲁等人相继被杀害，契丹部落社会又面临一次血雨腥风的洗礼。

继承皇位和稳固统治　辽太祖病殁后，既定的皇位继承人，由于应天皇后的临朝称制而发生变化。据中原史料记载，应天皇后述律平不喜长子耶律倍，爱其次子耶律德光，遂引导契丹贵族、大臣等共同拥立德光为皇帝，许多大臣出面反对，即遭到应天皇后的杀害。史称，应天皇后常以探望或者随从先帝于地下为借口，将反对自己意见的贵族、大臣或予以杀害，或带至太祖墓前殉葬。被应天皇后杀害者如东丹国左大相寅底石、南府宰相苏、南院夷离堇耶律迭里等，被予以殉葬者如礼部尚书康默记、萧阿古只、耶律欲稳、耶律海里、耶律铎臻等。由于应天皇后的政治高压政策，导致辽太祖的旧臣纷纷殒命，耶律倍等人不得不在应天皇后的直接授意下，选举耶律德光为契丹新皇帝。应该说，应天皇后的政治干预，实际将辽太祖时期已经拟定的皇位继承人制度，又拉回到原有的世选程序之中，它标志着契丹专制政权体制建设中呈现出的反复或者倒退的历史现象。

应天皇后将自己喜欢的次子耶律德光推向皇帝的宝座，据说也确实付出了很大的努力。据《辽史》记载：

> 降圣州，开国军，下，刺史。本大部落东楼之地。太祖春月行帐多驻此。应天皇后梦神人金冠素服，执兵仗，貌甚丰美，异兽十二随之。中有黑兔跃入后怀，因而有娠，遂生太宗。时黑云覆帐，火光照室，有声如雷，诸部异之。穆宗建州，四面各三十里，禁樵采放牧。①

此降圣州，本契丹龙化州之地，契丹龙化州即辽太祖大部落东楼之地。902年，应天皇后生太宗于此，辽穆宗时期遂割此地建州以纪念之。那么，这里就出现一个问题，应天皇后怀孕以及诞生太宗之际的种种神话是怎样产生的？这个神话的制造者，无疑就是应天皇后本人。应天皇后制造这个神话的目的是什么？答案无疑是为次子德光继承皇位制造舆论，并利用契丹部民以及贵族阶层普遍流行的迷信心理，来达到自己的政治目的。应天皇后不仅这样做了，也因此导演了由次子耶律德光继承皇位的选举场面，

> 倍知皇太后意欲立德光，乃谓公卿曰："大元帅功德及人神，中外攸属，宜主社稷。"乃与群臣请与太后而让位焉。于是大元帅即皇帝位，是为太宗。②

---

① 《辽史》卷37《地理志一·降圣州》，中华书局1974年版，第447页。
② 《辽史》卷72《宗室传·义宗倍》，中华书局1974年版，第1210页。

此事，中原史料记载：天显二年（927年）十一月，应天皇后让耶律倍和耶律德光乘马立于部落贵族以及蕃汉群臣面前，然后，任部落贵族、蕃汉群臣等自由选择心目中的皇帝，其办法是：选择了谁就去执住他的缰辔。结果，贵族大臣等都争先恐后地执住耶律德光的缰辔，于是，应天皇后便选择耶律德光为皇位继承人。耶律德光就在这一天，举行了隆重的即位典礼，群臣上其尊号为"嗣圣皇帝"，意即大圣皇帝的圣明继承者；尊太祖之母皇太后为太皇太后、尊述律皇后为应天皇太后、册妃萧氏为皇后。于是，耶律德光阅群牧马匹于近郊，诏令遥辇氏九帐子弟有才能者可以因材授予官职。同时，修建祖陵，设立祖州城等。是年，耶律德光26岁。

天显三年（928年），耶律德光任命王郁为龙化州兴国军节度使、仍守中书令；又命奚秃里耶律铁剌率领平州驻军救援定州藩帅王都，续遣惕隐涅里衮、都统查剌率领契丹军增援铁剌，结果，大败于定州，铁剌被杀、涅里衮与查剌被俘，余众全军覆没。这是辽太宗即位之初，所遭受到的一次最大的失败，因此，下诏自责，并厚赏战殁将校之家。是年底，诏令东丹国右次相耶律羽之，趁人皇王居留皇都之际，迁东丹国至东平郡，并更名东平为南京；规定凡东丹国民众因为困乏而不能自迁者，允许契丹富民出钱助迁，其助迁多少均为富民私属。因此，东丹国民众又遭到一次浩劫，人皇王耶律倍的政治军事实力也再次遭到沉重打击。次年，分命将军突吕不经略乌古诸部，皇弟李胡率军经略云中地区。930年，以渤海国人口赐予皇弟李胡为私属，遂召集群臣聚议军国事，册封皇弟李胡为寿昌皇太弟兼天下兵马大元帅，同时，遣人皇王归国，并置人皇王仪卫以监督之。是年，人皇王泛海入后唐，契丹国内部的政治斗争，因为人皇王的出逃而避免了又一次大分裂的发生。931—935年，耶律德光加强了与周边地区以及中原、江南割据政权的联系。931年，黠戛斯、乌古、敌烈德、女直、鼻骨德诸部来贡；932年，后唐遣使来聘，

拽剌迪德使吴越还，吴越王遣使从，献宝器。复遣使持币往报之。①

---

① 《辽史》卷3《太宗纪上》，中华书局1974年版，第33页。

又"遣使诸国"、并"致人皇王倍书"；乌古、敌烈德、女直、阻卜等相继来贡。933 年，耶律德光又派皇太弟李胡、左威卫上将军撒割率领军队讨伐西南党项部落，于是，吐谷浑、阻卜来贡，剋实鲁奉使后唐还，后唐因遣使请罢征讨党项兵，遂以战捷以及党项部落已听命报之。934 年，葬太皇太后于德陵，人皇王自唐上书请讨伐后唐李从珂，太宗皇帝自将军队南伐，入云州路，攻克河阴县，略地至灵丘，拔阳城，遂北还。是冬，住坐于百湖之南。935 年，皇后萧氏病殁于住坐处，诏令皇太后父族及母前夫之族二帐并为国舅部，葬皇后萧氏于奉陵。

经过八年的统治，辽太宗的政治地位已经非常牢固，契丹国家的社会发展也逐渐趋于平稳，大规模的征讨已经基本停息，为社会发展创造了一个安定的条件。所以，辽太宗朝初期契丹社会经济生产有了明显的提高，为契丹社会经济、文化的进一步发展奠定了基础。

2. 从约束后晋到取代后晋：辽朝的建立

灭唐立晋 936 年 7 月，后唐河东节度使石敬瑭与后唐政权发生矛盾，遂遣使求援于契丹，起兵太原，叛唐自立，因为受到后唐军队的猛烈攻击，便派出使臣不惜以燕云十六州为代价，请求契丹政权的援助。

耶律德光开始接到石敬瑭的求援请求的时候，就想立刻兴兵南下，帮助占据太原的石敬瑭进攻后唐政权，但德光的打算遭到了应天皇太后的阻挠，述律皇太后明确反对耶律德光对中原地区用兵。当石敬瑭政权再次提出以燕云十六州为报答条件的时候，辽太宗便立刻答应了石敬瑭的请求，但应天皇太后仍然不同意耶律德光的军事行动，她不想因此而打破契丹政权已经形成的安定局面。无计可施的情况下，耶律德光遂采取"以其人之道，还治其人之身"的办法，终于迫使皇太后同意用兵中原的决策。其具体过程是这样的：

辽太宗看到应天皇太后一次次拒绝其用兵中原的具体打算，忽然想起了应天皇太后为了支持自己获得皇位而采取的"制造神话"的办法。于是，耶律德光也制造了一出用于蛊惑人心的神话：

《纪异录》曰：契丹主德光尝昼寝，梦一神人，花冠，美姿容，自鞯甚盛，忽自天而下，衣白衣，佩金带，执骨朵，有异兽十二随其后，内一黑兔入德光怀而失之。神人语德光曰："石郎使人唤汝，汝须去。"觉，告其母，忽之不以为意。后复梦，即前神人也，衣冠仪貌，宛然如故，曰："石郎已使人来唤汝。"即觉而惊，复以告母，母曰："可命筮之。"乃召胡巫筮，言："太祖从西楼来，言中国将立天王，要你为助，你须去。"未浃旬，唐石敬瑭反于河东，……许割燕云，求兵为援。契丹帝曰："我非为石郎兴师，乃奉天帝敕使也！"……后至幽州城中，见大悲菩萨佛像，惊告其母曰："此即向来梦中神人！冠冕如故，但颜色不同耳。"因立祠木叶山，名菩萨堂。①

耶律德光的梦境与应天皇太后诞生德光时刻的梦境，竟然如出一辙！这种惊人相似的背后究竟隐含着怎样的历史内容？其答案不外两种类型，其一是母子再次合作共同蒙蔽国人，然而，德光试图用兵中原并未遭到国人的反对，所以，这条答案根本就不能成立；其二就是用来煽惑和逼迫太后同意中原用兵策略，这个答案是肯定的，因为只有应天皇太后才是辽太宗试图进取中原的阻挠者。因为，耶律德光制造的神话，不仅复回了母亲的蓝本，还利用契丹巫觋之口传达出太祖的话语，就迫使应天皇太后不得不同意耶律德光用兵中原的具体方略。

936 年 8 月，辽太宗遂派遣萧辖里赴太原通报契丹军队行动路线以及会合日期。然后，亲自率领军队驰援太原，契丹军队经由雁门关，至忻州，直达太原城北，遣使告知石敬瑭，遂率军与唐军决战，

> 会唐将高行周、符彦卿以兵来拒，遂勒兵阵于太原。及战，佯为之却，唐将张敬达、杨光远又阵于西，未成列，以兵薄之。而行周、彦卿为伏兵所断，首尾不相救。敬达、光远大败，弃仗如山，斩首数万级。敬达走保晋安寨。②

---

① （南宋）叶隆礼：《契丹国志》卷 2《太宗皇帝》，贾敬颜、林荣贵点校，上海古籍出版社 1985 年版，第 19 页。
② 《辽史》卷 3《太宗纪上》，中华书局 1974 年版，第 38 页。

于是，指挥契丹军队重重围困之，分遣精兵守其要害，以绝援兵之路。辽太宗遂入城，临幸石敬瑭府第，石敬瑭夫妇遂率亲属捧觞上寿，遂封石敬瑭为晋王，仍出居城外军营。时后唐分遣赵延寿以兵二万守团柏谷、范延广以兵二万屯辽州，仍令幽州赵德钧以所部兵万余人由上党趋赵延寿军，会合之后，共同进解晋安寨之围，后唐主李从珂自率精兵三万出据河阳。辽太宗遂召石敬瑭至军营中，议立石敬瑭为皇帝，并相约永为藩辅之国。十一月丁酉，遂册立石敬瑭为大晋国皇帝，命惕隐迪辇洼率军阻截后唐援兵，包围晋安寨80余天，张敬达等军粮断绝，杨光远、安审琦等遂杀主将张敬达出降，所降军士及马五千匹悉数赠与石敬瑭。于是，赵德钧等诸路援兵将遁，遂分兵萧酷古只、李胡等追击之，追及赵德钧父子与潞州城下，迫降之。辽太宗遂命南宰相解领等率军先还，与晋帝石敬瑭约为父子之国，

以白貂裘一、厩马二十、战马千二百饯之。

又命迪离毕率领契丹军五千骑护送石敬瑭入洛。辽太宗亦率军队北归，至应州，后唐大同军、彰国军、振武军节度使迎见，辽太宗以与晋帝定约割让十六州之故，遂收留三节度管内人员，不许其南返。

937年正月，遣送奚西部民各还东部本土，与皇太后等相见于滦河行宫，向太后献珍玩为寿，遂召诸部休养士卒。晋石敬瑭遣人护送人皇王棺柩以及后唐所俘郎君刺哥、文班史萧觟里还朝，辽太宗遂幸平地松林、观潢水源，晋石敬瑭遣其户部尚书聂延祚来归雁门以北与幽、蓟之地，仍岁贡契丹银、帛三十万两、匹，辽太宗不许，仍命悉归燕云十六州之地。遂诏令国内各地增置晋使所经供亿户及各处通使之路，派遣直里古使晋及南唐、皮室胡末里使回鹘、敦煌。契丹政权开始声名远扬。

约束后晋　创立制度　938年正月，石敬瑭命大臣和凝撰写太宗圣德神功碑立于汴梁城。辽太宗遂遣东丹国中台省右相耶律羽之使晋、临海军节度使赵思温副之，册上晋帝为英武明义皇帝。晋帝遂派遣守司空冯道、左散骑常侍韦勋来上皇太后尊号，左仆射刘昫、右谏议大夫卢重来上太宗皇帝尊号，遂命监军寅你已为接伴使以招待之。于是，册上皇太后尊号为"广德至仁昭烈崇简应天皇太后"，册上太宗尊号为"睿文神武法天启运明德彰信

至道广敬昭孝嗣圣皇帝"，晋帝又以幽、蓟、瀛、莫、涿、檀、顺、妫、儒、新、武、云、应、朔、寰、蔚十六州图籍来献。辽太宗于是大赦，更国号为大辽，改元会同元年（938 年）。

> 遂诏群臣及高年，凡授大臣爵秩，皆赐锦袍、金带、白马、金饰鞍勒，著于令。
>
> 升北、南二院及乙室夷离堇为王，以主簿为令，令为刺史，刺史为节度使，二部梯里已为司徒，达剌干为副使，麻都不为县令，县达剌干为马步。置宣徽、阁门使，控鹤、客省、御史大夫、中丞、侍御、判官、文班牙署、诸宫院世烛，马群、遥辇世烛，南北府、国舅帐郎君官为敞史，诸部宰相、节度使帐为司空，二室韦闶林为仆射，鹰坊、监冶等局官长为详稳。①

同时，诏改皇都为上京、府曰临潢，升幽州为南京、府曰幽都，改南京为东京、府曰辽阳，更名新州为奉圣州、武州为归化州；又派遣同括、阿钵等奉使晋国，并制加晋冯道守太傅、刘昫守太保，其余册礼官员各有差。

辽太宗会同元年的改革措施共有四项，即宣布大臣有爵秩者的官服装饰式样、更改部落官号与调整部分官职的基本功能、增加中原封建管理机制、确立三京及州县制度以及称制封授后晋官员爵秩等。这标志着辽太宗时期，随着燕云十六州的割入，中原封建管理方式也在契丹政治体系中形成，契丹部落官号的改革则说明游牧社会的专制体制不断加强，设立三京则标志着这个善于移动的游牧政权已经增加新的内容，但是，以应天皇太后为首的部分契丹贵族，他们不愿意看到大批农耕人口成为契丹国家的主要人口，也不愿意过分地更改契丹部落已经习惯的管理方式，一言以蔽之，就是这些贵族成员依然顽固地坚持着不可动摇的"契丹本位政策"。所以，在辽太宗会同元年的时候，契丹政权的体制建设就出现了一个新的历史内容，即"政治分治"体系的基本形成。这个"分治"体系用史料概括就是：

---

① 《辽史》卷4《太宗纪下》，中华书局1974年版，第44—45页。

皇帝与南班汉官用汉服，太后与北班契丹臣僚用国服。①

因此，所谓"蕃汉分治"的政治分治体系的建立，应该是辽太宗时期契丹政治体制建设的艰难成果，这也是以后契丹政治制度不断发展的重要基础。史称，辽太宗接受了来自中原后晋政权的册礼之后，立即派遣使者分别通报于南唐和高丽政权，其兴奋之情，自是流露于言表。会同二年（939 年）正月，晋帝派遣金吾卫大将军马从斌、考功郎中刘知新来贡珍币，辽太宗遂当堂分赐予群臣，并诏告晋帝全部免除其沿边四州应该奉贡的钱币。又封授皇子述律为寿安王、罨撒葛为太平王，同时明令禁止南京路以牝羊鬻卖出境。回鹘单于遣使请求授予官号，遂遣使分别加授刺史、县令名号。罢黜契丹部落原有纳贡制度，如：

> 闰七月癸未，乙室大王坐赋调不均，以木剑背挞而释之；并罢南北府民上供，及宰相、节度诸赋役非旧制者。……己丑，以南王府二刺史贪蠹，各杖一百，仍系虞候帐，备射鬼箭；选群臣为民所爱者代之②。

契丹辽朝的政治体制建设开始稳步向前发展。那么，契丹辽朝政权与其所扶立的后晋政权关系如何？

其实，契丹政权与后晋政权的关系，一开始就是不平等的。据《辽史》记载，辽太宗天显十一年（936 年），接受石敬瑭割地为条件的求援要求后，辽太宗与石敬瑭相见即以"卿"称之，随后加封石敬瑭为晋王、又册封石敬瑭为大晋皇帝，并"执手约为父子"③。耶律德光始终都是以大国之君的态度，强行凌驾于后晋皇帝之上，而石敬瑭也甘愿受之。石敬瑭的态度，甚至激起了属下的不满。例如后晋镇州节度使安重荣就曾上书石敬瑭，极言尊事契丹之危害，石敬瑭不纳，安重荣遂遮截契丹行人、使节等，辄杀之，由此挑起了契丹与后晋政权之间的矛盾。石敬瑭遂匆忙发兵围剿镇州安重荣，

---

① 《辽史》卷55《仪卫志一·舆服》，中华书局1974 年版，第900 页。
② 《辽史》卷4《太宗纪下》，中华书局1974 年版，第46 页。
③ 《辽史》卷3《太宗纪上》，中华书局1974 年版，第39 页。

以解契丹之怒。辽朝政权对后晋政权的干预，从以上关于加授使臣冯道等人官爵，即可看出。此外，契丹使者及商人，从此都直接由后晋境内直达江南诸割据政权，不仅在后晋京城建立了从事商业经营的专门机构——回图务，还要求后晋政权必须妥善安置使南行人的消费与安全，沿路必须供给一切生活必需品。有时契丹使臣携带商队驱赶成千上万的羊马，浩浩荡荡地途经后晋境内直达南唐境内进行交易，不仅给后晋造成极大的经济负担，也给后晋造成极大的政治负担。譬如南唐与吴越使臣也舍弃比较艰难的海路，而大摇大摆地行走后晋境内直达契丹，这势必会给后晋政权的尊严与权力造成巨大威胁，而一旦后晋地方官府公开阻止或羁押这些江南使臣的时候，江南诸割据政权遂由海路至契丹告以礼品皆为后晋截留，辽太宗遂派人直接向石敬瑭索取这些政权奉送的礼品。于是，江南诸割据政权为了达到渔人之利的目的，有时即悄悄地将契丹使臣杀死在后晋境内，给后晋与辽朝关系添加破坏因素，而辽太宗则只是追究后晋的责任。譬如安重荣跋扈于镇州之时，辽太宗就以扣押后晋使臣相威胁，所以，辽朝与后晋之间的关系，从其确立之日起就是一种不稳定的附属关系。这种关系也决定了双方最终必将破裂的结局。

灭亡后晋与太宗"三失" 辽晋之间的关系，始终是以石敬瑭个人的忍辱负重为前提，因此，一旦石敬瑭病死之后，辽晋关系也就走到了它的终点。

辽太宗会同五年（942 年）六月，后晋皇帝石敬瑭病死，由事先指定的继承人石重贵即位为新皇帝，史称晋末帝。据《辽史》记载：

> 秋七月庚寅，晋遣金吾卫大将军梁言、判四方馆事朱崇节来谢，书称"孙"，不称"臣"，遣客省使乔荣让之。景延广答曰："先帝则圣朝所立，今主则我国自册。为邻为孙则可，奉表称臣则不可。"荣还，具奏之，上始有南伐之意。①

是年冬十月，辽太宗下诏征诸道兵，分遣将军密骨德讨伐党项，太宗遂住坐

---

① 《辽史》卷 4《太宗纪下》，中华书局 1974 年版，第 52 页。

于赤城。会同六年，南唐遣使进蜡丸书，密告后晋事宜。是年冬，上京留守耶律迪辇奏捉获后晋间谍，太宗始知后晋阴蓄二心，益坚南伐之意。十二月，太宗遂入南京，召集群臣商议讨伐后晋事宜，遂决定分军由南京留守赵延寿与其弟赵延昭、皇叔祖安端与大详稳解里等分别率领，分由沧、恒、易、定诸州分军而进，辽太宗率领大军随后继之。

> 七年春正月甲戌朔，赵延寿、延昭率领前锋五万骑次任丘。丙子，安端入雁门，围忻、代。己卯，赵延寿围贝州，其军校邵珂开南门纳辽兵，太守吴峦投井死。己丑，（太宗）次元城，授延寿魏、博等州节度使，封魏王，率所部屯南乐。丙申，遣兵攻黎阳，晋张彦泽来拒。辛丑，晋遣使来修旧好，诏割河北诸州，及遣桑维翰、景延广来议。①

后晋遂不再遣使。于是，二月甲辰朔，攻克博州，后晋大臣杨光远遣使密导辽军自马家口渡河。后晋枢密使景延广闻讯，遂遣

> （将军）石斌守麻家口，白再荣守马家口。未几，周儒引辽军麻答营于河东，攻郓州北津，以应光远。晋遣李守贞、皇甫遇、梁汉璋、薛怀让将兵万人，缘河水陆俱进。辽军围晋别将于戚城，晋主自将救之，辽师解去。守贞等至马家口，麻答遣步卒万人筑营垒，骑兵万人守于外，余兵屯河西。渡未已，晋兵薄之，辽军不利。
>
> 三月癸酉朔（赵延寿建议直抵澶渊）……是日，晋兵驻澶渊，其前军高行周在戚城。（辽太宗）乃命延寿、延昭以数万骑出行周右，上以精兵出其左。战至暮，上复以劲骑突其中军，晋军不能战。会有谍者言晋军东面数少，沿河城栅不固，乃急击其东偏，众皆奔溃。纵兵追及，遂大败之。壬午，留赵延昭守贝州，徙所俘户于内地。②

其实，此次戚城之战，辽太宗大败而归，这是《辽史》的讳笔。因为，据

---

① 《辽史》卷4《太宗纪下》，中华书局1974年版，第53页。
② 《辽史》卷4《太宗纪下》，中华书局1974年版，第54页。

《旧五代史》记载，戚城之战，契丹主损其骁将金头王，金头王此战中晋军
埋伏而战殁，契丹军士皆号哭而走，退归幽州。同年七月，杨光远又遣使奉
蜡丸书，密约契丹共攻后晋。是年冬十月壬戌，辽太宗天授节，诸国遣使进
贺，唯独后晋使臣不至。十一月壬申，辽太宗遂诏令征诸道兵，相约以闰十
二月会军于温榆河北。十二月甲子，辽太宗至古北口，闰十二月己巳朔，阅
诸道兵于温榆河，遂进军南伐，包围恒州，克其 9 座县城。次年正月，分兵
进攻邢、洺、磁三州，屠城，遂进军相州境内，晋将张从恩、马全节、安审
琦兵悉陈于相州安阳水南。及战，晋军又击败契丹，同时，晋将折从阮自河
曲北上，攻克辽朝胜州。晋将杜重威等复击败契丹军于白团卫村，辽太宗夺
橐驼而归南京，遂杖将军战不力者。946 年 7 月，诏征诸道兵，自将南伐；
9 月，阅诸道兵于渔阳县西之枣林淀，遂遣赵延寿率军先进，与晋将张彦泽
战于定州，击败之；11 月，辽太宗指挥契丹军队围困镇州城，遂断河桥，
以绝其援军，分兵南院大王迪辇、将军高模翰等由瀛州路南下，晋军主力遂
据中渡桥与辽军相持，辽太宗指挥大军击败晋军，其主帅杜重威退保中渡
寨，辽太宗遂分兵包围中渡寨，

> 夜则列骑环守，昼则出兵抄掠，复命大内惕隐耶律朔骨里及赵延寿
> 分兵围守。（太宗）自将骑卒夜渡河出其后，攻下栾城，降骑卒数千。
> 分遣将士据其要害。下令军中预备军食，三日不得举烟火，但获晋人，
> 即黥而纵之。诸馈运见者皆弃而走。于是晋兵内外隔绝，食尽势穷。[1]

十二月丙寅，晋军主帅杜重威、李守贞、张彦泽等率所部二十余万众投降契
丹，耶律德光遂拥数万骑、临大阜，立马接受晋军投降，并分降卒之半付重
威管领，另一半交由赵延寿管辖，遂命御史大夫解里、监军傅桂儿、先锋张
彦泽持诏入汴，谕令晋帝投降。次年正月，辽太宗备法驾入汴，御崇元殿受
百官祝贺，遂迁晋帝及其家人等远徙契丹黄龙府安置，大赦，改元为大同元
年（947 年），升镇州为中京，分遣契丹将吏接收后晋诸地官府事务。于是，
晋河东节度使刘知远，据太原城自立为帝，改国号为汉，后晋故地所在蜂起，

---

① 《辽史》卷 4 《太宗纪下》，中华书局 1974 年版，第 58 页。

纷纷响应河东刘知远驱逐契丹官吏。夏四月，辽太宗匆忙北还，顾谓侍臣曰：

> 朕此行有三失：纵兵掠刍粟，一也；括民私财，二也；不遽遣诸节度还镇，三也。①

辽太宗所谓"三失"，其实皆因契丹人民族心理以及生活习俗所造成。契丹军队抵达汴梁城之后，大批军马没有良好草场的供应，只能就地解决或任由马匹啮食禾苗，或强行征集谷物以充草料，这是辽太宗等人始料不及的事情；括民私财则是契丹贵族征战的主要目标，辽太宗无法分清游牧社会与农耕社会的具体区别，也是情理之中的事情；不遣诸节度使还镇则是所有契丹将领的共同心愿，他们以为来到富庶无比的中原地区，也可以像管辖游牧民族那样任意征取赋税，所以，纷纷图谋出任后晋故地的军政大员，以中饱私囊。辽太宗虽然认识到以上三方面的缺陷，但他也不可能全部予以改变。因此，辽太宗失败之后，马上能总结出自己的失误，说明他确实是契丹辽朝初期的一代英主。

（任爱君　撰稿）

3. 耶律德光的子孙们

关于辽太宗子孙们的基本情况，《辽史》中并没有系统的记载，目前也只能索隐发微，试图比较全面地了解太宗系统的具体发展状况。史称：太宗皇帝有五子，靖安皇后生穆宗述律、太平王罨撒葛，宫人萧氏生王子天德、冀王敌烈、越王必摄。太宗五子之中，除长子述律即皇帝位（即穆宗）留下专门记载外，其他诸子并没有形成完整的传记资料的记载。

太宗次子罨撒葛，又名撒葛里，出生于天显九年（934 年）十二月壬辰日，其母即辽太宗靖安皇后萧氏，与辽穆宗为同胞兄弟。史称：

> （天显九年）十二月壬辰，皇子阿钵撒葛里生，皇后不豫。是月驻

---

① 《辽史》卷 4《太宗纪下》，中华书局 1974 年版，第 60 页。

眸百湖之西南。①

这位皇子撒葛里，就是辽朝前期声名煊赫的太平王罨撒葛。罨撒葛出生不足月，其母靖安皇后萧氏即因产后疾病而殁，故罨撒葛自幼由宫人喂养而逐渐成长。辽太宗会同二年（939 年）三月，年仅 6 岁的罨撒葛，就被太宗皇帝加封为太平王。至父亲太宗皇帝病殁之际，罨撒葛也只有 14 岁。辽世宗即位后，因太宗皇帝迁徙后晋末帝于契丹境内安置，居住建州，遂允许罨撒葛"执兄弟礼"与晋主石重贵交往，其本人也深受世宗皇帝的器重。辽穆宗即位之后，因与罨撒葛为同胞兄弟，遂委托以国家政事的处理，罨撒葛的政治地位也不断地提高。随着穆宗朝诸王谋反事件的不断发生以及穆宗皇帝对于国事处理的昏聩方式，使得整个契丹贵族集团都在试图重新寻找出路，太平王罨撒葛也同样面临如此的抉择。当时，契丹社会比较盛行谶言纬记一类的迷信传说，朝廷也明令禁止这类色彩的东西在朝野传播。但罨撒葛恰恰也迷信上了这些，于是邀请与自己关系非常亲近的司天台方技之士魏璘来到家中，占卜自己是否能够登上皇帝宝座，结果被人告发，遂与魏璘一起被流放西北边部。不久，辽景宗即位，罨撒葛闻讯后，准备北逃阻卜诸部，为追兵所阻。辽景宗遂召罨撒葛还朝，释其罪，仍加封为齐王，并委任以西北边事。保宁四年（972 年），罨撒葛病殁，诏追赠为钦靖皇太叔。

罨撒葛的妻子萧氏，与辽景宗皇后萧燕燕为同胞姊妹，当时号称齐王妃，也是一位在契丹政治、军事领域非常活跃的契丹女性。罨撒葛病殁之后，齐王妃率领太平王原有人马，驻军漠北地区镇遏阻卜诸部，并奏请修建镇、维、防诸州，构筑起辽朝西北地区比较坚固的军事防线，为辽朝西北边疆地区的统治与稳定作出了巨大的历史贡献。

天德字苾扇，也是辽太宗诸子之一，《辽史》称其"第三"，其实其年龄应该远大于太平王，只是关于天德的生年已无法查明。据《皇子表》记载：天德猛悍矫捷，体形长大，人望而畏之，自幼与祖母应天皇太后相得，深为太后喜爱。会同三年（940 年），奉诏与邸用和出使晋国，举止皆合仪制。辽太宗兴兵讨伐晋国，天德皆随行。望都之战，晋将杜重威等率军十余

---

① 《辽史》卷 3《太宗纪上》，中华书局 1974 年版，第 36 页。

万，先据河桥，颇得地利。太宗思欲以计破之，遂募军中有能断其粮道者，天德自请以骑五千破之，太宗许之。天德遂率军自间道出，袭击其护送者，焚其粮草而归。晋军粮草绝，遂降，天德战功颇多。大同元年（947 年），世宗命天德护送太宗灵柩先还，遂与应天皇后相会，随皇太弟李胡率军阻截世宗皇帝归路，与世宗先锋军安端、刘哥等人交战泰德泉。天德首先出战，安端马蹶，天德急击之，幸刘哥救之，几乎致安端于危地。世宗大军继之，天德始与李胡退守潢水石桥。及和议成，世宗遂不复任用天德。天德乃与萧翰等谋反，下狱中，天德力大，尝于狱中自断铁锁，但因狱舍坚固而终不能脱。后耶律刘哥、盆都谋反，又辞连天德，遂于天禄二年，伏诛。

敌烈字巴速堇，亦太宗诸子之一，其母为宫人萧氏。敌烈多力善射，辽穆宗朝，尝与耶律海思等谋反，事情泄露，穆宗遣人鞫治，犹以弟视之，敌烈终以饰词获免。辽景宗保宁元年（969 年），加封冀王，委任以西南面诸军事。北宋军侵犯北汉，敌烈与南府宰相耶律沙奉命率军救援，大战石岭关等地，击退宋军而还。景宗乾亨元年（979 年），北宋主率大军攻北汉，景宗皇帝命冀王敌烈与耶律沙等率军救之，白马岭之战，辽军中伏，敌烈及子哇哥皆战死。景宗闻讯大恸，遣使究治军中战不力者，史称：

> 冀王敌烈麾下先遁者斩之，都监以下杖之。[1]

必摄，字篯堇，乃辽太宗之幼子，母为宫人萧氏。必摄自幼善骑射，穆宗朝时期，深得穆宗信赖，为诸弟中穆宗皇帝尤加信任者。时朝廷命官耶律恒特与萧啜里因犯罪，准备南逃，必摄闻之，密以其情达穆宗，遂鞫治之。由是穆宗皇帝益见信任，凡春水秋山等常以必摄侍从，遇有大事即咨询之。穆宗皇帝好酒，性情无常，但又非常喜欢鹿，故下诏春水秋山之际，从行者遇到鹿之后，不许任意伤毙或纵其逃逸，必须告知穆宗亲自捕获，否则，主其事者罪皆死。不久，就有一位行宫中负责监养鹿苑的官员，因为捕获的鹿逃逸，触犯律条而将被处死，必摄遂劝谏穆宗不要因丢失一头鹿，就诛杀一位官员，辽穆宗遂诏令免除死刑。故穆宗朝时期，必

---

① 《辽史》卷 9《景宗纪下》，中华书局 1974 年版，第 102 页。

摄也深得贵族大臣集团的尊重。辽景宗即位后，保宁元年（969 年）四月，加封必摄为越王，与冀王等共同经略西南面边事，至讨党项部落，屡次立有战功。后因疾病殁。

（任爱君　撰稿）

六、辽朝蕃汉人物

1. 室昉

室昉，字梦奇，辽朝南京人，生于 917 年。自幼谨厚笃学，足不出户者二十余年，虽邻居亦罕有识之者，其专精好学竟如此。

辽太宗会同年间（938—946 年），诏令南京开贡举，室昉即报名应试，因成绩优异，遂举进士第，留守司乃依制补授卢龙节度管内巡捕官。辽太宗入汴梁城，室昉以南京僚吏随大丞相赵延寿入汴，太宗皇帝接受群臣册礼，遂命室昉知制诰、总理礼仪诸事，凡涉及蕃、汉事宜，一一条列，皆得其中。世宗皇帝即位，擢升为南京留守判官，凡关军民事务，皆条理清晰，处置得当，当时号为能吏。穆宗朝，累官至翰林学士，出入禁闼十余年，凡承命应奉文字，皆能深得皇帝心臆。尊奉朝典，丝毫不爽，深得蕃汉贵族大臣称誉。景宗皇帝即位，加兼政事舍人。皇帝又数次召见，延问古今治乱得失之义，室昉剖析古今，对答如流，凡治乱奥义皆条缕明白，辞简而义远，深得景宗皇帝及承天皇后所崇重。于是，擢升南京副留守，主管内狱讼以及蕃汉相涉诸杂事等。上任之后，清理积案，条理简牍，决狱平允，人无冤者。又推陈律义，折中蕃汉其情，人皆便之。迁官工部尚书，寻改授枢密副使、加兼参知政事，复拜枢密使、兼北府宰相、加同政事门下平章事，乾亨元年（979 年），又加监修国史。室昉起家于景宗朝时期，综合其履历，可以说，这是当时汉族官僚地主阶层中，继韩知古、康默记与韩延徽之后，又再次出现的与契丹执政者相得益彰的杰出历史人物。

辽圣宗即位后，室昉以年老请求致仕，承天皇太后不许，仍命其为枢密使兼北府宰相、加同政事门下平章事、监修国史，同心辅政。室昉遂进《尚书·无逸篇》于皇太后、圣宗皇帝，其意在以周公及成王治理国家的成功经验，劝谏皇太后与圣宗皇帝。皇太后阅其奏章大喜，诏令嘉奖之。太后遂深究古人之意，寓于施政之中，奖贤劝进，和睦亲族，国内大治，物丰民富，此皆室昉之力也。统和二年（984 年），诏令修筑诸岭通道，以便商旅及行军。室昉仔细核算之后，认真部署各地工程事宜、调集民力，共征发役夫 20 万人，一日而完工，承天皇太后大喜，圣宗皇帝诏令嘉奖之。此时，室昉与韩德让、耶律斜轸等人相友善，同心辅政，整顿吏治，黜治蠹弊，举重若轻，使契丹国内南、北同治，经济生产稳步发展。室昉更是知无不言，务在息民薄赋。由于承天皇太后母子身边聚集起一批甘心报国、忠心事主的良臣猛将，使契丹国内在景宗皇帝病殁之后，再也没有出现以前那样风雨飘摇的动荡景象，反而是取得了"法度修明，朝无异议"的空前安定景象。

统和八年（990 年），室昉再次请求致仕，圣宗皇帝仍不许其请，诏令入朝免拜，并赐几杖。皇太后也派遣阁门使李从寻持诏劳问，并允许室昉常居南京，不必往返诸京之间，遇有大事即遣人询问之，仍加封室昉为郑国公。初，圣宗姊晋国公主在南京建佛寺，圣宗皇帝应允佛寺建成后即赐与寺额。室昉上书圣宗皇帝曰："日前屡次下诏追究无名寺院的罪过。现在因为公主请求赐与寺院名额，即准备赐与正式名号，不仅违背以前诏书的内容，也担心此后修建佛寺之风越来越昌盛。"圣宗皇帝遂采纳室昉的建议，不赐予名号。于是，室昉表进自己撰写的《实录》20 卷，圣宗皇帝读后，亲自起草诏书褒扬，并加兼政事令、赐绢 600 匹，以奖赏之。统和九年，室昉举荐韩德让担任枢密使兼北府宰相，承天皇太后等仍不许，圣宗皇帝因为室昉年老怕寒，遣人送来貂皮裘褥，并准许其乘小车入朝。皇帝赐杖，曾经是契丹政权意义非凡的隆重礼仪，室昉已享受契丹政权最高规格的待遇。不久，染疾加剧，皇太后与皇帝遣翰林学士张幹探望并就其宅邸除授中留守、加尚父，遂医治无效而卒，终年 75 岁，追赠为尚书令。

（任爱君　撰稿）

2. 张俭

张俭，辽朝南京析津府宛平县人，生于应历十三年（963 年）。自幼好学，性格端正严谨，朴直，不事外饰。统和十四年（996 年），张俭 33 岁，举进士第，依制调补云州幕府僚吏，能以经书协治道，深得幕府长帅器重。

辽朝官府故习，凡车驾所经行的州县，其长吏一定要有珍贵的东西献出来。这一年，恰好圣宗皇帝射猎于云中，云州节度使遂面见皇帝曰："臣境内没有其他著名的物产，只有幕僚张俭可以称为一代之宝，愿意将其奉献皇帝。"圣宗皇帝大惊，因为此前皇帝梦见，有四个人侍立身侧，赐食每人二口，至是，闻听俭名，始悟梦境之意，该应在此人身上。遂召见，见其容止朴野，非风流学士之风。及与语，访论凡三十余事，张俭一一奏对，毫厘不爽；访及世务，尤所精当。圣宗皇帝大喜，从此顾遇特异，践历清华，号称明幹。开泰年间（1012—1021 年），累官至同知枢密院事，圣宗皇帝益见倚重。太平五年（1026 年），参知政事吴叔达与张俭，素不相能，因事诬俭于帝前，帝震怒，遂出俭为武定军节度使，移镇大同军。六年，复知叔达所言皆非，帝益怒，遂出叔达为康州刺史，征俭入朝，升为南院枢密使，复拜为左丞相、封韩王。帝疾革，俭受遗诏辅立太子。兴宗皇帝即位，因受先帝托孤之功，赐贞亮弘靖保义守节耆德功臣，拜太师、中书令、加尚父，徙封陈王。

重熙五年（1035 年），奏请崇重贡士、倡行经学治国之风，兴宗皇帝遂驾幸礼部贡院检阅贡举考试情况，查看应举士子之情，又接受张俭建议对已经中举的进士，亲自进行殿试，即通过策问来验试所取进士的具体水平。此番举措，不仅风流倜傥的辽兴宗兴味盎然，同时也极大地提高了契丹辽朝科举考试的社会声望，为严格推行科举选官制度奠定坚实的政治基础。辽兴宗遂许张俭"进见不名"即免拜不名。

张俭一生比较清贫，性不喜华饰，食不过重味，倘若月俸有余，即赒给亲旧。有一年的冬天，帝于便殿召见张俭，议事完毕，见张俭衣袍敝恶，遂悄悄地让近侍以火夹在其袍上穿洞为记，屡见不易。帝问其故，俭对曰："臣服此袍已三十年。"当时，契丹辽朝境内，颇尚奢靡之风，而张俭犹朴素如此，皇帝遂微以此意讽喻之。后见张俭清贫益甚，遂开府库令其恣取库中物，俭只拿布三端而已。帝见其家贫，又兄弟五人，欲尽赐进士出身，俭固辞。其在相位凡二十余年，对国家裨益良多。其后，致仕归第，会宋书辞不如礼，帝欲兴兵，以此来俭第咨之，尚食遂先至俭家排备，俭却之，即以葵羹干饭进之，帝食之美，遂徐问以策，俭极陈利害，且曰："帝遣一使问之，何必远劳车驾？"上悦而止。后宋果使其臣富弼来议。重熙二十二年

（1053 年），薨，年九十一。

（任爱君　撰稿）

3. 邢抱朴

邢抱朴，辽朝应州人。其父简，仕穆宗朝为刑部郎中。抱朴幼孤，有兄弟六人，其母陈氏责诸子读经书。抱朴性颖悟，又好学博古。保宁初年，已官至政事舍人、知制诰，后累迁至翰林学士、礼部侍郎。

统和四年（986 年），宋军累攻山西州县，遂命邢抱朴镇抚之，安集流民，劝导耕种，一境获安，迁官户部尚书，寻迁翰林学士承旨，诏与枢密使兼北府宰相室昉同修《实录》，书成，帝手诏褒奖。旋即命决南京滞狱，奉诏至留府，剖析积案，决疑判难，口陈笔录，条理分明。还，圣宗优诏褒美。统和十年（992 年），除授参知政事，旋即因枢密使韩德让推荐，诏命按察诸道守令能否，上奏，以黜陟之，及成命还，大协人望。统和十二年（994 年），母陈氏病殁，遂去官丁忧，数诏起视事，人以孝称之。其后，官至南院枢密使。卒，追赠侍中。

抱朴弟抱质，与兄俱受业母陈氏，兄弟皆以儒术显于当世，人皆美之。后抱质亦官至宰相，且历仕景宗、圣宗、兴宗三朝。

（任爱君　撰稿）

4. 耶律休哥

耶律休哥字逊宁，本契丹大横帐仲父房人。祖释鲁，尝任遥辇氏大于越；父绾思，太祖朝任南院夷离堇。休哥自幼即有公辅之器识，善骑射，明敏而果决，与侪辈颇不同。其兄即北院大王耶律洼，因策立世宗皇帝之功，官至于越。其家世，世代为将领，为契丹皇族之名门，自高祖至父兄，代有名人。

耶律休哥，至穆宗朝，始入仕，尝从北府宰相萧干北讨室韦乌古敌烈诸部，颇晓兵略，萧干颇欣赏之。遂累官至惕隐。辽景宗即位后，仍以休哥为惕隐。乾亨元年（979 年）正月，北宋大举进攻北汉。三月，击败辽朝冀王敌烈军于白马岭，敌烈死之。六月，既平北汉，宋太宗皇帝欲趁势收复幽州，遂麾军侵犯辽朝南京诸州郡，东易州、涿州等地相继被攻陷，宋军直抵幽州城下。当时，北院大王奚底、统军使萧讨古等率领辽军万余人，与宋军战于沙河，败绩，遂北走。宋军气势益盛，进围南京城，架炮八百具，日夜轰击城内。辽朝守军在韩德让、耶律学古等人率领下，坚守城池。幽州城危在旦夕。于是，辽景宗召集大臣议论弃守南京之策，耶律休哥倡议坚决保卫南京城，并自愿率军驰援解围。辽景宗遂诏令耶律休哥代替奚底，并将五院军前往增援之。

耶律休哥等人率军星夜驰援，间道而入，入夜则人持两炬，白昼则人举两旗，以壮大辽军声势。七月，宋太宗误以辽大军至，遂指挥宋军解除幽州之围，逐渐南撤。耶律休哥等遂率骑兵进军，与敌军主力相遇于高梁河侧。时辽军都统耶律沙率军与宋兵激战正酣，休哥遂与南院大王耶律斜轸分所率兵为左右翼，分别驰入战场，共同夹击之，遂大败宋兵，追杀三十余里，甚至宋主太宗皇帝也股上中箭，乘驴车而逃。休哥等追击，斩杀万余人。休哥自己也身中三创，因伤不能骑乘，遂坐小车，指挥军士追击之，直到收复涿州之后，方率军而还。

> 获兵仗、器甲、符印、粮馈、货币不可胜计。[1]

高梁河之战，扭转了当时辽宋战场的基本走向，辽朝军队从颓势走向胜利，宋朝军队从胜势走向失败。个中原因，只因为辽朝军事统帅所采取的正确战略方针，同时拥有天时地利人和等诸项优势条件，利于持久相争；而宋太宗麾得胜之师，远道攻击辽朝控制达半个世纪之久的幽州城，天时地利人和等优势已经化为乌有，所能依恃的只有得胜之师的气势，但气势虽在，远途袭击，利在速战，宋太宗围困幽州城，久攻不下，已经失去自身的优势。因此，战场形势的瞬息变化，已决定了高梁河之战的胜败。耶律休哥成功地利用了这些优势条件，激励士气，勇敢向前，遂取得南京保卫战的彻底胜利，也激发了辽朝军队的战争活力。

乾亨元年秋九月己卯，辽景宗为报北宋围城之恨，遂命燕王韩匡嗣为都统、南府宰相耶律沙为监军，惕隐休哥、南院大王耶律斜轸、权奚王抹只等

---

[1] 《辽史》卷9《景宗纪下》，中华书局1974年版，第102页。

各率所部兵南伐宋，仍命大同军节度使善补领山西兵分道以进。冬十月，韩匡嗣等与宋军对垒于满城附近，将战，宋人遣使请降，匡嗣等急于成功遂欲信之，休哥曰：

> 彼众整而锐，必不肯屈，乃诱我耳。宜严兵以待。①

但是，作为总帅的韩匡嗣并没有接受休哥的建议，休哥只能率领自己所部军士，占领附近高地，陈兵以待。北宋军主帅则为镇州都钤辖刘廷翰、知定州崔翰等骁将，他们将宋兵分为二阵，前后相辅，故耶律休哥称其"众整而锐"，但韩匡嗣却错误地判断形势，不为准备。结果，宋军突然发起攻击，匡嗣仓猝组织抵抗，已经无法抵御宋军的进攻，遂弃旗鼓，士卒投坑谷而死者不可胜数。宋军随后追击至遂城，俘其老幼民众三万余口、马千余匹、兵器车帐牛羊甚众，仅休哥部得以保全。于是，景宗诏令休哥总领南面戍兵，仍授北院大王。

乾亨二年冬，辽景宗亲率大军南伐，休哥率所部从征，进围宋瓦桥关，守将张师突围而出，欲与援兵夹击辽军，休哥阵斩张师，其余众退入关城。宋援军阵于易水南岸，休哥欲渡河击之，景宗皇帝以休哥乘马、甲胄皆为黄色，恐为敌人所识，遂赐白马、铁胄易之，休哥率精兵渡河，击败宋军，追击至莫州，杀戮数万级。景宗大喜，遂赐休哥御马、金盂，遂拜为于越。

辽圣宗即位，皇太后称制，遂委休哥以南面诸军事，休哥遂上书请求：均属兵、立更戍法、劝农桑、修武备等，太后具条列实施，因此，边境大治。统和四年（986 年），宋太宗发动著名的"雍熙北伐"，宋兵三路进犯，其将杨业等出云州路，曹彬、米信等出雄州，取岐沟、涿州，陷固安，遂置军屯。当时，北南院、奚部兵皆未至，休哥力寡，无法出战，遂夜出奇兵，骚扰宋军营，以疲惫之。相持月余，南军结方阵，堑地两边而行，直达涿州。时皇太后率大军至南京，宋军闻讯，遂退，辽军追击之，宋军大溃，追击至易州东，又败宋生力军数万，休哥收宋军尸体为京观。皇太后遂加封休哥为宋国王。休哥上书言：宜乘胜进军，略地至河为界。太后不纳。是冬，

---

① 《辽史》卷 83《耶律休哥传》，中华书局 1974 年版，第 1299 页。

皇太后亲征宋，休哥为先锋，大败宋将刘廷让所部数万兵马于君子馆。太后遂许休哥免拜不名。从此宋兵不敢北向，耶律休哥为保卫南京城立下不朽的功劳。

耶律休哥因军功而成名臣，但粉碎北宋的北部防线之后，休哥也敏锐地认识到安集民众、发展生产，才是牢固守卫边疆的最佳方略。也是因为切实感到燕民疲敝的缘故，耶律休哥在管理燕京地区的时候，推行"省赋役，恤孤寡"的基本策略，注意减少民众的负担，积极发展社会生产，体恤与照顾那些受战争影响而失去丈夫、儿子的平民百姓之家，结果，"远近向化，边鄙以安。"耶律休哥的施政措施得到边地百姓的衷心拥护。同时，休哥也约束戍兵"无犯宋境，虽马牛逸于北者悉还之"①。由于耶律休哥的精心治理，辽朝南京地区很快从兵连祸结的战争影响下脱离出来，并发展为辽朝境内最为发达的经济文化区域之一。

统和十六年（998 年），耶律休哥因病而卒，圣宗皇帝诏命立祠于南京城，年年岁岁，以时祭之。

（任爱君　撰稿）

5. 耶律斜轸

耶律斜轸，字韩隐，乃于越耶律曷鲁之孙。性情明敏好学，处事有大度之风，不喜治生（即经营买卖之道）及产业之事。保宁元年（969 年），枢密使萧思温荐举斜轸有经国之才，景宗皇帝曰："此人朕亦知之，目前方游戏于民间，可惜性情佚荡，又怎能经受得住官府的约束与限制？"思温对曰："此人外表酷似佚荡，但其内心之志向却未可测量。"于是，景宗皇帝召见斜轸，咨询以时务与时政得失等，凡皇帝所询问，斜轸皆占对剀切，深中时弊，景宗皇帝由此器重之。及询问其家世状况，知其中室虚匮，乃诏令以皇后之女侄妻之，仍委任斜轸节制西南面诸军事、主持援助河东北汉政权事务。不久，改任为南院大王。乾亨元年（979 年），宋人进攻河东北汉政权，耶律斜轸与耶律沙等随从冀王敌烈援救北汉，军至白马岭，误入宋军伏击，冀王敌烈死之，耶律沙等亦战不利，斜轸遂率所部赴之，令麾下万矢齐

---

①　《辽史》卷 83《耶律休哥传》，中华书局 1974 年版，第 1301 页。

发，宋军不敢近，遂救诸将人马俱出。是年秋，宋军攻拔北汉太原城，北汉遂灭亡，宋主赵光义因率得胜之军，大举侵犯燕京。时北院大王耶律奚底与南京统军使萧讨古，率军与宋人战，宋军锐甚，奚底及讨古等败绩，辽军遂溃，奚底等退屯清河北岸，不敢应战。斜轸奉命增援，因取奚底所将青帜军之旗帜，大张军旗于得胜口，借以诱惑宋军。宋军见得胜口附近，尽青旗之营垒，以为乃前日新败之契丹兵，遂争相前行，以新败之兵可虏获故也。斜轸遂留少兵，虚张旗帜于关城，而亲自率精锐绕路掩袭敌之后路，纵军士奋击之，宋军遂大溃。由是清河之兵亦士气复振，遂与燕京守城将士相呼应，燕京战局开始发生重大转变，辽军开始占据主动地位。宋主光义见燕京已无法克获，遂收集军队后撤，结果与辽朝援军对垒于高梁河（即今北京市内发源于紫竹院附近之永定河）。时辽朝南京军帅耶律沙等首先与宋军交战于高梁河，沙等不利，辽军少却；而斜轸与耶律休哥率生力军至，遂分为左右翼，以骑兵夹击之，宋军遂溃败，斜轸等仍率军追击之，并再次包围宋主，尽俘其从行妃嫔等，宋主股上中箭而遁。高梁河之战，扭转了辽宋交战的基本局面，从此辽朝开始逐渐居于战争的主动地位。

辽景宗病殁后，幼主耶律隆绪即位（即辽圣宗），承天皇太后萧燕燕临朝称制。耶律斜轸益见朝廷倚重，统和元年（983 年），拜授为北院枢密使。四年，宋主欲复箭伤之仇，再次发动旨在夺取燕京地区的"雍熙北伐"，宋军兵分三路，矛头直指燕京城。当时，宋将曹彬、米信率军出雄、易二州，名将杨继业率军出代州，辽朝燕云十六州情况十分危急！于是，承天皇太后亲自率师救燕，任命耶律斜轸为山西路兵马都统，于越休哥专理燕京防御事务。时宋军主力在燕京，而以杨继业所率偏师于山西。宋军本意以山西军马牵制辽军，而辽朝采取燕京附近坚壁清野、避其锋芒的防守策略，山西地区则采取针锋相对的抵御方针，致使宋军主力不能速战而陷入馈运不继的窘境，偏师又深入腹地陷入难以自拔的困境。这是辽朝战略布置的巨大胜利。

（任爱君　撰稿）

6. 韩德让

韩德让，乃辽朝汉族大户之裔，本景宗朝西南面招讨使、秦王韩匡嗣之子，生于辽太宗会同四年（941 年）。其祖知古，仕辽太祖朝为右仆射、中书令。景宗朝时期，德让以大臣子侍景宗左右，因忠于职守、办事恭谨勤奋而著称，擢升东头供承奉官，补授为枢密院通事，累迁至上京皇城使、遥授为彰德军节度使。后又代其父匡嗣为上京留守，因授权知京事，莅职甚有能名。后又代其父守南京，时人荣之。时宋主赵光义麾师攻取河东，辽景宗遣冀王敌烈等率大军往救之，遭宋人伏击于白马岭，敌烈战死，辽军受挫；宋人攻取太原城之后，遂率得胜之师，麾军北上，围攻燕京城，复击败北院大王耶律奚底及南京统军使萧讨古等，四面围攻燕京城，韩德让等率城内军民，婴城固守。宋主赵光义攻城不克，遂诏命军士射书城内，诏谕汉族等人口，晓以收复失地、安辑人口之意，于是，城内汉族军民等颇怀二心，德让等遂开谕军民人等忠心事主、守土责重诸意，并亲自登城，与军民人等日夜守城。时北院兵败之后，朝廷内部又就守城与弃城问题展开讨论，当南院大王耶律休哥挺身而出，倡议十万大军可救燕京危急之时，辽景宗遂下定固守燕京的决心，并诏命耶律休哥率军应援。燕京被围八十余日，赖韩德让督率军民日夜守御而得完好。于是，宋主退军高梁河，准备南撤。耶律休哥、耶律斜轸与耶律沙等会攻宋军于高梁河，宋师遂溃，宋主股中箭伤，狼狈遁归；韩德让亦督率燕京守军，奋勇追击宋人。燕京围城之役，事实上成为辽宋对峙的重大转折，参与此役的辽朝大臣、诸将领等，事后都已经成为辽朝繁盛时期即圣宗朝的股肱之臣，韩德让也是如此。

辽景宗乾亨元年（979 年），韩德让因守卫燕京之功，除授平州辽兴军节度使，寻即转授南院枢密使。乾亨四年，景宗皇帝病重之际，韩德让与耶律斜轸等俱受顾命，拥立帝子、梁王耶律隆绪为帝，是为辽圣宗；又承先帝遗命，遵皇后萧氏为皇太后、临朝称制，以北院枢密使耶律斜轸总领北面朝官诸事，以南院枢密使韩德让总领皇宫宿卫诸事，因此，韩德让与皇太后萧氏益亲密。据北宋史料记载，先是，穆宗朝末期，汉族大户之子韩德让已经与契丹大族萧氏之女萧燕燕订婚，但因穆宗皇帝被近侍小哥、花哥等人杀害，而穆宗无嗣，群臣遂推立世宗皇帝之子耶律贤为帝，是为辽景宗；景宗即位，即诏娶大族萧氏之女燕燕为皇后，遂使韩德让遭受一次棒打鸳鸯的离别之苦。萧燕燕似乎也没有忘情于韩德让，辽景宗谢世之后，萧燕燕遂与韩德让重续前缘，故圣宗皇帝兄弟姊妹见德让皆以父礼待之。

统和元年（983 年），德让官至南院枢密使、番汉行营都部署、开府仪同三司、兼政事令。四年，宋朝分兵三路进攻辽朝燕云地区，韩德让遂从皇太后萧氏率大军迎击，宋军受创而归，师还，加德让官为守司空、封楚国公，遂与北府宰相室昉共同执掌国政，因奏请山西四州遭受宋兵蹂躏之后，民力凋敝，宜减轻赋役，以招徕流民，太后从之。六年，皇太后与皇帝率大军南伐北宋，德让从行，击败宋军于沙堆，因功封楚王。九年，奏请清括燕民户口及贵族隐户，设立户口管理制度，既有效地消除了豪族大户隐蔽户口的弊端，又增加了国家府库的财政收入。十一年，德让母病卒，遂奏请辞官守孝，诏命赐赙、不许谢职。十二年，北府宰相室昉致仕，诏命德让代为北府宰相，仍领枢密使、监修国史，赐兴化功臣，遂奏请革除上、东、南三京刑狱制度的弊端，仍请任贤去邪、整顿冗官冗员，皇太后览奏大喜，悉从之，并优加赐赉，旋加官守太保兼政事令。十七年，北院枢密使耶律斜轸因病薨逝，即诏命德让兼知北院枢密使事。其后，诏命韩德让为大丞相，十九年，赐名德昌，进封为齐国王，总领南、北二枢密院事，遂奏请南京、平州因灾歉收，请免除其农器钱及诸郡商贾税等，皇太后悉从之。二十二年，皇太后、皇帝率大军南征，德昌（即德让）从行，大军驻留黄河澶渊北渡，宋主遣使请和，遂与宋人订盟：辽宋结为兄弟之国，以宋真宗为兄、辽圣宗为弟，每年宋朝须予辽朝岁币银绢 30 万两、匹。成盟而还，遂进封大丞相韩德昌为晋国王，并赐姓耶律氏；次年，诏命其族属隶属横帐季父房为皇族。二十八年，圣宗皇帝仍赐名耶律德昌（即韩德让）为耶律隆运，诏命其朝位居于亲王之上，又赐予隆运田宅及皇陵陪葬地；是年，从圣宗皇帝讨伐高丽，次年一月，至开京而还，隆运遂感疾，于是年三月病殁，时年七十一岁，追赠尚书令，谥文忠，官给葬具，建庙于景宗乾陵之侧。

（任爱君 撰稿）

7. 萧孝穆

萧孝穆，小字胡独堇，本辽太祖淳钦皇后弟阿骨只五世孙，父陶瑰为国舅部详稳。孝穆自幼廉谨有礼法，熟读儒家经典。及长，以贵家子入为侍卫，统和二十八年，累迁至西北路招讨都监。开泰元年（1012 年），遥授为建雄军节度使、加检校太保。是年，北阻卜尤烈等部发动叛乱，孝穆率军击走之；冬季，叛军复炽，围西北路招讨使萧图玉于可敦城，孝穆遂率军进解可敦城之围，与萧图玉会合，退守斡鲁朵城（即镇州城）；次年正月，阻卜诸部复进军围攻镇州城，尤烈等部遂暗自结纳北部五群牧之长查剌、阿觌等，图谋中外相应，以颠覆大军。孝穆侦知其事，遂采取果断措施，命将捕捉五群牧之长查剌等，悉诛之，并分兵严守，以待阻卜诸部。及朝廷遣北院枢密使耶律化哥率大军来援，孝穆遂纵兵击败阻卜诸部，分兵搜拿其余党，迅速平定诸部北疆之乱，因功迁升为西北路招讨使兼九水诸部安抚使。是年三月，耶律化哥分兵戍守镇州城，自率大军还朝。未几，阻卜诸部复叛，镇州戍兵被围，粮草匮乏，复命化哥经略西边，大军直指叛军所居之翼只水，阻卜诸部望风奔窜，俘获马牛羊甚多；遂西进至击白拔烈诸部，至安真河附近，路遇效顺阿撒兰回鹘部落，化哥误以为阻卜别部，遂纵兵俘掠，后虽尽还所掠与阿撒兰部落，但诸边部由此尽叛辽朝；圣宗诏命以军前都监耶律世良代为北院枢密使，负责西北经略事宜。三年三月，升任北府宰相，赐予忠穆熙霸功臣之号、检校太师、同政事门下平章事；是年秋九月，朝廷诏命选马于乌古部，引起乌古部民不满，会敌烈部人杀其酋长而叛，于是，乌古等邻近诸部皆起而响应，并攻陷辽朝北部边防重镇巨母古城。四年春，萧孝穆遂会合北枢密使耶律世良部，以大军进逼阻卜诸部，遣人招谕，顺者抚之，逆者击之，迫降其数部落，遂平定遣使安辑各部，使仍复其故地。

　　时于厥既平，朝廷议内徙其众，于厥安土重迁，遂叛。世良惩创，既破迪烈得，辄歼其丁壮。勒兵渡曷剌河，进击余党，斥候不谨，其将勃括聚兵稠林中，击辽军不备。辽军小却，结阵河曲。勃括是夜来袭。翌日辽后军至，勃括诱于厥之众皆遁，世良追之，军至险厄。勃括方阻险少休，辽军侦知其所，世良不亟掩之，勃括轻骑遁去。获其辎重及所诱于厥之众，并迁迪烈得所获辖麦里部民，城胪朐河上以居之①。

此城，即《辽史》所记载的镇州三座卫星城之一：招州城。耶律世良修筑漠北招州城，萧孝穆应该从始至终都参与了这些事情。是年五月，耶律世良奉诏参与征讨高丽军务，萧孝穆则仍然留守漠北地区。五年四月，孝穆奏请

---

① 《辽史》卷15《圣宗纪六》，中华书局1974年版，第176—177页。

赈济招州新迁民户，朝廷从之。八年，奉诏还京师。太平二年（1022 年），除授知枢密院事，充汉人行宫都部署；三年，进封燕王、南京留守、兵马都总管。九年秋，因燕山附近歉收，民无食，户部副使王嘉因建议造船、募习海漕者，移辽东粟以救燕地之急；圣宗皇帝纳之，遂诏令东京修造海船、移粟饷燕，官府督责且急，而海路又颇险恶，辽东之民甚苦之。于是，东京舍利军详稳渤海大延琳，利用民心摇动，趁机拘囚留守、驸马都尉萧孝先与南阳公主，击杀户部使韩绍勋、副使王嘉、四捷军都指挥使萧颇得等，遂据东京城发动叛乱，自称兴辽国皇帝，更名年号为天庆，并遣使各地联络渤海旧族，试图恢复渤海故国。国舅详稳萧匹敌治近东京，遂率本管兵马及家兵等，分据附近要害关隘之地，以断绝大延琳西进之路；渤海太保夏行美及保州军帅耶律蒲古，遂拘杀延琳党羽，分据保州及黄龙府诸地，以断绝大延琳东退之路；及圣宗皇帝调集诸道军队，以萧孝穆为都统、国舅详稳萧匹敌为副统、奚六部大王萧蒲奴为都监率军讨击之，延琳已经失去东、西进取之机，仅得煽惑南北女直胁从而已。孝穆率军与大延琳会战于蒲水（即今辽宁省鞍山市附近），既战，大延琳军甚锐，孝穆所将中军稍却，副部署萧匹敌、都监萧蒲奴以两翼夹击之，大延琳军遂溃，追击至手（即今辽宁省境内之鞍山）之北，大俘获之。大延琳走入东京辽阳府城内，遂深沟高垒、闭城固守之。孝穆麾军围城，筑重城，起楼橹，使内外不相通，严守备以待之。次年五月，详稳萧匹敌奉诏前往龙化州面见圣宗皇帝、汇报东京战况，因言都统萧孝穆命诸军去城四面各五里，筑城堡以围之。八月，东京城内粮草俱乏，贼党杨详世遂擒延琳出降，渤海遂平。十月，南京留守萧孝穆，因功加封东平王、东京留守，赐号佐国功臣。孝穆莅官东京，为政尚宽简，注意抚纳流民，尤其是注重战乱之后地方民众的安辑事务，因此，数年之内，东京地区社会生产得到迅速恢复。兴宗即位，徙王秦，迁官南京留守。重熙四年（1035 年），孝穆之女萧挞里册封为皇后，是为兴宗仁懿皇后。六年，进封孝穆为吴国王、北院枢密使。八年，孝穆上书清括天下户口，以均徭役，又极陈诸部及舍利军利害，兴宗皇帝悉纳之，诏命各地实行，因此境内诸道政赋稍平，民众大悦，使积聚已久的社会矛盾得到极大程度的化解。九年，诏徙封孝穆为楚国王。时天下太平，兴宗皇帝又富于春秋，每言及后周柴荣夺取关南十县，慨然有南伐之志，而群臣多邀媚取宠、顺从帝旨，而孝穆则上书以太祖太宗故事为谏，且言兵连祸结不若固守盟好之意。时大臣刘六符等极言帝意为妥，故孝穆书奏不报。孝穆遂以年老请致仕，兴宗皇帝不许，仍感念孝穆赤诚，虽集兵境上而终未发，遣使于宋，重携旧好，宋人感激，益以岁币五十万匹、两。十二年，复为北院枢密使，更其王号为齐，旋即病薨。追赠大丞相、晋国王，谥曰贞。

萧孝穆虽贵为外戚之家，而终不以位势凌人，言行益谨，妻子无骄色，与人交往，始终如一。位居枢要，所荐拔之士，皆忠直之臣，尝语人曰："不能移风易俗，偷安爵位，臣子之道若是乎。"故时人称之为"国宝臣"，因称其文集为《宝老集》。

（任爱君　撰稿）

8. 耶律仁先

耶律仁先，汉字名仁先、字一得，契丹名曰糺邻、小字查剌，乃辽朝大横帐孟父房之后。远祖曰仲父述剌实鲁于越。父名思忠（契丹名瑰引），圣宗皇帝朝，累官至南府宰相、封燕王。仁先出生于辽圣宗开泰二年（1013年），幼而英敏，落落有体貌，及长，魁伟爽秀，有智略。兴宗皇帝在储位，即与仁先一见如故，及即位，重熙三年（1034年），补授护卫，寻即迁授左千牛卫将军，出入禁闼，给事左右。迁转崇德宫使，总辖军民百姓事务，兼领大内禁卫诸事。转授宿直将军、殿前副点检，改授鹤剌唐古部节度使，俄召还为北面林牙，又迁授北院枢密副使，时朝廷听闻高丽女直等五国入寇，不知虚实，兴宗皇帝遂遣仁先前往查视，遂驰驿往之，见高丽北界保、定二州相去悬远，因奏请列置关堡，酌定戍兵守之，有动静则相互串示。书奏，兴宗允准之。自此之后五国部落绝不敢窥扰边界。十一年，兴宗皇帝欲收复关南十县之地，征发诸道兵集于燕京，因遣仁先与刘六符使宋，述所以欲兴兵之意，宋人遂请增益岁币以偿十县地产，仁先等乃与议定增加银、绢各10万两、匹。使还，除授为同知南京留守事、兼权析津府尹事。莅职之后，因南京切近宋界，奸宄屡兴，遂约勒军民人等，肃清都邑，境内称治；又驰奏朝廷，请于沿边添置亭堡，控制两界人口往还，诏允之。不久，武清县人李宜儿，传授左道之术，煽惑民众，党徒千余人，遂自称皇帝，因署置伪宰相、列置百官人等，劫持居民，兴兵作乱。仁先闻讯，即调动兵马围捕，贼党捉而杀之，胁从者释之不问，旋即侦知宜儿之居所，发精锐兵马围而生获之，遣使移送阙下。十三年，兴宗大举伐夏，仁先从行。及兴宗皇帝还京，留仁先镇守西边，因功迁升契丹行宫都部署，奏请免除王子班郎君以及诸宫之杂役，兴宗皇帝皆纳之。十六年，转官北院大王，奏请两院户口殷繁富庶，应该免除其他部落之助役职责，兴宗皇帝从之。十八年，再次讨伐西夏，命仁先与皇太弟重元为前锋，及萧惠失利于河南，兴宗皇帝犹欲进兵，仁先切谏止之。其后，迁官北院枢密使，东京留守、判辽阳府事，时女直诸部恃险滋扰，仁先遂奏请开山通道以控制之，边民由此获安。进封吴国王。

辽道宗即位，以仁先为南院枢密使，与相臣姚景行同心辅政，朝政肃清。后因宠臣耶律化哥谮毁，出为南京兵马副元帅、守太尉，更王号为隋。清宁六年（1060年），复为北院大王，部民闻讯，夹道欢迎至数百里，部民见仁先，如见父兄。时北、南院枢密官涅鲁古、萧胡觌等尤忌恨仁先，数言于帝，请以仁先为西北路招讨使，帝将纳之，耶律乙辛遂进奏于帝曰："仁先旧臣，德冠一时，不宜补外。"遂诏命仁先入为南院枢密使，更王号许。九年秋七月，道宗皇帝畋猎于太子山，仁先等俱从行。既至，宫臣耶律良等告变：皇太叔耶律重元等谋逆。道宗皇帝急召仁先，以良等告变语之，仁先曰："此辈内心凶狠，早已怀疑他们会有此番举动。"道宗皇帝遂促仁先捕捉谋逆者；仁先即辞出，谓道宗皇帝曰："陛下也应做好防范。"离开宫帐，未及上马，重元等已闻讯，率逆党数十人，乘马介胄来袭行宫，仁先遂召集侍卫防御，道宗皇帝欲避入北、南二院部，仁先谏曰："陛下如舍弃扈从卫士，单独脱身急走，贼党肯定会紧随后面追击；且今南、北二王究竟归心与谁，也未可知。"仁先子挞不也侍侧，应声曰："圣意岂可违乎？"仁先大怒，索卫士杖击挞不也首。道宗皇帝遂悟，诏命仁先率行营卫士讨击逆贼。仁先于是命行营卫士环车为营，拆行马，分发卫士、扈从以做兵杖；尔后，又亲自率领行营卫士等三十余骑，陈于行营大门之外，逆党至，即与交战，贼众多降。重元之子、逆党首犯涅鲁古中箭落马，被仁先等俘获，重元本人亦受伤而逃，贼众遂溃。仁先以五院部居地，距离行宫最近，遂遣人召五院大王萧塔剌，即速率军来援；又分遣使者诸道征发军兵。黎明，逆党重元等又胁迫行营所属奚人二千余，进攻行宫。会萧塔剌率五院兵至，仁先乃率勤王兵马背倚行营结阵而立，乘便奋击，贼众奔溃，追击二十余里，重元仅与逆党数人遁去。于是，分遣使者诏告诸道捕捉逆党逃犯。道宗皇帝握住仁先之手，表示感谢："平定叛乱都是你的功劳。"诏命加封仁先为尚父、守太傅、宋国王、北院枢密使，赐号安邦卫社尽忠平乱同德功臣，皇帝亲自起草加官制文以褒奖之，后又命人图画《滦河战图》，以旌扬仁先之功劳。道宗咸雍元年（1065年），诏命仁先加官于越、改封为辽国王，与权臣耶律乙辛同知北枢密院事。时耶律乙辛常恃宠不法，仁先亦经常抑止之，因此遂见忌于乙辛，托词出为南京留守、改封为晋国王。会漠北阻卜诸部塔里干叛命，于是，诏令仁先为西北路招讨使，赐鹰纽金印及尚方剑，许以便宜行事；仁先既至任所，遂约勒戎兵，严斥候、扼险要，遣使招怀诸部，漠北局势因此稳定。叛命塔里干率军来战，仁先亲率大军逆击，追杀至八十余里，遂再击败之。于是，别部把里斯、秃没等各率兵来援塔里干，因见塔里干屡次受挫之状，遂不敢战而降；六年，又率军击斩阻卜诸部叛命逆贼万余人，俘获其酋长图没里同瓦等人，驰送阙下。漠北阻卜诸部之动荡，由此获得稳定。咸雍八年，仁先病殁，时年六十岁。

（任爱君　撰稿）

9. 姚景行

姚景行，辽朝汉人，本名景禧，道宗朝因避皇太孙、燕赵国王耶律延禧名讳，始更名景行。景行之祖汉英，本五代后周大将，穆宗朝奉命来使，执礼不屈，穆宗皇帝怒，留之不遣，以奴视之，隶属汉人宫分。及景行既贵，遂诏命出其宫籍，定籍贯为兴中县。

景行自幼，喜读诗书，及长，博学而又识量。辽兴宗重熙五年（1036年），应贡举考试，擢为进士乙科，因署为将作监，改授为燕赵国王（即皇太子）府教授。后历官翰林学士、枢密副使、参知政事等，景行性情敦厚，为人廉直，有古代忠鲠名臣之气概，故人望皆归之，以为将来必属国之重臣。

及道宗皇帝即位，因景行与帝有潜龙之旧，国有大事，多蒙顾问，遂遣升为北府宰相，与耶律仁先对举朝政。清宁九年（1063年）秋七月，道宗皇帝行秋山之礼，畋猎于太子山，景行因事告归兴中府。不久，皇太叔重元父子谋逆，胁从奚族之众，进犯皇帝行宫，赖耶律仁先等率军击败之。景行途中闻讯，即收集行旅三百余骑，返辔勤王，比至，逆党虽已平定，而道宗皇帝益喜其忠，诏命以逆党财产赐景行及其从人等。咸雍元年（1065年），出为奉圣州（今河北省涿鹿县）武定军节度使，次年，驿召进京，除拜为南院枢密使。道宗皇帝常于便殿召见景行，从容与语治国之道，景行亦以古之明君讽谏之，君臣之间相得益彰。后道宗皇帝因宋人侵耕山西地界不止，遂欲兴兵征伐之，尚犹豫，因召景行问曰："宋人好生边事，如何？"景行对曰："自从圣宗皇帝凭借圣德威怀远方以来，宋人逐年修贡不懈，及至今日已有六十余年。如果因为一些细小的缘故，即兴兵征战，恐怕也违背先皇帝与宋人订立盟约的初衷吧。"道宗皇帝也认为景行的思虑是正确的。于是，遣使入宋，谕以重新划定山西地界之意，宋人也欣然从之，遂划定五台山、黄柏岭附近七百里之地，尽属辽国。其后，景行因年老请致仕，帝犹不许，寻拜兼中书令。道宗皇帝尝召问以古今儒士之优劣，景行占对称旨，遂诏命知兴中府事，以荣其故里。大康元年（1075年），徙镇辽兴军（即平州辽兴军节度使）。后因上京境内多滞狱未决，诏命景行为上京留守，赴任不数月，冤讼疑滞皆空。后加守太师，致仕，寻即病殁。寿隆五年（1099年），道宗皇帝诏命官为立祠，岁时以祭之。

（任爱君　撰稿）

10. 妙行大师志智

志智，字普济，本姓萧，乃契丹国舅部人，与兴宗朝大丞相、楚国王萧孝穆为同族。志智父祖，皆世代陪侍銮辂，为国之重臣。志智生于圣宗太平三年（1023年），时父母随驾捺钵所，因生志智。诞生之初，神光满室，透射帐顶数十尺，从驾百官及远近诸人皆见之，向与询求，始知国舅家族又有女儿诞生，人皆异之。及年甫三岁，尚未解语，戏玩之间，忽见邻居家中端严装饰之佛像，即就地俯伏，合掌虔敬，哀啼忘返。家人执之不去，待家中同样庄严佛像供设后，乃归；从此，异于常儿，不为戏谑，日取家中珍奇物，礼敬佛祖，行事如成人。年届八岁，曾有僧人见之，因戏之曰："食肉，灾殃即至！"此女闻言，遂从此罢绝荤腥，竟终生不违。及兴宗朝，时有圣宗皇帝之女、秦越国大长公主，亦萧氏之族也，知此女性情向善，遂于楚国封地之内，修建庙宇，令其主之；是年，此女年方十五岁。不久，适逢守司空、辅国大师海山和尚奉诏赴阙，此女遂进谒大师于途中，因得海山大师教诲，遂深深厌绝尘俗，恳请削发出家，凡三请求，公主皆不允，此女遂数日不食，以明其志。公主知其志不可夺，既叹服其志操，又悯其性命，遂应允其请。女之父母，犹眷眷焉，恋恋焉，而此女竟决意而去，遂依司空海山大师为师，舂米炊饭，茕茕孤单，竟无怨言，修行日进。重熙十三年（1044年），公主为其陈言于兴宗皇帝请求受戒，兴宗御批许登戒品，道号妙行，遂获圣愿检洁二十一种。从此之后，数十年间，不受接请，礼佛甚谨，身影不落于俗室，足履不出于寺外，不食酥酪、乳蜜、酵蘖之味。功业精进，乃歘然游历名山，凡其所至，浊水化清，蛇虺远避，氓俗惊异。遂起大愿，欲营大刹一区，而胜处未获，乃先如法造经一藏，化缘燕都，旬月之间，费用充足，遂用糯米胶破新罗墨，以充印造；白檀木为轴，新罗纸为幖，云锦为囊，绮绣为巾，织轻霞为绦，斲苏枋为函，用费三百万，谈笑之间，诸事毕集。

辽道宗清宁五年（1059年），车驾幸燕，秦越长公主从行，即首参大师，直言弟子欲以南京所居第宅为施，请师建寺。大率宅司诸物，以及稻畦百顷、户口百家、枣栗蔬园、井水器用等物，皆为施舍；又相约来年择名马万匹入进，以所得回赐，示归寺门。清宁五年，未及进马、造寺，公主薨逝，懿德皇后遂为母酬愿，施钱十三万贯，并特为奏闻于上，专管建寺，制度一依大师心匠指画，道宗皇帝亦捐助五万贯，巧慧造立，众皆惬服。寺成之日，道宗皇帝御书金榜，名曰大昊天寺。咸雍三年（1067年），天火焚寺，留守同知、尚父、大王耶律仁先，遂飞章奏告，懿德皇后降制：依旧修完。大安九年（1093年），师又起愿，兴建佛塔于中庭，六檐八角，高二百余尺。寿隆六年（1100年），大师染疾仙化，寿八十一，腊五十八。

（任爱君 撰稿）

第 二 十 章

金代历史人物

一、金朝初期征战内蒙古的历史人物

1. 完颜胡石改

胡石改，本金朝初期，宗室之子。金太祖完颜阿骨打起兵伐辽，胡石改随从阿骨打进攻宁江州，大破辽兵于达鲁古城，复从阿骨打击败辽天祚皇帝亲兵，皆敢战多谋。会有辽军来援济州（即辽朝黄龙府），胡石改与其兄实古乃率劲兵逆击之，辽军遂溃败；胡石改等遂麾军攻济州，身中流矢，犹力战不止，遂克其城，由是军中皆服其勇敢。

阿骨打称帝，胡石改等分兵进攻辽朝春、泰二州，悉降之，并尽降其境内诸部族，其不降者皆攻拔之。及辽天祚帝西走，胡石改率军追至中京，俘获其宫人、辎重凡八百辆。时有思泥古者，复率本部叛去，胡石改以兵五百追击之，俘获其部属亲人而还。德州复叛，胡石改率兵五千复攻克其城，一境而安。胡石改又从娄室击败辽兵二万众于归化州之南，遂进取居庸关，分兵攻克燕京附近之属县以及山谷诸屯寨等。其后，移失部即降之后，复又叛去，胡石改遂引军追击，力战败之，俘虏其民众人户畜产甚多。而泽州诸部又有逃亡者，胡石改复率兵追之。续又击败叛人于临潢府，诛其酋领而安抚其民人。金太宗即位之后，胡石改遂从军进攻南宋。天眷二年（1139 年），迁永定军节度使，后改武定军节度使，复徙汴京留守。天德三年（1151

年），授世袭猛安，因病而卒，年六十八岁。

（梁文美　撰稿）

2. 完颜讹古乃

讹古乃，冶可之子。自幼姿质魁伟。年十四，即隶属秦王宗翰军中，常领兵行前为侦候。及阿骨打亲自率领大军袭击辽主天祚皇帝于青冢，突击辽军营帐，讹古乃遂率领甲骑六十，追击辽招讨使徒山，迫降而俘获之；又以七骑追击并俘获辽天祚皇帝之女、公主牙不里，献于军前。时有阴山以北部族之军来救援辽主，方临阵，中有跃马而出者，军帅谓之曰："尔能为我取之乎？"讹古乃曰："诺。"遂纵马而出，与战，果生获此人而还，军帅问其名曰同瓜，盖北部中之勇者也。按：同瓜，即阴山谟葛失部族之骁将，天祚皇帝退守阴山之际，常得到阴山谟葛失部落的倾力援助。讹古乃此战，应即《辽史·天祚皇帝纪》中所记载的洪灰水之战。

讹古乃骑术精妙，善于驰驿，一日能行千里。天会八年（1130年），讹古乃随从秦王驻军燕山，闻讯耶律余睹反叛于西北，秦王乃令讹古乃驰驿以往，讹古乃遂黎明走天德，及至，日未曛也；遂先机控制余睹北走之路。金熙宗皇统元年，以功升授宁远大将军、迭剌唐古部节度使。五年，授千户，次年，迁西北路招讨使。九年，复迁授天德尹、西南路招讨使。海陵王天德二年（1150年），诏赴阙，四年，改授临洮尹，加金紫光禄大夫。是年，病卒于官，年五十三岁。

（梁文美　撰稿）

3. 斡鲁

斡鲁，乃韩国公颏者第三子。金太祖收国二年（1116年），诏命斡鲁统领诸军，与阇母、蒲察、迪古乃合咸州路都统斡鲁古等，讨伐辽阳高永昌。斡鲁等方率军趋东京，有辽军六万来攻照散城，阿徒罕孛堇乌论石准与战于益褪之地，大破之；五月，斡鲁与辽军相遇于沈州，败之，遂克沈州。高永昌乞降，斡鲁遣使报之并进军，与高永昌会战于沃里活水，追击至东京城下，遂克东京辽阳府。太祖遂命斡鲁为南路都统、迭勃极烈，留乌蠢知东京事，诏除辽法，省赋役，置猛安谋克一如本朝之制。

　　斡鲁从都统杲追击辽天祚皇帝，辽天祚帝西走，西京城降而复叛，守城者据城西浮图，下射攻城者。斡鲁与鹘巴鲁攻浮图，奋击而夺之，复以精锐乘浮图下射城中，攻破西京城。时西夏国王遣将军李良辅率军三万来援辽天祚帝，驻军于天德境内，娄室与斡鲁合军击破之，追击至野谷，斩首数千级，夏人渡涧水而走，会山水暴涨，漂溺而死者不可胜计。辽天祚帝遂退走阴山与青冢之间，金太祖遂命斡鲁为西南路都统，率军至阴山追击之。斡鲁至青冢附近，遂遣勃剌淑、撒曷懑率精兵二百，袭击辽权六院司喝离质于白水泺，尽俘获之；辽天祚帝留辎重于青冢，领兵一万往应州。斡鲁遂遣照里、背答各率精兵邀击之，宗望遂率军突袭辽天祚帝营盘，尽俘其妻、子、宗族，得其传国玺。斡鲁遂遣使奏捷曰：

　　赖陛下威福，屡败敌兵，辽主无归，势必来降。已严戒邻境，毋纳宋人，合馈军粮，令银朮可往代州受之。[1]

金太祖遂复诏曰：

　　遍谕有功将士，俟朕至彼，当次第推赏。辽主戚属勿去其舆帐，善抚存之。辽主伶傔去国，怀悲负耻，恐殒其命。孽虽自作，而常居大位，深所不忍。如招之肯来，以其宗族付之。已遣杨朴征粮于宋，银朮可不须往矣。辽赵王习泥烈及诸官吏，并释其罪，且抚慰之。[2]

由是，斡鲁建立灭辽第一功。金太祖东还金源之前，任命宗翰为西北、西南两路都统，而以斡鲁及蒲家奴副之，斡鲁遂与西夏交涉，索取夏境内所藏匿契丹人口，又建议朝廷勿以山西地予北宋。及宗翰率大军伐宋，遂以斡鲁行西南、西北两路都统事。金太宗天会五年（1127 年），斡鲁病殁。

（梁文美　撰稿）

---

　　① 《金史》卷71《斡鲁传》，中华书局1975 年版，第1634 页。
　　② 《金史》卷71《斡鲁传》，中华书局1975 年版，第1634 页。

4. 完颜斡鲁古

斡鲁古，宗室子也，人称斡鲁古勃堇。金太祖起兵反辽，派遣斡鲁古、阿鲁领兵抚慰诏谕斡忽、急赛两路系辽籍女真，遂与辽节度使挞不也战，大破败之，临阵击杀挞不也，于是，酪莘岭阿鲁台罕等十四太湾皆降，斡忽、急赛两路亦降。又与辽都统实娄交战于咸州（即今辽宁省开原）西，大败之，击斩实娄于阵，进军与娄室会合，攻克咸州，系籍女真陁满忽吐以所部降于斡鲁古，其邻部户七千亦随后来降，斡鲁古遂进军与辽将喝补战，击破其众万余人。金太祖遂以斡鲁古为咸州军帅。及斡鲁率军讨伐高永昌，斡鲁古率咸州军助之；辽朝秦晋国王耶律捏里率军来拒战于辽水西，太祖命迪古乃、娄室、婆卢火等率军二万，合斡鲁古咸州兵马逆击之，于是，耶律捏里遣使遗书请和，斡鲁古遂以捏里书并所答书来上，诏以索叛人阿疎及废黜昏主为辞。耶律捏里军于蒺藜山，斡鲁古攻显州，击走捏里所遣郭药师等援军，进军会战蒺藜山，大败辽军，追击至阿里真陂，俘获辽都统佛顶家属，遂拔显州城，于是，辽之乾、懿、豪、徽、成、川、惠等州皆降，遂徙成、川州人于同、银二州安置。于是，或上奏斡鲁古不法事：辽帝在中京而不追袭、咸州粮草丰足而奏数不以实、攻显州获民人财畜多自取等。金太祖遂以阇哥代斡鲁古为咸州路都统，诏降斡鲁古为谋克。天辅六年（1122 年），奉诏讨贼于牛心山，途中因病而卒。

（梁文美　撰稿）

5. 婆卢火

婆卢火，金先世安帝之五代孙。金太祖阿骨打起兵反辽，命婆卢火征兵于迪古乃，因事失期，阿骨打遂杖之。后与浑黜以四千骑往助娄室、银尤可攻辽之黄龙府，克之；遂命婆卢火率军讨伐直撒里部，渡苏衮河，招降附近诸部，因借其丁壮为军，至特藤吴水，直撒里部伪降，遂执其主帅而杀之，进围特林城，彻底征服其部落。直撒里部产良马，金太祖遂命纥石烈阿习罕掌其畜牧，擢升婆卢火及其子婆速，俱为谋克。金天辅五年（1121 年），摘取诸路猛安中万余家，屯田于泰州，以扼守西北诸部落，遂任命婆卢火为都统筹划其事，并赐耕牛五十头。婆卢火旧居按出虎水，因此而徙居泰州，金太宗遂遣拾得、查瑞、阿里徒欢、奚挞罕诸谋克俱从徙泰州。婆卢火至镇之后，遂力劝耕种，迁徙之民因此而安；又大发力夫，开垦掘壕、垒筑石墙，以备北边诸部之冲突。于是，在今内蒙古呼伦贝尔市境内至今仍留下一道著名的历史文化遗迹——金边堡（又名界壕）遗址。

及金太祖攻取燕京城，婆卢火率军为右翼，出军居庸关，大败辽军，夺取关城。又率军北追萧妃等至古北口，迫降辽都监高六等众。金太祖又命婆卢火等率军急追萧妃，俘获其统军察剌、宣徽查剌，并其家族人口等，得其银牌二、印十有一。及契丹迭剌部叛，婆卢火又率军讨平之，其群官率众降者即命其仍领所部，金太宗遣使军前赐以空名宣头及银牌等，迭剌部由是而安。

婆卢火守泰州，屡立边功，天会八年，金太宗以甲胄遍赐所部诸谋克；十三年，擢升婆卢火为同中书门下平章事。天眷元年，因病而殁于其官衙所在乌骨迭烈地，赠开府仪同三司，谥刚毅。婆卢火有孙名曰吾扎忽。

（梁文美　撰稿）

6. 完颜阇母

阇母，本世祖之第十一子，为金太祖阿骨打之异母弟。斡鲁讨伐高永昌，阇母从其军，及克沈州，城中出奔者被阇母邀击殆尽，与高永昌会战沃里活水，阇母率所部先进，遂击败之。大军围困东京城，阇母再败城中守军于首山。及斡鲁古因罪去咸州都统之职，命阇母以咸州路副都统代之。金太祖与辽议和久不成，遂诏令咸州都统司：留兵一千镇守咸州，阇母率领余众与大军相会浑河。金太祖亲自率军进攻辽上京临潢府，辽守军恃储蓄以自固，阇母率众先登，遂克外城，守将挞不也率众请降。及都统杲讨伐中京，阇母率所部自城西沿土河以进，城中守兵不足三千，遂克之。

宗翰率军进攻西京城，阇母等于城东攻之，率军先登，遂克其城。复与辽军五千战于朔州北境，斩首三百级；又败辽兵于河阴，再破辽兵五千人于马邑县南。辽军聚众三万，列营于西京之西，阇母率精兵三千击之，遂大破之。兴中府、宜州复叛，阇母奉命讨之，遂擒获契丹首领九斤，平之。及阇母为南路都统，率军讨伐奚回离保，采取围守之计，步步紧逼，终使回离保内部分崩离析，其将耶律奥古哲等人杀回离保于景州、蓟州之间，遣使献回离保首级投降。张觉据平州叛入宋，阇母奉诏自锦州讨之，遂下迁、来、润、隰四州之地，击走张觉军，逐北至榆关，遣俘持书招之；复败张觉军于营州东北，值暑雨，退军逐水草休息，分两猛安军屯润州，以制未降州县与张觉交通；秋，复败觉将于新安、楼峰口。又与张觉战于兔耳山，因轻敌，阇母大败；金太宗遂拘阇母以问败军之状，使宗望将阇母军讨觉。及宗望破张觉，乃赦阇母之罪，仍还其军，召宗望赴阙；阇母遂破其伪都统张敦固，克平州城；又攻克宜州，拔叉牙山，杀其节度使韩庆民。

随宗望攻宋，收复燕京城，遂与刘彦宗守南京；复随宗望伐宋至汴京城，师还，授阇母为元帅左都监。天会七年（1129 年），病殁。

（梁文美　撰稿）

7. 完颜娄室

娄室，字斡里衍，完颜部人。年二十一，代其父白答为七水诸部长（即都勃堇）。及完颜阿骨打起兵反辽，进攻宁江州，遂使娄室引所部兵马招谕系辽籍女真诸部落，遂迫降移懑益海路（今吉林省德惠县南古城遗址）太湾照撒等，因击败辽朝军队于婆剌赶山附近，复又击败辽军、擒其两将军。于是，益改路（今吉林省农安县西南古城遗址）与捺末懒路（今吉林省东辽县白泉镇西北古城遗址）等皆降，遂进兵攻取咸州城，系辽籍女真诸部落相继来降，尽有辽朝北女直系籍部落。时辽都统耶律讹里朵率领大军 20 万来靖边，完颜阿骨打遂率部众前进于宁江州西以御之，因遣人召娄室会兵于宁江州；阿骨打见娄室所部马匹多疲乏，遂以军前马匹三百予之，分命其军隶属右路宗翰麾下。及与辽军战于达鲁古城（即今吉林省前郭尔罗斯县西北达里巴古城遗址）附近，娄室与银术可纵兵冲击辽军中坚，往返凡九进出，皆力战而返，辽军大溃，因此奠定完颜阿骨打建国的现实基础。

1115 年，阿骨打宣布即皇帝位，建立大女真国，遂使娄室与银术可戍守西部与辽朝疆界。及九百奚营等部落来降，娄室遂与银术可率军进攻辽朝黄龙府（今吉林省农安县），金太祖遣完颜浑黜、婆卢火、石古乃等人率军四千助之，击败辽军万余人于白马泊。及宗雄等率军攻破静州金山县（州治，即今内蒙古兴安盟乌兰浩特市东前乌兰哈达西北古城遗址），遂分命娄室领兵二千，沿山招谕溃散之民户。及金太祖与辽朝和议破裂，遂分兵进军辽河东西地区，辽朝秦晋国王耶律淳率军驻守锦州附近，因与金军交战于显州境内之蒺藜山，娄室与斡鲁古等人率军击破之，攻取显州城。金太祖以黄龙府乃都会之地，使娄室守之，因命合诸路谋克与娄室本部为万户，仍命娄室领之。及金太祖大举伐辽，遂拜授娄室为都统，从完颜杲取中京，遂与诸将击走辽军将领迪六、和尚、雅里斯等部，复击败奚王霞抹（霞抹，有时又写作"霞末"——笔者）兵马、迫降奚族西部节度使讹里剌及其部众。辽主天祚帝遂由中京西走鸳鸯泊。及大军进逼燕山，辽天祚帝遂自鸳鸯泊西走，娄室等奉命追击之，白水泊之战，尽获辽天祚帝内库宝物；因趁势与阇母合兵进攻辽朝西京城，复与阇母等经略辽朝西京路天德州（今内蒙古呼和浩特市东白塔子古城遗址）、云内州（今内蒙古呼和浩特市托克托县东北古城遗址）、宁边州（今内蒙古乌兰察布市清水河县西南城湾梁古城遗址）、东胜州（今内蒙古托克托县）等，其官吏皆降，俘获入辽叛人阿疎等，遣使献俘于金太祖。及辽天祚帝遁入夹山，西夏遣将军李良辅率军二万来援助，其军进至天德境内。娄室遣突捻补撒引轻骑二百为斥候，西夏军击之，几尽；娄室又以阿土罕率轻骑二百前往应援，遭遇西夏伏兵，仅阿土罕一人脱身而归。时又遇久雨，诸将皆以弓弦松弛不能出战，欲休息，娄室曰："西夏军两次击败我骑兵，我军如果不再前往迎战，西夏人必认为我军已胆怯，会立即率军来攻击我军。"于是，选拔骁勇千余骑为前军，遂与习失、拔离速等前往逆战；斡鲁壮其言，亦率所部从之。星夜进发，黎明时分，娄室等人越过陵野岭，遂留拔离速以兵二百据险要之处固守之，因俘获西夏兵卒问之，知其帅乃李良辅是也。遂率军疾进，将至西夏军驻守之野谷，娄室等人登高瞭望，见西夏军恃众而部伍不整，正在渡水结阵，遂遣人告知斡鲁进军路线，分所部军兵为二，迭出迭入，轮番攻击，转战三十余里，渡过宜水，斡鲁所部亦至，合击大败之，夏人挤堕坑谷而死者不计其数，宜水为之不流，遂破西夏援军。其后，耶律大石又率辽军进犯奉圣州（今河北省涿鹿县），筑壁垒于龙门（即今河北省赤城县西南之龙关）东二十五里，号为坚固。娄室遂率麾下夺取之，因俘获大石，迫降其众；辽节度使辟里剌遂弃奉圣州城遁去。其后，又随宗望等追辽天祚帝，击败辽军三千人于三山，又击破朔州辽军二万，生擒其主将赵公直，袭击辽天祚帝于余都谷，生擒辽天祚帝。因功，赐以铁券，唯死罪乃笞之，余罪不问。

及北宋联系契丹余部，欲图兴复辽室，遂从银朮可攻太原，屡破宋兵，底定山西。又与宗翰围攻汴京，遂取洛阳、陕西诸地。金太宗天会八年（1130 年），娄室病殁。

（梁文美　撰稿）

8. 完颜银朮可

银朮可，乃宗室子，出生于辽道宗咸雍九年（1073 年）。及金太祖建国，遂派遣蒲家奴前往辽廷议和，因索取女真叛人阿疎等，往返多次，和议竟难成。遂使习古乃、银朮可二人继往，及银朮可等还，具奏辽主荒政、上下解体之状及建言伐辽之策等。金太祖遂定计伐辽。时辽朝遣耶律讹里朵率兵二十万经略东北边地，金太祖亲自率军迎战于达鲁古城（即今吉林省前郭尔罗斯县西北达里巴古城遗址），银朮可与娄室率军冲击其中军，凡九陷阵，辽军遂溃败。于是，金太祖因命银朮可为谋克，与娄室等共同戍守宁江州等边地，银朮可与娄室、婆卢火等率军进攻辽朝重镇黄龙府，击溃辽军万余人于白马泊，遂夺取黄龙府。金太祖遂命银朮可屯守达鲁古城。收国二年（1116 年），复命以鸭挞、阿懒所迁谋克两千户，增益银朮可军，并进屯宁江州。于是，辽天祚帝遂遣大册礼使习泥烈至，欲与女真结为兄弟之国，金太祖与之约定七月半定盟，而近九月册礼使仍未至，遂分命女真军队过江屯驻。辽朝守军将领乙薛等遂分命军士纵火焚烧刍牧，以阻遏女真进兵。金太祖遂决计攻辽。银朮可从都统杲进攻辽中京，率偏师三千，击败奚王霞末于中京西七十里。辽天祚帝遂西遁鸳鸯泊，复北走天德军，又入夹山，复南出朔州阿敦山，银朮可与娄室等率军追之。及天祚帝至朔州阿敦山，银朮可率军绝其后路，娄室率大军逼之，遂俘获天祚帝，灭亡辽朝。

嗣后，银朮可又随亲王宗翰伐宋，率军围攻太原城，屡破宋朝援兵，遂破之。寻即随从宗望南攻汴京城，因功赐以铁券。及宗翰南伐康王，银朮可受命镇守太原。天会十年，转授燕京留守，复迁中书令、加封为蜀王。天眷三年（1140 年），病殁，终年六十八岁。

（梁文美　撰稿）

9. 完颜麻吉

麻吉，乃银尤可之胞弟。年十五，隶籍军中，从破高丽军、攻克宁江州、平定系辽籍女真诸部落、夺取黄龙府等，皆奋勇当先，因功擢授为谋克，旋即进领猛安。从斡鲁古击败九百奚营部落千余人，降九百奚营。及都统杲攻取辽中京城，麻吉与稍合、胡拾答等遂迫降奚族楚里迪部落，屯兵于高州境内；时辽朝溃兵纠聚山谷，时常袭扰，麻吉遂遣兵援助蒙刮勃堇，大破辽兵，复以本部兵击败辽朝恩州兵五万人，遂与诸将同心合力平定辽中京附近山谷内纠聚之余众，迫降辽军三千余人。复与辽军战于高州境内，被流矢击中眼目，遂殁。

（梁文美　撰稿）

10. 完颜宗翰

宗翰本名粘没喝，汉语讹为粘罕，国相撒改之长子也。出生于辽道宗太康四年（1078 年），少雄勇有谋略，年十七，即以勇闻名部族中。及金太祖与女真贵族会议伐辽事宜，宗翰竭力支持太祖意见。金太祖亲率部族军击败辽兵于境上，撒改遂遣宗翰与完颜希尹至太祖军中贺捷，遂劝太祖即帝位，建立大女真国。辽都统耶律讹里朵率军二十万来靖边，太祖亲率大军，以宗翰为右翼逆击之，大败辽兵于达鲁古城。其后，太祖与辽帝议和，仅欲得入辽叛人阿疎等而已，辽人终不以实际相待，虚与委蛇，迁延数年，不得其纲领。天辅四年（1120 年），宗翰遂奏请击辽，太祖然之，即刻诏令诸路整军备战。次年，因行大射柳仪，太祖遂与宗翰相约，任以灭辽元帅之事，欲与蒲家奴领兵西袭辽帝，事未果行；是年冬，宗翰倡言袭击辽中京，遂以忽鲁勃极烈杲为内外诸军都统，率蒲家奴、宗翰、宗干、宗磐等，皆领金牌；又命宗峻领合扎猛安（即宿卫亲军），以耶律余睹为向导，遂克中京城。取辽中京后，宗翰率本部兵进军北安州（今河北省承德市西部滦河流域南侧古城遗址），与诸将娄室等人会合，击破奚王霞末，攻克北安州，遂驻军北安州境内，分兵与完颜希尹经略附近地方，俘获辽护卫太保习泥烈，侦知辽天祚帝射猎于鸳鸯泊，又杀其子敖鲁斡，部众离散，且其西北、西南两路兵马赢弱不可用。宗翰遣使报都统杲速进军，而杲尚犹豫，宗翰遂率本部进军追击，呆亦进军。宗翰至奚王岭，呆军出瓢岭。宗翰闻辽主欲自五院司率军来战，遂倍道兼行，一夜即突袭至五院司，辽主仓皇遁去，于是，派遣希尹等分兵追之，自率大军进取西京城，胞弟扎保迪战殁，克西京，因而抚定西路诸州县部族。然后，谒见金太祖于大鱼泊，遂从太祖进取燕京。太祖以燕京还赐宋人，退军驻鸳鸯泊，命宗翰为都统，驻守云中（即辽西京，今山西省大同市）。

金太宗即位，许以便宜行事，并以空名宣头百道与之，"当迁官者，以便宜除授"。即赋予宗翰西京地区的军事、行政等诸方面的统治权力。及金太宗欲以山西之地还赐宋人，宗翰极力谏止之。太宗亦以宗翰破辽与经略西夏国奉表称藩之功，深嘉之。及宋人招纳诸路叛人不止，边司行文催讨亦不遣还，金太宗遂命谙版勃极烈（即储君）呆为领都元帅，仍居京师，宗翰为左副元帅，自太原路伐宋；右副元帅宗望自河北路伐宋。宋人以割让河东三镇请和，遂还。及宋人致书耶律余覩等，以兴复辽社稷相煽惑，宗翰得其书，遂再兴兵伐宋，俘虏北宋二帝以及大批宝货北迁。宗翰复出兵经略河南诸州县，迁徙其民至河北安置，又分兵经略陕西地。及大军致讨康王，宗翰分兵平定陕西诸地以防遏西夏，自率军与东路军会于黎阳津。因功除授国论右勃极烈兼都元帅。熙宗即位，拜太保、尚书令，领三省事，封晋王。天会十四年（1136年），因病而殁，终年五十八岁。

（梁文美　撰稿）

11. 完颜宗望

宗望本名斡鲁补，又作斡离不，金太祖之第二子也。金太祖起兵伐辽，女真诸部尚未宁一，故宁江州、达鲁古城以及黄龙府诸战役，金太祖都亲临军中征战。宗望常随太祖在军中，不离左右，以翼卫之。及都统呆攻克中京城，宗翰在北安州获得辽护卫太保习泥烈，始知辽天祚帝已退守鸳鸯泊。都统呆兵出青岭，宗望军出瓢岭，分路追击之。时宗望在呆军中，遇辽兵三百余人方掠夺降人家财，宗望曰："如果能够活捉这些人，就能审问出辽主所在何处及其军中的具体情况。"于是，与宗弼率领百名骑兵并进，遂追击之，生擒其五人而还，因此得知辽主仍在鸳鸯泊。于是，会集诸将共同进军。宗翰倍道兼行，追辽主至五院司，不及；娄室等追击至白水泊，辽主遁入阴山。辽秦晋国王耶律捏里遂自立于燕京，新降州部复开始摇动，人心不固，杲遂派遣宗望回迎太祖临军前。宗望入京师，百官入贺，太祖与群臣欢甚。宗望奏曰："现在云中新定，其周围诸路辽兵尚有数万人，辽主也仍然活动在阴山与天德军之间，而耶律捏里自立于燕京，新降之地的诸路民众，他们依附我大金的心思也没有稳固下来，所以，军前诸将都盼望陛下能临幸军中。"金太祖曰："军队到比较悬远的地方讨伐，授与其大概的成算也就是了，哪里能够要求他们所有事情都一定要符合统帅部的要求。朕决定在六月初一日的时候，率大军前往。"及金太祖率大军驻留于大泊西南时，都统杲派遣希尹至太祖军前，奏请迁徙西南路招讨司诸部民众于女真内地安置。金太祖顾谓大臣曰："迁徙西南路诸部人口，应该从哪条路行进呢？"宗望对曰："中京境内已经残敝，沿途刍粮都无法供应，还是经由上京境内比较适宜。但这样一来，新近投降之人，势必会产生骚动，没有投降之人也会因此生出疑惧心理。不仅劳扰师旅也扰害民众，即使迁徙成功，所得到的也不如因此失去的多。"金太祖于是将迁民的议题，下放到军旅帅府中，让将帅们估计情况、选择合适与否，依据具体情况决定迁民与否。金太祖听说辽天祚帝居留于大鱼泊，遂亲自率精兵万余人，前往追击之，命蒲家奴、宗望率军四千为前锋，昼夜兼行，追及辽主于石辇铎，马多疲乏，军士至者才千余人，而辽军二万五千有余。方治营垒，蒲家奴与诸将议，遂倾力与之战，短兵相接，辽军围困蒲家奴等数重，军士皆殊死战。辽天祚帝以为金兵数少，其势必败，遂携带嫔御等皆自高阜下平地，临近观战。降将余睹指示诸将曰："这是辽主的麾盖。如果集中力量冲击之，可以扭转战局，获得胜利。"女真骑兵遂集中突击辽主所在，辽主大惊，即刻遁去，辽军于是溃散。宗望等获胜而还。金太祖曰："辽主逃去不会太远，应立即追击之。"宗望遂率领骑兵千余人前追之，蒲家奴率领大军为其后援。及太祖率大军抚定燕京之后，诏命斡鲁为都统，宗望副之，率军追击辽主于阴山、青冢之间。宗望遂与娄室、银术可率军三千，分路追击辽主。宗望将至青冢，遇有大片泥泞之地，军兵无路可进；宗望命令前所俘辽都统大石林牙为向导，派遣四骑以绳索连系大石林牙前行，遂直至辽主营帐。当时，辽天祚帝已经率军前往应州，仅有公主妃嫔侍御等眷属在营地中，忽见金兵至，遂惊骇奔散，宗望命令骑兵下马分别捉获之，于是，辽朝皇太叔胡卢瓦妃、秦晋国王次妃以及天祚皇帝辽汉夫人并其子秦王、许王、诸女骨欲、余里衍、斡里衍、大奥野、次奥野，赵王妃斡里衍、招讨使迪六、详稳六斤、节度使孛迭、赤狗儿等，皆被俘获而降，计得车乘万余辆，只有天祚皇帝之子梁王雅里以及梁宋国大长公主特里等趁混乱逃逸。而娄室、银朮可等，也因此获得辽天祚皇帝左右宿卫之兵器、舆仗等。于是，遂会集娄室、银朮可共同进军至扫里门，作招降文书遣人送达天祚帝。

辽天祚皇帝率军自金城（应州治，即今山西省应县）北返，得知其族属皆被金军俘获，遂率兵五千前来决战，宗望以骑兵千余人击败之，与辽主相距仅有百步，为其护卫拥护逃逸，俘获其子赵王习泥烈及传国玉玺等；麾军追击二十余里，又俘获其从马以及群牧马四千匹、车乘八千辆。宗望遂向金太祖献传国玺于行在，金太祖纳传国玺于怀中，起身东面恭谢天地，然后，大会诸路将帅录功颁赏，以辽蜀国公主余里衍赐予宗望。仍命宗望等追击辽主。辽主遂使人献兔纽金印请降，宗望受之，乃"元帅燕国王之印"，仍致书辽主谕以石晋北迁之事。复遣使西夏国，宣示和好之意，以沮疑其救辽之心。宗望遂率军至天德，辽守将耶律慎思迎降军前，及候人回报，言西夏国已经迎护辽主渡黄河，遂传檄西夏国命其执送辽主以献。

时阇母与张觉战于兔耳山，轻敌致败，金太宗遂使宗望至军问状，因将阇母军讨伐张觉，相继攻克濒海诸郡县，复击败张觉于南京城（辽平州，即今河北省卢龙县南应各庄古城遗址）东，张觉奔亡于宋。南京人遂推张敦固为都统乘城拒守，金太宗诏令咸州输粟于宗望军中，大败张敦固，宗望遣使招谕其众，仍使阇母奏闻太宗免纠敦固等人抗命之罪。金太宗遂下诏：赦免南京官民，其大小罪皆释之，官职仍旧。复别敕有司轻徭赋、劝稼穑，凡疆场之事，统委宗望专决。其后，遂克南京城。于是，军帅皆言宋人渝盟有验、不可不备。金太宗诏令宗望曰："征收岁币于宋，以银二十万两、绢三十万匹分赐尔军及六部东京诸军。"宗望向宋人索户口，宋人弗遣，且闻童贯、郭药师治军燕山，故宗望首先倡议伐宋，宗翰等亦以此言之于上。金太宗遂命宗望为南京路都统，阇母副之，率军自燕山路伐宋。宗望请以阇母为都统、自己为都监，太宗从之。宗望进至三河县（今河北省三河县泃阳镇），破宋郭药师兵四万五千于白河，至古北口，郭药师降；进军攻取燕山府（即今北京市），尽收宋人军实等，获马万匹、甲胄五万副、兵士七万，燕山府州县悉数平定。天会四年（1126 年）正月，诸军渡过黄河，围攻汴京城，迫使宋朝割让太原府（即今山西省太原市）、河间府（今河北省河间县瀛州镇）、中山府（今河北省定州市）三镇之地请和。未几，宋人煽惑耶律余睹复兴辽朝，事泄。是年 8 月，遂再起兵伐宋，宗望发自保州（今河北省保定市），宗翰发自山西；11 月，两军会合、再围汴京城，进克汴京，宋钦宗诣军前投降。次年二月，遂以宋徽宗、钦宗及宗族 470 余人，珪璋、宝印、衮冕、车辂、祭器、大乐、灵台、图书等，俱随大军北归。宗望乃分军镇守河北各地，自己遂西上凉陉避暑。是年 4 月，宗望病殁于凉陉。

（梁文美　撰稿）

12. 完颜杲

杲本名斜也，金世祖之第五子，乃太祖同母弟。天辅元年（1117 年），杲率军一万进攻泰州（今吉林省洮南市东北德顺西南城四家子古城遗址），遂克金山县（今内蒙古兴安盟乌兰浩特市东乌兰哈达西北公主岭古城遗址），迫降辽朝女固、脾室四部及渤海人等，进克泰州城，遂将城中积粟等转输至乌林野之地，以赈济先降诸部人口，并因此移徙其民至女真内地安置。

天辅五年（1121 年），杲为忽鲁勃极烈、都统内外诸军，奉命取辽中京之民户以充实金朝北京（即辽上京，今内蒙古赤峰市巴林左旗林东镇南古城遗址）之人口，而蒲家奴、宗翰、宗干、宗磐等金初名将尽为其副，名将宗峻又率领合扎猛安（即金朝宿卫亲军系统）从征，诸将皆受金牌，得以专任军事；又以辽朝降将耶律余睹为向导，大举伐辽。当时，辽朝留守中京官吏，闻听到金军进军中京的具体时间后，遂焚烧城内积储的粮草之后，准备迁徙其居民弃城远遁；而奚王霫抹则恃众不夫，准备视金军人数少则出兵迎战、如势大不敌则入报山谷之内（即"山西"）。杲等侦察到辽朝守军毫无斗志后，遂留下军中辎重，率轻兵前击之。六年正月，连克高州（今内蒙古赤峰市元宝山区风水沟镇哈拉木头古城遗址）、恩州（今内蒙古赤峰市喀喇沁旗西桥乡东古城遗址）及回纥城（确切位置不详），遂进军中京城（即今内蒙古赤峰市宁城县大名古城遗址），辽朝守军皆不战而走，遂克中京城，获得战马 1 200 匹、牛 500 头、驼 170 头、羊 47 000 头、车 350 辆。

杲遂分军据守要害之地，自己则驻守中京，遣使奏捷并献俘等。金太祖得报后，赐诏曰：

> 汝等提兵于外，克副所任，攻下城邑，抚安人民。朕甚嘉之。分遣将士招降山前诸部，计已抚定。山后若未可望，即营田牧，俟秋大举，更当熟议，见可则行。如欲益兵，具数来上。无恃一战之胜，辄自弛慢。善抚存降附，宣谕将士，使知朕意。①

时完颜欢都所领游兵出至中京城南，遇到辽军三十余骑，诱骗欢都曰："等到明天早晨率全部来降于此地。"欢都还告，杲信之。命温迪痕阿里出、纳合钝恩、蒲察婆罗偎、诸甲拔剔邻往迎来降辽军；结果，奚王霞末率大兵包围阿里出等人，纳合钝恩等遂凭借高地，下马拒战，以一当百，人皆殊死战，大败霞末之兵，乘胜追击，至日暮始还。及宗翰克北安州（今河北省承德市西滦河西南古城遗址），完颜希尹俘获辽护卫太保习泥烈，得知辽主畋猎于鸳鸯泊（即今河北省张北县安古里淖尔）。宗翰移书杲请进军，使者再往，杲意尚未决，宗干遂力劝杲从宗翰策，乃约宗翰会兵奚王岭；既会，遂定议杲军出青岭，宗翰军出瓢岭，而后会师于羊城泊（即今河北省沽源县境内之大囫囵、羊囫囵附近）。时辽天祚帝方驻坐草泊（即今内蒙古乌兰察布市商都县境内之察罕淖），遂命宗翰与宗干率精兵六千袭击之，辽主闻讯西走，其都统马哥等率众奔往搗里（辽史称马哥汇集散兵于沤里谨，即此），宗翰遣挞懒率军千骑前击之，因收辽之群牧马匹，道遇辽朝枢密使萧得里底父子，俘之而还。及降下辽西京城，不久复叛，杲遣使招谕，不从，遂麾军克之。杲率大军至白水泊（即今内蒙古乌兰察布市察哈尔右翼中旗境内之黄旗海），分遣诸将招抚未降州县及诸部族。于是，辽秦晋国王耶律捏里（即耶律淳）自立于燕京，杲遣宗望奏事并请金太祖临军前，使降将耶律坦招降西南面招讨司及所属诸部，因西至夏境皆降。耶律捏里移书杲请降，杲复书责之，仍以燕京留守处之；捏里复书，欲以邻国相待，杲切责之。捏里复以此意移书金太祖，太祖亦切责之。杲遂遣马和尚奉迎太祖于挞

---

① 《金史》卷76《完颜杲传》，中华书局1975年版，第1738页。

鲁河，并请迁徙西南招讨司诸部于女真内地，遂上谒金太祖于鸳鸯泊。太祖
遂率军亲追辽主至回离轸川，南伐燕京。燕京既定，遂诏命宗翰为都统，杲
遂从太祖还京师。

及金太宗即位，遂以杲为谙版勃极烈（即储君），与宗干等俱治国政。
天会三年（1125年），大举伐宋，杲以都元帅身份居京师。天会八年（1130
年），因病薨。

（梁文美　撰稿）

13. 完颜宗干

宗干本名斡本，乃金太祖之庶长子。金太祖伐辽，辽朝大军来御防，与
金太祖军相遇于境上。时辽朝于女真界处掘堑为界，两军隔堑为阵，太祖遂
使宗干率众先往填堑，太祖遂率将士毕渡，因与辽军交战。辽军渤海之众驰
突而前，女真左翼七谋克少却，渤海军遂冲犯女真中军；太祖弟杲辄出战，
太祖曰："遇大敌不可易也。"遂使宗干前往止杲。宗干纵马驰出杲前，控
止导骑哲垤之马，杲遂还。及达鲁古城之战，宗干率中军为疑兵，太祖既攻
克黄龙府，即欲取春州（今吉林省前郭尔罗斯自治县西北八郎西北塔虎城
古城遗址）。辽天祚皇帝闻听黄龙府陷落，大惊，于是诏令籍录宗戚豪右少
年与四方勇士以及能言兵之人，组织起一支强大的军队，亲自督率前往黄龙
府地区与女真决战。宗干遂劝太祖不要急于进攻春州，而应休息士卒，以待
大战；太祖遂从其言，率军而还。及天祚皇帝失败而返，宗干因降人得知
春、泰二州无备，于是斜也等率兵取春、泰州，宗雄与宗干率兵下金山县，
召集未附诸部，并择土人之才干者以领之，因此，辽朝女固、脾室四部及渤
海人等皆来降。

金太祖率军攻克临潢府，进军至沃黑河。宗翰劝谏曰："此地距我本土
十分辽远，且又逢盛暑之际，士马皆疲乏，如果还深入敌境，恐怕粮馈不
继，导致更多的艰难。"太祖从其言，班师而还。及从都统杲取中京，宗翰
自北安州移书追击辽主，宗干遂劝杲从之；及会军于羊城泊，杲命宗干与宗
翰以精兵六千袭击辽军至五院司，遂击败辽将耿守忠于西京东四十里之处。

及金太宗即位，宗干以国伦勃极烈身份与斜也共同辅政。天会三年，俘
获辽天祚皇帝于应州西之余都谷，宗干遂制定朝廷礼仪制度等。及金熙宗即

位，拜为太傅，与宗翰并领三省事；天眷二年（1139 年），进位太师，封授梁宋国王，策杖上殿，入朝不拜，因宗干有足疾，诏令设座奏事，后又赐予辇舆上殿。熙宗皇帝临幸燕京，宗干从行，自燕京还至野狐岭，宗干病不能行，遂薨，还葬上京。

（梁文美　撰稿）

14. 完颜昌

昌本名挞懒，穆宗之子。宗翰袭击辽天祚皇帝于鸳鸯泊，辽都统耶律马哥奔捣里，挞懒遂收其西南路群牧马匹；宗翰仍使挞懒追击辽天祚皇帝，不及而还，路遇辽枢密使萧得里底及其子磨哥、那野等，遂俘虏之。及金太祖自将兵追击辽天祚皇帝于大鱼泊（即今内蒙古赤峰市克什克腾旗境内之达里诺尔），留辎重于草泊，遂命挞懒、牙卯等人守之。其后，奚路兵官浑黜不能安辑辖境人众，遂任命挞懒为奚六路军帅以镇抚之。习古乃、婆卢火护送常胜军及燕山豪族工匠自松亭关入女真内地，路途艰险，遂暂与挞懒合兵一处。时奚六路境内，盗贼蜂起，诸部尚未安心。久之，挞懒讨伐刭山奚族速古部，奚人据险与官军交战，挞懒督率诸军攻之，杀伤奚众且尽，于是，遂平定奚族速古、啜里、铁泥等十三山砦。其后又抚定奚部全境，并划分南路边界，遂奏请设官镇守，诏令奚族之地可依据东京渤海故地，列置猛安、谋克组织。

辽朝遥辇氏昭古牙部族尚盘踞建州附近，斜也率军袭击，大破之，因擒获其妻孥及官豪之族。挞懒复击破昭古牙余部，擒其队将曷鲁燥、白撒葛等杀之，获其民户千余口，进降金源县（今内蒙古赤峰市敖汉旗新惠镇东南四家子东南大城古城遗址）。其后，挞懒又迫降遥辇二部，击败兴中府（今辽宁省朝阳市）援军，迫降建州（今辽宁省朝阳市西南大平房镇西南黄花滩古城遗址）官属，得其山砦二十、村堡五百八十座；部将阿忽又击败昭古牙，俘获其民户甚众，昭古牙势穷遂降，兴中府及建州等地遂平定。于是，挞懒遂奏请以遥辇九营为九猛安。金太宗允其请，又因夺邻有功使领其四猛安，仍以昭古牙为亲领猛安，而其余五猛安之都帅，则命挞懒择人授之。挞懒又举萧公翊为兴中府尹，并奏请郡府各以契丹、汉族官员摄治，金太宗皆从之。

及宗翰、宗望率大军伐宋，挞懒仍为奚六部路都统，率本部兵马从征。宗望等奏凯而还，挞懒仍率本部还中京。天会四年（1126 年），复伐宋，挞懒仍以本部兵从行，宋二帝出降，挞懒为元帅左监军，徇地山东；及刘豫以济南府降，仍命为山东安抚使，因命挞懒以元帅左监军镇抚之。挞懒遂荐举刘豫为可代张邦昌者，因建立伪齐。天会十五年，升为左副元帅、鲁国王。及宋使王伦来求河南、陕西地，挞懒又倡言以河南、陕西地予宋。及宗磐以党争败，挞懒亦坐罪被诛。

（梁文美　撰稿）

二、金朝安辑与治理内蒙古地区的历史人物

1. 完颜宗贤

宗贤，本名阿鲁。亦金初宗室之子。阿骨打起兵反辽，阿鲁从攻宁江州与临潢府，皆敢战当先。及金太宗监国，选为侍卫左右之士，因此深得金太宗之信任。会临潢府契丹余众复叛，阿鲁随军帅宗望击破其城，诛其首领，安抚民众，遂因功擢升内库都提点，迁升为来州（今辽宁省葫芦岛市绥中西南前卫古城遗址）归德军节度使。执政尚宽简，劝民复生业，境内大治，官声称最。及秩满，士民数百千人相率诣朝廷请留，朝廷不许，仍转授阿鲁为奉圣州（今河北省涿鹿县）武定军节度使，将赴任，百姓扶老携幼送数十里，悲号而别去。后又改任雄州（今河北省雄县）永定军节度使，时朝廷遣秉德赴各地廉访官吏，

> 永定军白姓持盆水与镜，前拜朝官而言曰："使君廉明清直类此，民实赖之。"秉德曰："吾闻郡僚廉能如一，汝等以为如何？"众对曰："公勤清俭皆法则于使君耳。"因谓宗贤曰："人谓君善治，当在甲乙，果然贤使君也。"用是超迁两阶。[1]

---

① 《金史》卷 66《始祖以下诸子》宗贤，中华书局 1975 年版，第 1566 页。

金海陵王天德初年，授宗贤世袭猛安，驰驿召之。雄州父老闻讯之后，相率张挂青绳、悬明镜于雄州公署，老幼拜见，填塞门闾，三日之后，乃得散去。海陵王闻之，遂加封为定国公，除授蔚州（今河北省蔚县）忠顺军节度使，赐以玉带。后累迁曷懒路兵马都总管，因民之俗，宽猛相济，朝廷考核仍列最上。乃迁转广宁尹，封广平郡王。改授崇义军节度使兼领北京宗室事。金世宗即位，宗贤遂率诸宗室朝谒于辽阳，遂迁同签大宗正事，封景国公，遂请致仕，诏起为婆速路兵马都总管，复请致仕，感疾而卒。

（梁文美　撰稿）

2. 完颜宗亨

宗亨，本名挞不也，性情忠谨敦厚，善骑射。金熙宗天眷元年（1138年），以宗室子补护卫，累迁忠勇校尉，昭信校尉、尚厩局直长，擢升尚厩局副使，后又改授宗正官属之淑温特宗室将军、会宁府（今黑龙江省阿城市古城遗址）少尹，转官登州（今山东省蓬莱县）刺史、献州（今河北省献县）刺史、特满群牧使、同知北京（今内蒙古赤峰市宁城县大明古城遗址）路转运使，遂升为泽州定国军节度使。海陵南伐，宗亨以本职领武扬军都总管，随大军渡淮。及金世宗即位，以手诏赐宗亨，宗亨得诏即入朝。大定二年（1162年），除授右宣徽使，转授北京路兵马都统，奉诏讨伐契丹叛党窝斡，时右副元帅仆散忠义与窝斡战于花道（位于今内蒙古赤峰市附近），宗亨与左翼万户蒲察世杰等率七谋克军马追击窝斡党羽，与战，失利，世宗皇帝仍赦宗亨等罪不问，诏令其仍率军追击窝斡余党，至奚族之地。及窝斡战败，其余党括里、扎八等人欲率余众南奔，宗亨率军追击之，遂逼近扎八等众，于是，扎八等人诈降曰：“窝斡余党括里等已经逃遁，愿为将军效力，率所部前往追击之。”宗亨信扎八等言，遂命扎八等率其众前追括里等，而纵所部军士等恣取契丹叛贼所弃橐驼、人口与畜产等物，结果贻误军机，导致括里、扎八等人逃亡南宋境内。宗亨坐此贬授宁州（今甘肃省宁县东古城遗址）刺史。

（梁文美　撰稿）

3. 完颜思敬

思敬，本名撒改，押懒河人，金源郡王神土懑之子，习失之弟也。初名思恭，因避显宗名讳，更名思敬。体貌雄伟，美须髯，纯直有才干。年十一，随其父谒见太祖于纳邻淀，太祖方猎，因诏思敬父子从猎，思敬一箭射黄羊而获之，太祖大喜，遂赐以从马。既长，从其兄习失随宗翰伐宋，改隶辽王宗干麾下。世宗大定二年（1162年），除授西南路招讨使，封济国公，兼天德军节度使；旋加授北路都统，佩金牌及银牌二，命西北路招讨使唐括字古底副之，以防御契丹叛贼窝斡所部冲突。思敬遂率本路兵马二千，会合招讨使字古底视察地形冲要，遂分兵于狗泊屯驻，以侦伺契丹叛贼出没之地，设置守御兵马，不以昼夜为限，分兵远探斥候，如遇契丹叛贼至，则即刻通知本路兵帅率军御战。安置妥帖之后，思敬等遂各返本部驻守。是时，世宗皇帝亦诏谕字古底曰："尔兵少，思敬未至，不得先战。"其后，副元帅仆散忠义等率军大败契丹窝斡于陷泉（即今河北省承德市境内之武烈河流域），窝斡余党遂奔遁至奚族境内。世宗皇帝遂诏令思敬选择群牧新马三千匹，以预备军前追击窝斡余党。窝斡率其余部进驻奚部族地界之后，为防范窝斡余党与奚族勾结，世宗皇帝又任命思敬为元帅右都监，率原领兵马进入奚部族张哥宅第，控制冲要之处、防遏奚族动荡，然后会合诸路大军共同讨击窝斡余党，思敬遂率所部击败窝斡伪节度使特末也，俘获其党羽二百余人，于是，窝斡降将稍合住与其党神独斡等，遂趁机拘执窝斡并其母徐辇、妻子弟侄家属及金银牌印等，至思敬军前献降。思敬遂执窝斡献俘于京师，世宗赐金百两、银千两、重彩四十端并玉带、厩马、名鹰等，以旌其功，并进拜思敬为右副元帅，率兵马经略南边，驻守山东境内，以防遏南宋。后，罢为北京留守。大定十三年（1173年）病殁于任所。

（梁文美 撰稿）

4. 吾扎忽

吾扎忽，即金初泰州名将婆卢火之孙。吾扎忽善骑射，年二十，以本班祗候郎君总管职务，从征，因功擢升为修武校尉。皇统二年（1142年），权领泰州军马，随从大军征讨陕西境内，因功而超迁为宁远大将军、世袭猛安；旋即率领本部军马，从宗弼南征，升为权都统。及契丹撒八、窝斡反叛，吾扎忽遂受命与德昌军节度使移室懑共同讨击契丹叛贼。及金世宗即位于辽阳府，除授吾扎忽为咸平府尹，仍驻军戍守泰州；时契丹叛贼窝斡等率其众倾力围攻临潢府，除授吾札忽为元帅左都监、临潢府尹，诏命与广宁府（即辽朝之显州，金朝更名广宁府，今辽宁省北镇县西南古城遗址）尹仆散浑坦等，俱随从元帅右都监神土懑领兵共解临潢府之围。大军未至，契丹窝斡等闻之，率所众避大军东行而去，吾扎忽率领所部兵马星夜追击之，麾下押军猛安契丹忽剌叔等人，阵前倒戈，以所部兵马反助窝斡，吾扎忽所率中军腹背受敌，寡不敌众，遂溃。吾扎忽率余部逃归泰州，契丹窝斡等遂率众急攻泰州城。

敌攻泰州，其势大振，城中震骇，将士不敢出战，敌四面登城。[①]

泰州守城将士拼死力战，援军遥遥无期，吾扎忽遂趁契丹攻势稍缓之际，分命将士护卫百姓等迁徙至其他州府，或出城控扼险要以避危难。自率余部固守泰州，等待大军援助。次年，吾扎忽收集溃散军士得万三千余众，遂率军与元帅完颜谋衍会合，并力击败契丹叛贼窝斡于长泊；遂转战雾淞河、花道、陷泉等地，屡与贼战，皆有战功。及窝斡叛党平息之后，吾扎忽改授为胡里改部节度使，后因病而卒。

吾扎忽善于用兵，经常能够以寡敌众，部众骁勇异常军，故人称"鹘军"云。

（梁文美　撰稿）

5. 完颜宗叙

宗叙，本属宗室，乃金初名将完颜阇母之第四子，原名德寿，出生于金太宗天会四年（1126 年）。自幼即奇伟有大志，多智数，好与人谈论兵机。金海陵王天德二年（1150 年），以宗室子身份充任护卫，超授为武义将军。次年，擢授为世袭谋克、御院通进，旋即迁升为翰林待制兼修起居注，又转

---

① 《金史》卷 71《婆卢火传·附吾扎忽》，中华书局 1975 年版，第 1640 页。

国子司业兼左补阙。正隆元年（1156 年），转符宝郎。宗叙历官之后，担任宫职五年，深得海陵王信任，皆得带剑押领宿卫。后迁升大宗正丞，专门督责宗室事务，寻即迁授侍卫亲军马军都指挥使，复改授左骁骑都指挥使。及海陵王亲幸南京（即今河南省开封市），宗叙遂从行至汴京（即今河南省开封市），因从海陵王渡淮，大举南伐宋。正隆六年（1161 年），西北路契丹群牧撒八等聚众叛，海陵王命宗叙为咸平府（今辽宁省开原市东北老城遗址）尹兼本路兵马都总管，授以甲仗四千副，许以便宜从事，以防遏契丹叛贼之冲突。宗叙遂星夜渡淮北上，出松亭关路，经牛递铺至于广宁府。闻世宗皇帝即位于辽阳府，欲赴辽阳晋谒、归附世宗皇帝，而广宁尹按答海之弟燕京劝按答海及宗叙，宜静观其变而动。宗叙遂退驻兴中府（今辽宁省朝阳市），与白彦敬、纥石烈志宁等人于兴中府，奉表投降世宗皇帝，世宗遂命宗叙等进见于梁鱼务（即今辽宁省法库县附近），除授宗叙为懿州（今辽宁省阜新市东北塔营子古城遗址）宁昌军节度使。大定二年（1162 年），契丹窝斡等引兵进攻懿州，时城中只有女真及渤海骑兵三十人、汉军步卒百二十人，契丹逼近，城中汹惧，宗叙遂尽将所有出战，遇窝斡契丹兵千余骑，宗叙属下汉军步卒皆散走，遂与女真及渤海三十骑并进，死战拒之，宗叙身中两处创伤，所乘马中箭倒下，因被契丹所执。拘押贼营凡百有余日，会其中有临潢府人移剌阿塔等人盗贼中马匹，与宗叙俱脱归。宗叙陷落贼营既久，因尽得贼众之虚实，故奔至金军营垒，始见元帅完颜谋衍、平章政事完颜元宜，即建言曰：“契丹贼众本属乌合之众，无纪律约束，将帅各自为战，约集军兵，破之必矣！”遂对帅府众将详细擘画贼众情状等。于是，帅府欲授与宗叙军职。而宗叙见军中诸将及元帅谋衍等，贪图掳掠，丧失进取事机，遂不肯接受帅府任命，曰：“我有机密事宜，须面奏圣上。”将欲自归京师，细陈事机与世宗皇帝，遂趁夜色遁去，至广宁府，矫诏取驿马，驰至京师；而帅府则先以宗叙拒不受命及趁夜逃去诸事上奏，及宗叙至京师，世宗皇帝遣使臣责问曰：“汝身为节度使，不度量寡众，仓促迎敌，战败被俘，幸得逃归，又拒绝帅府驱使，擅自乘用驿传马匹赴都城。朕暂不按问你的罪状，即速回到帅府军中，与军前诸将同心合力击破贼众。”宗叙遂因使臣附奏曰：“臣不是躲避困难的人，因为事情机密，必须面奏，故不得不来到京城。”世宗皇帝于是召见，宗叙乃逐条陈奏贼中虚实状况以及帅府军中所见进退不合事机的情况等，世宗皇帝召群臣合议，皆以宗叙奏论为然。当时，世宗皇帝已经诏令仆散忠义代替完颜谋衍为元帅，将诸军进讨契丹叛贼，遂拜授宗叙为兵部尚书兼领右翼都统事，率宗宁、乌延查剌、乌林答剌撒兵各千人，号称三万，佐助仆散忠义合力进讨契丹。宗叙奉命率军进讨，追击契丹贼众至花道，左翼都统宗亨先败走，忠义所率中军亦引退，宗叙遂尽勒本部兵截击之，麾帐下三百骑，舍马步战，契丹贼众不能前；忠义率大军复整列而进，合势击之，契丹之众溃散，而元帅右监军纥石烈志宁又率所部至，因追击窝斡余部至陷泉，再败之；宗叙与志宁及徒单克宁等遂率所部追至七渡河，又击败之。元帅忠义遂留宗叙于帅营中，相与谋画，遂平息契丹窝斡反叛。因功，除授右宣徽使。

复以宗叙为元帅右监军，驻守山东，以防御南宋侵犯。大定四年九月，率军渡淮进攻南宋，次年，宋人请和，遂定盟，撤军。因功除授河南路统军使。黄河决口，朝廷议欲塞决口，使河水复故道，宗叙以为累年征战，民无休息，不如听任河水分流为便，遂止塞河之议。十年，召还京师，拜参知政事；次年，奉诏巡视西北边疆事务，六月，驰驿至军中。时漠北蒙古诸部嚣张，常出掠境内牛马财物。宗叙至军中，会集诸将将与战，罹重疾而止；奏上，世宗皇帝遣纥石烈志宁往代之。宗叙遂还，七月，病益甚，遂力疾以表朝政得失以及边防利害等，使其子上之，因无治而殁，终年四十六岁。

初，宗叙尝议募贫民戍边屯田，以遏阻蒙古诸部侵凌。其议为：迁徙贫民至边，给以廪粟牛种，既可以解决贫民没有衣食来源之患，又可以免除国家富民每年转输更代之劳扰，且贫民至边又能够专心农业生产。世宗皇帝虽然认为宗叙的建议较好，但因种种原因而没有实行。及宗叙病殁之后，大定十七年，世宗皇帝谓大臣曰：

> "戍边之卒，岁冒寒暑，往来番休，以马牛往戍，往往皆死。且夺其农时，败其生业，朕甚闵之。朕欲使百姓安于田里，而边围强固，卿等何术可以致此。"左丞相良弼曰："边地不堪耕种，不能久戍，所以番代耳。"上曰："卿等以此急务为末事耶。往岁，参政宗叙尝为朕言此事。若宗叙，可谓尽心于国者矣。今以两路招讨司、乌古里石垒部

族、临潢、泰州等路，分置堡戍，详定以闻，朕将亲览。"①

世宗皇帝追念宗叙，闻其子孙家用不给，诏赐钱三千贯。金章宗明昌五年（1194 年），诏令以宗叙遗像配享世宗皇帝庙廷。

（梁文美　撰稿）

6. 完颜谋衍

谋衍，乃娄室次子，出生于辽天祚帝乾统八年（1108 年），自幼勇力过人，善使长矛突战。金熙宗天眷年间（1138—1140 年），以功臣子，充任牌印祇候，擢授符宝郎。皇统四年（1144 年），其兄活女以亲管奥吉猛安让谋衍，朝廷从之，遂授权济州路万户。八年，为元帅右都监。海陵王天德三年（1151 年），除授顺天军节度使，历任河间府（今河北省河间县）尹、临潢府尹及婆速路（今辽宁省丹东市东北九连城古城遗址）兵马都总管。及西北路契丹群牧撒八等反，谋衍奉诏往讨之。是时，世宗为东京留守，自将留守军兵讨击契丹括里等，因与谋衍相遇，遂尽以所将甲士付之，世宗遂还东京。会完颜福寿、高忠建等率领所部南征军兵，亡归东京，于是，谋衍亦率领所部来附，遂共同劝进世宗即位于东京，拜谋衍为右副元帅。大定二年，谋衍奉命致讨契丹窝斡，会兵于济州，得甲士万三千人，因过泰州，至术虎崖，乃舍辎重，人持数日粮，轻兵追击。时窝斡新败于泰州，将率余众走济州，谋衍遂分军迎击之，大破契丹余众于长泊，再败之于雾淞河，而谋衍军贪图掳掠，遂纵契丹余众逃逸。窝斡余众遂进犯懿州、惠州、高州（今内蒙古赤峰市元宝山区木头沟镇哈拉木头古城遗址）等地。谋衍则托以马瘦，引军还驻守懿州境内，不再追击。世宗皇帝遂使仆散忠义代替谋衍为右副元帅，诏令谋衍还京师，因授以大崇正事。大定七年（1167 年），出为北京（今内蒙古赤峰市宁城县大名古城遗址）留守。大定十一年（1171 年），病殁，时年六十四岁。

（梁文美　撰稿）

---

① 《金史》卷 71《阇母传附子宗叙传》，中华书局 1975 年版，第 1646 页。

7. 完颜仲

仲，本名石古乃，乃娄室之第三子。自幼善骑射。及长，体貌魁伟，精通女真、契丹、汉字。金熙宗皇统年间，以功臣子，充任护卫，授世袭谋克。海陵王天德元年（1149 年），摄领其兄活女济州万户，使民以时，部内称治。除授滨州刺史，转授知积石军事、同知河南府（今河南省洛阳市）尹。正隆六年，擢升神勇军副都总管，从海陵王南伐宋。及海陵王被弑，世宗即位，遂与大军北还，除同知大兴府（今北京市）尹，奉命将兵两千，以益遵化屯兵，备御契丹。及契丹窝斡之乱平息后，迁官为西南路招讨使（治天德州）兼天德军节度使，专司备御北部蒙古诸部事宜，处政尚忠信，决狱公允，深受部民信赖，漠北诸蕃部亦不敢复窥边，境内大治。于是，召为左副都点检，宿卫严谨，执事凡有规矩，即使后来者守其法，亦莫能变之。大定五年，为南宋报问使，如礼而还，擢升都点检兼侍卫亲军都指挥使，复迁官为河南路统军使；其后，因罪解职。久之，诏令起为西北路招讨使（治桓州），后迁官北京留守，因病而殁。

（梁文美 撰稿）

8. 完颜海里

海里，本完颜娄室之族子。自幼善骑射。及娄室为黄龙府万户，海里亦随从迁徙到耿吉讹母之地。其后，又随从娄室率领本部兵马追击辽天祚帝，至于朔州阿敦山，击败辽兵，天祚帝仅从数十骑逸去。娄室遂遣海里与尤得二人，入天祚皇帝军营，谕令其投降；时辽天祚帝已经穷蹙，往来道路皆为金军阻断，仅率余众困守阿敦山以东，及海里等至，遂至娄室军前请降。娄室因此俘获辽天祚帝，奖赏海里金五十两、银五百两、币帛二百匹、绵三百两。

及大军征讨陕西，海里遂从行。金熙宗天眷元年（1138 年），因功升授宿直将军。熙宗改废勃极烈制度（即女真贵族会议制度）以及削除宗磐、宗隽之乱，海里与有力焉，遂擢升广威将军，再迁官都水使者，寻即改授西北路招讨都监。其后，历官复州（今辽宁省瓦房店市西北复州古城遗址）刺史、滦州（今河北省滦县）刺史、耶鲁椀群牧使（今内蒙古东部大兴安岭附近）、迭剌部族节度使（今内蒙古东部大兴安岭附近）。及金海陵王即位，除授同知大兴（即金中都府号，今北京市）尹兼中都路兵马都总管，复改授武宁军节度使、广宁府尹。因病而殁。

（梁文美 撰稿）

9. 完颜守能

守能，本名胡剌，乃完颜希尹之子。累官至商州剌史。海陵王正隆（1156—1161 年）末年，南伐宋，宋人遣军攻取商州，守能遂为宋俘。金世宗大定五年（1165 年），金宋和盟成，相约"俘虏之人，尽数发还"。完颜仲为报问宋朝国信使，遂向南宋索取守能以及新息县令完颜按辰等，宋朝遂释放守能等与仲俱归，及至京师，世宗皇帝诏令守能等人仍给原官原俸。大定十九年（1179 年），擢授为西北路招讨使，赴任之后适逢世宗皇帝诏令迁徙西北路参与窝斡之乱的契丹人，于临潢府及泰州境内安置，路内契丹人口皆久居，不愿迁移，而政令严急。契丹押剌部民押剌列曾经随从窝斡造反，其弟闸敌也应在迁移之列，闸敌也家财皆在西北路，故以马匹贿赂守能，遂诈称死亡，使其家得免流徙。其后，守能又接受西北路民人赛也贿赂，并补授赛也为蕃部通事，结果，两事皆被告发。当时乌古里石垒部族节度副使奚沙阿補杖杀无罪镇边猛安，尚书省得报，遂与守能受贿诸事俱奏世宗皇帝，申问惩处办法。世宗曰："守能从剌史职位被超迁为今日之节度使身份，犹敢恣意贪污取贿。以前招讨司官员大多都进奉良马、橐驼、鹰鹘等物，原来都是借此纵行聚敛之事，此后不允许招讨司官员再向朝廷进奉良马等物。"然后又责问守能之兄守道曰："守能自剌史被超迁至招讨使，外官的尊贵，再也没有能超过招讨使的尊荣了。前任招讨使哲典因为贪污受贿而被处死，守能难道不知道，行事还敢如此，他究竟是怎么想的？他是你的亲弟弟，为何不事先训诫他呢？"世宗皇帝又对宰臣们说："监察的职责就是专门纠举与弹劾那些有罪的官员。宗州节度使阿思懑初之官，路途之中侵扰百姓，到官之后，其行事举动等处处都违背国家法度。完颜守能为招讨使，又贪污狼藉。凡是属于达官贵人之列，监察官吏都没有对他们的行为进行揭发弹劾。斡睹只群牧副使仆散那也取部人毬杖两支，立刻就被监察官员弹劾举报。从现在开始，凡监察御史只有任内考核职事修举者，才能迁转他们的官级。不能够胜任监察御史职务者，重则降级或处罚，轻则也要论决责罚，并不允许其转换岗位，仍要戴罪立功。"于是，尚书省议处：守能两次受贿赃物俱都不值五十贯，应该抵罪；奚沙阿补解除现任职务并取消世袭谋克身份。世宗皇帝曰："此旧制之误。凡是身居官位而犯罪至除名的人，与其享受的世袭权力一起予以罢免，如果没有罪至除名程度的，就不要罢免他们的世袭权力。"尚书省遂将世宗皇帝的这项指示，登录在国家律令之中。于是，由世宗皇帝特别发出诏令：守能杖二百，除名。

（梁文美　撰稿）

10. 卢彦伦

卢彦伦本临潢府人，出生于辽道宗大康九年（1083 年）。辽朝天庆年间（1111—1120 年），萧贞一留守上京，年届 30 的卢彦伦，被贞一辟用为府吏，即以治事才干著称，时临潢府境内多盗贼，城内兵虽多而又无统属者，府帅以彦伦有才干，荐之于朝，遂授之以殿直、勾当兵马公事。及辽军败于出河店，还至临潢府，兵士散居民家，令民给养之，而军士遂纵恣侵扰于民，无所不至，百姓尤为厌苦之。上京留守耶律赤狗儿不能禁戢诸军，遂召集军民谕之曰："契丹、汉人久为一家，今边方有警，国用不足，致使兵士久溷父老间，有侵扰亦当相容。"民众等皆无敢言者，独彦伦挺立而言曰："兵兴以来，民间财力困竭，今复使之养士，以国家多故，义固不敢辞。而此辈恣为强暴，使得百姓不堪忍受，而且契丹、汉族民众都是国家赤子，夺取汉族民众财物给予契丹民众，这又是为什么。"而留守司官员亦不能作出答案。

及金军初攻临潢府之时，军中有位名叫辛诋特剌的人，曾经担任过临潢府的驿站小吏，与卢彦伦私交颇为密切，故受军帅命前往诏谕彦伦投降，结果彦伦将辛诋特剌捉起来，历数其背叛君亲的罪行后，公开处死。因此，辽朝特别授予卢彦伦为团练使、勾当留守司公事。金天辅四年（1120 年），彦伦随上京留守挞不也一起投降金朝之后，被任命为夏州观察使、权发遣上京留守事。不久，挞不也复率京城契丹人等反叛金朝，彦伦遂率所部驱逐挞不也、尽杀城中作乱之契丹人等，并遣使向金朝汇报。未几，辽将耶律马哥率大军进攻临潢府，卢彦伦遂督率部众婴城固守七个月，直到金朝援军到来，临潢府始终未能落入辽军手中。临潢解围之后，彦伦奉命赴阙。天会二年（1124年），除知新城（隶属涿州，今河北省新城县高碑店镇东南新城）事，时初经兵火，城邑初建，彦伦日夜经画其民居、公宇等皆有法度。其后，改任静江军节度留后，知咸州（今辽宁省开原市东北老城古城遗址）烟火事，旋即迁授静江军节度使。金熙宗天眷（1138—1140年）初年，改任行少府监兼都水使者，充提点京城大内所；后改任利涉军节度使（即济州，今吉林省农安县），旋即复任提点大内所。岁余后，除任侍卫亲军马步军都指挥使，又奉诏为宋国岁元使，礼毕而还，迁授礼部尚书、加特进，封郇国公。金海陵王天德二年（1150年），出任大名府（今河北省大名县东北大街古城遗址）尹，次年，诏命彦伦营造燕京宫室，奉诏赴任，染疾而殁，终年六十九岁。

（梁文美　撰稿）

主要参考文献

1.（宋）欧阳修：《新唐书》，中华书局 1975 年版。

2.（宋）司马光：《资治通鉴》，中华书局 1956 年版。

3.（后晋）刘昫：《旧唐书》，中华书局 1975 年版。

4.（宋）乐史：《太平寰宇记》，四库本。

5.（元）脱脱等：《辽史》，中华书局 1974 年版。

6.（宋）王钦若等：《册府元龟》，中华书局 1960 年版。

7.（宋）李昉等：《文苑英华》，中华书局 1982 年版。

8.（宋）薛居正：《旧五代史》，中华书局 1976 年版。

9.（宋）欧阳修：《新五代史》，中华书局 1974 年版。

10.（元）脱脱等：《宋史》，中华书局 1977 年版。

11.（清）赵翼:《廿二史劄记校证》，王树民校证，中华书局 1984 年版。

12.（宋）王溥：《五代会要》，四库本。

13.（宋）司马光：《资治通鉴考异》，四库本。

14.（唐）杜佑:《通典》，王文锦、王永兴等点校，中华书局 1988 年版。

15.（唐）魏徵等：《隋书》，中华书局 1973 年版。

16.（宋）叶隆礼：《契丹国志》，贾敬颜、林荣贵点校，上海古籍出版社 1985 年版。

17.（宋）李焘：《续资治通鉴长编》，上海师范大学古籍整理研究所等点校，中华书局1992年版。

18.（宋）李心传：《建炎以来系年要录》，四库本。

19.（宋）李心传：《建炎以来朝野杂记》，四库本。

20.（宋）徐梦莘：《三朝北盟会编》，四库本。

21.（清）徐松辑：《宋会要辑稿》，中华书局影印本1957年版。

22.（宋）彭汝砺：《鄱阳集》，四库本。

23.（元）脱脱等：《金史》，中华书局1975年版。

24.（五代）陶穀：《清异录》，四库本。

25.（宋）尤袤：《江南野史》，四库本。

26.（宋）王溥：《唐会要》，上海古籍出版社1991年版。

27.（宋）刘跂：《学易集》，四库本。

28.（宋）王君玉：《国老谈苑》，四库本。

29.（宋）王明清：《挥麈录》，中华书局1961年版。

30.（宋）宇文懋昭撰：《大金国志》，四库本。

31.（宋）佚名：《大金吊伐录》，四库本。

32.（宋）刘祁：《归潜志》，中华书局1983年版。

33.（明）宋濂等：《元史》，中华书局1976年版。

34.［波斯］拉施特丁：《史集》第1卷，余大钧、周建奇译，商务印书馆1983年版。

35.额尔登泰、乌云达赉校勘：《蒙古秘史》（校勘本），内蒙古人民出版社1981年版。

36.（宋）庞元英：《文昌杂录》，四库本。

37.（元）马端临：《文献通考》，四库本。

38.（宋）曾巩：《隆平集》，四库本。

39.（宋）王偁：《东都事略》，四库本。

40.（宋）陆游：《南唐书》，四库本。

41.（宋）李攸：《宋朝事实》，四库本。

42.（宋）彭百川：《太平治迹统类》，四库本。

43.（宋）余靖：《武溪集》，四库本。

44．［朝鲜］郑麟趾：《高丽史》，平壤，1958 年。

45．［伊朗］志费尼：《世界征服者史》，何高济译、翁独健校，内蒙古人民出版社 1980 年版。

46．（清）厉鹗：《辽史拾遗》，四库本。

47．（清）杨复吉：《辽史拾遗补》，四库本。

48．（宋）洪皓：《松漠纪闻》，四库本。

49．（元）陶宗仪：《说郛三种》，上海古籍出版社 1988 年版。

50．（清）吴广成撰：《西夏书事》，龚世俊等校证，甘肃文化出版社 1995 年版。

51．（清）张金吾：《金文最》，中华书局标点本 1990 年版。

52．（金）王寂撰：《辽东行部志》，张博泉注释，黑龙江人民出版社 1984 年版。

53．傅乐焕：《辽史丛考》，中华书局 1984 年版。

54．［日］田村实造：《中国征服王朝研究（1—3）》（上、中册），京都大学东洋史研究会 1964、1971 年版，同朋舍 1985 年版。

55．清格尔泰、刘凤翥等：《契丹小字研究》，中国社会科学出版社 1985 年版。

56．清格尔泰：《契丹小字释读问题》，日本国立东京外国语大学亚非语言文化研究所 2002 年版。

57．于宝林：《契丹古代史稿》，黄山书社 1998 年版。

58．陈述主编：《辽金史论集》第 1 辑，上海古籍出版社 1987 年版。

59．陈述主编：《辽金史论集》第 2 辑，书目文献出版社 1987 年版。

60．陈述主编：《辽金史论集》第 3 辑，书目文献出版社 1987 年版。

61．陈述主编：《辽金史论集》第 4 辑，书目文献出版社 1989 年版。

62．陈述主编：《辽金史论集》第 5 辑，文津出版社 1991 年版。

63．张畅耕主编：《辽金史论集》第 6 辑，社会科学文献出版社 2001 年版。

64．穆鸿利、黄凤岐主编：《辽金史论集》第 7 辑，中州古籍出版社 1996 年版。

65．干志耿、王可宾主编：《辽金史论集》第 8 辑，吉林文史出版社

1994 年版。

66. 徐振清主编：《辽金史论集》第 9 辑，中州古籍出版社 1996 年版。

67.（台湾）郑钦仁等译著：《征服王朝论文集》修订版，稻乡出版社 1992 年版。

68. ［日］爱宕松男：《契丹古代史研究》，京都大学东洋史研究会 1959（昭和 34）年版。

69. ［日］岛田正郎：《辽代社会史研究》，岩南堂书店 1978（昭和 53）年版。

70. 刘浦江：《二十世纪辽金史论著目录》，上海辞书出版社 2003 年版。

71. ［美］卡尔·魏特夫、冯家昇：《中国社会史：辽（907—1125）》（Karl A. Wittfogel《Hitory of Chinese Society，Liao（907—1125）》），麦克米伦出版公司 1949 年版。

72. ［德］博海波、［英］崔瑞德主编：《剑桥中国辽西夏金元史》，史卫民等译，中国社会科学出版社 1998 年版。

73. 任爱君：《契丹史实揭要》，哈尔滨出版社 2001 年版。

74. 任爱君：《辽代的契丹本土风貌》，国际华文出版社 2001 年版。

75. 盖之庸：《内蒙古辽代石刻文研究》，内蒙古大学出版社 2002 年版。

76. 舒焚：《辽史稿》，湖北人民出版社 1984 年版。

77. 王承礼主编：《辽金契丹女真史译文集》，吉林文史出版社 1990 年版。

78. 陈述：《契丹政治史稿》，人民出版社 1986 年版。

79. 孙进己、王欣等主编：《东北史地资料之四》，《契丹史论著汇编》，辽宁省社会科学院历史研究所 1988 年版。

80. 韩儒林：《穹庐集》，上海人民出版社 1982 年版。

81. 李锡厚：《耶律阿保机传》，吉林教育出版社 1996 年版。

82. 何天明：《辽代政权机构史稿》，内蒙古大学出版社 2004 年版。

83. 李桂枝：《辽金简史》，福建人民出版社 1998 年版。

84. 白寿彝总主编、陈振主编：《中国通史》第七卷《中古时代——五代辽宋夏金时期》下，上海人民出版社 1989 年版。

　　85．冯家昇：《辽史证误三种》，中华书局 1959 年版。

　　86．内蒙古自治区计划委员会国土整治办公室：《内蒙古国土资源地图集》，内蒙古人民出版社 1987 年版。

　　87．高延青主编："98 赤峰·中国古代北方民族文化第二届国际学术研讨会"论文集《北方民族文化新论》，哈尔滨出版社 2001 年版。

　　88．向南：《辽代石刻文编》，河北教育出版社 1995 年版。

　　89．张国庆、朴忠国：《辽代契丹习俗史》，辽宁民族出版社 1997 年版。

　　90．张国庆：《辽代社会史研究》，中国社会科学出版社 2006 年版。

　　91．贾敬颜：《五代宋金元人边疆行记十三种疏证稿》，中华书局 2004 年版。

　　92．项春松：《辽代历史与考古》，内蒙古人民出版社 1996 年版。

　　93．政协巴林左旗委员会编：《临潢史迹》，内蒙古人民出版社 1999 年版。

　　94．辽宁省文物管理委员会办公室：《辽宁文物古迹大观》，辽宁大学出版社 1994 年版。

　　95．纪兵等主编：《阜新辽金史研究》，阜新市辽金元契丹女真蒙古族历史考古研究会 1991 年铅印本。

　　96．魏坚主编：《内蒙古文物考古文集》第 1 辑，中国大百科全书出版社 1994 年版。

　　97．魏坚主编：《内蒙古文物考古文集》第 2 辑，中国大百科全书出版社 1997 年版。

　　98．宋德金等主编：《辽金西夏史研究》，天津古籍出版社 1997 年版。

　　99．陈述：《契丹社会经济史稿》，生活·读书·新知三联书店 1963 年版。

　　100．张正明：《契丹史略》，中华书局 1979 年版。

　　101．孟广耀：《儒家文化——辽皇朝之魂》，哈尔滨出版社 1994 年版。

　　102．蔡美彪等：《中国通史》第六册，人民出版社 1979 年版。

　　103．江应樑：《中国民族史》（上、中、下三册），民族出版社 1990 年版。

104. 李锡厚著：《临潢集》，漆侠主编"宋史研究丛书"第 2 辑，河北大学出版社 2001 年版。

105. 高延青主编：《中国古都研究》（上、下），国际华文出版社 2001 年版。

106. 项春松编：《辽代壁画选》，上海人民美术出版社 1984 年版。

107. ［俄］符拉基米尔佐夫：《蒙古社会制度史》，刘荣焌译，中国社会科学出版社 1980 年版。

108. 费孝通：《中华民族多元一体格局》，中央民族学院出版社 1989 年版。

109. 韩效文、杨建新主编：《各民族共创中华》西北卷，甘肃文化出版社 1999 年版。

110. 韩效文、杨建新主编：《各民族共创中华》东北内蒙古卷，甘肃文化出版社 1999 年版。

111. ［美］W. M. 麦高文：《中亚古国史》，章巽译，中华书局 1958 年版。

112. 苏赫主编：《中国北方古代文化国际学术研讨会论文集》，中国文史出版社 1995 年版。

113. 北京市文物研究所编：《北京考古四十年》，北京燕山出版社 1990 年版。

114. 内蒙古文物工作队编：《内蒙古文物资料选辑》，内蒙古人民出版社 1964 年版。

115. 陈汉章：《辽史索引》，缀学堂丛稿初集 1936 年版。

116. ［日］若诚久治郎：《辽史索引》，汇文堂书店 1937 年版。

117. 杨家骆主编：《辽史汇编》（1—11），鼎文书局 1973 年版。

118. 冯继钦、孟古托力等：《契丹族文化史》，黑龙江人民出版社 1994 年版。

119. 文物编辑委员会编：《文物考古工作十年（1979—1989）》，文物出版社 1990 年版。

120. 宋德金：《辽金论稿》，湖北教育出版社 2005 年版。

121. 吴天墀：《西夏史稿》，四川人民出版社 1980 年版。

122. 赵永春：《金宋关系史》，人民出版社 2005 年版。

123. 张博泉：《金史简编》，辽宁人民出版社 1984 年版。

124. 王德朋：《金代汉族士人研究》，中国社会科学出版社 2006 年版。

125. 伊克昭盟《蒙古民族通史》编委会主编、孟广耀撰写：《蒙古民族通史》第 1 卷，内蒙古大学出版社 2002 年版。

126. 乌云毕力格、白拉都格其主编：《蒙古史纲要》，内蒙古大学出版社 2006 年版。

127. 郝维民、齐木德道尔吉主编：《内蒙古通史纲要》，人民出版社 2006 年版。

128. 周清澍主编：《内蒙古历史地理》，内蒙古大学出版社 1994 年版。

129. 刘浦江：《辽金史论》，辽宁大学出版社 1999 年版。

130. 孙进己：《二十世纪我国契丹史研究综述》，李品青主编《阜新辽金史研究》，中国社会出版社 2002 年版，第 145—146 页。

131. 刘浦江：《第三只眼看中国历史——评〈剑桥中国辽西夏金元史〉》，《中国文化》2002 年第 1 期。

132. ［蒙古］佩尔列：《蒙古人民共和国境内的契丹古城古村落遗址》，陈弘法译，《文物考古参考资料》第 8 期，内蒙古文物工作队 1979 年版。

133. ［日］松井：《契丹勃兴史》，刘凤翥译，邢复礼校，载中国社会科学院民族研究所《民族史译文集》1981 年第 10 辑。

134. 贾敬颜：《记游牧民族的文化传承》，《中央民族学院学报》1990 年第 1 期。

135. 汪宁生：《从原始记事到文字发明》，《考古学报》1981 年第 1 期。

136. 内蒙古文物考古研究所：《辽上京城址勘查报告》，魏坚主编《内蒙古文物考古文集》第一辑，中国大百科全书出版社 1994 年版。

137. 李宇峰：《建国以来辽宁地区辽代城址的考古发现与研究》，李品清主编《阜新辽金史研究》第 5 辑，中国社会出版社 2002 年版。

138. 田广金：《试析中国北方畜牧业起源问题》，载苏赫主编《中国北方古代文化国际学术研讨会论文集》，文史出版社 1996 年版。

139. 乔晓勤：《关于北方游牧文化起源的探讨》，《内蒙古文物考古》1992 年 1、2 期合刊。

140. 范文澜：《中国历史上的民族斗争与融合》，《新华月报》文摘版1980 年第 5 期。